D1536232

EMC Español 3

¡Aventura!

Annotated Teacher's Edition

Contributing Writers

Rolando Castellanos

James F. Funston

Paul J. Hoff

Charisse Litteken

**EMC
Publishing**

ST. PAUL • LOS ANGELES • INDIANAPOLIS

Project Manager
Charisse Litteken

Associate Editors
Hannah da Veiga

Assistant Editor
Tanya Brown

Consultants
Nancy Ballard
Erik Gronberg

Composition
Precision Graphics

Production Editor
Amy McGuire

Cover Design
Leslie Anderson

Care has been taken to verify the accuracy of information presented in this book. However, the authors, editors, and publisher cannot accept responsibility for Web, e-mail, newsgroup, or chat room subject matter or content, or for consequences from application of the information in this book, and make no warranty, expressed or implied, with respect to its content.

We have made every effort to trace the ownership of all copyrighted material and to secure permission from copyright holders. In the event of any question arising as to the use of any material, we will be pleased to make the necessary corrections in future printings.

ISBN 978-0-82194-011-2

© 2009 by EMC Publishing, LLC
875 Montreal Way
St. Paul, MN 55102
E-mail: educate@emcp.com
Web site: www.emcp.com

All rights reserved. No part of this publication may be adapted, reproduced, stored in a retrieval system, or transmitted in any form or by any means, electronic, mechanical, photocopying, recording, or otherwise, without prior written permission from the publisher.

Printed in the United States of America

16 15 14 13 12 11 10 09 08 07   1 2 3 4 5 6 7 8 9 10

Contents

From the Authors

Greetings fellow teachers! Knowledge of languages is more important than ever before. Information-based technology and globalization require a skillful workforce in the area of interpersonal communication. Such a dynamic environment calls for the instruction of world languages and cultural sensitivity.

¡Aventura! is a Spanish series designed to make language instruction a rewarding experience. This product embeds the five C's of communication, cultures, connections, comparisons, and communities that are promoted by the National Standards for Foreign Language Learning. Our program empowers students to learn how to speak, read, write, and comprehend Spanish within diverse cultural contexts. Textbook activities and readings help motivate students to explore the Spanish-speaking world that lies beyond the classroom.

The extensive set of components that complement the textbooks is described in this Annotated Teacher's Edition to allow instructors to develop an effective and flexible curriculum geared to fulfill their particular classroom needs. Whether teachers want to address their students' learning needs through Web-based interaction, listening practice, grammar and vocabulary activities, software, or audiovisual aids, *¡Aventura!* includes all the resources necessary to reinforce, recycle, and expand upon the textbook content.

¡Aventura! offers scores of exciting opportunities for teachers and pupils to mutually tackle multiple intelligences, career skills, critical thinking, cross-curricular scholarship, creative problem solving, and teamwork environments. Welcome to the *¡Aventura!* family.

Capítulo 1 ¡Bienvenidos!

Colombia   Venezuela

Objectives	Lección A	Topics	Dialog	Cultura viva
• greet friends • talk about school classes and schedules • describe others in terms of personality • talk about after-school jobs • talk about sports and after-school activities • ask for information • describe occupations • describe movies and programs • talk about likes and dislikes • express an opinion		greetings school-related activities descriptions Colombia	¿Me reconoces? ¡Uf! ¡Qué problema con mi horario!	Colombia y los famosos ¿Qué se puede hace en Bogotá?
	Lección B	after-school activities jobs Venezuela asking for information types of movies likes and dislikes	¿Qué es tu hermana? ¡Me fascina este programa!	Béisbol en Venezuel Venezuela y la industria de la telenovela

Tú lees: Estrategia: *Rhythm and rhyme*
           Versos sencillos (AP Selection)

Tú escribes: Estrategia: *Organize the main ideas*

Capítulo 2 En familia

Estados Unidos

Objectives	Lección A	Topics	Dialog	Cultura viva
• describe family members • express negation or disagreement • name different areas of a house and household items • talk about activities in progress • make generalized statements • talk about daily routine • describe emotions and relationships • talk about house chores • tell others what to do		family members celebrations household items parts of a house United States	¿Conoces a algún chico guapo? ¿Qué estás haciendo?	El *Spanglish* en Estad Unidos La Fiesta de San Antonio
	Lección B	daily routine United States household chores emotions	¿Por qué se pelean? ¡Pon tus cosas en orden!	Anuncios comercial para los hispanos La Gran Manzana

Tú lees: Estrategia: *Visualizing*
           ¿No oyes ladrar los perros? (AP Selection)

Tú escribes: Estrategia: *Combining sentences*

Idioma	Estrategia	Oportunidades	¡Extra!	Readings
Repaso rápido: El presente del indicativo Los verbos que terminan en *-cer, -cir* Usos del presente *Repaso rápido:* Número y género de los adjetivos Usos de *ser* y *estar* con adjetivos	Learning irregular verb forms		En la internet Más descripciones	El mundo de Botero
Palabras interrogativas: *¿Qué es?* o *¿Cuál es?* El verbo *ser* para describir ocupaciones o profesiones Para hablar de gustos y preferencias: el verbo *gustar* Para expresar su opinión: otros verbos como *gustar*		Aprender español por telenovela	En la internet Las palabras interrogativas Familias de palabras: adjetivos que terminan en *-oso/a* Más oficios y profesiones Un dicho sobre gustos	Ruta Quetzal: recuerdos de Venezuela

Idioma	Estrategia	Oportunidades	¡Extra!	Readings
Repaso rápido: Palabras afirmativas y negativas Más sobre expresiones afirmativas y negativas *Repaso rápido:* Los complementos El presente progresivo El uso de *se* en expresiones impersonales	Reading for content and information	De compras por un barrio hispano	Los padrinos	Carmen Lomas Garza: retratos de la comunidad mexicoamericana
Las construcciones reflexivas para hablar de la rutina diaria Otros usos de las construcciones reflexivas Acciones recíprocas Los mandatos informales afirmativos *Repaso rápido:* Las preposiciones de lugar			Rutina diaria Otros quehaceres	Ruta Quetzal: recuerdos de Santa Fe

Capítulo 3 ¿Qué pasa en el mundo?

 España

Objectives	Lección A	Topics	Dialog	Cultura viva

• classify news in corresponding sections
• talk about activities of the media
• talk about how long something has been going on
• comment on news and events in the media
• recall and talk about events in the past
• react to news events
• link parts of sentences
		sections of a newspaper
		activities of the media
		Spain
		events in the past
			¿Qué pasó?
			La entrevista
				Un *Aula* muy espe(
				El Festival
				  Internacional
				  de Cine de San
				  Sebastián

	Lección B	news
		events in the past
		Spain
			¿Qué sucedió?
			¿Qué había pasado?
				Almería, el Hollyw
				  español
				Sevilla: 3000 años (
				  historia

Tú lees: Estrategia: *Use prior knowledge*
De la segunda salida de don Quijote *(AP Selection)*

Tú escribes: Estrategia: *Use snappy introductions*

Capítulo 4 Entre amigos

 Puerto Rico   **República Dominicana**

Objectives	Lección A	Topics	Dialog	Cultura viva
• describe your personality and that of your friends • talk about personal relationships • make apologies • express events in the past • describe people and things • talk about family relationships • give recommendations and advice • receive and place phone calls • talk about actions that lasted for an extended time		descriptions feelings apologies Puerto Rico	Te voy a contar un secreto No ha sido mi culpa	La herencia taína Los jóvenes y la sal

	Lección B	family relationships
		giving orders and advice
		using the phone
		Dominican Republic
			¡No vuelvas tarde a
			  casa!
			¿Qué estabas
			  haciendo?
				Juan Luis Guerra, (
				  canto de esperan
				Los jóvenes
				  dominicanos de h

Tú lees: Estrategia: *Inferring the poet's attitude*
"A Julia de Burgos" *(AP Selection)*

Tú escribes: Estrategia: *Transitions*

Idioma	Estrategia	Oportunidades	¡Extra!	Readings
Repaso rápido: El pretérito Verbos irregulares en el pretérito I Verbos irregulares en el pretérito II *Repaso rápido:* Expresiones de tiempo con hace El imperfecto	Identify words by their grammatical function	Siga la actualidad informativa en español	Expresiones del tiempo En otras palabras Expresiones de tiempo	Los jóvenes españoles y la lectura
Usos del pretérito y del imperfecto Cambios de significado en el pretérito y en el imperfecto El participio pasado y el pretérito pluscuamperfecto Los pronombres relativos *que, quien(es)*			Otras noticias	Toledo: un encuentro de culturas

Idioma	Estrategia	Oportunidades	¡Extra!	Readings
Repaso rápido: Más sobre verbos y pronombres Los complementos directos e indirectos en una misma oración Los participios pasados y el pretérito perfecto La posición del adjetivo y su significado	Using cognates and context clues	El español y la salsa	Más descripciones Participios pasados irregulares	En el Viejo San Juan
Los mandatos negativos informales Los usos de la preposición El imperfecto progresivo			En las relaciones	Santo Domingo: un mundo nuevo

Capítulo 5 Ciudad y campo

Argentina Chile

Objectives	Lección A	Topics	Dialog	Cultura viva
• give advice about driving in the city • identify road signs • tell others what to do • ask for and give directions • make generalizations about what's important, useful and necessary • talk about train travel • talk about camping activities • make requests, suggestions and demands		driving road signs giving directions Argentina	¡No acelere! Creo que estamos perdidos	¿En subte o en colectivo? El transporte público en Buenos Aires El mundo de Mafalda
	Lección B	train travel the country camping activities Chile	¿A qué hora sale el tren? Te sugiero que lleves botas	El Tren de la Poesía Los parques nacionales de Chile

Tú lees: Estrategia: *Identifying symbols*
                El Sur *(AP Selection)*

Tú escribes: Estrategia: *Comparing and contrasting*

Capítulo 6 De viaje

Panamá Costa Rica

Objectives	Lección A	Topics	Dialog	Cultura viva
• make travel plans • make weather predictions • talk about events that will take place in the future • express doubt or certainty about certain facts • make lodging arrangements • state wishes and preferences • make requests in a polite manner • describe a visit to a national park • express emotions, likes and dislikes		travel plans weather airport Panama	¿Tiene los pasajes? No creo que haya tormenta	Panamá, tres ciudades en una San Blas, un viaje al pasado
	Lección B	lodging arrangements national parks outdoor activities wildlife Costa Rica	En el albergue juvenil ¡Temo que nos perdamos en la selva!	El volcán Arenal El viaje de las tortugas verdes

Tú lees: Estrategia: *Interpreting figurative language*
                En una tempestad *(AP Selection)*

Tú escribes: Estrategia: *Organizing information*

Idioma	Estrategia	Oportunidades	¡Extra!	Readings
Los mandatos formales y plurales Los mandatos con nosotros *Repaso rápido: Preguntar* y *pedir* El subjuntivo: verbos regulares y con cambios ortográficos	Using lists	Historietas en español	En otras palabras También se dice así	El tango
El subjuntivo: verbos irregulares y más expresiones impersonales El subjuntivo: verbos con cambios de raíz *Por* y *para* El subjuntivo con verbos de obligación				Recuerdos de Chile: Puerto Varas

Idioma	Estrategia	Oportunidades	¡Extra!	Readings
El subjuntivo con cláusulas adverbiales El futuro El subjuntivo para expresar duda y negación	Using graphic organizers	El español y los centros culturales		La historia del Canal de Panamá
El condicional Otros usos del condicional El subjuntivo con verbos que expresan emoción	Listen to the message		En el hotel Otros lugares donde alojarse	Recuerdos de San José

Capítulo 7 Buen provecho

 Bolivia Perú

Objectives	Lección A	Topics	Dialog	Cultura viva
• talk about grocery shopping • describe foods in terms of flavor and freshness • make comparisons • single out something • discuss food preparations • express accidental occurrences • talk about good manners • order food in a restaurant • make complaints • avoid using a word already mentioned		food shopping in an outdoor market comparisons cooking eating in Bolivia	Estas manzanas son carísimas ¡Ay, se me cayó el plato!	El carnaval de Oruro Yuca, el tubérculo andino
	Lección B	good manners at a party ordering food Peru	¡Te dije que no pusieras los codos en la mesa! Pide lo que quieras	Inti Raymi, la Fiesta del Sol Una receta peruana

Tú lees: Estrategia: *Using your senses*
Oda a la alcachofa (AP Selection)

Tú escribes: Estrategia: *Using sensorial details*

Capítulo 8 La buena salud

 Guatemala Honduras

Objectives	Lección A	Topics	Dialog	Cultura viva
• inquire and give advice about health • express future events • talk about situations that would have happened • talk about symptoms and remedies • ask for and provide medical information • express length of time • discuss ways to stay fit • express what someone would do in a specific situation • talk about a healthy diet		emergencies at a clinic parts of the body at the hospital symptoms remedies Guatemala	¿Cómo te quebraste el brazo? ¿Qué síntomas tiene?	Remedios de la medicina maya Baños termales en Guatemala
	Lección B	fitness nutrition Honduras	Si hicieras ejercicio te sentirías mejor ¡Evita la comida chatarra!	Los Juegos Deportivos Estudiantiles La cocina hondureñ

Tú lees: Estrategia: *Using context clues to clarify meaning*
Un día de éstos (AP Selection)

Tú escribes: Estrategia: *Describing a process*

SCOPE & SEQUENCE
AT A GLANCE
IN THE CLASSROOM
TRANSCRIPTS A LITTLE EXTRA

Capítulo 9 Última moda

 México

Objectives	Lección A	Topics	Dialog	Cultura viva
• describe hairstyles • express hypothetical situations • describe clothes and accessories • describe colors • talk about the cleaning and tailoring of clothing items • specify conditions under which things will be done • say to whom things belong • talk about handicrafts		hairstyles clothes colors Mexico	Quiero un nuevo peinado ¿Cómo me queda?	Trajes tradicionales aztecas De compras por los tianguis
	Lección B	at the dry cleaner sewing notions handicrafts Mexico	Este vestido tiene una mancha ¿Qué tal si compro esto?	Entrevista con Macario, diseñador mexicano Revistas para chavos y chavas

Tú lees: Estrategia: Imagining the action
El delantal blanco *(AP Selection)*

Tú escribes: Estrategia: *Turning point in a story*

Capítulo 10 Nuestro futuro

 España

Objectives	Lección A	Topics	Dialog	Cultura viva
• talk about projects for the future • talk about careers • prepare for a job interview • evaluate work conditions • refer to indefinite or unknown subjects • talk about future technologies • express wishes and hopes for the future • discuss environmental problems, their causes and solutions		professions plans for the future job interview Spain	¿Qué carrera piensas seguir? ¿Tiene Ud. referencias?	Las primeras universidades de l Península Ibérica Cómo se hace un currículum en España
	Lección B	future technologies space and science the environment Spain	¿Qué piensas de las nuevas tecnologías? Cuidemos el medio ambiente	Pedro Duque, un español en la Estación Espacial Internacional Ayudando a combat una marea negra

Tú lees: Estrategia: *Understanding the author's purpose*
Vuelva usted mañana *(AP Selection)*

Tú escribes: Estrategia: *Present the pros and cons*

Idioma	Estrategia	Oportunidades	¡Extra!	Readings
El presente perfecto del subjuntivo El pluscuamperfecto del subjuntivo *Cualquiera* Adjetivos para describir colores *Repaso rápido:* Los diminutivos y los aumentativos		De compras por la internet	En otras palabras	Los muralistas mexicanos
Repaso rápido: Los adjetivos y pronombres posesivos El subjuntivo en cláusulas adverbiales Otros usos del infinitivo Usos del gerundio y del participio pasado	Using visuals to make predictions			Los tarahumara

Idioma	Estrategia	Oportunidades	¡Extra!	Readings
Verbos que terminan en *-iar, -uar* Usos del subjuntivo y del indicativo *Repaso rápido:* El subjuntivo con sujeto indefinido		Aprenda español en el extranjero	*Graduarse* y *licenciarse*	Carreras con futuro
Repaso rápido: El futuro perfecto Más sobre el imperfecto del subjuntivo Repaso de las formas del subjuntivo Repaso de los usos del subjuntivo I Repaso de los usos del subjuntivo II	Group words into categories			El Coto de Doñana

SCOPE & SEQUENCE AT A GLANCE IN THE CLASSROOM TRANSCRIPTS A LITTLE EXTRA

¡Aventura! Components

A variety of products makes teaching and learning meaningful and fun.

Teaching Basics

The basic components allow you to deliver meaningful and engaging lessons.

Textbook (Hardcover and Interactive CD-ROM)

 Audio Program on CD or with Downloadable Audio

Annotated Teacher's Edition (Hardcover)

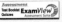 *ExamView*® **Assessment Program**

Interactive Lesson Planner (includes Interactive ATE)

 Workbook (Student and Teacher's Edition)

 Listening Activities

 Overhead Transparencies (Acetate or Electronic)

¡Otra vez! Interactive Flash Cards and Flash Cards Maker enable teachers to introduce or review vocabulary words using PowerPoint presentations or flash cards that feature vocabulary art.

Additional Resources

Multiple resources give you the flexibilit to tailor your lessons to meet the specifi needs of your students.

 Grammar and Vocabulary Exercises Manual provides more practice for students who need additional review or enrichment.

 Communicative Activities Manual includes four styles of activities to improv speaking, listening, and writing skills.

 Canciones **I** and **II** bring classic Spanish songs to life with music tracks and activity manuals.

Internet Technology

Web-based activities give students an authentic connection to the Spanish-speaking world!

Internet Resource Center includes online activities, review, and research projects.

NewsTicker Daily news articles keep students up-to-date with what's happening in the Spanish-speaking world at a level they can understand.

i-CATCHER INTERACTIVE INTERNET VIDEO CLIPS Monthly videos show Spanish-speaking youth demonstrating their unique hobbies and interests.

HitTicker Monthly karaoke songs allow students to sing the most popular Spanish-language songs.

Multimedia Technology

DVD and CD formats offer students a multisensory Spanish language experience.

DVD program: *El cuarto misterioso* incorporates chapter learning objectives in a behind-the-scenes glimpse of some of the main actors from the intriguing teen-centered adventure.

***¡Aventureros!* i-Catcher CD** compiles 10 i-Catcher videos that complement instructional content with additional vocabulary and electronic activities.

Electronic Flash Cards Maker provides color images of vocabulary words that students can use to make their own flash cards.

***¡Aventura! Juegos* CD** contains electronic games that practice each chapter's vocabulary and grammatical objectives.

Differentiated Learning Resources

Additional materials help you meet the needs of your diverse learners.

Classroom Library includes 30 titles (most that are recorded) that teachers can use to promote reading.

Classroom Game Package includes a variety of board and card games that students can utilize to improve their language skills.

Activities for Substitutes and Rainy Days Package suggests additional resources teachers can use with minimal preparation time.

The National Standards and Philosophy behind ¡Aventura!

National Standards

The *Goals 2000: Educate America Act* of 1994 provided funding for improving education. One result of this funding was the establishment of content standards in foreign language education as determined by a K-12 Student Standards Task Force. The new framework, revised and expanded in 1999, *Standards for Foreign Language Learning in the 21st Century including Chinese, Classical Languages, French, German, Italian, Japanese, Portuguese, Russian, and Spanish*, includes information about standards application in specific languages. The main points of the National Standards are listed here. More information can be found at www.actfl.org.

Communication
Communicate in Languages Other Than English

Standard 1.1: Students engage in conversations, provide and obtain information, express feelings and emotions and exchange opinions.

Standard 1.2: Students understand and interpret written and spoken language on a variety of topics.

Standard 1.3: Students present information, concepts and ideas to an audience of listeners or readers on a variety of topics.

Cultures
Gain Knowledge and Understanding of Other Cultures

Standard 2.1: Students demonstrate an understanding of the relationship between the practices and perspectives of the culture studied.

Standard 2.2: Students demonstrate an understanding of the relationship between the products and perspectives of the culture studied.

Connections
Connect with Other Disciplines and Acquire Information

Standard 3.1: Students reinforce and further their knowledge of other disciplines through the foreign language.

Standard 3.2: Students acquire information and recognize the distinctive viewpoints that are only available through the foreign language and its cultures.

Comparisons
Develop Insight into the Nature of Language and Culture

Standard 4.1: Students demonstrate understanding of the nature of language through comparisons of the language studied and their own.

Standard 4.2: Students demonstrate understanding of the concept of culture through comparisons of the cultures studied and their own.

Communities
Participate in Multilingual Communities at Home and around the World

Standard 5.1: Students use the language both within and beyond the school setting.

Standard 5.2: Students show evidence of becoming lifelong learners by using the language for personal enjoyment and enrichment.

Correlations with standards and extensive research create the framework for ¡Aventura!

Philosophy behind ¡Aventura!

¡Aventura! is a reflection of extensive research and the work of many dedicated professionals in foreign language education. This research, the National Standards, and best instructional practices helped define the philosophy that led the creation of the ¡Aventura! series. Guiding principles, like the ones that follow, are included throughout the book to enrich the classroom experience and expand it beyond your classroom walls.

AP Language and Literature

The ¡Aventura! 3 curriculum is designed to offer options that allow teachers to prepare students for the Spanish AP (Advanced Placement) Language and Literature Examinations. A wide range of preparatory activities are presented in the margin notes as well as required AP Spanish literary selections in the *¡Viento en popa!* section.

Cross-curricular Learning

In the ¡Aventura! classroom, students can understand and enjoy the real-life application of their language learning as they relate the study of other academic disciplines. The student textbook includes *Conexión con otras disciplinas*, and the ATE margins provide activities titled Connections.

Spanish for Spanish-Speaking Students

The ¡Aventura! ATE includes a variety of activities and suggestions for teaching Spanish to Spanish-speaking students.

Career Awareness/Workplace Readiness Skills

The global economy has made it more important than ever for individuals to develop their language skills to be able to compete in the international marketplace. Suggested activities can be found in the margins of the ATE.

Service Learning/Mentor Programs

Teachers can help students connect with service learning opportunities and mentor programs to gain firsthand experience while learning about themselves and their communities.

Parental Involvement

The benefits of having students, parents, teachers, and the community involved in supporting one another are undeniable. The margins of the ¡Aventura! ATE give teachers ideas about how to encourage parental support for classroom learning, and promote parental awareness of student progress and goals.

The Multiple Intelligences

Howard Gardner's theory of multiple intelligences suggests that people have different abilities in many different areas of thought and learning. ¡Aventura! has utilized Gardner's research to provide teachers with a plethora of learning activities. The general characteristics associated with each of these eight identified intelligences are described below.

 Bodily-Kinesthetic: These students learn best by doing. They learn through movement and touch, and express their thoughts with body movement. They are good with hands-on activities, such as dancing, athletics, and crafts.

 Interpersonal: These students are natural leaders who communicate well, empathize with others, and often intuit what someone is thinking or feeling.

 Intrapersonal: People with intrapersonal intelligence may appear to be shy but are self-motivated and aware of their own thoughts and feelings about a given subject.

 Linguistic: This type of student appreciates and is fascinated with words and language. These students enjoy writing, reading, word searches, crossword puzzles, and storytelling.

 Logical-Mathematical: This type of student likes establishing patterns and categorizing words and symbols. These students enjoy mathematics, experiments, and games that involve strategy or rational thought.

 Musical: Musical students can be observed singing or tapping out a tune on a desk or other object. These students are discriminating listeners who catch what is said the first time.

Naturalist: Students with naturalist intelligence might have a special ability to observe, understand, and apply learning to the natural environment.

 Spatial (Visual): These students think in pictures and can conceptualize well. They like complicated puzzles, drawing, and constructing.

Textbook and Teacher's Edition Tour

Margin Activities

Margin activities offer additional opportunities to address an individual learner's needs.

- **Communities.** These activities connect students to the community through Spanish and provide them with suggestions on how they may participate in service learning.
- **Connections.** Cross-curricular activities included here are opportunities to use Spanish in conjunction with other subject areas.
- **Cooperative Learning.** These activities offer students additional opportunities for cooperative learning beyond the textbook content. The activities require students to cooperate with one another in pairs or small groups, using Spanish for authentic communication.
- **Critical Listening.** These activities promote listening comprehension. They require that students learn not only the sounds of the language, but also the meaning behind them. Ultimately, students will reach a point where they are able to correct their own errors.
- **Critical Thinking.** These activities develop higher-order thinking skills. Critical thinking is an essential part of the total academic development of students. *¡Aventura!* includes a thorough and systematic program of higher-order thinking activities that address comprehension, application, analysis, synthesis, and evaluation.
- **Expansion.** Expansion activities offer enrichment opportunities. They allow students' personal interests and creativity to take over, empowering them to discover a wealth of information about the language and the cultures studied in *¡Aventura!*
- **Language through Action.** These activities require students to combine Spanish-speaking or listening skills with physical movement.

- **Multiple Intelligences.** The multiple intelligences are addressed through activities focused on the eight areas identified by brain research: linguistic intelligence, logical-mathematical intelligence, spatial intelligence, bodily-kinesthetic intelligence, musical intelligence, interpersonal intelligence, intrapersonal intelligence, and naturalist intelligence.
- **Prereading Strategy.** These questions about the subject matter prepare students for what they are about to read. Students might be asked to look at an illustration and suggest the theme of the accompanying dialog. Students are encouraged to guess the meanings of words they do not recognize and are taught that they need not understand all the vocabulary to discern the main theme of an activity.
- **Prior Knowledge.** Students will be asked to apply what they already know. Students will recall the Spanish that they have learned and draw on personal experiences that will help them comprehend and process the information that they are about to learn.
- **Pronunciation.** These activities allow students to practice pronunciation. Have students break down sentences into individual words and sounds and then have them use the words you have practiced in meaningful sentences. In addition, after presenting the initial dialog (or other expository material) and accompanying activities, have students work in pairs practicing the activity and focusing on the new pronunciation point. Circulate and assist with pronunciation and intonation.
- **Spanish for Spanish Speakers.** These activities are designed especially for students who are native speakers of Spanish. They allow students to examine their cultural heritage and to increase their Spanish skills.

- **Students with Special Needs.** These activities are for students who need extra help. They allow students to practice areas in which they are having difficulty and facilitate the acquisition of new skills and the comprehension of various subject matters.
- **Technology.** These activities require students to use the Internet, e-mail, or another electronic medium in combination with their knowledge of Spanish to complete an activity.
- **TPR.** These activities involve Total Physical Response (TPR). Whereas many teachers have used TPR either extensively or on a limited basis, these activities often require an extra effort on the part of the teacher to prepare for and use TPR in the classroom.

Margin Icons

Margin icons denote additional ancillaries that support the contents of that page.

 Audio Program

 Assessment Program

 Communicative Activities Manual

 DVD Program

 Grammar and Vocabulary Exercises Manual

 Listening Activities

 Overhead Transparencies

 Speaking Spanish Confidently

 Workbook

The contents and special features of ¡Aventura! make teaching and learning effective and fun.

Tour

The **chapter opener** prepares students for the cultural and communicative content of the thematic lesson that follows.

Refer to this section as a guide to analyze the contents and special features of ¡Aventura!

Margin icons denote additional ancillaries that support the contents of that page.

Questions that accompany the *El cuarto misterioso* DVD program ask students to review the content of each documentary.

Illustrated **objectives** encourage students to anticipate the chapter's content. ATE notes include questions that can be used to initiate reflection and discussion.

Margin activities offer additional opportunities to address an individual learner's needs.

Answers of the close-ended activities appear in the left- and right-hand margins of the ATE.

Margin notes provide additional teaching suggestions and cultural notes that expand on the lesson's content.

Each chapter is divided into **Lección A** and **Lección B**. Each chapter of *¡Aventura!* contains two lessons that follow an identical format, which makes teaching and learning meaningful, effective, and fun!

Vocabulario I introduces lessons with a colorful one- or two-page presentation of new vocabulary and grammatical structures in a meaningful context. Two or three activities, including one listening activity, follow.

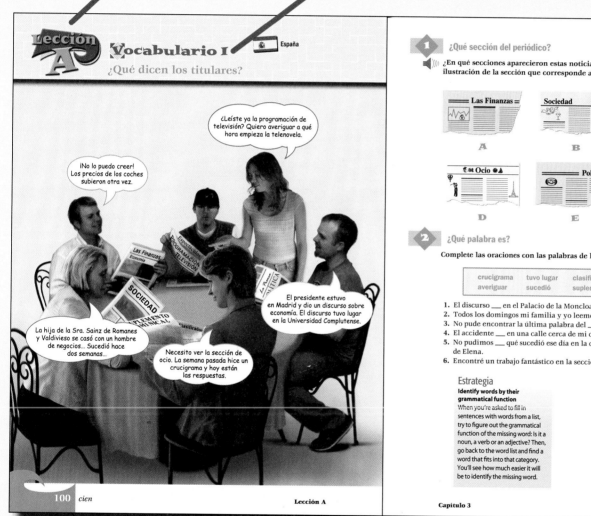

Lección A

Vocabulario I · España

¿Qué dicen los titulares?

¿Leíste ya la programación de televisión? Quiero averiguar a qué hora empieza la telenovela.

¡No lo puedo creer! Los precios de los coches subieron otra vez.

El presidente estuvo en Madrid y dio un discurso sobre economía. El discurso tuvo lugar en la Universidad Complutense.

La hija de la Sra. Sainz de Romanes y Valdivieso se casó con un hombre de negocios... Sucedió hace dos semanas...

Necesito ver la sección de ocio. La semana pasada hice un crucigrama y hoy están las respuestas.

---

1 ¿Qué sección del periódico?

¿En qué secciones aparecieron estas noticias? Indique la letra de la ilustración de la sección que corresponde a cada noticia que escucha.

Las Finanzas — A
Sociedad — B
Clasificados — C
Ocio — D
Política — E
Espectáculos — F

2 ¿Qué palabra es?

Complete las oraciones con las palabras de la caja.

| crucigrama | tuvo lugar | clasificados |
| averiguar | sucedió | suplemento dominical |

1. El discurso ___ en el Palacio de la Moncloa.
2. Todos los domingos mi familia y yo leemos el ___.
3. No pude encontrar la última palabra del ___.
4. El accidente ___ en una calle cerca de mi casa.
5. No pudimos ___ qué sucedió ese día en la casa de Elena.
6. Encontré un trabajo fantástico en la sección de ___.

Estrategia
Identify words by their grammatical function
When you're asked to fill in sentences with words from a list, try to figure out the grammatical function of the missing word: Is it a noun, a verb or an adjective? Then, go back to the word list and find a word that fits into that category. You'll see how much easier it will be to identify the missing word.

Un periódico de Galicia.

SCOPE & SEQUENCE AT A GLANCE IN THE CLASSROOM TRANSCRIPTS A LITTLE EXTRA

TE23

Diálogo I uses the recently presented vocabulary and expressions in an interesting and authentic depiction of everyday life in the Spanish-speaking world. The dialog is followed by a comprehension activity, personal application, and listening comprehension activities.

Cultura viva I explains the cultural theme of the lesson and provides historical, geographical, and political information about the country or countries featured in the chapter. Comprehension and personal application questions follow.

Diálogo I ¿Qué pasó?

JOSÉ: ¿Leíste la sección de deportes de hoy, Carlos?
CARLOS: No, ¿qué sucedió?
JOSÉ: Enrique, el mejor jugador de baloncesto del Barcelona, se fue del equipo.
CARLOS: ¿Estás seguro?

JOSÉ: Sí, lo leí aquí... mira.
CARLOS: No lo puedo creer. Pero, ¿por qué?
JOSÉ: Se peleó con el presidente del equipo.
CARLOS: ¿Por qué?
JOSÉ: El presidente dio un discurso que a Enrique no le gustó.

CARLOS: ¿Jugó Enrique el partido de anoche?
JOSÉ: No, pero según la programación de televisión, va a jugar esta noche y van a dar el partido por TV1.
CARLOS: ¿Lo vemos?
JOSÉ: Bueno.

3 ¿Qué recuerda Ud.?

1. ¿Qué leyó José en la sección de deportes?
2. ¿Por qué se fue el jugador del equipo?
3. ¿Sobre qué fue la pelea?
4. ¿Qué dice la programación de televisión?
5. ¿En qué canal van a dar el partido?

4 Algo personal

1. ¿Qué sección del periódico lee Ud. con más frecuencia? ¿Por qué?
2. ¿Lee Ud. el suplemento dominical? ¿Qué sección le gusta más?
3. ¿Leyó Ud. alguna noticia importante esta semana? ¿Sobre qué?
4. ¿Cómo se entera Ud. mejor de las noticias, por el periódico, por la radio, por la televisión o por la internet?

5 ¿En qué sección está?

 Escuche las siguientes noticias correspondientes a cada foto y las secciones en que pueden aparecer. Escoja la letra de la sección correcta.

1 2 3 4

Cultura viva I

Un *Aula*[1] muy especial

En 1999, los editores del periódico *El Mundo*, de España, tuvieron una idea magnífica: crearon un suplemento diario dedicado a los jóvenes estudiantes. El suplemento se llama *Aula* y se publica junto con el periódico. Cada día de la semana, *Aula* tiene un tema distinto: lunes didáctico, con artículos educativos, martes deportivo, miércoles solidaridad, con artículos sobre temas sociales como los derechos de los estudiantes, jueves científico y viernes cultural.

Aula tiene además una sección llamada Dazibao, en la cual los estudiantes expresan sus opiniones sobre temas de actualidad[2], intercambian puntos de vista[3], hacen preguntas o piden cualquier información que necesiten.

Los profesores también son parte de la familia de *Aula*. Ellos usan en sus clases muchos de los materiales que se publican en el suplemento y dan sugerencias[4] sobre los artículos que necesitan.

Una de las ideas más populares de *Aula* ha sido la creación de concursos de pintura, cuentos y poesía. Cada año, cientos de estudiantes envían sus trabajos artísticos y tienen oportunidad de leer y disfrutar[5] el trabajo de otros jóvenes de su misma edad. Hace poco, *Aula* creó un concurso de fotoperiodismo[6], donde los estudiantes pueden enviar sus propias fotos de algún suceso importante, curioso o simplemente cómico.

Aula ofrece concursos de pintura para los jóvenes.

[1]Classroom [2]current events [3]exchange points of view [4]suggestions [5]enjoy [6]photojournalism

6 *Aula*, para los jóvenes

Conteste las siguientes preguntas.

1. ¿Qué es *Aula*?
2. ¿Qué tipo de artículos se publican en *Aula*?
3. ¿Qué objetivo tiene la sección Dazibao?
4. ¿Cómo participan los profesores en *Aula*?
5. ¿Cuál fue una de las ideas más populares de *Aula*?
6. ¿Cree que es una buena idea tener un suplemento como *Aula*? ¿Por qué?

¡Oportunidades!

Siga la actualidad informativa en español
Leer habitualmente periódicos en español es una excelente manera de practicar el idioma. En Estados Unidos es fácil encontrar ediciones de diarios escritos en español. Algunos, como *El Nuevo Herald*, de Miami, o el diario *Hoy*, de Nueva York, tienen una gran tirada (*print run*). Otra fuente inagotable de periódicos en español es la internet, donde puede encontrar una amplia selección de diarios de cualquier país de habla hispana. Vale la pena analizar cómo están escritos esos periódicos, ver qué secciones tienen y qué temas interesan en cada país.

The *Oportunidades* section provides thoughtful insights about the advantages that students will have because they know Spanish and are familiar with the culture of the Spanish-speaking world. The section addresses issues such as careers, travel, college, and lifelong study in the field of languages and cultures.

TE24

Subdivided and titled, *Estructura*, the *Idioma* section explains grammatical concepts clearly and concisely and helps students learn grammar content in small chunks.

Repaso rápido reviews previously taught grammatical topics.

Idioma

Repaso rápido

El pretérito

You are already familiar with the use of the preterite tense to talk about past activities and events. Now, review how the preterite of regular verbs is formed.

hablar		comer		escribir	
hablé	hablamos	comí	comimos	escribí	escribimos
hablaste	hablasteis	comiste	comisteis	escribiste	escribisteis
habló	hablaron	comió	comieron	escribió	escribieron

Verbs that end in -*car*, -*gar* and -*zar* have a spelling change in the *yo* form of the preterite.

$c \rightarrow qu$	$g \rightarrow gu$	$z \rightarrow c$
bus**car** → bus**qué**	ju**gar** → ju**gué**	comen**zar** → comen**cé**
sa**car** → sa**qué**	lle**gar** → lle**gué**	cru**zar** → cru**cé**

7 Una noche como todas

Enrique le cuenta a un amigo lo que hizo ayer después de la escuela. Complete lo que dice con el pretérito de los verbos en paréntesis.

MODELO Anoche no *(suceder)* nada especial.
Anoche no sucedió nada especial.

1. Yo *(llegar)* a casa a las cinco.
2. Después *(buscar)* la sección de ocio del periódico.
3. Luego, mi hermano y yo *(tratar)* de hacer el crucigrama.
4. A las seis mi papá *(regresar)* del trabajo.
5. Él *(subir)* a su cuarto y *(comenzar)* a leer el periódico.
6. Mi papá, mi hermano y yo *(comer)* juntos.
7. Mi mamá *(llegar)* tarde y no *(comer)*.
8. Después de comer nosotros *(mirar)* las noticias por televisión.

¡Extra!

Expresiones de tiempo

Estas expresiones de tiempo se usan a menudo con el pretérito.

anoche	*last night*
anteanoche	*night before last*
anteayer	*the day before yesterday*
ayer	*yesterday*
de repente	*suddenly*
desde que	*since*
después	*after*
el año/mes pasado	*last year/month*
el otro día	*the other day*
la semana pasada	*last week*

8 Comparación de actividades

Primero, compare sus actividades y las actividades de su familia ayer por la noche con las de Enrique en la actividad anterior. Luego, pregúntele a su compañero/a si a él o ella le sucedió lo mismo.

MODELO **A:** Anoche Enrique llegó a casa a las cinco. Yo también llegué a casa a las cinco. Y tú, ¿a qué hora llegaste a tu casa?
B: Yo llegué a casa a las siete.

Yo llegué a casa a las cinco. ¿Y tú?

Estructura

Verbos irregulares en el pretérito I

There are several groups of irregular verbs in the preterite. Verbs that end in -*ir* and have an $e \rightarrow ie$ or $e \rightarrow i$ stem change in the present tense, also have a stem change in the preterite. The stem vowel changes from *e* to *i* only in the third person singular (*él, ella, Ud.*) and plural (*ellos, ellas, Uds.*) forms.

sentirse		dormir	
me sentí	nos sentimos	dormí	dormimos
te sentiste	os sentisteis	dormiste	dormisteis
se sintió	se sintieron	durmió	durmieron

Other verbs like *sentirse, pedir, mentir, reírse, divertirse, vestirse, seguir, conseguir, preferir* and *repetir*.

The verbs *dormir* and *morir* have a stem change from *o* to *u* in the third person singular and plural forms.

The verbs *dar, ser* and *ir* are irregular in the preterite. *Ser* and *ir* have the same forms in the preterite. *Ver (vi, viste, vio…)* is conjugated like *dar (di, diste, dio…).*

dar		ser/ir	
di	dimos	fui	fui
diste	disteis	fuiste	fuisteis
dio	dieron	fue	fueron

The verb *haber* has a single form, *hubo*, to express "there was"/"there were."

Hubo un incendio en el barrio de Salamanca.

There was a fire in the Salamanca neighborhood.

The *¡Extra!* section provides additional related vocabulary, notes, tips, and suggestions to help students feel successful. The section gives students extra information, much like the margin notes for teachers in the ATE. The content of the *¡Extra!* features is not required and thus is not addressed in the accompanying Assessment Program.

The *Práctica* section provides activities that increase in difficulty and scope, from mechanical to meaningful to communicative.

The *Comunicación* section provides open-ended practice.

 Práctica

9 **Los titulares de ayer**

Cree oraciones usando el pretérito según las indicaciones.

 nosotros lo / leer en el periódico de ayer
Nosotros lo leímos en el periódico de ayer

1. ayer el gobernador / dormirse durante una reunión de prensa
2. el director del museo / dar un discurso sobre el arte de Velázquez
3. los obreros de la empresa Vidal / conseguir el aumento
4. los estudiantes del Instituto Cervantes / pedir más días de vacaciones
5. la reina Sofía / ir a un concierto en el Auditorio Nacional
6. dos mujeres y un niño / morir en un accidente de tráfico
7. muchas personas /sentirse mal después de cenar en un restaurante del centro
8. la gente del barrio de Salamanca / ver con sorpresa llegar al presidente
9. haber / un accidente terrible en la Gran Vía

¿Qué dicen los periódicos?

10 **Mini-diálogos**

Complete cada diálogo con el verbo adecuado de la caja en la forma correspondiente del pretérito. Puede usar algunos verbos más de una vez.

| conseguir | ser | pedir | ir |
| divertirse | ver | dar | sentirse |

1. A: ¿Sabes que el presidente __ un discurso ayer?
   B: No. ¿ __ tú a verlo?
   A: No, lo __ por televisión.
2. A: ¿ __ tú en la sección de sociedad que Margarita se casó?
   B: ¡Claro! Mis padres __ a su boda y __ muchísimo.
   A: Y Margarita, ¿cómo __ ella?
   B: Muy emocionada.
3. A: ¿ __ Uds. la información en la internet?
   B: No, nosotros __ a la biblioteca y le __ ayuda a la bibliotecaria.
4. A: ¿Sabes que ayer __ un programa en inglés por el canal TV2?
   B: ¿Te gustó ?
   A: Sí, __ estupendo.

Leí en la sección de sociedad que Margarita se casó.

 Comunicación

11 **Una boda**

Imagínese que usted es reportero/a y tiene que escribir un artículo sobre una boda para la sección de sociedad del periódico. Con un(a) compañero/a, usen las siguientes preguntas como guía para escribir su artículo. Luego, presenten su artículo frente a la clase. La clase va a decidir cuál es el artículo más creativo.

- ¿Quién se casó?
- ¿Quiénes fueron a la boda?
- ¿Qué regalos les dieron a los novios?
- ¿Cómo se sintió la novia? ¿Y el novio?
- ¿Alguien dio un discurso?

- ¿Dónde fue la boda?
- ¿Qué comida sirvieron?
- ¿Se divirtieron todos? ¿Qué hicieron?
- ¿Cómo fue la boda?
- ¿Cómo fue el discurso?

Estructura

Verbos irregulares en el pretérito II

Verbs that end in *-aer, -eer, -uir*, as well as the verb *oír*, change the *i* to *y* in the third person singular and plural forms. With the exception of verbs ending in *-uir*, these verbs have a written accent on the *i* of all the preterite forms.

leer	
leí	leímos
leíste	leísteis
leyó	leyeron

contribuir	
contribuí	contribuimos
contribuiste	contribuisteis
contribuyó	contribuyeron

Other verbs like *leer* (to read) and *contribuir* (to contribute) are *oír* (to listen), *caerse* (to fall down), *destruir* (to destroy) and *construir* (to build).

The following verbs share the same endings in the preterite and have irregular preterite stems.

verb	stem	ending	verb	stem	ending
estar:	estuv-		conducir:	conduj-	-e
poder:	pud-	-e	decir:	dij-	-iste
poner:	pus-	-iste	traer:	traj-	-o
saber:	sup-	-o	andar:	anduv-	-imos
querer:	quis-	-imos	haber:	hub-	-isteis
caber:	cup-	-isteis			-eron
tener:	tuv-	-ieron			
venir:	vin-				

Vocabulario II is a second presentation of new and review vocabulary. As in *Vocabulario I*, two or three activities, including one listening activity, follow.

Vocabulario II
Recuerdos de un festival de cine

Hace mucho tiempo que no recibía un premio. Lo acepté con mucho gusto.

¿Cuál es su opinión sobre el premio que recibió?

la videocámara digital

Los reporteros entrevistaban y grababan a los directores.

Al principio de mi carrera, iba a los festivales de cine. Veía muchos estrenos de películas.

En las sesiones fotográficas, los fotógrafos sacaban fotos de los artistas.

Los actores agradecían a su público.

Por supuesto, había muchas ruedas de prensa con los actores.

Algunos reporteros escribían los reportajes en sus ordenadores.

17 ¿Qué sucedía en el festival?

Escuche las siguientes situaciones. Seleccione la letra de la foto que corresponde con lo que oye.

A   B   C

D   E   F

18 Definiciones

Indique a qué palabra se refiere cada definición. Luego, escriba oraciones con tres de las palabras.

1. decir gracias por algo
2. cuando una película se pasa por primera vez
3. hacer preguntas a alguien sobre algo
4. aparato que se usa para sacar fotos digitales
5. grabar escenas con una videocámara digital
6. aparato que se usa para escribir y usar la internet
7. lo que una persona piensa sobre un tema
8. cuando se le da algo a alguien

A. agradecer
B. cámara digital
C. entrega
D. entrevistar
E. estreno
F. filmar
G. opinión
H. ordenador

TE27

Cultura viva II offers a second, more personal glimpse into everyday life in the Spanish-speaking world.

Diálogo II   La entrevista

JOSÉ: ¿Hace cuánto tiempo que trabaja como reportera?

REPORTERA: Empecé a trabajar como reportera hace 20 años.

CARLOS: ¿Qué hacía al principio de su carrera?

REPORTERA: Iba con otros reporteros a hacer entrevistas.

JOSÉ: ¿Cómo se hacían los reportajes antes?

REPORTERA: Escribíamos las preguntas y respuestas en papel y sacábamos fotos.

JOSÉ: ¿Usaba el ordenador para escribir los artículos?

REPORTERA: No, porque no había ordenadores.

JOSÉ: ¿Le gustaba ir a las ruedas de prensa?

REPORTERA: Sí, pero prefería entrevistar yo sola.

CARLOS: ¿Era más difícil o más fácil entrevistar a gente famosa?

REPORTERA: Era más fácil porque había menos reporteros.

19 ¿Qué recuerda Ud.?

1. ¿Hace cuánto tiempo que empezó a trabajar la reportera?
2. ¿Qué hacía la reportera al principio?
3. ¿Cómo se hacían los reportajes antes?
4. ¿Por qué no usaba la reportera el ordenador para escribir los artículos?
5. ¿Por qué era más fácil antes entrevistar a personas famosas?

¡Extra!

En otras palabras

En España se dice *el ordenador* en vez de *la computadora.*

20 Algo personal

1. ¿Fue Ud. alguna vez a un festival de cine? ¿Qué películas vio?
2. ¿Qué piensa del trabajo de un(a) reportero/a? ¿Le gustaría hacer ese trabajo?
3. ¿Con cuánta frecuencia usa los ordenadores para enviar mensajes a sus amigos/as?
4. ¿Cuáles eran sus actividades favoritas hace cinco años?

21 Reportaje a un director

 Escuche la siguiente entrevista a un famoso director de cine de los años sesenta. Luego, conteste las preguntas. Puede tomar apuntes *(take notes)* mientras escucha.

1. ¿Qué tipo de películas hacía al principio de su carrera?
2. ¿Le gustaba participar en los festivales de cine?
3. ¿Asistía a las ceremonias de entrega de premios?
4. ¿Iba a los estrenos de sus películas?
5. ¿Por qué no usaba videocámaras digitales para grabar?

Cultura viva II

El Festival Internacional de Cine de San Sebastián

San Sebastián es una hermosa ciudad del norte de España, cerca de Francia. Desde hace tiempo, esta ciudad, famosa por su hermosa playa de La Concha, se ha convertido[1] en uno de los centros culturales más populares de Europa. Una de las razones es que aquí se celebra todos los años el Festival Internacional de Cine de San Sebastián.

La playa de La Concha.

En 1953, diez hombres de negocios decidieron organizar un festival de cine. El primero fue muy modesto. Participaron muy pocas películas y no hubo un premio oficial. Sin embargo, al año siguiente todo cambió.

La Asociación Internacional de Productores de Films incluyó[2] al festival de San Sebastián entre sus eventos oficiales. Ese año, la estrella del festival fue la actriz estadounidense Gloria Swanson, una de las mujeres más famosas del mundo del cine. Con ella, Hollywood entró en San Sebastián.

En 1958 el festival era tan importante que el legendario director Alfred Hitchcock participó con su película *Vértigo*, un verdadero clásico de la historia del cine. A partir de ese momento, San Sebastián fue uno de los festivales de cine más importantes del mundo. Cada septiembre desfilan[3] por su alfombra roja no sólo las figuras más conocidas del cine europeo sino también las más grandes estrellas de Hollywood.

Emmanuelle Beart y Jerzy Radziwilowicz en el Festival.

[1]has become   [2]included   [3]parade

22 El Festival Internacional de Cine de San Sebastián

Conteste las siguientes preguntas.

1. ¿Por qué era famosa San Sebastián antes de tener su festival de cine?
2. ¿Cuándo fue el primer Festival de Cine de San Sebastián? ¿Quiénes lo organizaron?
3. ¿Por qué dice el artículo que "al año siguiente todo cambió"?
4. ¿Por qué fue importante la actriz Gloria Swanson para el festival?
5. ¿A partir de qué evento se convirtió San Sebastián en uno de los festivales de cine más importantes del mundo?

A Spanish reading, *Lectura cultural*, concludes *Lección A* and takes a more extensive look at the Spanish-speaking world.

Lectura cultural

Los jóvenes españoles y la lectura

Según la encuesta, las muchachas leen más que los muchachos.

Para conocer mejor los hábitos[1] de lectura de los jóvenes españoles, el Centro de Investigación y Documentación Educativa (CIDE) hizo una encuesta a 3.581 estudiantes de secundaria entre 15 y 16 años de edad. Según la encuesta, el 36% de los jóvenes lee algún libro en su tiempo libre más de una vez a la semana. El 38% lee un libro más de una vez cada tres meses; y el 26% no lee un libro nunca o casi nunca.

Según la encuesta, el 44% de los jóvenes lee más ahora que hace dos años; el 29% lee lo mismo y el 27% lee menos que hace dos años. Es decir, en general, leen más ahora que cuando eran más jóvenes.

La encuesta tuvo muchos resultados[2] interesantes. Por ejemplo, los hijos de padres con educación universitaria[3] leen más que los hijos de padres con un nivel de educación inferior. Se encontró también que las muchachas españolas leen mucho más que los muchachos. Y mientras los muchachos prefieren los libros de aventuras y humor, a las muchachas les gustan más los libros de horror o románticos.

Pero quizás el resultado más importante de la encuesta es que, en general, los jóvenes que más leen tienen mejores resultados en sus estudios. Eso no es una sorpresa, ¿verdad?

[1]habits   [2]results   [3]college education

31 ¿Qué recuerda Ud.?

1. ¿Por qué el CIDE hizo esta encuesta?
2. ¿Qué porcentaje de los jóvenes españoles no lee nunca o casi nunca?
3. ¿Los jóvenes de la encuesta leen más o menos que hace dos años? ¿Por qué?
4. ¿Qué relación hay entre el nivel de educación de los padres y los hábitos de lectura de los hijos?
5. ¿Quiénes leen más, los muchachos o las muchachas españolas?
6. ¿Cuál fue el resultado más importante de la encuesta?

32 Algo personal

1. ¿Qué opina de los resultados de la encuesta?
2. ¿Por qué cree que el 26% de los encuestados no lee nunca o casi nunca?

- Haga una encuesta entre cuatro estudiantes de su clase sobre sus hábitos de lectura. Compare los resultados con la encuesta del artículo.

- En la encuesta pregunte cuántos libros hay en la biblioteca de su casa. ¿Qué relación hay entre la cantidad de libros que hay en la casa de los estudiantes y sus hábitos de lectura?

The *Lectura personal* follows members of the fictional rock group *La Ola* as its members relate their experiences while touring the Spanish-speaking world.

Autoevaluación helps students assess what they have learned. Activity answers are available online

¿Qué aprendí? offers students an opportunity to reflect upon what they have learned in the lesson.

In the **Internet Resource Center**, students can check the *autoevaluación* questions, complete additional *repaso* activities, and extend their learning with thematic Internet activities.

Lectura personal

E-Mail

Archivo   Ver   Mensajes   Ayuda

A...   mamá y papá
Cc...
Asunto: Toledo

Toledo: un encuentro de culturas

Queridos mamá y papá,

Hoy fue un día muy especial. Fuimos a Toledo. Toledo es una ciudad medieval, con calles estrechas y sinuosas[1]. Está construida sobre una colina junto al río y protegida[2] por una muralla. Algunos la llaman "la ciudad de la tolerancia", pues durante la Edad Media[3], cristianos, judíos[4] y musulmanes[5] vivieron en la ciudad en paz. Esa mezcla[6] de culturas todavía puede verse hoy en los edificios y las calles de la ciudad. En la ciudad visitamos la iglesia de Santa María la Blanca, que fue una sinagoga judía en la Edad Media; el monasterio[7] de San Juan de los Reyes, que es un gran edificio gótico construido por la reina Isabel la Católica; y la iglesia del Cristo de la Luz, que era una mezquita[8] construida por los musulmanes en la Edad Media y que después fue convertida en una iglesia católica por los cristianos. Caminar por las calles de Toledo es pasear entre culturas. Por eso este día fue inolvidable[9].

Cariños,
Mariana

[1]winding [2]protected [3]Middle Ages [4]Jews [5]Muslims [6]blend [7]monastery
[8]mosque [9]unforgettable

• Describa un edificio que perteneció a distintas culturas o religiones en diferentes épocas.

• ¿Qué cree que fue lo más importante que aprendieron Mariana y sus amigos en Toledo? ¿Por qué?

29   ¿Qué recuerda Ud.?

1. ¿Cómo describe Mariana la ciudad de Toledo?
2. ¿Qué lugares visitó Mariana en esa ciudad?
3. ¿Por qué a Toledo la llaman "la ciudad de la tolerancia"?
4. ¿Qué quiere decir Mariana cuando escribe que "caminar por Toledo es pasear entre culturas"?

30   Algo personal

1. ¿Visitó alguna vez una ciudad en que se pueda ver la influencia de otras culturas? Describa su experiencia.
2. ¿Hay algún lugar en su ciudad donde pueda aprender sobre distintas culturas?
3. Imagine que va a Toledo, ¿qué lugar le gustaría visitar? ¿Por qué?

Vista de Toledo.

¿Qué aprendí?

Autoevaluación

Como repaso y autoevaluación, responda lo siguiente:

1. Mencione tres tipos de desastres o catástrofes que se anuncian a veces en las noticias.
2. Diga una oración con *saber* en el pretérito y otra con *saber* en el imperfecto.
3. Termine la oración: *Estábamos en un restaurante cuando...*
4. ¿Por qué se filmaron tantas películas en Almería?
5. Explique qué es *una camioneta.*
6. ¿Cómo se forma el pluscuamperfecto?
7. Describa a dos de sus amigos usando pronombres relativos.
8. ¿Qué es la Feria de Abril?

Palabras y expresiones

How many of these words and expressions do you recognize?

Las noticias	En un accidente	Verbos	Otras palabras y expresiones
la bomba	la ambulancia	anunciar	la camioneta
el crimen	el conductor, la	arrestar	contra
la explosión	conductora	asaltar	por suerte
la inundación	grave	causar	preocupado,-a
el juicio	el paramédico, la	chocar	¡Socorro!
el ladrón, la ladrona	paramédica	declarar	terrible
la tormenta	los primeros auxilios	desmayarse	violento,-a
la víctima	la visibilidad	explotar	
Para hablar de un juicio		lograr	
el acusado, la acusada		matar	
la cárcel		mencionar	
culpable		rescatar	
inocente		rodear	
el jurado		salvar	
la sentencia			

El jurado.

Rescatar.

La camioneta.

Palabras y expresiones includes active vocabulary from the lesson.

TE30

Ud. lee contains a reading that is followed by two activities: comprehension-based and personalized.

The end-of-the-chapter section *¡Viento en popa!* (Full speed ahead! Literally, "Wind to the stern") helps students increase proficiency.

¡Viento en popa!

Ud. lee

Estrategia

Use prior knowledge

Chances are you have already heard of the character don Quijote de la Mancha. The name has held an important place in literature and the arts since the 17th century, when Miguel de Cervantes Saavedra wrote his famous novel *El ingenioso hidalgo don Quijote de La Mancha*. Don Quijote has been the subject of a series of paintings by the French artist Honoré Daumier and of a lithograph by Pablo Picasso. The character has also been the inspiration for a 19th-century Russian ballet and a 1965 Broadway musical ("Man of La Mancha") and its follow-up movie. In 2002 another film about him, "Don Quixote, Knight Errant" (*El Caballero don Quijote*) was produced in Spain. Have you seen any of these representations of don Quijote? Before you read, share with your classmates what you know about the story of don Quijote or the author Cervantes.

Preparación

Lea la siguiente información sobre Miguel de Cervantes Saavedra y luego indique si las oraciones que siguen son ciertas (C) o falsas (F). Si son falsas, corríjalas.

Miguel de Cervantes Saavedra (1547–1616) publicó su famosa novela *El ingenioso hidalgo don Quijote de La Mancha* en 1605. Este escritor español, considerado el creador de la novela moderna, se encontró en diferentes situaciones a lo largo de su vida. En 1575, cuando regresaba a España después de pelear en la batalla de Lepanto, donde fue herido[1] y perdió el uso del brazo izquierdo, fue acusado injustamente de no haber pagado sus impuestos[2] y encarcelado[3] durante cinco años en Argel[4]. Fue allí donde empezó a escribir su novela sobre don Quijote. El personaje principal de la novela, que es un hombre mayor, idealista y desilusionado[5] del mundo en que vive, decide recorrer España tratando de revivir[6] la época de la caballería[7], ya desaparecida hacia siglos. En sus aventuras, don Quijote trata de curar males, defender a los indefensos e imponer justicia en un mundo imperfecto, una misión que a veces lo pone en ridículo. A través del personaje de don Quijote y sus muchas derrotas[8], Cervantes intenta narrar la invencibilidad del espíritu humano.

[1]injured [2]taxes [3]imprisoned [4]Algiers [5]disappointed
[6]to revive [7]age of chivalry [8]defeats

Miguel de Cervantes Saavedra.

1. Cervantes publicó *El ingenioso hidalgo don Quijote de La Mancha* cuando tenía 58 años.
2. Cervantes perdió el uso de su brazo en un accidente.
3. El autor empezó a escribir la novela de don Quijote en la cárcel.
4. El personaje de don Quijote vivió durante la época de la caballería.
5. Don Quijote es un personaje malo e injusto.
6. En su novela, Cervantes intenta retratar *(portray)* la fuerza del espíritu humano.

De la segunda salida de don Quijote

Quince días estuvo don Quijote en casa muy sosegado[1]. Sin embargo, en este tiempo solicitó a un labrador[2] vecino suyo, hombre de bien, pero poco inteligente, que le sirviese de escudero[3]. Tanto le dijo, tanto le prometió, que el pobre determinó seguirle.

Decíale, entre otras cosas, don Quijote, que se dispusiese[4] a ir con él de buena gana, porque tal vez le podía suceder alguna aventura en que ganase alguna ínsula[5] y le dejase a él por gobernador de ella. Con estas promesas y otras tales, Sancho Panza, que así se llamaba el labrador, dejó a su mujer y a sus hijos y se fue como escudero de su vecino.

Iba Sancho Panza sobre su asno[6] con sus alforjas[7] y su bota[8], con mucho deseo de verse gobernador de la ínsula que su amo[9] le había prometido. Acertó[10] don Quijote a tomar el mismo camino que había tomado en su primer viaje, por el campo de Montiel, y caminaba con menos pena que la vez pasada porque, por ser la hora de la mañana, los rayos del sol no le fatigaban.

[1]calm, relaxed [2]farmworker [3]squire [4]he should
get ready [5]island [6]donkey [7]saddlebags
[8]wineskin [9]master [10]He managed to take

Don Quijote y Sancho Panza por Honoré Daumier.

Ud. escribe contains a writing strategy that encourages students to apply what they learned in the chapter.

Proyectos adicionales presents additional opportunities to synthesize knowledge through technology projects and cooperative learning activities that address the National Standards. Students work individually, in pairs, or in small groups.

Ud. escribe ■ ■ ■ ■ ■ ■ ■ ■ ■ ■ ■ ■

Estrategia
Use snappy introductions

In order to get your reader involved in your essay immediately, it is important to use an interesting introduction. One way to begin your introduction is to give readers an idea of where you plan to take them, without telling them the whole story. For example, if you are writing about an event that happened in the past, give your readers an idea of why the event is worth their attention, but refrain from explaining exactly what happened. Save that for later, in the body of your writing. For example, *Ayer tuve una conversación que va a cambiar mi vida para siempre* attracts attention and makes readers wish to read more, while *Estoy triste porque ayer mi novia me dijo que no quería verme más* gives so much away that readers may not want to go further.

Título *(title)*

Ambiente *(setting)*

Personajes *(characters)*

Problema *(problem)*

Eventos *(events)*

Solución *(solution)*

Escriba un artículo sobre un evento que ocurrió en el pasado. Incluya detalles que contesten las preguntas *¿Qué?, ¿Quién?, ¿Dónde?, ¿Cuándo?, ¿Cómo?* y *¿Por qué?* Primero, organice sus ideas en una gráfica como la de abajo. Use la gráfica para escribir el borrador. En una primera revisión del borrador, preste atención a su introducción, asegurándose de que atraiga *(attract)* la atención de los lectores. Recuerde usar lo que ha aprendido en este capítulo sobre el uso del pretérito y el imperfecto para hablar de los eventos en el pasado. Después, comparta su borrador con otro/a estudiante y pídale sus sugerencias o correcciones. Por último, escriba la versión final para incluir las sugerencias de su compañero/a y corregir los errores en los tiempos de los verbos y la ortografía.

Es importante crear un buen ambiente al escribir.

Proyectos adicionales ■ ■ ■ ■ ■ ■ ■

A Conexión con la tecnología

Se dice que muchas ciudades de países distintos son "hermanas" porque tienen características similares y entre ellas se producen intercambios *(exchanges)* culturales y comerciales. Varias ciudades estadounidenses tienen sus ciudades hermanas en España, tales como Kansas City y Sevilla; Toledo, Ohio y Toledo; Miami y Tenerife (Islas Canarias) y San Diego y Alcalá de Henares (donde nació Cervantes). Busque en la internet la información que necesita para hacer un cartel sobre una ciudad estadounidense y su hermana española. ¿Qué conexiones hay entre las dos ciudades? ¿Por qué son hermanas? Pegue su cartel en el salón de clases.

Miami y Tenerife son ciudades hermanas.

B Conexión cón otras disciplinas: las ciencias

Trabaje en grupos pequeños para investigar el clima mediterráneo. Puede usar la biblioteca y la internet para su investigación. Busque datos sobre las características de este tipo de clima, por ejemplo: temperaturas, lluvias, flora, fauna y lugares donde se encuentra. Su grupo debe hacer una presentación para la clase con la información que encuentre, acompañarla con mapas, tablas y fotografías.

Los olivos son típicos del Mediterráneo.

C Comparaciones

La influencia de España en la historia de Estados Unidos se puede ver hoy en día a través de la arquitectura. En muchos lugares de nuestro país, como California, Texas, Arizona, Nuevo México y Florida, existen casas y edificios con características de la arquitectura española. Haga una comparación entre uno o más edificios estadounidenses y españoles. Observe las características españolas, como torres, arcos *(arches)*, tejados de barro *(clay roof tiles)*, mosaicos *(mosaics)*, patios interiores *(interior courtyards)* y balcones de hierro forjado *(wrought iron)*. Piense si hay alguna casa o edificio en su comunidad para usar como ejemplo de estas influencias. Escriba un informe con la información que encuentre en la internet o en la biblioteca.

The *Repaso* checklist allows students to evaluate their progress with the objectives presented at the beginning of the chapter.

Trabalenguas presents a fun tongue twister challenge.

This Spanish-English *Vocabulario* contains the active vocabulary for the chapter and is a useful reference tool.

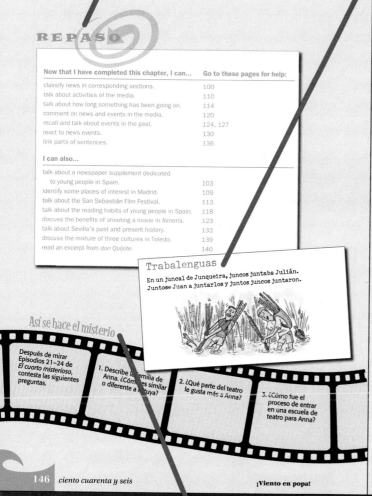

REPASO

Now that I have completed this chapter, I can... **Go to these pages for help:**

classify news in corresponding sections.	100
talk about activities of the media.	110
talk about how long something has been going on.	114
comment on news and events in the media.	120
recall and talk about events in the past.	124, 127
react to news events.	130
link parts of sentences.	136

I can also...

talk about a newspaper supplement dedicated to young people in Spain.	103
identify some places of interest in Madrid.	109
talk about the San Sebastián Film Festival.	113
talk about the reading habits of young people in Spain.	118
discuss the benefits of shooting a movie in Almería.	123
talk about Sevilla's past and present history.	133
discuss the mixture of three cultures in Toledo.	139
read an excerpt from *don Quijote.*	140

Trabalenguas

En un juncal de Junqueira, juncos juntaba Julián.
Juntose Juan a juntarlos y juntos juncos juntaron.

Así se hace el misterio

Después de mirar Episodios 21–24 de *El cuarto misterioso,* contesta las siguientes preguntas.

1. Describe la familia de Anna. ¿Cómo es similar o diferente a la tuya?

2. ¿Qué parte del teatro le gusta más a Anna?

3. ¿Cómo fue el proceso de entrar en una escuela de teatro para Anna?

146 *ciento cuarenta y seis*   ¡Viento en popa!

Vocabulario

aceptar to accept 3A
el **acusado,** la **acusada** accused person 3B
agradecer to thank 3A
la **ambulancia** ambulance 3B
anunciar to announce 3B
arrestar to arrest 3B
asaltar to assault 3B
averiguar to find out 3A
la **bomba** bomb 3B
la **cámara digital** digital camera 3B
la **camioneta** station wagon 3B
la **cárcel** jail 3B
causar to cause 3B
la **ceremonia** ceremony 3A
chocar to crash 3B
los **clasificados** classified 3A
el **conductor** driver 3B
contra against 3B
contribuir (y) contribute 3A
el **crimen** crime 3B
el **crucigrama** crossword puzzle 3A
culpable guilty 3B
dar un discurso give a speech 3A

declarar to declare 3B
desmayarse to faint 3B
destruir (y) to destroy 3A
la **entrega de premios** awards ceremony 3B
entrevistar to interview 3A
el **estreno** premiere 3A
la **explosión** explosion 3B
explotar to explode 3B
el **festival** festival 3A
las **finanzas** finances 3A
grave serious, grave 3B
inocente innocent 3B
la **inundación** flood 3B
el **juicio** trial 3B
el **jurado** jury 3B
el **ladrón,** la **ladrona** thief 3B
lograr to achieve, to obtain 3B
matar to kill 3B
mencionar to mention 3B
el **ocio** free time 3A
la **opinión** opinion 3A
el **ordenador** computer 3A
el **paramédico,** la **paramédica** paramedic 3B
el **periodismo** journalism 3A

por suerte luckily 3B
por supuesto of course 3A
la **prensa** press 3A
preocupado,-a worried 3B
los **primeros auxilios** first aid 3B
al **principio** at the beginning, 3A
la **programación de televisión** TV guide 3A
el **recuerdo** memory 3A
el **reportaje** interview 3A
rescatar to rescue 3B
rodear to surround 3B
la **rueda de prensa** press conference 3A
salvar to save 3B
la **sentencia** sentencing 3B
la **sesión fotográfica** photo session 3A
la **sociedad** society 3A
¡**Socorro!** Help! 3B
suceder to happen 3A
el **suplemento dominical** Sunday supplement 3A
tener lugar to take place 3A
terrible terrible 3B
la **tormenta** storm 3B
la **víctima** victim 3B
la **videocámara digital** digital videocamera 3A
violento,-a violent 3B
la **visibilidad** visibility 3B

La rueda de prensa.

Un ordenador.

Capítulo 3   *ciento cuarenta y siete* 147

The *Así se hace el misterio* section asks students to recall the information presented in the biographies about the cast of *El cuarto misterioso.*

Planning and Pacing

Teaching Notes and Tips

- The authors recommend that you complete the first nine chapters of the book in order to prepare students to use *¡Aventura! 4* at the beginning of the next school year. Chapter 10 does not present any new vocabulary or grammar, but it does contain valuable recycled content.
- Don't do every exercise on every page. Gauge how easily students grasp a topic and what interests them.
- Expose students to vocabulary, grammar, and culture every day.
- Challenge students to listen to, speak, read, and write Spanish every day.
- Provide more or less practice on a specific topic according to the mastery level of your students.
- At the beginning of each daily lesson, review what you did the day before.
- At the end of each daily lesson, review what learning was accomplished during class.
- Always prepare an activity for students to complete after they have finished a test or quiz.
- Use the *¡Aventura!* electronic supplements to bring the Spanish-speaking world into your classroom daily.
- Assign small amounts of homework often. (Requiring students to practice independently what they learned in class will help them retain information.)
- Warm-up your students each day with a homework check or a review of the previous day's activities.
- The Electronic Lesson Planner will help you organize your teaching calendar.

Traditional Schedule (50-minute classes)

9 essential *¡Aventura!* chapters

× 19 days per chapter

+ 9 flexible days (expansion, Chapter 10, projects, the unexpected)

_____

180 days of instruction

Block Schedule (90-minute classes)

9 essential *¡Aventura!* chapters

× 9 blocks per chapter

+ 9 flexible blocks (expansion, Chapter 10, projects, the unexpected)

_____

90 blocks of

¡Aventura! allows you to focus on your instructional goals with a flexible and fun program.

Sample Chapter Lesson Plan

The chart that follows illustrates how to pace one chapter of *¡Aventura!* All chapters contain the same instructional components. Based on Chapter 3, this chapter lesson plan can be applied to all chapters.

Traditional Schedule (50 minutes)	Block Schedule (90 minutes)	Page(s)	Chapter Content	Practice, Review and Recycle
Day 1	Block 1	98–99	Chapter Opener *Cuarto Misterioso*	
		100–1	*Vocabulario I*	
Day 2		102	*Diálogo I*	Review *Vocabulario* with transparencies or flash cards.
		103	*Cultura viva*	
	Block 2	104	*Estructura*	
Day 3		105–7	*Estructura*	Review *Vocabulario* and *Cultura viva*.
Day 4		108–9	*Estructura*	Review previous *Estructuras*.
		110–1	*Vocabulario II*	
Day 5	Block 3	112	*Diálogo II*	Review *Vocabulario* with transparencies or flash cards.
		113	*Cultura viva II*	
		114	*Estructura*	
Day 6		115–7	*Estructura*	Review *Vocabulario* and *Cultura viva*.
Day 7	Block 4	118	*Lectura cultural*	Review previous *Estructura*. Review previous *Vocabulario*. Review for quiz.
		119	*¿Qué aprendí?*	
Day 8			Lesson A quiz Begin Lesson B	
		120–1	*Vocabulario I*	
Day 9		122	*Diálogo I*	Check quiz.
		123	*Cultura viva I*	Review *Vocabulario*.
Day 10	Block 5	124–6	*Estructura*	Review *Cultura viva*.
Day 11		127–9	*Estructura*	Review *Vocabulario*.
Day 12		130–1	*Vocabulario II*	Review *Estructura*.
Day 13	Block 6	132	*Diálogo II*	Review *Vocabulario* and previous *Estructura*.
		133	*Cultura viva II*	
		134	*Estructura*	
Day 14		135–7	*Estructura*	Integrate all content.
Day 15	Block 7	138	*Lectura personal*	Integrate all content.
		139	*¿Qué aprendí?*	
Day 16			Quiz B	Prepare stations or practice quiz from left-over assessment items or ancillary pieces.
		140–1	*Viento en Popa*	
		142	*Ud. lee*	
Day 17	Block 8	143	*Ud. lee*	Integrate all content.
		144	*Ud. escribe*	
Day 18		145	*Proyectos adicionales*	Integrate all content.
		146–7	Review	
Day 19	Block 9		Chapter Test	After test, ask students to explore upcoming chapter objectives and *Vocabulario* words.

First Day of School Activities

The first day of school is always an exciting and challenging time! We have included a few useful and interesting tools to help you and your students enter into the new academic year.

- **So many faces, so many names.** Take pictures of your students. If you take digital images, you can put them in a PowerPoint presentation. Use the PowerPoint to review names. Later in the week you can use the PowerPoint to give a name quiz. Students will be tested on the names of their classmates.

- **Let the crying begin?** Maybe this is the thought on the minds of some of your students. Pass around a role of toilet paper. Tell students to take as much as they think that they will need. For each piece of toilet paper they have, they must tell the class something about themselves.

- **Set the record straight!** A PowerPoint presentation with class procedures and rules is a way to show students your expectations an interactive way. Information that you can include: where does late work go, how many days do they have to turn in make-up work, where do bottles and recyclable paper go, or how can students be successful in your class. We recommend that you follow up with a written copy of the contract for parent and student signatures. See our Teacher Resource Center online for a sample contract.

- **Create your own classroom CSI.** Each student must tell two truths and a lie. Students must guess which statements are true and which statement is a lie. The last student standing wins.

- **Happiness runs in circular motion!** Have students say their first names and something else that starts with the same letter. Each student must repeat the names that were said previously before they add their names. This activity has a lot of repetition that can help students learn something about all of their classmates.

Additional Tips for the Upper Levels

- **Step it up!** The previous activities can be altered for the more advanced levels by having the students participate with their classmates in the target language.

- **Let the cat out of the bag!** Students must bring a paper bag to class that contains at least three items that are important to them. They will explain the importance of each item to the class in the target language.

- **If you could, would you...?** Each student is given a card with an "If.../then..." situation. They must complete the situations in the target language and share them with the class.

Organizing Pairs and Groups for Games and Activities

Providing opportunities for students to work cooperatively with others is important in the language classroom. When students work together with classmates of varying abilities and personalities, they enhance their classroom experience by creating a community of learners, challenging their comfort levels and language skills, and having fun in the meantime.

Match 'Em Up Quickly

Sometimes, students struggle sitting in the same spot for an entire class period. Getting them up and moving will refresh their minds while motivating them to use the target language.

Cut index cards in half and put them in pairs, based on the number of students you have in your largest class. At the beginning of class, count how many students are present. Create that many pairs of cards and distribute them. Students should circulate around the room asking questions in Spanish to find their partners.

They should quickly find two desks together and sit down. Offer a prize to the first pair. The noise level may rise momentarily. Once students get in the habit of finding partners, they will move more quickly and efficiently. Collect the cards in pairs once the activity has begun. Circulate around the room after giving instructions. Use odd-numbered students to help you monitor the pairs or make a group of three. Possible partner-finding questions: *¿Quién está _____?* or *¿Quién tiene_____? Or ¿Quién es mi compañero? Tengo _____.*

1. Use stickers or photos of vocabulary that students need to know. Students match picture to picture, or picture to Spanish (for example, J with J, or J with *contenta*).
2. Use countries and their capitals (for example, Tegucigalpa with Honduras or Lima with Peru).
3. Use opposites (for example, *alto* with *bajo* or *contento* with *triste*).
4. Use numerals and numbers spelled out (for example, *un mil* with 1.000 or *ochenta y ocho* with 88).

A Month's Worth of Partners

Get students up and moving while they schedule partners for several weeks. Students refer to their organizational partner sheet for a few weeks at a time. Find blackline masters of these organizers and others at www.emcp.com.

Directions

1. Teacher distributes organizational sheets of paper. Students write their names on the paper.
2. Teacher assigns a student to fill out sheets for students who are absent.
3. Students are told that they need to find a certain number of partners. They cannot repeat partners.
4. Students brainstorm possible questions that can be asked.
5. The partner finding begins. Students use the target language to secure partners. Each partner writes his/her name on the same day, hour, city, and so on, as indicated with each activity.
6. Teacher circulates making sure students stay on task and helps all students match up times.
7. Teacher ends activity when most students have filled their organizational sheets. At the end of the activity, it might be necessary to have a group scheduling session to fill open times.
8. Teacher conducts first activity and collects organizational pieces of paper. The teacher should make copies of the pages just in case a sheet gets lost. Students may keep papers after next activity.

Partner of the day. Students receive an index card on which they write the days of the week down the left-hand side starting with *el domingo.* Students find partners for each day of the week, asking *¿Quieres bailar conmigo el lunes? ¿Tienes planes el martes? ¿Estás libre el miércoles?* (To utilize non-school days, the teacher announces that students should use their Saturday and Sunday partners and pretend that it's already the weekend.)

12 meetings. The teacher distributes a clock face. Students set up meetings at every hour of the day. Possible questions: *¿Estás ocupado/a a la una? Estoy libre a las 4. ¿Te gustaría reuinirte?*

Traveling the world. The teacher distributes a map of Central America. Students set up meeting locations with their partners. For example, *¿Te gustaría ir a Tegucigalpa? ¿Quieres visitar la capital de Nicaragua conmigo?*

Inner/outer circles. Get students up and moving with this fast-paced question and answer activity. Create 10-15 open- or closed-ended questions for students to answer. Have students find a partner. Partners should face each other, one member in the inside circle, the other partner in the outside circle. The teacher asks a question and gives 30 seconds for each partner to answer. Students refrain from talking after they are finished answering or until the teacher cues for silence. The teacher directs the outer circle to move one person to the right while the inner circle remains in place. The teacher asks a new question, each student answers his/her new partner, and the outer circle rotates one student to the right while the inner circle remains in the same place. Once students get used to the circles, they move into formation quickly. They also become accustomed to listening for the teacher silence cue and the next question. Mix it up by directing the inner circle to move one person to the left.

Names and Expressions

Spanish Names

When students choose a Spanish name for Spanish class, your classroom can provide a more authentic forum for lively communication.

Muchachos

Adán	David	Gustavo	Leonardo	Pepe
Agustín	Diego	Homero	Lorenzo	Rafael
Alberto	Eduardo	Horacio	Luis	Ramón
Alejandro	Emilio	Humberto	Manuel	Raúl
Alfonso	Enrique	Hugo	Marcos	Ricardo
Andrés	Eugenio	Ignacio	Mario	Roberto
Angel	Federico	Isidro	Martín	Rodrigo
Antonio	Felipe	Jaime	Miguel	Rubén
Armando	Fernando	Javier	Nicolás	Samuel
Arturo	Franco	Jesús	Norberto	Santiago
Benito	Francisco	Jorge	Oscar	Sergio
Benjamín	Gabriel	José	Pablo	Timoteo
Carlos	Gerardo	Juan	Paco	Tomás
César	Gilberto	Joaquín	Pancho	Vicente
Daniel	Guillermo	Julio	Pedro	Victor

Muchachas

Alana	Clara	Graciela	Margarita	Raquel
Alejandra	Claudia	Guadalupe	María	Rebeca
Alicia	Cristina	Inés	Mariana	Rita
Amalia	Diana	Irene	Marisol	Rosa
Ana	Dolores	Isabel	Marta	Sandra
Angela	Elena	Jimena	Mercedes	Sara
Beatriz	Elisa	Josefina	Mónica	Selena
Camila	Emilia	Juana	Natalia	Shakira
Carmen	Enriqueta	Julieta	Olivia	Silvia
Carlota	Esperanza	Laura	Paloma	Sofía
Carolina	Eulalia	Lourdes	Paquita	Soledad
Casandra	Eva	Lucía	Patricia	Susana
Catalina	Florencia	Luisa	Paulina	Verónica
Cecilia	Francisca	Luz	Paz	Victoria
Chavela	Gabriela	Magdalena	Pilar	Yolanda

Classroom Expressions

Tips

- Beginning on the first day of class, speak Spanish as much as possible. Use gestures and act out expressions to convey meaning so that you and your students avoid overusing English. It can be challenging at first, but your students will follow your lead as you strive to use Spanish as the primary means of communication.
- Encourage students to respond to directions and give answers in Spanish. Encourage them to use only Spanish with you and with their classmates.
- Point out that the more students use Spanish, the more natural it will become as a means of communication.

Student Survival

Estuve ausente.	I was absent.
Necesito ayuda.	I need help.
No comprendo/entiendo.	I don't understand.
No recuerdo.	I don't remember.
No sé.	I don't know.
No tengo la tarea.	I have the homework.
Necesito…	I need…
un lápiz.	a pencil.
un bolígrafo.	a pen.
el papel.	A piece of paper.
la tarea.	the homework assignment.
Necesito ir al enfermero/a.	I need to go to the nurse.
Necesito ver mi consejero/a.	I need to see my counselor.
¿Puedo usar el teléfono?	May I use the telephone?
¿Puedo ir al baño?	May I go to the restroom?
¿Puedo ir a mi depósito de libros?	May I go to my locker?
Se me olvidó.	I forgot. (Literally, it forgot me.)
Tengo una pregunta.	I have a question.

Gentle Reminders

Continúa/Sigue (Continúen Uds./Sigan Uds.).	Continue.
Piensa (Piensen Uds.).	Think.
Presta (Presten Uds.) atención a…	Pay attention to…
Recuerda (Recuerden Uds.).	Remember.
Trata (Traten Uds.).	Try.

Listening and Speaking

¿Alguien?	Anyone?
Contesta/Responde (Contesten Uds./Responden Uds.).	Answer.
Cuenta (Cuenten Uds.)...	Tell (a story)...
Dime (Díganme Uds.)...	Tell me...
Escucha (Escuchen Uds.).	Listen.
Habla (Hablen Uds.) en español.	Speak Spanish.
Lee (Lean Uds.)...en voz alta.	Read...aloud.
Levanta (Levanten Uds.) la mano (para contestar).	Raise your hand (to answer).
Oye (Oigan Uds.).	Listen.
Más alto/bajo.	Louder. / Softer.
Pronuncia (Pronuncien Uds.)...	Pronounce...
Repite (Repitan Uds.).	Repeat.
Silencio.	Silence.
Otra vez.	Again.
Todos juntos.	Everyone together.

Moving and Doing

Abre (Abran Uds.) el libro/cuaderno en la página...	Open your book/workbook to page...
Apunta/Señala (Apunten Uds./Señalen Uds.)...	Point at...
Borra (Borren Uds.) la pizarra.	Erase the board.
Cierra (Cierren Uds.) el libro/cuaderno.	Close your book/workbook.
Copia (Copien Uds.)...	Copy...
Da (Den Uds.) la vuelta.	Turn around.
Dibuja (Dibujen Uds.)...	Draw...
Levántate (Levántense Uds.).	Stand up.
Llévate (Llévense Uds.)...	Carry/bring...
Pasa (Pasen Uds.) a la pizarra.	Go to the board.
Pon (Pongan Uds.)...	Put...
Quita (Quiten Uds.) todo de encima de sus pupitres.	Clear your desks.
Recoge (Recojan Uds.)...	Pick up...
Saca (Saquen Uds.) una hoja de papel/un bolígrafo/ un lápiz.	Take out a piece of paper/pen/pencil.
Siéntate (Siéntense Uds.).	Sit down.
Toca (Toquen Uds.)...	Touch...
Trae (Traigan Uds.)...	Bring...
Ve (Vayan Uds.) a...	Go...
Ven (Vengan Uds.) aquí.	Come here.

These expressions will help you and your students communicate in Spanish.

Activity Directions

Empieza (Empiecen Uds.) ahora.	Begin now...
Entrégame (Entréguenme Uds.) la tarea.	Turn in the homework.
Escoge (Escojan Uds.)...	Choose...
Escribe (Escriban Uds.)...	Write...
Escribe (Escriban Uds.) a máquina...	Type...
Estudia (Estudien Uds.)...	Study...
Inserta (Inserten Uds.) el CD en la computadora.	Insert the CD in the computer.
Mira (Miren Uds.)...	Look...
Para mañana...	For tomorrow...
Revisa (Revisen Uds.)...	Check over...

Pair and Group Work

Formen Uds. grupos de...	Form groups of... (# of students)
Para (Paren Uds.).	Stop.
Trabajen Uds. en parejas en...	Work in groups of... (# of students)

Inquiry

¿Cómo se dice...(en español)?	How do you say...in Spanish?
¿Cómo se escribe...?	How do you spell...?
¿Hay preguntas?	Are there any questions?
¿Qué quiere decir...?	What does...mean?
¿Quién sabe (la respuesta)?	Who knows (the answer)?

Praise

Bien hecho.	Well done.
Fabuloso.	Fabulous.
Muy bien.	Very good.
Excelente.	Excellent.

Classroom Fun for Pairs and Groups

Having fun is a key component to a student's language learning experience.

Games

Use these games and activities to promote active communication and make Spanish class the highlight of every student's day.

Battleship

This game makes verb conjugation fun and competitive.

Create a worksheet with two identical 12 x 6 grids and three types of boats. In the left hand column of the grid make a list of twelve verbs, across the top label the boxes *yo, tú, él/ella/Ud., nosotros, vosotros, ellos/ellas/Uds.* The top grid is the student's game board where they will place their boats. The bottom grid is where each student will keep track of the other player's board. Students should place boats on the grid to highlight three conjugated verbs. To find boats, students need to conjugate the verb from the left hand column in any form from the top row. *Yo oigo.* If the student has placed their ship in this location, it is a hit. If not, it is a miss. Students will continue playing until one player's ships have all been hit.

Concentration

This game can be used for practicing numbers or for reviewing or practicing verbs.

The same rhythm is maintained: students tap the tops of their desks twice, clap their hands twice and snap their fingers twice. Words may be called out only during the snapping of fingers. For verb practice, for example, the first student in each row gives an infinitive *(hablar)* on the first snapping of fingers, the next student gives a subject pronoun *(tú)* on the second, and the third student must respond with the appropriate answer *(tú hablas)* on the third snapping of fingers. Students who make an error move to the end of the row and the other students move up. Try to have an uneven number of students in each row so that every student will have an opportunity to match the subject pronoun and verb ending. All the students in each row monitor each other for errors. You may also have the entire class participate rather than play the game by rows. In this case, you may want to point to students for a verb infinitive, subject pronoun, and response.

Caramba

This game reinforces correct verb conjugation and encourages peer editing.

Create a list of infinitives with subjects and the word *Caramba* five times. Print the sheet, cut it into pieces and place the pieces in an envelope. Have students form groups and give each group an envelope. Have students take turns pulling out a verb to conjugate. If they conjugate the verb correctly, they get to keep the paper and earn one point. If they do not conjugate the verb correctly, they do not get a point and they should put the paper back in the envelope. If students pull out the word *Caramba*, they lose all of their points. Encourage students to self-correct or correct each other while playing *Caramba*.

El detective

This game may be played with a number of different objectives, for example, to help students get to know one another, to practice specific vocabulary, or to practice different verb tenses.

Make a number of lists with five to ten different items on each list. If the object is for students to get to know each other, include items such as *le gusta el fútbol*, *el béisbol* (a different sport on each list); *come pollo*, *ensalada*, *hamburguesas* (a different food on each list); *mañana va a la playa*, *al concierto*, *al cine* (a different place on each list). Include an unusual category to make the activity more interesting. Copy the lists to equal the number of students you have, so that each member of a group has the same list and different groups have different lists. *El detective* must fill in his or her list by asking fellow students if certain categories apply to them, and if so, they sign the appropriate list beside the category. Students will practice the *tú* form while asking classmates questions (*¿Juegas al fútbol?*). Have them follow up by using the third-person singular to report their findings to the class after all students have completed the activity.

Dice Game

This game helps students conjugate verbs in any tense the teacher would like to practice.

Put students in small groups and provide each group with a pair of dice. One die should be red and the other green. Create an overhead with two columns. The first column should be a list of six subjects in the color red (1. *yo*, 2. *tú*, 3. *ella*, 4. *nosotros*, 5. *vosotros*, 6. *ellos*). The second column in green is a list of 6 verbs (1. *ir*, 2. *buscar*, 3. *traer*, 4. *andar*, 5. *preferir*, 6. *contar*). Each group should take turns rolling the dice and conjugating the verbs aloud according to the numbers that they roll, The red die is the subject of the verb and the green die is the verb that needs to be conjugated. If the students conjugate the verb correctly, they will receive points from each roll. If you roll a two and a three, you would receive five points for a correct answer. Encourage students to self-correct or correct each other while playing the dice game.

Dibujos

This game is designed to review vocabulary while allowing students to use their artistic abilities.

The class is split into teams. Give one member of each group a word or phrase. The team member with the word or phrase then draws clues for his or her team members. Each team has one minute to guess the word or phrase from the drawn clues. Award points to the fastest team and continue with different vocabulary and artists until a team reaches a point total determined in advance.

¿Dónde está?

This game practices directional vocabulary and commands.

Choose a small object such as a piece of chalk, show it to the students and ask them to hide it somewhere in the room. Go out of the room for a few minutes while they hide the item. When you return, they will help you find it by giving you directional commands or indicating direction (*Doble a la derecha*, *está cerca*, *mire al suelo*, etc.). Next, divide the class into groups of four or five, choose one person from each group to leave the room and then repeat the game, this time with familiar commands.

Hot Potato

This simple game will help beginning students gain confidence in speaking, because it occupies students with a physical activity while they are conversing in Spanish, thus reducing their inhibitions about making an error.

Students stand in a circle in the classroom. One student, who is holding a soft rubber ball, asks a question and then gently tosses the ball to the second student, who must answer the question. Allow students 10 to 15 seconds to answer each question. The student who catches the ball and answers a question then asks a question and passes the ball to another student, and so on. If a student misses a question, he or she must sit down. The last person standing wins the game.

Jeopardy

This game is especially good as a general review before an exam, but it can be used at almost any time in many different ways. Similar to the television game show, it involves writing a series of categories horizontally on the board.

Write the numbers 10 through 50 by tens under each category. Prepare questions in advance. Unlike the television game show, students need not respond with a question. Categories may be completions, synonyms or antonyms, translations, direct questions, matching, and so forth. Divide the class into three or four teams and tell students that each person on the team must make a buzzer sound to indicate that he/she is able to answer. (You may wish to use an actual buzzer.)

To determine which team will go first, ask a question that may be answered by any student. The first student who sounds the buzzer gets a chance to answer. The team that correctly answers the opening question has the opportunity to choose a category and a dollar amount. Read the question, allowing that team to respond within a time limit (10 or 15 seconds). If not answered within the specified time limit, the question is open to the entire class, but buzzers must be used; students should not randomly blurt out answers.

Prepare several *Daily Double* questions as well. Use these when enthusiasm for the game wanes. Whatever the dollar amount in the chosen category, double it. These questions may be answered by any team, not just the team that chose the category.

When a question is answered correctly, write the answer in the space left by the erased dollar amount as you keep score. This will provide students with visual reinforcement of the material. When the entire board is filled with answers, total the scores. You may wish to offer prizes as an incentive.

El mensaje

This activity is useful for reviewing vocabulary and reinforces listening, writing, reading, and speaking skills.

In advance, provide students with a list of the names of all students in class. The list can be in alphabetical or random order. As you hand out the list of names, inform students that they will be leaving phone messages with one another in Spanish and should hold on to this phone list to know whom to call with messages. Then, on a day when you would like to review vocabulary (or just to vary the routine), start several phone calls by whispering to several students a word or expression in Spanish that they must write down and then whisper to the next student on the list. Give students a set time when you will be collecting all phone messages (five minutes, for example). Compare what the final person wrote down with the "phone message" you whispered to the first person for each vocabulary word or expression.

Spelling Bee

This game is a fun way to practice the spelling of Spanish words, including accent marks.

To play Spelling Bee, place desks in rows. Encourage students to have paper and pecils on their desks. The students in the row cannot communicate with each other during the activity. Call out a word in Spanish that the row must spell (for example, *decir*). Have the first person in the row say the first letter "d", the second person "e", until the row has spelled the word correctly. If the row does not spell the word correctly, go to the next row and start the word over with the first person. Encourage students to write the letters that they have heard. Remind students they must include appropriate accents for the letter to be correct.

Stop the Clock

This fast-paced game helps student review vocabulary by quickly recalling object names upon seeing a picture.

Make up a series of small cards with pictures on one side and their Spanish equivalents on the other, and distribute them to the class. Divide the class into two groups and choose one person to be "it" for each group (you will have two games going at once). The rest of the students sit at their desks (or stand in front of them) in a circle, holding their cards with the pictures facing out. The person who is "it" stands in the center.

To begin the game, pick one student in each group. Each of those students must say the name in Spanish of the object on his or her card card and name of the picture on another student's card. (It makes it harder for the person who is "it" to not see the person whose card is named. Thus, you may wish to advise students to name a second card that is to the side of or behind the person who is "it.") The person in the center of the circle must find the second person and point at the corresponding picture, thus "stopping the clock," before the second student can name both his or her picture and another person's picture. Make sure the person in the center is accurately pointing at, or preferably touching, the picture. If someone's clock is stopped, that person is then "it."

Streetcar

This game keeps students involved as they move from seat to seat practicing vocabulary.

Prepare file cards with the words you want to practice in Spanish on one side and in English on the reverse side. It may be helpful to indicate infinitives with an asterisk and include articles with the Spanish nouns. You may extend this game by using synonyms and antonyms. Your list could be based on the active vocabulary words listed at the end of each lesson. Decide whether you want the students to produce the English or the Spanish. Students should study the lesson's vocabulary before playing Streetcar. The object of this game is to get all the way back to one's seat. Every time a student answers correctly, he or she moves forward one seat. The teacher or a student may direct the game.

Begin on the left side of class with the first row. The first student stands up next to the second, who remains seated. Show a card to these students while saying the word. The first student to respond correctly moves on to compete with the third student. Whoever answers correctly stands next to the third student. If the second student wins the round, he or she moves on to the third student and the first student sits down in the second student's seat. If neither of the first two students can answer after five seconds, the third student is given an opportunity to respond. If there is still no answer, use the card as a free review, ask the class to define the problem word and choose a new card. This should be a relatively fast-paced game. By saying the target word as you show it, students assign sounds to visual cues.

Transcripts for Textbook Listening Activities

Note: Reproducible answer sheets have been provided for these activities and can be found in the teacher's section of the Internet Resource Center and at the end of the Audio Program Manual.

Available on CD or downloadable audio, textbook listening comprehension activities in ¡Aventura! are indicated by the icon (🔊).

Capítulo 1 (Lección A)

1. En la escuela. Indique la letra de la foto que corresponde con cada situación que oye.

1. Rápido, Mónica. Se nos hace tarde.
2. ¿Quieres participar en el coro del colegio?
3. En las reuniones del consejo estudiantil, hablamos de diferentes temas.
4. Tienes que obedecerme.
5. El profesor de música toca en la orquesta de la ciudad.
6. ¡Elena! ¿No me reconoces?

5. Situaciones. Escuche las siguientes situaciones. Escoja la letra de la conclusión más lógica para cada una.

1. No tengo tiempo de hablar ahora.
2. Todavía no tenemos el horario de los ensayos.
3. Mis hermanos merecen estar en el coro de la escuela.
4. Desapareció mi libro.
5. Mario es muy buen pianista.

19. Roberto. Escuche las siguientes oraciones sobre cómo es Roberto. Seleccione la ilustración que corresponde con lo que oye.

1. Roberto está orgulloso porque ganó un concurso de ajedrez.
2. Él es futbolista. Le encanta jugar en el equipo de la escuela.
3. Roberto es muy responsable y le dedica mucho tiempo a sus tareas.

4. Es muy organizado con sus cosas.
5. Está harto de su hermano. Él escucha música todo el día.
6. Roberto se lleva bien con todos sus compañeros.

24. ¿Qué contesta? Escuche las siguientes situaciones y escoja la letra de la respuesta apropiada para cada una.

1. Siempre tenemos que dedicar más tiempo a estudiar matemáticas.
2. ¿Te fijaste en los zapatos que lleva Patricia hoy?
3. Me tocó un profesor de música muy bueno. Se llama Pedro, ¿lo conoces?
4. No recuerdo lo que dijo el profesor en la clase.
5. Sofía se lleva mal con todo el mundo.

Capítulo 1 (Lección B)

1. ¿Cuál es su oficio? Diga qué es cada persona, según lo que hace. Seleccione la letra de la foto que corresponde con lo que oye.

1. A Mirta le encantan los niños. ¿Cuál es su oficio?
2. Carola le ayuda a su papá a repartir alimentos a las casas. ¿Qué es?
3. María toca el piano desde pequeña. ¿Qué es?
4. Enrique juega muy bien al béisbol. ¿Qué es?
5. Mi padre enseña a los estudiantes a jugar al baloncesto. ¿Cuál es su oficio?
6. A Mario le gusta montar en bicicleta. ¿Qué es?

5. **¿Qué oficios tienen?** Escuche lo que hacen las siguientes personas y escriba el oficio o profesión que asocia con esa persona.

1. Marisa enseña baloncesto en un club atlético.
2. Todas las mañanas, Ernesto reparte periódicos en su barrio.
3. Raúl toca la guitarra en un club todas las noches.
4. Marta participa en carreras de bicicletas todos los años.
5. Silvia cuida niños todas las tardes después de las clases.
6. Andrés juega al béisbol y se entrena todos los días.

15. **¿Qué película o programa es?** Seleccione la foto que corresponde con lo que oye.

1. ¿En qué película hay escenas de amor?
2. ¿Qué película tiene efectos especiales?
3. ¿En qué obra los actores cantan todo el tiempo?
4. ¿En qué película hay policías?
5. ¿En qué película actúan vaqueros?
6. ¿Qué película le da miedo a la gente?

19. **¿Qué es?** Escuche las definiciones. Escoja la letra de la palabra o frase que asocia con cada definición.

1. Obra en que los actores cantan casi todo el tiempo.
2. Película que hace reír a la gente.
3. Texto escrito en otra lengua que tienen las películas extranjeras.
4. Programas que hablan sobre temas de la vida real.
5. Película que tiene muchos efectos especiales.

Capítulo 2 (Lección A)

1. **¿Cómo son estas personas?** Indique la letra de la foto que corresponde con cada oración que oye.

1. Marcos tiene el cabello castaño rizado.
2. Mi padrino tiene bigote.
3. Los hijos de la cuñada de Marta son gemelos.
4. El suegro de Tatiana usa lentes.
5. Mi hermano mayor tiene barba.
6. Sofía tiene el pelo lacio.

5. **Los parientes.** Escuche las siguientes oraciones y escoja la letra de la respuesta correcta.

1. La madre de mi marido tiene el pelo lacio y los ojos marrones.
2. El hermano de mi marido todavía está soltero.
3. El marido de mi hija usa lentes.
4. La mujer de mi hijo tiene el pelo largo y rizado.
5. El padre de mi marido tiene barba y bigote.

12. **¿Qué están haciendo estas personas?** Seleccione la foto que corresponde con lo que oye.

1. Marisa está usando el destornillador.
2. Gloria está vaciando el basurero.
3. Mi tía está regando las flores.
4. Están construyendo una casa nueva en el barrio.
5. Pedrito está enchufando la televisión.
6. Pablo está usando el cortacésped.

16. **¿Para qué se usa?** Escoja la letra del objeto que se usa en cada situación.

1. Se usa para apagar incendios.
2. Se pone cuando hace frío.
3. Se usan para colgar cuadros en las paredes.
4. Se usan con un destornillador.
5. Se usa para saber si algo se quema.

Capítulo 2 (Lección B)

1. **Situaciones.** Escuche los diálogos y diga a qué foto se refieren.

1. MAMÁ: Pedrito, ¿vas a lavarte los dientes?
   PEDRITO: No, mamá. No hay más pasta de dientes.
2. ANA: ¿Estás lista para la fiesta, Julia?
   JULIA: Todavía no. Necesito pintarme los labios.
3. LUIS: ¿Tu familia es muy numerosa?
   CARMEN: Sí, tengo muchos parientes.
4. RITA: ¿Te enojas con tu hermano algunas veces?
   JUANA: Sí, me pongo furiosa cuando él usa mi computadora.

5. PABLO: Te toca a ti vaciar el basurero.

JORGE: Bueno, no seas tan mandón. Ahora mismo lo hago.

6. SARA: ¿Por qué tienes el pelo mojado?

LAURA: Porque mi secador no funciona.

5. Conclusiones lógicas. Escuche las siguientes oraciones. Escoja la letra de la conclusión lógica para cada una.

1. ¡Ay, cuidado! ¡Te vas a caer!

2. Primero, vas a vaciar el basurero, luego vas a recoger las toallas del baño y después vas a lavar la ropa.

3. Date prisa. Necesito usar el secador ahora mismo.

4. ¿Dónde esta mi lápiz de labios? ¿Dónde está el cepillo de dientes?

5. —¡Me toca a mí usar el baño!

—¡No, me toca a mí!

19. ¡Guarda las cosas! Escuche los siguientes mandatos. Seleccione la foto que corresponde con lo que oye.

1. ¡Cambia las sábanas de la cama!

2. ¡Guarda los libros en el estante!

3. ¡Cuelga la ropa en las perchas!

4. ¡Ven acá!

5. ¡Sé más ordenada!

6. ¡Siéntate en el sofá!

24. ¡Ordena tu cuarto! Escoja la letra de lo que le dice a Orlando su madre en cada situación.

1. Orlando tiene sus libros en la cama.

2. Las sábanas de la cama de Orlando están sucias.

3. El escritorio está muy desordenado.

4. Orlando tiene sus pantalones y camisas sobre una silla.

5. Los zapatos están en el suelo.

Capítulo 3 (Lección A)

1. ¿Qué sección del periódico? ¿En qué secciones aparecieron estas noticias? Indique la letra de la ilustración de la sección que corresponde a cada noticia que escucha.

1. El periódico trae ahora una sección de crucigramas.

2. El presidente dio un discurso sobre la educación.

3. El concierto que oí anoche fue bastante aburrido.

4. La economía del país mejoró en el último año.

5. La hija del gobernador de Sevilla tuvo un hijo.

6. Se vende bicicleta casi nueva.

5. ¿En qué sección está? Escuche las siguientes noticias correspondientes a cada foto y las secciones en que pueden aparecer. Escoja la letra de la sección correcta.

1. El presidente de la República dio un discurso sobre la economía del país.

   A. Espectáculos
   B. Política
   C. Ocio

2. La boda de la Srta. María Luisa Solís y Valle con el Sr. Rubén Cáceres del Río tuvo lugar en la Iglesia del Carmen.

   A. Sociedad
   B. Finanzas
   C. Prensa

3. Este año se esperan miles de turistas en la Costa del Sol.

   A. Crucigrama
   B. Política
   C. Ocio

4. Los precios de los coches siguen subiendo.

   A. Finanzas
   B. Crucigrama
   C. Programación de televisión

17. ¿Qué sucedía en el festival? Escuche las siguientes situaciones. Seleccione la letra de la foto que corresponde con lo que oye.

1. Los reporteros asistían a las ruedas de prensa.

2. Los actores aceptaban orgullosos los premios.

3. Veíamos muchos estrenos de películas.

4. Las sesiones fotográficas eran muy interesantes.

5. Durante el reportaje, el director explicaba cuál era su opinión.

6. Filmaban lo que sucedía en el festival con videocámaras digitales.

21. Reportaje a un director. Escuche la siguiente entrevista a un famoso director de cine de los años 60. Luego, conteste las preguntas. Puede tomar apuntes (take notes) mientras escucha.

REPORTERA: ¿Qué tipo de películas hacía al principio de su carrera?

DIRECTOR:	Hacía películas de misterio.
REPORTERA:	¿Le gustaba participar en los festivales de cine?
DIRECTOR:	Sí, me encantaba porque conocía a muchas personas interesantes.
REPORTERA:	¿Asistía a las ceremonias de entrega de premios?
DIRECTOR:	No siempre.
REPORTERA:	¿Iba a los estrenos de sus películas?
DIRECTOR:	Por supuesto.
REPORTERA:	¿Usaba videocámaras digitales para filmar?
DIRECTOR:	No, hace poco que existen las videocámaras digitales.

Capítulo 3 (Lección B)

1. El Noticiero. Escuche las siguientes noticias y diga la letra de la foto a la que se refiere cada una.

1. La víctima del crimen declaró lo que pasó a la policía.
2. La gente ayudaba a las víctimas de la inundación.
3. La policía arrestó a un ladrón cuando intentaba entrar a una casa.
4. La fuerte tormenta destruyó muchos árboles.
5. La explosión causó un incendio en una casa del barrio Las Reinas.
6. El jurado declaró inocente al acusado.

5. ¿Qué ocurrió hoy? Escuche los comentarios de las siguientes personas sobre las noticias del día. Escoja la letra de la noticia a la que se refiere cada uno.

1. El agua cubría los coches que estaban en las calles.
2. El jurado leyó la sentencia y declaró a la acusada "inocente".
3. Después de la explosión, la fábrica se llenó de fuego y humo.
4. Su compañero de trabajo lo mató mientras todos estaban en una reunión.
5. La lluvia y el viento eran cada vez más fuertes.
6. Los ladrones asaltaron tres bancos en el mismo día.

17. ¿Qué había sucedido? Escuche las entrevistas a los testigos de diferentes accidentes. Seleccione la foto que corresponde con lo que oye.

1.	REPORTERO:	¿Qué había sucedido en la carretera?
	TESTIGO:	Una camioneta había chocado contra un carro.
2.	REPORTERO:	¿Qué había sucedido con la muchacha?
	TESTIGO:	Se había desmayado en la calle cuando vio la explosión.
3.	REPORTERO:	¿Qué había sucedido con el gatito?
	TESTIGO:	Los bomberos lo habían rescatado de un árbol.
4.	REPORTERO:	¿Qué había sucedido con la víctima de la explosión?
	TESTIGO:	Los paramédicos la habían salvado.
5.	REPORTERO:	¿Qué había dicho el testigo?
	TESTIGO:	Había mencionado lo que vio en el accidente.
6.	REPORTERO:	¿Cómo había sido la visibilidad?
	TESTIGO:	No había mucha visibilidad en la carretera.

21. ¿Cuál había sido la situación? Indique la letra de la foto que corresponde con lo que oye.

1. —¿Qué le había sucedido a Enrique? No recuerdo por qué no vino a mi fiesta.
   —Había tenido un accidente de coche el día anterior. Había chocado contra una camioneta.
2. —¿Dónde se había desmayado Analía?
   —Se había desmayado en el salón de clases.
3. —Cuando tu padre se enfermó, ¿habían llamado al médico?
   —Sí, habíamos llamado a los paramédicos, quienes lo llevaron enseguida en ambulancia al hospital.
4. —¿Los bomberos habían podido rescatar a todas las personas después de la explosión?
   —Sí, habían podido salvarlas a todas.

Capítulo 4 (Lección A)

1. ¡Qué entrometido! Indique la letra de la ilustración que corresponde con lo que oye.

1. No puedo confiar en Sara. Siempre le cuenta los secretos a sus amigas.
2. Se reconciliaron una semana después de la pelea.
3. Daniel tiene celos de su amigo Ricardo.
4. Pablo y Enrique tienen mucho en común. A los dos les gustan los deportes.
5. Roberto es muy honesto.
6. Carlos es muy entrometido. Siempre quiere enterarse de lo que hablan los otros.

5. ¿Cuál es su personalidad? Escuche lo que dicen estas personas. Escoja la letra de la palabra que describe la personalidad de cada una.

1. Tengo muchos celos de su amiga, no confío en ella.
2. No te preocupes por el libro, me lo das después del examen.
3. El cambio está mal. Me dio más dinero.
4. ¿Escuchaste lo que le pasó a Eva con su novio?
5. ¿De qué hablan? ¿Puedo opinar?
6. Debes confiar en mí. Te digo la verdad.

12. ¡Qué va! Escuche las siguientes frases. Escoja la letra de la respuesta correcta.

1. Muchas gracias por posponer la fiesta por mí.
2. ¿Por qué rompiste la radio?
3. He descubierto que mi novia está saliendo con otro chico.
4. Estoy segura de que la pelea entre Tara y Sara fue tu culpa.
5. Discúlpame. Lo hice sin querer.
6. ¿Por qué me has dejado plantada?

16. ¿Qué ha sucedido? Escuche los siguientes diálogos. Diga a qué foto corresponde cada uno.

1. A: Descubrí que Mario sale con Tania.
   B: ¡Qué raro!
2. A: No llores más, Analía. Todo va a estar bien.
   B: Gracias. Eres un chico muy comprensivo.
3. A: Pablo y Enrique han tenido una pelea muy fuerte.
   B: Sí, me he enterado.
4. A: Mire por dónde camina.
   B: Discúlpeme. Lo hice sin querer.

Capítulo 4 (Lección B)

1. ¿Conflicto u obligación? Diga si cada frase que escucha se refiere a un conflicto o a una obligación en una relación.

1. ¡No me levantes la voz!
2. ¡Acéptame tal como soy!
3. Tienes que avisarme cuando vienes tarde a casa.
4. Siempre reaccionas mal a todo lo que te digo.
5. Debes hacer caso a los adultos.
6. ¡No se peleen más y hagan las paces!

5. ¿Qué dice cada diálogo? Escuche los siguientes diálogos y escoja la palabra que complete las oraciones sobre cada uno.

1. RODOLFO: Discúlpame por mi comportamiento.
   MARIO: Discúlpame también a mí por gritarte.
2. CARLA: ¿Por qué tienes que gritarme, Paola?
   PAOLA: Porque no quiero que vuelvas a preguntarme lo mismo.
3. TOMÁS: Papá, ¿por qué tengo que avisarles a qué hora llego? No quiero.
   PADRE: Tomás, es tu obligación decirnos lo que haces.
4. MADRE: No me gusta esa ropa, Eugenia. No puedo acostumbrarme a esos colores tan locos.
   EUGENIA: Pero mamá, tú sabes que a mí me gusta vestirme así.

17. Sobre el teléfono. Escuche las oraciones y diga a qué foto corresponde cada una.

1. Marta estaba haciendo la llamada de larga distancia con una tarjeta telefónica.
2. Le estaba dejando un mensaje a Lidia en el contestador automático cuando ella llegó a la casa.
3. Mi hermano y yo estábamos consultando la guía telefónica para encontrar su número de teléfono.
4. Miguel le dijo al operador que quería hacer una llamada de cobro revertido.

5. Ángel tuvo que cargar la batería de su teléfono celular.

6. Mi papá compró un teléfono inalámbrico para toda la familia.

21. ¿Cuál es la palabra? Escuche las definiciones y escoja la letra de la palabra a la que se refiere cada una.

1. Poner el teléfono en su lugar después de una conversación.

2. Número que hay que marcar antes de un número de teléfono.

3. Libro con las direcciones y los teléfonos de las personas.

4. Ruido que hace el teléfono cuando alguien llama.

5. Tocar los números del teléfono para hacer una llamada.

6. Calidad de sonido con que se recibe una llamada de teléfono.

Capítulo 5 (Lección A)

1. ¡Respetemos las señales! Indique la letra de la foto que corresponde con lo que oye.

1. Ajuste el espejo retrovisor antes de comenzar a conducir.

2. Muéstreme la licencia de conducir.

3. Respetemos el semáforo.

4. Sigan al coche que va por la calle de doble vía.

5. El policía está parado en la glorieta.

6. Doble por la calle de una sola vía.

5. Para conducir. Escuche cada diálogo y escoja la frase que completa correctamente cada oración.

1. ROBERTO:	Quiero tener la licencia de conducir.	
	MARCOS:	Aprenda primero a conducir.
2. INSTRUCTOR:	Ajuste primero el espejo retrovisor.	
	CARLA:	Ya lo he ajustado, instructor.
3. PABLO:	¿Por qué pone la marcha atrás?	
	VÍCTOR:	Porque voy a estacionar en este lugar vacío.
4. POLICÍA:	Ceda el paso a la señora.	
	CONDUCTOR:	Sí, enseguida.

14. Es mejor que... Indique la letra de la foto que corresponde con lo que oye.

1. Es necesario que encontremos una salida en este callejón.

2. Es mejor que pongamos ahora las monedas en el parquímetro.

3. Es importante que encontremos la autopista que llega a Buenos Aires.

4. Doble en la primera bocacalle a la izquierda.

5. No creo que debamos llenar el tanque de gasolina en esta estación de servicio.

6. Tenga cuidado con los peatones.

18. Al conducir un coche. Escuche los siguientes diálogos. Diga a qué foto corresponde cada uno.

1. —¿Por qué me pone una multa, señorita?
   —Es importante que recuerde poner monedas en el parquímetro.

2. —No podemos ir por esta avenida. Hay un atasco.
   —Es mejor que vayamos por la autopista.

3. —¿Lleno el tanque de gasolina, señora?
   —Sí, por favor, pero que sea lo más rápido posible. Estoy muy apurada.

4. —Me encanta conducir por las afueras de la ciudad.
   —Sí, a mí también me gusta mucho ver los espacios verdes.

Capítulo 5 (Lección B)

1. Viajar en tren. Indique la letra de la foto que corresponde con lo que oye.

1. Es mejor que compremos los boletos en la boletería.

2. Es increíble que el paisaje se vea tan maravilloso desde la ventanilla del tren.

3. Antes de salir de viaje, estos viajeros leen un mapa.

4. El inspector anuncia las salidas y llegadas de los trenes.

5. Es bueno que la gente duerma en un coche cama cuando los viajes son largos.

6. Los trenes tienen varios vagones donde viajan los pasajeros.

5. ¡Qué lástima! Escuche las siguientes expresiones. Escoja la letra de la oración que dice la expresión de otra manera.

1. Es una lástima que no haya un tren rápido a Valdivia.
2. Es inútil que viaje en un coche cama; nunca puedo dormir en los viajes.
3. Es malo que el tren salga con una hora de retraso.
4. Es bueno que no tengamos que hacer transbordo en Valparaíso.

14. En el campamento. Escuche las frases y diga a qué foto corresponde cada una.

1. Te recomiendo que uses los binoculares para observar los pájaros.
2. Quiero que pongas la tienda de acampar cerca de estos arbustos.
3. Te recomiendo que uses la linterna cuando andes por el campo de noche.
4. Te exijo que le des la brújula a Sandra.
5. Espero que enciendan la fogata antes del anochecer.
6. Les sugiero que den una caminata hasta el pueblo; es muy bonito.

18. ¿Qué me recomienda? Escuche las siguientes preguntas y escoja la foto que corresponde a cada una.

1. ¿Qué puedo usar para no perderme en el campo?
2. ¿Qué insectos puedo encontrar en el campamento?
3. ¿Qué me recomiendas que lleve para dormir dentro de la tienda de acampar?
4. ¿Qué plantas pongo en el jardín?
5. ¿Qué cosas puedo escalar?
6. ¿Por dónde es mejor que camine para llegar hasta el pueblo?

Capítulo 6 (Lección A)

1. En la agencia de viajes. Escuche las siguientes oraciones. Indique qué frase o palabra completa correctamente cada oración para que su significado sea similar al de la oración que oye.

1. Los pasajes hay que pagarlos con dos semanas de anticipación.

2. Los viajes en avión están sujetos a cambio a causa del mal tiempo.
3. La información del viaje incluye todos los detalles de la excursión.
4. En la excursión, las personas atraviesan la selva tropical.
5. Para confirmar la reserva del hotel, hay que llamar a la agencia de viajes.
6. El precio del hotel lleva un descuento del 10 por ciento.

5. Daniel y su viaje a Panamá. Escuche la siguiente historia. Después de cada párrafo va a oír dos preguntas. Escoja la mejor respuesta para cada una.

Tan pronto como Daniel supo que podía viajar a Panamá en enero, llamó a la agencia de viajes y confirmó su reserva de los pasajes de avión. Todavía le faltaba hacer la reserva de hotel.

1. ¿Qué hizo Daniel tan pronto como supo que podía viajar a Panamá?
2. ¿Qué le faltaba hacer todavía a Daniel?

Cuando Daniel llegó a la agencia de viajes, pagó los pasajes con cheques de viajero. Ese mismo día, eligió el hotel en donde se iba a quedar en Panamá. El hotel que eligió estaba al sur de la ciudad. Para llegar a su hotel debía atravesar toda la ciudad.

3. ¿Con qué pagó Daniel los pasajes?
4. ¿Qué debía hacer Daniel para llegar a su hotel en Panamá?

Si Daniel decidía cancelar su reserva de hotel, debía hacer su cancelación con anticipación. La agencia no le iba a dar su dinero si cancelaba la reserva sin previo aviso.

5. ¿Cuándo debía hacer Daniel su cancelación?
6. ¿Cómo perdería Daniel su dinero?

13. No creo que... Indique la letra de la foto que corresponde con lo que oye.

1. No creo que el aguacero sea muy fuerte.
2. No estoy seguro de que podamos subir al avión sin la tarjeta de embarque.
3. Creo que habrá mucha gente haciendo fila.
4. Es peligroso conducir cuando hay niebla.
5. Mira las nubes. ¿Crees que hará mal tiempo?
6. Nos asustamos mucho porque había muchos relámpagos.

17. En el aeropuerto. Escuche los siguientes anuncios en un aeropuerto. Diga a qué foto corresponde cada uno.

1. Los aviones estarán retrasados debido al aguacero.
2. Todos los pasajeros deberán hacer fila para obtener la tarjeta de embarque.
3. El pasajero que perdió el vuelo tendrá que correr para embarcarse en el vuelo siguiente.
4. Los pasajeros del vuelo 14 a Panamá ya están subiendo al avión.

Capítulo 6 (Lección B)

1. En el hotel. Indique la letra de la foto que corresponde con lo que oye.

1. Mis padres dormirían en la cama doble.
2. Me gustaría jugar en la cancha de tenis del hotel.
3. Había mucha gente en el albergue juvenil de la ciudad.
4. A María le encantaría bañarse en la bañera de la habitación.
5. El conserje trabaja en la recepción del hotel.
6. ¿Tendría disponible una habitación con dos camas sencillas?

5. ¿Qué prefieren? Escuche lo que dicen Alicia y David acerca de dónde les gusta alojarse cuando viajan. Complete una tabla como la siguiente con los datos que oye.

1. Alicia prefiere alojarse en un hotel cuando va de vacaciones con su familia. A ella le gustan los hoteles con servicio de lavandería y canchas de tenis. Como no quiere compartir su habitación con su hermano, siempre escoge dormir en una habitación sencilla. También prefiere que el colchón de su cama sea blando, así puede dormir más cómoda. La habitación perfecta para Alicia sería una que diera al mar.
2. David siempre se aloja en albergues juveniles cuando viaja con amigos. Le gustan los albergues que tienen cafetería. A él no le importa compartir la habitación con muchos amigos, pero prefiere dormir en habitaciones dobles con menos personas. Le gusta que el colchón de la cama sea duro porque dice

que es bueno para la espalda. La habitación perfecta para David sería una que diera a las montañas.

13. En el refugio de vida silvestre. Escuche las frases y diga a qué foto corresponde cada una.

1. Me alegra que vayamos de cabalgata por el parque.
2. El tucán es un pájaro que vive en la selva tropical.
3. En Costa Rica, navegué por los rápidos con mis amigos.
4. En la reserva natural había muchas orquídeas que crecían bajo los árboles.
5. En el refugio de vida silvestre observamos mariposas de muchos colores.
6. El guía descubrió un oso perezoso en un árbol.

17. ¿Qué me recomienda? Escuche las oraciones y diga si cada una se refiere a una situación en un parque nacional o en una ciudad.

1. Me fastidia que no se pueda bucear en el lago.
2. Es difícil proteger el aire cuando existen tantos coches y autobuses.
3. Sólo las personas mayores de 18 años podrán navegar en los rápidos.
4. ¿Viste el jaguar detrás de esa montaña de rocas?
5. Hace poco, descubrieron quiénes vivieron en el antiguo edificio de la plaza central de San José.
6. Me complace que podamos observar la naturaleza mientras vamos de cabalgata.

Capítulo 7 (Lección A)

1. De compras. Indique la letra de la foto que corresponde con lo que oye.

1. Yo no como tantas cerezas como tú.
2. Las espinacas son sabrosísimas.
3. Estos ajíes son picantísimos.
4. Los damascos son las frutas más ricas de todas.
5. Los choclos del mercado de tu casa son mejores que los del mercado de mi casa.
6. El repollo que compré está podrido.

5. Las compras de Leticia. Escuche los siguientes diálogos. Escriba en una hoja lo que compra Leticia en el primer puesto del mercado y lo que compra en el segundo puesto. Complete una tabla como la siguiente con los datos.

1. En el primer puesto:

LETICIA: Buenos días, necesito una bolsa de lentejas y otra de garbanzos.

VENDEDOR: Muy bien. ¿Alguna otra cosa?

LETICIA: Sí, ¿tiene orégano?

VENDEDOR: Claro... ¿Qué más necesita?

LETICIA: ¿Cuánto cuesta el perejil?

VENDEDOR: Cuesta 1 boliviano la bolsa.

LETICIA: Es baratísimo. Déme dos bolsas.

2. En el segundo puesto:

LETICIA: Quiero un kilo de cerezas.

VENDEDOR: ¿Qué más?

LETICIA: Medio kilo de espinacas y dos choclos.

VENDEDOR: ¿Alguna otra cosa?

LETICIA: ¿Cuál es la fruta más sabrosa que vende?

VENDEDOR: Los damascos.

LETICIA: Déme entonces dos kilos.

17. Tarta de queso. Escuche la siguiente receta de cocina. Coloque los pasos en el orden que corresponda según lo que oye.

Receta para hacer una tarta de queso:

En un recipiente, se mezclan media taza de harina, media taza de leche y tres cuartos de taza de azúcar y se revuelven bien.

Se agrega medio kilo de queso blanco y el jugo de un limón. Se baten todos los ingredientes y se colocan en una asadera.

Se hornea por 30 minutos. Se deja enfriar y se sirve como postre.

22. En la cocina. Escuche los siguientes diálogos y escoja la palabra o frase que completa correctamente cada oración según lo que oye.

1. A: ¿Podemos comer el pastel ahora?

   B: No, hay que esperar a que se enfríe.

2. A: ¿Cuánto tiempo debo batir los huevos con la batidora?

   B: Los huevos deben ser batidos por cinco minutos.

3. A: ¿Qué se usa para batir los ingredientes?

   B: Se usa la batidora.

4. A: ¿Te acordaste de freír las papas?

   B: Sí, las freí en la sartén.

5. A: ¿El pollo ya fue asado?

   B: Sí, lo asé esta mañana en una asadera.

6. A: ¿Qué hay que hacer con los ingredientes que están en el recipiente?

   B: Los ingredientes deben ser revueltos con mucho cuidado.

Capítulo 7 (Lección B)

1. ¿Qué sucedió? Indique la letra de la foto que corresponde con lo que oye.

1. Te sugeriría que te taparas la boca al bostezar.
2. Marta deseaba que le regalaran un sistema de audio nuevo.
3. En la fiesta, comimos unos bocadillos deliciosos.
4. Al encontrarse, se dieron la mano como buenos amigos.
5. Marcia quería que aprendiéramos unos pasos de baile nuevos.
6. La anfitriona nos dio la bienvenida.

5. ¡Qué modales! Escoja una respuesta correcta a lo que oye.

1. ¡La música está demasiado fuerte!
2. ¿Cómo se saludaron Luis Miguel y Margarita?
3. ¿Qué hay para comer en la fiesta?
4. ¿No te das cuenta de que estamos hablando?
5. ¡Qué sueño tengo!

14. En el restaurante. Escuche las frases y diga a qué foto corresponde cada una.

1. Queremos quejarnos porque no nos trajeron la botella de agua que pedimos.
2. Me gusta más la pechuga de pollo a la parrilla que la marinada.
3. Me gustaría comer papas fritas que no sean tan saladas.
4. No conozco a nadie a quien no le guste el ceviche.
5. Mamá prefiere que mi hermanito coma fideos.
6. Lo mejor fue el bistec.

19. **Lo mismo... Escoja la oración que dice lo mismo que la oración que escucha, pero de otra manera.**

1. Las papas fritas del restaurante son más saladas que las de la cafetería.
2. Esta sopa de pollo es mejor que la de pescado.
3. Necesito comprar tocino que no sea muy ahumado.
4. Preferiría el bistec a la parrilla que el asado.

Capítulo 8 (Lección A)

1. **Después de un accidente. Indique la letra de la foto que corresponde con lo que oye.**

1. El doctor le dijo a María que en dos semanas le habrán quitado la venda.
2. Había sido la primera vez que el gato le hacía esos rasguños.
3. El padre de Catalina ha estado en una silla de ruedas desde el accidente.
4. El doctor examina al paciente con mucho cuidado.
5. La radiografía muestra que hay una fractura.
6. Carmen deberá usar muletas por tres semanas.

5. **¿Médico o paciente? Escuche las siguientes oraciones. Para cada una, diga si la persona que habla es el/la médico/a o el/la paciente.**

1. Me había comenzado a doler la muñeca después de resbalarme.
2. Debo examinar la herida antes de ponerle una venda.
3. Creo que me torcí el tobillo cuando me resbalé en la calle.
4. He visto su radiografía y muestra que tiene una fractura.
5. ¿Se ha desmayado en algún momento después del accidente?
6. Usted me dijo que para hoy ya habría dejado de usar las muletas.
7. ¿Cuándo fue a la sala de emergencias?
8. ¿Es muy profundo el corte?

12. **¿Cuáles son sus síntomas? Escuche lo que dicen los siguientes pacientes y escoja qué enfermedad sería lógico que tuvieran.**

1. Toso mucho y tengo fiebre. También me duelen mucho los pulmones.
2. Cuando llega la primavera comienzo a estornudar.
3. Me duele mucho la garganta y tengo un poco de fiebre.
4. Me golpeé el dedo y está más grande de su tamaño normal.
5. Tengo algo rojo en la piel que me molesta mucho.

16. **Situaciones. Indique la letra de la foto que corresponde con los diálogos que oye.**

1. A: ¿Tom sigue en el hospital?
   B: Sí, el doctor dice que se va a curar en unos días.
2. A: ¿Cómo lo va vacunar, doctora?
   B: Lo voy a vacunar con una inyección en el brazo.
3. A: ¡Qué frío que hace!
   B: Creo que estoy por pescar un resfriado. He estado estornudando todo el día.
4. A: ¿Viste la barriga de Juan?
   B: Sí, siempre se queja de que tiene dolor de barriga. Debería comer menos.
5. A: Doctor, Pablo todavía sigue tosiendo mucho y no puede respirar bien.
   B: Déjeme ver lo que anoté en su historial médico en la última visita.
6. A: Permítame que le tome la presión.
   B: Con mucho gusto. Hace tiempo que no me la toman.

Capítulo 8 (Lección B)

1. **Hacer ejercicio. Indique la letra de la foto que corresponde con lo que oye.**

1. Hay que tener mucha fuerza para levantar pesas.
2. Vale la pena hacer natación porque es muy buen ejercicio.
3. Si hicieras abdominales, te mantendrías siempre en forma.
4. A Mercedes le encanta hacer cinta en el gimnasio.
5. Si hiciéramos bicicleta, tendríamos más energía en el cuerpo.
6. Hacer yoga ayuda a evitar el estrés.

5. Rutinas de ejercicio. Escriba en una hoja los nombres de Elisa y Antonio. Escuche y anote debajo de los nombres cuál es la rutina de ejercicio de cada uno.

1. La rutina de ejercicios de Elisa es muy organizada. Todos los días hace los mismos ejercicios. Llega al gimnasio y hace bicicleta y cinta. Descansa y, luego, levanta pesas. Antes de irse, hace siempre natación.

2. La rutina de ejercicios de Antonio es también muy organizada. Antes de empezar a hacer ejercicio, se estira. Luego, hace abdominales y flexiones. Descansa y como quiere evitar el estrés, hace yoga.

11. Definiciones de nutrición. Escuche las siguientes definiciones y diga a qué palabra se refiere cada una.

1. Comida rápida que incluye hamburguesas, papas fritas y pizza.

2. Conjunto de alimentos que se comen en forma regular.

3. Comida que le da al cuerpo la nutrición que necesita.

4. No comer una de las comidas del día.

5. Algo que es bueno para la salud.

6. Sinónimo de balanceado.

16. La alimentación. Escoja una respuesta correcta a lo que oye.

1. ¿Qué comida es mejor evitar?

2. ¿Cómo son sus hábitos alimenticios?

3. ¿Cree que el artículo haya sido escrito por un médico especialista en nutrición?

4. ¿Los cacahuetes tienen grasas?

5. Espero que Ana no se haya saltado una comida hoy.

Capítulo 9 (Lección A)

1. Cortes y peinados. Indique la letra de la foto que corresponde con lo que oye.

1. Si ella hubiera ido al salón de belleza, le habrían cortado el pelo en capas.

2. Mónica lleva siempre el pelo recogido en una cola.

3. Prefiero un peinado con flequillo.

4. Armando lleva siempre el pelo suelto.

5. Adela tiene el pelo mediano y ondulado.

6. No me gusta cuando Carolina se peina con la raya al medio.

5. Consejos de belleza. Escuche las preguntas de los clientes del salón de belleza y escoja qué consejo es mejor para cada uno.

1. Tengo que asistir a una boda muy importante y necesito saber qué estilo de peinado debo hacerme.

2. Quiero teñirme el pelo, pero no quiero cambiar el color.

3. Tengo el pelo muy grasoso.

4. Mi pelo es muy ondulado. ¿Qué puedo hacer?

19. Comentarios sobre moda. Indique la letra de la foto que corresponde con lo que oye.

1. La etiqueta dice que es de algodón.

2. Los conjuntos de colores pálidos están muy de moda.

3. Prefiero las sudaderas lisas.

4. Me gusta esta camiseta estampada.

5. Los vaqueros anchos fueron una ganga.

6. Me encantan las corbatas de lunares.

23. De compras. Indique la letra de la ilustración que corresponde con los diálogos que oye.

1. VENDEDORA: ¿Qué le parecen estos zapatos azul marino? Van muy bien con la falda.

   CLIENTA: No sé, no los encuentro muy cómodos.

2. CLIENTA: Mi hija quiere un suéter de color rosa pálido.

   VENDEDORA: ¿Qué talla usa?

3. CLIENTA: ¿Están de moda las sandalias?

   VENDEDORA: Sí, especialmente las sandalias beige.

4. VENDEDORA: Todos las camisetas están hoy rebajadas a mitad de precio.

   CLIENTA: ¡Qué ganga! Entonces voy a comprar esta camiseta morada.

Capítulo 9 (Lección B)

1. Hablando de ropa... Escuche lo que dicen las siguientes personas y escoja la respuesta correcta para cada oración.

1. Voy a lavarlo en vez de llevarlo a la tintorería.
2. Después de la lluvia, mis zapatos quedaron muy manchados.
3. ¿Por qué te quedan tan estrechos los pantalones?
4. ¡Ay, se me cayó un botón!
5. Las mangas de la chaqueta me quedan muy largas.
6. Esta chaqueta me queda suelta.

5. Consejos de sastre. Escuche la conversación entre un sastre y un estudiante sobre cómo se cose una prenda de ropa. Haga una lista de las cosas que se necesitan para coser.

ESTUDIANTE: ¿Qué debo hacer antes de coser una prenda de ropa?

SASTRE: Debes tomar las medidas con un metro. No puedes coser sin que tomes antes las medidas.

ESTUDIANTE: ¿Qué uso para indicar por dónde debo coser?

SASTRE: Puedes usar alfileres.

ESTUDIANTE: ¿Cómo coso un botón?

SASTRE: Debes usar aguja e hilo.

ESTUDIANTE: ¿Con qué se corta la tela?

SASTRE: La tela se corta siempre con tijeras.

ESTUDIANTE: ¿Cómo coso la prenda de ropa?

SASTRE: Debes coserla con la máquina de coser, con mucho cuidado.

13. Comentarios sobre regalos. Indique la letra de la foto que corresponde con lo que oye.

1. Esta medalla está hecha de oro.
2. Marcos y Antonio estuvieron mirando atentamente los jarrones de cerámica.
3. Al comprar las estampillas, me olvidé de comprar sobres.
4. No tengo ni idea de qué foto voy a poner en el marco de fotos.

5. A mi papá le gusta ponerse gemelos en la camisa.
6. ¿Qué tal si te compro una cadena de plata?

17. ¿Qué les recomienda? Escoja qué cosa puede comprar cada persona, según lo que oye.

1. Estoy buscando una caja para poner las joyas.
2. Esta chaqueta es muy simple. Me gustaría ponerle algo en la solapa.
3. Necesito algo para poner las llaves de mi casa.
4. ¿Qué debo comprar para poder enviar la carta?
5. Prefiero las artesanías tejidas. ¿Qué me recomienda?
6. ¿Qué cosa puedo comprar que sirva para llevar los platos a la mesa?

Capítulo 10 (Lección A)

1. ¿Qué carrera puedo seguir? Escuche lo que dicen las siguientes personas sobre lo que les gustaría ser en el futuro. Diga a qué profesión o trabajo se refiere cada una.

1. ESTEBAN: Me gusta diseñar edificios y casas.
2. CARLOS: Siempre me interesó trabajar con la electricidad.
3. ANA: Me gusta mucho la ropa y todo lo que se refiere a la moda.
4. ROLANDO: Mi sueño es tener una empresa algún día.
5. PEDRO: Me gustaría ayudar a la gente con sus problemas emocionales.
6. MÓNICA: Me fascina la informática y pienso especializarme en ese campo.

5. La gente y sus trabajos. Indique la letra de la foto que corresponde con lo que oye.

1. A Elena le encantaría ser diseñadora de moda pero tendría que solicitar una beca para estudiar.
2. Pedro pudo hacer prácticas en la empresa de arquitectura porque su padre es uno de los arquitectos del lugar.
3. Enrique trabaja en construcción como fontanero.
4. El sueño de Alberto es ser psicólogo.

5. Alejandro no quiere trabajar en la tienda sino que quiere ser electricista.

10. **Hablando del trabajo. Escuche las oraciones. Escoja la palabra o frase que completa correctamente cada oración que sigue para que su significado sea similar al de la oración que oye.**

1. Hace un año que mi hermano está sin trabajo.
2. En la entrevista, el jefe le dijo a Juan cuánto dinero le iban a pagan por su trabajo.
3. Dudo que el trabajo sea de lunes a viernes, de 9:00 a 5:00.
4. Antes de la entrevista, hay que escribir información en un documento especial.
5. Soy muy bueno para las matemáticas.
6. Mis amigos dicen que soy una persona que siempre está haciendo cosas nuevas.

14. **¿Cuál fue la pregunta? Escuche las siguientes respuestas y escoja la pregunta que corresponde a cada una.**

1. Hace seis meses que estoy en paro.
2. Los requisitos son presentar el currículum vitae y dos referencias.
3. Trabajo por mi cuenta.
4. El trabajo es temporal porque es sólo por dos meses.
5. Me especializo en psicología pero me encantan las ciencias.
6. Necesita rellenar un formulario.

Capítulo 10 (Lección B)

1. **En el futuro. Indique la letra de la foto que corresponde con lo que oye.**

1. Me gustaría que hubiera más juegos de realidad virtual.
2. Si pudiera, me compraría una pantalla de alta definición.
3. Los microscopios se habrán usado para estudiar los genes.
4. Los satélites hacen posible que la gente se comunique con todo el mundo.
5. Si los astronautas tuvieran miedo de volar, no viajarían al espacio.
6. Los viajes en transbordadores serán muy comunes en el futuro.

5. **Nuevos inventos. Escuche los siguientes diálogos y diga a qué foto se refiere cada uno.**

1. A: ¿Te imaginas si no tuviéramos los celulares? ¿Cómo nos comunicaríamos?
   B: Usaríamos los teléfonos comunes, o nos comunicaríamos por carta.
2. A: ¿Crees que en el futuro la gente vivirá en estaciones espaciales?
   B: Sí, creo que en unos treinta años la gente ya se habrá mudado a las estaciones espaciales.
3. A: ¿Qué avances en genética habrá habido en el futuro?
   B: Los científicos habrán descubierto cómo curar muchas de las enfermedades de hoy en día.
4. A: ¿Qué harías si no tuvieras los inventos de hoy en día?
   B: Me sería muy difícil trabajar si no tuviera inventos como la computadora.

13. **Sobre el medio ambiente. Escoja la respuesta que contesta correctamente cada pregunta que oye.**

1. ¿Quiénes se encuentran en peligro de extinción?
2. ¿Qué cosas contaminan el medio ambiente?
3. ¿Qué tiene la capa de ozono hoy en día?
4. ¿Quiénes arrojan desperdicios químicos?
5. ¿Qué se debe hacer para que no se agoten los recursos naturales?

18. **¿Qué sugieren? Escriba en una hoja, los nombres Enrique, Óscar y Amalia. Escuche lo que dicen ellos y haga una lista de las cosas que sugiere cada uno para proteger el planeta.**

ENRIQUE: Es importante que cuidemos los animales. Existen muchas especies en peligro de extinción. Es necesario que no dañemos más especies.

ÓSCAR: Debemos proteger la atmósfera. Aunque la gente no lo crea, los aerosoles son muy peligrosos. El uso de los aerosoles daña la atmósfera. Es importante que la gente no use más aerosoles.

AMALIA: No debemos permitir que las empresas arrojen desperdicios químicos en los océanos. Es importante que la gente sepa que hay que conservar las aguas del planeta.

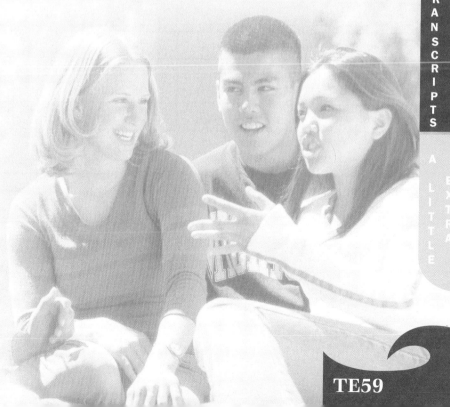

Activities for Substitutes and Rainy Days*

¿Adónde?

This civilization and culture resource focuses on Spain and the Spanish-speaking world. It provides students with opportunities to improve their reading, writing, speaking, and listening skills. The book includes readings supported by photographs and graphs and includes historical and cultural topics such as music, sports, and cinema. Current affairs, social customs, the environment, and globalization issues are among topics explored. An audio CD reinforces content.

Pasatiempos en español Volumenes 1 and 2

Each volume includes crossword puzzles and word searches that allow for students to practice vocabulary words in 16 categories. Vocabulary words are introduced with lively, colorful illustrations.

Use this chart to find materials that can save the day.

Activity Books

Supplemental Title / ¡Aventura! topic and page number	¡Adónde?	PASATIEMPOS en ESPAÑOL	PASATIEMPOS en ESPAÑOL 2	EL ESPAÑOL EN CRUCIGRAMAS	EL ESPAÑOL EN CRUCIGRAMAS
Capítulo 1 ¡Bienvenidos!					
Greetings	8				
Leisure activities	30, 68		54		
Movies	86				
Likes and dislikes					
Occupations/professions	90		42		32

*EMC offers this supplemental package to enhance classroom instruction.
Visit the EMC website at www.emcp.com for ordering information.

El español en crucigramas
Volumenes 1, 2, and 3

Beginning, intermediate, and advanced students practice a wide variety of vocabulary sets. Students grow their vocabularies by incorporating the illustrated words in crossword puzzles.

Vocabulario activo
Volumenes 1 and 2

The 60 reproducible worksheets in each volume are organized around approximately 40 themes. A variety of activity formats provide students the opportunity to develop reading, writing, and higher-level thinking skills.

Prácticas de audición
Volumenes 1 and 2

Each reproducible volume offers a wide range of listening activities to supplement text work and helps students develop listening comprehension and speaking skills. Thirty realistic and stimulating situations apply essential grammatical concepts. Students practice comprehension skills through question and answer, fill-in-the-blanks, note taking, and other activity formats.

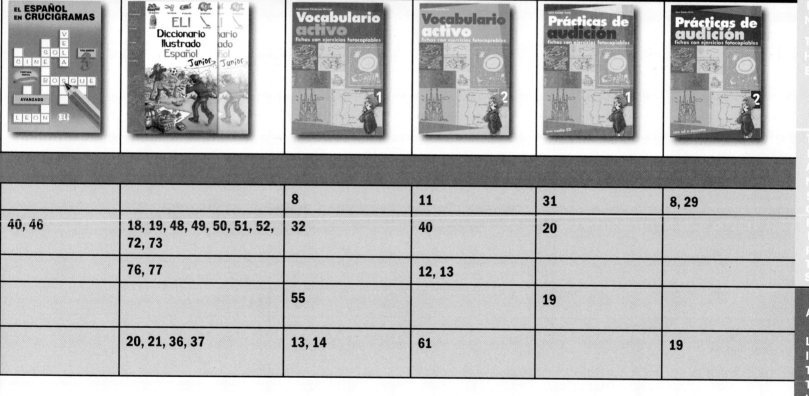

		8	11	31	8, 29
40, 46	18, 19, 48, 49, 50, 51, 52, 72, 73	32	40	20	
	76, 77		12, 13		
		55		19	
	20, 21, 36, 37	13, 14	61		19

Activity Books

Supplemental Title / ¡Aventura! topic and page number					
Capítulo 2 En familia					
Family	56		10, 11		
The house		18	14	10, 16	
Daily routine	32				
Emotions		66			
Botero	48				
Adjective agreement					
Capítulo 3 ¿Qué pasa en el mundo?					
News/media	74, 84				
Past tense					
Spain	16, 24, 30–36, 52–56, 112				
Preterite vs. imperfect					
Time expressions with *hacer*					
Capítulo 4 Entre amigos					
Personality traits		66			76
Friendship					
Descriptions	72			64	76
Indirect and direct object pronouns					
Relative pronouns					

	12, 13	36	41	11	
	4, 5, 6, 7, 10, 11	25, 26		30	
	9, 52	58, 59, 63		16, 20	10
82		11, 55	17	19	33
	84, 85	11	9,14, 44, 48		

	78, 79	43	53, 58, 59		35
	86, 87	65		37	22
		65		8	12, 28, 29
				35	22
					19

82		10	9	11	
				9	
		10, 11, 12	33, 34, 45, 60	10, 33, 35	
				34	27, 37
					15

Supplemental Title ¡Aventura! topic and page number					
Capítulo 5 Ciudad y campo					
Ciudad y campo	22,24	22	38	46	
Asking for and giving direction					
Train travel					
Camping					
Subjunctive					
Commands					
Capítulo 6 De viaje					
De viaje	120–122				58
Traveling	90, 120, 122		50		
Weather		34			
Lodging					
Subjunctive					
Future tense					
Conditional tense					
Capítulo 7 Buen provecho					
Shopping					
Food/cooking	62, 64				
Food/restaurant					
Comparatives/ superlatives					

EL ESPAÑOL EN CRUCIGRAMAS	ELI Diccionario Ilustrado Español Junior	Vocabulario activo 1	Vocabulario activo 2	Prácticas de audición 1	Prácticas de audición 2
22, 46, 64	14, 15, 54, 55, 58, 59, 60, 61, 62, 63			14, 21	14
			36	14	13, 14
	40, 41				
	54, 55, 58, 59, 66, 67		16		
					34, 37
				34	34
	38, 39, 40, 41, 42, 43, 88, 89	44		36	16
	32, 33, 38, 39, 40, 41, 42, 43	44, 45	16	22, 36	16
	53	24	42	13	
	32, 33			36	
					34, 37
				22, 36	12, 23, 32
					35
	24, 25, 26, 27				11, 32
	6, 7	33, 34	38	34	25
	34, 35			18	
		56		26, 27	24

Supplemental Title ¡Aventura! topic and page number	¡Adónde?	PASATIEMPOS en ESPAÑOL 1	PASATIEMPOS en ESPAÑOL 2	EL ESPAÑOL EN CRUCIGRAMAS 1	EL ESPAÑOL EN CRUCIGRAMAS 2
Capítulo 8 La buena salud					
La buena salud					
Fitness	112				
Healthy eating	62	46, 50		28, 34	
Body parts		54			22, 28
Sports	112, 114, 116		54	22	
The verb *doler*					
Capítulo 9 Última moda					
Fashion	92, 94				
Hairstyles					
Clothes and accessories	92, 93	58		52	
Past perfect subjunctive					
Capítulo 10 Nuestro futuro					
Projects for the future					
Careers	90		42		32
Wishes/hopes	90				
The environment	128, 130	30			
Imperfect subjunctive					

EL ESPAÑOL EN CRUCIGRAMAS	ELI Diccionario Ilustrado Español Junior	Vocabulario activo 1	Vocabulario activo 2	Prácticas de audición 1	Prácticas de audición 2
64	44, 45, 46, 47	39, 40	55, 56	33	34
			40		34
	24, 25, 26, 27, 34, 35	33, 34	37, 38	18, 34	25
16	44, 45	11, 30, 31	33, 34		
52	48, 49, 50, 51		20		
	44, 45, 46, 47			33	
	28, 29, 30, 31	37			19, 21
					27
	8, 28, 29, 30, 31	37, 38	26	25	21
				29, 33	34, 37
		44, 66		22, 25	32
	20, 21, 36, 37	13, 14	61		19
			18		33
	54, 55, 56, 57	49	21		36
				35	22, 34, 37

Speaking Spanish Confidently Correlation*

Speaking Spanish Confidently is an instructional resource that teachers can use to introduce and reinforce 20 useful Spanish language concepts in a unique way.

Speaking Spanish Confidently motivates learners to attach lexical meaning to visual symbol cards. When placed side by side, the symbol cards create an easy way for students to master Spanish syntax, for even the trickiest grammatical structures.

With frequent repetition of individual words and sentence patterns by the teacher, then by individuals, and finally by the whole class, students begin speaking with confidence during the first unit.

The visual symbols, paired with audio references, become effectively stored in students' long-term memory banks.

The 67 verb symbol cards that represent regular and irregular verbs can be used to practice any and all verb tenses.

Speaking Spanish Confidently is an entertaining and effective classroom tool that will add excitement and meaningful content to your daily lessons.

¡Aventura! 3 chapter	The following *Speaking Spanish Confidently* units and symbol cards support chapter content.
Capítulo 1	Unit 6 Adjective Agreement Unit 7 Adjectives and the Verb *ser* Unit 8 Adjectives and the Verb *estar*
Capítulo 2	Unit 3 Conjugating skills (Reflexive verbs) Unit 10 Direct Object Pronouns Unit 11 Indirect Object Pronouns Unit 13 Negative and Affirmative Expressions Unit 17 Present Progressive
Capítulo 3	Unit 18 Preterite Unit 19 Imperfect
Capítulo 4	Unit 10 Direct Object Pronouns Unit 11 Indirect Object Pronouns Unit 17 Present Progressive
Capítulo 5	Unit 20 Present Subjunctive
Capítulo 6	Unit 20 Present Subjunctive
Capítulo 7	Unit 14 Comparisons Unit 20 Present Subjunctive
Capítulo 8	Unit 4 Expressions with *tener* and *hacer* (*Hace + que* expressions) Unit 20 Present Subjunctive
Capítulo 9	Unit 6 Adjective Agreement Unit 9 Possessive Adjectives Unit 14 Comparisons Unit 17 Present Progressive Unit 20 Present Subjunctive
Capítulo 10	Unit 20 Present Subjunctive

*EMC offers this supplemental product to enhance classroom instruction.
Visit the EMC website at www.emcp.com for ordering information.

265 Symbol Cards (Symbol cards representing various parts of speech and abstract concepts allow you to create thousands of sentence combinations.)

Teacher's Guide (Each unit of the guide includes learning objectives, symbol cards needed, step-by-step lesson design, helpful hints, expansion activities, and symbol card games.)

Training DVD (This teacher reference tool introduces the Symtalk philosophy and how to use the symbol cards effectively with students. In the DVD, a teacher models how to present the key elements of the 20 units to students.)

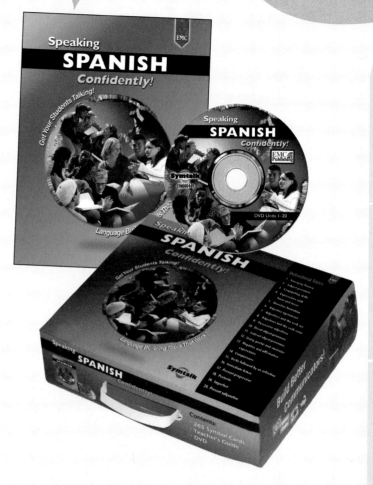

Symbol Card Categories

Adjectives and adverbs
Affirmatives and negatives
Clothes
Colors
Days of the week, times of day, weather
Foods
Objects
People
Places
Possessive adjectives
Prepositions and connecting words
Questions
Reflexive verbs and pronouns
Sports, entertainment and music
Subjects
Transportation

Tips for Internet Use

Teacher Resources on the World Wide Web

¡Aventura! **creators frequent the following sites.**
(**Note:** These addresses may change at any time.
Visit sites to verify they are active before using them
in class.)

Travel and tourism

http://www.embassyworld.com

http://www.embassy.org

http://www.virtualtourist.com

http://www.towd.com

http://cityguide.lycos.com

http://www.lonelyplanet.com

http://travel.discovery.com/destinations/main.html

http://www.lycos.com/travel

Radio and television broadcasting

http://news.bbc.co.uk/hi/Spanish/news

http://www.voanews.com/Spanish

http://www.radio-locator.com

http://www.univision.com

Suggested sites for e-mail projects

http://www.epals.com

http://www.linguistic-funland.com/
    penpalpostings.html

http://www.worldwide.edu/index.html

Weather

http://cnnespanol.com/tiempo

http://cnn.com/weather

http://www.espanol.weather.com

http://www.intellicast.com

Newspapers and magazines

http://www.editorandpublisher.com/
    editorandpublisher/index.jsp

http://libraries.mit.edu/guides/types/flnews/
    spanish.html

http://yahoo.com/news

http://cnnespanol.com

Culture

http://www.lanic.utexas.edu/las.html

http://www.recetario.com

http://www.mcu.es/agenda/index.html

http://www.lacultura.com.ar/lacultura/index.
    shtml

Grammar practice

http://www.verbix.com

http://www.studyspanish.com

http://www.laits.utexas.edu/spe/index.html

Text accompanied by audio

http://www.elmundo.es

http://www.palabravirtual.com/index.
    php?ir = mas_visitados.php

Education and teaching ideas

http://www.worldwide.edu/index.html

http://web66.coled.umn.edu/schools.html

http://www.lanic.utexas.edu/las.html

http://www.clta.net/lessons/topspanish.html

http://www.actfl.org

Language Professionals

The Foreign Language Teaching Forum is an
integrated service for language teachers. The
organization includes an Internet site (FLTEACH.
com), e-mail (FLTEACH@listserv.buffalo.edu)
LISTSERV Academic Discussion List, archives
and the FLNEWS server at the State University of
New York College at Cortland. The sites facilitate
networking and dialog among language professionals.
Topics include language teaching methods, school/
college articulation, training of student teachers,
classroom activities, curriculum, and syllabus design.
To subscribe to the list, send the following message
to LISTSERV@UBVM.CC.BUFFALO.EDU:
SUBSCRIBE FLTEACH [first name] [last name].

The Internet holds much promise as a tool for teaching and learning by providing up-to-date and culturally-authentic information.

Policy and Guidelines for Computer Users

It is essential to create an acceptable use policy before allowing student access to the Internet. The development of such a policy should include all interested parties, such as school administrators, faculty, students, parents and members of the school board. The following policy and guidelines are examples created by one school. This "working document" allows for revisions and additions.

Acceptable Use Policy

The major school rules provide the basic structure for the Acceptable Use Policy. All users must be honest and respectful of others. Their work must meet the schoolwide guidelines for appropriate language and subject matter; it must not violate the school's harassment policy.

All use of the computers must be within the law. Copyright laws must be observed. Only software licensed to the school may be put in school computers. Copyrighted files cannot be sent from or received by school computers without permission of the copyright owner.

Users may access only their own files and programs or those intended for their use. Access to another's account or files without authorization is forbidden. Students must not attempt to access administrative files.

Those using the school's computing resources for classroom use and school-related projects have priority for use of the lab and/or equipment. School facilities may not be used for commercial purposes. Individuals are expected to use the resources thoughtfully. Use that unnecessarily slows access to the network, wastes storage, or wastes other resources is forbidden.

Students who violate these policies will be subject to the school's disciplinary process.

Students will be asked to read and sign a list of additional guidelines before being given access to the school's computers. These guidelines will give students additional information about safe and respectful use of the school's computing resources.

Guidelines for Computer Users

Permission to use the school's computing facilities is granted to those who agree to use them thoughtfully and respectfully. The following guidelines should be followed:

- All use of school's computers must be consistent with the school's Acceptable Use Policy. You are expected to be honest, respect others, follow the school's rules about harassment and do nothing illegal.
- Access only those files for which you are authorized. You must not use or attempt to use any other person's files or programs without permission. Attempting to access administrative files, even for fun, will be viewed as a serious offense.
- Do not use offensive language, which includes both vulgar or insulting language and derogatory language.
- Do not monopolize the use of the equipment. Users working on class-related projects have priority for the use of the facilities.

- Do not give your home address or phone number over the Net. If you need to give someone an address or phone number, use the school's. If in doubt, check with a teacher.
- Be a positive member of the school's computer-using community. Be helpful to those less knowledgeable than you. Avoid activities that earn some computer users bad reputations: Do not "hack," "spam," "flame," introduce viruses, and so on.
- Keep the system running legally and efficiently. Get rid of unwanted programs, files, and e-mail that take up valuable storage. "Unsubscribe" from mail lists that no longer interest you. Do not use illegal software. Do not store your own personal software at school.
- Student use of the Internet is limited to the computers in the student computer lab unless they are working under the supervision of a faculty member.

EMC *Español*

¡Aventura!

NEW!
Five-level
Spanish Program
© 2009

¡Aventura! is a *flexible, focused,* and *fun* Spanish program created to allow you and your students to meet the challenges of varied teaching and learning styles. Take your students on an adventure into the Spanish-speaking world. Culture, vocabulary, grammar, technology—it's all here waiting to be discovered!

Flexible!
Focused!
Fun!

Go to
www.emcp.com/aventura
to review sample pages!

TE72

EMC *Español Avanzado*
¡A toda vela!

by Carmen Herrera and Paul Lamontagne
© 2008

¡A toda vela! is a ground-breaking, integrated skills Spanish textbook that uses **authentic sources** to help students develop skills in **reading, writing, listening,** and **speaking.**

Each two-lesson chapter (eight chapters total) reinforces a multitude of tasks that **incorporate the focal changes in the Advanced Spanish Language Examination.** The chapters also **support innovative, college-level courses** that use the **integrated skills** approach to instruction.

Key features of each lesson:

- Extensive presentation, practice, and word association lists, and a review of vocabulary in context
- Succinct, intuitive grammar exercises that draw on students' prior knowledge
- Pair, small-group, and full-class tasks
- Extensive reading comprehension of authentic texts, as well as listening comprehension
- Helpful hints, rubrics, charts, and pointers for organizing, developing, and presenting information

 Ten introductory, open-ended questions about the subtopics of each lesson **elicit students' prior knowledge** about the lesson topic.

 Pair, small-group, and full-class tasks invite students to **share learning observations,** and insights throughout each lesson.

 AP-style practice exercises populate each chapter.

 Practice grammar and vocabulary in each authentic, theme-based source article.

 Writing prompts for essays, e-mails, letters, debates, and presentations.

 Over six and a half hours of AP formatted listening and speaking practice accompany the student book in downloadable or CD form.

Listening and speaking progress can be assessed with three hours of audio available for the workbooks and over two hours of audio available for exams.

AP Test Prep:

Mastering the Advanced Placement Spanish Language Exam

by Jay Duhl and Felipe Mercado

- Test-taking tools and strategies help students gain confidence in the areas of speaking, listening, reading, and writing
- Authentic recorded and written selections appeal to young people
- Recordings include a wide variety of voices from all over the Spanish-speaking world
- Two complete practice exams prepare students for test day

Specifically tailored to help students master all of the elements of the revised Advanced Placement Exam.

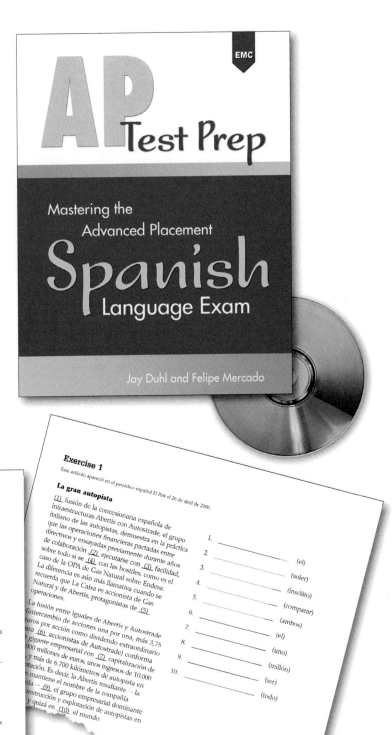

Exercise 1

Este artículo apareció en el periódico español *El País* el 26 de abril de 2006.

La gran autopista

__(1)__ fusión de la concesionaria española de infraestructuras Abertis con Autostrade, el grupo italiano de las autopistas, demuestra en la práctica que las operaciones financieras pactadas entre directivos y ensayadas previamente durante años de colaboración __(2)__ ejecutarse con __(3)__ facilidad, sobre todo si se __(4)__ con las hostiles, como es el caso de la OPA de Gas Natural sobre Endesa. La diferencia es aún más llamativa cuando se recuerda que La Caixa es accionista de Gas Natural y de Abertis, protagonistas de __(5)__ operaciones.

La fusión entre iguales de Abertis y Autostrade (intercambio de acciones una por una, más 3,75 euros por acción como dividendo extraordinario para __(6)__ accionistas de Autostrade) conforma un gigante empresarial con __(7)__ capitalización de 000 millones de euros, unos ingresos de 10.000 , y más de 6.700 kilómetros de autopista en otación. Es decir, la Abertis resultante —la mantiene el nombre de la compañía ola — __(9)__ el grupo empresarial dominante construcción y explotación de autopistas en y quizá en __(10)__ el mundo.

1. _____
2. _____ (el)
3. _____ (soler)
4. _____ (insólito)
5. _____ (comparar)
6. _____ (ambos)
7. _____ (el)
8. _____ (uno)
9. _____ (millón)
10. _____ (ser)
_____ (todo)

Exercise 4

Fragmento del cuento corto *El décimo* en *Arco iris de Obras completas*, VIII por Emilia Pardo Bazán.

El décimo

¿La historia de mi boda? Óiganla ustedes; es bastante original.

Una chica del pueblo, muy mal vestida, y en cuyo rostro se veía pintada el hambre, fue quien me vendió el décimo de billete de lotería, a la puerta de un café, a las altas horas de la noche. Le di por él la enorme cantidad de un duro. ¡Con qué humilde y graciosa (5) sonrisa respondió a mi generosidad!

—Se lleva usted la suerte, señorito —dijo ella con la exacta y clara pronunciación de las muchachas del pueblo de Madrid.

—¿Estás segura? —le pregunté en broma, mientras yo metía el décimo en el bolsillo del sobretodo y me subía el cuello a fin de protegerme del frío de diciembre.

(10) —¡Claro que estoy segura! ¡Ya lo verá usted señorito! Si yo tuviera dinero no lo compraría usted… El número es el 1.620; lo sé de memoria, los años que tengo, diez y seis, y los días del mes que tengo sobre los años, veinte justos. ¡Ya ve si lo compraría yo!

—Pues, hija —respondí queriendo ser generoso—, no te apures: si el billete saca premio… la mitad será para ti.

(15) Una alegría loca se pintó en los negros ojos de la chica, y con la fe más absoluta, cogiéndome por un brazo, exclamó:

—¡Señorito! por su padre y por su madre, déme su nombre y las señas de su casa. Yo sé que dentro de ocho días seremos ricos.

Sin dar importancia a lo que la chica decía le di mi nombre y mis señas; y diez minutos (20) después ni recordaba el incidente.

1. El narrador describe a la vendedora de lotería como una chica
   (A) inválida.
   (B) pobre.
   (C) amable.

3. ¿Qué le prometió el señorito a la vendedora cuando compró el billete?
   (A) Darle sus señas y número de teléfono.
   (B) Darle dinero si ganaba el billete.
   (C) Comprarle billetes todas las semanas.
   (D) Regalarle un abrigo de invierno.

(d) billete ...

4. ¿Por qué no ... en el billete la

Go to
www.emcp.com/apspanish
to review sample pages
and sample audio.

¡Aventura!

Authors

James F. Funston

Alejandro Vargas Bonilla

Contributing Writers

Rolando Castellanos

Paul J. Hoff

Keith Mason

EMC Publishing

ST. PAUL • LOS ANGELES • INDIANAPOLIS

Project Manager
Charisse Litteken

Associate Editors
Hannah da Veiga
Pedro Zayas

Editorial Consultants
Lori Coleman, Sharon O'Donnell, David
Thorstad, Belia Jiménez Lorente

Production Specialist
Jaana Bykonich

Production Editor
Amy McGuire

Illustrators
Ron Berg, Kristen Copham, Chris Dellorco,
Len Ebert, Julia Green, Susan Jaekel,
Nedo Kojic, Jeff Mangiat, Jane McCreary,
Mendola Artists, Tom Newsom, D.J.
Simison, Gary Undercuffler, Scott Youtsey/
Miracle Studios

Text Design
Jennifer Wreisner, Leslie Anderson

Photo Research
Jennifer Anderson, Jenny Kelzenberg

Cover Design
Leslie Anderson

Care has been taken to verify the accuracy of information presented in this book. However, the authors, editors, and publisher cannot accept responsibility for Web, e-mail, newsgroup, or chat room subject matter or content, or for consequences from application of the information in this book, and make no warranty, expressed or implied, with respect to its content.

We have made every effort to trace the ownership of all copyrighted material and to secure permission from copyright holders. In the event of any question arising as to the use of any material, we will be pleased to make the necessary corrections in future printings.

ISBN 978-0-82194-010-5

© 2009 by EMC Publishing, LLC
875 Montreal Way
St. Paul, MN 55102
E-mail: educate@emcp.com
Web site: www.emcp.com

All rights reserved. No part of this publication may be adapted, reproduced, stored in a retrieval system, or transmitted in any form or by any means, electronic, mechanical, photocopying, recording, or otherwise, without prior written permission from the publisher.

Printed in the United States of America

16 15 14 13 12 11 10 09 08 07   1 2 3 4 5 6 7 8 9 10

You are about to embark on an adventure that will take you to many countries and that will open doors you may never have imagined. Whether you are drawn to Spanish because of your interest in travel or your desire to learn how to communicate with others, this year offers you rewarding possibilities as you navigate your way through the Spanish-speaking world. This sense of real-life adventure and travel is reflected in the covers of the *¡Aventura!* series.

Learning a language has always meant more than merely memorizing words and grammar rules and then putting them together, hoping to actually be able to communicate. Just as language is inseparable from culture, so is it inseparable from the authentic communication of thoughts and emotions. The culture of the Spanish-speaking world varies from one country to another. In *¡Aventura!*, you will navigate your way, learning about others while at the same time learning how to share your ideas and feelings. These real-life learning experiences will introduce you to and expand your knowledge of language, geography, history and the arts. In *¡Aventura!* you will learn not only fascinating information, but also problem-solving, survival and employment skills so that when you leave the classroom you can step right into the real world.

Are you ready to continue to use Spanish in the real world? Experience the authentic: *¡Aventura!*

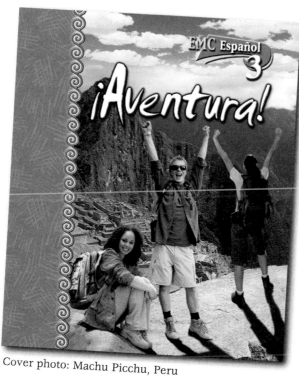

Cover photo: Machu Picchu, Peru

Contents

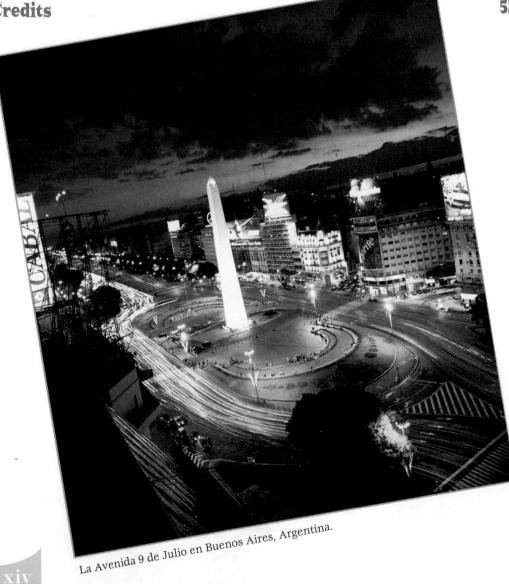

La Avenida 9 de Julio en Buenos Aires, Argentina.

El tren a Machu Picchu.

Navegando los rápidos, Belize.

Una rana arborícola, Costa Rica.

Olivas de España.

La lengua española

GLACIAL ÁRTICO

40°   80°   120°   160°   160°

ORRUSIA

UCRANIA

GARIA

TURQUÍA

CHIPRE

ISRAEL

EGIPTO

SUDÁN

ETIOPÍA

UGANDA

LICA

ÁTICA

NGO

TANZANIA

MALAWI

MBIA

ZIMBABWE

ANA

ANA

RUSIA

KAZAJSTÁN

MONGOLIA

UZBEKISTÁN   33

TURKMENISTÁN   34

30
31   32

SIRIA
21
IRAK   22

IRÁN   AFGANISTÁN

KUWAIT
ARABIA   25
SAUDITA   QATAR
EMIRATOS
ÁRABES UNIDOS
OMÁN

ERITREA

YEMEN

36

SOMALIA

PAKISTÁN

NEPAL   BHUTAN

BANGLA-
DESH

INDIA   BIRMANIA   VIETNAM
LAOS

THAILANDIA

CAMBOYA

SRI LANKA

MALDIVAS

SINGAPUR

REP. POP. CHINA

COREA
DEL NORTE

COREA
DEL SUR

JAPÓN

TAIWÁN

■ Manila

FILIPINAS   REP. DE PALAOS

BRUNEI

MALASIA

I N D O N E S I A

PAPÚA
NUEVA GUINEA
SALOMÓN

SEYCHELLES

COMORES

MAURICIO

MADAGASCAR

OCÉANO

ÍNDICO

OCÉANO

PACÍFICO

Alaska
(EE.UU.)

40°

0°

Trópico de Capricornio

AUSTRALIA

NUEVA

40°

ZELANDA

Línea internacional
de cambio de hora

UNDI
la en el mundo

AL ANTÁRTICO

ÁRTIDA

40°   80°   120°   160°   160°

■	Países donde el español es la lengua oficial o co-oficial	
▓	Zonas donde el español es hablado por una parte de la población	

Madrid Ciudad de más de 1 millón de hab.
Panamá Ciudad de 100.000 a 1 millón de hab.
Malabo Ciudad de menos de 100.000 hab.
Límite de Estado
■ · Capital de Estado
● Otras ciudades

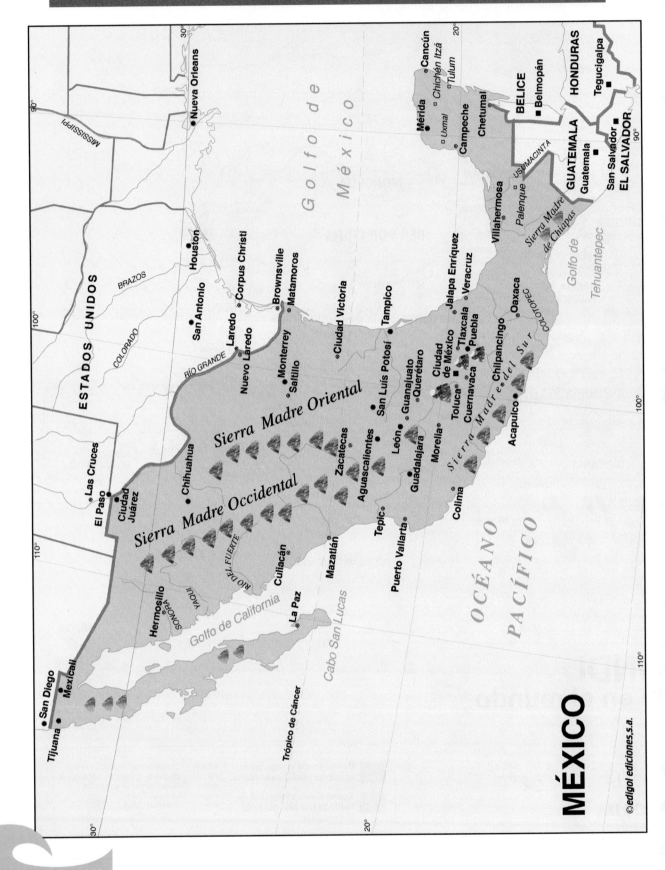

MÉXICO

© edigol ediciones, s.a.

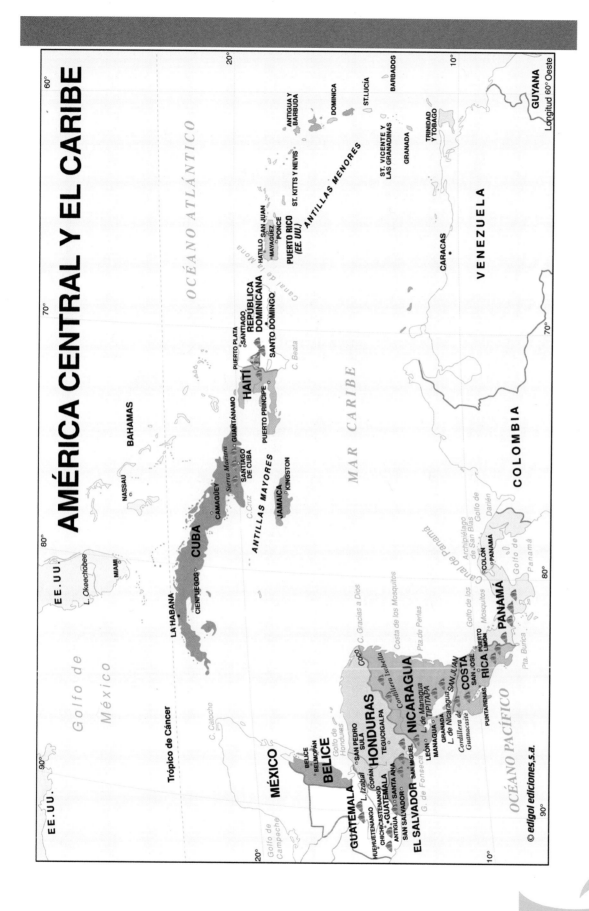

AMÉRICA CENTRAL Y EL CARIBE

EE.UU.

Golfo de México

Golfo de Campeche

Trópico de Cáncer

OCÉANO ATLÁNTICO

BAHAMAS

NASSAU

MIAMI
L. Okeechobee

EE.UU.

CUBA

LA HABANA

CIENFUEGOS

CAMAGÜEY

Sierra Maestra

SANTIAGO DE CUBA

GUANTÁNAMO

C. Cruz

ANTILLAS MAYORES

JAMAICA

KINGSTON

MAR CARIBE

PUERTO PLATA

SANTIAGO

HAITÍ

PUERTO PRÍNCIPE

REPÚBLICA DOMINICANA

SANTO DOMINGO

C. Beata

Canal de la Mona

HATILLO   SAN JUAN
MAYAGÜEZ
PONCE
PUERTO RICO (EE.UU.)

ANTILLAS MENORES

ST. KITTS Y NEVIS

ANTIGUA Y BARBUDA

DOMINICA

ST.LUCIA

BARBADOS

ST. VICENTE Y LAS GRANADINAS

GRANADA

TRINIDAD Y TOBAGO

CARACAS

VENEZUELA

GUYANA

Longitud 60° Oeste

COLOMBIA

MÉXICO

BELICE
BELMOPÁN
BELICE
L.Izabal
Golfo de Honduras

SAN PEDRO SULA

COPÁN

HONDURAS

TEGUCIGALPA

GUATEMALA

HUEHUETENANGO
CHICHICASTENANGO
GUATEMALA
ANTIGUA   SANTA ANA
SAN SALVADOR
EL SALVADOR   SAN MIGUEL

G. de Fonseca

MANAGUA
LEÓN
GRANADA
L. de Managua
TIPITAPA
Cordillera de Guanacaste
L. de Nicaragua
NICARAGUA

C. Gracias a Dios
COCO
Cordillera Isabella

Costa de los Mosquitos

Pta. de Perlas

PUNTARENAS
SAN JUAN
COSTA RICA
SAN JOSÉ
PUERTO LIMÓN

Golfo de los Mosquitos

Pta. Burica

OCÉANO PACÍFICO

PANAMÁ

Canal de Panamá

COLÓN
PANAMÁ
Golfo de Panamá

Archipiélago de San Blas

Golfo de Darién

C. Catoche

© edigol ediciones, s.a.

xix

ESPAÑA

XX

AMÉRICA DEL SUR

MAR CARIBE

BARRANQUILLA
CARTAGENA
MARACAIBO CARACAS
L. de Maracaibo
MÉRIDA
VENEZUELA
ARAUCA
ORINOCO
Delta del Orinoco

GEORGETOWN
PARAMARIBO
GUYANA
SURINAM
CAYENA
GUAYANA FRANCESA (Fra.)

BUCARAMANGA
MEDELLÍN
MAGDALENA
BOGOTÁ, D.C.
VILLAVICENCIO
CALI
PASTO
COLOMBIA

OCÉANO ATLÁNTICO

Estuario del Amazonas
Ecuador

QUITO
ECUADOR
Cotopaxi 5896
Chimborazo 6267
GUAYAQUIL
CUENCA
Golfo de Guayaquil
IQUITOS
CAQUETÁ
AMAZONAS
AMAZONAS

PERÚ
Pta. Negra

B R A S I L

FORTALEZA

CHICLAYO
TRUJILLO
Los Andes

RECIFE

CALLAO
LIMA
Machu Picchu
ICA
CUZCO
JULIACA
L. Titicaca
LA PAZ
BOLIVIA
COCHABAMBA
L. de Poopó
SUCRE
POTOSÍ
ARICA

SAN FRANCISCO

SALVADOR

BRASILIA

BELO HORIZONTE

PARAGUAY

PARANÁ

OCÉANO

PACÍFICO
Trópico de Capricornio
ANTOFAGASTA

C H I L E

Gran Chaco
PARAGUAY
CONCEPCIÓN
Itaipú
PILCOMAYO
ASUNCIÓN
Cataratas del Iguazú
RESISTENCIA
CORRIENTES
URUGUAY

SÃO PAULO
RÍO DE JANEIRO

SAN MIGUEL DE TUCUMÁN
Los Andes
ARGENTINA
Aconcagua 6959
CÓRDOBA
SAN JUAN
PARANÁ
URUGUAY
SALTO
URUGUAY

IS. JUAN FERNÁNDEZ (Chile)
VIÑA DEL MAR
VALPARAÍSO
SANTIAGO DE CHILE
TALCA
CONCEPCIÓN
MENDOZA
SALADO
Pampas
ROSARIO
BUENOS AIRES
LA PLATA
RÍO DE LA PLATA
Pta. Norte
MONTEVIDEO

OCÉANO ATLÁNTICO

COLORADO
BAHÍA BLANCA
MAR DEL PLATA
NEUQUÉN
NEGRO

VALDIVIA
Los Andes
SAN CARLOS DE BARILOCHE

PUERTO MONTT
Patagonia

C. Tres Puntas

Golfo de Penas

Bahía Grande
Estr. de Magallanes
ISLAS MALVINAS (R.U.)
PUERTO STANLEY

PUNTA ARENAS
TIERRA DEL FUEGO
USHUAIA
Cabo de Hornos
GEORGIA DEL SUR (R.U.)
Estr. de Drake

©edigol ediciones,s.a.

El cuarto misterioso
Documental 1

Symtalk Units 6, 7, and 8

Connections with Parents

Encouraging parents/guardians to become involved in what their children are learning will improve chances for student success. This box provides suggestions and reminders for establishing and maintaining good parental/guardian support. To begin, you might wish to send a letter home explaining objectives and expectations for the course.

 Answers

El cuarto misterioso
1. Muchos estudiantes trabajan para pagarse sus estudios.
2. Marco trabaja como mesero en un restaurante.
3. Answers will vary.
4. Answers will vary.

 Activities

Prior Knowledge
In *¡Aventura 3!* we meet the cast and crew of *El cuarto misterioso*. The screen shots that appear at the beginning of each chapter show one aspect of the individual's interests. Ask a student to be a scribe and record the classes' initial reactions to the screen shots. At the end of each chapter the class can review how well it evaluated the specific screen shot before viewing the episode.

CAPÍTULO 1

¡Bienvenidos!

El cuarto misterioso

Contesta las siguientes preguntas sobre esta escena del *Documental 1–Marco Tillett García (Francisco)*.

1. ¿Qué hacen Marco y muchos estudiantes para pagarse sus estudios?
2. ¿En qué trabaja Marco, además de actuar?
3. ¿Qué parte del cine le interesa más a Marco?
4. ¿Además del cine, cuáles son otros intereses de Marco?

DVD 5, Episodios 1–5. Marco trabaja en el Restaurante Spicca.

Objetivos

talk about school classes and sched●

describe others in te of personality

talk about after-school jobs

Notes
Icons in the side margins of the ATE indicate components with activities that reinforce and expand upon the content taught in *¡Aventura!* These icons are explained in the ATE Introduction.

Functional and communicative objectives are provided at the start of each chapter to prepare students for what they are about to learn. A list of these functions appears at the end of each chapter so students can evaluate their progress.

talk about sports and after-school activities

describe occupations

greet friends

describe movies and programs

talk about likes and dislikes

A mí me gustan las películas de aventuras y los dramas.

Yo no entiendo francés... ¡Quiero ver dibujos animados!

express an opinion

ask for information

www.emcp.com

i-CULTURE
Authentic Connections to the World

uno 1

Contexto cultural

Colombia
Nombre oficial: República de Colombia
Población: 43.000.000
Capital: Bogotá
Ciudades importantes: Medellín, Cali, Cartagena, Barranquilla
Unidad monetaria: el peso
Fiesta nacional: 20 de julio, Día de la Independencia
Gente famosa: Fernando Botero (pintor); Gabriel García Márquez (escritor)

Venezuela
Nombre oficial: República de Venezuela
Población: 23.900.000
Capital: Caracas
Ciudades importantes: Maracaibo, Valencia, Barquisimeto
Unidad monetaria: el bolívar
Fiesta nacional: 5 de julio, Día de la Independencia
Gente famosa: Simón Bolívar ("El Libertador"); Rómulo Gallegos (escritor)

 Activities

Prior Knowledge
Take a few minutes to let students reflect on the chapter objectives. Ask students: *¿Cómo estás?, ¿Qué clases tienes este año?, ¿Cómo son tus profesores este año? ¿Y tus compañeros?, ¿A qué te dedicas después de las clases?, ¿Cómo es tu personalidad?, ¿Qué trabajo te gustaría tener en el futuro?, ¿Qué tipo de película te gusta más?, ¿Te gusta el trabajo que tienes?, ¿Qué opinas tú de las películas de terror?*

National Standards

Communication
1.1, 1.3

Cultures
2.1

Communities
5.1

Notes
It is not necessary to spend a lengthy amount of time reviewing objectives. You can spend more time reviewing the objectives for an interesting classroom discussion or move through the objectives at a faster pace. To quickly review, call on just one student to answer each question. You could also ask students to spend 10 minutes reading and reflecting on the objectives after they finish the previous chapter test. You could also assign pairs to share each question with the class on the day you plan to start a new chapter.

Vocabulario I
Comienzan las clases
(CD 1, #1)

 Activity 1 (CD 1, #1)

 Activity 1

 Activities 1–2

 Activity 1

 Activity 1

Content reviewed in *Lección A*
- greetings
- school activities
- descriptions

 Activities

Language through Action
Once you have reviewed the new expressions, call on student volunteers to role-play the characters in the different scenes.

Multiple Intelligences (linguistic/spatial)
To aid your linguistic students, ask students to group the words in their workbooks that have to do with hurrying (*rápido, en seguida, date prisa*). Your visual students might enjoy illustrating these words. Draw your students' attention to *desapareces* and *reconoces*. Do students recognize any familiar infinitives in these words (*aparecer, conocer*)?

National Standards	
Communication 1.1, 1.3	**Communities** 5.1
Connections 3.1	
Comparisons 4.1	

 Lección A **Vocabulario I** **Colombia**

Comienzan las clases

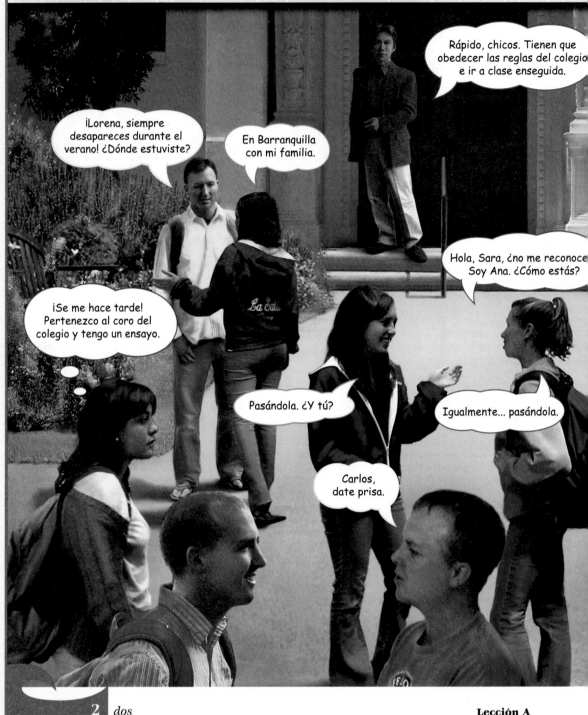

> Rápido, chicos. Tienen que obedecer las reglas del colegio e ir a clase enseguida.

> ¡Lorena, siempre desapareces durante el verano! ¿Dónde estuviste?

> En Barranquilla con mi familia.

> Hola, Sara, ¿no me reconoces? Soy Ana. ¿Cómo estás?

> ¡Se me hace tarde! Pertenezco al coro del colegio y tengo un ensayo.

> Pasándola. ¿Y tú?

> Igualmente... pasándola.

> Carlos, date prisa.

2 *dos* **Lección A**

Notes

Other expressions for *pasándola* are *más o menos* and *sobreviviendo*.

Take this opportunity to go over *las reglas* for your classroom. Have students write and illustrate these rules on poster paper and hang them around the room.

Draw students' attention to the flag at the top of the page. The flag indicates the Spanish-speaking country that will be highlighted in the lesson.

Communities. Ask students: *¿En qué país queda Barranquilla? (En Colombia.); ¿Hay alguien en la clase que tiene familia o amigos en Colombia?*

¿Cuándo van a establecer el rio de ensayos de la orquesta?

Tal vez mañana.

¡Chévere!

Coro

Ensayo de coro esta tarde

Estos estudiantes merecen estar en la orquesta porque tocan muy bien.

¿Te vas a hacer miembro de algún club de la escuela?

Sí, voy a colaborar con el consejo estudiantil.

Answers

1
1. F
2. D
3. B
4. C
5. A
6. E

2
1. prisa, enseguida
2. Pasándola, Igualmente
3. miembro, obedecer

Activities

Cooperative Learning

Have students work in pairs or in small groups to gather information about school activities. Students should first list, in Spanish, the clubs, musical groups and other activities offered at your school. Then, students can use the models on page 3 to ask each other: *¿Te vas a hacer miembro de algún club de la escuela? (Sí, voy a colaborar con... or No, prefiero no hacer nada.)*

1 En la escuela

Indique la letra de la foto que corresponde con cada situación que oye.

A

B

C

D

E

F

2 Diálogos

Complete los diálogos con las palabras de la caja.

enseguida	obedecer	miembro
pasándola	prisa	igualmente

1. **A:** Vamos, Anita, ya son las ocho. Date ___.
   B: Está bien, mamá, salgo ___.
2. **A:** Hola, Javier. ¿Cómo estás?
   B: ___, ¿y tú?
   A: ___.
3. **A:** Nicolás, ¿por qué no te haces ___ de algún club?
   B: Porque no me gusta ___ reglas.

Capítulo 1

tres **3**

Notes

You might point out to students that school *coros* and *orquestas* are very common in all the countries of Latin America.

The script for all *¡Aventura! 3* recorded content is provided in the Audio Program Manual.

For teacher convenience, student answer sheets have been provided for the activities indicated in the student textbook by the audio speaker icon (the first activity after *Vocabularios I* and *II* and the third activity after *Diálogos I* and *II*). These reproducible answer sheets can be found at the end of the Audio Program Manual.

National Standards

Communication
1.1, 1.2

Connections
3.1

Teacher Resources

Diálogo I
¿Me reconoces? (CD 1, #3)
Activity 3 (CD 1, #4)
Activity 4 (CD 1, #5)
Activity 5 (CD 1, #6)

Answers

3 1. Porque Ramiro tiene el pelo más corto.
2. Porque se mudó a Cali con su familia.
3. Ramiro colabora en varias actividades del colegio y pertenece a un club deportivo.
4. Pablo es miembro del coro.
5. Ana quiere llamar a Pablo enseguida.

4 Answers will vary.

5 1. A
2. A
3. B
4. B
5. A

Activities

Cooperative Learning/Expansion
To further practice the lines in the first dialog, have each student bring to class an old photograph of himself or herself. Each student should be prepared to say how he or she has changed over the years. Have students break into groups and display the photos in random order on the desks. Student pairs take turns repeating the lines of the first dialog and guessing and commenting on the identities of the people in the photos.

National Standards

Communication
1.1, 1.2

4

Diálogo I   ¿Me reconoces?

RAMIRO: Ana, ¿eres tú? ¿Cómo estás?
ANA: ¿Ramiro? Estás cambiado. Casi no te reconozco.
RAMIRO: Soy el mismo, pero con el pelo más corto.
ANA: ¿Por qué desapareciste del colegio?

RAMIRO: Mi familia y yo nos mudamos a Cali.
ANA: ¿De veras? ¿Y cómo es tu vida allí?
RAMIRO: Colaboro en varias actividades del colegio y pertenezco a un club deportivo.

RAMIRO: ¿Cómo está Pablo?
ANA: Pasándola. Ahora es miembro del coro. Si quieres lo llamo enseguida para decirle que estás aquí.
RAMIRO: ¡Chévere!
ANA: Hola, ¿Pablo? ¿A que no sabes quién apareció por aquí?

3   ¿Qué recuerda Ud.?

1. ¿Por qué Ana no reconoce enseguida a Ramiro?
2. ¿Por qué Ramiro ya no va al colegio de Ana?
3. ¿Qué actividades hace Ramiro?
4. ¿En qué actividad participa Pablo?
5. ¿Qué quiere hacer Ana enseguida?

4   Algo personal

1. ¿Se encuentra Ud. a menudo con amigos de la niñez?
2. ¿Qué dicen ellos cuando lo/la ven? ¿Lo/La reconocen?
3. ¿Le gusta vivir en su ciudad? ¿Por qué?
4. ¿Con qué grupos del colegio Ud. colabora?

Somos amigas desde niñas.

5   Situaciones

 Escuche las siguientes situaciones. Escoja la letra de la conclusión más lógica para cada una.

1. **A.** Se me hace tarde.   **B.** Pasándola.
2. **A.** ¿Cuándo lo van a establecer?   **B.** ¿Por qué colaboran?
3. **A.** Es verdad, siempre se dan prisa. **B.** Es verdad, cantan muy bien.
4. **A.** No te reconozco.   **B.** No lo encuentro.
5. **A.** Por eso participa en la orquesta. **B.** Por eso pertenece al consejo estudiantil.

Notes

¡Aventura! stresses the use of authentic Spanish. Therefore, vocabulary is introduced in context, along with appropriate cultural notes.

Diálogos I and II are intended to apply the vocabulary presented in Vocabularios I and II. Students thus have the opportunity to see new words and expressions applied

immediately in a functional context with follow-up factual and personal questions for practice.

Dialogs have been recorded by native speakers. The recordings are included in the ¡Aventura! Audio Program.

Cultura viva

Shakira.

Colombia y los famosos

Son muchos los colombianos que se destacan hoy en día internacionalmente en diferentes actividades. Por ejemplo, en la música, se encuentra la famosa cantante Shakira, quien ha conquistado[1] el mercado estadounidense de la canción con un disco en inglés. Sigue sus pasos[2] el cantante Juanes, ganador de nueve Premios Grammy. Pero quien realmente dio a conocer al mundo un importante estilo[3] musical colombiano fue Carlos Vives. Este talentoso cantante y actor hizo resurgir[4] el *vallenato,* estilo musical del Valle de Upar, en el noroeste de Colombia, el cual combina ritmos y sonidos populares africanos, europeos y colombianos.

Entre los deportistas famosos encontramos al futbolista Carlos "El Pibe" Valderrama, símbolo mundial del fútbol colombiano, y al ciclista[5] Víctor Hugo Peña, líder del Tour de Francia y compañero de equipo del ciclista estadounidense Lance Armstrong.

Finalmente, en la cultura, debemos mencionar a dos de los personajes más importantes de Colombia. En las artes se encuentra Fernando Botero, uno de los grandes artistas latinoamericanos. Sus obras son conocidas en todo el mundo. Y, en la literatura, cabe destacar al famoso escritor Gabriel García Márquez, autor de muchas obras y ganador del Premio Nobel de Literatura en 1982.

Todas y cada una de estas personas llevan el buen nombre de Colombia a todos los lugares del mundo. Ellos expresan el orgullo[6], el amor y el dolor[7] de ser colombianos.

Gabriel García Márquez.

[1]has conquered [2]follows her steps [3]style [4]revive [5]cyclist [6]pride [7]pain

6 ¿Qué sabe sobre su vida?

¿Conoce Ud. alguno de los artistas o deportistas de la sección *Cultura viva*? Escoja uno de ellos e investigue los datos sobre su vida. Complete una tabla como la siguiente.

Artista / Deportista	
Actividad	
Obras o canciones famosas / Competencias	
Premios recibidos	

En la internet

Puede encontrar la información que necesita sobre el artista o deportista elegido buscando en la internet. Otras fuentes de consulta incluyen revistas, libros, museos o bibliotecas.

Capítulo 1

cinco 5

Teacher Resources

 Activity 2 (CD 1, #2)

 Activity 3

Answers

6 Answers will vary.

Activities

Expansion
Make a bulletin-board display of famous Colombians, using pictures and other items that students bring to class.

Prereading Strategy
Have students read the title of the *Cultura viva,* look at its photos and skim the article to find the names of the seven famous people discussed. Have a volunteer write the names on the board. After students read the article, they write a detail about each person under each name.

Before students read, ask them what they know about Shakira and Gabriel García Márquez. List this information on the board.

Students with Special Needs
You may want to give students a sample completed table for activity 6 that they can use as a model. Discuss with students the sources they might use for their research.

Technology
Suggest that students use one of many available Internet search engines to do research about the famous individuals mentioned in *Cultura viva.*

National Standards	
Communication 1.2	Comparisons 4.2
Cultures 2.2	
Connections 3.1, 3.2	

5

Notes

Extend activity 6 by having students answer in Spanish this question: *¿Por qué te interesa esa persona?*

Comparisons. After reading the *Cultura viva,* have students list the famous people they would name for "the best of" categories (*música, deporte, arte, literatura*) from the United States.

The section *¡Extra!* offers additional vocabulary, notes and suggestions to students. It is not required content.

Activities

Cooperative Learning

To provide extra practice conjugating the regular verbs, write the stems of regular verbs on large index cards. On a second set of index cards, write the regular endings. On a third set, write subjects and subject pronouns. Give all three sets of cards to small groups of students. Students work together to form sentences (*Yo estudio*, etc.).

Language through Action

To practice the first- and second-person verb forms, write the infinitives from the page on slips of paper. Have students take turns drawing a slip of paper and acting out the verb in the *yo* form. For example, *Yo duermo* (pantomimes sleeping). The class guesses the activity: *¿Duermes?* The actor must answer in a complete Spanish sentence: *Sí, yo duermo.*

Students with Special Needs

Go over one group of verbs at a time with students. Suggest that they designate a special section of their notebook to verb conjugations. In that section they should carefully conjugate each type of verb. Throughout the year they will be able to use the sample verbs for reference.

National Standards
Communication
1.1, 1.3
Connections
3.1

6

 Idioma

Repaso rápido

El presente del indicativo

You are already familiar with the form of the verbs in the present indicative.

Verbos regulares:

estudi**ar**: estudi**o**, estudi**as**, estudi**a**, estudi**amos**, estudi**áis**, estudi**an**
com**er**: com**o**, com**es**, com**e**, com**emos**, com**éis**, com**en**
recib**ir**: recib**o**, recib**es**, recib**e**, recib**imos**, recib**ís**, recib**en**

Verbos con cambios en la raíz:

e → ie	pensar: p**ie**nso, p**ie**nsas, p**ie**nsa, pensamos, pensáis, p**ie**nsan
	querer: qu**ie**ro, qu**ie**res, qu**ie**re, queremos, queréis, qu**ie**ren
	sentir: s**ie**nto, s**ie**ntes, s**ie**nte, sentimos, sentís, s**ie**nten
e → i	repetir: rep**i**to, rep**i**tes, rep**i**te, repetimos, repetís, rep**i**ten
u → ue	jugar: j**ue**go, j**ue**gas, j**ue**ga, jugamos, jugáis, j**ue**gan
o → ue	poder: p**ue**do, p**ue**des, p**ue**de, podemos, podéis, p**ue**den
	volver: v**ue**lvo, v**ue**lves, v**ue**lve, volvemos, volvéis, v**ue**lven
	dormir: d**ue**rmo, d**ue**rmes, d**ue**rme, dormimos, dormís, d**ue**rmen

Verbos con formas irregulares en la primera persona:

caber: **quepo**	dar: **doy**	poner: **pongo**
caer(se): **(me) caigo**	hacer: **hago**	saber: **sé**
conocer: **conozco**	ofrecer: **ofrezco**	salir: **salgo**
convencer: **convenzo**	parecer: **parezco**	traer: **traigo**

Verbos con cambios en la raíz y formas irregulares en la primera persona:

tener: ten**go**, t**ie**nes, t**ie**ne, tenemos, tenéis, t**ie**nen
decir: **digo**, dices, dice, decimos, decís, dicen
venir: ven**go**, v**ie**nes, v**ie**ne, venimos, venís, v**ie**nen
estar: **estoy, estás, está, estamos, estáis, están**

Verbos con más de una forma irregular:

ser: **soy, eres, es, somos, sois, son**
ir: **voy, vas, va, vamos, vais, van**
oír: **oigo, oyes, oye,** oímos, oís, **oyen**
ver: **veo,** ves, ve, vemos, **veis,** ven

Yo estoy contento.

6 *seis*

Notes

The *Repaso rápido* section provides a review of previously learned grammar and is often intended to help prepare students for a related grammar point, in this case, verbs that end in *-cer* and *-cir* (page 8).

Remind students that regular verbs are all formed the same way. The verb endings *-ar, -er* or *-ir* are all dropped and a new ending is added. Conjugate a few of these verbs on the board.

Musical students might enjoy creating rap songs to help them remember the spelling rules.

7 Actividades escolares

Unos estudiantes hablan sobre sus actividades. Escoja la forma correcta del verbo apropiado para completar su conversación.

1. ¿Tú ___ a estudiar a la biblioteca por la tarde? (poner / ir)
2. No, yo no voy, pero ___ que Marina y Julián van. (pensar / traer)
3. Tú ___ ir con ellos, ¿no? (poder / venir)
4. ¿Uds. ___ la tarea en la escuela? (decir /hacer)
5. No, nosotras la ___ en casa. (hacer / salir)
6. ¿Tú ___ hacer la tarea con nosotras? (decir / querer)
7. ¡Chévere! Las ___ más tarde. ¡Hasta luego! (ver / venir)
8. ¡Un momento, por favor! Alicia, ¿dónde ___ tú? (vivir / traer)

¿Quieres estudiar con nosotras?

8 Una encuesta

Copie la tabla y pregúnteles a cinco compañeros si hacen las actividades siguientes los fines de semana. Escriba *sí* o *no* en cada espacio en blanco. Después, escriba seis oraciones sobre los resultados.

MODELO A: Carmen, ¿tú haces aeróbicos los fines de semana?
B: Sí, yo hago aeróbicos los fines de semana.

Resultado: Carmen y Raúl hacen aeróbicos los fines de semana.

	Carmen	Pablo	Ana	Raúl	Luisa
hacer aeróbicos	sí	no	no	sí	no
dormir hasta tarde					
salir con amigos					
ir al cine					
ver televisión					
oír música					
leer revistas					
jugar al básquetbol					

Answers

7 1. vas
2. pienso
3. puedes
4. hacen
5. hacemos
6. quieres
7. veo
8. vives
8 Answers will vary.

Activities

Critical Thinking
Ask students whether they think students should wear uniforms in public school. Encourage students to give reasons for their answers.

Expansion
Have students suggest additional weekend activities for the survey in activity 8.

Pronunciation
Remind students that they should stress the part of a word that carries an accent mark. Have students identify the words on the page that carry accent marks. Model their pronunciation.

Students with Special Needs
Students may need help making their survey form. In preparation for the survey, you may have students conjugate the infinitives into the *tú* form ahead of time.

Notes

As an extension to activity 7, have students write a brief conversation about school between the girls in the photo.

You might divide the class into groups of five before doing activity 8.

Comparisons. You might remind students that Spanish does not use the equivalent of

English "do" as a question word. In English we say, "Do you play basketball?" In Spanish, one says, *¿Juegas al básquetbol?*

National Standards

Communication
1.1

Connections
3.1

Comparisons
4.1

7

Teacher Resources

 Activity 3 (CD 1, #3)

 Activities 5–6

 Activity 2

 Activity 5

 Answers

9 1. A. ¿Conoces a todos los profesores de la escuela?
   B. Sí/No, no los conozco.
2. A. ¿Traduces las tareas en la clase de español?
   B. Sí/No, no las traduzco.
3. A. ¿Te pareces a tu madre?
   B. Sí/No, no me parezco a mi madre.
4. A. ¿Obedeces a tus padres?
   B. Sí/No, no obedezco a mis padres.
5. A. ¿Mereces una A en la clase de español?
   B. Sí/No, no merezco una A en la clase de español.
6. A. ¿Perteneces a un club deportivo?
   B. Sí/No, no pertenezco a un club deportivo.
7. A. ¿Convences fácilmente a otros?
   B. Sí/No, no convenzo fácilmente a otros.
8. A. ¿Ofreces ayuda a tus compañeros?
   B. Sí/No, no ofrezco ayuda a mis compañeros.

National Standards

Communication
1.1

8

Estructura

Los verbos que terminan en -cer, -cir

Most verbs ending in *-cer* and *–cir*, such as *conocer* (to know) and *conducir* (to drive) have a change in the *yo* form of the present tense: the *c* changes to *zc*. The other present-tense forms of these verbs do not have this spelling change.

No es justo, Sra. López. **Merezco** *una nota más alta.*	It's not fair, Mrs. López. **I deserve** a higher grade.
¿Conoces a todos los estudiantes nuevos? *No, sólo* **conozco** *a Felipe Hernández.*	Do you know all the new students? No, **I** only **know** Felipe Hernández.

The following are some other verbs that follow this pattern.

aparecer	*to appear, to turn up*	ofrecer	*to offer*
desaparecer	*to disappear*	parecer	*to seem, to appear*
establecer	*to establish*	parecerse	*to look like, to resemble*
merecer	*to deserve*	pertenecer	*to belong*
nacer	*to be born*	reconocer	*to recognize*
obedecer	*to obey*	traducir	*to translate*

The verb *convencer* (to convince) does not follow this pattern; the *yo* form changes to *z* as in *convenzo*.

  ## Práctica

 9 **Preguntas y respuestas**

Con su compañero/a, háganse preguntas y contéstenlas. Pueden contestar en la forma afirmativa o en la negativa.

MODELO conducir / carro de tus padres
   A: ¿Conduces el carro de tus padres?
   B: Sí, lo conduzco. / No, no lo conduzco.

1. conocer / a todos los profesores de la escuela
2. traducir / tareas en la clase de español
3. parecerse / a tu madre
4. obedecer / a tus padres
5. merecer una A / en la clase de español
6. pertenecer / a un club deportivo
7. convencer / fácilmente a otros
8. ofrecer / ayuda a tus compañeros

Estrategia

Learning irregular verb forms
Keep track of new verb forms by making your own flash cards with the irregular form on one side and the infinitive on the other side. Test yourself often to make sure you have learned the irregular verb forms.

Notes

Encourage students to answer the questions in activity 9 truthfully.

Before students begin activity 9, you might quickly review the direct object pronouns *lo, la, los, las*.

To extend activity 9, have students create two additional questions to ask their partner.

The questions must include *-cer* and *-cir* verbs.

For homework, you might have students write five complete sentences that use the *yo* form of a *-cer* and/or *-cir* verb. Remind students to proofread their work.

10 ¿Qué corresponde?

Mire las ilustraciones y complete las oraciones con la forma correcta del verbo apropiado. Luego, indique qué oración corresponde a cada ilustración.

A   B   C

D   E   F

1. Mi hermana siempre me *(ofrecer / establecer)* ayuda con la tarea.
2. Anita, ¿no me *(parecer / reconocer)*? Me parece que necesitas gafas.
3. Tomás *(traducir / nacer)* perfectamente del inglés al español.
4. Ella y él se *(pertenecer / parecer)* mucho. ¡Los dos son casi iguales!
5. Andrea, tú *(conducir / traducir)* muy bien el carro.
6. Rufo siempre me *(ofrecer / obedecer)*, pero Mimi no. Ella *(desaparecer / merecer)*.

11 Mini-diálogos

Complete cada diálogo con el verbo apropiado de la caja en la forma correspondiente. Puede usar cada verbo dos o tres veces.

conducir	parecer	traducir
reconocer	merecer	pertenecer

1. **A:** ¿No me ___ ?
   B: Sí, ahora te ___. Eres Ángel, ¿no?
2. **A:** Tú te ___ mucho a tu hermana Carlota.
   B: No, yo me ___ a mi papá.
3. **A:** ¡Pare, por favor! Ud. ___ muy rápido.
   B: ¿Yo, rápido? No, siempre ___ con mucho cuidado.
4. **A:** ¿Piensas que yo ___ un premio por mi traducción?
   B: ¿Un premio? No, tú no ___ nada.
5. **A:** ¿Sabes si Álvaro ___ del inglés al español?
   B: No, él no ___, pero yo sí ___.
6. **A:** ¿Ud. ___ a algún club?
   B: ¡Claro! Yo ___ al club de tenis.

Notes   You might ask pairs of students to read with expression the mini-dialogs in activity 11.

Teacher Resources

 Activity 10 (CD 1, #7)

Answers

10   1. ofrece/D
      2. reconoces/B
      3. traduce/E
      4. parecen/C
      5. conduces/F
      6. obedece/desaparece/A

11   1. A. reconoces
        B. reconozco
     2. A. pareces
        B. parezco
     3. A. conduce
        B. conduzco
     4. A. merezco
        B. mereces
     5. A. traduce
        B. traduce; traduzco
     6. A. pertenece
        B. pertenezco

Activities

Spanish for Spanish Speakers
Have students write a brief persuasive essay to a teacher or parent, saying why s/he deserves a higher grade or a larger allowance. Students should use at least three of the *c → zc* verbs listed above.

National Standards

Communication
1.1

Communities
5.1

9

Answers

12 Creative self-expression.
13 Answers will vary.
14 Creative self-expression.

Activities

Communities
Invite Spanish-speaking exchange students to your classroom and have students ask them questions modeled on the ideas in activity 14.

Cooperative Learning
AP Spanish Language (Error Correction). Have students pair up and take turns correcting the descriptions they wrote for activity 12. First, students should evaluate whether the classmate's handwriting is legible. (Some students may decide to use a computer and print out their work.) Next, have students correct for punctuation, capitalization, spelling, accentuation and make recommendations for any improvements they feel might improve one another's description. Help students get started by suggesting that they make sure that sentences begin with a capital and end with a period.

National Standards	
Communication 1.1	**Communities** 5.1
Connections 3.1	
Comparisons 4.1	

10

 Comunicación

12 Su mejor amigo/a

Ud. va a describir el tipo de persona que es su mejor amigo/a. Escoja tres o cuatro de los verbos de la caja para describir a su amigo/a. Luego, para cada verbo escriba dos palabras o frases que asocia con esa persona. Use esta información y escriba un párrafo que describa cómo es su amigo/a.

ser	tener	conocer	merecer	obedecer
ofrecer	pertenecer	estar	ir	parecerse

MODELO ser: es simpático
parecerse: se parece a su tío

13 Diga la verdad

 Conteste las siguientes preguntas. Luego, hágale las mismas preguntas a su compañero/a y comparen sus respuestas.

1. ¿A quién(es) se parece Ud.?
2. ¿Qué clases ofrecen en su escuela?
3. ¿A qué grupo o club pertenece Ud.?
4. ¿Obedece Ud. siempre a sus padres? ¿Y a sus profesores?
5. ¿Cree Ud. que se merece las notas que le dan sus profesores? Explique por qué.
6. ¿Quién establece las reglas en su casa? ¿Está Ud. de acuerdo con ellas?

14 En Bogotá

 Ud. y sus compañeros están en Bogotá como estudiantes de intercambio. Deben presentarse a sus compañeros de clase colombianos y hacerles preguntas para saber más sobre sus actividades escolares. En grupos pequeños, representen a los estudiantes de intercambio y a los estudiantes colombianos. Pueden usar algunas de las ideas a continuación, pero traten de ser creativos/as.

Estudio en la escuela... de...   Me llamo... y soy de... Tengo... años.

¿Cuántas clases tienes tú?

Pertenezco al club de...   Mis profesores me parecen muy...

¿Qué te parecen tus profesores...?

¿Qué clases ofrecen...?   En mi escuela ofrecen clases de...

Notes

Remember to circulate around the room as students complete these activities to keep students on task and to offer help as needed.

Comparisons. You might suggest that student pairs use a Venn diagram to help them compare their responses in activity 13.

Communities. Encourage students to find out more about Bogotá on the Internet.

Estructura

Usos del presente

In Spanish you can use the present tense:

- to describe people's activities, abilities and routines

Salgo con mis amigos todos los fines de semana.	I **go out** with my friends every weekend.
Estamos en la escuela hasta las tres.	We **stay** in school until three.
Rosa siempre **sabe** todas las respuestas.	Rosa always **knows** all the answers.

- to express actions that are happening as you speak

Julián **está** en la biblioteca.	Julián **is** in the library.
¿Qué **hace** Adela?	What **is** Adela **doing**?
Hoy **hace** calor y **hace** sol.	Today **it's** hot and **it's** sunny.

- to express immediate future actions

¿Adónde **vas** el fin de semana?	Where **are you going** this weekend?
Mi madre **vuelve** de Bogotá esta noche.	My mother **is coming back** from Bogota tonight.

- to ask whether to do something or not

¿**Cierro** la puerta?	**Should I close** the door?
¿**Traducimos** este párrafo primero?	**Should we translate** this paragraph first?

- to invite somebody to join you in an activity

¿**Hacemos** la tarea juntos?	**Shall we do** our homework together? / **Let's do** our homework together.
¿**Vamos** a nadar?	**Shall we go** swimming? / **Let's go** swimming.

 ## Práctica

15 ¿Cierto o falso?

Forme oraciones completas según las indicaciones. Luego, diga *cierto* o *falso*, según su experiencia.

MODELO mi hermano / siempre hacer sus tareas en casa
Mi hermano siempre hace sus tareas en casa. *Cierto.*

1. mi familia y yo / nunca salir juntos los domingos
2. mi gato / siempre venir a la escuela conmigo
3. yo / ir a la biblioteca todos los días
4. mi profesor(a) de español / siempre dar mucha tarea
5. mis amigos / no saber hablar español

Mi hermano siempre hace sus tareas en casa.

Notes

Comparisons. Discuss when the present tense is used in English: to describe people's activities, abilities and routines; when there is no reference to a specific time, as in, "two and two *make* four;" habitual time statements, for example, "We *go* to Mexico every year," "I *bike* to school every day;" simple present with past time reference, for example, "Bob *tells* me that you've been to Spain." Have students compare the differences in the uses of the present tense in Spanish and English. What differences do they see?

Point out that in place of the gerund (*-ing* form), Spanish speakers often use the present tense.

Teacher Resources

 Activity 4 (CD 1, #4)

 Activities 7–8

 Activity 3

 Activities 6–7

 ### Answers

15 Answers will vary but will include the following verb forms:
1. salimos
2. viene
3. voy
4. da
5. saben

 ### Activities

Critical Thinking
Bring to class simple Spanish-language texts, such as excerpts from magazines, ads, books and newspapers. Have students comb the texts for examples of the present tense. Tell them to write in complete sentences three examples of the present tense and to be prepared to describe each use of the present tense.

Students with Special Needs
Draw students' attention to the fourth point under *Usos del presente.* Point out that it is often easier to form questions in Spanish than in English because Spanish does not use auxiliary words like "should" and "do."

National Standards
Communication 1.2
Connections 3.2
Comparisons 4.1

Answers

16 Creative self-expression.

17 1. Está al noroeste de Colombia, junto al río Magdalena.

2. Vive en el barrio El Prado.

3. Dice que es su deporte favorito.

4. Es un colegio para chicos y chicas.

5. Sí, porque va a un colegio bilingüe.

6. Sí, porque su clase favorita es la de matemáticas.

Activities

Students with Special Needs

Go over the directions to activity 16 step-by-step. Review *cuándo, cómo* and *con quién* by asking students questions with those interrogatives. Point out that student volunteers can perform their dialogs in front of the class.

Spanish for Spanish Speakers

To extend activity 17, have students imagine that they are living in their home country. Ask them to write a similar e-mail from their home country. They should name and describe the town where they are living and the activities they are engaged in. If possible, have students send the e-mail electronically to your or another Spanish 3 classroom for students to read and answer.

National Standards	
Communication 1.1, 1.3	**Comparisons** 4.2
Cultures 2.1	**Communities** 5.1
Connections 3.1	

12

---

16 **Preferencias**

Haga una lista con cinco de sus actividades favoritas. Numere las actividades de la una a la cinco de acuerdo a sus preferencias. Intercambie *(Exchange)* su lista con un(a) compañero/a. Escoja una de las actividades de la lista de su compañero/a y pregúntele cuándo, cómo y con quién hace esta actividad. Puede representar el diálogo con su compañero/a frente a la clase.

MODELO

— ir al cine
— jugar videojuegos
— comprar ropa
— practicar deportes
— navegar por la Red

¿Con quién vas al cine?

Comunicación

17 **Un amigo de Barranquilla**

Con su compañero/a, lean este correo electrónico de Esteban Serrano y contesten las preguntas que siguen. Luego, escríbanle un mensaje dándole información sobre dónde viven, sus actividades favoritas y su colegio.

E-Mail

Archivo   Ver   Mensajes   Ayuda

A... | Amigos
Cc... |
Asunto: | Esteban

Hola amigos,
Me llamo Esteban Serrano y vivo en Barranquilla, una ciudad al noroeste de Colombia que está junto al río Magdalena y muy cerca del mar Caribe. Vivo en el barrio El Prado, que es un lugar bastante antiguo con casas muy bonitas. El fútbol es mi deporte favorito. A veces, mi padre me lleva al Estadio Metropolitano para ver los partidos. Voy al Colegio San José. Es un colegio mixto (chicos y chicas) y también bilingüe. Acabo de empezar el tercer año de bachillerato. Mi clase favorita es la de matemáticas y pertenezco al club de ajedrez. El próximo julio voy a participar en la Olimpiada Matemática que va a tener lugar en mi ciudad. Por favor, escríbanme pronto.
Saludos,
Esteban

1. ¿Dónde está Barranquilla?
2. ¿En qué barrio vive Esteban?
3. ¿Qué dice Esteban del fútbol?
4. ¿Qué es un colegio mixto?

5. ¿Aprende otras lenguas Esteban? Si es así, ¿cómo lo sabe Ud.?
6. ¿Piensa Ud. que Esteban es un buen candidato para la Olimpiada Matemática? Explique por qué.

Notes

The *Olimpiada Matemática* takes place every year in Latin America or Spain during the month of September. It's a math competition for high school students and its aim is to foster an interest in math studies.

Communities. Have students discuss in Spanish how Esteban's community is similar to and different from your community.

A Venn diagram might aid students with their comparisons.

Comparisons. *Colegios mixtos* are very common in Latin America. All students wear uniforms to public school.

Invite a su compañero/a a hacer una actividad después de clase. Usen los siguientes anuncios para decidir adónde van a ir, a qué hora, cómo van a ir, con quién van a ir, lo que van a hacer, cuánto van a gastar y cuándo van a regresar.

MODELO **A:** ¿Jugamos al tenis?
B: Sí, ¿dónde podemos jugar?
A: En el Club Deportivo La Red.
B: ¿A qué hora quieres ir?

A

INSTITUTO DE COMPUTACIÓN REY

Cursos intensivos individuales y en grupos
• Sistema operativo
• Procesador de palabras
• Hoja electrónica
• Programación

339-8566
www.compurey.com

B

Academia de Arte Miguel Ángel

Clases de dibujo y pintura
Cursos de todos los niveles
Profesores especializados

339-4302
www.artemigan.com

C

CLUB DEPORTIVO LA RED

Niños, jóvenes, adultos, tercera edad

Canchas abiertas y bajo techo
Instructores del la Asociación Nacional de Tenis
De ocho de la mañana a ocho de la noche

Llame al 339-2541

D

INSTITUTO CENTRAL DE IDIOMAS

339-2877

Inglés Español Francés

Principiantes, intermedios y avanzados
Clase modelo gratuita
Abierto todos los días
desde las 9:30 de la mañana
hasta las 11:00 de la noche

E

ACADEMIA DE DANZAS CARRILLO

Bailes de Salón

Cumbia • Tango • Salsa • Merengue

Clases: martes-domingo, 8 a.m. a 9 p.m.

LECCIONES A DOMICILIO
Tel: 339-5455

F

ESCUELA DE CONDUCIR GUZMÁN

SEGURIDAD Y RESPONSABILIDAD

Aprenda a conducir
Instructores capacitados

Preparación para el examen estatal
Lunes a sábado de 8 a.m. a 7 p.m.

Oficina: 339-8700

 Answers

18 Creative self-expression.

 Activities

Communities
Encourage students to use their Spanish skills as service volunteers assisting Spanish-speaking families in your community. For example, the library, the local park system and the school system can often use help from volunteers with the ability to speak Spanish. Challenge students to find an ad in Spanish in your community.

Critical Listening
Have students skim the ads and then write the letter of the ad that best answers questions like these that you read aloud: *Me interesa el arte. ¿Adónde voy?; ¡Necesito hacer ejercicio! ¿Adónde puedo ir?; Quiero navegar la Red. ¿Adónde voy?; Me gustaría aprender el tango. ¿Hay un lugar?; Mi papá dice que puedo aprender a conducir. Voy a...*

Expansion
To extend activity 18, have students write journal entries about two places in activity 18 that they are going to visit. They must state why they selected those places, what they intend to do in each place and who is accompanying them. Visual students might like to design a button or brochure about one of the selected places.

Prereading Strategy
Point out that these are ads from a Spanish-language telephone book. Each one is labeled with a letter.

National Standards

Communication
1.1

Connections
3.1, 3.2

Communities
5.1

Notes

Communities. Using the ads as a point of departure, discuss with students the different places in your community where students might experience Spanish or Latin American culture.

You might ask students to design a yellow-page ad in Spanish for a place they like in their community. They should be sure to include the name, address, hours of operation and telephone number. Compile the ads to make *"Unas páginas amarillas"* for the classroom.

Teacher Resources

 Vocabulario II
Clases y horarios (CD 1, #9)

 Activity 5 (CD 1, #5)

 Activity 2

 Activities 9–10

 Activity 4

 Activities 8–9

 p. 4

Activities

Critical Thinking
Have students categorize the words and expressions on the page by negative and positive attributes. Also have students list all the cognates they can find.

Multiple Intelligences (linguistic)
Ask students what words in English resemble *vago* (vague, vagrant). Is there any word in English that somewhat resembles *confianza*? (confidence) These associations might help students remember the meaning of the words.

Spanish for Spanish Speakers
Ask students to contribute any synonyms they may know for the vocabulary on this page. Draw their attention to the /h/ in the word *harto*. Can they think of any other words that begin with /h/ + /a/? Challenge them to make a list of at least ten words.

National Standards

Communication
1.1

Connections
3.1

Comparisons
4.1, 4.2

Vocabulario II
Clases y horarios

14 *catorce*   **Lección A**

Notes

Before you present the vocabulary, you might activate the students' prior knowledge about school in Spanish: *¿Qué clases hay en un colegio típicamente?; ¿Qué debe hacer para merecer una A?; ¿Qué hace en la clase?*

Ask students how the expression *Estoy harto* might change if a girl is speaking (*Estoy harta*). Remind them that the /h/ is silent.

Comparisons. Have students compare the Latin American classroom on the page to their own classroom. Are there any differences that they notice?

19 Roberto

Escuche las siguientes oraciones sobre cómo es Roberto. Seleccione la ilustración que corresponde con lo que oye.

A   **B**   **C**

D   **E**   **F**

20 En la clase de matemáticas

Complete las oraciones de acuerdo con la ilustración del Vocabulario II.

1. Los estudiantes deben prestar ___ en clase.
2. Hay que ___ tiempo a hacer la tarea.
3. Los estudiantes piensan que la profesora de matemáticas es muy ___.
4. Enrique está ___ de los profesores exigentes.
5. José es un ___ y se lleva mal con todo el mundo.
6. La profesora va a estar ___ de Mariana porque ella siempre sabe todas las respuestas.

21 ¿Cómo es Ud. en el colegio?

Haga una lista de cinco adjetivos que describen cómo es Ud. en el colegio.

En el colegio somos estudiosos.

¡Extra!

Más descripciones

amable	kind, nice
chistoso, -a	funny
fascinante	fascinating
fenomenal	great
insoportable	unbearable
inteligente	intelligent
nervioso, -a	nervous
simpático, -a	nice, pleasant

Capítulo 1

quince **15**

Teacher Resources

Activity 19 (CD 1, #10)

Answers

19   1. C
       2. A
       3. E
       4. F
       5. D
       6. B

20   1. atención
       2. dedicar
       3. estricta
       4. harto
       5. vago
       6. orgullosa

21   Answers will vary.

Activities

Critical Listening
After students complete activity 21, read some of the descriptions aloud and have the class guess the identity of the student.

Prereading Strategy
Play the audio recording of the vocabulary and have students repeat the words while showing them overhead transparency 2.

Spanish for Spanish Speakers
Have students create a comic strip about the personalities and antics of students and teacher.

Students with Special Needs
Provide a model for activities 20 and 21.

National Standards

Communication
1.1, 1.2, 1.3

Cultures
2.1

Comparisons
4.1, 4.2

Notes
You might point out that, generally speaking, the relationship between teacher and student in Spanish-speaking countries is much more traditional and formal than in the United States. If you have a native Spanish speaker in your class who has lived abroad, encourage him or her to describe the student–teacher relationship.

Activity 19 is intended for listening comprehension practice. Play the audio of the activity that is included in the Audio Program or use the transcript that appears in the ATE Introduction if you prefer to read the activity yourself. A reproducible answer sheet for the activity can be found at the end of the Audio Program Manual.

Teacher Resources

Diálogo II
¡Uf! ¡Qué problema con mi horario! (CD 1, #11)
Activity 22 (CD 1, #12)
Activity 23 (CD 1, #13)
Activity 24 (CD 1, #14)

◆ Answers

22 1. La profesora de historia es bastante estricta.
2. Dice que hay que dedicar mucho tiempo a la tarea de historia.
3. No es justo que le dieron siete clases.
4. Según Carla, José no está motivado y no sabe lo que le gusta.
5. Lo que le interesa a José es el fútbol. Lo sé porque Ana dice que él es muy buen futbolista.
6. No tiene mucha confianza en sí mismo.

23 Answers will vary.

24 1. B
2. D
3. C
4. E
5. A

◆ Activities

Cooperative Learning
Pair bilingual and nonbilingual students to create a dialog in which they discuss their classes and teachers.

National Standards
Communication 1.1, 1.2, 1.3
Connections 3.1

16

◆ Diálogo II ¡Uf! ¡Qué problema con mi horario!

ANA: La profesora de historia es bastante estricta.
JOSÉ: Sí, hay que dedicar mucho tiempo a su tarea... ¡Y de eso dependen las notas!
ANA: ¡Qué vago eres, José!
JOSÉ: No soy vago... Siempre presto atención a los profesores.

CARLA: Me dieron siete clases este semestre. ¡No es justo!
ANA: ¿Sólo siete clases? No es mucho. Yo tengo nueve.
JOSÉ: Ay, Ana, tú siempre tan estudiosa y responsable. No hay quién te aguante. Mejor me voy.

ANA: ¿Qué le pasa a José?
CARLA: No está motivado y no sabe lo que le gusta.
ANA: Es muy buen futbolista. ¿Por qué no está orgulloso de eso?
CARLA: Porque no tiene mucha confianza en sí mismo.

22 **¿Qué recuerda Ud.?**

1. ¿Cómo es la profesora de historia?
2. ¿Qué dice José acerca de la tarea de historia?
3. ¿Qué no es justo, según Carla?
4. ¿Qué le pasa a José, según Carla?
5. ¿Qué deporte le interesa a José? ¿Cómo lo sabe Ud.?
6. ¿Qué le falta a José?

23 **Algo personal**

1. ¿Cómo es Ud. en el colegio?
2. ¿Cuánto tiempo le dedica a la tarea?
3. ¿Cuáles son las clases que le parecen más interesantes?
4. ¿Le gustan los deportes? ¿Cuál es su deporte preferido?
5. ¿Qué cree que se necesita para estar motivado/a por algo?

La profesora es amable.

24 **¿Qué contesta?**

))) Escuche las siguientes situaciones y escoja la letra de la respuesta apropiada para cada una.

> A. ¡No hay quién la aguante!
> B. ¡No es justo!
> C. ¡Sí, a mí me tocó el mismo profesor!
> D. No, no me fijo en esas cosas.
> E. Debes prestarle más atención cuando habla.

16 *dieciséis*   **Lección A**

Notes This dialog and activity 24 have been recorded by native speakers and are included in the *¡Aventura!* Audio Program. A reproducible answer sheet for activity 24 is available for your convenience at the end of the Audio Program Manual.

You might write each student's name on an index card and shuffle the deck. This way, when you need to call on a student to answer a question, you just select a name from the deck.

Culturaviva II

¿Qué se puede hacer en Bogotá?

Si usted viaja a la ciudad de Bogotá, en Colombia, tiene muchas cosas por conocer. Aquí le presentamos diferentes opciones de lugares para visitar de acuerdo con lo que le gusta hacer.

Una calle en el centro histórico.

Si está interesado/a en la historia, visite el centro histórico en los barrios de La Candelaria y La Catedral. Allí puede disfrutar de una gran variedad de edificios coloniales y su evolución durante casi cinco siglos de historia. Si le gustan los espectáculos, la ciudad cuenta con[1] una variedad de teatros, conciertos y hasta corridas de toros. En Bogotá existen plazas de toros que continúan ofreciendo espectáculos desde hace más de cien años. Si le interesan las iglesias, hay varias iglesias coloniales dignas de visitar[2]. Las más conocidas son la Iglesia de San Francisco, la Iglesia de Santa Clara, la Iglesia de San Ignacio y la Iglesia de San Agustín. Y no puede dejar de visitar los museos, entre los que se destacan el Museo del Oro, que reúne una colección de piezas precolombinas[3], el Museo Colonial, con su colección de piezas jesuitas[4], el Museo de Arte Religioso, el Museo de Arte Moderno y la Quinta[5] Bolívar, en las afueras de la ciudad, en la cual hay muebles, papeles y otros objetos personales de Simón Bolívar, héroe venezolano conocido como El Libertador[6].

Además de las atracciones típicas de una ciudad, Bogotá tiene también muchos paisajes naturales para visitar. Por ejemplo, el cerro Monserrate ofrece una fantástica vista de la ciudad. En las carreteras de la Sabana, región donde se encuentra la ciudad, se pueden ver lagos, represas[7], saltos[8] y reservas forestales.

Existen cientos de posibilidades en Bogotá y Ud. puede descubrirlas.

El teleférico del cerro Monserrate.

[1]has [2]worth visiting [3]pre-Columbian [4]Jesuit [5]villa [6]The Liberator [7]dams [8]waterfalls

25 Una visita a Bogotá

Conteste las siguientes preguntas.

1. ¿Qué puede visitar en Bogotá si está interesado/a en la historia?
2. ¿Adónde puede ir si le gustan los espectáculos?
3. ¿Cuánto tiempo hace que las plazas de toros ofrecen espectáculos?
4. ¿Cuáles son las iglesias más visitadas de Bogotá?
5. ¿Qué hay en la Quinta Bolívar?
6. ¿Qué paisajes naturales tiene Bogotá?

Capítulo 1 *diecisiete* **17**

✔ **Activity 5**

◆ Answers

25
1. Si está interesado/a en la historia, puede visitar el centro histórico en los barrios de La Candelaria y La Catedral.
2. Si le gustan los espectáculos, puede ir a los teatros, conciertos y corridas de toros.
3. Hace más de cien años que las plazas de toros ofrecen espectáculos.
4. Las iglesias más visitadas de Bogotá son la Iglesia de San Francisco, la Iglesia de Santa Clara, la Iglesia de San Ignacio y la Iglesia de San Agustín.
5. En la Quinta Bolívar hay muebles, papeles y otros objetos personales de Simón Bolívar.
6. Bogotá tiene vistas fantásticas, lagos, represas, saltos y reservas forestales.

◆ Activities

Connections (geography)
Give each student an outline map of Colombia to fill in. Students should mark all major cities, mountain ranges, rivers, neighboring countries and bodies of water. Remind them to include a legend. You might challenge students to find two or three interesting facts to share about Colombia.

National Standards	
Communication 1.3	**Communities** 5.1
Cultures 2.1, 2.2	
Connections 3.1	

Notes

Have students create travel posters to entice vacationers to Bogotá.

Communities. You might ask local travel agencies if they would like to hang students' posters in their windows or office areas. This is a great way for the rest of the community to see what you are doing.

You might remind students that Simón Bolívar was known as the Liberator of Latin America because he liberated from Spain the territories that now comprise Colombia, Venezuela, Ecuador and Peru.

Answers

26 Possible answers:
1. nervioso
2. talentoso/estudioso
3. fatal
4. exigentes
5. mucha
6. contenta
7. estudiosa/talentosa
8. estupendo/fantástico
9. fantásticos/estupendos
10. justo

 Activities

Multiple Intelligences (bodily-kinesthetic)

Materials: index cards, masking tape. Write sentences like the ones in the *Repaso rápido* on the board, leaving off the number and gender of each adjective. Write *-o, -a, -os, -as, -es* each on an index card. Pass out the cards and have students take turns writing the correct adjective ending next to each adjective on the board.

Prereading Activity

Before you start the lesson, you might bring to class pictures from magazines that illustrate the adjectives in activity 26. Divide the class into small groups to talk about the pictures.

National Standards
Communication 1.1, 1.2
Connections 3.2
Comparisons 4.1

18

Idioma

Repaso rápido

Número y género de los adjetivos

Most adjectives have a singular masculine form ending in *-o* and a singular feminine form ending in *-a*. To make them plural add an *-s*.

El profesor es estricto.	The teacher is strict.
Los profesores son estrictos.	The teachers are strict.
Carolina es estudiosa.	Carolina is studious.
Mis compañeras son estudiosas.	My classmates are studious.

Some adjectives that end in *-a, -e* or a consonant have only one form for both masculine and feminine singular, and one form for both masculine and feminine plural. Plural forms of adjectives that end in *-e* and *-a* add *-s*. Plural forms of adjectives that end in a consonant add *-es*.

Ramón no es egoísta.	Ramón is not selfish.
Mi hermana es muy responsable.	My sister is very responsible.
Tus amigas son muy elegantes.	Your friends are very stylish.
La clase de arte es muy popular.	The art class is very popular.
Estos problemas no son fáciles.	These problems are not easy.

Adjectives of nationality that end in a consonant add *-a* in the feminine form. The masculine plural form ends in *-es*.

Mariano es español,	Mariano is Spanish,
pero su prima Lola no es española.	but his cousin Lola is not Spanish.
Los padres de José son españoles.	José's parents are Spanish.

When there is more than one subject, the masculine form is used if at least one of the subjects is masculine.

Rita y Andrés son muy simpáticos.	Rita and Andrés are very nice.

26 **¡Qué diferencia!**

Complete las oraciones con uno de los adjetivos siguientes de acuerdo al contexto.

estupendo/a	fatal	estudioso/a	exigente	justo/a
fantástico/a	mucho/a	talentoso/a	nervioso/a	contento/a

¡Pobre Tomás! Él está muy (1). Él es (2), pero esta clase tiene un horario (3), profesores muy (4) y (5) tarea.
   En cambio, Alejandra está muy (6). Sí, ella es (7), pero además tiene un horario (8) y profesores (9). Tomás dice que no es (10).

 Notes

As a follow-up to activity 26, give students a choice on how to practice the words in the box: create a crossword puzzle (and the directions) using all the words; write each word in a complete sentence; or write a short story, cartoon or poem with all the words.

To emphasize how an adjective matches its subject, you might underline the subject and its adjective ending in colored chalk.

To practice listening skills, make declarative sentences, such as *los estudiantes son estupendos; Es nerviosa; Estás contento.* When the boys in the class hear a masculine adjective, they stand up. When the girls hear a feminine adjective, they stand up.

Estructura

Usos de *ser* y *estar* con adjetivos

You have used *ser* with adjectives to indicate the inherent qualities of people and things.

*Mis compañeros **son responsables**.*	My classmates **are responsible**.
*Mi hermanita **es talentosa**.*	My little sister **is talented**.
*Las rosas **son rojas**.*	Roses **are red**.

You have used *estar* with adjectives to indicate temporary conditions or states of persons (how somebody feels physically or mentally) and things.

*¡**Estoy harto** de ver ese programa!*	**I'm tired** of watching that program!
*Mi hermana mayor **está triste** porque su gato se escapó.*	My older sister **is sad** because her cat ran away.
***Está nublado** pero no va a llover.*	**It's cloudy**, but it's not going to rain.

Use *estar* with adjectives to express personal opinions; not everybody may agree with you.

*Mmm... ¡Qué **rica está** la comida!*	Yum... the food **is delicious**! (It tastes delicious to me.)
*Cristina **está linda** hoy, ¿verdad?*	Cristina **looks pretty** today, doesn't she? (In my opinion she looks especially pretty today.)
*¡La obra **va a estar estupenda**!*	The play **is going to be wonderful**!

Some adjectives have one meaning when used with *ser* and another meaning when used with *estar*. Observe the following examples.

*Todos mis compañeros **son aburridos**.*	All my classmates **are boring**.
*Todos mis compañeros **están aburridos**.*	All my classmates **are bored**.
*Javier **es orgulloso**.*	Javier is **haughty**.
*Javier **está orgulloso** de su trabajo.*	Javier **is proud** of his work.
*Mis hermanos **son listos**.*	My brothers **are smart**.
*Mis hermanos **están listos**.*	My brothers **are ready**.
*La manzana **es verde**.*	The apple **is green**.
*La manzana **está verde**.*	The apple **is not ripe**.

Él está guapo hoy.

Capítulo 1

diecinueve **19**

Teacher Resources

 Activity 6 (CD 1, #6)

 Activities 14–16

 Activity 6

 Activity 11

Symtalk Unit 19

Activities

Cooperative Learning

Have students work in pairs, asking one another to describe people and objects in their lives. Students should use *¿Cómo es...?* and *¿Cómo son...?* and the provided nouns below. The student answering should respond with the correct form of an appropriate adjective. Have students switch roles so each has an opportunity to use all the nouns. (Nouns: *tu profesor/a favorito/a; tu amigo favorito; tu clase menos favorita; tu hermano/a; tu programa de tele favorito;* etc. Adjectives: *estupendo, aburrido, exigente, fatal, talentoso.*)

Critical Listening

Have students listen to a series of statements. They write *sí* or *no* according to whether or not they agree with each statement. Students will have to listen carefully to tell whether the characteristics are temporary or inherent.

Esta escuela es muy buena.
La pizarra es negra.
La profesora es inteligente.
La profesora está cansada hoy.
El cielo está muy azul esta mañana.

National Standards
Communication 1.1, 1.2
Connections 3.1
Comparisons 4.1

Notes

You might make a bulletin-board display of people that your students admire. Under each picture, attach a sentence that describes each person. For example, *María dice que Mariah Carey es bonita y simpática.*

The usage of *ser* + adjective denotes the existence of a quality, whereas *estar* + adjective implies a contrast with a previous condition in time. Point out that the word "inherent" means a permanent or usual attribute.

Other adjectives that change their meaning with *ser* or *estar*: *listo* (ser: clever; estar: ready); *rico* (ser: rich; estar: to taste good); *malo* (ser: mean; estar: to be in ill health).

Answers

27 1. Tu amigo Luis es bajo, ¿no?
¿Mi amigo Luis? ¡No! Ahora
está alto.

2. Carmen es rubia, ¿no?/...
Ahora está morena.

3. Las primas...son aburridas,
¿no?/...Ahora son
divertidas.

4. Tus hermanos son
pequeños, ¿no?/...Ahora
son grandes.

5. Carlos y...son simpáticos,
¿no?/...Ahora están
antipáticos.

6. Tu abuelo es alegre, ¿no?/...
Ahora está triste.

28 1. estoy   6. soy
2. son   7. estoy
3. es   8. Estoy
4. son   9. es
5. estoy   10. eres

Activities

Students with Special Needs

Point out to students that in
activity 27 they are going to
compare how someone used to be
to how he or she is now. Now that
person is the opposite of what he
or she used to be like. You might
provide some more examples with
the students in your class: *(Nombre)
es bajo, ¿no?/¿(Nombre)? ¡No! Ahora
está alto; Su pelo es negro, ¿no?/¡No!
Ahora su pelo está rubio,* etc.

National Standards

Communication
1.1

Comparisons
4.2

 Práctica

27 **Cambios y más cambios**

Su compañero/a le habla de diferentes personas
que Uds. conocen. Pero él/ella no sabe que esas
personas han cambiado. Dígale cómo están esas
personas ahora. Use los adjetivos de la lista.

| morena | grandes | antipáticos |
| triste | divertidas | alto |

MODELO   Néstor / delgado

     A: Néstor es delgado, ¿no?

     B: ¿Néstor? ¡No! Ahora está gordo.

Tito es fuerte, ¿no?

1. tu amigo Luis / bajo
2. Carmen / rubia
3. las primas de Antonio / aburridas
4. tus hermanos / pequeños
5. Carlos y su hermana / simpáticos
6. tu abuelo / alegre

28 **Hugo está harto**

Hugo contesta el correo electrónico que le escribió su amiga Consuelo. Él no
está muy contento con sus clases. Complete el correo electrónico que le envía
a Consuelo con la forma apropiada de *ser* o *estar*.

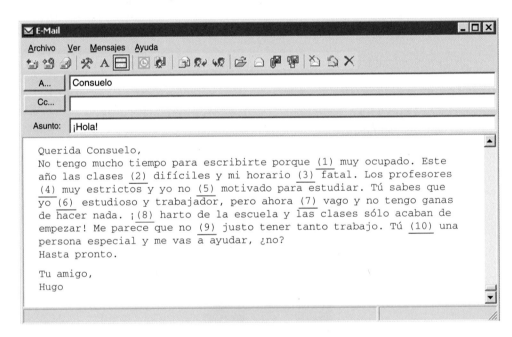

E-Mail

Archivo   Ver   Mensajes   Ayuda

A...   Consuelo
Cc...
Asunto: ¡Hola!

```
Querida Consuelo,
No tengo mucho tiempo para escribirte porque (1) muy ocupado. Este
año las clases (2) difíciles y mi horario (3) fatal. Los profesores
(4) muy estrictos y yo no (5) motivado para estudiar. Tú sabes que
yo (6) estudioso y trabajador, pero ahora (7) vago y no tengo ganas
de hacer nada. ¡(8) harto de la escuela y las clases sólo acaban de
empezar! Me parece que no (9) justo tener tanto trabajo. Tú (10) una
persona especial y me vas a ayudar, ¿no?
Hasta pronto.

Tu amigo,
Hugo
```

Notes   In activity 28 have students give a
reason for their choice of *ser* or *estar*.

Comparisons. Surfing the Internet and
visiting chat rooms is not very common in
Latin America. This is called the "digital
divide." Surfing the Internet is difficult for
many Spanish-speaking young people
because they don't have access to a
computer or an Internet provider.

Comunicación

29 ¿Quién es?

Escriba en una hoja la siguiente información personal. No escriba su nombre.
Su profesor(a) va a recoger todos las hojas de la clase y las va a mezclar.
Luego, un(a) estudiante va a escoger una y va a leer la información. El resto
de la clase debe adivinar de quién se trata.

MODELO

> Soy alta, rubia y delgada.
> Soy estudiosa, inteligente y simpática.
> Mi clase favorita es la de español.
> Mi actividad favorita es dibujar.
> Mi profesor favorito es el Sr. Hernández.
> Mi actriz favorita es Penélope Cruz.
> ¿Quién soy?

1. Tres de sus características físicas.
2. Tres características de su personalidad.
3. Su clase favorita.
4. Su actividad favorita.
5. Su profesor(a) favorito/a.
6. Su actor/actriz favorito/a.

30 Por teléfono

Ud. debe llamar a uno de sus compañeros por teléfono para saber qué tarea
hay para mañana. Como su compañero/a no lo/la reconoce, Ud. debe repetir
su nombre, identificarse y describir su apariencia física. Usen el diálogo que
sigue como modelo. Luego, creen su propio diálogo y represéntenlo frente a
la clase.

MODELO

A: ¿Rosana?
B: Sí, soy Rosana.
A: ¡Hola Rosana! ¿Cómo estás?
B: Bien, gracias. ¿Quién es?
A: Soy Eduardo.
B: ¿Quién?
A: Eduardo.
B: ¿Quién eres?
A: Eduardo Cevallos. Somos compañeros
en la clase de español.
B: ¿Y cómo eres, Eduardo?
A: Soy alto, delgado y moreno.
B: ¡Ah, Eduardo! ¿Cómo estás?

Hola, Eduardo. ¿Cómo estás?

Capítulo 1

veintiuno **21**

Notes

As an extension to activity 30, you
might have students play the children's
classic game *Teléfono.* One student starts
the game by whispering a sentence that
describes someone into his or her neighbor's
ear. The neighbor then repeats what he or
she hears to the next person, and so on. The
last person says aloud the sentence he or she
has heard. Make corrections on the board.

Service Learning. You may want to set up
a tutoring program in your school where
Spanish 3 students are available to help or
tutor Levels 1 and 2 students.

Answers

29 Creative self-expression.
30 Creative self-expression.

Activities

Language through Action
You might bring to class two toy
cell phones for students to use as
props for activity 30.

Students with Special Needs
It might be helpful for some of
your students if you photocopy
activity 30 and highlight the lines
that students need to replace with
their own. Point out that students
just need to say three things about
their appearance.

National Standards

Communication
1.1, 1.2, 1.3

Lectura cultural
El mundo de Botero
(CD 1, #16)
Activity 31 (CD 1, #17)

◆ Answers

31 1. Fernando Botero nació en
      Medellín, Colombia.
   2. Botero hace cuadros,
      dibujos y esculturas.
   3. Su estilo combina la historia
      del arte, la vida burguesa,
      la cultura colombiana y los
      personajes históricos.
   4. Una característica común
      de sus personajes es la de
      ser obesos.
   5. El artista quiere explorar
      el volumen y las figuras
      geométricas en el espacio.
   6. Sus personajes masculinos
      y femeninos parecen
      estáticos, como preparados
      para una fotografía, y
      dirigen sus ojos hacia el que
      mira el cuadro.
32 Answers will vary.

◆ Activities

Comparisons/Connections (art)
You might compare Botero's works
to those by Picasso (Cubism) and
El Greco. Have students list the
geometric shapes that they see in
each artist's work. El Greco's figures
are usually very thin. How does the
mood differ in each artist's work?
Which style do students prefer? Why?

Prereading Strategy
Have students in pairs or groups list
the cognates in the article.

National Standards	
Communication	**Comparisons**
1.1, 1.3	4.1, 4.2
Cultures	
2.2	
Connections	
3.1, 3.2	

Lectura cultural

El mundo de Botero

Fernando Botero, nacido en Medellín en 1932, es uno de
los artistas colombianos más importantes de nuestro
tiempo. Sus obras, entre las cuales se encuentran cuadros,
dibujos y esculturas[1], tienen un estilo[2] único que combina la
historia del arte, la vida burguesa[3], la cultura colombiana y los
personajes históricos.

Botero usa una manera tradicional de pintar, transformada
por su visión personal, única y original. Una característica
común de los personajes que viven en su universo es la de
ser obesos[4]. Sus personajes no son delgados sino gordos,
sus cuerpos se encuentran exagerados,
ensanchados[5]. Con esto, el artista
quiere explorar el volumen y las figuras
geométricas en el espacio.

Sus personajes masculinos y femeninos
parecen estáticos[6], como preparados para
una fotografía, y dirigen los ojos hacia la
persona que mira el cuadro. La mujer,
tema muy frecuente en sus obras, es
representada de diferentes edades y en
diferentes papeles, como madre, abuela,
madrastra, esposa, hija, reina; mientras
que el hombre es representado con boca y
bigotes[7] pequeños, y brazos cortos.

Una pareja,
Fernando Botero, 1982.

Forum,
Fernando Botero, 1986.

[1]sculptures [2]style [3]bourgeois [4]obese [5]enlarged [6]static [7]moustache

31 **¿Qué recuerda Ud.?**

1. ¿Dónde nació Fernando Botero?
2. ¿Qué tipo de obras hace Botero?
3. ¿Qué estilos combina en sus obras?
4. ¿Qué característica común tienen sus personajes?
5. ¿Qué quiere el artista explorar con sus obras?
6. ¿Cómo son sus personajes masculinos y femeninos?

32 **Algo personal**

1. Mire uno de los cuadros de Botero de esta página y
   describa lo que ve.
2. ¿Cree Ud. que los cuadros de Botero representan la vida
   real? Explique su respuesta.

• Escoja un cuadro de
  Botero e imagine una
  historia representada
  en la imagen. Escriba
  un párrafo breve
  sobre la historia.

Notes   You might point out to students that
several of the words in the article
are glossed.

Make sure your class is sensitive to those
students with weight issues.

To check students' reading comprehension,
you might ask pairs of students to write *sí/no*

questions about the article. Have them ask
another pair those questions.

Have students use a search engine to find
out more about Botero on the Web.

As a follow-up activity, students might enjoy
drawing or painting a scene of people in
Botero's style.

¿Qué aprendí?

Autoevaluación

Como repaso y autoevaluación, responda lo siguiente:

1. Diga si pertenece a algún club o es miembro de un grupo u organización del colegio y explique por qué.
2. Diga todo lo que hace en la clase de español (hablar, leer, escribir, a veces traducir) y explique por qué merece una buena nota.
3. Nombre a tres personajes famosos de Colombia.
4. Explique tres usos del tiempo presente y dé un ejemplo para cada uno.
5. Describa a un(a) profesor(a) y a dos compañeros de clase. Use adjetivos de esta lección.
6. Mencione dos lugares que le gustaría visitar en Bogotá y explique por qué.
7. Explique la diferencia entre "Pedro es listo" y "Pedro está listo".
8. ¿Quién es Fernando Botero? Escriba dos oraciones sobre él y sus obras.

Palabras y expresiones

How many of these words and expressions do you recognize?

Actividades del colegio
colaborar
el consejo estudiantil
el coro
hacerse miembro
la orquesta

Descripciones
estricto,-a
estudioso,-a
harto,-a
motivado,-a
organizado,-a
orgulloso,-a
responsable
talentoso,-a
trabajador,-a
vago, -a

Verbos
aparecer (zc)
convencer (z)
dedicar
depender
desaparecer (zc)
establecer (zc)
fijarse
merecer (zc)
obedecer (zc)
parecerse (zc)
pertenecer (zc)
prestar atención
reconocer (zc)
tener confianza
   (en sí/ti mismo/a)

Otras palabras y expresiones
A mí me tocó...
¡Chévere!
darse prisa
enseguida
Igualmente.
¡No es justo!
¡No hay quien
   lo/la aguante!
la nota
Pasándola.
rápido
Se me hace tarde.
tal vez

La orquesta del colegio.

Notes

Remind students to return either to *Lección 1A* or *1B* to review words and expressions they do not recognize.

Students should visit the Internet Resource Center at www.emcp.com to complete this activity online and check answers.

AP Spanish Language. Remind students that they may not remember words they have memorized in isolation since vocabulary development occurs best in context. Help the class with vocabulary acquisition by asking individuals to create a list of words that would be useful for retelling one or two of the articles or short stories they have read.

Teacher Resources

 pp. 46, 99

Answers

Autoevaluación
Possible answers:
1. Pertenezco a/al... porque me gusta...
2. En la clase de español hablo español con mis compañeros, leo, escribo y a veces traduzco. Merezco una buena nota porque soy un(a) estudiante estudioso/a.
3. Shakira, Gabriel García Márquez y Fernando Botero
4. Describir personas o cosas: Jorge es un poco vago. Expresar el futuro: ¿Adónde vas mañana? Invitar a alguien a hacer algo: ¿Comemos ahora?
5. Mi profesor de español es estricto y exigente. Rosa es talentosa y muy trabajadora. Paco es responsable y estudioso.
6. Me gustaría visitar al centro histórico porque me interesan la historia y la arquitectura. También me gustaría ver una corrida de toros porque nunca he visto este tipo de espectáculo.
7. *Pedro es listo* significa que "es inteligente". *Pedro está listo* significa que "está preparado".
8. Fernando Botero es un pintor colombiano de fama mundial. Casi siempre pinta personajes obesos.

National Standards

Cultures
2.2

Connections
3.1

Comparisons
4.1

Vocabulario I
Después de las clases
(CD 2, #1)

 Activity 1 (CD 1, #7)

 Activity 3

 Activities 1–3

 Activity 1

 Activities 1–3

Content reviewed in *Lección B*

- after-school activities
- occupations
- movies and programs
- talking about likes and dislikes

 Activities

**Multiple Intelligences
(logical-mathematical)**
Have students rank the various occupations in order of interest to them (number 1 equals the most interesting).

Prereading Strategy
Have students look through *Vocabulario I* quickly to find cognates and other words that they recognize.

Spanish for Spanish Speakers
As Spanish can vary from country to country, have students list any alternative words they know for the new vocabulary (e.g., *básquetbol*).

National Standards
Communication 1.2
Connections 3.1
Comparisons 4.1

24

Lección B

Vocabulario I
Después de las clases

 Venezuela

Mario es atleta y participa en muchas competencias.

A mis hermanos les gustan los animales. Ellos pasean perros y, por ahora, quieren ser entrenadores de animales.

Melisa trabaja de instructora de básquetbol. Es una instructora muy buena. Da clases a niños pequeños.

Daniela toca la guitarra. Es una música muy buena.

Sebastián es un ciclista excelente. Monta en bicicleta todos los días.

Tomás es beisbolista. Es un deportista muy activo y atlético. Se entrena todos los días.

Carlos es muy curioso y le gusta reparar cosas. Es un mecánico muy hábil.

24 *veinticuatro*

Lección B

Notes

To personalize the vocabulary, ask for a show of hands of how many students do each activity. You might also ask each student how often he or she does the activity.

Bring to class pictures of the various occupations illustrated on pages 24–25. Display the pictures and direct students to interact with them, as follows: *Pon la foto del beisbolista en la pizarra; Pon la foto del atleta en la mesa; Toca la foto del ciclista; Pasa la foto de la instructora de baloncesto a (nombre de estudiante); Pon el mecánico en esta silla; Toca la guitarra del guitarrista;* etc.

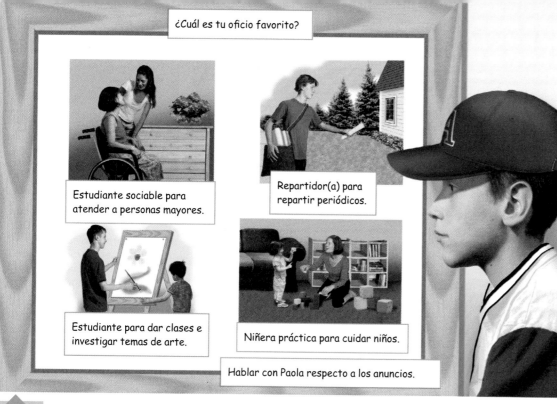

¿Cuál es tu oficio favorito?

Estudiante sociable para atender a personas mayores.

Repartidor(a) para repartir periódicos.

Estudiante para dar clases e investigar temas de arte.

Niñera práctica para cuidar niños.

Hablar con Paola respecto a los anuncios.

1 ¿Cuál es su oficio?

 Diga qué es cada persona, según lo que hace. Seleccione la letra de la foto que corresponde con lo que oye.

A

B

C

D

E

F

2 ¿Qué hace Ud.?

Piense en un oficio o actividad que le guste. Escriba una oración describiéndolo/la.

Capítulo 1

veinticinco 25

As a warm-up activity, or before you begin activity 1, draw students' attention to each photo in activity 1 and ask, *¿Qué se necesita para tener este oficio? (un bate, un piano, un paquete, una bicicleta, niños, una pelota)*

Activity 1 is intended for listening comprehension practice. Play the audio of the activity that is included in the Audio Program or use the transcript that appears in the ATE Introduction if you prefer to read the activity yourself.

A reproducible answer sheet for the activity can be found at the end of the Audio Program Manual.

Teacher Resources

 Activity 1 (CD 2, #2)

Answers

1 1. E. Es niñera.
2. C. Es repartidora.
3. B. Es música.
4. A. Es beisbolista.
5. F. Es entrenador.
6. D. Es ciclista.

2 Creative self-expression.

Activities

Expansion
Use overhead transparency 3 to introduce and practice the new words and expressions in *Vocabulario I.*

Multiple Intelligences (spatial)
You might suggest that students add a drawing of themselves doing their activity in activity 2.

Prereading Strategy
Play the audio recording of the vocabulary and have students repeat the words while showing them overhead transparency 3.

Students with Special Needs
You might post a schedule that outlines a predictable classroom routine. This will help students know what to expect each day. If you haven't already done so, establish rules and consequences to help provide the structure that students with emotional and behavioral disorders need.

National Standards

Communication
1.1, 1.2

Connections
3.1

Teacher Resources

Diálogo I
¿Qué es tu hermana?
(CD 2, #3)
Activity 3 (CD 2, #4)
Activity 4 (CD 2, #5)
Activity 5 (CD 2, #6)

 Answers

3 1. Es entrenadora de un equipo de fútbol femenino.
2. Hay que ser muy atlética y activa para jugar al fútbol.
3. Le sugiere que hable con su hermana si quiere aprender a jugar al fútbol.
4. Las chicas se entrenan en el parque.
5. Ahora mismo.
4 Answers will vary.
5 1. Marisa es entrenadora de baloncesto.
2. Ernesto es repartidor de periódicos.
3. Raúl es músico.
4. Marta es ciclista.
5. Silvia es niñera.
6. Andrés es beisbolista.

 Activities

Expansion
Divide the class into teams that will take turns making false statements about *Diálogo I*. The other team must correct the statements. Keep the score on the board.

Prereading Strategy
Have students look at the photos and predict what the dialog is about.

National Standards	
Communication 1.1, 1.2	**Comparisons** 4.2
Cultures 2.1	
Connections 3.1	

26

Diálogo I ¿Qué es tu hermana?

ROSA: Ayer vi a tu hermana Eva en el parque. ¿Qué es ella?
VÍCTOR: Es entrenadora de un equipo de fútbol femenino. Es una entrenadora excelente.
ROSA: No sabía que el fútbol femenino era tan popular.

ROSA: ¿Y hay que ser muy atlética para jugar al fútbol?
VÍCTOR: Sí, y también muy activa. ¿Quieres hablar con Eva? Ella te puede dar clases.
ROSA: Sí, ¿cuándo la puedo ver?
VÍCTOR: Si quieres, vamos ahora.

VÍCTOR: Hola, Eva. Rosa dice que quiere jugar al fútbol.
EVA: ¡Chévere! Nos entrenamos todos los días en el parque. ¿Cuándo puedes comenzar?
ROSA: ¡Ahora mismo!

3 ¿Qué recuerda Ud.?

1. ¿Qué es la hermana de Víctor?
2. ¿Cómo hay que ser para jugar al fútbol?
3. ¿Qué le sugiere Víctor a Rosa?
4. ¿Dónde se entrenan las chicas?
5. ¿Cuándo puede comenzar Rosa?

4 Algo personal

1. ¿Se entrena Ud. en algún deporte? ¿Cuál?
2. ¿Tiene algún trabajo después de la escuela o los fines de semana? Si es así, ¿qué hace?
3. ¿Tiene algún pasatiempo? ¿Cuál?
4. ¿Qué adjetivos asocia Ud. con un(a) beisbolista? ¿Y con un(a) mecánico/a?
5. Según su opinión, ¿cuál es el mejor trabajo para un(a) estudiante?

Mi hermana es entrenadora de fútbol.

5 ¿Qué oficios tienen?

🔊))) Escuche lo que hacen las siguientes personas y escriba el oficio o profesión que asocia con esa persona.

1. Marisa
2. Ernesto
3. Raúl

4. Marta
5. Silvia
6. Andrés

Notes

Comparisons. Ask students where people typically practice soccer in their community.

Have them compare Eva's uniform to an American soccer uniform. You might ask if anyone in the class has a Latin American soccer shirt to share with the class.

Soccer is the most popular sport in Latin America and Europe and the fastest-growing sport in the United States.

You might point out to students that the noun *entrenadora* is derived from the verb *entrenarse*.

Cultura viva

Dos estrellas venezolanas en Chicago

Carlos Zambrano es una tormenta[1] de nervios cuando sube al montículo[2]. Gesticula, suda[3] y habla solo. Con una pesada recta[4] de sobre 90 millas por hora y un *sinker* que maneja como látigo[5] son los bateadores quienes tienen las de perder la mayor parte de las veces.

"Eso de los nervios lo heredé de mi papá. Y lo que me da es con gritarme a mí mismo", dice Zambrano, quien nació en Puerto Cabello, Venezuela, y debutó en las Grandes Ligas con los Cachorros de Chicago en el año 2001.

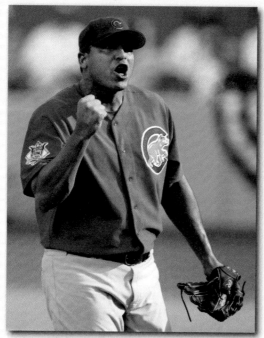
Carlos Zambrano.

En la temporada de 2007, días antes de cumplir los 26 años de edad, el lanzador[6] firmó un contrato de cinco años con el club de Chicago por la jugosa suma de 91,5 millones de dólares.

El béisbol es un deporte muy popular en Venezuela. El primer equipo venezolano de béisbol se creó en 1895 y se llamaba "Caracas".

El primer venezolano que participó en las Grandes Ligas, el campocorto[7] Luis Aparicio en 1956, fue admitido al prestigioso Salón de la Fama en Cooperstown, Nueva York, en 1984.

Otra luminaria de Venezuela que figura en la ciudad de Chicago es el ex campocorto y dirigente[8] de las Medias Blancas, Oswaldo "Ozzie" Guillén, quien llevó su equipo al campeonato de la Serie Mundial en 2005. Las Medias Blancas no ganaban una Serie Mundial desde 1917.

Tras la victoria, Guillén paseó el trofeo de campeonato por Venezuela para deleitar a los fans de su tierra.

---

[1] storm [2] pitching mound [3] sweats [4] fastball [5] whip [6] pitcher [7] shortstop [8] manager

6 — Conexión con otras disciplinas: deporte

Diga si las siguientes oraciones son ciertas o falsas. Si son falsas, corríjalas.

1. Carlos Zambrano es un lanzador colombiano.
2. El béisbol no es muy popular en Venezuela.
3. El primer equipo venezolano de béisbol se llamaba "Caracas".
4. El primer venezolano en las Grandes Ligas fue Daniel Canónico.
5. Luis Aparicio está en el Salón de la Fama de Grandes Ligas.
6. Ozzie Guillén ganó la Serie Mundial con las Medias Blancas en 1917.

¡Extra!

En la internet

Puede encontrar más información sobre el béisbol en Venezuela en la internet. Otras fuentes de consulta incluyen revistas de deportes, libros y bibliotecas.

Teacher Resources

 Activity 6 (CD 2, #7)

 Activity 2 (CD 1, #8)

 Activity 4

 p. 5

Answers

6
1. Falso: Carlos Zambrano es un lanzador venezolano.
2. Falso: El béisbol sí es muy popular en Venezuela.
3. Cierto.
4. Falso: El primer venezolano en las Grandes Ligas fue Luis Aparicio.
5. Cierto.
6. Falso: Ozzie Guillén ganó la Serie Mundial con las Medias Blancas en 2005.

Activities

Critical Thinking

Ask students why they think there are so many Latin American baseball greats whereas there are hardly any Latin American football players.

Expansion

You might have students create mini-baseball guides in Spanish, where they list the baseball-related vocabulary in Spanish (e.g., *lanzador* = pitcher) and famous players. They can add to their guides as they gather new information.

National Standards

Communication 1.1	Comparisons 4.1, 4.2
Cultures 2.1, 2.2	Communities 5.1
Connections 3.1	

Notes

To activate students' prior knowledge, before students begin the *Cultura viva*, ask: *¿En qué países hispanohablantes se juega al béisbol?*

You might write these baseball-related words on the board and have students figure out their English equivalents: *pegar un hit* (to get a hit); *recibir* (to catch); *el receptor* (catcher); *batear* (to bat); *fuera* (to be out); *salvo* (safe).

You might have students research the Web site of a well-known Latin American baseball player. Students can write letters in Spanish to the player. Warn students that they might not receive a reply.

Activity 3 (CD 1, #9)

 Activities 5–7

 Activity 2

 Activity 4

 Answers

7 1. Qué.
   2. Cuáles.
   3. Qué.
   4. Cuál.
   5. Cuál.
   6. Qué.
   7. Cuáles.
   8. Qué.

 Activities

Expansion

Have students write a question with each interrogative listed on the page. Remind students to check their work for correct placement of accent marks. Later on, students can break into pairs and ask and answer each other's questions.

Students with Special Needs

You may have to give students additional examples for each use of *qué* and *cuál*. Have students explain their uses to you. Students may need additional time to complete activity 7.

National Standards

Communication 1.1	Comparisons 4.1
Cultures 2.2	
Connections 3.1	

28

 Idioma

Estructura

Palabras interrogativas: ¿Qué es? o ¿Cuál es?

Both *¿qué?* and *¿cuál?* mean "what?" in English. However, there are differences in their usage.

Use *¿qué?* to ask the definition of something, or to ask about somebody's profession or nationality.

*¿**Qué** es la amistad?*	**What** is friendship?
*¿**Qué** es Luisa, instructora de tenis o entrenadora de fútbol?*	**What** is Luisa, a tennis instructor or a soccer trainer?
*¿**Qué** es Ud., chileno o español?*	**What** are you, Chilean or Spanish?

Use *¿cuál?* or *¿cuáles?* to request specific information from among a number of possibilities.

*¿**Cuál** es tu deporte favorito?*	**What** is your favorite sport (among all the sports)?

Here are other uses of *¿cuál?*

*¿**Cuál** es el teléfono de la niñera?*	**What's** the baby sitter's phone number?
*¿**Cuál** es la capital de Colombia?*	**What** is the capital of Colombia?

¿Cuál?/ ¿cuáles? also means "which?" or "which one/ones?" Use it when choosing between two or more persons or things.

*¿**Cuál** de los empleados es de Caracas?*	**Which** employee is from Caracas?
*¿**Cuáles** son los nuevos empleados?*	**Which ones** are the new employees?

 ## Práctica

 7 ### ¿Cuál es la pregunta?

Complete las preguntas con *qué, cuál o cuáles*, según el contexto.

1. ¿__ es Caracas? Es la capital de Venezuela.
2. ¿__ son tus deportes favoritos? El tenis y el básquetbol.
3. ¿__ es Jorge? Es repartidor de periódicos.
4. ¿__ es el novio de tu hermana? Es el chico rubio que está allí.
5. ¿__ es tu dirección? Avenida Ribera 2048.
6. ¿__ eres tú? Soy ecuatoriano.
7. ¿__ son tus pasatiempos favoritos? Escuchar música y bailar.
8. ¿__ es una arepa? Es un plato típico de Venezuela.

¡Extra!

Las palabras interrogativas

¿adónde?	(to) where?
¿cómo?	how?
¿cuándo?	when?
¿cuánto/a?	how much?
¿cuántos/as?	how many?
¿de dónde?	from where?
¿dónde?	where?
¿para qué?	what for?
¿por qué?	why?
¿quién/quiénes?	who (whom)?

Notes

 An *arepa* is a circular corn pastry stuffed with a variety of fillings. It is a typical Venezuelan dish.

Remind students that unlike *qué, cuál* (or *cuáles*) may never be followed by a noun: *¿Qué autobús tomas?; ¿Cuál de los autobuses tomas?*

Point out that all the interrogatives carry accent marks.

8 Conexión con otras disciplinas: geografía

Estudie el mapa y los datos siguientes sobre Venezuela. Luego, haga un mínimo de ocho preguntas usando *qué, cuál, cuáles* u otras palabras interrogativas según corresponda.

MODELO ¿Qué es el Orinoco?

Datos generales sobre Venezuela

Capital: Caracas

Límites:

Norte:	Mar Caribe
Este:	Océano Atlántico
Sur:	Brasil y Colombia
Oeste:	Colombia

Idioma oficial: castellano (español)

Moneda oficial: el bolívar

Flor nacional: la orquídea

Río más importante: el Orinoco

Libertador del país: Simón Bolívar

  # Comunicación

 9 Entrevista de trabajo

Imagínese que Ud. busca trabajo en un campamento de verano para niños. Con su compañero/a, escriban un diálogo entre el/la director(a) del campamento y el/la candidato/a, basado en la solicitud de empleo. Usen *qué, cuál, cuáles* u otras palabras interrogativas según corresponda. Luego, presenten el diálogo frente a la clase.

MODELO A: ¿Cuál es su nombre?
B: Me llamo Amanda Ríos.

CAMPAMENTO SOL Y MAR

DATOS PERSONALES:
Nombre:
Dirección: | Ciudad:
Número de teléfono: | Dirección de correo electrónico:

EDUCACIÓN:

EXPERIENCIA:
en campamentos:
en otros trabajos:

HABILIDADES:
actividades favoritas:
deportes:
otras:

REFERENCIAS:

 10 Gente famosa

Trabaje con otros cuatro estudiantes. Un miembro del grupo piensa en una persona famosa o familiar pero no le dice el nombre a nadie. Los otros estudiantes deben adivinar el nombre haciéndole un máximo de diez preguntas. Incluyan *qué, cuál, cuáles* u otras palabras interrogativas en sus preguntas.

---

8 Questions will vary, but may include:
¿Cuáles son los países al sur de Venezuela?
¿Qué mar está al norte?
¿Qué país está al oeste de Venezuela?
¿Qué está al este de Venezuela?
¿Cuál es el idioma oficial?
¿Qué es el bolívar?
¿Cuál es la flor nacional?
¿Qué es el Orinoco?
¿Quién es el libertador del país?

9 Answers will vary.

10 Creative self-expression.

 Activities

Comparisons
You might have students research and compare the climates of countries in northern South America to those of southern South America.

Simón Bolívar is Venezuela's national hero, and is often considered the "George Washington" of Latin America.

Prereading Strategy
Before students begin activity 9, have them discuss their usual summer plans.

Technology
Have students surf the Internet to find out which are the oil-producing countries in South America (Venezuela and Ecuador). How many Latin American countries are in OPEC (Organization of Petroleum Exporting Countries)? (Only Venezuela, a founding member.)

National Standards

Communication
1.1, 1.3

Cultures
2.2

Connections
3.1, 3.2

Notes   Note the cross-curricular connection to geography.

Before students form questions about Venezuela, you might review *norte, sur, oeste, este.*

Point out that Venezuela is a major oil-producing country.

Venezuela is also the home to a strange variety of animals, such as the anteater, armadillo, tapir, ocelot, jaguar and the longest snake in the world, the anaconda. The world's highest waterfall is here, Angel Falls, as well as Amazonian jungles. Students can find out more about Venezuela by checking out:

http://venezuela.mit.edu/embassy/kids

Teacher Resources

 Activity 3

 Activity 5

 Answers

11   1. es
2. es
3. es un
4. son
5. es
6. es una
7. es una
8. es
9. es un
10. son

 Activities

Expansion

For homework, have students cut out pictures of different professions from magazines or newspapers. In class, students take turns identifying the professions with a form of *ser*.

Students with Special Needs

You might quickly review the conjugation of *ser* before students begin activity 11.

National Standards

Communication
1.3

Comparisons
4.1, 4.2

Estructura

El verbo *ser* para describir ocupaciones o profesiones

To describe a person's occupation, use the verb *ser* without the indefinite article (*un, una*).

Mi hermano **es** músico.	My brother is a musician.
Tú **eres** futbolista, ¿no?	You're a soccer player, right?
La Sra. Torres **es** artista.	Mrs. Torres is an artist.

However, if an adjective is used to describe someone's profession or occupation, you must use the indefinite article. Compare the examples that follow with the ones above.

Mi hermano **es un** músico excelente.	My brother is an excellent musician.
Tú **eres un** futbolista muy conocido, ¿no?	You are a well-known soccer player, right?
La Sra. Torres **es una** artista ecuatoriana.	Mrs. Torres is an Ecuadorean artist.

 Práctica

 Fotos de familia

Complete esta descripción de la familia de Ernesto, un estudiante colombiano, con la forma apropiada del verbo *ser* y el artículo indefinido, si corresponde.

Mi familia (1) bastante grande. Aquí en estas fotos vemos a mi papá, mi hermano y mis primas. Mi papá (2) pianista. Tiene su propia banda y (3) músico bastante conocido. Julia y Beatriz, mis primas, (4) las dos chicas que están al lado de papá. Julia (5) programadora. Todos dicen que (6) programadora muy talentosa. Beatriz (7) escritora muy famosa. Escribe cuentos para niños. Mi hermano Tomás (8) estudiante. Yo creo que (9) estudiante bastante vago, pero no todos lo creen. Papá dice que no está motivado porque sus profesores no (10) estrictos. ¡Qué familia!

 ¡Extra!

Familias de palabras: adjetivos que terminan en *–oso/a*

Muchos adjetivos se forman agregando la terminación *-oso* u *-osa* al sustantivo. Recuerde que antes de agregar la terminación debe quitar la última vocal. Observe estos ejemplos:

sustantivo	adjetivo
la fama *(fame)*	famoso, -a
el orgullo *(pride)*	orgulloso, -a
el estudio *(study)*	estudioso, -a

¿Puede Ud. formar los adjetivos de los siguientes sustantivos: talento, chisme, mentira?

Mi papá es músico.

 Notes

Comparisons. Have students compare their family with Ernesto's by listing at least five adjectives and five professions from their family's background. Suggest that they make a chart to compare the two families.

12 ¿Qué son?

 Con su compañero/a, identifiquen la ocupación de cada persona en las ilustraciones y describan cómo es esa persona.

MODELO

A: Marisa es niñera, ¿verdad?
B: Sí, es una niñera excelente.

Marisa / excelente

1. Roberto /
muy curioso

2. Eva y Raquel /
bastante conocidas

3. Gabriela / hábil

4. Rubén /
muy talentoso

5. Sra. Vélez /
bastante estricta

6. Ana /
muy simpática

Comunicación

13 ¿Qué son? ¿Cómo son?

Describa a cinco personas que Ud. conoce según su oficio o profesión, y diga cómo son.

MODELO Mi mejor amiga es reportera. Es una reportera muy curiosa.

14 ¿Quiénes son? ¿Cómo son?

Con su compañero/a, piensen en una persona famosa para cada una de las siguientes profesiones. Identifíquenla y escriban detalles sobre él/ella.

MODELO actriz
Salma Hayek es una actriz mexicana muy talentosa.

1. escritor(a) **2.** cantante **3.** deportista **4.** actor/actriz

¡Extra!

Más oficios y profesiones

el banquero, la banquera	*banker*
el científico, la científica	*scientist*
el consejero, la consejera	*counselor*
el contador, la contadora	*accountant*
el diseñador, la diseñadora	*designer*
el pianista, la pianista	*pianist*
el pintor, la pintora	*painter*
el químico, la química	*chemist*
el violinista, la violinista	*violinist*

Teacher Resources

🔅 **Activity 12** (CD 2, #8)

◆ **Answers**

12 1. Roberto es reportero… ./ Sí, es un reportero muy curioso.
2. Eva y Raquel son tenistas… ./ Sí, son unas tenistas bastante conocidas.
3. Gabriela es mecánica… ./Sí, es una mecánica muy hábil.
4. Rubén es músico… ./Sí, es un músico muy talentoso.
5. La Sra. Vélez es entrenadora de fútbol… ./ Sí, es una entrenadora bastante estricta.
6. Ana es repartidora… ./Sí, es una repartidora muy simpática.

13 Answers will vary.

14 Creative self-expression.

◆ **Activities**

Communities
Contact someone from your community who uses Spanish on the job. See if the person will agree to come to the school and talk with your students. Have your students brainstorm questions to ask the individual in Spanish, particularly how he or she uses Spanish on the job. Proofread the questions before the interview is conducted.

National Standards

Communication	Communities
1.1	5.1
Cultures	
2.2	
Comparisons	
4.1	

 Notes

Before students begin activity 13, you might have the class generate a list of adjectives *(aburrido/a, egoísta, generoso/ a, inteligente, loco/a, nervioso/a, serio/a, simpático/a, tonto/a,* etc.).

As an extension to activity 14, have Spanish-speaking students identify some important

people from their home country and write a few details about each one.

Vocabulario II
¿Qué vemos esta noche?
(CD 2, #9)

 Activity 4 (CD 1, #10)
Activity 5 (CD 1, #11)

 Activity 4

 Activities 8–9

 Activity 4

 Activities 6–7

 Activities

Multiple Intelligences (linguistic)
Suggest that students write a few words that they *associate* with each film genre (e.g., *película romántica: el amor, abrazos, besos, una pareja,* etc.).

Multiple Intelligences (logical-mathematical)
Have students list in order of preference the genres of film (#1 = the best; #6 = the worst).

Prereading Activity
If possible, bring to class an ad for a movie in Spanish. Discuss the ad in Spanish with the class, using and pointing out as much of the new vocabulary as possible.

Spanish for Spanish Speakers
Assign students to explain in writing the different film genres (*¿Qué es una película de ciencia ficción?*). Have them check their work for the correct use and placement of accent marks.

National Standards
Communication 1.2
Connections 3.1, 3.2
Comparisons 4.1, 4.2

32

Vocabulario II
¿Qué vemos esta noche?

32 *treinta y dos*   **Lección B**

Notes

Comparisons. Before you introduce *Vocabulario II*, activate students' knowledge about films. Generate a web around *el cine* by having students come up with words and phrases one would need to know in order to talk about a movie. Later, compare the words to the words on pages 32 and 33.

Make sure students understand the difference between *estar doblada* (dubbed) and *tener subtítulos* (subtitles in Spanish).

película policiaca

Hoy hay un documental sobre el actor Mario Fuentes en el Canal 7.

¿De qué se trata?

De su vida y de las películas en las que actuó.

Para serte sincero, no lo aguanto. Me cae mal. Esta película es más interesante.

15 ¿Qué película o programa es?

Seleccione la foto que corresponde con lo que oye.

A

B

C

D

E

F

16 Películas favoritas

Haga una lista de cinco tipos de películas y nombre una película de cada uno. Puede incluir películas extranjeras, dobladas o con subtítulos. Luego, compare su lista con las de sus compañeros.

Capítulo 1

treinta y tres **33**

Notes

Activity 15 is intended for listening comprehension practice. Play the audio of the activity that is part of the Audio Program or use the transcript that appears in the ATE Introduction if you prefer to read the activity yourself.

Have pairs exchange their movie lists from activity 16 with another pair. Have them

challenge each other to figure out the title of each film in English.

Point out that movie titles in Spanish are not always literal translations.

Explain that films are not always released at the same time. Many countries wait almost six months to get a new or foreign film.

Teacher Resources

Activity 15 (CD 2, #10)

Answers

15
1. E
2. A
3. D
4. F
5. B
6. C

16 Answers/Titles will vary.

Activities

Connections (literature)
Have students work in small groups to list famous Spanish-language literature that would make a good film. They should name the genre of the film, write a Spanish title and state why the book would make a good movie.

Critical Listening
Rent a Spanish-language film for the class. Play a segment without the sound and have students describe the scene in Spanish. With the sound on, you might have students paraphrase different dialogs.

Multiple Intelligences (interpersonal)
You might ask students to work in pairs to complete activity 16. This way, students can check each other's film translations.

Students with Special Needs
To help students with activity 16, pair these students with a native speaker or another classmate.

National Standards

Communication
1.1, 1.2

Cultures
2.1

Connections
3.1, 3.2

Teacher Resources

Diálogo II
¡Me fascina ese programa!
(CD 2, #11)
Activity 17 (CD 2, #12)
Activity 18 (CD 2, #13)
Activity 19 (CD 2, #14)

 p. 6

Answers

17 1. A Rosa le fascina el programa de dibujos animados.
2. Según Víctor, el guión es excelente.
3. Víctor mira las películas policiacas.
4. A Rosa le encanta la ciencia ficción. Quiere aprender a hacer efectos especiales.
5. Ofrecen clases de actuación y efectos especiales.
6. No lo aguanta porque no entiende nada de cine.

18 Answers will vary.

19 1. B
2. C
3. A
4. A
5. B

Activities

Spanish for Spanish Speakers
Have students write a brief film review for an American film that will soon be released in Latin America.

Students with Special Needs
Suggest to students that they read the words and phrases in activity 19 *before* the listening activity begins.

National Standards
Communication 1.2, 1.3
Connections 3.1, 3.2
Comparisons 4.1, 4.2

34

Diálogo II   ¡Me fascina ese programa!

ROSA: Me fascina este programa de dibujos animados.
VÍCTOR: Sí, además el guión es excelente.
ROSA: También me gustan las películas del Canal 20. ¿Y a ti?
VÍCTOR: A mí también, especialmente las policiacas.

ROSA: Me encanta la ciencia ficción. Para serte sincera, me encantaría aprender a hacer efectos especiales.
VÍCTOR: Pues aquí en el periódico hay un anuncio de una escuela de cine en Caracas.

VÍCTOR: Fíjate, hay clases muy interesantes: de actuación, de efectos especiales...
ROSA: ¡Quiero ir ahora mismo!
VÍCTOR: ¿Invito a Juan?
ROSA: ¡No, no lo aguanto! No entiende nada de cine.
VÍCTOR: Entonces vamos solos.

17 **¿Qué recuerda Ud.?**

1. ¿Qué programa le fascina a Rosa?
2. Según Víctor, ¿qué es excelente?
3. ¿Qué películas mira Víctor?
4. ¿Qué le encanta a Rosa? ¿Qué quiere aprender?
5. ¿Qué clases ofrecen en la escuela de cine de Caracas?
6. ¿Qué opina Rosa de Juan?

Me gustan las películas de vaqueros.

18 **Algo personal**

1. ¿Qué tipo de películas le gustan a Ud.?
2. ¿Qué programas de televisión prefiere?
3. ¿Cuál es su película favorita? ¿Y su programa favorito?
4. ¿De qué se trata su película favorita? ¿Y su programa favorito?
5. ¿Prefiere las películas extranjeras con subtítulos o dobladas? ¿Por qué?

19 **¿Qué es?**

 Escuche las definiciones. Escoja la letra de la palabra o frase que asocia con cada definición.

1. **A.** dibujo animado   **B.** musical   **C.** drama
2. **A.** romántica   **B.** drama   **C.** comedia
3. **A.** subtítulos   **B.** guiones   **C.** escenas románticas
4. **A.** documentales   **B.** dramas   **C.** dibujos animados
5. **A.** vaqueros   **B.** ciencia ficción **C.** documentales

Notes

Activity 19 has been recorded for listening comprehension practice. It is included in the Audio Program. In addition, reproducible student answer sheets are provided for your convenience at the end of the Audio Program Manual.

For homework, have students study a television guide to find programs in Spanish.

Compile a class list of all that are available. You might assign a show for students to watch and discuss as a class.

Have Spanish-speaking students watch a Spanish film with English subtitles and point out the discrepancies in the translation.

Cultura viva II

Venezuela y la industria de la telenovela

Tanto en las pequeñas casas de montaña como en los mejores barrios, los venezolanos se sientan frente a la televisión para gozar y sufrir[1] con los personajes de sus telenovelas favoritas.

La industria[2] de la telenovela es una de las más importantes en Venezuela. Desde sus comienzos ha crecido a un ritmo muy rápido. No sólo el público venezolano goza de las telenovelas, sino también los públicos de otros países de América Latina, Europa y Estados Unidos.

Gracias a sus historias basadas en la realidad y su lenguaje popular, las telenovelas venezolanas baten récords[3] de audiencia[4].

Coraima Torres de la telenovela *Kassandra*.

Alba Roversi, actriz venezolana.

Una de las telenovelas de más éxito ha sido *Cristal,* producción[5] que ganó el corazón de latinoamericanos, italianos y españoles.

Las raíces[6] de la telenovela están en Cuba, donde se adaptó por primera vez la novela de radio a la televisión. Esto, junto con la llegada desde Cuba de personas que trabajaban en tecnología, así como también de directores y actores, hicieron posible las primeras productoras de imágenes[7] de televisión en Venezuela.

Por varios años, la televisión venezolana fue un espectáculo indefinido de teleteatros, noticieros, programas deportivos y programas cómicos. Pero, poco a poco, la telenovela se fue haciendo parte de la vida cotidiana[8], convirtiéndose[9] en el género más característico de la televisión de ese país.

[1]enjoy and suffer [2]industry [3]break records [4]audience [5]production [6]roots [7]images [8]everyday [9]becoming

20 Las telenovelas venezolanas

Conteste las siguientes preguntas sobre las telenovelas venezolanas.

1. ¿Quiénes miran telenovelas en Venezuela?
2. ¿Qué otros públicos gozan de las telenovelas venezolanas, además del público venezolano?
3. ¿Por qué las telenovelas venezolanas baten récords de audiencia?
4. ¿Qué telenovela venezolana tuvo mucho éxito?
5. ¿Dónde están las raíces de la telenovela?
6. ¿Qué sucedió poco a poco en la televisión venezolana?

¡Oportunidades!

Aprenda español por telenovela
Una buena manera de practicar el español es mirar las telenovelas de México y Venezuela que pasan en los canales hispanos. Muchas de ellas se filman hoy en día en Estados Unidos, particularmente en Miami, y vienen con subtítulos en inglés. Cuando vea una telenovela, trate de no leer los subtítulos. Si no entiende lo que pasa, no se desanime *(don't get discouraged)*. Con el tiempo, se va a dar cuenta que puede reconocer más y más palabras. Una buena idea es grabar un episodio y volver a verlo varias veces.

 Activity 20 (CD 2, #15)

 Activity 5

◆ Answers

20
1. Todas las personas, desde las que viven en las pequeñas casas de montaña hasta las de los mejores barrios.
2. Los públicos de otros países de América Latina, Europa y Estados Unidos.
3. Las telenovelas venezolanas baten récords de audiencia gracias a sus historias basadas en la realidad y su lenguaje popular.
4. La telenovela *Cristal.*
5. Están en Cuba.
6. Poco a poco, la telenovela se fue haciendo parte de la vida cotidiana, convirtiéndose en el género más característico de la televisión venezolana.

◆ Activities

Multiple Intelligences (musical)
Play the theme song to *Cristal, Eres tú* by Rudy LaScala for the class. Ask students to tell what the music expresses about the show.

Spanish for Spanish Speakers
Have students report on a *telenovela* that one of their relatives watches.

National Standards	
Communication 1.1	**Comparisons** 4.2
Cultures 2.1, 2.2	**Communities** 5.1
Connections 3.1, 3.2	

Notes

Before students read the *Cultura viva,* set a purpose for reading by asking them: *¿Crees que las telenovelas son populares en Venezuela?*

The character Cristal is played by the actress Jeannette Rodríguez.

Have students write a dialog between the characters in the soap opera scene above.

Comparisons. Bring to class a segment of a Spanish-language *telenovela.* Make sure you preview it to make sure it is appropriate for class viewing. Have students compare the way a man or woman reacts in the *telenovela* to the way a man or woman in the United States would react in the same situation.

Activities

Communities

You might have students reflect on their community and decide what types of cultural activities the people there most enjoy (movies, shopping, exploring nature, etc.). Students can then create a street scene of the community that reflects its character. They should label everything in Spanish, using complete sentences with *gustar*.

Critical Listening

Bring to class (or have the students bring to class) pictures of a variety of movie stars. Label them and post them on the board.

Call out the likes and dislikes of each celebrity. Have the students choose the celebrity you are describing. For example: *A él le gustan las películas de aventuras; No le gusta cantar; Le gusta la música cubana. (Es Andy Garcia.)*

Students with Special Needs

To reinforce agreement, you might create a matching exercise for students, where students match singular forms of *gustar* with singular phrases and plural forms with plural phrases.

National Standards
Communication 1.1
Comparisons 4.1
Communities 5.1

 Idioma

Estructura

Para hablar de gustos y preferencias: el verbo *gustar*

Spanish uses the verb *gustar* (to please, to be pleasing) to express liking someone or something. Usually two forms of *gustar* are used in the present tense: *gusta* and *gustan*.

Me gusta *ese programa.*
I like that program.
(Literally: That program is pleasing to me.)

No me gustan *las películas de ciencia ficción.*
I don't like science-fiction movies.
(Literally: Science-fiction movies are not pleasing to me.)

To express who is doing the liking, use the verb *gustar* with indirect object pronouns.

pronombres indirectos + *gustar*	
me gusta/n	*I like*
te gusta/n	*you (informal) like*
le gusta/n	*you (formal) / he / she likes*
nos gusta/n	*we like*
os gusta/n	*you (plural) like*
les gusta/n	*you (plural) / they like*

Use *gusta* to refer to a singular noun and one or more infinitives.

*¿**Te gusta** esa actriz?*
Do you like that actress?

***Nos gusta** actuar y cantar.*
We like to act and sing.

Use *gustan* before a plural noun.

*Juana, ¿**te gustan** los documentales?*
Juana, **do you like** documentaries?

To clarify to whom you are referring or to add emphasis, add *a* plus a name, pronoun or noun.

***A Daniel le gusta** escribir guiones.*
Daniel likes to write scripts.

***A mí me gustan** las películas de aventuras, pero **a mis amigos les** gustan las películas musicales.*
I like action movies, but **my friends like** musicals.

Remember that pronouns that follow the preposition *a* are identical to the personal pronouns (*él, ella, Ud., Uds., ellos, ellas*), with exception of *mí* and *ti*.

***A él** le gustan las películas dobladas, pero **a mí** no.*

***A ti** te gustan los programas cómicos, ¿verdad?*

A Daniel le gusta escribir guiones.

Notes Remind students that to make a sentence negative, they must put *no* before *me, te, le, nos, os* or *les gusta/gustan*.

You may wish to remind students of other verbs that follow a pattern similar to that of *gustar: encantar, molestar, interesar.*

Práctica

 Es decir...

Diga qué les gusta a las siguientes personas según las actividades que hacen. Use el verbo *gustar* y la lista de palabras.

los deportes	el circo	la geografía
los libros	la playa	las lenguas extranjeras

MODELO Voy al cine o alquilo videos todos los días, es decir *(in other words)*, me gustan las películas.

1. Usted habla alemán, francés y español, es decir...
2. Siempre juegas al fútbol, al tenis y al básquetbol, es decir...
3. Uds. se divierten con los acróbatas y payasos, es decir...
4. Cuando vamos a la biblioteca leemos novelas, cuentos, poesía, es decir...
5. Mi hermano se pasa todo el día estudiando ríos y montañas, es decir...
6. Mis actividades favoritas son nadar y surfear, es decir...

 # Comunicación

 ¿Por qué te gusta?

Ud. y su compañero/a van a escribir una lista de cinco lugares y una actividad que relacionan con cada lugar. Luego, van a intercambiarse *(exchange)* las listas para hacerse preguntas según las indicaciones y agregar más detalles.

MODELO la playa: nadar / el parque: correr

    A: ¿Por qué te gusta la playa?

    B: Porque me gusta nadar. Me gustan el mar y el sol.

    A: Y a ti, ¿por qué te gusta el parque?

    B: Porque me gusta correr. Me gustan las actividades al aire libre.

Nos gusta la playa.

 ¿Qué le gusta a la clase?

Hágale una encuesta a cuatro de sus compañeros para decidir lo siguiente:

- la actividad más popular en la clase de español
- las clases más populares
- el tipo de película más popular
- la comida más popular
- el tipo de música más popular

Luego, escriba un breve resumen de los resultados.

 Answers

21   1. le gustan las lenguas extranjeras.
      2. te gustan los deportes.
      3. les gusta el circo.
      4. nos gustan los libros.
      5. le gusta la geografía.
      6. me gusta la playa.
22   Creative self-expression.
23   Answers will vary.

 Activities

Spanish for Spanish Speakers
As an extension to activity 21, have Spanish speakers list a few characteristics that are particular to their culture. For example, [Chile] *Nuestro deporte nacional es el fútbol.* Then, as in activity 21, students sum up the thought by stating, *...es decir, somos chilenos.* You might encourage students to add visuals to their work.

Multiple Intelligences (logical-mathematical)
Have students create a bar graph or a pie chart that shows the frequency for each activity in activity 23.

Students with Special Needs
Suggest that students first write out the questions they are going to ask in their poll (activity 23).

Notes

Comparisons. Compare the poll results in activity 23 to poll results from other classes in your school, from another class in your community or from another community in the United States.

You might consider arranging an e-mail exchange to complement the use of *¡Aventura!*. For example, have students participate in a number of exchanges that allow them to apply the concepts, vocabulary and cultural information studied in a given lesson. Possible collaborating partners can be found in the same building or district, in another city or around the world. See the ATE Introduction for tips on how to locate a key pal.

 National Standards

Communication
1.1, 1.3

Teacher Resources

 Activity 6 (CD 1, #12)

 Activity 12

 Activity 9

 Activity 7

◆ Answers

24 1. me encantan
2. me molesta
3. le fascinan
4. me importa
5. me fascinan
6. les fascinan
7. Me molesta
8. me interesa

◆ Activities

Expansion
Practice verbs like *gustar* by asking personalized questions such as: *Juan, ¿le molesta si abro la vertana?; ¿A quién le parecen tontas las películas románticas?; Anita, ¿qué tipo de películas le encanta?*

Language through Action
Have students act out in front of the class the dialog in activity 24.

Students with Special Needs
You might photocopy activity 24 to give to students. This way students can underline the word or phrase each verb refers to in each sentence.

National Standards

Communication
1.1, 1.3

Connections
3.1

Comparisons
4.1

38

Estructura

Para expresar su opinión: otros verbos como *gustar*

Several verbs follow the pattern of *gustar* and are used with indirect object pronouns. The most common are: *encantar* (to like very much, to love), *fascinar* (to be fascinated), *importar* (to mind), *interesar* (to be interested), *molestar* (to matter, to bother) and *parecer* (to seem).

Me encanta el cine español.	**I love** Spanish cinema.
A mis hermanas **les fascinan** las comedias románticas.	My sisters **are fascinated by** romantic comedies.
A mí **no me interesan**.	They **don't interest me**.
¿**Te importa** si cambio de canal?	**Do you mind** if I change the channel?
A papá **le molesta** cuando haces tanto ruido.	**It bothers** Dad when you make so much noise.
Los dibujos animados **me parecen** tontos.	Cartoons **seem** silly **to me**.

Práctica

 Películas con subtítulos

Complete el diálogo entre Jairo y Belén usando la forma correcta de los verbos entre paréntesis y el pronombre de complemento indirecto apropiado.

Jairo: ¿Te gustan las películas francesas?

Belén: Sí, *(1. encantar)*, pero para serte sincera, a veces no entiendo de qué se tratan.

Jairo: Pero, ¿no lees los subtítulos?

Belén: Sí, pero *(2. molestar)* leer y ver la película al mismo tiempo. A mi hermano Dani, sin embargo, *(3. fascinar)* los subtítulos porque dice que lo ayudan a aprender francés.

Jairo: Yo estoy de acuerdo con Dani. No *(4. importar)* si no puedo entender todas las palabras. A mí lo que más *(5. fascinar)* son la actuación y los efectos especiales.

Belén: ¡Ah, a Uds., los chicos, siempre *(6. fascinar)* los famosos efectos especiales!

Jairo: *(7. Molestar)* que digas eso, Belén. Los efectos especiales son una parte esencial del cine moderno.

Belén: Pues a mí no *(8. interesar)*. No los aguanto, ¡ni en francés!

Un dicho sobre gustos

Un amigo le recomienda *(recommends)* un disco compacto que a Ud. le parece horrible. ¿Qué le puede contestar? Hay un dicho en español que lo resume todo: Sobre gustos no hay nada escrito. *(There's nothing on paper about likes and dislikes.)* Quiere decir que cada persona tiene sus gustos, aunque a veces nos sorprendan. Y también es una manera sutil de decir: ¡Qué horror!

Notes

As an extension, you might have students write a complete sentence for each of the verbs that follow the pattern of *gustar*.

Comunicación

 25 **Club Digital Jóvenes Caribeños**

El Club Digital Jóvenes Caribeños puso en la Red los siguientes anuncios personales. Lea los anuncios y diga qué tipo de actividades cree que les gustan a las personas que contestan cada anuncio.

MODELO Estela contesta el anuncio del Club Los Chistosos.
A Estela le encantan los chistes.

1. Yo contesto el anuncio del Club Sherlock Holmes.
2. Jorge y David contestan el anuncio de Cuidemos Nuestro Ambiente.
3. Tú y yo contestamos el anuncio de Caraqueños Musicales.
4. Tú contestas el anuncio del Joven Artista.
5. María Isabel contesta el anuncio de Amigas del Cine Romántico.

¡Bienvenidos al Club Digital Jóvenes Caribeños!

Dirección http://www.cdjc@juventud.org ▲ Archivo Edición Ver Favoritos Herramientas Ayuda

Anuncios Personales

Club Los Chistosos
¿Te encanta reír y pasarlo bien con tus amigos? ¿Sabes contar chistes buenos? Si respondes que sí, escríbenos a la dirección de correo electrónico de arriba.

Cuidemos Nuestro Ambiente
Soy un chico de 15 años y me importa mucho la naturaleza. Me molesta cuando la gente no cuida las plantas y los animales que viven en los parques. Busco jóvenes para ir a caminar por el parque y observar los animales que viven allí. ¿Te interesa? Entonces, escríbeme a la dirección de arriba.

Amigas del Cine Romántico
Somos un grupo de chicas entre 14 y 17 años. Nos fascinan las películas románticas porque nos hacen llorar. Nos encontramos en el Cine Regio todos los sábados por la tarde. Si te interesa venir a llorar con nosotras, contáctanos escribiendo a la dirección electrónica del Club Digital.

Club Sherlock Holmes
Buscamos nuevos miembros para nuestro club de misterio. Si te fascinan los libros, películas y programas del famoso detective Sherlock Holmes, escríbenos al Club Digital Jóvenes Caribeños. ¡Te esperamos!

Caraqueños Musicales
Dicen que nuestra pequeña banda de rock fascina a todos los jóvenes caraqueños. Ahora que somos "casi" conocidos, necesitamos más músicos para nuestra banda. Si te interesa, por favor escríbenos a la dirección electrónica de arriba.

Joven Artista
Me encanta pintar y dibujar. Me fascina la obra del pintor colombiano Fernando Botero. Busco jóvenes artistas que quieran compartir mi estudio. Es grande y tiene mucha luz. Respondan, escribiendo a la dirección de arriba.

26 **¿Qué opinan los demás?**

Hágales preguntas a tres compañeros sobre los siguientes temas.

- programas que les fascinan
- lugares que les encantan
- lo que más les molesta y por qué
- actividades que les interesan
- temas que les importan
- cosas que les parecen tontas

Luego, use la información que obtuvo para compartir con el resto de la clase las opiniones de su grupo.

Capítulo 1

treinta y nueve **39**

Notes
To prepare for activity 26, divide the class into groups of three.

If you haven't already done so, you might find a key pal class for your class to correspond with. (See the ATE Introduction.) In preparation for their correspondence and to practice the structures in the lesson, have

students write their first draft of an e-mail in which they tell about their likes and dislikes.

 Answers

25 Answers will vary.
26 Creative self-expression.

 Activities

Expansion
Ask students: *¿Qué anuncio te interesa más? ¿Por qué?; Si pudieras escribir un anuncio más, ¿de qué se trataría?*

Prereading Strategy
To gain an overall understanding of the reading, have students read the title and subtitles for the Club Digital site.

Students with Special Needs
You might give each group a graphic organizer to help students record and organize their information for activity 26.

Technology
Have students create their own Web page in which they start a club for something that is important to them.

National Standards
Communication
1.1, 1.3
Connections
3.1

Teacher Resources

Lectura personal (CD 2, #16)
Activity 27 (CD 2, #17)
Activity 28 (CD 2, #18)

 Answers

27 1. El 14 de julio Mariana se levantó temprano, recogió el campamento y partió hacia Puerto La Cruz.
   2. Se conoce a la Isla Margarita con el nombre "perla del Caribe".
   3. La Isla Margarita tiene una belleza extraordinaria.
   4. La Ruta Quetzal es un viaje de estudios para jóvenes que, cada año, recorren España y algún país americano durante dos meses.

28 Answers will vary.

 Activities

Expansion
Give students an outline map of Isla Margarita. Students can research the flora and fauna and the exact locations of *selva tropical,* and major towns. Have students fill in the map as completely as possible.

Pronunciation
Emphasize the correct pronunciation of *quetzal [ket'sal].* Ask: *¿Qué significa quetzal?* If no one knows the answer, direct a student to look the word up in a Spanish dictionary. *Quetzal: ave trepadora de la América tropical, de plumaje suave, verde y rojo; unidad monetaria de Guatemala.*

National Standards	
Communication 1.1	**Comparisons** 4.1
Cultures 2.2	
Connections 3.1, 3.2	

Lectura personal

E-Mail — □ ✕

Archivo   Ver   Mensajes   Ayuda

A... | mamá y papá

Cc... |

Asunto: | Venezuela

Ruta Quetzal: recuerdos de Venezuela

Queridos mamá y papá,
Les escribo desde Venezuela. El 14 de julio nos levantamos muy temprano.
Recogimos el campamento[1] y partimos hacia Puerto La Cruz.
Fue un viaje largo pero finalmente nos embarcamos[2] en el ferry con destino a la Isla Margarita.
Pasamos toda la noche navegando por el mar Caribe. Al amanecer ya estábamos en la "perla del Caribe". Hicimos el campamento en la playa de Guayacán. La Isla Margarita tiene selva tropical, saltos[3], ríos, médanos[4] y espacios verdes con una gran variedad de flora y fauna. Es un lugar con una belleza extraordinaria. Todos estamos aprendiendo cosas importantes. Cada momento especial que vivimos en la Ruta Quetzal quedará siempre en nuestras memorias.

Hasta pronto,
Mariana

[1]broke camp   [2]boarded   [3]waterfalls   [4]sand dunes

27 **¿Qué recuerda Ud.?**

1. ¿Qué hizo Mariana el 14 de julio?
2. ¿Con qué otro nombre se conoce a la Isla Margarita?
3. ¿Cómo es la Isla Margarita?
4. ¿Qué es la Ruta Quetzal?

28 **Algo personal**

1. ¿Viaja Ud. a otros países o estados? ¿Cuáles?
2. ¿Conoce algún viaje de estudios similar a la Ruta Quetzal?
3. ¿Le gustaría participar en la Ruta Quetzal? ¿Qué países le gustaría visitar?

> **¿Qué es la Ruta Quetzal?**
>
> La Ruta Quetzal-BBVA es un viaje de estudios para jóvenes de 16 a 17 años que, cada año, recorren España y algún país americano durante dos meses. Los jóvenes aprenden la historia y geografía de los países visitados al mismo tiempo que visitan lugares históricos y participan en talleres *(workshops)* prácticos.

 40 *cuarenta*   **Lección B**

Notes
Ask students to guess what the terms at the top of the e-mail page mean: *archivo* (file), *ver* (view), *mensajes* (messages), *ayuda* (help), *a* (to), *cc* (copy), *asunto* (subject).

Ask students: *En su opinión, ¿por qué se llama ese programa la Ruta Quetzal? ¿Hay otro nombre que sería bueno?*

¿Qué aprendí?

Autoevaluación

Como repaso y autoevaluación, responda lo siguiente:

1. Mencione a dos amigos o compañeros y diga cómo son y qué trabajos tienen.

2. ¿Cómo se llamaba el primer equipo de béisbol venezolano? Nombre a dos beisbolistas venezolanos que se destacan a nivel mundial.

3. Explique la diferencia entre *¿Qué es?* y *¿Cuál es?* Dé dos ejemplos para cada uno.

4. Nombre tres tipos de películas, diga cuál es su favorita y por qué.

5. ¿A qué se debe el éxito de las telenovelas venezolanas?

6. Mencione tres verbos como *gustar* y dé un ejemplo para cada uno.

7. Nombre dos cosas que los jóvenes de la Ruta Quetzal vieron en la Isla Margarita.

Palabras y expresiones

How many of these words and expressions do you recognize?

Actividades
atender
dar clases (de)...
entrenarse
investigar
montar en bicicleta
pasear
reparar
repartir
trabajar de

Oficios/Deportistas
el atleta, la atleta
el beisbolista, la beisbolista
el ciclista, la ciclista
el entrenador, la entrenadora
el instructor, la instructora
el músico, la música
el niñero, la niñera
el repartidor, la repartidora

Adjetivos
activo,-a
atlético,-a
curioso,-a
hábil
práctico,-a
sociable

Tipos de películas/ programas
de aventuras
de ciencia ficción
cómica
de dibujos animados
doblada
el documental
el drama
policiaca
romántica
de terror
de vaqueros

Expresar opiniones
Me cae bien/mal
No lo/la aguanto
Para serte sincero/a

Para hablar del cine y del teatro
la actuación
los efectos especiales
el guión, *pl.* los guiones
los subtítulos

Otras palabras y expresiones
actuar
con respecto a
¿De qué se trata?
entender (ie)
por ahora
el oficio

Nos gusta montar en bicicleta.

Notes
Encourage students to find out more about Venezuela on the Internet.

Students should visit the Internet Resource Center at www.emcp.com to complete this activity online and check answers.

Teacher Resources

Activity 13

pp. 47, 100

Answers

Autoevaluación
Possible answers:
1. Mi amiga Rita es muy sociable. Le gusta cuidar niños. Mi amigo Eduardo es un mecánico muy hábil.
2. Se llamaba "Caracas". Dos famosos beisbolistas venezolanos son Daniel Canónico y Luis Aparicio.
3. Se usa *¿Qué es?* para preguntar la definición de algo o la profesión o nacionalidad de alguien. Ejemplos: ¿Qué es el amor? ¿Qué es tu hermano? Se usa *¿Cuál?* para pedir información más específica o escoger entre dos posibilidades. Ejemplos: ¿Cuál es tu dirección?
4. Películas policiacas, dramas y musicales. Mis favoritas son las películas policiacas porque me fascinan los misterios.
5. Se debe en parte a su lenguaje popular y a que están basadas en la realidad.
6. fascinar, encantar, parecer. Me fascinan las películas de ciencia ficción. A mi madre le encantan las películas musicales. Las películas extranjeras me parecen muy interesantes.
7. Vieron ríos y saltos.

National Standards

Cultures
2.2

Connections
3.1, 3.2

Comparisons
4.1

Answers

Preparación

1. Cierto.
2. Falso.
3. Cierto.
4. Falso.

◆ Activities

Expansion

Have students write obituaries in Spanish for José Martí.

Multiple Intelligences (bodily-kinesthetic/ logical-mathematical/spatial)

You might have various students choose a specific way to illustrate their comprehension of the *Preparación*. For example, some might list the events on a time line (logical-mathematical); others might make a collage of events and responsibilities (spatial); and others might act out the different events and responsibilities (bodily-kinesthetic).

Prereading Activity

Have students list or tell what they know about Cuba.

National Standards
Communication
1.2
Cultures
2.2
Connections
3.1

¡Viento en popa!

Ud. lee ■■■ ■ ■ ■ ■ ■ ■ ■ ■ ■ ■ ■ ■■

Estrategia

Rhythm and rhyme

It will be easier for you to appreciate Spanish poetry if you understand its rhyming and rhythm conventions. Read the first stanza of the poem out loud. Now, read the stanza again, and clap every time you have a stressed syllable. Read the stanza once more. By now, you will have a very good sense of the poem's rhythm. Look at the first stanza again, what can you say about the words *palma* and *alma*? Now, look at the words *enero* and *sincero*. Notice how the words rhyme. In Spanish, words with similar ending vowels and consonants after the last stressed vowel are considered rhyming words. When only the vowels are similar the rhyme is known as *rima asonante*. This combination of four eight-syllable lines is known as *redondilla*.

Preparación

Lea lo siguiente y después diga si las oraciones que siguen son ciertas o falsas.

José Martí fue, además de poeta, un gran patriota. Nació en La Habana, Cuba, en 1853, cuando la isla era todavía una colonia española. Martí luchó desde muy joven y durante toda su vida por la independencia de su patria. Por su actividad política, a los 18 años fue desterrado[1] a España, donde asistió a la universidad. También viajó a México, Guatemala, Venezuela y más tarde residió[2] en Estados Unidos. Martí siempre soñó con una América Latina libre y unida. En Nueva York, ocupó varios cargos, como cónsul de distintos países latinoamericanos, escribió para periódicos del mundo hispano y editó *La Edad de Oro*, una revista mensual para niños.

Durante todos los años que vivió fuera de Cuba, Martí continuó organizando y dirigiendo el movimiento de liberación de su país. Finalmente, en 1895, pudo desembarcar en Cuba. Murió ese mismo año luchando por la independencia de la isla. Sus poemas más conocidos pertenecen al libro *Versos sencillos*.

[1]exiled [2]lived

1. José Martí fue desterrado a España.
2. José Martí fue cónsul de Estados Unidos en Alemania, Uruguay y Paraguay.
3. Al mismo tiempo que organizaba y dirigía el movimiento de liberación de Cuba, escribía para varios periódicos del mundo hispano.
4. Puesto que José Martí fue desterrado a España y luego vivió en Estados Unidos, nunca pudo regresar a Cuba.

Monumento a José Martí.

Notes

AP Spanish Literature. This selection from *Versos sencillos* by José Martí appears on the College Board AP Spanish literature required reading list for nineteenth-century authors. Margin activities offer assistance for teachers who wish to prepare students for the AP Spanish literature examination.

You might have students trace on a map the places in which Martí spent time. Have them summarize what Martí did in each place.

Versos sencillos (selección)

Yo soy un hombre sincero,
de donde crece la palma,
y antes de morirme quiero
echar mis versos del alma[1].

Yo vengo de todas partes,
y hacia todas partes voy:
arte soy entre las artes,
en los montes, monte soy.

Yo sé los nombres extraños
de las yerbas[2] y las flores,
y de mortales engaños[3],
y de sublimes dolores.

"Cultivo una rosa blanca."

Mi verso es de un verde claro
y de un carmín[4] encendido.
Mi verso es un ciervo herido[5]
que busca en el monte amparo[6].

Todo es hermoso y constante.
Todo es música y razón.
Y todo, como el diamante,
antes que luz, fue carbón.

Yo he visto al águila herida
volar al azul sereno,
y morir en su guarida[7]
la víbora del veneno.

Con los pobres de la tierra
quiero yo mi suerte echar:
el arroyo de la sierra
me complace[8] más que el mar.

Cultivo una rosa blanca
en junio como en enero
para el amigo sincero
que me da su mano franca.

Y para el cruel que me arranca[9]
el corazón con que vivo
cardo[10] ni ortiga[11] cultivo:
cultivo una rosa blanca.

[1]soul [2]weeds, grasses [3]deceptions [4]red [5]wounded deer [6]protection [7]snake's nest, hiding place [8]pleases [9]tears out [10]thistle [11]nettle

A ¿Qué recuerda Ud.?

1. ¿Qué quiere hacer Martí antes de morir?
2. Martí primero dice que viene "de donde crece la palma". Después dice que pertenece a muchos lugares. ¿Cómo expresa este pensamiento en la segunda estrofa?
3. ¿Qué elementos de la tercera y cuarta estrofa pueden relacionarse?
4. ¿Por qué la víbora muere en su guarida?
5. En las dos últimas estrofas, Martí dice que cultiva una rosa blanca. ¿Para quiénes lo hace? ¿Por qué?

B Algo personal

1. José Martí quería una América libre y unida, y luchó por ella toda su vida. En América Latina, la política continúa siendo hoy muy importante para los jóvenes. ¿Es importante para Ud.?
2. ¿Está de acuerdo con Martí en cultivar una rosa blanca para sus enemigos? Explique la posición de Martí y compárela con la suya.

Notes

Tell students that some of Martí's verses have been incorporated into a popular Cuban song called "Guantanamera." This song has several versions and has been interpreted by many artists, including Celia Cruz. You might wish to play a version of the song for the students.

Have students improvise instrumental accompaniment to the poem.

Teacher Resources

 ¡Viento en popa!
Versos sencillos (selección)
(CD 2, #19)
Activity A (CD 2, #20)
Activity B (CD 2, #21)

 Answers

A 1. Antes de morir, José Martí quiere echar sus versos del alma.
2. Dice que "vengo de todas partes, y hacia todas partes voy: arte soy entre las artes, en los montes, monte soy".
3. La cuarta estrofa ilustra y extiende la tercera. Las yerbas son verdes, las flores son rojas, los engaños son como un ciervo herido.
4. La víbora muere porque tiene veneno.
5. Martí cultiva la rosa blanca tanto para sus amigos como para sus enemigos. Trata a todos igual.

B Answers will vary.

 Activities

Cooperative Learning
Ask groups of students to research a different aspect of Cuba's history. For example: during Spanish rule, the fight for independence, Castro's revolutionary movement, *hoy en día*, etc. Each student in the group should have a specific role, such as note taker, researcher, writer, editor, etc.

Multiple Intelligences (spatial)
Have students illustrate a stanza from the poem.

National Standards
Communication 1.3
Cultures 2.2
Connections 3.1

Creative self-expression.

Activities

Critical Listening

Describe a person orally while students listen. Have students listen for 3–5 words that describe the person. After your description, have students summarize by writing the name of the described person and the descriptive words they heard. Tell students that they have started a word web for this person!

For example: *Mi abuela Nancy: Yo quiero mucho a mi abuela Nancy. Es sincera, generosa y amable. Siempre me ayuda cuando lo necesito. Es alta, delgada y tiene el pelo blanco como las nubes. Le gusta mirar las telenovelas y cantar. Abuela, la quiero mucho.*

Prereading Activity

You might start the lesson by modeling an oral description of someone who is important to you. Show students a picture of the person and describe the person to them. Then call on students to name people who are important to them.

National Standards

Communication
1.1, 1.2, 1.3

Ud. escribe ■■■■■■■■■■■■■■■■

Estrategia

Organize the main ideas

To describe someone you know, whether real or fictitious, you will find it useful

to organize your ideas with the help of a word web. Think of the categories that you'll want to include in your description. For example, physical characteristics, personality, likes and dislikes, favorite activities, and so on. Then, for each category, add as many details as you can. Adding details makes the writing more interesting. For instance, if you write *"Marisa es una persona interesante,"* the reader may want to find out why Marisa is an interesting person. But if you write: *"Marisa es una persona interesante. Es una profesora de arte excelente y también es una gran entrenadora de fútbol,"* your reader will have a better idea of the kind of person that Marisa is.

Escriba un "retrato con palabras" de una persona importante en su vida. Puede ser un(a) amigo/a, un familiar, un(a) profesor(a), o alguien famoso (de la vida real o ficticia). Primero, copie la red de palabras de abajo y úsela para organizar sus ideas. Si es necesario, añada más categorías. Luego, escriba su primer borrador *(draft)*. Trate de incluir el vocabulario y la gramática de este capítulo. Comparta su borrador con otro/a estudiante y pídale sus recomendaciones o correcciones. Después, revise su trabajo para incluir las recomendaciones de su compañero/a y corregir los errores de ortografía. Por último, escriba la versión final para presentarla ante la clase. Si quiere, puede acompañarla con fotografías de la persona que describió.

Notes

The section *Ud. escribe* is not required content. It offers a formal opportunity for students to improve their ability to write in Spanish. The *Estrategia* provides helpful tips that students will be able to practice in the activities provided. You may choose to skip the section based upon your professional observation about how well student writing skills are

progressing and according to what your school's curriculum dictates.

Review the contents of the *Estrategia* with the class. Then give several examples of descriptive sentences before assigning the writing exercise.

Proyectos adicionales ■■■■■■■■

A Conexión con la tecnología

Todos los estudiantes tienen que hacer una exposición *(exhibition)* de arte para el salón de clase. Busque en la internet información sobre algún artista colombiano o venezolano de hoy día o de otra época. Imprima *(Print)* fotos de sus cuadros y la información sobre su vida. Haga un cartel sobre el artista. Incluya una pequeña biografía *(biography)* y las fotos de sus obras. Muestre el cartel junto con los carteles de sus compañeros en la exposición de la clase.

B Conexión con otras disciplinas: geografía

Imagine que va a dar una clase de geografía sobre Venezuela y las características más importantes de ese país. Busque en la internet o la biblioteca información sobre lo siguiente:

- límites *(borders)* del país
- paisajes
- temperatura
- ciudades importantes
- lugares de interés
- población
- productos del país
- moneda
- flor del país
- costumbres *(customs)*

Escriba un resumen en forma de cuadro e incluya *(include)* un mapa y fotos del país.

C Comparación

Compare las telenovelas hispanas con las telenovelas estadounidenses. Escoja una telenovela de algún canal en español. Analice cuáles son sus personajes, cuáles son las diferentes historias de la telenovela y dónde ocurren. Haga lo mismo con una telenovela estadounidense en inglés. Complete una tabla como la siguiente con la información que obtenga. Escriba luego un párrafo explicando en qué se parecen y en qué se diferencian las dos telenovelas.

Telenovela		
País de origen		
Personajes		
Historias		
Lugar		

Teacher Resources

 p. 87

◆ Activities

Communities
Invite other Spanish classes, teachers and parents to your students' art exhibit (activity B).

Technology
To help students in their search for information about Venezuela, suggest these Web sites as a starting point: The Electronic Embassy offers addresses, telephone numbers and additional links:

   http://www.embassy.org

The Consulate General of Venezuela in New York:

   www.consulado-ny.gov.ve

Additional Web sites can be found by using a search engine and entering a keyword such as the name of a city, country or region.

Notes
Many activities in *¡Aventura!* provide an opportunity for students to learn about where Spanish is spoken and to begin to make comparisons between the students' knowledge and the reality of what life is like in the Spanish-speaking world. Other activities provide an opportunity for students to establish connections with their communities that will encourage them to continue to be lifelong learners.

The National Standards are practiced throughout the chapter. The projects that appear at the end of every chapter offer additional standards practice that you may or may not choose to use, depending on student needs.

National Standards	
Communication 1.3	**Communities** 5.1
Connections 3.1, 3.2	
Comparisons 4.2	

Teacher Resources

El cuarto misterioso
Documental 1

Trabalenguas (CD 2, #22)

◆ Answers

Así se hace el misterio

1. Answers will vary. Example: Marco y su personaje, Francisco, son mexicanos de la Ciudad de México. También, los dos van a los Pumas de la Universidad. Pero Marco parece ser más dedicado a sus estudios, más trabajador y más interesante.
2. El cine, la música y los deportes son sus pasiones.
3. Answers will vary.

◆ Activities

Multiple Intelligences (linguistic)

You may choose to have students begin to create a Writer's Journal consisting of student writing activities. The Writer's Journal offers appropriate portfolio activities for addressing student writing skills and is an ideal opportunity for an ongoing dialog with students about their writing progress.

Trabalenguas

Ask students to record every verb that appears in the *Trabalenguas*. Students should work in pairs to identify in which tense each verb appears.

National Standards
Communication 1.3
Connections 3.1

46

Now that I have completed this chapter, I can...	Go to these pages for help:
greet friends.	2
talk about school classes and schedules.	14
describe others in terms of personality.	14, 19
talk about after-school jobs.	24
talk about sports and after-school activities.	24
ask for information.	28
describe occupations.	30
describe movies and programs.	32, 33
talk about likes and dislikes.	36
express an opinion.	38

I can also...	
identify famous people of Colombia.	5
talk about places to visit in Bogotá.	17
read about a famous Colombian painter.	22
talk about baseball in Venezuela.	27
talk about the geography of Venezuela.	29
discuss the benefits of watching soap operas in Spanish.	35
read a poem in Spanish.	43

Así se hace el misterio

Después de mirar Episodios 1–5, de *El cuarto misterioso*, contesta las siguientes preguntas.

1. ¿Cómo es Marco similar o diferente al personaje de Francisco que interpreta en *El cuarto misterioso*?

2. ¿Cuáles son las tres pasiones de Marco?

3. ¿Hay algo que te sorprende saber de Marco? ¿Por qué?

Trabalenguas

Me han dicho que has dicho un dicho, un dicho que han dicho que he dicho yo, el que lo ha dicho mintió, y en caso que hubiese dicho ese dicho que tú has dicho que han dicho que he dicho yo, dicho y redicho quedó y estará muy bien dicho, siempre que yo hubiera dicho ese dicho que tú has dicho que han dicho que he dicho yo.

Notes

Through the *Repaso*, students can measure their own progress in learning the main elements of the chapter.

Loose translation of the *Trabalenguas*: They said that you said a saying, a saying that they said that I said, the one who said so lied, and had I said that saying that you said, that they said that I said, then it would have been said and re-said and it will be well said, but only had I said that saying that you said, that they said that I said.

Vocabulario

A mí me tocó... I got... *1A*
activo,-a active *1B*
la **actuación** performance *1B*
actuar to act *1B*
aparecer (zc) to appear, to turn up *1A*
atender (ie) (a la gente) to take care of people *1B*
el **atleta**, la **atleta** athlete *1B*
atlético,-a athletic *1B*
la **aventura** action (film) *1B*
el **beisbolista**, la **beisbolista** baseball player *1B*
¡Chévere! Great! *1A*
el **ciclista**, la **ciclista** cyclist *1B*
la **ciencia ficción** science fiction *1B*
colaborar to collaborate *1A*
cómico-a comedy (film) *1B*
con respecto a regarding *1B*
el **consejo estudiantil** student council *1A*
convencer (z) to convince *1A*
el **coro** choir *1A*
curioso,-a curious *1B*
dar clases (de)... to give... classes *1B*
darse prisa to hurry *1A*
¿De qué se trata? What is it about? *1B*
dedicar to devote (time) *1A*
depender to depend on *1A*
desaparecer (zc) to disappear *1A*
los **dibujos animados** cartoons *1B*
doblado,-a dubbed *1B*
el **documental** documentary *1B*
el **drama** drama *1B*
los **efectos especiales** special effects *1B*

enseguida right away, immediately *1A*
entender (ie) to understand *1B*
el **entrenador**, la **entrenadora** trainer, coach *1B*
entrenarse to train *1B*
establecer (zc) to establish *1A*
estar motivado,-a to be motivated *1A*
estricto,-a strict *1A*
estudioso,-a studious *1A*
fijarse to notice *1A*
el **guión**, *pl.* los **guiones** script/scripts *1B*
hábil skillful *1B*
hacerse miembro to become a member *1A*
harto,-a (de) tired of *1A*
Igualmente. Me, too. *1A*
el **instructor**, la **instructora** instructor *1B*
investigar to investigate *1B*
Me cae bien/mal. I like/don't like (someone). *1B*
merecer (zc) to deserve *1A*
montar en bicicleta to ride a bicycle *1B*
el **músico**, la **música** musician *1B*
el **niñero**, la **niñera** baby sitter *1B*
¡No es justo! It's not fair! *1A*
¡No hay quien lo/la aguante! Nobody can stand him/her! *1A*
No lo/la aguanto. I can't stand him/her. *1B*
la **nota** note, grade *1A*
obedecer (zc) to obey *1A*
el **oficio** trade, job *1B*

organizado,-a organized *1A*
orgulloso,-a proud *1A*
la **orquesta** orchestra *1A*
Para serte sincero,-a... To be honest... *1B*
parecerse (zc) to resemble, to look like *1A*
Pasándola. Getting by. *1A*
pasear to walk, to take a walk *1B*
pertenecer (zc) to belong *1A*
policiaca detective (film) *1B*
por ahora right now *1B*
práctico,-a practical *1B*
prestar atención to pay attention *1A*
rápido quickly *1A*
reconocer (zc) to recognize *1A*
reparar to repair *1B*
el **repartidor**, la **repartidora** delivery person *1B*
repartir to deliver *1B*
responsable responsible *1A*
romántico,-a romantic *1B*
Se me hace tarde. It's getting late. *1A*
sociable sociable, friendly *1B*
los **subtítulos** subtitles *1B*
tal vez maybe *1A*
talentoso,-a talented, gifted *1A*
tener confianza (en sí/ti mismo) to have self confidence *1A*
el **terror** horror (film) *1B*
trabajador,-a hard working *1A*
trabajar de... to work as *1B*
vago,-a lazy, idle *1A*
los **vaqueros** western, cowboy (film) *1B*

Un beisbolista.

Una película de ciencia ficción.

Notes
This *Vocabulario* provides a reference list of new words and expressions that students are required to know for the chapter test and for future chapters.

Teacher Resources

Assessment
Test Booklet
Quizzes **ExamView®**
Assessment Suite

Activities

Expansion
Model each word or expression and have students repeat. Then call on students to use the word or expression in a sentence. This activity would be appropriate for all lists of vocabulary found in *¡Aventura!*.

National Standards
Communication
1.1

47

Teacher Resources

El cuarto misterioso
Documental 1

Symtalk Units 3, 10, 11, 13, and 17

Connections with Parents

Establish support by making a positive connection with parents before any negative circumstance arises. Place phone calls or send a note home citing something positive about each student. If an unfortunate situation occurs, it will be easier to remedy because you have already laid some positive groundwork with parents.

Answers

El cuarto misterioso

1. Le interesa más hacer un video. Le gusta escribir, dirigir y editar cortometrajes.
2. El cine le ha interesado desde los quince años.
3. Answers will vary. Debe incluir la creatividad.
4. Answers will vary.

National Standards

Connections
3.1

CAPÍTULO 2

En familia

El cuarto misterioso

Contesta las siguientes preguntas sobre esta escena del *Documental 1–Marco Tillet García (Francisco).*

1. ¿Qué le interesa más a Marco, ser actor o hacer un video?
2. ¿Hace cuánto tiempo ha querido Marco trabajar en el cine?
3. ¿Cuáles son algunas cualidades que una persona debe tener si quiere trabajar en el cine?
4. ¿Qué parte de hacer un video te interesa más?

DVD 5, Episodios 6–10. A Marco le interesa hacer videos.

Objetivos

describe family members

talk about daily routine

express negation and disagreement

Notes Communicative objectives are provided at the start of each chapter. A list of the functions appears again at the end of each chapter so that students can evaluate their progress.

Throughout the presentations made by the cast and crew, ask students to discuss if there is any crossover between the lives of the *El cuarto misterioso* actors and the characters that they portray.

Se habla inglés.

make generalized
statements

talk about activities
in progress

describe emotions
and relationships

name different areas of a
house and household items

Cuelga las camisas
en las perchas.

tell others what to do

talk about house
chores

www.emcp.com
i-CULTURE
Authentic Connections to the World

Contexto cultural

Estados Unidos

More than thirty million people in the United States use Spanish every day. In fact, in some parts of the United States—such as Florida, California, New Mexico and Texas—knowing Spanish proves very advantageous because Spanish is spoken by so many people for both pleasure and business.

Activities

Communities

To increase student interest and proficiency, encourage students to initiate an *intercambio* (an arrangement with a Spanish speaker to get together to practice speaking) with someone in the school or community.

Prior Knowledge

Take a few minutes to let students reflect on the chapter objectives. Ask students: *¿Cómo son tus padres/abuelos/tíos?; ¿Te gusta estudiar con algún amigo?; ¿Cuáles cosas llevarías a una nueva casa si tuvieras que mudarte y sólo pudieras llevar 3 cajas?; ¿Qué estás haciendo ahora?; ¿Qué se vende en una panadería?; ¿Cómo es tu rutina diaria en las mañanas?; ¿Te llevas bien con tus hermanos/as?; ¿Qué quehaceres te toca hacer?; ¿Cómo le ordenarías a tu hermanito/a que haga la cama?*

Notes

Several approaches are possible for the objective introduction. You can put students in pairs and have them record their answers. Collect one paper from each group. After pairs write their answers, they can share them in a large group setting.

National Standards
Communication
1.1
Connections
3.1
Communities
5.1

Vocabulario I
Un cumpleaños muy especial
(CD 3, #1)

Activity 1 (CD 1, #13)

Activity 5

Activities 1–3

Activity 1

Activities 1–2

p. 7

Content reviewed in *Lección A*
- family members
- express negation
- object pronouns
- talk about activities in progress
- name household items

Activities

Multiple Intelligences (spatial)
Have students draw a family tree that shows how the people on pages 50–51 are related.

Prereading Activity
Talk and ask students questions about the pictures on pages 50–51. Include affirmative and negative expressions in your presentation.

National Standards

Communication
1.1

Cultures
2.1, 2.2

Comparisons
4.1

50

Lección A — Vocabulario I

Estados Unidos

Un cumpleaños muy especial

Ana está casada con Pedro, el hijo de don Luis. Es la nuera de don Luis.

¿Quieren comer algo?

Yo no quiero comer nada ahora.

la barba

Ana

María

Pedro

Yo tampoco.

Tenemos que sacar una foto de toda la familia.

¿Alguien tiene una cámara?

María y Nora son gemelas. A diferencia de su madre, que tiene el pelo lacio, las dos tienen el pelo castaño rizado.

Jorge

Lola

el bigote

¿Dónde está mi cuñado? Ah... allí está. Casi no lo reconozco. ¡Pedro!

El padrino y la madrina de Jorge llegaron a Miami de Cuba cuando eran muy jóvenes.

los lentes

Ricardo

don Luis

Ricardo está casado con Lola, la hija de don Luis. Es el yerno de don Luis.

Don Luis es viudo. Su mujer murió hace dos años.

50 *cincuenta*   **Lección A**

Notes

Culturally, the family is a very important institution in Spanish-speaking countries. It includes not only members of the nuclear family but also members of the extended family. It is not uncommon for grandparents or in-laws to reside with the family.

The flag at the top of the page indicates the country that will be highlighted in the lesson. The United States has more Spanish-speaking people than some small Spanish-speaking countries.

Point out that the *guayabera* that the *padrino* is wearing is a typical loose-fitting men's shirt of the Caribbean and Central America. Sometimes it is called *una camisa suelta*.

FELIZ CUMPLEAÑOS

Rubén y Sara

¿Alicia está casada?

Mirta y Carlos

No, es soltera.

Alicia

don Alberto y doña Inés

Mirta y Sara son cuñadas. Están casadas con los hijos de don Alberto y doña Inés. Don Alberto y doña Inés son sus suegros.

1 ¿Cómo son estas personas?

 Indique la letra de la foto que corresponde con cada oración que oye.

A

B

C

D

E

F

2 Identifique a los parientes

Escoja la palabra que identifica a cada pariente.

nuera	cuñado
yerno	suegra

1. el hermano de mi esposa
2. la madre de mi esposo
3. la esposa de mi hijo
4. el esposo de mi hija

¡Extra!

Los padrinos

En Latinoamérica y España, al hablar de los parientes, la gente incluye a los padrinos. El padrino y la madrina de un niño o niña son los responsables de cuidarlo/la en caso de que los padres no puedan hacerlo. Generalmente los padrinos son parientes o amigos muy íntimos, escogidos por los padres del niño o de la niña, que es el ahijado o la ahijada (godson or goddaughter).

Notes

The script for all *¡Aventura! 3* recorded content is provided in the Audio Program Manual. Reproducible answer sheets have been provided for the activities indicated in the student textbook by the audio speaker icon . These reproducible answer sheets can be found at the end of the Audio Program Manual.

Teacher Resources

 Activity 1 (CD 3, #2)

◆ Answers

1
1. C
2. D
3. E
4. A
5. F
6. B

2
1. cuñado
2. suegra
3. nuera
4. yerno

◆ Activities

Expansion

You might have students redo activity 2 as a homework assignment from the perspective of two of their grandparents. After writing the appropriate identifying word, students should explain the family relationship: *el hermano de mi esposo* (the student's great-uncle): *Se llama (nombre).*

National Standards
Communication 1.2
Cultures 2.2
Comparisons 4.2

Diálogo I
¿Conoces a algún chico guapo? (CD 3, #3)
Activity 3 (CD 3, #4)
Activity 4 (CD 3, #5)
Activity 5 (CD 3, #6)

Answers

3 1. Natalia no sabe qué ponerse para la fiesta.
2. Natalia no tiene ningún vestido.
3. Sí, Romina conoce a varios chicos guapísimos.
4. Mario tiene el pelo castaño rizado y usa lentes.
5. Julio es el hijo del padrino de Natalia.
6. Se llama Fabián.

4 Answers will vary.

5 1. C
2. A
3. C
4. C
5. B

Activities

Critical Listening/Prereading Strategy

You might introduce *Diálogo I* orally for listening practice before your students see it in written form. (Students' books should be closed.) Read each line naturally and at normal speed.

Pronunciation

Model each line of *Diálogo I* and have the class repeat it after you, listening for proper pronunciation, rhythm, stress, intonation and natural speed. Divide the class into a number of small groups for this pronunciation drill.

National Standards
Communication
1.1, 1.2, 1.3

Diálogo I ¿Conoces a algún chico guapo?

NATALIA: No sé qué ponerme para la fiesta de mi cuñada.
ROMINA: ¿Por qué no te pones algún vestido?
NATALIA: No tengo ninguno. Creo que me voy a poner unos pantalones y una camisa.
ROMINA: Buena idea.

NATALIA: ¿Quiénes van a la fiesta? ¿Conoces a algún chico guapo?
ROMINA: Sí, conozco a varios chicos guapísimos. A mí me cae bien uno que se llama Mario. Tiene el pelo castaño rizado y usa lentes.

ROMINA: Creo que a ti te va a caer bien Julio. ¿Lo conoces?
NATALIA: ¡Claro! Es el hijo de mi padrino, pero tiene un amigo que me encanta. ¿Conoces a Fabián?
ROMINA: Sí, él va a la fiesta.
NATALIA: ¡Qué bien!

 ### ¿Qué recuerda Ud.?

1. ¿Qué le pasa a Natalia?
2. ¿Por qué Natalia no se pone algún vestido?
3. ¿Conoce Romina a algún chico guapo?
4. ¿Cómo es Mario?
5. ¿Quién es Julio?
6. ¿Cómo se llama el chico que le encanta a Natalia?

 ### Algo personal

1. ¿Le gusta a Ud. ir a fiestas con sus amigos?
2. ¿Conoce a algún chico o alguna chica guapa? ¿Cómo es él o ella?
3. ¿Cómo es su familia? ¿Tiene muchos parientes?
4. ¿Se reúne Ud. con toda su familia? ¿Cuándo?
5. ¿Quién es su pariente favorito/a? Descríbalo/la.

A mí me gusta ir a fiestas con mis amigos.

 ### Los parientes

 Escuche las siguientes oraciones y escoja la letra de la respuesta correcta.

1. **A.** la abuela **B.** la cuñada **C.** la suegra
2. **A.** el cuñado **B.** el yerno **C.** el padrino
3. **A.** el suegro **B.** el nieto **C.** el yerno
4. **A.** la suegra **B.** la sobrina **C.** la nuera
5. **A.** el tío **B.** el suegro **C.** el cuñado

52 *cincuenta y dos* **Lección A**

Notes

Before students begin *Diálogo I*, you might have them brainstorm a list of attractive male and female actors. Tell students to ask questions about their appearance. *¿Tiene una barba o un bigote?; ¿Cómo es el pelo?*

Have pairs of students dramatize *Diálogo I* for the class. You may wish to assign one student to videotape the performance to show to other Spanish classes.

Have student pairs write a dialog for a fourth scene for *Diálogo I*.

As students listen to activity 5, have them tell if they are listening to questions or statements.

En este café venden donas.

El *Spanglish* en Estados Unidos

En una animada reunión familiar, la conversación es fluida y todos tienen algo que decir. Parece que se habla español pero cuando prestamos más atención, oímos de pronto algunas palabras en inglés. Cuando escuchamos más atentamente todavía, observamos que María y su madre alternan palabras de origen inglés con oraciones enteras en español. "Quiero que vayas a la *marketa* para *grocear* porque no tengo nada para el *lonche*", dice la mamá. "Pero, mami. No tengo tiempo", le contesta María. "Les dije a mis amigas que iba a *jangear* con ellas para ir de *chopin* al *mol*." Esa mezcla[1] del español y el inglés, propia de muchos hispanos que viven en Estados Unidos, se llama *Spanglish*. El *Spanglish* no es

La Avenida Loisaida, en Nueva York.

un nuevo idioma pero sí una forma de comunicación con la que se identifican millones de personas en Estados Unidos.

Un muchacho mexicano de Los Ángeles le pide un *cuora*[2] a un amigo para *llamar para atrás*[3] a su novia. El catálogo de palabras alteradas es interminable. Ellos le dicen *tiquete* a la multa[4], *emilio* al e-mail, *carpeta* a la alfombra y *boila* a la caldera[5]. Además, usan expresiones como "¿Tú sabes?", después de cada frase, y "Te veo", para despedirse. En barrios como *Loisaida*[6] de Nueva York o la *Sagüesera*[7] de Miami el *Spanglish* es un puente que la gente usa para vivir entre dos culturas.

Algunos piensan que el *Spanglish* es una corrupción del español, una invasión del inglés en el español. Para ellos, las personas que hablan *Spanglish* no saben hablar bien ni el español ni el inglés. Otros, sin embargo, dicen que el *Spanglish* es algo bueno, pues es la mejor forma de comunicación que tienen las personas que viven en una cultura bilingüe.

Por esa razón, *Latina*, una revista para la mujer hispana de Estados Unidos que se publica en inglés y en español, le pone títulos en *Spanglish* a muchos de sus artículos. Y algunos poetas y escritores de las grandes ciudades estadounidenses escriben también con esa peculiar manera de unir el español y el inglés.

---

[1]blend   [2]quarter   [3]call back   [4]ticket   [5]boiler   [6]Lower East Side   [7]South West

6   ¿Qué es el *Spanglish*?

Conteste las siguientes preguntas.

1. ¿Qué es el *Spanglish*? ¿Quiénes lo hablan?
2. ¿En qué ciudades de Estados Unidos se habla más *Spanglish*?
3. ¿Qué opina la gente sobre el *Spanglish*?
4. ¿Por qué cree Ud. que tantas personas usan el *Spanglish*?
5. ¿Conoce otro país o lugar en que la gente habla una mezcla de dos idiomas?
6. ¿Qué piensa Ud. del *Spanglish*?

Capítulo 2   *cincuenta y tres* **53**

Notes

Spanglish is a relatively new word that came into circulation between 1965 and 1970.

As many technology words don't have a direct translation to Spanish, there is much cyber-**Spanglish**, such as: *el maus, clickear, chatear, forwardear*. In Spain, the editor of *El País Digital*, the Internet version of

El País, says that the Real Academia has urged Spaniards to resist the English invasion by seeking correct Spanish translations of computer-related terms. For example, *El País* uses *sitio* instead of the ever-popular *el site*.

Teacher Resources

 Activity 6 (CD 3, #7)

 Activity 4

◆ Answers

6   1. El *Spanglish* es una mezcla del español y el inglés. Los hispanos que viven en los Estados Unidos lo hablan.
   2. Se habla más *Spanglish* en Nueva York, Miami y Los Ángeles.
   3. Algunas personas piensan que el *Spanglish* es un fenómeno positivo, otros dicen que es malo, porque la gente que lo usa no sabe bien ni el español ni el inglés.
   4. Answers will vary, but might include: Tantas personas usan el *Spanglish* porque viven en una cultura bilingüe.
   5. Answers will vary.
   6. Answers will vary.

◆ Activities

Critical Listening
Read aloud a list of "Spanglish" words and have students tell or write the English equivalent.

Prereading Strategy
Draw on students' prior knowledge by having them tell what they know about "Spanglish." Read the sign in the photo. Do students know what *donas* most likely refers to (donuts)?

National Standards
Cultures
2.1, 2.2
Connections
3.1
Comparisons
4.1

Answers

7 1. tampoco
2. nada
3. ya no
4. nadie
5. ninguno
6. nunca
7. todavía

Activities

Language through Action

Write questions using the examples from *Repaso rápido* on one set of index cards and the answers to those questions on another set. Divide the class into two teams. Distribute the question cards to one team and the answer cards to the other. Students must find the matching question/answer card. When they have finished, have the pairs come to the front of the class to read the questions and answers.

Students with Special Needs

Direct students to make a list of positive words and their negative equivalents *(algo/nada)*. Suggest that students copy the information from the *Idioma* into their grammar notebooks.

National Standards

Communication
1.1

Comparisons
4.1

54

◆ Idioma

Repaso rápido

Palabras afirmativas y negativas

Here is a review of common affirmative words and their negative counterparts.

algo *(something)*	**nada** *(nothing)*
¿Quieres beber **algo**?	No, gracias, no quiero beber **nada**.
alguien *(someone, anyone)*	**nadie** *(no one, nobody)*
¿Hay **alguien** en la sala?	No, no hay **nadie**.
algún *(some, any)*	**ninguno** *(none, not any)*
¿Conoces a **algún** chico guapo?	No, no conozco a **ninguno**.
siempre *(always)*	**nunca** *(never)*
¿Julio **siempre** se va temprano?	No, **nunca** se va temprano.
también *(also, too)*	**tampoco** *(neither, either)*
¿Viene tu cuñada **también**?	No, y **tampoco** viene mi cuñado.
todavía *(still)*	**ya no** *(not anymore, no longer)*
¿**Todavía** vives en Miami?	No, **ya no**. Ahora vivo en El Paso.
ya *(already)*	**todavía** *(not yet)*
¿**Ya** invitaste a tus padrinos?	No, **todavía** no.

7 **En la fiesta de cumpleaños**

Un grupo de amigos de Miami conversa en una fiesta de cumpleaños. Escoja la palabra negativa apropiada para completar los siguientes mini-diálogos.

1. **A:** ¿Quieres helado con el pastel?
    B: No, y ___ quiero pastel. (todavía / tampoco)
2. **A:** ¿Saben algo de béisbol tus amigos?
    B: No, no saben ___. (ninguna / nada)
3. **A:** ¿Vives todavía en la Pequeña Habana?
    B: No, ___. Ahora vivo en Coral Gables.
    (todavía no / ya no)
4. **A:** ¿Conoces a alguien en tu nuevo edificio?
    B: No, todavía no conozco a ___. (nada / nadie)
5. **A:** ¿Trajiste algún disco compacto de música cubana?
    B: No, no traje ___. (ninguno / ningún)
6. **A:** Siempre veo las telenovelas. ¿Y tú?
    B: No, casi ___ las veo. Prefiero leer novelas románticas. (tampoco / nunca)
7. **A:** ¿Ya terminaste de leer el último libro de Cristina García?
    B: No, ___ no. (ya / todavía)

Una fiesta de cumpleaños.

Notes

Write the questions from the left column of *Repaso rápido* on the board. Ask students to answer each question: *¿Quieres beber algo? No, gracias, no quiero beber nada*. Then teach or review the negative counterparts in the right column.

Comparisons. Discuss double negatives: In English, a second negative is considered to negate the first one; in Spanish, a second negative is usually seen as emphasizing or reinforcing the first: *No hice nada*.

Alguien, nadie, alguno and *ninguno* must be preceded by a personal *a* when they are direct objects that refer to people: *¿Conoces a alguna chica mexicana? No, no conozco a ninguna.*

Estructura

Más sobre expresiones afirmativas y negativas

Negative expressions often precede the verb. However, when they follow the verb you must use *no* before the verb.

Nadie lo sabe.	
No lo sabe nadie.	**No one** knows it.
Ella nunca baila.	
Ella no baila nunca.	She **never** dances.

Alguno and *ninguno* become shortened to *algún* and *ningún* when they precede a masculine singular noun.

¿Tienes algún pariente cubano?	Do you have **any** Cuban relatives?
No, no tengo ningún pariente cubano.	No, I don't have **any** Cuban relatives.

Ninguno/a is used only in the singular form.

¿Conoces algunas canciones cubanas?	Do you know **any** Cuban songs?
No, no conozco ninguna canción cubana.	No, I don't know **any** Cuban songs.

When repeated *ni... ni* has the meaning of *neither... nor.*

Ni mi papá ni mi mamá usan lentes.	**Neither** my father **nor** my mother **use** glasses.

Unos/as (a few) and *algunos/as* (some) are synonyms.

En Orlando viven unos parientes míos y algunos buenos amigos también.	**A few** relatives of mine, live in Orlando as well as **some** good friends.

The word *cuantos/as* is often added right after *unos/as*, but without the written accent.

Quiero invitar a la fiesta a unos cuantos vecinos.	I want to invite **a few** neighbors to the party.

¡Oportunidades!

De compras por un barrio hispano

La presencia hispana en Estados Unidos es muy numerosa. Posiblemente, en su ciudad hay un barrio o una comunidad hispana con lugares interesantes para visitar. Una buena idea para practicar español es ir de compras por las tiendas hispanas. Puede leer los carteles de la tienda e intentar comprender lo que dicen. También puede hablar con el vendedor o vendedora y preguntar los precios en español, o pedir información de algún producto típicamente hispano. Un paseo por las tiendas hispanas no sólo le va a permitir usar el español que usted ya sabe, sino que también le va a ayudar a conocer productos de otros países.

De compras por un barrio hispano.

 Activities

Communities
Make the *¡Oportunidades!* section real by planning a field-trip walk through a Latino part of town, or a "virtual walk" via the Internet. Encourage students to use their Spanish as much as possible.

Critical Thinking
Bring to class Spanish-language newspapers and magazines and distribute them to small groups of students. Ask students to look for examples of affirmative and negative expressions in the literature. Students take turns sharing their examples with the class.

Multiple Intelligences (musical)
For homework, suggest that students sing or rap aloud the Spanish pairs of sentences in the *Estructura*. As students do this, they will create their own rhythm. This will help them memorize the phrases.

Notes
Ask questions and cue students to answer with affirmative or negative expressions. When students feel comfortable, have them ask you questions. Some suggestions: T: *¿Qué tengo en la mano?* S: *No tiene nada.* T: *¿Qué te gusta más, el Honda o el Toyota?* S: *No me gusta ni el Honda ni el Toyota.*

National Standards	
Communication 1.1	**Comparisons** 4.1, 4.2
Cultures 2.2	
Connections 3.1, 3.2	

Answers

8 1. A. alguna
B. unas
2. A. alguien
B. nadie
3. A. algún
B. ninguno
4. A. ningún
B. nadie
5. A. siempre
B. nunca
6. A. algunas
B. unas cuantas
7. B. algunos / unos cuantos
8. B. ni / ni
9. A. también
B. tampoco
10. A. algún
B. ninguno

9 1. No, nunca estoy de buen humor.
2. No, todavía no tengo coche.
3. No, ni mi papá ni mi tío tienen barba.
4. No, ya no duermo con un oso de peluche.
5. No, no tengo ningún cuñado.
6. No, no conozco a nadie famoso.
7. No, tampoco me gusta bailar.

National Standards

Communication
1.1

Connections
3.1

Comparisons
4.1

56

 ## Práctica

8 **Encuesta**

Escoja la palabra afirmativa o negativa apropiada para completar la siguiente encuesta a la que respondió Viviana, una chica que vive en Miami.

Estudio con algunos amigos.

1. **A:** ¿Le gusta estudiar con *(alguna / ninguna)* amiga?
B: Sí, tengo *(unos / unas)* amigas con quienes me gusta estudiar.

2. **A:** ¿Comparte Ud. su cuarto con *(alguien / nadie)*?
B: No, no lo comparto con *(alguna / nadie)*.

3. **A:** ¿Tiene Ud. en su cuarto *(algún / ningún)* estéreo?
B: No, no tengo *(ninguno / algún)*.

4. **A:** ¿No hay *(ni / ningún)* estéreo en su casa?
B: Sí, pero *(nadie / nunca)* lo tiene en su cuarto.

5. **A:** ¿Escucha Ud. *(siempre / nunca)* música mientras estudia?
B: No, *(ninguna / nunca)* escucho música mientras estudio.

6. **A:** ¿Le gustan a Ud. *(algunas / algún)* canciones en particular?
B: Sí, me gustan *(unas cuantas / ningunas)* canciones.

7. **A:** ¿Qué tipos de discos tiene Ud.?
B: Tengo *(algunos / algún)* discos de música rock y de música pop, y también *(algún / unos cuantos)* de música clásica.

8. **A:** ¿Le gusta la salsa o el rap?
B: No, no me gusta *(ninguna / ni)* la salsa *(ni / nunca)* el rap.

9. **A:** ¿Le gusta *(también / tampoco)* la música country?
B: No, *(también / tampoco)* me gusta la música country.

10. **A:** ¿Conoce a *(algunos / algún)* cantante o grupo musical en su escuela?
B: No, no conozco *(ningún / ninguno)*.

9 **Dime la verdad**

Con su compañero/a, sigan el modelo para crear oraciones negativas. Las respuestas tienen que empezar siempre con *no*.

MODELO **A:** Dime si tienes algún pariente cubano.
B: No, no tengo ningún pariente cubano.

Dime si...
1. siempre estás de buen humor.
2. ya tienes coche.
3. tu papá o tu tío tienen barba.
4. todavía duermes con un oso de peluche.
5. tienes cuñados.
6. conoces a alguien famoso.
7. también te gusta bailar.

Notes Direct students to work in pairs to complete the *Encuesta*. One student is Student A and the other is Student B.

If your students need additional practice, write a word box on the board to help them complete activity 9: *nadie, ni, no, nunca, tampoco, todavía, ya no.*

Comunicación

10 Mi familia

Conteste las siguientes preguntas. Luego, hágale las mismas preguntas a su compañero/a y comparen sus respuestas.

1. ¿Hacen algunas actividades juntos en su familia? ¿Cuáles?
2. ¿Qué actividades no hacen nunca? ¿Por qué?
3. ¿Tiene Ud. algún hermano soltero o alguna hermana soltera?
4. ¿Alguno/a de sus hermanos/as ya no vive en casa?
5. ¿Ya tiene Ud. sobrinos?
6. ¿Alguno/a de sus abuelos/as es viudo/a?
7. ¿Su madre o su padre habla otra lengua? Si es así, ¿cuál?
8. ¿Siempre celebran los cumpleaños en casa?

Un almuerzo en familia.

11 En La Pequeña Habana

Imagine que Uds. visitarán La Pequeña Habana, en Miami. Usen la siguiente información sobre este barrio tan conocido para preparar un diálogo con su compañero/a. Hablen de los lugares que quieren visitar y usen algunas de las palabras afirmativas y negativas de esta lección. Pueden usar las siguientes preguntas como guía.

- ¿Visitaste ya el...?
- ¿Adónde quieres ir ahora, a... o a la...?
- ¿Todavía quieres ir...?
- ¿Quieres hacer algo en...?

Qué hacer en La Pequeña Habana

REVISTA

Parque del Dominó, entre las 15 y 16 Ave. Se juega dominó, cartas y ajedrez. Abierto diariamente de 9 a.m. a 6 p.m.

Tower Theatre, 1508 SW 8 St. Películas en español o con subtítulos en español.

Paseo de la Fama de la Calle Ocho, en la 16 Ave. Destaca a varios artistas hispanos como Gloria Estefan, Thalía, María Conchita Alonso, Raphael y Julio Iglesias.

Versailles, 3555 SW 8 St. El restaurante preferido de la comunidad cubana. Abierto diariamente de 8 a.m. a 2 a.m.

Museo Cubano de América, 1300 SW 12 Ave. Muestra las obras de artistas cubanos exiliados. Abierto de martes a viernes de 10 a.m. a 3 p.m.

La Pequeña Habana en Miami.

Answers

10 Creative self-expression.
11 Creative self-expression.

Activities

Cooperative Learning/Technology

Divide the class into groups and have each group search the Internet to find out more about *La Pequeña Habana* and Cuban influences, such as 1) music (Afro-Cuban rhythms, Arsenio Rodríguez, Machito y sus Afrocubanos), 2) baseball players (Livan Hernández, Rey Ordonez), 3) singers (Jon Secada, Gloria Estefan), 4) contemporary novelists (Cristina Garcia), 5) the Museo Cubano de América, etc. Groups take turns sharing their information with the class. The University of Miami has an interesting Web site that explores the culture of *La Pequeña Habana*.

Critical Thinking

Ask students: *¿Por qué crees que hay tantos cubanos en Miami? (Está cerca del Cuba; el clima y el aspecto físico son similares a Cuba.)*

Multiple Intelligences (logical-mathematical)

Instruct students to locate Habana, Cuba, and *La Pequeña Habana/Miami, Florida,* on a map and calculate the distance between the two cities.

National Standards

Communication	Communities
1.1	5.1
Cultures	
2.2	
Connections	
3.1	

Notes

Communities. Miami is often called the Latin American capital of the United States. Cubans began immigrating there in 1959 when Fidel Castro took control of Cuba. Hundreds of thousands of Cubans lost their property and fled to the U.S. There is a large Nicaraguan population in Miami as well. Many Cubans also reside in New Jersey and New York.

Parque del Dominó, also known as Máximo Gómez Park, is one of the main meeting places in *La Pequeña Habana.* Máximo Gómez was a famous Cuban revolutionary who fought against Spanish oppression. Most of the signs and advertising in *La Pequeña Habana* are in Spanish. One can spend a whole day there without speaking English.

Vocabulario II
Una mudanza (CD 3, #9)

 Activity 4 (CD 1, #16)

 Activity 6

 Activities 8–9

 Activity 3

 Activities 4–5

Activities

Language through Action

Bring props to class, such as screws, some wood, a hammer, nails, a screwdriver, a fire extinguisher, a cardboard box, a smoke detector, a watering can, a poster, a plant and an item that plugs into a wall outlet, such as a radio. Use the props to introduce and practice the new vocabulary.

TPR

Bring to class props, such as those mentioned above, and direct students to interact and use the props. You might set the scene as follows: *Clase, vamos a arreglar la sala. (Nombre), decora la sala con este cartel. (Nombre), enchufa el radio. (Nombre), toca el martillo. (Nombre), pásale el martillo a (nombre). Clava un clavo en la madera. (Nombre), pásame el destornillador, por favor. (Nombre), vacía el basurero. (Nombre), riega la planta. (Nombre), pon el basurero en la pasilla. (Nombre), pon el extinguidor de incendio en el rincón.*

National Standards

Communication
1.1, 1.2

Connections
3.1

Comparisons
4.1

Vocabulario II
Una mudanza

Rosa está decorando la habitación.

el pasillo

las cajas

Laura tiene un estéreo nuevo. Lo está enchufando.

Laura no tiene su propia habitación. La comparte con su hermana.

El padre está clavando un clavo para colgar un cuadro.

el detector de humo

La abuela está regando las plantas.

el martillo

el extinguidor de incendios

los clavos

La madre está vaciando el basur

el destornillador

la terraza

los tornillos

Nicolás está desarmando su tren eléctrico porque no funciona.

Notes

Point out that *faltarle a uno un tornillo* means "to have a screw loose."

Use the illustration as a starting point to review parts of a house. Ask: *¿Dónde está la madre? (En la cocina.) ¿Dónde está la abuela? (En la terraza.) ¿En qué otra parte de la casa hay plantas? (En el jardín.)*

Se construyen casas y se reparan suelos de madera. Tienda Todo Madera.

Se arreglan calefacciones. Lo podemos ayudar. Llame al 555-7766.

Se vende

cortacésped casi nuevo. Muy barato. Hablar con Enrique: 555-3233

Se conectan computadoras. Llamar al 555-1234

¿Qué están haciendo estas personas?

 Seleccione la foto que corresponde con lo que oye.

A

B

C

D

E

F

¿Qué está pasando?

Complete las oraciones con las palabras de la caja.

| conectan | propio | martillo | construyen |

1. Se ___ computadoras y otros aparatos eléctricos.
2. Marcos está usando el ___ para clavar el clavo en la pared.
3. Se ___ casas muy modernas.
4. Melisa no quiere compartir más su habitación. Quiere tener su ___ cuarto.

Capítulo 2   *cincuenta y nueve* **59**

Notes

Other related words your students might wish to know include: *embalar* to pack; *descolgar* to take down; *armar* to assemble; *desconectar* to disconnect.

If possible, bring to class other Spanish-language service ads or have students write a few of their own.

AP Spanish Language. One good way of preparing for the listening comprehension activities is to watch Spanish television. The students will not only be able to listen to the language accompanied by images, but they will also become used to a variety of different accents in Spanish.

Teacher Resources

 Activity 12 (CD 3, #10)

 p. 8

Answers

12 1. D
2. A
3. E
4. C
5. B
6. F

13 1. conectan
2. martillo
3. construyen
4. propio

Activities

Cooperative Learning
AP Spanish Language (Vocabulary/Structure). Have students work in cooperative pairs and create a story about moving, based upon the illustrations and other information on pages 58-59. They should underline new words and expressions in the story with their classmates.

Critical Listening/Expansion
Ask students questions about the ads: *¿A quién llamas si necesitas ayuda con la computadora?; ¿A quién llamas si tienes que arreglar la calefacción?; ¿Y si quieres algo de madera?; ¿Si necesitas un cortacésped y no quieres gastar mucho dinero? ¿Qué quiere decir se conectan, se vende y se construyen?*

National Standards	
Communication 1.1, 1.2, 1.3	**Communities** 5.1
Connections 3.1, 3.2	
Comparisons 4.1	

Teacher Resources

Diálogo II
¿Qué estás haciendo?
(CD 3, #11)
Activity 14 (CD 3, #12)
Activity 15 (CD 3, #13)
Activity 16 (CD 3, #14)

Answers

14 1. Está reparando la aspiradora.
2. Porque no conoce ninguno.
3. El anuncio dice que se reparan aspiradoras.
4. No, no se reparan aspiradoras en la casa.
5. Porque su madre siempre está usándola.

15 Answers will vary.

16 1. E
2. A
3. D
4. C
5. B

Activities

Prereading Activity

Items needed: a radio or hair dryer, Yellow Pages, a toy phone.

To prepare students for *Diálogo II*, demonstrate an attempt to fix a broken radio or hair dryer. Talk aloud as you pantomime the scene. For example: *¡Ay! Mi radio no funciona.* (Check to see if it is plugged into the outlet.) *¿Está enchufado?* (Shake it.) *Lo usé ayer…* (Look closely at it.) *No sé repararlo…* (Look in Yellow Pages.) *¿Adónde lo puedo llevar?¿Quién lo puede reparar?* (Call a repairman.) *Buenos días. Mi radio no funciona.* (pause) *Lo necesito tan pronto como sea posible. Lo escucho todas las mañanas. Gracias.*

National Standards
Communication 1.1, 1.2, 1.3
Connections 3.1
Communities 5.1

Diálogo II ¿Qué estás haciendo?

NATALIA: ¿Qué estás haciendo, Romina?
ROMINA: Estoy reparando la aspiradora.
NATALIA: ¿Ya la desarmaste?
ROMINA: Sí. La conecté pero todavía no funciona.

NATALIA: ¿Por qué no la llevas a reparar a algún lugar?
ROMINA: No conozco ninguno.
NATALIA: En este anuncio dicen que se reparan aspiradoras.
ROMINA: ¿Y las reparan en casa?
NATALIA: No.

ROMINA: Buenas tardes. Mi aspiradora no funciona.
DEPENDIENTE: La voy a tener que desarmar. ¿Para cuándo la necesita?
ROMINA: Lo más pronto posible. Mi madre siempre está usándola para limpiar la casa.

 ¿Qué recuerda Ud.?

1. ¿Qué está haciendo Romina?
2. ¿Por qué no lleva Romina la aspiradora a algún lugar?
3. ¿Qué dice el anuncio?
4. ¿Se reparan aspiradoras en casa?
5. ¿Por qué Romina necesita la aspiradora lo más pronto posible?

 Algo personal

1. ¿Cuántas habitaciones hay en su casa? Descríbalas.
2. ¿Qué hace Ud. cuando algo no funciona?
3. ¿Le gusta construir o reparar cosas? ¿Qué puede Ud. construir o reparar?
4. ¿Tiene su propia habitación?

 ¿Para qué se usa?

 Escoja la letra del objeto que se usa en cada situación.

A   **B**   **C**   **D**   **E**

Notes

You might ask for volunteers to dramatize *Diálogo II*.

As an extension, assign pairs of students to role-play the roles of a person needing something repaired and a repairman. First, you might have students imagine they are in a Spanish-speaking country when a personal item needs repair.

You might quickly review the present progressive before students listen to *Diálogo II*.

Ask students to write questions using these key verbs from *Diálogo II*: *reparar, desarmar, conectar* and *usar*. Pair students and have them take turns asking and answering the questions.

60

La Fiesta de San Antonio

Un desfile de la Fiesta de San Antonio.

En algunas ciudades de Estados Unidos, los hispanos son una parte importante de la población. En San Antonio, Texas, el 55.75% de los habitantes son hispanos, un hecho poco común en el resto del país. Muchos de ellos son descendientes de gente que vivía en la ciudad cuando pertenecía a México.

Los hispanos tienen un importante papel en la vida política, cultural y económica de esta ciudad. Aunque no está en la frontera[1], San Antonio es una ciudad que vive entre los Estados Unidos y México.

Esta mezcla[2] cultural es evidente durante la Fiesta de San Antonio, que se celebra cada primavera. Algunos la llaman "el *Mardi Gras* en español". Durante 10 días se recuerdan las batallas[3] de El Álamo y San Jacinto, y se celebra la diversidad cultural de la ciudad.

En esos días, las organizaciones locales presentan más de 150 eventos culturales por toda la ciudad. Hay música, comidas típicas, orquestas, competencias deportivas y varios desfiles. Uno de los desfiles más bellos es el de la Batalla de las Flores, en el que participan diferentes carrozas[4] que celebran importantes hechos de la historia de Texas. En el Desfile del Río, en lugar de carrozas, barcos adornados de flores y luces desfilan en la noche por el río San Antonio, que pasa por el centro de la ciudad.

La Fiesta del Mercado se celebra en la plaza del mercado de la ciudad. Participan muchos grupos de mariachis. Allí se pueden comprar desde joyas y artesanías[5] hasta las bellas piñatas mexicanas. ¡Ah!, y es famosa por la sabrosa comida *Tex-Mex* que se vende en la fiesta.

Durante la Fiesta de San Antonio hay más de 150 eventos.

[1]border [2]blend [3]battles [4]floats [5]crafts

17 San Antonio

Conteste las siguientes preguntas.

1. ¿En qué se diferencia la población de San Antonio de otras poblaciones de Estados Unidos?
2. ¿Cuándo se ve mejor la mezcla cultural de San Antonio?
3. ¿Qué batallas se recuerdan durante la Fiesta de San Antonio?
4. ¿Qué cosas hay en la fiesta?
5. ¿Quiénes participan en la Fiesta del Mercado?
6. ¿Conoce otra ciudad de Estados Unidos que celebre alguna fiesta hispana de una forma especial? Si es así, descríbala.

Capítulo 2   *sesenta y uno*   **61**

Teacher Resources

 Activity 17 (CD 3, #15)

 Activity 5 (CD 1, #17)

 Activity 4

Answers

17
1. Los hispanos tienen un importante papel en la vida política, cultural y económica de la ciudad.
2. En abril, durante la Fiesta de San Antonio.
3. Se recuerdan las batallas de El Álamo y San Jacinto.
4. Hay música, comidas típicas, orquestas, competencias deportivas y varios desfiles.
5. Muchos grupos de mariachis participan en la Fiesta del Mercado.
6. Answers will vary.

Activities

Communities

Ask students to research other highly Hispanic-populated cities in the United States. Direct students to make a chart listing the city, state and a special event that the Spanish-speaking citizens celebrate.

Prereading Activity

Discuss states and cities with Spanish names (Colorado, Texas, New Mexico, Boca Raton, San Francisco, Montana, Santa Fe, etc.). Ask students: *¿Por qué hay tantas ciudades y estados con nombres españoles?*

National Standards	
Communication 1.1	**Comparisons** 4.1, 4.2
Cultures 2.1, 2.2	
Connections 3.1	

Notes

Comparisons. Ask: *Compara las carrozas en las fotos con carrozas que tú has visto. ¿En qué se parecen? ¿En qué se diferencian? Si pudieras ir a una fiesta en San Antonio, ¿a qué fiesta irías? ¿Por qué?*

Other questions you might ask to check students' understanding: *¿Por qué es San Antonio una ciudad hispana?; ¿A qué país pertenecía San Antonio?; ¿Por dónde van las "carrozas" en el Desfile del Río?; ¿Qué puedes comprar en la Fiesta del Mercado?; ¿Qué crees que puedes comer en la Fiesta del Mercado?*

Have students locate San Antonio on a map. Point out its close proximity to Mexico.

Answers

18
1. Sí, a veces las decoro. (No, no las decoro.)
2. Sí, la ayudo. (No, no la ayudo.)
3. Sí, le doy de comer. (No, no le doy de comer.)
4. Sí, les presto cosas. (No, no les presto cosas.)
5. Sí, me ayudan. (No, no me ayudan.)
6. Sí, los vacío todos los días. (No, no los vacío.)
7. Sí, nos enseñan a cocinar. (No, no nos enseñan a cocinar.)

 ## Activities

Critical Listening
Write the direct object pronouns on the board. Call out a noun and have students respond with the corresponding object pronoun. For example: *el martillo (lo)*.

Critical Thinking
Hand out Spanish-language newspapers and magazines to students. Instruct them to find examples of sentences with object pronouns. They should be prepared to explain the reason for and use of each pronoun.

National Standards

Communication
1.1, 1.2

Connections
3.2

Comparisons
4.1

Idioma

Repaso rápido

Los complementos

Sometimes nouns are replaced with pronouns to avoid unnecessary repetition. For example, there is no need to repeat the word *flores* in the second sentence of the following pair. The direct object pronoun *las* replaces it.

Mi padre riega las flores todos los días. **Las** *riega por la mañana.*	My father waters the flowers every day. He waters **them** in the morning.

Pronouns can refer to people or things; direct object pronouns (*me, te, lo, la, nos, os, los, las*) answer the questions "what?" or "whom?"

Necesito el martillo. **Lo** *tengo que usar ahora mismo.*	I need the hammer. I have to use **it** right now.

Indirect object pronouns (*me, te, le, nos, os, les*) answer the question "to whom?" or "for whom?"

Elena quiere decorar su cuarto. **Le** *voy a comprar un cuadro para su cumpleaños.*	Elena wants to decorate her room. I am going to buy **her** a painting for her birthday.

18 Quehaceres

 Con un(a) compañero/a, pregunten y contesten según el modelo. Usen los complementos apropiados en las respuestas.

MODELO ¿Pasas la aspiradora todos los días?
Sí, la paso todos los días. (No, no la paso todos los días.)

1. ¿Decoras las paredes de tu cuarto?
2. ¿Ayudas a tu mamá?
3. ¿Le das de comer a tu perro o a tu gato?
4. ¿Les prestas cosas a tus vecinos?
5. ¿Te ayudan tus hermanos/as con los quehaceres?
6. ¿Vacías los basureros todos los días?
7. ¿Sus padres les enseñan a Uds. a cocinar?

¿El coche? Lo lavamos todos los días.

Notes

When a direct object refers to two things, one masculine and the other feminine, the pronoun used must be masculine: *Elena riega las rosas y el árbol. Elena los riega.*

As you go over the *Idioma*, ask students what *las* and *lo* replace. And who does *le* refer to?

Photocopy activity 18 and distribute it to students. Have students first highlight the noun in each sentence that will be replaced by a pronoun. This should help students identify the correct pronoun to use.

Estructura

El presente progresivo

When you talk about actions that are taking place as you speak, you can use the simple present tense or the present progressive. The present progressive is formed by conjugating the verb *estar* + the present participle of the verb.

Yo **estoy barriendo** la terraza.	I **am sweeping** the terrace.
Tú **estás lavando** el piso.	You **are washing** the floor.

The present participle, or *gerundio* in Spanish, is formed by adding *-ando* to the stem of *-ar* verbs and *-iendo* to both *-er* and *-ir* verbs. The *gerundio* is often equivalent to the English *-ing* ending of verbs. Verbs that have a stem change in the third person of the preterite tense have the same change in the present participle.

clavar	→	clav**ando**	decir (dijo)	→	**dic**iendo
poner	→	pon**iendo**	dormir (durmió)	→	**durm**iendo
cumplir	→	cumpl**iendo**	pedir (pidió)	→	**pid**iendo

Verbs that end in *-aer*, *-eer* and *-uir* form the present participle with *-yendo*. The same applies to the verbs *ir* and *oír*.

caer	→	ca**yendo**
traer	→	tra**yendo**
leer	→	le**yendo**
construir	→	constru**yendo**
ir	→	**yendo**
oír	→	o**yendo**

You may either place object pronouns before the conjugated verb or attach them to the present participle. Notice in the last example below that you must add an accent mark to keep the stress on the vowel.

Estoy construyendo una casa de campo.	I am building a country home.
La estoy construyendo cerca del lago.	**I am building it** near the lake.
Estoy construyéndola cerca del lago.	

In addition to *estar*, several other verbs can be used to form the progressive tense. The most common of these are *andar*, *continuar* and *seguir*.

Margarita **anda limpiando** la casa.	Margarita is **going around cleaning** the house.
Los vecinos **continúan trabajando**.	The neighbors **continue working**.
Mi abuelo **sigue reparando** su coche.	My grandfather **keeps on repairing** his car.

Teacher Resources

 Activity 6 (CD 1, #18)

 Activities 11–13

 Activity 5

 Activities 6–7

Symtalk Unit 17

 Activities

Multiple Intelligences (spatial)
Bring to class photos from magazines, catalogs and newspapers that show people in action. Have students describe what they're doing using *estar* + gerund. You might start each day with an activity like this.

Spanish for Spanish Speakers
Point out to students that using the gerund as an adjective, as English sometimes does, is incorrect. Example: *Una mochila conteniendo libros.*

You might also write a list of present progressive constructions with object pronouns and ask students to add the accent marks.

Notes

Call out verb infinitives and have students give the present participle for each one.

Direct students' attention to the box in the middle of the page. Point out that when a verb has two vowels next to each other, it carries a *y* in the gerund.

You might challenge students to translate these sentences: She is doing it. (*Está haciéndolo. / Lo está haciendo.*) I am thinking about it. (*Estoy pensándolo. / Lo estoy pensando.*)

Play the game 20 Questions with students: *Estoy pensando en…*

National Standards

Communication
1.1, 1.2

Connections
3.2

Comparisons
4.1

Answers

19
1. Tú estás vaciando…
2. Mi hermano está enchufando…
3. Mis primas están decorando…
4. Mi cuñada está poniendo…
5. Nosotros estamos conectando…
6. Mi cuñado está pintando…
7. Mi papá está encendiendo…
8. Mis hermanitas están regando…

20
1. sigue durmiendo
2. anda pidiendo
3. está diciendo
4. está buscando
5. sigue viniendo
6. continúan trabajando

21
1. ¿coloco…? / No, gracias, …lo está colocando. / Está colocándolo.
2. ¿saco…? / No, gracias, …lo está sacando. / Está sacándolo.
3. ¿reviso…? / No, gracias, …la está revisando. / Está revisándola.
4. ¿le lavo…? / No, gracias, …las está lavando. / Está lavándolas.
5. ¿barro…? / No, gracias, …la está barriendo. / Está barriéndola.
6. ¿enciendo…? / No, gracias, …lo está encendiendo. / Está encendiéndolo.
7. ¿conecto…? / No, gracias, …las estamos conectando. / Estamos conectándolas.

National Standards

Communication
1.1

64

Práctica

19 Nuevos vecinos

Celia Ramos, una joven que vive en Los Ángeles, tiene nuevos vecinos. Forme oraciones completas con los elementos dados para decir lo que Celia y su familia están haciendo para ayudar a sus vecinos.

MODELO yo / cortar / el césped
Yo estoy cortando el césped.

1. tú / vaciar / las cajas
2. mi hermano / enchufar / la computadora
3. mis primas / decorar / los cuartos
4. mi cuñada / poner / cuadros en las paredes
5. nosotros / conectar / la radio y el televisor
6. mi cuñado / pintar / la cocina
7. mi papá / encender / las luces
8. mis hermanitas / regar / el jardín

20 Querido Diario

Ahora Celia está en su casa, pero sigue viendo a sus vecinos por la ventana. Ellos siguen trabajando y ella describe en su diario todo lo que ve. Complete el párrafo usando el presente progresivo de los verbos entre paréntesis.

MODELO Mis nuevos vecinos *(continuar / sacar)* las cajas del camión.
Mis nuevos vecinos continúan sacando las cajas del camión.

En el jardín, el perro de los vecinos *(1. seguir / dormir)*. La nuera de los vecinos *(2. andar / pedir)* permiso para decorar el jardín con unas plantas nuevas. El yerno les *(3. estar / decir)* cómo funciona el cortacésped. El cuñado *(4. estar / buscar)* el martillo y veo que la sobrina *(5. seguir / venir)* a pedirme el destornillador. Es una familia unida y es bueno ver cómo todos *(6. continuar / trabajar)* juntos.

21 ¿Puedo ayudar un poco más?

Ahora Ud. está de regreso con los vecinos y quiere ayudar un poco más. Túrnese con su compañero/a para preguntar si puede ayudar. Usen el presente progresivo y los pronombres para contestar las preguntas. Sigan el modelo.

MODELO vaciar las cajas / yo
A: Señor(a), ¿vacío las cajas?
B: No, gracias, yo las estoy vaciando. / Yo estoy vaciándolas.

1. colocar el extinguidor de incendios / mi hijo
2. sacar el basurero / mi esposo
3. revisar la calefacción / mi yerno
4. lavarle las cortinas / mi nuera
5. barrer la terraza / mi nieto
6. encender el radio / mi hija
7. conectar las lámparas / nosotros

64 *sesenta y cuatro*   **Lección A**

Notes

Review the conjugation of *seguir* before students begin activity 20.

Direct students to write out the answers to activity 21 so that you can make sure they correctly place the object pronoun before the conjugated verb or joined to the end of the present participle. Have students write their answers on the board.

Ask students to imagine what each member of their family is doing at that moment, and then write it down. Afterward, students can ask each other about the activities of their family members: *¿Qué está haciendo tu mamá? Mi mamá está lavando los platos.*

Comunicación

 22 ¿Por qué?

Muchas veces no podemos hacer lo que queremos porque otras personas están haciendo algo que lo impide. Complete las siguientes frases de una manera original explicando por qué Ud. o sus amigos no pueden hacer algo. Use el presente progresivo. Luego, compare sus oraciones con las de sus compañeros. Decidan cuáles son las oraciones más originales.

MODELO No puedo dormir porque...
No puedo dormir porque mi vecino está cantando ópera.

1. No voy a salir hoy porque...
2. Mi amiga no contesta el teléfono porque...
3. Carlos no te puede oír porque...
4. Martita no puede salir a jugar ahora porque...
5. Es imposible estudiar en la biblioteca porque...
6. No podemos visitarla ahora porque...

No puedo dormir.

22 Creative self-expression.
23 Creative self-expression.
24 Answers will vary.

Critical Listening
As a follow-up to activity 24, read aloud one of your students' lists (adapt the list to make true/false statements), as students listen and write *sí* or *no* for each statement.

Expansion
Challenge students to describe what is happening in places such as: *el parque, la calle, mi casa.*

Multiple Intelligences (spatial)
As a variation to activity 23, you might give students the option of drawing their activities, instead of pantomiming them. Students still guess the activity and where the activity is taking place.

 23 ¿Qué están haciendo?

Trabaje en un grupo de tres. Cada uno/a piensa en tres actividades que puede hacer. Luego, túrnense para hacer una pantomima de esa actividad. Sus compañeros tienen que adivinar lo que está haciendo y dónde lo está haciendo.

MODELO (nadar)
Estás nadando en la piscina.

24 Y en la clase, ¿qué está pasando?

Con un(a) compañero/a, describan lo que están haciendo varias personas de su clase en este momento. Usen el presente progresivo.

MODELO Jorge está escribiendo en su cuaderno.

¿Qué está pasando en la clase?

Capítulo 2

sesenta y cinco **65**

National Standards

Communication
1.1, 1.2

Notes
As a warm-up to activity 24, call on a volunteer to describe the actions of the students in the photograph.

Bring a timer to class to set time limits for the activities on page 65 to help you maintain a brisk pace.

Teacher Resources

 Activity 7 (CD 1, #19)

 Activity 14

 Activity 6

 Activities 8–9

◆ **Answers**

25 Answers will vary.

◆ **Activities**

Multiple Intelligences (bodily-kinesthetic/interpersonal/spatial)
To allow for students' differences in intelligences, you might suggest that students choose one of the following ways to answer activity 25: Act out the answers; draw and label the answers; write the answers; or discuss the answers with a partner.

Prereading Activity
Start the lesson by bringing to class classified ads for apartment rentals from Spanish-language newspapers or from the Internet. The ads should show the use of the impersonal *se*. As students look at the ads, ask: *¿Qué tienen en común los anuncios? ¿Qué creen que significa* se *en cada anuncio?*

Students with Special Needs
Adapt activity 25 by writing each answer on an index card. Students work in pairs to match the questions with the correct answers. They should say the question and answer aloud.

National Standards

Communication	Communities
1.1	5.1

Connections
3.1, 3.2

Comparisons
4.1

66

Estructura

El uso de se en expresiones impersonales

To make a generalized statement in Spanish, use *se* and the U*d./él/ella* or the *Uds./ellos/ellas* form of the verb. This is equivalent to using "one does," "they do," "you do," "people do" in English.

En mi casa se come muy bien. — In my house **one eats** very well.
En esa tienda se venden martillos. — In that store **they sell** hammers.

Notice in the second example that if the subject of the sentence (*martillos*) is plural, the verb must be plural as well.

Se is also commonly used in signs and in giving warnings.

Se vende cortacésped. — Lawn mower for sale.
Se habla español. — Spanish spoken here.
No se permite entrar sin zapatos — Entering without shoes is forbidden.

Se busca carpintero para construir estantes.

Contactar TODOMADERA Collins Ave. 3312.

Se vende casa con patio interior.

Llamar al **555-3292**.

Se habla inglés.

Se prohíbe caminar por el césped.

Práctica

 25 **Aquí se toma el sol**

 Con su compañero/a, hablen de lo que se hace en cada habitación de una casa. Usen la forma impersonal de *se*.

MODELO
A: ¿Qué se hace en el cuarto?
B: Se duerme.

1. el ático
2. la cocina
3. el comedor
4. el garaje
5. el jardín
6. el patio
7. la sala
8. el sótano
9. la terraza

Notes

Communities. To practice impersonal *se*, divide the class into small groups and ask each group to make an appropriate sign for the class (*Se habla español; Se prohíbe comer,* etc.). Each sign should use the impersonal *se*. You could extend this to the school's property by having students make signs indicating what students may and may not do in the building and on the grounds.

To reinforce the use of impersonal *se*, put models on the board and practice. Make substitutions as necessary. For example: T: *¿Qué venden en esta tienda? (pan)* S: *Se vende pan.* (Other substitutions: *cortinas/cortacéspedes/muebles/dulces*).

26 Bueno, bonito y barato

Ud. trabaja en la sección de anuncios de un periódico. Ayude a los clientes a escribir los anuncios. Use los elementos dados y el *se* impersonal. Termine de escribir el anuncio con otra oración.

MODELO construir / muebles

Se construyen muebles. Tenemos además cajas y tornillos para vender.

1. vender / casa de dos pisos
2. limpiar / ventanas
3. reparar / televisores
4. instalar / calefacciones
5. conectar / aparatos eléctricos
6. decorar / terrazas

 Comunicación

27 Se busca...

 Con su compañero/a, lean los anuncios del periódico y decidan cuál es la mejor opción para estas personas.

1. El Sr. y la Sra. Ramos buscan una casa. Tienen cuatro hijos y la suegra de la Sra. Ramos vive con ellos.
2. La señorita Pérez vive sola.
3. Juanita y Miguel tienen dos perros grandes.
4. Patricia y María son estudiantes.
5. Alfonso es pintor y necesita un espacio con mucha luz.
6. Armando, Luis y Guillermo quieren abrir un restaurante.

A Se alquila casa cómoda con patio y jardín. Sala, cocina, comedor.

B MUY EXCLUSIVO. Se vende elegante departamento de una habitación en el centro de la ciudad. Se necesitan referencias personales.

C Se venden hermosas residencias de dos, tres y cuatro habitaciones.

D Se ofrece local comercial cerca de los cines *Arcadia* y *Metropolitan*. No se aceptan negocios con animales.

E Se alquila cuarto económico. Dos camas, teléfono, conexión para computadora y baño privado.

F Se vende el ático de una casa antigua. Tiene los techos altos y muchas ventanas.

28 ¿Qué se celebra?

 Descríbale a su compañero/a algunas costumbres *(customs)* que Ud. conoce de las comunidades hispanas en Estados Unidos usando el *se* impersonal. Si es necesario, consulte la internet para obtener más información. Puede usar los verbos de la caja como guía.

celebrar	comer	vender
ver	construir	hablar

MODELO En Los Ángeles se celebra el Cinco de Mayo.

Capítulo 2

Notes Before students begin activity 28, you might have the class brainstorm towns and cities with large Hispanic populations. Have students discuss the major U.S. holidays. How do Hispanic communities celebrate Columbus Day? New Year's Day? etc.

Teacher Resources

 Activity 27 (CD 3, #16)

 Answers

26 Answers will vary for second part.
1. Se vende casa de dos pisos.
2. Se limpian ventanas.
3. Se reparan televisores.
4. Se instalan calefacciones.
5. Se conectan aparatos eléctricos.
6. Se decoran terrazas.

27
1. C
2. B
3. A
4. E
5. F
6. D

28 Creative self-expression.

 Activities

Cooperative Learning
Divide students into small groups to ask each other questions about their "businesses" in activity 26.

Students with Special Needs
Before students begin the activities on the page, discuss with them the information that is typically found in a want ad. Clear up difficulties students might have with the ads in activity 27. Encourage students to guess the meanings of the words they do not understand by searching for cognates *(exclusivo/ exclusive)* or through context.

National Standards	
Communication 1.1	**Comparisons** 4.1, 4.2
Cultures 2.1	
Connections 3.1, 3.2	

Lectura cultural
Carmen Lomas Garza:
Retratos de la comunidad
mexicoamericana (CD 3, #17)
Activity 29 (CD 3, #18)
Activity 30 (CD 3, #19)

◆ Answers

29 1. En Kingsville, Texas, en 1948.
2. Decidió ser pintora a los 13 años. Quería describir la vida cotidiana de los mexicoamericanos.
3. Su estilo es naif, como el de un niño, la perspectiva y las proporciones no son perfectas.
4. Los mexicoamericanos.
5. Quiere que los adultos y los niños puedan disfrutar de sus cuadros.
6. La visión de un niño.

30 Answers will vary.

◆ Activities

Expansion
Instruct students to bring to class photographs of a memorable moment. A bulletin-board display can be made of these moments or *retratos*. Students should be prepared to describe their moment.

Spanish for Spanish Speakers
Have students imagine that they are art critics and their assignment is to write a short "review" of one of the paintings on the page. They should tell whether or not they like the painting and why. Remind them to name the painting and the artist in their reviews.

National Standards	
Communication 1.3	**Comparisons** 4.2
Cultures 2.2	
Connections 3.1	

ARTE

CARMEN LOMAS GARZA:
RETRATOS DE LA COMUNIDAD MEXICOAMERICANA

Carmen Lomas Garza nació en Kingsville, Texas, en 1948. A los 13 años decidió que quería ser pintora. Ella dice que, con la inspiración del Movimiento de Chicago de los años sesenta, decidió dedicar[1] su creatividad a describir los sucesos de la vida cotidiana[2] de los mexicoamericanos. Su objetivo era pintar esos sucesos de una forma que tanto

Sandía/Watermelon.

los adultos como los niños pudieran disfrutar[3]. Además, las personas que no conocen la cultura mexicoamericana pueden aprender sobre las costumbres, las comidas, las creencias[4] y las tradiciones de este grupo étnico a través de sus cuadros.

Camas para sueños.

Sandía, por ejemplo, es uno de sus cuadros más conocidos. Nos muestra una familia que se reúne para comer sandía. El estilo naif de su pintura, donde la perspectiva y las proporciones nunca son perfectas, nos presenta la vida de los mexicoamericanos a través de la mirada inocente de los niños.

[1]dedicate [2]everyday life [3]could enjoy [4]beliefs

 29 ¿Qué recuerda Ud.?

1. ¿Dónde nació Carmen Lomas Garza?
2. ¿Cuándo decidió ser pintora? ¿Por qué?
3. ¿Cómo es el estilo de las pinturas de esta artista?
4. ¿Quiénes son los personajes de sus cuadros?
5. ¿Por qué la pintora pinta en este estilo?
6. ¿Qué visión de la vida nos presenta la artista?

30 Algo personal

1. Observe uno de los cuadros de Lomas Garza y describa lo que siente al mirarlo.
2. Al mirar sus cuadros, ¿qué puede decir de la vida cotidiana de los mexicoamericanos?
3. ¿Qué otras características observa en sus cuadros?

Estrategia

Reading for content and information
Before you begin to read a selection, look at the title, subheads and illustrations to get an idea of what the topic is about. Skim the reading to get a better sense of it and then read it again, concentrating on the main message and information. Don't look up every word you don't know. Rely on the context to help you understand.

Notes
Carmen Lomas Garza now lives in San Francisco. She has won the Pura Belpré Medal for outstanding Latino literature for children three times: for *Family Pictures* (1996), for *In My Family/ En Mi Familia* (1998) and for *Magic Windows/Ventanas Mágicas* in 2000. Most of these books can be found at your local library.

Comparisons. Ask students how these paintings would change if Carmen were to depict scenes from a typical North American's life.

¿Qué aprendí?

Autoevaluación

Como repaso y autoevaluación, responda lo siguiente:

1. Mencione a dos miembros de su familia y describa cómo son físicamente.

2. Explique la relación (real o imaginaria) entre Ud. y las siguientes personas: *suegro, nuera, cuñado.*

3. Nombre cuatro expresiones negativas que ha aprendido en esta lección y dé un ejemplo para cada una.

4. ¿Cuál es el gerundio de los siguientes verbos?: *construir, dormir, decir, oír, traer.*

5. ¿Qué es el *Spanglish*? Dé dos ejemplos.

6. Diga tres actividades que se hacen en una casa después de mudarse. Use el *se* impersonal.

7. Mencione dos cosas típicas de la Fiesta de San Antonio.

Palabras y expresiones

How many of these words and expressions do you recognize?

Miembros de la familia
el cuñado, la cuñada
los gemelos, las gemelas
la madrina
la nuera
el padrino
el suegro, la suegra
el yerno

Descripciones físicas
la barba
el bigote
castaño,-a
lacio
rizado,-a

Estado civil
casado,-a
soltero,-a
viudo,-a

Partes de la casa
el pasillo
el suelo
la terraza

Verbos
clavar
conectar
construir (y)
decorar
desarmar
enchufar
funcionar
regar (ie)
vaciar

Cosas que se necesitan en una casa
el basurero
la caja
la calefacción
el cortacésped
el detector de humo
el extinguidor de incendios

Herramientas
el clavo
el destornillador
el martillo
el tornillo

Otras palabras y expresiones
a diferencia de
los lentes
propio,-a
sacar fotos

Me gusta sacar fotos.

Notes

Initiate a game of Hangman with the class. Select a vocabulary word without telling anyone and instead of spelling the word, draw the same number of blanks on the board as the number of letters in the word. Students guess which letters appear in the word. If they are correct, you write the letter in the corresponding blank. If they are wrong, you start to draw a hanged man.

Students should visit the Internet Resource Center at www.emcp.com to complete this activity online and check answers.

Teacher Resources

pp. 48, 101

Answers

Autoevaluación
Possible answers:
1. Estela, mi cuñada, es alta y delgada y tiene el pelo rizado y los ojos marrones. Julio, mi hermano, tiene barba y bigote y usa lentes.
2. Mi suegro es el padre de mi esposo. Mi nuera es la mujer de mi hijo. Mi cuñado es el hermano de mi esposo.
3. Nada, nadie, ningún, ninguno, ya no. Ejemplos: No quiero hacer nada. No hay nadie en casa. No tengo ningún pariente cubano.
4. Construyendo, durmiendo, diciendo, oyendo, trayendo.
5. Es una mezcla de inglés y español. Ejemplos: *cuora* (quarter), *emilio* (correo electrónico).
6. Se vacían las cajas, se enchufan los aparatos, se conectan las computadoras.
7. El desfile de la Batalla de las Flores y la Fiesta del Mercado.

Activities

Multiple Intelligences (linguistic/musical)
Have students search for and group vocabulary words that rhyme.

National Standards
Communication 1.1
Cultures 2.2

69

Teacher Resources

 Vocabulario I
La rutina de las mañanas
(CD 4, #1)

 Activity 1 (CD 1, #20)

 Activity 7

 Activities 1–3

 Activity 1

 Activities 1–2

Content reviewed in *Lección B*

- daily routine
- describe emotions and relationships
- household chores
- commands

 Activities

Prereading Strategy
Have students look quickly through *Vocabulario I* to find cognates and other words they recognize.

Spanish for Spanish Speakers
As Spanish words may vary from country to country, have students list any synonyms or other words they may know for the words in *Vocabulario I*: *la pasta dentífrica, el lápiz labial, la secadora.*

La rutina de las mañanas

70 *setenta*

Lección B

National Standards

Communication
1.1

Connections
3.1

Comparisons
4.1

Notes Quickly check student comprehension of the text bubbles and boxes that accompany the illustrations.

You might give students commands to act out with *Date prisa: (Nombre), ve a la pizarra—¡date prisa! (Nombre), pásale el libro a (nombre)—¡date prisa!*

1 Situaciones

 Escuche los diálogos y diga a qué foto se refieren.

A

B

C

D

E

F

2 ¿Con qué se lava el pelo?

Diga qué usaría para hacer lo siguiente. Escriba una oración sobre lo que hace en cada caso.

MODELO lavarse el pelo
Yo me lavo el pelo con champú.

1. pintarse las uñas
2. lavarse los dientes
3. secarse el pelo
4. secarse las manos
5. pintarse los labios

¡Extra!

Rutina diaria

acostarse	to go to bed
bañarse	to bathe
cepillarse los dientes	to brush one's teeth
despertarse	to wake up
ducharse	to shower
lavarse las manos	to wash one's hands
levantarse	to get up
pintarse los labios	to put on lipstick
pintarse las uñas	to polish one's nails
secarse	to dry oneself
vestirse	to get dressed

Notes
Remind students that, unlike English, Spanish uses definite articles instead of possessive adjectives when referring to parts of the body with the reflexive: _Me lavo la cara._/I wash my face.

Teacher Resources

 Activity 1 (CD 4, #2)
Activity 2 (CD 4, #3)

Answers

1 1. D
2. F
3. B
4. C
5. E
6. A

2 1. Yo me pinto las uñas con el esmalte de uñas.
2. Yo me lavo los dientes con el cepillo de dientes y la pasta de dientes.
3. Yo me seco el pelo con el secador.
4. Yo me seco las manos con la toalla.
5. Yo me pinto los labios con el lápiz de labios.

Activities

Language through Action
Before students begin activity 2, instruct them to practice reflexive verbs by taking turns acting out each verb and saying what they are doing.

National Standards

Communication
1.2, 1.3

71

Teacher Resources

Diálogo I
¿Por qué se pelean? (CD 4, #4)
Activity 3 (CD 4, #5)
Activity 4 (CD 4, #6)
Activity 5 (CD 4, #7)

Answers

3 1. Está buscando su lápiz de labios rosado.
2. Porque ella siempre usa sus cosas.
3. Se enoja con Analía.
4. El lápiz de labios está en el bolso de María.
5. Le dice que tiene que hacer algo con el desorden.

4 Answers will vary.

5 1. C
2. A
3. E
4. B
5. D

Activities

Prereading Strategy
Ask students to cover the words in *Diálogo I* with a sheet of paper. Then have pairs or small groups of students study the photographs and list as many things as they can about them in Spanish. Write the words on the board and have students guess what the *Diálogo* is about. Check how accurate their predictions were after they read the dialog.

National Standards

Communication
1.1, 1.2, 1.3

Diálogo I   ¿Por qué se pelean?

MARÍA: ¿Dónde está mi lápiz de labios rosado?
ANALÍA: No sé, yo no me pinto con él.
MARÍA: ¿Estás segura? Tú siempre usas mis cosas.
ANALÍA: ¡Sí, estoy segura! Eres una mandona.

RICARDO: Chicas, ¿por qué se pelean?
MARÍA: No encuentro mi lápiz de labios y creo que lo tiene Analía.
ANALÍA: Siempre que te falta algo, te enojas conmigo.

RICARDO: ¿Lo buscaste en tu bolso?
MARÍA: No me fijé allí... Déjame ver... Ah, aquí está... Analía, te pido perdón...
ANALÍA: Está bien, pero tienes que hacer algo con este desorden.

 ¿Qué recuerda Ud.?

1. ¿Qué está buscando María?
2. ¿Por qué María cree que Analía tiene el lápiz de labios?
3. ¿Qué hace María siempre que le falta algo?
4. ¿Dónde está el lápiz de labios?
5. ¿Qué le dice Analía a María al final?

 Algo personal

1. ¿Qué hace Ud. cuando no encuentra algo?
2. ¿Se pelea con sus parientes a veces? ¿Por qué?
3. ¿Usa las cosas de sus hermanos o de sus amigos? ¿Qué cosas?
4. ¿Hay una persona mandona en su familia? ¿Quién es?
5. ¿Es su familia numerosa?

Mi familia es numerosa.

 Conclusiones lógicas

Escuche las siguientes oraciones. Escoja la letra de la conclusión lógica para cada una.

A. ¡Qué mandona es tu hermana!
B. A Cristina siempre le falta algo.
C. El suelo del baño está mojado.
D. Chicos, ¿por qué se pelean?
E. ¡Qué impaciente eres!

Notes
Instruct students to identify all the reflexive verbs in *Diálogo I.* Instruct them to write the verbs in their infinitive forms.

Cultura viva

Anuncios comerciales para los hispanos

Según el último censo, en Estados Unidos viven más de 32 millones de hispanos. Son la minoría más grande del país. Además, según el censo, el 40 por ciento de los hispanos de este país son menores de 20 años. Las grandes empresas no pueden ignorar a un grupo tan grande y tan joven.

Sin embargo, los expertos en mercadeo pensaron que no era tan fácil hacer anuncios comerciales para esos jóvenes. ¿Por qué? Muchos jóvenes hispanos, dicen ellos, hablan inglés y se visten como los muchachos anglos de su edad, pero muchas veces no se identifican con las personas o las situaciones de la televisión en inglés. La solución que encontró una

Muchos anuncios en la televisión usan también el español.

compañía de publicidad de California fue hacer una serie de comerciales con artistas hispanos como la cantante Shakira, en dos versiones iguales: una en inglés y otra en español. Así pudieron poner los mismos anuncios en los canales de televisión de Estados Unidos en esos dos idiomas.

Fue así como los expertos se encontraron con otra sorpresa. Los anuncios con temas que le gustan a la población hispana (la familia y el humor), y hechos con artistas hispanos, también les gustaban a los jóvenes que hablan inglés. Esto hizo crecer el mercado y demostró[1] que el público joven de Estados Unidos se puede identificar también con los elementos de la cultura de los hispanos.

[1] showed

6 **Anuncios para la población hispana**

Conteste las siguientes preguntas.

1. ¿Por qué las grandes empresas no pueden ignorar a la población hispana de Estados Unidos?
2. ¿Por qué es difícil hacer anuncios comerciales para los hispanos de Estados Unidos?
3. ¿Qué solución buscó una compañía publicitaria?
4. ¿Recuerda algún anuncio comercial en español o en el que aparece un artista hispano? Si es así, descríbalo.
5. ¿Por qué cree que los jóvenes hispanos se pueden identificar con ese comercial?
6. ¿Cree que les puede gustar también a otros jóvenes estadounidenses? ¿Por qué?

Teacher Resources

  Activity 6 (CD 4, #8)

Answers

6 1. La población hispana es muy grande: 32 millones de personas.
2. Los jóvenes latinos a veces no se identifican con las situaciones y los personajes de los anuncios en inglés.
3. Hacer anuncios en inglés con artistas hispanos.
4. Answers will vary.
5. Answers will vary.
6. Answers will vary.

Activities

Cooperative Learning/ Students with Special Needs
Divide the class into reading groups, interspersing the Special Needs students throughout the different groups. Assign roles to each member of the group: Director (tells the students what lines to read), Tutor (helps correct errors), Listeners, Readers, etc. Choose the strongest readers to read first, and serve as leaders. Give tutors guidelines or examples on how to give positive feedback. Students work together to read the *Cultura viva.* Circulate among the groups, asking simple comprehension questions. If this reading group tactic works well, you might assign reading groups each week.

National Standards

Communication	Comparisons
1.1	4.2
Cultures	
2.2	
Connections	
3.1, 3.2	

Notes

Activate students' background knowledge by asking questions like the following: *¿Han visto un anuncio comercial con actores hispanos? Descríbanlo. ¿Han visto un anuncio comercial en inglés que usa el español? Descríbanlo. ¿Por qué hay anuncios que usan español? ¿Creen que es buena idea?*

Comparisons. If accessible, play Spanish-language commercials. Where possible, have students compare the English-language commercial to the Spanish-language version. Which do they prefer?

Extend activity 6 by asking: *¿Aprendiste algo nuevo? ¿Qué?*

Activity 2 (CD 1, #21)

 Activities 4–5

 Activity 2

 Activities 3–4

Symtalk Unit 3

Answers

7 1. se pone
2. te cepillas
3. se pintan
4. me baño
5. se afeita
6. se viste

Activities

**Cooperative Learning/
Language through Action**
Have students work in small groups to make up a story using at least four reflexive verbs.

Critical Thinking
To contrast the meanings of verbs with and without a reflexive pronoun, create pairs of English sentences for students to translate: He looks like Andy Garcia. (*Se parece a Andy Garcia.*) He looks tired. (*Parece cansado.*) Papa is washing himself. (*Papá se lava.*) Papa is washing the car. (*Papá lava el carro.*)

Students with Special Needs
Have students replace the subject pronouns in the *levantarse* box with names of people.

National Standards

Communication 1.1, 1.3	Comparisons 4.1
Cultures 2.2	
Connections 3.1	

Idioma

Estructura

Las construcciones reflexivas para hablar de la rutina diaria

A reflexive construction is a verb form that refers back to the subject of the sentence. Many of these verbs describe daily routine actions.

Seco la ropa.   **I am drying** the clothes.
Me seco.   **I am drying myself.**

Reflexive constructions have two parts, a reflexive pronoun (*me, te, se nos, os*) and a verb form.

levantarse	
yo **me** levanto	nosotros/as **nos** levantamos
tú **te** levantas	vosotros/as **os** levantáis
él, ella, Ud. **se** levanta	ellos, ellas, Uds. **se** levantan

When you use reflexive pronouns with a gerund or an infinitive, you may attach the pronoun to the gerund or infinitive or place it before the conjugated verb.

Él está vistiéndose.   *Él **se** está vistiendo.*
Voy a levantarme.   *Me voy a levantar.*
Tienes que peinarte.   *Te tienes que peinar.*

Práctica

7 **Todos se preparan**

Ud. y su familia se preparan para asistir a un festival en la calle Olvera, en Los Ángeles. Diga lo que hacen usando los verbos indicados.

1. Mi hermano ___ la chaqueta nueva. (ponerse)
2. Tú ___ los dientes. (cepillarse)
3. Mis hermanas ___ las uñas de rojo. (pintarse)
4. Yo ___ antes que todos. (bañarse)
5. Mi papá ___ con cuidado. (afeitarse)
6. Mi abuela ___ muy elegante. (vestirse)

Calle Olvera, en Los Ángeles.

Notes Calle Olvera is a narrow street in Los Angeles that has been restored to look like an open-air market of 1930s Mexico.

¿Qué están haciendo?

Con un(a) compañero/a, describan lo que están haciendo los miembros de la familia Olivera, según las ilustraciones.

MODELO A: Verónica está pintándose las uñas.
　　　　　 B: Es verdad, se está pintando las uñas.

Verónica

1. Carlos

2. la Sra. Olivera

3. los primos

4. Lisa y Ana

5. yo

6. el Sr. Olivera

Comunicación

9 En el campamento de verano

Ud. y su compañero/a van a trabajar en un campamento de verano para niños. Preparen una lista de seis recomendaciones. Comiencen las oraciones con: *tienen que, deben, es importante, van a,* y usen contrucciones reflexivas.

MODELO Deben ducharse antes de entrar a la piscina.
　　　　　 Es importante lavarse las manos antes de comer.
　　　　　 Tienen que acostarse a las ocho.

10 La rutina diaria

Use las siguientes preguntas para hacerles una encuesta a cinco compañeros. Tome notas de sus respuestas y presente los resultados frente a la clase.

1. ¿Te gusta levantarte tarde o temprano?
2. ¿Prefieres bañarte o ducharte?
3. ¿Cuánto tiempo tardas en vestirte?
4. ¿Sueles cepillarte los dientes antes o después de desayunar?
5. ¿Vas a lavarte el pelo hoy?

Capítulo 2　　　　　　　　　　　　　　　*setenta y cinco* 75

Teacher Resources

Activity 10 (CD 4, #9)

Answers

8 1. Carlos está peinándose. / Es verdad, se está peinando.
　　2. La Sra. Olivera está pintándose. / Es verdad, se está pintando los labios.
　　3. Los primos están bañándose. / Es verdad, se están bañando.
　　4. Lisa y Ana están cepillándonos los dientes. / Es verdad, se están cepillando los dientes.
　　5. Yo estoy secándome el pelo. / Es verdad, me estoy secando el pelo.
　　6. El Sr. Olivera está afeitándose. / Es verdad, se está afeitando.

9 Creative self-expression.

10 Answers will vary.

Activities

Expansion
Instruct students to write four more questions for the survey.

Students with Special Needs
Create and photocopy a chart that will help students tally and organize their poll results in activity 10.

National Standards

Communication
1.1, 1.2, 1.3

Notes
　　　Use activity 10 as a warm-up and model by asking students some of the survey questions before they begin the activity.

Ask students to redo activity 8 as written homework so that you can check that they added accent marks and put *se* in the right location.

Teacher Resources

 Activity 3 (CD 1, #22)

 Activity 6

 Activity 3

 Activity 5

 Answers

11 1. nos aburrimos
2. se enojan
3. se pone
4. te olvidas
5. se siente
6. me faltan

 Activities

Language through Action
Use gestures as you model the new vocabulary. Then, as students repeat after you, they should act out the meaning.

Multiple Intelligences (bodily-kinesthetic)
Students should record at what time they do the following: *levantarse, irse a la escuela, acostarse, dormirse.* Then have them circulate and find classmates who do these things at the same time.

National Standards
Communication 1.1, 1.2
Connections 3.1
Comparisons 4.1

Estructura

Otros usos de las construcciones reflexivas

Many reflexive verbs in Spanish carry the English meaning of "to become" or "to get," and are often used to express a physical or emotional change. Verbs of this type include *aburrirse* (to get bored), *enojarse* (to get angry), *lastimarse* (to get hurt), *ponerse* (to become).

Nos aburrimos cuando hace mal tiempo.	**We get bored** when the weather is bad.
Mamá **se enoja** cuando no la llamo.	Mom **gets angry** when I don't call her.
Muchos chicos **se lastiman** cuando empiezan a patinar.	Many children **get hurt** when they start skating.
Andrea **se pone nerviosa** antes de un examen.	Andrea **becomes nervous** before an exam.

Some verbs have a different meaning when used as a reflexive.

dormir	*to sleep*	dormirse	*to fall asleep*
ir	*to go*	irse	*to go away, to leave*
levantar	*to raise, to lift*	levantarse	*to get up*
parecer	*to seem*	parecerse a	*to look like*
reír	*to laugh*	reírse de	*to laugh at*

The verbs *tocar* (to be someone's turn) and *faltar* (to need or to be missing) are two verbs that when used reflexively follow the same construction as *gustar*.

Le toca a él lavar las toallas.	**It's his turn** to wash the towels.
Me falta el lápiz de labios.	**I'm missing** my lipstick.
Nos faltan cinco minutos para terminar.	**We need** five minutes to finish.

 ## Práctica

11 **Reacciones**

Complete las siguientes oraciones con el verbo apropiado.

MODELO Yo *me pongo* nerviosa cuando salgo con un chico por primera vez. (aburrirse / ponerse)

1. Mis hermanos y yo ___ cuando no hay nada que hacer. (aburrirse / acordarse)
2. Si llego tarde a una cita, mis amigos ___. (enojarse / divertirse)
3. Mi profesora ___ furiosa cuando llego tarde a clase. (ponerse / irse)
4. Tú siempre ___ el cepillo de dientes. (aburrirse / olvidarse)
5. Mi mejor amiga ___ muy contenta cuando recibe una buena nota. (dormirse / sentirse)
6. No puedo abrir la puerta porque ___ las llaves. (parecer / faltar)

Me pongo nerviosa cuando salgo con un chico.

Lección B

Notes To ensure proper understanding of the verbs in the box, have students write a sentence for each infinitive. Suggest that students try to relate the sentences to their lives.

12 Muchas excusas

Complete este diálogo entre Julián y su mamá usando la forma apropiada de los verbos de la caja.

sentirse	levantarse	vestirse	irse	reírse	imaginarse
ponerse	equivocarse	enojarse	parecer	olvidarse	

Mamá: Rápido, Julián, tienes que (1) ahora mismo.

Julián: Pero, mamá, no (2) bien. Creo que estoy enfermo.

Mamá: No te creo. Me (3) que no tienes ganas de ir al colegio.

Julián: No, mamá, (4). De veras estoy enfermo.

Mamá: No es así. Lo que yo creo es que tú siempre (5) de hacer la tarea y después (6) nervioso porque no la hiciste.

Julián: Ay, ¿pero por qué (7), mamá? Tú siempre (8) lo peor.

Mamá: ¿Entonces, por qué (9) de esa manera tan nerviosa?

Julián: Está bien, mamá, (10) en cinco minutos y (11) para la escuela.

Comunicación

13 Psicólogo de animales

Los animales también tienen emociones y a veces necesitan la ayuda de un especialista para sentirse mejor. Imagine que su perro o su gato está un poco deprimido *(feels depressed)* últimamente. Ud. decide ver a un psicólogo de animales para ver lo que le pasa. Con su compañero/a, inventen un diálogo entre el/la dueño/a *(owner)* del animal y el/la psicólogo/a. Pueden usar los siguientes verbos o expresiones o agregar otros. Luego, presenten su diálogo frente a la clase.

alegrarse	olvidarse	sentirse bien/mal/triste/contento/cansado
ponerse nervioso/furioso	enojarse	acordarse
divertirse	aburrirse	quedarse
irse	faltar	

MODELO

Dueño/a: Mi perro se siente muy triste.

Psicólogo/a: ¿Ud. lo saca a pasear a menudo?

Dueño/a: Bueno... A veces me olvido.

Psicólogo/a: Ajá. Ése es el problema. A nadie le gusta quedarse en casa, y a su perro tampoco.

Mi perro se siente muy contento.

12
1. levantarte
2. me siento
3. parece
4. te equivocas
5. te olvidas
6. te pones
7. te enojas
8. te imaginas
9. te ríes
10. me visto
11. me voy

13 Creative self-expression.

 Activities

Comparisons
Ask students to interview native Spanish speakers to find out how Latin Americans generally view pets. Have students compare their findings to how North Americans seem to treat and view their pets. Encourage a class discussion on this topic.

Expansion
After students complete activity 12, have them summarize the plot of the dialog.

Pronunciation
Model how to pronounce *psicólogo* in activity 13. Explain that many countries opt to spell it without a *p*: *sicólogo*. Ask students to brainstorm other words that might be spelled similarly (*psicología, psicológico, psiquiatría*, etc.).

Notes

Encourage students to bring props, such as stuffed animals, to class to use in their dialogs.

As an extension to activity 13, you might have students debate the value of *un/a psicólogo/a de animales*.

National Standards	
Communication 1.1	**Comparisons** 4.1, 4.2
Cultures 2.1	**Communities** 5.1
Connections 3.1	

Answers

14 Answers will vary.
15 1. nos queremos, nos peleamos
2. se saludan, se besan, se abrazan
3. nos llevamos, nos vemos, nos llamamos
4. se conocen, se ven
5. nos ayudamos, nos peleamos
6. se llaman, se ven

Activities

Language through Action
To help reinforce the meanings of the verbs in the box, write each verb on a strip of paper. Have student pairs take turns drawing a slip of paper and acting out the reciprocal action for the class or in small groups.

Multiple Intelligences (intrapersonal)
Instruct students to write a paragraph about their relationships with friends and/or relatives using reciprocal pronouns.

National Standards

Communication
1.1, 1.2, 1.3

Connections
3.1

Comparisons
4.1

 Me aburro cuando…

Haga una encuesta con cinco estudiantes pidiéndoles que completen las siguientes oraciones. Luego, comparen sus respuestas.

1. Me pongo furioso/a cuando…
2. Me enojo cuando…
3. A veces me peleo con… cuando…
4. Me siento triste cuando…
5. Me aburro cuando…
6. Me alegro mucho cuando…
7. Me río mucho cuando…
8. Me duermo cuando…

Estructura

Acciones recíprocas

The plural reflexive pronouns *nos* and *se* can be used to express what two people do for each other or to one another. These are called reciprocal actions.

*Marta y yo **nos escribimos** todas las semanas.* Marta and I **write each other** every week.

*Pedro y su hermano **se ayudan**.* Pedro and his brother **help one another**.

The following verbs can be used reciprocally.

abrazarse	*to hug each other*	llamarse	*to call each other*
ayudarse	*to help each other*	llevarse	*to get along*
besarse	*to kiss each other*	pelearse	*to fight with each other*
conocerse	*to know each other*	quererse	*to love each other*
darse	*to give each other*	saludarse	*to greet each other*
escribirse	*to write each other*	verse	*to see each other*

 Práctica

15 **Relaciones entre amigos**

Complete las siguientes oraciones con la forma recíproca de los verbos.

1. Tomás y yo *(quererse)* mucho y nunca *(pelearse)*.
2. A veces, cuando los chicos *(saludarse)*, se dan la mano. Las chicas generalmente *(besarse)* o *(abrazarse)*.
3. Mis primos y yo no *(llevarse)* bien. Nunca *(verse)* ni *(llamarse)*.
4. Julieta y Rebeca *(conocerse)* desde hace años. Son muy buenas amigas y *(verse)* todos los días.
5. Mi hermano y yo *(ayudarse)* mucho, pero a veces *(pelearse)*.
6. ¿Por qué *(llamarse)* Ud. todos los días si *(verse)* en la escuela?

Nos abrazamos.

Notes
Before students begin activity 14, you might help them design a chart to tally their classmates' answers.

Model possible answers to activity 14 by talking about yourself and how you react in the given situations.

On the computer, have students create Spanish stickers with emoticons or illustrations of a range of emotions, such as those listed in activity 14. Use them in class as motivators for students.

16 **Acciones recíprocas**

 Con su compañero/a, describan las siguientes relaciones familiares o entre amigos formando oraciones con palabras de cada columna y la forma recíproca del verbo.

MODELO Mis padres y yo nos llevamos muy bien.

I	II	III
mi hermano y su novia	escribirse	a menudo
los profesores y los estudiantes	pelearse	casi nunca
tú y yo	llevarse	a veces
mis abuelos	quererse	mucho / poco
mis hermanos y yo	verse	bien / mal
mi hermana y su suegra	ayudarse	todos los días
mi mejor amigo y yo	llamarse	

Comunicación

Mis padres y yo nos
llevamos bien.

17 **¿Cómo es su vida?**

 Describa un día típico de su vida. Use verbos reflexivos para explicar su rutina diaria y verbos recíprocos para describir sus relaciones con otras personas. Luego, compare su descripción con la de su compañero/a.

18 **Una historia de amor**

Con su compañero/a, inventen una historia de amor. Incluyan acciones recíprocas. Pueden usar los verbos de la caja como guía y agregar otros más.

abrazarse	ayudarse	besarse	darse
escribirse	hablarse	llamarse	llevarse bien/mal
mirarse	pelearse	saludarse	verse

MODELO Armando y Lucía se ven en la clase de historia. Se miran...
Se saludan... Se llaman por teléfono...

Ahora, presenten su historia frente a la clase. Entre todos, decidan cuál es la historia más original.

Armando y Lucía se quieren.

Capítulo 2 *setenta y nueve* **79**

Notes

Help students organize their thoughts for activity 17 by suggesting that they first brainstorm and then list everything they do under the categories *en la mañana*, *en la tarde* and *en la noche*. Next, they can construct a semantic web around the people they are involved with.

If students feel reluctant to write love stories about boys and girls (activity 18), suggest that they write an anti-love story or an essay that involves a pet (e.g., why their pet is their best friend).

 Answers

16 Answers will vary.
17 Creative self-expression.
18 Creative self-expression.

 Activities

Multiple Intelligences (bodily-kinesthetic)
Before students begin activity 16, you might review the verbs in the exercise by implementing this activity: Pair students. Put the infinitives in a hat. Draw an infinitive and call on a pair to act out the reciprocal verb. Keep calling on pairs quickly, moving through the verbs as fast as you can.

National Standards

Communication
1.1, 1.2, 1.3

79

Teacher Resources

Vocabulario II
Los quehaceres en la casa
(CD 4, #10)

  Activity 8

  Activities 9–10

  Activity 5

  Activities 8–9

  p. 10

  Activities

Critical Listening

As you call out the various vocabulary words and expressions in the drawings, have students touch each picture you identify.

Multiple Intelligences (logical-mathematical)

Have students predict who are messier, girls or boys. Then poll the class to find out how many students' bedrooms are *ordenado* or *desordenado*. Tabulate and discuss the results of the poll.

Multiple Intelligences (spatial)

Bring to class furniture ads of bedrooms and hang them on the board. Ask students to express opinions about the pictures.

Spanish for Spanish Speakers

Encourage students to identify regional variances in the new vocabulary (*el cajón = la gaveta; los estantes = el librero; el armario = el ropero*).

National Standards	
Communication 1.1, 1.2	**Comparisons** 4.1
Cultures 2.1	
Connections 3.1	

80

Vocabulario II

Los quehaceres en la casa

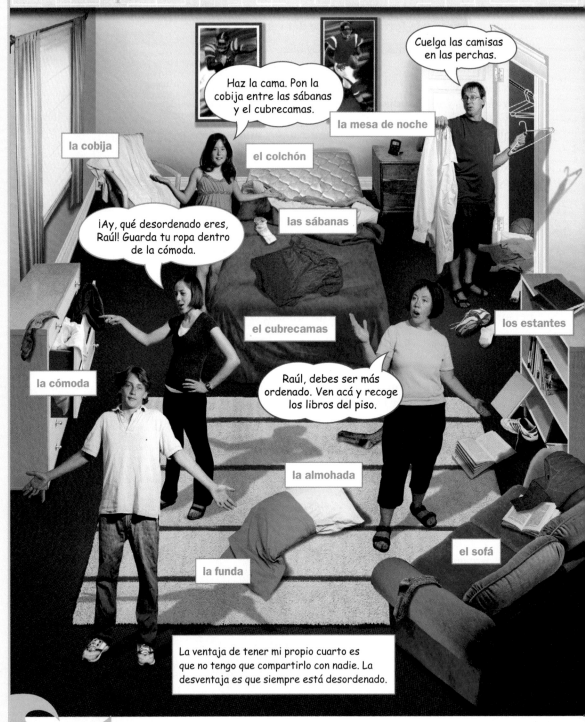

Notes

Challenge students to brainstorm as many related words as they can about bedrooms: *el cartel, la pared, el guardarropas, la lámpara, el estéreo/el equipo de sonido, la alfombra, la cama, la ropa, la puerta, la ventana, el escritorio, la silla, el espejo,* etc.

Point out that *el cubrecamas* is a compound noun. Can students see the two words that are linked together? Ask students what other compound words they know (*los quehaceres, el tocadiscos, el sacapuntas, el paraguas*). Remind students that compound words formed by a verb + plural noun are invariable; the number is determined by the accompanying article (*los tocadiscos*). Most other compound nouns form their plural by adding *-s* or *-es* accordingly.

Escuche los siguientes mandatos. Seleccione la foto que corresponde con lo que oye.

A

B

C

D

E

F

20 **¿Cuál es la correcta?**

Escoja la palabra que completa correctamente cada oración.

1. Carlos es muy *(desordenado / ordenado)*: nunca guarda las cosas en su lugar.
2. Cubre la cama con una *(colcha / almohada)*.
3. Cuelga la ropa en *(los estantes / las perchas)*.
4. Guarda las camisetas dentro de la *(mesa de noche / cómoda)*.
5. Mi madre va a comprar un *(colchón / sofá)* nuevo para mi cama.

21 **¡A ordenar!**

Imagine que tiene que ordenar su habitación y le pide ayuda a un(a) amigo/a. Escriba cinco oraciones con las cosas que le pide a su amigo/a que haga.

MODELO Haz la cama. Guarda los zapatos...

¡Extra!

Otros quehaceres

barrer	*to sweep*
cambiar (las sábanas)	*to change (the sheets)*
cocinar	*to cook*
colgar	*to hang*
encerar	*to polish (floor)*
limpiar	*to clean*
lustrar	*to polish (shoes, silver)*
planchar	*to iron*
poner la mesa	*to set the table*
recoger la mesa	*to clear the table*
sacar la basura	*to take out the garbage*

Teacher Resources

 Activity 20 (CD 4, #11)

◆ Answers

19 1. E
2. D
3. F
4. A
5. B
6. C

20 1. desordenado
2. colcha
3. las perchas
4. cómoda
5. colchón

21 Answers will vary.

◆ Activities

Critical Listening
Redo activity 19 as a dictation activity, asking students to write what they hear.

Multiple Intelligences (linguistic)
Instruct students to play a word-association game matching nouns with verbs. For example: *percha/colgar; cubrecamas/cubrir; ropa/guardar.*

National Standards

Communication
1.1, 1.2

Comparisons
4.1

 Notes

Before students begin activity 21, briefly review how to form *tú* commands. (The explanation is on page 84.) Most have the same form as the *él, ella, Ud.* form in the present tense. Model a few of the command forms for the class.

Share this old Spanish *refrán* with students: *Escoba nueva barre bien.*

Ask: *¿Qué significa este refrán en inglés?* (A new broom sweeps clean.)

Teacher Resources

Diálogo II
¡Pon tus cosas en orden!
(CD 4, #12)
Activity 22 (CD 4, #13)
Activity 23 (CD 4, #14)
Activity 24 (CD 4, #15)

Answers

22 1. Porque Analía no tiene
ningún estante para poner
sus cosas.
2. Porque María tiene allí
su ropa.
3. María la pone ahora dentro
del armario.
4. La cuelgan en las perchas
para tener más espacio.
23 Answers will vary.
24 1. D
2. C
3. A
4. B
5. E

Activities

TPR

Bring to class a timer and
various bedroom props. Set up
your classroom as much like a
bedroom as possible (two student
desks can be the bed). Make your
desk and the entire "room" messy.
Have students take turns cleaning
the room, under your orders. *¡Ay,
este cuarto está muy desordenado!
(Nombre), ven acá y ayúdame a
arreglarlo.* Have a contest to see
who can carry out the orders the
fastest.

National Standards

Communication
1.1, 1.2, 1.3

Diálogo II ¡Pon tus cosas en orden!

MARÍA: ¿Por qué está tan
desordenado el escritorio?
ANALÍA: No tengo ningún estante
para poner mis cosas.
MARÍA: Pero puedes guardarlas
en la cómoda.
ANALÍA: No hay lugar. Toda tu
ropa está allí.

MARÍA: La saco ahora mismo.
ANALÍA: ¿Y dónde la pones?
MARÍA: Dentro del armario.
ANALÍA: Eres muy ordenada,
María.
MARÍA: Ayúdame un poco y
tráeme esas perchas...

MARÍA: Si cuelgas la ropa en las
perchas, tienes más
espacio.
ANALÍA: ¿Qué hago ahora?
MARÍA: Cuelga tu ropa.
ANALÍA: Eres muy eficiente,
María.
MARÍA: No hables tanto, y date
prisa, Analía.

 ¿Qué recuerda Ud.?

1. ¿Por qué está tan desordenado el escritorio
de María y Analía?
2. ¿Por qué no hay lugar en la cómoda?
3. ¿Dónde pone María su ropa ahora?
4. ¿Qué hacen con la ropa? ¿Para qué?

 Algo personal

1. ¿Comparte Ud. su cuarto con alguien?
2. ¿Está ordenado su cuarto?
3. ¿Dónde guarda Ud. su ropa?
4. ¿Qué quehaceres de la casa hace Ud.?
5. ¿Qué ventajas tiene ser ordenado/a?

 ¡Ordena tu cuarto!

Mi cuarto siempre está ordenado.

 Escoja la letra de lo que le dice a Orlando su madre en cada situación.

A. Ordena el escritorio.
B. Cuelga tu ropa en perchas dentro del armario.
C. Cambia las sábanas.
D. Pon los libros en los estantes.
E. Guarda los zapatos dentro de las cajas.

Notes

Ask for volunteers to come to the
front of the class to act out the dialog *¡Pon tus
cosas en orden!*

Additional questions (*Qué recuerda Ud?*): ¿*Quién
es desordenada, María o Analía?*; ¿*Ayudarías tú
a tu hermano/a arreglar su cuarto?*; ¿*Por qué sí o
por qué no?*; ¿*Por qué María le dice a Analía que
no hable tanto?*

Visuals can tell a lot about a reading. Have
students quickly look at the photos in
Diálogo II and guess what the *Diálogo* is about.
Have them make a prediction with as many
details as possible. After students have read
the *Diálogo*, have them check their prediction.

Cultura **viva** II

el MUSEO del barrio

El Museo del Barrio, en Nueva York.

La Gran Manzana

¿Sabe Ud. cuál es el apellido más repetido en la guía telefónica de Nueva York? ¡Rodríguez! Ese apellido aparece más de 22.000 veces en la guía. El 26.4 por ciento de los 8.651.600 habitantes de Nueva York son hispanos y la comunidad puertorriqueña no es la más grande. Hace unos años, los mexicanos y los dominicanos superaron[1] a los puertorriqueños de la Gran Manzana.

La estación de radio y el noticiero de televisión más populares de Nueva York son en español. Desde las estrellas de los Yankees Jorge Posada y Luis Vizcaino, o los artistas Jennifer López y Marc Anthony, hasta instituciones como El Museo del Barrio y el Nuyorican Poets Café, la comunidad hispana de Nueva York hace un aporte[2] fundamental a la vida de la ciudad.

Sin embargo, en Nueva York los hispanos no tienen ni un gran poder político ni económico. La mayoría son inmigrantes recientes[3], que no hablan inglés ni son ciudadanos de Estados Unidos. Pero también es cierto que un día no muy lejano[4] los Rodríguez van a estar entre los políticos y los hombres y mujeres de negocios más importantes de la ciudad.

"La Pequeña Colombia",
Queens, Nueva York.

[1]surpassed [2]contribution [3]new [4]distant

---

25 La presencia hispana en Nueva York

Conteste las siguientes preguntas.

1. ¿Cuáles son las comunidades hispanas más grandes de Nueva York?
2. ¿Cuáles son algunas de las personas e instituciones hispanas más conocidas de la ciudad?
3. ¿Cuál es el principal problema de los hispanos de Nueva York, según el artículo?
4. Haga una investigación. ¿Cuál es el apellido más repetido en la guía telefónica de su ciudad? ¿Cuál es el apellido hispano que se repite más? Compare los resultados con lo que dice el artículo.
5. ¿Hay una comunidad hispana en su ciudad? Si es así, mencione algunas de sus figuras, grupos o instituciones.

Capítulo 2 *ochenta y tres* 83

Notes

El Museo del Barrio is one of New York's most important Hispanic cultural institutions. A large Dominican community lives in Washington Heights, in the northern part of Manhattan. Many of the ads on the subways are in Spanish. *La Pequeña Colombia* is in Queens. If you walk along its streets, you'll find that Spanish is the first language there.

Have students use the Internet to find out more about *El Museo del Barrio.* They can write up a brochure in Spanish that tells about the institution.

Teacher Resources

 Activity 25 (CD 4, #16)

 Activity 4 (CD 1, #23)

 Activity 6

Answers

25 1. La mexicana y la dominicana.
2. Las estrellas de los Yankees Jorge Posada y Alfonso Soriano, los artistas Jennifer López y Marc Anthony, El Museo del Barrio y el Nuyorican Poets Café.
3. No tienen una presencia muy fuerte ni en la política ni en los negocios.
4. Answers will vary.
5. Answers will vary.

Activities

Cooperative Learning
Divide the class into small groups. Have each group generate three questions to ask you about the article. Groups take turns asking you questions. Answer them as best you can.

Critical Thinking
Before students read the *Cultura viva*, ask them to interpret the photographs: *¿Qué se puede ver en el Museo del Barrio?*; *¿Cuáles son los negocios en Washington Heights?*

National Standards	
Communication 1.1, 1.3	**Comparisons** 4.2
Cultures 2.2	**Communities** 5.1
Connections 3.1, 3.2	

Teacher Resources

 Activity 5 (CD 1, #24)
Activity 6 (CD 1, #25)

 Activities 11–12

 Activity 7

 Activities 10–11

 Answers

26 1. Lava...
    2. Cuelga...
    3. Haz...
    4. Guarda...
    5. Pon...
    6. Ve...
    7. Barre...
    8. Riega...

 Activities

Critical Thinking

Ask students to analyze the verbs in the grammar box to see what they have in common (hint: in the present tense). The *yo* form ends in an *-oy* or a *-go*.

Expansion

Extend activity 26 by asking students simple questions about what you should do around the house. Students should use the *tú* commands in their answers. *¿Lavo las sábanas?/Sí, lava las sábanas.*

Language through Action

Reinforce the regular and irregular commands by giving students directions to follow. For example: *(Nombre), ven aquí. (Nombre), borra la pizarra.*

National Standards

Communication
1.1, 1.2

84

 Idioma

Estructura

Los mandatos informales afirmativos

Use informal commands to tell people you address as *tú* to do something. These commands have the same form as the *él/ella/Ud.* form of verbs in the present tense. Verbs that have a spelling change and stem-changing verbs in the present tense usually have the same change in the informal affirmative command.

***Guarda** la ropa en la cómoda.*	**Keep** the clothes in the dresser.
***Cubre** las camas.*	**Cover** the beds.
***Cuelga** las cortinas.*	**Hang** the curtains.
***Riega** el jardín.*	**Water** the garden.
***Construye** un estante más alto.*	**Build** a higher shelf.

The following verbs have irregular *tú* command forms.

decir	→	di	**Di** la verdad.	salir	→	sal	**Sal** a jugar.
hacer	→	haz	**Haz** las camas.	ser	→	sé	**Sé** bueno.
ir	→	ve	**Ve** al mercado.	tener	→	ten	**Ten** cuidado.
poner	→	pon	**Pon** la mesa.	venir	→	ven	**Ven** a mi casa.

Direct and indirect object pronouns as well as reflexive pronouns are attached to affirmative *tú* commands. When attaching pronouns to a command form of more than one syllable, you must add an accent mark over the stressed syllable.

***Dame** el martillo.*	**Give me** the hammer.
*¿Los clavos? **Colócalos** en la caja.*	The nails? **Place them** in the box.
***Siéntate** en la terraza.*	**Sit** in the terrace.

 Práctica

 26 **Lista de quehaceres**

La mamá de Isabel le dejó una lista de los quehaceres que tiene que hacer. Escriba mandatos con *tú*, según la lista.

MODELO limpiar el piso
        Limpia el piso.

> Querida Isabel,
> Tengo que salir al centro. Aquí te dejo la lista de los quehaceres que quedan por hacer:
> 1. lavar las sábanas
> 2. colgar la ropa en las perchas
> 3. hacer las camas
> 4. guardar los juguetes
> 5. poner el pollo en el horno
> 6. ir al supermercado
> 7. barrer la terraza
> 8. ¡y no te olvides de regar las flores!
> Muchas gracias,
> Mamá

Notes

Before assigning activity 26, review with students the verbs in the list that have irregular command forms.

the third person singular form for most of these verbs.

To extend activity 26, have students write four more requests for Isabel.

Remind students that they do not have to memorize a new conjugation. They can use

27 ¿Qué hago?

Un(a) amigo/a no puede tomar decisiones y le pide consejos.
Con su compañero/a, creen diálogos según las indicaciones.

MODELO ponerse la chaqueta azul
A: ¿Me pongo la chaqueta azul?
B: Sí, ponte la chaqueta azul.

1. cortarse las uñas
2. secarse el pelo
3. lavarse las manos
4. acostarse temprano

5. cepillarse los dientes
6. probarse los zapatos nuevos
7. quitarse los calcetines
8. irse ahora

28 Vamos a ordenar el cuarto

Complete este diálogo entre Carlos y José. Use mandatos
informales y el complemento de objeto directo que corresponda
a las palabras en cursiva.

Carlos:	José, no encuentro *las sábanas*.
José:	*(1. buscar)* en el armario. Deben estar ahí.
Carlos:	¿Saco también *la cobija*?
José:	Sí, *(2. sacar)* también porque la voy a necesitar.
Carlos:	¿Cubro *la almohada* con la funda amarilla?
José:	No, *(3. cubrir)* con la funda blanca.
Carlos:	¿Y dónde pongo *los cubrecamas*?
José:	¡*(4. poner)* en las camas, tonto!
Carlos:	¿Y ahora qué hago? ¿Cuelgo *el cuadro*?
José:	Sí, *(5. colgar)* encima de la cama.
Carlos:	Entonces necesito *unos clavos*.¿Sabes dónde están?
José:	*(6. buscar)* en la caja. Deben estar ahí.
Carlos:	¿Puedo usar *el martillo*?
José:	Sí, *(7. usar)*, pero con cuidado.

Colguémoslo encima de la cama.

Notes

Before students begin activity
28, provide some models of direct object
pronouns attached to *tú* commands. Remind
students that the direct object pronoun
agrees in number and gender with the noun
it is replacing.

You might want to conduct activity 28
as a whole-class activity. After students
answer orally, ask volunteers to write the
commands on the board. Make sure students
have included the accent marks.

Teacher Resources

  Activity 27 (CD 4, #17)

Answers

27 1. ¿Me corto las uñas? / Sí, córtate las uñas.
2. ¿Me seco el pelo? / Sí, sécate el pelo.
3. ¿Me lavo las manos? / Sí, lávate las manos.
4. ¿Me acuesto temprano? / Sí, acuéstate temprano.
5. ¿Me cepillo los dientes? / Sí, cepíllate los dientes.
6. ¿Me pruebo los zapatos nuevos? / Sí, pruébate los zapatos nuevos.
7. ¿Me quito los calcetines? / Sí, quítate los calcetines.
8. ¿Me voy ahora? / Sí, vete ahora.

28 1. Búscalas
2. sácala
3. cúbrela
4. Ponlos
5. cuélgalo
6. Búscalos
7. úsalo

Activities

Expansion
To practice other reflexive forms
with a *tú* command, instruct
students to redo activity 27 from
different perspectives (*¿Nos
ponemos las chaquetas azules?/Sí,
pónganse las chaquetas azules.*).

Language through Action
Challenge student pairs to write
serious and silly commands for
other pairs to act out.

National Standards
Communication
1.1, 1.2

29 1. Prepárate bien para dar el discurso.
2. Haz una lista de objetivos.
3. Vístete bien para esa ocasión.
4. Háblales de tu experiencia.
5. Sé amable con todos.
6. Diles tus planes para la escuela.
7. Dales las gracias.
8. Despídete.

30 1. Corta
2. Corta
3. Pon
4. Añade / Déjalo / Hazlo
5. Añade / Baja
6. Añade
7. Cocina
8. Decora
9. Sírvelo

31 Creative self-expression.

 Activities

Expansion
Have students write four variations for the Fajita recipe, replacing the *pollo* with other foods. They can then design a menu, business card and ad for a new Tex-Mex restaurant, and give it a catchy name in Spanish.

Language through Action
As a warm-up to activity 30, play a pantomime game: Call out different cooking verbs from the recipe and have students demonstrate. For example: *Corta; Sirve; Revuelve; Cocina.*

National Standards	
Communication 1.1, 1.2, 1.3	Communities 5.1
Cultures 2.2	
Connections 3.1	

 Una ocasión importante

Su amigo/a quiere ser presidente del consejo estudiantil y tiene que dar un discurso *(give a speech)* a todos los estudiantes de la escuela. Como Ud. es su amigo/a, quiere darle algunos consejos sobre lo que debe decir. Use mandatos con *tú* y las frases siguientes. Luego, añada dos consejos más.

1. prepararse bien para dar el discurso
2. hacer una lista de objetivos
3. vestirse bien para esa ocasión
4. hablarles de tu experiencia
5. ser amable con todos
6. decirles tus planes para la escuela
7. darles las gracias
8. despedirse

Comunicación

 Una receta Tex-Mex

Ud. es el/la cocinero/a de un restaurante Tex-Mex. Dígale a su ayudante cómo preparar la siguiente receta. Reemplace *(Replace)* los verbos en infinitivo con mandatos informales. Su ayudante debe representar con pantomima los mandatos que Ud. le da.

Fajitas de Pollo Estilo Tex-Mex

Ingredientes:
1. Una libra de pollo
2. Dos cucharaditas de aceite de oliva
3. Un pimiento (chile morrón) grande
4. Una cebolla grande
5. Un tomate grande
6. Sal
8. Pimienta a gusto
9. Opcional para decoración: hojas de cilantro
10. Tortillas de harina de trigo bajas en grasa

Preparación:
1. Cortar el tomate, el pimiento y la cebolla en tiras *(strips)* largas.
2. Cortar el pollo en trozos *(pieces)* pequeños y rectangulares.
3. Poner a calentar el aceite de oliva en una sartén pesada *(heavy skillet)*.
4. Añadir el pollo. Dejarlo cocinar hasta que esté 75% cocido. Hacerlo a fuego alto, revolviendo *(stirring)* constantemente.
5. Añadir el pimiento y la cebolla. Bajar la temperatura a fuego medio.
6. Añadir el tomate, la sal y la pimienta, moviendo constantemente.
7. Cocinar las verduras hasta que estén listas.
8. Decorar con el cilantro.
9. Servirlo caliente, directamente de la sartén. ¡Buen apetito!

 Consejos de amigo

Con su compañero/a, inventen dos consejos para cada una de las siguientes situaciones, usando mandatos con *tú*.

1. una chica va a salir con alguien por primera vez
2. un compañero tiene un examen al día siguiente
3. un chico tiene que preparar la cena
4. una amiga se siente un poco triste

Notes

Tex-Mex is a version of Mexican food with a Texan twist. Tell students that Mexico is known for its varied cuisine. You can eat a different meal each day of the year and still not try all the dishes of this country.

They can be typed in Spanish, peer-edited and then assembled into a class recipe book. If successful, send recipe books home to parents and give them to administrative personnel at the school.

Communities. Encourage students to bring to class favorite simple Mexican recipes.

Repaso rápido

Las preposiciones de lugar

To answer the question *¿Dónde?* you can use the following prepositions of place.

cerca	*close*	aquí	*here*	allí/ahí	*over there*
allá	*there*	acá	*over here*		

Other prepositions of place are more specific:

a la derecha de	*to the right of*	delante de	*in front of*
a la izquierda de	*to the left of*	dentro de	*inside*
al lado de	*next to*	encima de	*on top of*
alrededor de	*around*	enfrente de	*across, facing*
atrás / detrás de	*behind*	entre	*between*
cerca de	*near, close to*	fuera de	*outside*
debajo de	*under*	lejos de	*far from*

 ¿Dónde están?

Describa el cuarto usando preposiciones de lugar.

MODELO La mesa de noche está entre las dos camas.

Teacher Resources

 Activities 13–14

 Activities 12–13

Answers

32 Possible answers:
La ropa está dentro del armario.
La cómoda está al lado de la pared.
La ropa está fuera de la cómoda.
El televisor está enfrente de las camas.
El cuadro está encima de la cama.
Los zapatos están debajo de la cama.
El perro está al lado del sillón.
La silla está delante del escritorio.

Activities

Expansion
Have students write a detailed description of their bedroom. Tell them to give as much detail as possible so that the rest of the class can clearly imagine the room. Only volunteers will share their descriptions with the class.

National Standards

Communication
1.1, 1.2, 1.3

Notes

Play a game with students: Hide a small object in the classroom. Students use *las preposiciones de lugar* to guess where the object is. Model a guess for students: *¿Está debajo de la mesa?* Suggest that students can make only one guess at a time. The next time around, a student can play your role and hide the object and answer classmates' questions.

To practice the prepositions and *¿Dónde?*, ask students where things are located in your classroom or in the school: *¿Dónde está la bandera?; ¿Dónde está el escritorio de (nombre)?; ¿Dónde están los zapatos de (nombre)?; ¿Dónde está la oficina de la directora?; ¿Dónde está la cafetería?*

Lectura personal (CD 4, #18)
Activity 33 (CD 4, #19)
Activity 34 (CD 4, #20)

Answers

33 1. Un rancho que está cerca de la ciudad de Santa Fe.
2. Conoció de cerca el estilo de vida en los ranchos españoles de la región en el siglo XVII. El rancho es hoy un museo.
3. Hay una herrería, una iglesia, una huerta y un antiguo cementerio indígena, todos construidos alrededor de una plaza central.
4. El horno de barro, porque pudo hacer ella misma unas galletas.
5. Con un viaje en la máquina del tiempo y con una película del Oeste.

34 Answers will vary.

Activities

Multiple Intelligences (linguistic)
Point out that many ranching vocabulary words in English are borrowed from Spanish: *rodeo, barbecue, buffalo, lariat, coyote.*

Prereading Strategy
Discuss what students remember about the *Ruta Quetzal.* Then ask: *¿En qué estado está Santa Fe?; ¿Ha viajado al oeste de los Estados Unidos?; ¿Qué le pareció?*

National Standards
Communication 1.1
Connections 3.1
Comparisons 4.1

Lectura personal

A... mamá y papá

Cc...

Asunto: Santa Fe

Ruta Quetzal: recuerdos de Santa Fe

Queridos mamá y papá,
¡Estoy en el Viejo Oeste! El primer destino de la Ruta Quetzal en Estados Unidos fue un rancho cercano a la ciudad de Santa Fe. Aquí todavía es posible conocer de cerca el modo de vida[1] de los ranchos[2] españoles del siglo XVII.

Este rancho fue restaurado[3] en 1971. Ahora es un museo abierto al público. Parece un lugar sacado de las películas del Oeste. Hay una herrería[4], una iglesia, un jardín y un antiguo cementerio[5] indígena. Todos los edificios están construidos alrededor de una plaza central.

Un hombre vestido como un cazador[6] de búfalos del siglo XVII nos explicó cómo se curtían[7] las pieles[8] de los búfalos para hacer ropa, cinturones y otras cosas. También nos enseñaron cómo se hacen los cestos y cómo se prepara el pan en un horno de barro[9]. Lo mejor es que nos dejaron cocinar unas galletas hechas con mantequilla, huevos y azúcar. ¡Son las galletas más deliciosas que comí en mi vida!

Hoy fue un día maravilloso. Me parece que tomé la máquina del tiempo[10] y me fui al siglo XVII. ¡Estoy encantada!

Besos, Mariana

[1]lifestyle   [2]ranches   [3]restored   [4]smithy   [5]cemetery   [6]hunter   [7]tanned
[8]hides   [9]clay oven   [10]time machine

La vida en el rancho es fascinante.

 ¿Qué recuerda Ud.?

1. ¿Cuál fue el primer destino de Mariana en Estados Unidos?
2. ¿Qué pudo conocer Mariana en el rancho? ¿Qué es el rancho hoy en día?
3. ¿Qué edificios hay en el rancho?
4. ¿Qué fue lo mejor para Mariana? ¿Por qué?
5. ¿Con qué compara Mariana su visita al rancho?

 Algo personal

1. ¿Visitó alguna vez un rancho o una finca? Describa su experiencia.
2. ¿Conoce algún museo o lugar donde se puede aprender cómo era la vida en otros siglos?
3. Imagine que viaja por la Ruta Quetzal. ¿A qué lugar quiere ir? ¿Por qué?

Notes

To check students' understanding of the *Lectura personal,* call on volunteers to summarize each paragraph.

Connections (Historia). Have students do research to find out what areas of the United States once belonged to Mexico. Students might shade their findings on an outline map of the United States.

Mathematical students can calculate the percentage.

¿Qué aprendí?

Autoevaluación

Como repaso y autoevaluación, responda lo siguiente:

1. Diga cinco cosas que hace en la mañana cuando se prepara para salir.

2. Diga tres oraciones para expresar cómo se siente, usando los verbos *enojarse*, *aburrirse* y *ponerse* (nervioso/a, furioso/a).

3. Diga dos oraciones usando los verbos *faltar* y *tocar*.

4. ¿Qué temas aparecen con frecuencia en los anuncios hispanos?

5. ¿Cuáles son las dos comunidades hispanas más grandes de Nueva York?

6. Escriba los mandatos informales afirmativos de los siguientes verbos: *ser, ir, salir, hacer y decir*.

7. Diga qué hay delante de su casa, detrás de su escuela, dentro de su cómoda.

Palabras y expresiones

How many of these words and expressions do you recognize?

Objetos del baño
el cepillo de dientes
el esmalte de uñas
el lápiz de labios
la pasta de dientes
el secador

Adjetivos
desordenado,-a
furioso,-a
impaciente
mandón, mandona
mojado,-a
numeroso,-a
ordenado,-a
paciente

Verbos
abrazarse
besarse
enojarse
faltar
guardar
pelearse
pintarse
ponerse
prepararse
secarse
tocar

Muebles y otras cosas
la cómoda
el estante
la mesa de noche
la percha
el sofá

Para hacer la cama
la almohada
la cobija
el colchón
el cubrecamas
la funda
la sábana

Preposiciones de lugar
acá
delante de
dentro de
detrás de
enfrente de
fuera de

Otras palabras y expresiones
el desorden
la desventaja
la ventaja

La percha.

Las sábanas.

El cepillo de dientes.

Capítulo 2

ochenta y nueve **89**

Notes

Have students cut out photos from magazines that depict items typically found in a bedroom or bathroom. Have them describe the photos orally for the class.

Students should visit the Internet Resource Center at www.emcp.com to complete this activity online and check answers.

Teacher Resources

 Activity 15

 p. 102

Answers

Autoevaluación
Possible answers:

1. Me despierto, me levanto, me baño, me cepillo los dientes y me visto.

2. Estoy enojado porque no pude ir al baile de la escuela. Me aburro en las fiestas. Me puse furioso cuando mi amigo no me llamó.

3. Me falta un minuto para terminar. Ahora me toca a mí usar el baño.

4. La familia y el humor.

5. La mexicana y la dominicana.

6. Sé, ve, sal, haz y di.

7. Delante de mi casa hay un jardín. Detrás de mi escuela hay un patio. Dentro de mi cómoda hay mucha ropa.

Activities

Cooperative Learning
Have students ask each other questions about the color of their bed linens and location of furniture in their bedrooms.

National Standards

Communication
1.1, 1.3

Connections
3.1

Comparisons
4.2

89

Answers

Preparación
3, 5, 4, 1, 2

 Activities

Expansion

Questions you might like to ask as students read page 90: *Juan Rulfo expresó su arte por la escritura y, ¿qué más? (La fotografía.); ¿Cómo murió el padre de Rulfo? (Fue asesinado.); ¿Qué fue muy importante para la escritura de sus obras? (Sus observaciones de la vida de la gente en los pueblos de México.); ¿Qué es el movimiento llamado "realismo mágico"? (El trabajo literario en el que los elementos de la fantasía se mezclan con la realidad de los personajes y las escenas típicas.); ¿Qué premio muy importante recibió Rulfo? (El Premio Nacional de Literatura en 1970); ¿Cuándo se murió? (En 1986.)*

Prereading Strategy

Begin by telling students that they are going to read a story by the Mexican novelist Juan Rulfo (1918–1986). They may flip through the pages, look at the pictures and then read the *Estrategia*. Finally, they can complete the activity on the page.

National Standards
Communication
1.1, 1.2
Cultures
2.2
Connections
3.1, 3.2

90

¡Viento en popa!

Ud. lee ▪▪▪▪▪▪▪▪▪▪▪▪▪▪▪▪

Estrategia

Visualizing

Visualizing is the process of creating a mental image from a written description. The author provides details that help readers represent in their minds the setting, the characters and the events that take place in the story. You can visualize the personalities of the characters as well as their actions. In the following story, the author provides details about a father and his son's life throughout the dialog. As you read, write down the details that help you visualize the setting, the characters, and the events that take place in their journey.

Preparación

Después de leer la biografía de Juan Rulfo, ponga los datos en orden cronológico.

Además de ser uno de los grandes escritores latinoamericanos del siglo XX, Juan Rulfo exploró[1] la fotografía y la creación de obras para radio, cine y televisión. Nació el 16 de mayo de 1918 en Acapulco, en el estado mexicano de Jalisco. Aunque su familia era rica, durante la Revolución Mexicana lo perdió todo. Cuando Rulfo tenía seis años, su padre fue asesinado. Ya adolescente, se interesó por la filosofía y el derecho[2]. Más tarde, trabajó como viajante[3] vendiendo neumáticos[4] para automóviles. Al viajar por todo el país pudo observar[5] la vida de la gente en los pueblos[6] de México. Más adelante, estas observaciones fueron muy importantes para la escritura de sus obras. El trabajo literario de Rulfo pertenece[7] al movimiento[8] llamado realismo mágico, en el que los elementos de la fantasía se mezclan con la realidad de los personajes. Rulfo recibió muchos premios; uno de los más importantes fue el Premio Nacional de Literatura en 1970. Murió en Ciudad de México en 1986.

Juan Rulfo.

[1]explored [2]law [3]traveling salesman [4]tires [5]observe [6]villages
[7]belongs [8]movement

1. En sus obras, el autor utiliza sus observaciones sobre la gente de los pueblos pequeños de México.
2. Rulfo gana el Premio Nacional de Literatura.
3. La familia del autor pierde todo durante la Revolución y su padre es asesinado.
4. Rulfo trabaja como viajante.
5. Rulfo se interesa por la filosofía y el derecho.

Notes

Play the audio recording of the first paragraph of the reading with students following along in the book. Give them a moment to look over the paragraph silently. Ask for a student to volunteer to read the paragraph aloud. Continue in this way for subsequent paragraphs.

Explain to students that it is not essential to understand every word they read in Spanish. Some translations, however, do appear at the end of each page of text.

Realismo mágico is one of the key genres of literature from Latin America. Other famous writers of this style are Gabriel García Márquez (Colombia), Mario Vargas Llosa (Perú) and Isabel Allende (Chile).

¿No oyes ladrar los perros?

—Tú que vas allá arriba, Ignacio, dime si no oyes alguna señal de algo o si ves alguna luz en alguna parte.

—No se ve nada.

—Ya debemos estar cerca.

—Sí, pero no se oye nada.

—Mira bien.

—No se ve nada.

—Pobre de ti, Ignacio.

La sombra[1] larga y negra de los hombres siguió moviéndose de arriba abajo, trepándose[2] a las piedras, disminuyendo[3] y creciendo según avanzaba por la orilla del arroyo[4]. Era una sola sombra, tambaleante[5].

La luna venía saliendo de la tierra, como una llamarada[6] redonda.

—Ya debemos estar llegando a ese pueblo, Ignacio. Tú que llevas las orejas de fuera, fíjate a ver si no oyes ladrar los perros. Acuérdate que nos dijeron que Tonaya estaba detrasito del monte. Y desde qué horas que hemos dejado el monte. Acuérdate, Ignacio.

—Sí, pero no veo rastro[7] de nada.

—Me estoy cansando.

—Bájame.

El viejo se fue reculando[8] hasta encontrarse con el paredón y se recargó[9] allí, sin soltar la carga de sus hombros. Aunque se le doblaban las piernas, no quería sentarse, porque después no hubiera podido levantar el cuerpo de su hijo, al que allá atrás, horas antes, le habían ayudado a echárselo[10] a la espalda. Y así lo había traído desde entonces.

—¿Cómo te sientes?

—Mal.

Hablaba poco. Cada vez menos. En ratos parecía dormir. En ratos parecía tener frío. Temblaba[11]. Sabía cuándo le agarraba a su hijo el temblor por las sacudidas[12] que le daba, y porque los pies se le encajaban en los ijares[13] como espuelas[14]. Luego las manos del hijo, que traía trabadas en su pescuezo, le zarandeaban[15] la cabeza como si fuera una sonaja[16]. Él apretaba los dientes para

Un pueblito mexicano.

no morderse la lengua y cuando acababa aquello le preguntaba:

—¿Te duele mucho?

—Algo —contestaba él.

Primero le había dicho: "Apéame[17] aquí... Déjame aquí... Vete tú solo. Yo te alcanzaré mañana o en cuanto me reponga[18] un poco". Se lo había dicho como cincuenta veces. Ahora ni siquiera eso decía. Allí estaba la luna. Enfrente de ellos. Una luna grande y colorada que les llenaba de luz los ojos y que estiraba y oscurecía más su sombra sobre la tierra.

—No veo ya por dónde voy —decía él. Pero nadie le contestaba. El otro iba allá arriba, todo iluminado por la luna, con su cara descolorida, sin sangre, reflejando una luz opaca. Y él acá abajo.

—¿Me oíste, Ignacio? Te digo que no veo bien. Y el otro se quedaba callado[19].

Siguió caminando, a tropezones[20]. Encogía el cuerpo y luego se enderezaba[21] para volver a tropezar de nuevo.

[1]shadow [2]creeping [3]shrinking [4]shore of a stream [5]tottering [6]flare [7]trail [8]backed up [9]leaned against [10]throw him [11]He trembled [12]shakings [13]wedged in the flanks [14]spurs [15]shook [16]rattle [17]Put me down [18]recover [19]silent [20]by fits and starts [21]straightened

Teacher Resources

 ¡Viento en popa!
¿No oyes ladrar los perros?
(CD 4, #21)

Activities

Expansion

Ask: *¿Quién agarra a quién?*
(El viejo agarra a su hijo.)

After students have read the page, ask: *¿Qué crees que ha ocurrido?*

Multiple Intelligences (bodily-kinesthetic)

Invite a volunteer to read with expression the paragraph that begins with *La sombra…* Another volunteer can act out the description through body movements.

Multiple Intelligences (linguistic)

Linguistic students can list the words that describe or allude to the time of day.

Notes

You might have students search the text for all the verbs that describe movement: *echarse, encajar, apearse, apretar, encogerse, enderezarse, destrabar, agarrarse* and so on. Have them look up the meaning of these verbs in the dictionary and encourage them to write original sentences with them.

AP Spanish Literature. This story by Juan Rulfo is on the College Board AP Spanish literature required reading list for twentieth-century authors.

National Standards

Communication
1.1, 1.2, 1.3

Cultures
2.2

Connections
3.1

Ask students about the symbolic elements of the readings. For example: *¿Qué significa el hecho de que el padre lleva a su hijo sobre los hombros? (Que el hijo es una carga para el padre.); ¿Qué importancia tiene el personaje de la madre en este cuento? (La madre es un elemento que une al padre y al hijo.)*

To ensure proper understanding of the text, ask comprehension questions. Some suggestions: *¿A qué pueblo van el padre y su hijo? (A Tonaya.); ¿Por qué van allí? (Para encontrar un doctor.); ¿Por quién hace el padre el sacrificio de llevar a su hijo en los hombros? (Por su difunta mujer.); ¿Qué había hecho el hijo? (Había robado y matado gente.); ¿Quién era Tranquilino? (Era el compadre del padre; el hombre que había bautizado al hijo.); ¿Qué le había pasado a Tranquilino? (El hijo lo había matado.)*

—Éste no es ningún camino. Nos dijeron que detrás del cerro estaba Tonaya. Ya hemos pasado el cerro. Y Tonaya no se ve, ni se oye ningún ruido que nos diga que está cerca. ¿Por qué no quieres decirme qué ves, tú que vas allá arriba, Ignacio?

—Bájame, padre.

—¿Te sientes mal?

—Sí.

—Te llevaré a Tonaya a como dé lugar. Allí encontraré quien te cuide. Dicen que allí hay un doctor. Yo te llevaré con él. Te he traído cargando desde hace horas y no te dejaré tirado aquí para que acaben contigo quienes sean.

Se tambaleó un poco. Dio dos o tres pasos de lado y volvió a enderezarse.

—Te llevaré a Tonaya.

—Bájame.

Su voz se hizo quedita[1], apenas murmurada:

—Quiero acostarme un rato.

—Duérmete allí arriba. Al cabo te llevo bien agarrado[2].

La luna iba subiendo, casi azul, sobre un cielo claro. La cara del viejo, mojada en sudor, se llenó de luz. Escondió los ojos para no mirar de frente, ya que no podía agachar[3] la cabeza agarrotada[4] entre las manos de su hijo.

—Todo esto que hago, no lo hago por usted. Lo hago por su difunta[5] madre. Porque usted fue su hijo. Por eso lo hago. Ella me reconvendría[6] si yo lo hubiera dejado tirado allí, donde lo encontré, y no lo hubiera recogido para llevarlo a que lo curen, como estoy haciéndolo. Es ella la que me da ánimos, no usted. Comenzando porque a usted no le debo más que puras dificultades, puras mortificaciones[7], puras vergüenzas[8].

Sudaba[9] al hablar. Pero el viento de la noche le secaba el sudor. Y sobre el sudor seco, volvía a sudar.

—Me derrengaré[10], pero llegaré con usted a Tonaya, para que le alivien[11] esas heridas[12] que le han hecho. Y estoy seguro de que, en cuanto se sienta usted

bien, volverá a sus malos pasos. Eso ya no me importa. Con tal que se vaya lejos, donde yo no vuelva a saber de usted. Con tal de eso... Porque para mí usted ya no es mi hijo. He maldecido[13] la sangre que usted tiene de mí. La parte que a mí me tocaba la he maldecido. He dicho: "¡Qué se le pudra[14] en los riñones[15] la sangre que yo le di!". Lo dije desde que supe que usted andaba trajinando[16] por los caminos, viviendo del robo y matando gente... Y gente buena. Y si no, allí está mi compadre Tranquilino. El que lo bautizó[17] a usted. El que le dio su nombre. A él también le tocó la mala suerte de encontrarse con usted. Desde entonces dije: "Ése no puede ser mi hijo".

—Mira a ver si ya ves algo. O si oyes algo. Tú que puedes hacerlo desde allá arriba, porque yo me siento sordo[18].

—No veo nada.

—Peor para ti, Ignacio.

—Tengo sed.

—¡Aguántate[19]! Ya debemos estar cerca. Lo que pasa es que ya es muy noche y han de haber apagado la luz en el pueblo. Pero al menos debías de oír si ladran los perros. Haz por oír.

—Dame agua.

—Aquí no hay agua. No hay más que piedras. Aguántate. Y aunque la hubiera, no te bajaría a tomar agua. Nadie me ayudaría a subirte otra vez y yo solo no puedo.

—Tengo mucha sed y mucho sueño.

—Me acuerdo cuando naciste. Así eras entonces. Despertabas con hambre y comías para volver a dormirte. Y tu madre te daba agua, porque ya te habías acabado la leche de ella. No tenías llenadero[20]. Y eras muy rabioso[21]. Nunca pensé que con el tiempo se te fuera a subir aquella rabia a la cabeza... Pero así fue. Tu madre, que descanse en paz, quería que te criaras[22]

[1]quiet [2]tight [3]to lower [4]clutched [5]deceased
[6]would reproach me [7]mortifications [8]shame
[9]He perspired [10]go lame [11]relieve [12]wounds
[13]cursed [14]rot [15]kidneys [16]rushing about
[17]baptized [18]deaf [19]Hang on! [20]You were insatiable
[21]angry [22]grow up

Notes Explain that family bonds are extremely strong in Spanish-speaking cultures. The father in the story may condemn and curse his son for the murders he committed, but he never abandons him.

National Standards

Communication	Comparisons
1.1, 1.2	4.2
Cultures	
2.2	
Connections	
3.1	

fuerte. Creía que cuando tú crecieras irías a ser su sostén. No te tuvo más que a ti. El otro hijo que iba a tener la mató. Y tú la hubieras matado otra vez si ella estuviera viva a estas alturas.

Sintió que el hombre aquel que llevaba sobre sus hombros dejó de apretar[1] las rodillas y comenzó a soltar los pies, balanceándolos[2] de un lado para otro. Y le pareció que la cabeza, allá arriba, se sacudía como si sollozara[3].

Sobre su cabello sintió que caían gruesas gotas[4], como de lágrimas.

—¿Lloras, Ignacio? Lo hace llorar a usted el recuerdo de su madre, ¿verdad? Pero nunca hizo usted nada por ella. Nos pagó siempre mal. Parece que en lugar de cariño, le hubiéramos retacado[5] el cuerpo de maldad. ¿Y ya ve? Ahora lo han herido. ¿Qué pasó con sus amigos? Los mataron a todos. Pero ellos no

tenían a nadie. Ellos bien hubieran podido decir: "No tenemos a quién darle nuestra lástima". ¿Pero usted, Ignacio?

Allí estaba ya el pueblo. Vio brillar los tejados bajo la luz de la luna. Tuvo la impresión de que lo aplastaba el peso de su hijo al sentir que las corvas[6] se le doblaban en el último esfuerzo. Al llegar al primer tejaván[7], se recostó sobre el pretil de la acera[8] y soltó el cuerpo, flojo, como si lo hubieran descoyuntado[9].

Destrabó[10] difícilmente los dedos con que su hijo había venido sosteniéndose de su cuello y, al quedar libre, oyó cómo por todas partes ladraban los perros.

—¿Y tú no los oías, Ignacio? —dijo—. No me ayudaste ni siquiera con esta esperanza.

[1]to press   [2]shifting him   [3]sobbing   [4]drops   [5]hit you
[6]backs of the knees   [7]shed   [8]base of a wall
[9]disjointed   [10]He untangled

A ¿Qué recuerda Ud.?

1. ¿Por qué el viejo lleva a su hijo cargado en la espalda?
2. ¿Qué ayuda espera el viejo encontrar en Tonaya?
3. ¿Por qué el viejo no quiere bajar a su hijo hasta llegar al pueblo?
4. ¿Qué cosas malas hizo el hijo?
5. ¿Por qué los dos hombres quieren oír ladrar los perros?
6. ¿Qué le pasó a la madre, según lo que cuenta el viejo?
7. ¿Qué le dice el viejo al hijo cuando éste le dice que quiere acostarse un rato?

B Algo personal

1. ¿Está de acuerdo con el comportamiento del viejo con respecto a su hijo?
2. ¿Qué haría Ud. en esa misma situación?¿Por qué?
3. ¿Cree que el viejo ayuda al hijo sólo por respeto a la memoria de la madre muerta? Explique su respuesta.
4. ¿Cree que todavía existe el mundo que describe la historia?
5. ¿Le gusta el estilo literario de Juan Rulfo? Explique por qué.

Hombre de pueblo.

Teacher Resources

 Activity A (CD 4, #22)
Activity B (CD 4, #23)

 Answers

A 1. El hijo está herido.
2. El viejo espera conseguir la ayuda de un doctor.
3. El viejo no quiere bajar a su hijo por miedo a no poder volver a levantarlo después.
4. El hijo ha vivido una vida muy mala, robando y matando.
5. Los dos hombres saben que los ladridos de los perros anunciarán la proximidad del pueblo.
6. La madre se murió cuando iba a tener otro niño.
7. Que se duerma allí arriba.

B Answers will vary.

 Activities

Critical Thinking/Expansion
Other questions you might ask:

1. *¿Qué relación tienes con tu padre u otra persona que se preocupa por ti? ¿Crees que esa persona haría cualquier cosa por ti?*
2. *¿Crees que te perdonaría esa persona cualquier error que hicieras, por grave que fuera?*
3. *¿Crees que las personas que se crían con amor y cariño siempre resultan ser buenas personas, o hay otras influencias en la vida que pueden influir en el comportamiento de las personas?*

National Standards

Communication
1.1, 1.2

Cultures
2.2

Connections
3.1

Notes

The dogs in the story represent a goal that the father is trying to reach, that is, to find a place where both father and son will be safe. However, at the end of the story only the father can hear the dogs bark. His son cannot hear them, which leads one to conclude that all hope is lost for him and that he will die.

Answers

Creative self-expression.

 Activities

Cooperative Learning/Language through Action
Students should work in groups to act out for the class the film scenes they have written.

Critical Listening
Ask a volunteer to read to the class his or her paragraph about a film scene. Instruct students to listen carefully to the story. When the volunteer has finished the reading, ask comprehension questions of the class and call on students to answer them.

Multiple Intelligences (musical)
Challenge students to choose appropriate Spanish music for the film score. Have them also write a brief review about the music chosen, including background information about the style of the music and the names of the performers.

Spanish for Spanish Speakers
Ask students to choose famous Latin American or Spanish film stars to appear in the scene they create. They can illustrate the scene in a billboard using magazine cutouts of the stars, and list the credits for each star's role. For example: *Protagonistas: Antonio Banderas…Timoteo.*

National Standards
Communication
1.1, 1.2, 1.3
Cultures
2.2
Connections
3.1

94

Ud. escribe

Estrategia
Combining sentences
In order to make your writing more fluid and less repetitious, you can combine two or more simple sentences into one. To combine sentences, you can use coordinating conjunctions such as *y, pero, que, al mismo tiempo.* You can also use words and expressions commonly used to connect ideas, such as *entonces, porque, también, mientras.* For example, rather than writing *Gloria está sentada en el sofá. Ella está mirando la televisión,* you can eliminate unnecessary words and combine the two sentences: *Gloria está sentada en el sofá porque está mirando la televisión.* Here is a valuable list of connecting words.

también	also
y	and
pero	but
porque	because
mientras	while
al mismo tiempo	at the same time
además	besides, furthermore

 Imagine que va a filmar *(film)* una escena de una película sobre cómo colaboran en la casa los miembros de una familia. En un párrafo, escriba las instrucciones para la escena. Puede escribir sobre su propia familia u otra imaginaria. Primero, organice sus ideas en una tabla como la de abajo. Esta tabla debe identificar a cada miembro de la familia, decir dónde está, y describir lo que está haciendo. Puede hacer más interesantes sus instrucciones agregando una cuarta columna con más detalles sobre cada persona. Luego, use la información de su tabla para escribir el párrafo. Puede usar la lista de arriba para combinar oraciones.

Los quehaceres del sábado		
miembro de la famila	**lugar**	**quehacer**
Mamá	el jardín	cortar flores
Papá	delante de la casa	lavar el coche
Timoteo	el jardín	cortar el césped

Notes
Mention to students that there are many famous Spanish and Latin American filmmakers, both current and from the past. For example, Pedro Almodóvar is one of the most famous contemporary filmmakers from Spain. Luis Buñuel is a famous Spanish filmmaker.

Proyectos adicionales ■ ■ ■ ■ ■ ■ ■ ■

A Conexión con la tecnología

La ciudad de Sacramento, capital del estado de California, con su gran comunidad de habla hispana, tiene una historia muy interesante y una gran variedad de atracciones para los turistas. Busque en la internet información sobre esta ciudad y úsela para crear un cartel sobre Sacramento. Incluya detalles sobre su historia, su gente, su cocina, su arquitectura y sus atracciones turísticas, como el Museo de la Wells Fargo o el Fuerte de Sutter. Agregue fotos de Sacramento. Pegue el cartel junto con los de sus compañeros en la exposición de la clase.

B Conexión con otras disciplinas: literatura

Hay una gran variedad de premios de literatura en los países de habla hispana. Imagine que escribió un cuento en español y que quiere participar en un concurso literario. Busque en la internet información sobre los premios que se dan en los concursos de literatura en los países de habla hispana. Incluya información como la siguiente:

- nombre del premio
- país que da el premio
- escritores que ya han ganado el premio
- títulos de las obras que han ganado el premio

Organice en una tabla la información que halló y úsela para hacer una presentación oral sobre los premios de literatura que conoce.

C Comparaciones

Compare un mural de la muralista norteamericana Marion Greenwood con el de un muralista mexicano como, por ejemplo, José Clemente Orozco o David Alfaro Siqueiros. Busque en la internet las imágenes y la información que necesita para hacer su comparación. Preste atención a las semejanzas *(similarities)* y diferencias entre los elementos de los murales, tales como el lugar donde se encuentran, sus temas, sus colores, sus estilos, y otros elementos importantes. Organice sus ideas en una tabla como la de abajo. Luego, escriba un párrafo con la información de la tabla sobre las dos obras.

título del mural de Marion Greenwood	título del mural de un muralista mexicano
lugar	lugar
tema	tema
colores	colores
estilo	estilo
otros elementos importantes	otros elementos importantes

Notes
Activity B offers cross-curricular connections to literature.

As an expansion to activity C, have students do a report on the work of Los Angeles muralist Judith Francisca Baca.

Teacher Resources

p. 88

Activities

Spanish for Spanish Speakers
Following the guidelines for activity A, have students create a brochure about their home country. Include the main tourist attractions, typical foods and a brief history. You might also want to include a guide for hotels and restaurants. Display the brochures in the classroom.

National Standards	
Communication 1.3	**Comparisons** 4.2
Cultures 2.1, 2.2	**Communities** 5.1
Connections 3.1, 3.2	

El cuarto misterioso
Documental 1

Trabalenguas (CD 4, #24)

 Answers

Así se hace el misterio

1. Marco vive en un edificio de departamentos, cerca de la famosa Sagrada Familia. Su departamento es pequeño, con un pasillo largo y cuartos pequeños. Lo comparte con dos amigos.
2. Answers will vary.
3. A Marco le interesa vivir en un sitio tranquilo. También, como su madre es catalana tiene curiosidad de conocer a su familia.

 Activities

Communities
Ask students to interview a Hispanic about a popular festival in his or her home country. Students can share their findings with the class.

Multiple Intelligences (logical-mathematical/spatial)
Have students create an architectural floor plan of their dream house, labeling each area and marking each family member's room.

Trabalenguas
Challenge students to rewrite the *Trabalenguas* using a different combination of the current content.

National Standards	
Communication 1.1, 1.3	**Communities** 5.1
Cultures 2.1, 2.2	
Connections 3.1, 3.2	

96

REPASO

Now that I have completed this chapter, I can...

	Go to these pages for help:
describe family members.	50, 51
express negation and disagreement.	54, 55
name different areas of a house and household items	58, 59
talk about activities in progress.	63
make generalized statements.	66
talk about daily routine.	70, 74
describe emotions and relationships.	76
talk about house chores.	80
tell others what to do.	84

I can also...

Explain why so many people use "Spanglish."	53
identify some things to do in La Pequeña Habana.	57
talk about a popular festival in San Antonio.	61
read about a well-known Mexican-American artist.	68
discuss marketing strategies that appeal to Hispanic communities in the U. S.	73
read about Hispanic communities in New York.	83
describe life in a Spanish ranch in Santa Fe.	88
read a short story by a Mexican writer.	91

Así se hace el misterio

Después de mirar Episodios 6–10, de *El cuarto misterioso*, contesta las siguientes preguntas.

1. Describe el barrio y la "casa" de Marco. ¿Cómo son diferentes a los tuyos?

2. ¿Cuál pasión de Marco te interesa más? ¿Por qué?

3. ¿Por qué a Marco le gusta vivir en Barcelona?

Trabalenguas

No me mires que nos miran, nos miran que nos miramos, miremos que no nos miren y cuando no nos miren nos miraremos, porque si nos miramos descubrir pueden que nos amamos.

Notes

Loose translation of the *Trabalenguas*:

Don't look at me, they're watching,
They're watching how we look at each other,
Don't let them see us,
And when they're not looking,
We can gaze at each other,
Because if we don't look at each other

Perhaps they may guess
That we love each other.

Vocabulario

abrazarse to hug each other *2B*
acá here *2B*
la **almohada** pillow *2B*
la **barba** beard *2A*
el **basurero** garbage can *2A*
besarse to kiss each other *2B*
el **bigote** mustache *2A*
la **caja** box *2A*
la **calefacción** heating *2A*
casado,-a married *2A*
castaño,-a brown or hazel *2A*
el **cepillo de dientes** toothbrush *2B*
clavar to nail *2A*
el **clavo** nail *2A*
la **cobija** blanket *2B*
el **colchón** mattress *2B*
la **cómoda** chest of drawers, bureau *2B*
conectar to connect *2A*
construir (y) to build *2A*
el **cortacésped** lawnmower *2A*
el **cubrecamas** bedcover *2B*
la **cuñada** sister-in-law *2A*
el **cuñado** brother-in-law *2A*
decorar to decorate *2A*
delante de in front of *2A*
dentro de inside of *2B*
desarmar to take apart *2A*
el **desorden** disorder *2B*
desordenado,-a messy *2B*
el **destornillador** screwdriver *2A*
la **desventaja** disadvantage *2B*

el **detector de humo** smoke detector *2A*
a diferencia de unlike, contrary to *2A*
enchufar to plug in *2A*
enfrente de facing, in front of *2B*
enojarse to get angry *2B*
el **esmalte de uñas** nail polish *2B*
el **estante** shelving, bookcase *2B*
el **extinguidor de incendios** fire extinguisher *2A*
faltar to be missing *2B*
fuera de out of *2B*
funcionar to function, to work *2A*
la **funda** pillow case *2B*
furioso,-a furious *2B*
los **gemelos**, las **gemelas** twins *2A*
guardar to put away, to keep *2B*
impaciente impatient *2B*
lacio straight (hair) *2A*
el **lápiz de labios** lipstick *2B*
los **lentes** glasses *2A*
la **madrina** godmother *2A*
mandón, mandona bossy *2B*
el **martillo** hammer *2A*
la **mesa de noche** night table *2B*
mojado,-a wet *2B*
la **nuera** daughter-in-law *2A*
numeroso,-a large (in numbers) *2B*

ordenado,-a neat *2B*
paciente patient *2B*
el **padrino** godfather *2A*
el **pasillo** hall, corridor *2A*
la **pasta de dientes** toothpaste *2B*
pelearse to fight *2B*
la **percha** hanger *2B*
pintarse los labios to put on lipstick *2B*
ponerse to become, to get *2B*
prepararse to prepare, to get ready *2B*
propio,-a one's own *2A*
regar (ie) to water *2A*
rizado,-a curly *2A*
la **sábana** sheet *2B*
sacar fotos to take pictures *2A*
el **secador de pelo** hair dryer *2B*
secarse to dry *(oneself)* *2B*
el **sofá** sofa *2B*
soltero,-a single *2A*
la **suegra** mother-in-law *2A*
el **suegro** father-in-law *2A*
el **suelo** floor *2A*
la **terraza** terrace *2A*
tocar to be someone's turn *2B*
el **tornillo** screw *2A*
vaciar to empty *2A*
la **ventaja** advantage *2B*
viudo,-a widower, widow, widowed *2A*
el **yerno** son-in-law *2A*

Teacher Resources

Assessment
Test Booklet
Quizzes
ExamView
Assessment Suite

Activities

Cooperative Learning/Multiple Intelligences (linguistic)
Have students work in small groups to create word puzzles, such as crossword puzzles or word searches, using the *Vocabulario*.

Critical Thinking
Ask students to write definitions in Spanish for five *Vocabulario* words. Students read their definitions to their partner, who must then guess the words.

Las gemelas.

Una cómoda.

Capítulo 2

noventa y siete **97**

Notes   *Los gemelos* are also called *los mellizos*. In some countries *los lentes* are called *las gafas* and *los anteojos*. Some people prefer to use *tomar fotos* instead of *sacar fotos*.

National Standards
Communication 1.1, 1.2
Comparisons 4.1

Teacher Resources

El cuarto misterioso
Documental 2

 Symtalk   Units 18 andd 19

Connections with Parents

As this chapter focuses on the news, you might suggest to parents or guardians that they talk about newspapers and news programs with their children. They might help point out a news story about Latin America, Spain or Hispanics and discuss it with their child.

◆ Answers

El cuarto misterioso
1. Answers will vary.
2. Answers will vary.
3. Answers will vary.
4. Answers will vary.

National Standards

Communication
1.1

Connections
3.1

Communities
5.1

CAPÍTULO 3

¿Qué pasa en el mundo?

El cuarto misterioso

Contesta las siguientes preguntas sobre esta escena del *Documental 2–Anna Ros (Ana).*

1. ¿Crees que Anna viene de una familia del cine?
2. ¿Es necesario que un actor o actriz sea una persona extrovertida?
3. ¿Qué se necesita aprender o estudiar para ser actor o actriz?
4. ¿Qué te parecen los padre de Anna?

DVD 5, Episodios 21–24. Anna nos presenta a sus padres.

Objetivos

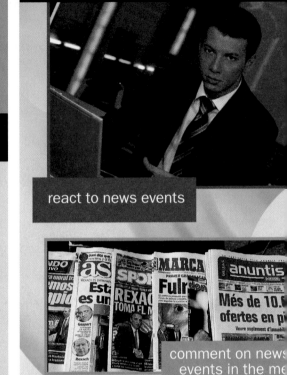

react to news events

comment on news events in the me[dia]

classify news in corresponding sections

Notes

Communicative objectives are provided to prepare students for the chapter they are about to study. A list of such functions appears on pages 119 and 139 so students can evaluate their progress.

As students to look at the screen shot from *El cuarto misterioso*. Ask them to write questions that they have about the screen shot. Ask them to share their questions with the class. Ask different students to try to answer the questions.

link parts of
sentences

talk about how long something
has been going on

recall and talk about
events in the past

talk about activities
of the media

www.emcp.com

i-CULTURE
Authentic Connections to the World

 Contexto cultural

España
Nombre oficial: Reino de España
Población: 44.100.000
Capital: Madrid
Ciudades importantes: Barcelona,
Valencia, Sevilla
Unidad monetaria: el euro
Fiesta nacional: 12 de octubre, Día
de la Hispanidad
Gente famosa: Antonio Banderas
(actor); Pablo Picasso (pintor);
Penélope Cruz (actriz)

Activities

Communities
Ask students to name some
Spanish-language newspapers and
magazines that are popular in your
community.

Expansion
Set up a news bulletin board in the
classroom. Encourage students
to bring in news stories about
Spanish-speaking countries.

Prior Knowledge
Take a few minutes to let students
reflect on the chapter objectives.
Ask students: *¿Qué sección del
periódico lees tú primero?; ¿Qué
piensas nos interesa más en los
Estados Unidos, las noticias
nacionales o las internacionales? ¿Por
qué?; ¿Cuánto tiempo hace que no
lees sobre algo pasa en el mundo?;
¿Qué pasó en el mundo ayer/la
semana pasada?; ¿Cómo eras tú
cuando tenías 5 años?; ¿Dónde te
enteras de los acontecimientos del
mundo?; ¿Qué hiciste ayer? ¿Qué
habías hecho antes?*

National Standards	
Communication 1.1	**Comparisons** 4.2
Cultures 2.1, 2.2	**Communities** 5.1
Connections 3.1	

Notes

Point out that in Spain, magazines
and newspapers are sold in stands called
kioscos.

Point out that the euro is the common
currency throughout almost all the countries
of the European Union.

Model possible answers for students.
You don't need to go into great detail. By
modeling your answers, students will
be well-prepared to learn the concepts
in greater depth when they are formally
introduced to them.

Teacher Resources

Vocabulario I
¿Qué dicen los titulares?
(CD 5, #1)

Activity 1 (CD 1, #26)

Activity 9

Activities 1–3

Activity 1

Activities 1–2

Content reviewed in *Lección A*

- sections of a newspaper
- news and events in the media
- talk about events in the past

◆ Activities

Critical Thinking

Challenge students to list as many cognates as they can find on the page. Who has the longest list?

TPR

Hang sections of a Spanish-language newspaper around the room. Once you have gone over *Vocabulario I* and the names of the newspaper sections, direct students to interact with the various pages by telling them to do actions such as the following: *Ve a la sección de Ocio y tócala. Ve a la sección de Sociedad y con el dedo haz un círculo alrededor de una persona en esa página. Señala con el dedo el Suplemento dominical*, etc.

National Standards
Communication 1.1, 1.2, 1.3
Cultures 2.1
Connections 3.1, 3.2

100

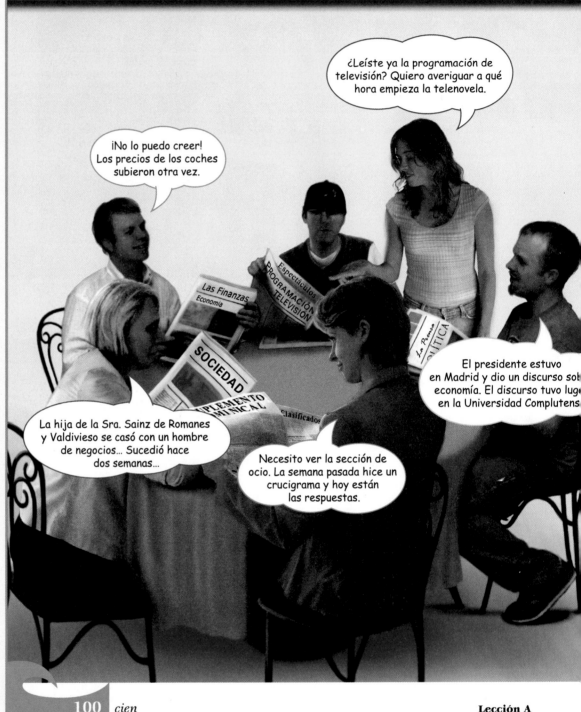

Lección A · Vocabulario I · España

¿Qué dicen los titulares?

100 *cien* — Lección A

Notes

Ask a volunteer to read aloud some of *los titulares* in the actual newspapers or on page 100, using a "newscaster" voice.

Call on a student volunteer to explain the formation of last names in Spain *(la Sra. Sainz de Romanes y Valdivieso)*.

As a whole-class activity, ask students to brainstorm and list topics they would likely find in each section of the newspaper. These associations will help them remember the new words *(Espectáculos: películas, arte, teatro, música, etc.)*.

1 ¿Qué sección del periódico?

 ¿En qué secciones aparecieron estas noticias? Indique la letra de la ilustración de la sección que corresponde a cada noticia que escucha.

A

B

C

D

E

F

2 ¿Qué palabra es?

Complete las oraciones con las palabras de la caja.

crucigrama	tuvo lugar	clasificados
averiguar	sucedió	suplemento dominical

1. El discurso ___ en el Palacio de la Moncloa.
2. Todos los domingos mi familia y yo leemos el ___.
3. No pude encontrar la última palabra del ___.
4. El accidente ___ en una calle cerca de mi casa.
5. No pudimos ___ qué sucedió ese día en la casa de Elena.
6. Encontré un trabajo fantástico en la sección de ___.

Estrategia
Identify words by their grammatical function

When you're asked to fill in sentences with words from a list, try to figure out the grammatical function of the missing word: Is it a noun, a verb or an adjective? Then, go back to the word list and find a word that fits into that category. You'll see how much easier it will be to identify the missing word.

Un periódico de Galicia.

Capítulo 3

ciento uno

Teacher Resources

Activity 1 (CD 5, #2)

Answers

1
1. D
2. E
3. F
4. A
5. B
6. C

2
1. tuvo lugar
2. suplemento dominical
3. crucigrama
4. sucedió
5. averiguar
6. clasificados

Activities

Communities
Have students bring to class a news story (in English or Spanish—extra points!) for each of the *secciones* in activity 1.

Expansion
To extend activity 2, have students create their own complete sentence for each of the words in the box.

Technology
For homework, direct students to skim pages of an online newspaper. They should download the page that most interests them. Students tell the class why they chose that page.

National Standards

Communication
1.1, 1.3

Connections
3.1, 3.2

Communities
5.1

Notes
Have students poll each other to find out what sections of the newspaper they like the most.

Teacher Resources

Diálogo I
¿Qué pasó? (CD 5, #3)
Activity 3 (CD 5, #4)
Activity 4 (CD 5, #5)
Activity 5 (CD 5, #6)

p. 11

Answers

3 1. Leyó que Enrique, el mejor jugador de básquetbol del Barcelona, se fue del equipo.
2. Se peleó con el presidente del equipo.
3. A Enrique no le gustó el discurso que dio el presidente.
4. Dice que Enrique va a jugar esta noche.
5. Van a dar el partido por TV1.

4 Answers will vary.

5 1. B
2. A
3. C
4. A

Activities

Multiple Intelligences (bodily-kinesthetic/linguistic)
After completing activity 3, have volunteers take turns summarizing Enrique's fight in the style of a Spanish TV news report.

Prereading Strategy
Draw on students' background knowledge about sports in the news by asking questions such as: *¿Cuántas personas miran un deporte en la televisión?; ¿Cuántas leen artículos sobre los deportes en el periódico?;* etc.

National Standards	
Communication 1.1, 1.2, 1.3	**Communities** 5.1
Connections 3.1, 3.2	
Comparisons 4.2	

Diálogo I ¿Qué pasó?

JOSÉ: ¿Leíste la sección de deportes de hoy, Carlos?
CARLOS: No, ¿qué sucedió?
JOSÉ: Enrique, el mejor jugador de baloncesto del Barcelona, se fue del equipo.
CARLOS: ¿Estás seguro?

JOSÉ: Sí, lo leí aquí... mira.
CARLOS: No lo puedo creer. Pero, ¿por qué?
JOSÉ: Se peleó con el presidente del equipo.
CARLOS: ¿Por qué?
JOSÉ: El presidente dio un discurso que a Enrique no le gustó.

CARLOS: ¿Jugó Enrique el partido de anoche?
JOSÉ: No, pero según la programación de televisión, va a jugar esta noche y van a dar el partido por TV1.
CARLOS: ¿Lo vemos?
JOSÉ: Bueno.

 ¿Qué recuerda Ud.?

1. ¿Qué leyó José en la sección de deportes?
2. ¿Por qué se fue el jugador del equipo?
3. ¿Sobre qué fue la pelea?
4. ¿Qué dice la programación de televisión?
5. ¿En qué canal van a dar el partido?

 Algo personal

1. ¿Qué sección del periódico lee Ud. con más frecuencia? ¿Por qué?
2. ¿Lee Ud. el suplemento dominical? ¿Qué sección le gusta más?
3. ¿Leyó Ud. alguna noticia importante esta semana? ¿Sobre qué?
4. ¿Cómo se entera Ud. mejor de las noticias, por el periódico, por la radio, por la televisión o por la internet?

 ¿En qué sección está?

))) Escuche las siguientes noticias correspondientes a cada foto y las secciones en que pueden aparecer. Escoja la letra de la sección correcta.

1　　　**2**　　　**3**　　　**4**

Notes

Comparisons. Compare news reporting on a particular day on the Internet from a Spanish source such as *El País* to a United States source such as CNN. Which news stories appear in both? Which stories do not?

If possible, bring some Spanish-language newspapers to class and distribute them among students. Have students compare them to your local newspapers. What differences can they find? Do they have the same sections?

Cultura viva I

Un *Aula*¹ muy especial

En 1999, los editores del periódico *El Mundo,* de España, tuvieron una idea magnífica: crearon un suplemento diario dedicado a los jóvenes estudiantes. El suplemento se llama *Aula* y se publica junto con el periódico. Cada día de la semana, *Aula* tiene un tema distinto: lunes

Aula ofrece concursos de pintura para los jóvenes.

didáctico, con artículos educativos, martes deportivo, miércoles solidaridad, con artículos sobre temas sociales como los derechos de los estudiantes, jueves científico y viernes cultural.

Aula tiene además una sección llamada Dazibao, en la cual los estudiantes expresan sus opiniones sobre temas de actualidad², intercambian puntos de vista³, hacen preguntas o piden cualquier información que necesiten.

Los profesores también son parte de la familia de *Aula.* Ellos usan en sus clases muchos de los materiales que se publican en el suplemento y dan sugerencias⁴ sobre los artículos que necesitan.

Una de las ideas más populares de *Aula* ha sido la creación de concursos de pintura, cuentos y poesía. Cada año, cientos de estudiantes envían sus trabajos artísticos y tienen oportunidad de leer y disfrutar⁵ el trabajo de otros jóvenes de su misma edad. Hace poco, *Aula* creó un concurso de fotoperiodismo⁶, donde los estudiantes pueden enviar sus propias fotos de algún suceso importante, curioso o simplemente cómico.

¹Classroom ²current events ³exchange points of view ⁴suggestions ⁵enjoy ⁶photojournalism

6 *Aula,* para los jóvenes

Conteste las siguientes preguntas.

1. ¿Qué es *Aula*?
2. ¿Qué tipo de artículos se publican en *Aula*?
3. ¿Qué objetivo tiene la sección Dazibao?
4. ¿Cómo participan los profesores en *Aula*?
5. ¿Cuál fue una de las ideas más populares de *Aula*?
6. ¿Cree que es una buena idea tener un suplemento como *Aula*? ¿Por qué?

¡Oportunidades!

Siga la actualidad informativa en español

Leer habitualmente periódicos en español es una excelente manera de practicar el idioma. En Estados Unidos es fácil encontrar ediciones de diarios escritos en español. Algunos, como *El Nuevo Herald,* de Miami, o el diario *Hoy,* de Nueva York, tienen una gran tirada *(print run).* Otra fuente inagotable de periódicos en español es la internet, donde puede encontrar una amplia selección de diarios de cualquier país de habla hispana. Vale la pena analizar cómo están escritos esos periódicos, ver qué secciones tienen y qué temas interesan en cada país.

Capítulo 3

ciento tres 103

Notes

As a warm-up activity, have students discuss any online student magazines or newspapers that they are familiar with. Which ones do they especially like and dislike? Which ones would they recommend to exchange students? For what reasons?

Ask students to read the *Dazibao* section of *Aula* and then write their own opinion about an important topic. After editing and proofreading their papers, they can submit them via the Internet to this student supplement in Spain.

Teacher Resources

 Activity 4

 Answers

6 1. *Aula* es un suplemento diario dedicado a los jóvenes estudiantes.
2. Se publican artículos sobre temas educativos, deportivos, sociales, científicos y culturales.
3. El objetivo es que los estudiantes expresen sus opiniones sobre temas de actualidad.
4. Los profesores usan en sus clases muchos de los materiales que se publican en el suplemento y dan sugerencias sobre los artículos que necesitan.
5. La creación de concursos de pintura, cuentos y poesía.
6. Answers will vary.

 Activities

Critical Thinking
Using the resource list the Spanish speakers created, have groups compare headlines from each online version of the newspapers on the same day. Discuss how news agendas differ around the world and how certain issues are more important depending on where one lives.

Spanish for Spanish Speakers
Have these students research popular newspapers in their home countries and compile a resource list for the class.

National Standards	
Communication 1.1, 1.2, 1.3	**Communities** 5.1
Cultures 2.1, 2.2	
Connections 3.1, 3.2	

Answers

7   1. llegué
2. busqué
3. tratamos
4. regresó
5. subió, comenzó
6. comimos
7. llegó, comió
8. miramos

 Activities

Prereading Activity

Before you begin the lesson, activate students' prior knowledge about the past. Ask: *¿Cuáles son algunas expresiones que usamos con el pretérito?* (*Ayer, anoche, la semana pasada, el año pasado*, etc.) Have students recall what happened just five minutes ago. Ask: *¿Qué pasó en esta clase a las* (time)?

Students with Special Needs

To practice conjugating verbs in the preterite, write some verb stems on the board. Write different verb endings on index cards (one per card). Distribute a card to each student. Point to a stem and call out a subject pronoun. A student who has the correct verb ending tapes the card next to the stem on the board.

National Standards
Communication 1.1
Comparisons 4.1

104

 Idioma

Repaso rápido

El pretérito

You are already familiar with the use of the preterite tense to talk about past activities and events. Now, review how the preterite of regular verbs is formed.

hablar	
hablé	hablamos
hablaste	hablasteis
habló	hablaron

comer	
comí	comimos
comiste	comisteis
comió	comieron

escribir	
escribí	escribimos
escribiste	escribisteis
escribió	escribieron

Verbs that end in *-car*, *-gar* and *-zar* have a spelling change in the *yo* form of the preterite.

$c \rightarrow qu$
bus**car** → bus**qué**
sa**car** → sa**qué**

$g \rightarrow gu$
ju**gar** → ju**gué**
lle**gar** → lle**gué**

$z \rightarrow c$
comen**zar** → comen**cé**
cru**zar** → cru**cé**

7 **Una noche como todas**

Enrique le cuenta a un amigo lo que hizo ayer después de la escuela. Complete lo que dice con el pretérito de los verbos en paréntesis.

MODELO   Anoche no *(suceder)* nada especial.
Anoche no sucedió nada especial.

1. Yo *(llegar)* a casa a las cinco.
2. Después *(buscar)* la sección de ocio del periódico.
3. Luego, mi hermano y yo *(tratar)* de hacer el crucigrama.
4. A las seis mi papá *(regresar)* del trabajo.
5. Él *(subir)* a su cuarto y *(comenzar)* a leer el periódico.
6. Mi papá, mi hermano y yo *(comer)* juntos.
7. Mi mamá *(llegar)* tarde y no *(comer)*.
8. Después de comer nosotros *(mirar)* las noticias por televisión.

 ¡Extra!

Expresiones de tiempo

Estas expresiones de tiempo se usan a menudo con el pretérito.

anoche	*last night*
anteanoche	*night before last*
anteayer	*the day before yesterday*
ayer	*yesterday*
de repente	*suddenly*
desde que	*since*
después	*after*
el año/mes pasado	*last year/month*
el otro día	*the other day*
la semana pasada	*last week*

 Notes   Have volunteers conjugate other examples of regular and spelling-changing *-ar*, *-er* and *-ir* verbs in the preterite (*guardar, tocar, colocar, empezar, correr, salir, cubrir*).

Do the first sentence of activity 7 as a class.

8 Comparación de actividades

Primero, compare sus actividades y las actividades de su familia ayer por la noche con las de Enrique en la actividad anterior. Luego, pregúntele a su compañero/a si a él o ella le sucedió lo mismo.

MODELO
A: Anoche Enrique llegó a casa a las cinco. Yo también llegué a casa a las cinco. Y tú, ¿a qué hora llegaste a tu casa?
B: Yo llegué a casa a las siete.

Yo llegué a casa a las cinco. ¿Y tú?

Estructura

Verbos irregulares en el pretérito I

There are several groups of irregular verbs in the preterite. Verbs that end in *-ir* and have an *e → ie* or *e → i* stem change in the present tense, also have a stem change in the preterite. The stem vowel changes from *e* to *i* only in the third person singular (*él, ella, Ud.*) and plural (*ellos, ellas, Uds.*) forms.

sentirse	
me sentí	nos sentimos
te sentiste	os sentisteis
se s**i**ntió	se s**i**ntieron

dormir	
dormí	dormimos
dormiste	dormisteis
d**u**rmió	d**u**rmieron

Other verbs like *sentirse, pedir, mentir, reírse, divertirse, vestirse, seguir, conseguir, preferir* and *repetir*.

The verbs *dormir* and *morir* have a stem change from *o* to *u* in the third person singular and plural forms.

The verbs *dar, ser* and *ir* are irregular in the preterite. *Ser* and *ir* have the same forms in the preterite. *Ver (vi, viste, vio...)* is conjugated like *dar (di, diste, dio...)*.

dar	
di	dimos
diste	disteis
dio	dieron

ser/ir	
fui	fui
fuiste	fuisteis
fue	fueron

The verb *haber* has a single form, *hubo*, to express "there was"/"there were."

***Hubo** un incendio en el barrio de Salamanca.*

There was a fire in the Salamanca neighborhood.

Notes

Use the paradigms to present *sentirse* and *dormir*. Have students point to the stem changes that occur in the two verbs.

Have students give additional sentences with *hubo* to illustrate the concept of "there was"/"there were."

To extend activity 8, ask students to describe what each person in their family did last night after 5:00 P.M.

Many Spanish speakers will place accent marks on the third person singular forms of *dar, ser, ir* and *ver*. This accentuation is no longer correct. Routinely, you may wish to ask students to check their spelling.

◆ Answers

8 Answers will vary.

◆ Activities

Critical Listening
Provide input and practice making inferences by telling students you are going to describe a party. Students need to listen to the description and write whether each person had a good time or not (*Sí* or *No*).

They should first list the guests on a sheet of paper, as you say their names: 1. *Juan*, 2. *los amigos de Juan*, 3. *el papá*, 4. *la hermana*, 5. *los primos*, 6. *el mejor amigo*

Ayer fue la fiesta de cumpleaños de Juan. Sus amigos le dieron muchos regalos. Juan se sintió muy feliz. Su papá se aburrió un poco y se durmió en el sofá y su hermana se sintió celosa. Pero los primos se divirtieron mucho. Su mejor amigo se sintió enojado porque tuvo que ir a comprar más refrescos.

National Standards
Communication 1.1, 1.2
Comparisons 4.1

105

Teacher Resources

Activity 9 (CD 5, #7)

◆ Answers

9 1. se durmió
2. dió
3. consiguieron
4. pidieron
5. fue
6. murieron
7. se sintieron
8. vio
9. Hubo

10 1. dio / fuiste / vi
2. Viste / fueron / se divirtieron / se sintió
3. Consiguieron / fuimos / pedimos
4. vi / fue

◆ Activities

Expansion
Ask students questions using irregular preterite verbs: *¿Qué cosas interesantes hiciste el fin de semana pasado?; ¿Viste algo interesante?; ¿Adónde fuiste ayer después de la escuela?; ¿Dormiste bien anoche?; ¿Te divertiste mucho el sábado pasado?; ¿Qué hiciste?; ¿Adónde fuiste?; ¿Cómo te vestiste?*

Spanish for Spanish Speakers
To practice the preterite, have students retell a news story using the preterite tense.

National Standards
Communication
1.1, 1.2, 1.3
Connections
3.1

106

👐 Práctica

9 **Los titulares de ayer**

Cree oraciones usando el pretérito según las indicaciones.

> **MODELO** nosotros lo / leer en el periódico de ayer
> Nosotros lo leímos en el periódico de ayer.

1. ayer el gobernador / dormirse durante una reunión de prensa
2. el director del museo / dar un discurso sobre el arte de Velázquez
3. los obreros de la empresa Vidal / conseguir el aumento
4. los estudiantes del Instituto Cervantes / pedir más días de vacaciones
5. la reina Sofía / ir a un concierto en el Auditorio Nacional
6. dos mujeres y un niño / morir en un accidente de tráfico
7. muchas personas / sentirse mal después de cenar en un restaurante del centro
8. la gente del barrio de Salamanca / ver con sorpresa llegar al presidente
9. haber / un accidente terrible en la Gran Vía

¿Qué dicen los periódicos?

10 **Mini-diálogos**

Complete cada diálogo con el verbo adecuado de la caja en la forma correspondiente del pretérito. Puede usar algunos verbos más de una vez.

conseguir	ser	pedir	ir
divertirse	ver	dar	sentirse

1. **A:** ¿Sabes que el presidente __ un discurso ayer?
   B: No. ¿ __ tú a verlo?
   A: No, lo __ por televisión.
2. **A:** ¿ __ tú en la sección de sociedad que Margarita se casó?
   B: ¡Claro! Mis padres __ a su boda y __ muchísimo.
   A: Y Margarita, ¿cómo __ ella?
   B: Muy emocionada.
3. **A:** ¿ __ Uds. la información en la internet?
   B: No, nosotros __ a la biblioteca y le __ ayuda a la bibliotecaria.
4. **A:** ¿Sabes que ayer __ un programa en inglés por el canal TV2?
   B: ¿Te gustó ?
   A: Sí, __ estupendo.

Leí en la sección de sociedad que Margarita se casó.

Notes

Go over activities 9 and 10 by calling on different students to write the answers on the board.

You might point out that reina Sofía (activity 9), born a Greek princess, is the wife of King Juan Carlos of Spain.

Comunicación

11 Una boda

Imagínese que usted es reportero/a y tiene que escribir un artículo sobre una boda para la sección de sociedad del periódico. Con un(a) compañero/a, usen las siguientes preguntas como guía para escribir su artículo. Luego, presenten su artículo frente a la clase. La clase va a decidir cuál es el artículo más creativo.

- ¿Quién se casó?
- ¿Quiénes fueron a la boda?
- ¿Qué regalos les dieron a los novios?
- ¿Cómo se sintió la novia? ¿Y el novio?
- ¿Alguien dio un discurso?
- ¿Dónde fue la boda?
- ¿Qué comida sirvieron?
- ¿Se divirtieron todos? ¿Qué hicieron?
- ¿Cómo fue la boda?
- ¿Cómo fue el discurso?

Estructura

Verbos irregulares en el pretérito II

Verbs that end in *-aer, -eer, -uir*, as well as the verb *oír*, change the *i* to *y* in the third person singular and plural forms. With the exception of verbs ending in *-uir*, these verbs have a written accent on the *i* of all the preterite forms.

leer	
leí	leímos
leíste	leísteis
leyó	leyeron

contribuir	
contribuí	contribuimos
contribuiste	contribuisteis
contribuyó	contribuyeron

Other verbs like *leer* (to read) and *contribuir* (to contribute) are *oír* (to listen), *caerse* (to fall down), *destruir* (to destroy) and *construir* (to build).

The following verbs share the same endings in the preterite and have irregular preterite stems.

verb	stem	ending	verb	stem	ending
estar:	estuv-		conducir:	conduj-	-e
poder:	pud-	-e	decir:	dij-	-iste
poner:	pus-	-iste	traer:	traj-	-o
saber:	sup-	-o	andar:	anduv-	-imos
querer:	quis-	-imos	haber:	hub-	-isteis
caber:	cup-	-isteis			-eron
tener:	tuv-	-ieron			
venir:	vin-				

Notes

Encourage students to add visuals to their wedding reports (activity 11).

Ask students to write complete charts for all the irregular verbs, color-coding or highlighting the stem-changing and irregular parts.

Remind students that verbs like *leer* and *contribuir* change the *i* to *y* in the preterite for orthographic reasons to keep a harder /y/ sound.

Teacher Resources

 Activity 8

 Activity 3

 Activity 6

 Answers

11 Creative self-expression.

 Activities

Multiple Intelligences (bodily-kinesthetic)
Make three stacks of cards: stack 1: the infinitives discussed on this page; stack 2: subject pronouns, one per card; stack 3: various verb endings.

Students take turns drawing a card from each stack and making a correct sentence.

Students with Special Needs
Remind students of the six most important questions journalists ask: *¿Quién?, ¿Qué?, ¿Dónde?, ¿Cuándo?, ¿Por qué?, ¿Cómo?* Tell students that if they can answer these questions about the wedding in activity 11, they will be able to write a clean, clear article. Have students write the questions in their notebooks, with space under each heading. Before they write the wedding article, tell them to jot down facts that will answer those questions.

National Standards
Communication 1.1, 1.3
Connections 3.1

Answers

12 1. Esteban leyó un artículo sobre la economía del país.
2. Antonio oyó en la radio una entrevista con el presidente.
3. Laura y Marta hicieron una encuesta acerca de las revistas que leen los jóvenes.
4. Pablo y yo trajimos varias fotos para poner en nuestro artículo.
5. Yo puse un anuncio en la sección de clasificados.
6. Mis amigos contribuyeron con varios artículos sobre el concierto de anoche.

13 1. estuve, pude
2. supo, tuvo
3. leyó, consiguió
4. dijo, vino
5. trajo, quiso, se fue
6. se cayeron, tuve
7. oímos, tuvo, destruyó

14 Creative self-expression.

Activities

Prereading Activity

As a quick warm-up to review irregular preterite verbs, you might ask students to write, in complete sentences, four things that they brought to school today.

National Standards

Communication
1.1, 1.2

Connections
3.1

Práctica

12 Hablando de noticias

Diga lo que hicieron estos jóvenes usando los elementos dados.

MODELO tú / no poder / oír el discurso que dio el rey
Tú no pudiste oír el discurso que dio el rey.

1. Esteban / leer / un artículo sobre la economía del país
2. Antonio / oír en la radio / una entrevista con el presidente
3. Laura y Marta / hacer / una encuesta acerca de las revistas que leen los jóvenes
4. Pablo y yo / traer / varias fotos para poner en nuestro artículo
5. yo / poner / un anuncio en la sección de clasificados
6. mis amigos / contribuir / con varios artículos sobre el concierto de anoche

El rey Juan Carlos de España.

13 Excusas

Use la forma del pretérito de los verbos para completar las excusas siguientes.

1. Perdón, yo *(estar)* enferma y por eso no *(poder)* hacer la tarea.
2. ¡Pobre Laura! Ella no *(saber)* la respuesta porque no *(tener)* tiempo para estudiar.
3. Carlos no *(leer)* la novela porque no la *(conseguir)* en la biblioteca.
4. ¡Qué pena! Nadie me *(decir)* ayer que mi abuela *(venir)* a visitarnos.
5. ¡Ay! Nadie *(traer)* la tarea a la clase hoy, por eso la profesora no *(querer)* explicar nada nuevo y *(irse)* sin saludarnos.
6. Mis hermanos *(caerse)* y yo *(tener)* que cuidarlos.
7. Nosotros *(oír)* que el partido no *(tener)* lugar porque el huracán *(destruir)* el estadio.

Comunicación

14 Entrevista

Entreviste a un(a) compañero/a sobre sus actividades el fin de semana pasado. Puede usar la siguiente información y añadir otras ideas. Luego, comparen sus respuestas.

• qué hizo el fin de semana pasado	• si practicó algún deporte
• adónde fue	• si fue a una fiesta
• cómo fue	• qué ropa se puso
• con quién o quiénes salió	• si se divirtió o no

Notes

Before assigning activity 12, prepare and photocopy questions that student pairs can ask each other to review and practice the irregular verbs. Some questions: *¿Viniste tarde o temprano a la escuela hoy?; ¿Leíste el periódico esta mañana?; ¿Oíste las noticias en la radio?; ¿Estuviste en el parque ayer?; ¿Condujiste el carro a la escuela?*

Ud. está de vacaciones en Madrid y quiere obtener más información sobre la parte antigua de la ciudad. Lea el siguiente artículo que un reportero escribió sobre sus experiencias en la ciudad y conteste las preguntas.

Turismo

Un paseo por el antiguo Madrid

Comenzamos el paseo en la Plaza Mayor. Nos dijeron que hasta el siglo pasado, la Plaza Mayor fue escenario de muchos eventos públicos, como corridas de toros, ejecuciones[1] y fiestas con bailes y teatro. Bajo sus arcadas[2] vimos tiendas de paños[3], joyerías y pastelerías. Seguimos por la Calle Mayor hasta llegar a la Casa de la Villa, donde se encuentra el Ayuntamiento[4]. Quisimos entrar allí pero no pudimos porque estaba cerrado.

Continuamos por la Cava Baja, una calle donde hay muchos restaurantes con el sabor del viejo Madrid. Entramos en uno de ellos y nos trajeron unas tapas deliciosas. Estuvimos allí más de dos horas. El dueño[5] del restaurante vino a saludarnos y luego nos sirvió unas natillas[6] exquisitas de postre. Regresamos al hotel cansados pero felices. Fue una experiencia maravillosa.

[1]executions [2]arcades [3]fabric [4]town hall [5]owner [6]cream custards

1. ¿Dónde comenzaron el paseo?
2. ¿Qué les dijeron acerca de la Plaza Mayor?
3. ¿Qué vieron allí?
4. ¿Por dónde siguieron?
5. ¿Dónde quisieron entrar? ¿Pudieron hacerlo?
6. ¿Adónde fueron después?
7. ¿Qué les trajeron en el restaurante?
8. ¿Quién vino a saludarlos allí?
9. ¿Qué les sirvieron de postre?
10. ¿Cómo se sintieron cuando regresaron al hotel?
11. ¿Cómo fue la experiencia?

La Plaza Mayor, Madrid.

16 Un paseo por mi ciudad

Con su compañero/a, escriban un artículo sobre un paseo por su pueblo o ciudad usando el pretérito de los verbos que aprendieron. Luego, presenten su artículo a la clase.

Un pueblo.

Capítulo 3

ciento nueve **109**

Teacher Resources

 Activity 15 (CD 5, #8)

Answers

15
1. Comenzaron el paseo en la Plaza Mayor.
2. Les dijeron que hasta el siglo pasado, la Plaza Mayor fue escenario de muchos eventos públicos.
3. Vieron tiendas de paños, joyerías y pastelerías.
4. Siguieron por la Calle Mayor hasta llegar a la Casa de la Villa.
5. Quisieron entrar al Ayuntamiento pero no pudieron.
6. Después, fueron a la Cava Baja.
7. Les trajeron unas tapas deliciosas.
8. El dueño del restaurante vino a saludarlos.
9. Les sirvieron de postre unas natillas exquisitas.
10. Cuando regresaron al hotel, se sintieron cansados pero felices.
11. Fue una experiencia maravillosa.

16 Creative self-expression.

Activities

Prereading Activity
Bring to class a map of Madrid to show the locations mentioned in the article.

National Standards

Communication	Communities
1.1, 1.3	5.1
Cultures	
2.1, 2.2	
Connections	
3.1, 3.2	

Notes

Students can summarize the article by scanning it for place names. They should list each place and take notes about each one.

Communities. You might compile all the *paseos* (activity 16) into a book entitled *Paseos por nuestra ciudad*. The book can be offered to Spanish-speaking exchange students at your school. Have students brainstorm other ideas about with whom to share the book (the library, a college ESL department, a hospital, etc.).

Teacher Resources

 Vocabulario II *Recuerdos de un festival de cine* (CD 5, #9)

 Activity 4 (CD 1, #29)

 Activity 10

 Activities 9–10

 Activity 4

 Activities 7–8

 p. 12

 Activities

Expansion

Have students close their books and imagine the last film awards ceremony they saw on TV. As a whole-class activity, discuss the events of the show: *¿Qué ceremonia viste?; ¿Dónde tuvo lugar?; ¿Quién ganó el premio?; ¿Qué le dijo el/la ganador/a al público?; ¿Qué más pasó?*

Prereading Activity

Play the audio recording of the new vocabulary. Instruct students to close their books as they listen to and repeat the new words and expressions. Call on one or two students to see whether they can name the setting.

National Standards

Communication
1.1

Connections
31

Comparisons
4.1

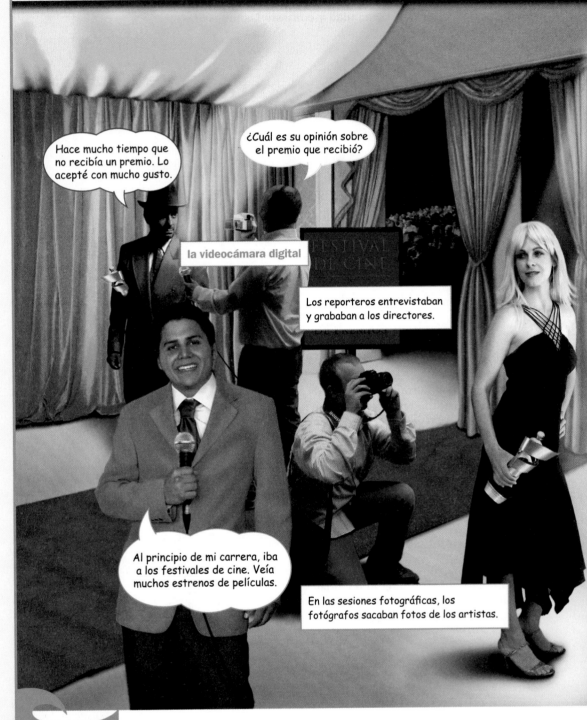

110 *ciento diez* — **Lección A**

Notes

Use the ancillaries listed under Teacher Resources above to introduce the new vocabulary and to begin to teach elements of the lesson.

Explain that the scene requires use of the imperfect tense. Ask students whether they can identify the verbs in the imperfect (e.g., *recibía, veía, entrevistaban, grababan, tomaban*).

Los actores agradecían a su público.

Por supuesto, había muchas ruedas de prensa con los actores.

Algunos reporteros escribían los reportajes en sus ordenadores.

Answers

17 1. C
2. E
3. A
4. F
5. D
6. B
18 1. A
2. E
3. D
4. B
5. F
6. H
7. G
8. C

Activities

Multiple Intelligences (bodily-kinesthetic/ linguistic/spatial)
Ask students to bring to class magazine or newspaper cutouts of well-known actors. Have them create puppets by affixing their pictures onto popsicle sticks. Students work in pairs to create mini-enactments of film awards ceremonies. Instruct them to use as many of the words and phrases on pages 110–111 as possible.

Spanish for Spanish Speakers
Have students summarize ¿Qué sucedía en el festival? (activity 17) by retelling the events. They should use the photos in activity 17 as a guide.

---

17 ¿Qué sucedía en el festival?

 Escuche las siguientes situaciones. Seleccione la letra de la foto que corresponde con lo que oye.

A   B   C

D   E   F

18 Definiciones

Indique a qué palabra se refiere cada definición. Luego, escriba oraciones con tres de las palabras.

1. decir gracias por algo
2. cuando una película se pasa por primera vez
3. hacer preguntas a alguien sobre algo
4. aparato que se usa para sacar fotos digitales
5. grabar escenas con una videocámara digital
6. aparato que se usa para escribir y usar la internet
7. lo que una persona piensa sobre un tema
8. cuando se le da algo a alguien

A. agradecer
B. cámara digital
C. entrega
D. entrevistar
E. estreno
F. filmar
G. opinión
H. ordenador

Capítulo 3   *ciento once* **111**

Notes
Quickly review the new vocabulary from pages 110–111 before students listen to activity 17. Ask students to identify the people in the photos of this activity.

National Standards

Communication
1.1, 1.2, 1.3

Connections
3.1

Teacher Resources

Diálogo II
La entrevista (CD 5, #11)
Activity 19 (CD 5, #12)
Activity 20 (CD 5, #13)
Activity 21 (CD 5, #14)

Answers

19 1. Hace veinte años.
2. Al principio, iba con otros reporteros a hacer entrevistas.
3. Antes escribían las preguntas y respuestas en papel y sacaban fotos.
4. Porque no había ordenadores.
5. Era más fácil entrevistar a personas famosas porque había menos reporteros.

20 Answers will vary.

21 1. Hacía películas de misterio.
2. Sí.
3. No siempre.
4. Por supuesto.
5. Hace poco que existen las videocámaras digitales.

Activities

Communities/Technology

Try to organize an interview via the Internet with a Spanish-speaking film student, actor, director, newscaster, journalist or author. Students should first do some background research on the person and make a plan for the interview. They should brainstorm and peer-edit their questions and then submit the questions to you for approval. They should also plan what to tell the person about themselves.

National Standards	
Communication 1.1	**Communities** 5.1
Connections 3.1	
Comparisons 4.1	

Diálogo II   La entrevista

JOSÉ: ¿Hace cuánto tiempo que trabaja como reportera?
REPORTERA: Empecé a trabajar como reportera hace 20 años.
CARLOS: ¿Qué hacía al principio de su carrera?
REPORTERA: Iba con otros reporteros a hacer entrevistas.

JOSÉ: ¿Cómo se hacían los reportajes antes?
REPORTERA: Escribíamos las preguntas y respuestas en papel y sacábamos fotos.
JOSÉ: ¿Usaba el ordenador para escribir los artículos?
REPORTERA: No, porque no había ordenadores.

JOSÉ: ¿Le gustaba ir a las ruedas de prensa?
REPORTERA: Sí, pero prefería entrevistar yo sola.
CARLOS: ¿Era más difícil o más fácil entrevistar a gente famosa?
REPORTERA: Era más fácil porque había menos reporteros.

 ¿Qué recuerda Ud.?

1. ¿Hace cuánto tiempo que empezó a trabajar la reportera?
2. ¿Qué hacía la reportera al principio?
3. ¿Cómo se hacían los reportajes antes?
4. ¿Por qué no usaba la reportera el ordenador para escribir los artículos?
5. ¿Por qué era más fácil antes entrevistar a personas famosas?

En otras palabras

En España se dice *el ordenador* en vez de *la computadora.*

 Algo personal

1. ¿Fue Ud. alguna vez a un festival de cine? ¿Qué películas vio?
2. ¿Qué piensa del trabajo de un(a) reportero/a? ¿Le gustaría hacer ese trabajo?
3. ¿Con cuánta frecuencia usa los ordenadores para enviar mensajes a sus amigos/as?
4. ¿Cuáles eran sus actividades favoritas hace cinco años?

21 **Reportaje a un director**

 Escuche la siguiente entrevista a un famoso director de cine de los años sesenta. Luego, conteste las preguntas. Puede tomar apuntes *(take notes)* mientras escucha.

1. ¿Qué tipo de películas hacía al principio de su carrera?
2. ¿Le gustaba participar en los festivales de cine?
3. ¿Asistía a las ceremonias de entrega de premios?
4. ¿Iba a los estrenos de sus películas?
5. ¿Por qué no usaba videocámaras digitales para grabar?

Notes   Direct students to the last line of *Diálogo II* and remind them that *había* is used only in the singular form.

Divide the class into pairs. Student A will assume the identity of a celebrity of his or her choice; Student B will be the interviewer and will interview the celebrity for two or three minutes. Tape-record and/or videotape the interviews for later use in class.

Cultura viva II

El Festival Internacional de Cine de San Sebastián

San Sebastián es una hermosa ciudad del norte de España, cerca de Francia. Desde hace tiempo, esta ciudad, famosa por su hermosa playa de La Concha, se ha convertido[1] en uno de los centros culturales más populares de Europa. Una de las razones es que aquí se celebra todos los años el Festival Internacional de Cine de San Sebastián.

La playa de La Concha.

En 1953, diez hombres de negocios decidieron organizar un festival de cine. El primero fue muy modesto. Participaron muy pocas películas y no hubo un premio oficial. Sin embargo, al año siguiente todo cambió.

La Asociación Internacional de Productores de Films incluyó[2] al festival de San Sebastián entre sus eventos oficiales. Ese año, la estrella del festival fue la actriz estadounidense Gloria Swanson, una de las mujeres más famosas del mundo del cine. Con ella, Hollywood entró en San Sebastián.

En 1958 el festival era tan importante que el legendario director Alfred Hitchcock participó con su película *Vértigo*, un verdadero clásico de la historia del cine. A partir de ese momento, San Sebastián fue uno de los festivales de cine más importantes del mundo. Cada septiembre desfilan[3] por su alfombra roja no sólo las figuras más conocidas del cine europeo sino también las más grandes estrellas de Hollywood.

Emmanuelle Beart y Jerzy Radziwilowicz en el Festival.

[1]has become [2]included [3]parade

22 El Festival Internacional de Cine de San Sebastián

Conteste las siguientes preguntas.

1. ¿Por qué era famosa San Sebastián antes de tener su festival de cine?
2. ¿Cuándo fue el primer Festival de Cine de San Sebastián? ¿Quiénes lo organizaron?
3. ¿Por qué dice el artículo que "al año siguiente todo cambió"?
4. ¿Por qué fue importante la actriz Gloria Swanson para el festival?
5. ¿A partir de qué evento se convirtió San Sebastián en uno de los festivales de cine más importantes del mundo?

Capítulo 3   *ciento trece* **113**

Teacher Resources

⊕ **Activity 22** (CD 5, #15)

🎧 **Activity 5** (CD 1, #30)

✎ **Activity 11**

☑ **Activity 5**

◆ Answers

22
1. Era famosa por su hermosa playa de La Concha.
2. El primer Festival de Cine de San Sebastián se realizó en 1953. Fue organizado por diez hombres de negocios.
3. Todo cambió cuando la Asociación Internacional de Productores de Films incluyó al festival de San Sebastián entre sus eventos oficiales.
4. Con la presencia de Gloria Swanson, Hollywood entró en el festival.
5. Cuando el director Alfred Hitchcock estrenó en San Sebastián su película *Vértigo*, el festival se convirtió en uno de los más importantes del mundo.

◆ Activities

Prereading Activity
You might start a class discussion about their knowledge of film festivals: *¿Qué festivales conocen Uds.?*; *¿Dónde y cuándo tuvieron lugar?*; *¿Hay alguien en la clase que haya asistido a un festival de cine?*

National Standards
Communication 1.1
Cultures 2.1, 2.2
Connections 3.1

Notes

Before students begin the *Cultura viva*, ask them to locate San Sebastián on a map of Spain. They should also outline the Basque region and the most important cities in the region.

Mention to students that northern Spain has been a center of conflict with the Basque movement, ETA. In recent years, this part of the country has become an international cultural center, drawing tourists not just to the San Sebastián Film Festival but also to another nearby city, Bilbao, where the Guggenheim Museum of Bilbao houses one of Europe's most important modern art collections.

◆ **Answers**

23 1. ¿Cuánto tiempo hace que te levantaste?/Me levanté hace *(times will vary)*.

2. ¿Cuánto tiempo hace que terminaste de hacer la tarea?/Terminé de hacer la tarea hace *(times will vary)*.

3. ¿Cuánto tiempo hace que hiciste un crucigrama?/ Hice un crucigrama hace *(times will vary)*.

4. ¿Cuánto tiempo hace que viste una película cómica?/ Vi una película cómica hace *(times will vary)*.

5. ¿Cuánto tiempo hace que fuiste a una fiesta?/Fui a una fiesta hace *(times will vary)*.

6. ¿Cuánto tiempo hace que leíste el suplemento dominical?/Leí el suplemento dominical hace *(times will vary)*.

24 Answers will vary, but they should start with *Hace* followed by a time expression and the correct form of an appropriate verb in the preterite.

National Standards

Communication 1.1	Communities 5.1
Connections 3.1	
Comparisons 4.1	

114

Idioma

Repaso rápido

Expresiones de tiempo con *hace*

To talk about how long something has been going on, use *hace* followed by an expression of time plus *que* and the present tense of the verb.

*¿Cuánto tiempo **hace que** lees periódicos en español?*	How long have you been reading newspapers in Spanish?
***Hace** dos años **que** leo periódicos en español.*	I've been reading newspapers in Spanish for two years.

To talk about how long ago an event took place, use *hace* followed by an expression of time plus *que* and the preterite tense of the verb.

*¿Cuánto tiempo **hace que** empezaste el crucigrama?*	How long ago did you start the crossword puzzle?
*Lo empecé **hace dos horas**.*	I started it two hours ago.

23 **¿Cuánto tiempo *hace*?**

 Pregúntele a su compañero/a cuánto tiempo hace que hizo las actividades siguientes. Después, pueden agregar otras actividades.

MODELO llegar al colegio

> **A:** ¿Cuánto tiempo hace que llegaste al colegio?
> **B:** Llegué hace una hora.

1. levantarse
2. terminar de hacer la tarea
3. hacer un crucigrama
4. ver una película cómica
5. ir a una fiesta
6. leer el suplemento dominical

24 **Fechas importantes**

Lea con su compañero/a esta lista de fechas importantes. Luego, túrnense para decir cuánto tiempo hace que tuvieron lugar esos sucesos. Pueden agregar otros sucesos más.

1. Cervantes escribió *Don Quijote* (1605)
2. Estados Unidos obtuvo la independencia (1776)
3. Murió Federico García Lorca (1936)
4. Se construyó el museo Guggenheim de Bilbao (1997)
5. El hombre llegó a la luna (1969)
6. Tuvo lugar la Guerra Civil (1861–1865)

El Museo Guggenheim de Bilbao.

Notes

The Guggenheim Museum of Bilbao is the result of a collaboration between the Solomon R. Guggenheim Foundation of New York and the Basque political leaders in Spain. The design of the museum and the surrounding area of Bilbao was an even greater collaboration among world-famous architects.

Communities. Have students create a history of the Spanish-speaking population in your community. Practice using the construction *hace que* by asking them to tell when the population arrived in the U.S. and how long they have been living in the community. In small groups, students can prepare questions before conducting interviews.

Estructura

El imperfecto

You are already familiar with the use of the imperfect tense to talk about actions in the past. To form the imperfect, remove the -*ar*, -*er* or -*ir* ending of the infinitive form and add the endings listed below.

hablar	comer	vivir
hablaba	comía	vivía
hablabas	comías	vivías
hablaba	comía	vivía
hablábamos	comíamos	vivíamos
hablabais	comíais	vivíais
hablaban	comían	vivían

There are three irregular verbs in the imperfect.

Una entrega de premios.

ir	ser	ver
iba	era	veía
ibas	eras	veías
iba	era	veía
íbamos	éramos	veíamos
ibais	erais	veíais
iban	eran	veían

The imperfect has many uses when one is talking about the past. Use the imperfect to describe ongoing, habitual or repetitive past actions and routines.

*Cuando **era** pequeño **me gustaba** escribir cuentos.*

When **I was** little **I liked** to write stories.

*Mi padre **trabajaba** para un periódico.*

My father **used to work** for a newspaper.

Use the imperfect to set the scene and describe the background in a narration in the past.

***Eran** las dos de la tarde.*

It was two o'clock in the afternoon.

***Había** mucha gente en la entrega de premios.*

There were a lot of people at the awards ceremony.

Use the imperfect to describe moods, feelings, intentions or thoughts when talking about the past.

***Tenía** muchas ganas de entrevistar a alguien famoso.*

I really **wanted** to interview somebody famous.

Teacher Resources

 Activity 6 (CD 1, #31)
Activity 7 (CD 1, #32)

 Activities 14–16

 Activity 6

GV **Activities 10–13**

Symtalk Unit 19

 Activities

Expansion

On the board, write some of the verbs listed on the page. Then make sentences about things you used to do, using the imperfect of some of these verbs. *Antes yo trabajaba en un restaurante. Cuando yo era joven, siempre iba a la biblioteca después de la escuela.*

Once students are familiar with the drill, ask them to give you some sentences about the past. They can talk about real experiences or make them up. To extend the activity, once students are comfortable making sentences with the imperfect, suggest that they ask each other questions about their statements.

Notes

Point out that the endings for -*er* and -*ir* verbs are the same.

Ask students to give examples of using the imperfect to set the scene and describe a background by describing the photo on page 115: *Eran las cuatro de la tarde. Había mucha gente en el auditorio. Los actores estaban muy emocionados.*

National Standards
Communication 1.1, 1.2
Comparisons 4.1

115

Answers

25
1. entrevistaba
2. compartían
3. iban
4. sacaban
5. asistía
6. veían
7. agradecían
8. eran

26
1. Era
2. Hacía
3. había
4. estaba
5. caminaba
6. hablaba (hablaban)
7. parecían
8. era
9. queríamos
10. podía
11. eran
12. tenía

27 Answers will vary.

Activities

Critical Listening

Post two or three pictures on the board that have to do with the chapter theme or a time when students were young. Tell students that you are going to describe only one of them (using the imperfect tense as much as possible). Students listen to your description and identify which picture you have described. They can extend this activity by bringing to class personal photos from the past and describing them.

National Standards
Communication 1.2
Connections 3.1, 3.2
Comparisons 4.1

 Práctica

 Vida de periodista

María Antonia trabajaba de periodista para *La Vanguardia*, un periódico de Barcelona. Escriba lo que ella y sus colegas hacían usando el imperfecto.

1. María Antonia / entrevistar a mucha gente conocida
2. ella y los otros reporteros / compartir el trabajo con los fotógrafos
3. los fotógrafos / ir a las ruedas de prensa
4. ellos / sacar muchas fotos durante las sesiones fotográficas
5. a veces / María Antonia / asistir a los estrenos de películas
6. en el teatro / todos los reporteros / ver a artistas muy famosos
7. durante la ceremonia de entrega de premios / los artistas / agradecer al público
8. para María Antonia / los festivales de cine / ser / una experiencia maravillosa

26 Un sábado por la mañana

Complete el siguiente párrafo con el imperfecto del verbo entre paréntesis.

(1. Ser) un sábado por la tarde. *(2. Hacer)* mucho frío y no *(3. haber)* mucha gente en la calle. El cielo *(4. estar)* nublado. Yo *(5. caminar)* por el barrio cuando vi en una esquina a un grupo de chicas que *(6. hablar)* con un hombre. Ellas *(7. parecer)* muy contentas. El hombre *(8. ser)* Alejandro Sanz, el famoso cantante español. Las chicas y yo *(9. querer)* pedirle un autógrafo pero Alejandro no *(10. poder)* porque ya *(11. ser)* las seis de la tarde y él *(12. tener)* que regresar al hotel. ¡Qué lástima!

27 Cuando éramos pequeños

Daniel y sus amigos hablan de cuando eran pequeños. Describa lo que hacían usando palabras o expresiones de cada columna. Complete las oraciones de una manera original.

MODELO A veces, Beatriz se peleaba con su hermana mayor.

I	II	III
a menudo	Beatriz	ir
a veces	Jorge y yo	leer
de vez en cuando	yo	compartir
todos los días/meses	Uds.	vestirse
por lo general	Laura y Rosa	construir
	tú	pelearse
		romper
		caerse
		dibujar
		ver

 ¡Extra!

Expresiones de tiempo

Estas expresiones de tiempo se usan a menudo con el imperfecto.

a menudo	*often*
a veces	*at times*
antes	*before*
cada año/semana	*every year/week*
de vez en cuando	*from time to time*
en aquella época	*in that time*
por aquel entonces	*at that time*
por lo general	*in general*
todos los días/meses	*every day/month*

Notes

You might have students write out the answers to activities 25 and 26 on the board so that you can make sure they have spelled the verbs correctly.

Point out that the expressions in the *¡Extra!* are time markers for the imperfect tense. Give examples of the expressions: *A menudo me gustaba dibujar. Cada semana yo tocaba el piano. Por lo general era bastante artística.*

Comunicación

28 ¿Cómo eras?

Conteste las siguientes preguntas sobre cómo era su vida a los doce años. Luego, use las mismas preguntas para entrevistar a un(a) compañero/a. Si quiere, puede inventar más preguntas. Después, comparen sus respuestas.

1. ¿Cómo eras? ¿A quién te parecías?
2. ¿Dónde vivías? ¿Cómo era tu casa o apartamento?
3. ¿Tenías tu propio cuarto? ¿Qué había allí?
4. ¿A qué escuela ibas?
5. ¿Quién era tu mejor amigo o amiga? ¿Cómo era?
6. ¿Tenías un ordenador? ¿Lo sabías usar?
7. ¿Qué hacías para divertirte?
8. ¿Qué cosas te molestaban?
9. ¿Qué puedes hacer ahora que no podías hacer antes?

29 Reportero/a por un día

Imagine que es reportero/a y que tiene que escribir artículos sobre los siguientes sucesos. Con su compañero/a, escriban por lo menos tres oraciones en el imperfecto para describir cada uno. Incluyan *(Include)* el lugar, el tiempo, la hora, lo que hacían las personas y cómo se sentían. Presenten sus artículos a la clase.

El reportero trabajaba mucho.

1. un incendio
2. una protesta
3. un estreno de una película
4. una boda
5. un huracán

30 Hace cincuenta años

Trabaje con cuatro estudiantes para escribir un informe sobre cómo era la vida en su pueblo o ciudad hace cincuenta años. Usen los temas siguientes como guía. Si quieren pueden acompañar su informe con fotos o ilustraciones de esa época.

los trabajos   la ropa
las casas   los aparatos electrónicos
los pasatiempos   la comida

En los sesenta había menos canales.

Notes

Encourage students to supplement their reports (activity 29) with visuals. They might also start their reports with snappy headlines.

As an extension, the pairs might prepare an interview about the event they are describing between the reporter and an eyewitness. They can then act this out for the class.

Teacher Resources

 Activity 28 (CD 5, #17)

 Answers

28 Answers will vary.
29 Creative self-expression.
30 Creative self-expression.

 Activities

Critical Listening
As a follow-up to activity 29 or activity 30, read aloud an adaptation of a student report that uses true/false statements, and have students listen and write *sí* or *no* for each of the statements.

Multiple Intelligences (musical)
Give students the option of playing music that was popular 50 years ago (activity 30).

Multiple Intelligences (naturalist)
Students with naturalist intelligence might enjoy describing how aspects of the environment have changed over the last 50 years.

Spanish for Spanish Speakers
Ask your native Spanish-speaking students to do research to find out how their country of origin has changed over the last 50 years.

National Standards

Communication
1.1, 1.2, 1.3

Connections
3.1

Comparisons
4.2

Lectura cultural
Los jóvenes españoles
y la lectura (CD 5, #18)
Activity 31 (CD 5, #19)
Activity 32 (CD 5, #20)

 Answers

31 1. Para conocer mejor los
hábitos de lectura de los
jóvenes españoles.
2. El 26%.
3. Leen más ahora que
hace dos años. Answers
will vary.
4. Los hijos de padres con
educación universitaria
leen más que los hijos
de personas con menos
educación.
5. Las muchachas leen mucho
más que los muchachos.
6. Los jóvenes que más leen
tienen mejores resultados
en sus estudios.
32 Answers will vary.

 Activities

Prereading Strategy
Help students set a purpose for
their reading: *Van a leer una
encuesta sobre los hábitos de lectura
de los jóvenes españoles. ¿Qué van a
buscar en la lectura? (los resultados)*

National Standards	
Communication 1.1	**Comparisons** 4.2
Cultures 2.1	**Communities** 5.1
Connections 3.1, 3.2	

118

Lectura cultural

Los jóvenes españoles y la lectura

Para conocer mejor los hábitos[1] de lectura de los jóvenes españoles, el Centro de Investigación y Documentación Educativa (CIDE) hizo una encuesta a 3.581 estudiantes de secundaria entre 15 y 16 años de edad. Según la encuesta, el 36% de los jóvenes lee algún libro en su tiempo libre más de una vez a la semana. El 38% lee un libro más de una vez cada tres meses; y el 26% no lee un libro nunca o casi nunca.

Según la encuesta, el 44% de los jóvenes lee más ahora que hace dos años; el 29% lee lo mismo y el 27% lee menos que hace dos años. Es decir, en general, leen más ahora que cuando eran más jóvenes.

La encuesta tuvo muchos resultados[2] interesantes. Por ejemplo, los hijos de padres con educación universitaria[3] leen más que los hijos de padres con un nivel de educación inferior. Se encontró también que las muchachas españolas leen mucho más que los muchachos. Y mientras los muchachos prefieren los libros de aventuras y humor, a las muchachas les gustan más los libros de horror o románticos.

Pero quizás el resultado más importante de la encuesta es que, en general, los jóvenes que más leen tienen mejores resultados en sus estudios. Eso no es una sorpresa, ¿verdad?

Según la encuesta, las muchachas leen más que los muchachos.

[1]habits [2]results [3]college education

31 **¿Qué recuerda Ud.?**

1. ¿Por qué el CIDE hizo esta encuesta?
2. ¿Qué porcentaje de los jóvenes españoles no lee nunca o casi nunca?
3. ¿Los jóvenes de la encuesta leen más o menos que hace dos años? ¿Por qué?
4. ¿Qué relación hay entre el nivel de educación de los padres y los hábitos de lectura de los hijos?
5. ¿Quiénes leen más, los muchachos o las muchachas españolas?
6. ¿Cuál fue el resultado más importante de la encuesta?

32 **Algo personal**

1. ¿Qué opina de los resultados de la encuesta?
2. ¿Por qué cree que el 26% de los encuestados no lee nunca o casi nunca?

- Haga una encuesta entre cuatro estudiantes de su clase sobre sus hábitos de lectura. Compare los resultados con la encuesta del artículo.

- En la encuesta pregunte cuántos libros hay en la biblioteca de su casa. ¿Qué relación hay entre la cantidad de libros que hay en la casa de los estudiantes y sus hábitos de lectura?

 Notes

Comparisons. Have students search the Internet to see if they can find a comparable study about the reading habits of teenagers in the United States. Students might then compare the results by creating a Venn diagram depicting similarities and differences between the two groups of teenagers.

As a follow-up to item 5 in activity 31, ask: *En su opinión, ¿por qué leen las muchachas más que los muchachos?*

¿Qué aprendí?

Autoevaluación

Como repaso y evaluación, responda lo siguiente:

1. Mencione tres secciones de un periódico.
2. Explique el cambio que ocurre en el pretérito de los verbos *sentir* y *dormir*.
3. Dé dos ejemplos de verbos irregulares en el pretérito y escriba una oración con cada uno.
4. Explique el cambio que ocurre en la raíz de los verbos *poder*, *querer* y *traer* en pretérito.
5. Mencione tres actividades que ocurren durante un festival de cine.
6. Mencione tres usos del imperfecto y dé un ejemplo para cada uno.
7. ¿Qué es *Aula*? ¿Qué periódico lo publica?
8. ¿En qué año tuvo lugar el primer festival de San Sebastián?

Palabras y expresiones

How many of these words and expressions do you recognize?

Secciones del periódico	En el festival de cine	Verbos	Otras palabras y expresiones
los clasificados	la cámara digital	aceptar	al principio
el crucigrama	la ceremonia	agradecer	dar un discurso
las finanzas	la entrega	averiguar	¡No lo puedo creer!
el ocio	el estreno	casarse	la opinión
la programación de televisión	el festival	contribuir	el ordenador
la sociedad	el reportaje	destruir	el periodismo
el suplemento dominical	la rueda de prensa	entrevistar	por supuesto
	la sesión fotográfica	suceder	el recuerdo
	la videocámara digital		la prensa
			tener lugar

El crucigrama.

SE NECESITAN
modelos para
sesión fotográfica.
Llamar al 739-4551

La sesión fotográfica.

ciento diecinueve **119**

Notes
As an expansion activity, have students clip a news article from a newspaper or magazine and write a short story or dialog based on it.

Instruct students to create crossword puzzles out of the chapter vocabulary. Students can swap *crucigramas* to complete.

Hand out Spanish-language newspapers. Distribute a list of items that students should look for and find. Ask: *¿En qué página empiezan los clasificados? ¿Y las finanzas? ¿Hay una sección de opiniones?* etc.

Students should visit the Internet Resource Center at www.emcp.com to complete this activity online and check answers.

Teacher Resources

 p. 103

 ## Answers

Autoevaluación
Possible answers:
1. Los clasificados, el ocio, las finanzas.
2. En *sentir*, la *e* cambia a *i* en la tercera persona del singular y plural. En *dormir*, la *o* cambia a *u* en la tercera persona del singular y plural.
3. Dar, ser: Di un paseo por el centro. García Lorca fue un gran poeta.
4. La raíz de *poder* cambia a *pud-*, la raíz de *querer* cambia a *quis-*, la raíz de *traer* cambia a *traj-*.
5. La rueda de prensa, la entrega de premios, la sesión fotográfica.
6. Describir acciones habituales o de rutina: Iba a la escuela todos los días. Describir un escena: Era un día hermoso. Describir estados de ánimo: Me sentía nervioso.
7. Es un suplemento diario para jóvenes. Lo publica *El Mundo*.
8. En 1953.

National Standards

Communication	Communities
1.1, 1.2	5.1
Cultures	
2.2	
Connections	
3.1, 3.2	

Teacher Resources

 Vocabulario I
Las noticias (CD 6, #1)

 Activity 1 (CD 1, #33)

 Activity 11

 Activities 1–3

 Activity 1

 Activities 1–2

 pp. 13–14

Content reviewed in *Lección B*
- news events
- talk about events in the past
- reacting to news events
- linking parts of sentences

◆ Activities

Cooperative Learning

After you have presented *Vocabulario I*, divide the class into small groups and ask each group to review the questions: *¿Quién?, ¿Qué?, ¿Dónde?, ¿Cuándo?, ¿Por qué?, ¿Cómo?* Each group must answer the six questions for each speech balloon/news report in *Vocabulario I*.

National Standards

Communication
1.1, 1.2

Connections
3.1

120

Anunciaron que una bomba explotó en un edificio de Madrid. Eran las cuatro de la mañana cuando sucedió la explosión. No hubo víctimas.

Hoy terminó el juicio del abogado Luis Torrijo Molina. El acusado del crimen se declaraba inocente, pero el jurado lo encontró culpable. El acusado sigue en la cárcel y espera su sentencia.

La tormenta causó una terrible inundación en un barrio de Barcelona. La policía y los bomberos lograron salvar a todos los vecinos.

Dos ladrones asaltaron un banco de Santander y mataron a un cajero. La policía los arrestó cuando trataban de escaparse.

Notes

Before you begin the lesson, discuss with students the varieties of topics that are usually covered in the various news media.

Ask students: *¿Qué prefieres, las noticias en la radio, la tele, el periódico o la Red? ¿Por qué?*

Using gestures, miming actions and paraphrasing in Spanish, define the new vocabulary words. For example: *...una terrible **inundación,** o sea que el nivel del río subió tanto que el agua corrió por la tierra y las calles.*

1 El noticiero

 Escuche las siguientes noticias y diga la letra de la foto a la que se refiere cada una.

A

B

C

D

E

F

2 Robo en el banco

Complete la siguiente noticia con las palabras del globo.

explotar

bomba   sentencia   arrestarlos

asaltaron   culpables

Dos ladrones (1) ayer un banco de San Sebastián. Los empleados y las personas que estaban en el banco se pusieron muy nerviosos. Muchos comenzaron a gritar mientras los ladrones les pedían silencio. Uno de ellos sacó una (2) y dijo que podía (3). Después de robar todo el dinero, los ladrones salieron del banco por la puerta de atrás. La policía logró (4) cuando trataban de escapar. Los ladrones se declararon (5) y los enviaron a la cárcel. Ellos esperan ahora su (6).

¡Extra!

Otras noticias

el accidente	*accident*
la catástrofe	*catastrophe*
la contaminación	*pollution*
la guerra	*war*
la huelga	*strike*
el huracán	*hurricane*
el incendio	*fire*
el pronóstico	*forecast*
el temblor	*tremor*

Capítulo 3

ciento veintiuno **121**

Notes

Record a Spanish-language news broadcast for students to hear. After they have listened to the broadcast, have student volunteers take turns reading the report in activity 2 in the manner that a Spanish-speaking newscaster would. Allow time for rehearsal. Suggest that another person follow immediately with a weather forecast.

Teacher Resources

 Activity 1 (CD 6, #2)

Answers

1
1. E
2. F
3. A
4. D
5. B
6. C

2
1. asaltaron
2. bomba
3. explotar
4. arrestarlos
5. culpables
6. sentencia

 ## Activities

Expansion

Have students choose a word from the *¡Extra!* box and write a brief news report revolving around that word. They can use the report in activity 2 and the speech balloons on page 120 as models.

Multiple Intelligences (bodily-kinesthetic/ linguistic/spatial)

To check students' comprehension of the article in activity 2, direct them to draw a comic-strip version of the story, or write a skit that dramatizes the scene for the class.

Multiple Intelligences (logical/mathematical)

Instruct students to list the events in the *¡Extra!* box in order from least worrisome to most horrible.

National Standards
Communication 1.1, 1.2, 1.3
Connections 3.1, 3.2

121

Diálogo I
¿Qué sucedió? (CD 6, #3)
Activity 3 (CD 6, #4)
Activity 4 (CD 6, #5)
Activity 5 (CD 6, #6)

Answers

3 1. Pedro y Silvia estaban hablando del juicio de Diego Pérez Díaz.
2. Lo declararon inocente.
3. La gente no estaba de acuerdo con la noticia. Todos creían que él era culpable.
4. Nadie vio a Diego Pérez Díaz en el lugar del crimen.
5. Estaba claro que él robó el banco y mató a dos personas.

4 Answers will vary.

5 1. C
2. A
3. A
4. A
5. B
6. C

Activities

Communities
Have students find signs in Spanish in their community that warn or inform people about possible disasters and/or accidents.

Spanish for Spanish Speakers
To practice synthesizing and organizing data ask students to write the incidents in *Diálogo I* as a brief news report for a hypothetical Spanish-language newspaper.

National Standards	
Communication 1.2, 1.3	**Comparisons** 4.2
Cultures 2.1	**Communities** 5.1
Connections 3.1	

Diálogo I ¿Qué sucedió?

PEDRO: ¿Viste el juicio de Diego Pérez Díaz por la televisión?
SILVIA: No, ¿qué sucedió?
PEDRO: Lo declararon no culpable.
SILVIA: ¡No lo puedo creer!
PEDRO: Yo tampoco lo podía creer cuando me enteré.

PEDRO: La gente no estaba de acuerdo con el jurado. Todos creían que él era culpable.
SILVIA: Por supuesto... Pero, ¿por qué lo declararon no culpable?
PEDRO: Nadie lo vio en el lugar del crimen.

SILVIA: Pero si estaba claro que él robó el banco y mató a dos personas.
PEDRO: Sí, pero el jurado no estaba de acuerdo.
SILVIA: Estoy segura que él se merecía ir a la cárcel.
PEDRO: Yo también.

¿Qué recuerda Ud.?

1. ¿De qué estaban hablando Pedro y Silvia?
2. ¿Cómo declararon a Diego Pérez Díaz?
3. ¿Cómo estaba la gente con la noticia? ¿Por qué?
4. ¿Por qué lo declararon inocente?
5. ¿Qué estaba claro acerca de Diego Pérez Díaz, según Silvia?

Algo personal

1. ¿Qué tipo de noticias prefiere ver Ud. por la televisión?
2. Describa un juicio que vio por televisión. ¿Quién era el/la acusado/a? ¿Cuál era el crimen? ¿Cómo declararon al/a la acusado/a?
3. ¿Cómo reacciona Ud. cuando se entera de un acto violento como la explosión de una bomba o el asalto de un banco?

¿Qué ocurrió hoy?

Escuche los comentarios de las siguientes personas sobre las noticias del día. Escoja la letra de la noticia a la que se refiere cada uno.

1. **A.** bomba **B.** crimen **C.** inundación
2. **A.** juicio **B.** crimen **C.** bomba
3. **A.** incendio **B.** tormenta **C.** robo
4. **A.** crimen **B.** ladrón **C.** huracán
5. **A.** víctima **B.** tormenta **C.** explosión
6. **A.** festival **B.** ceremonia **C.** robo

Notes
Although Spain ranks 27th in the world in crimes per capita, it ranks number one in robberies per capita (source: United Nations Survey of Crime Trends and Operations of Criminal Justice Systems). This is primarily due to small theft, such as pickpocketing. Violent crime is relatively low; however, in the last few years there has been an increased incidence of gang violence.

Cultura viva

Almería, el Hollywood español

Cuando en 1951 se filmaron escenas de la película *La llamada de África* en el puerto de Almería, una ciudad española del Mediterráneo, muchos comenzaron a darse cuenta[1] de que el clima de la provincia, también llamada Almería, y la variedad de paisajes, eran perfectos para filmar películas.

En los primeros años de la década de los cincuenta, algunos directores españoles comenzaron a filmar películas allí. En 1956, el director francés André Cayatte llegó a Almería para hacer su película *Ojo por ojo*. Éste fue el comienzo de una larga lista de películas extranjeras que se hicieron en esa región. La historia podía tener lugar en el Viejo Oeste de Estados Unidos, en Francia o en el Medio Oriente: Almería siempre tenía un paisaje perfecto para cada escena.

Pero su época de oro[2] fueron los años sesenta. En 1962 se filmó la primera película de vaqueros, *Tierra brutal*, y escenas de *Lawrence de Arabia*. A partir de ese momento, estrellas como

Charles Bronson, Brigitte Bardot, Sean Connery, Clint Eastwood, Burt Reynolds y Raquel Welch, filmaron allí sus películas. Hasta el músico John Lennon viajó a Almería en 1967 para hacer su película *Cómo gané la guerra*.

Durante la década de los setenta, la filmación de películas de grandes productoras internacionales comenzó a disminuir[3]. Almería se convirtió entonces en el centro del cine independiente español. Aún hoy, la ciudad es un paraíso para los amantes del cine, con sus numerosos eventos de cine independiente y festivales de cine.

Brigitte Bardot en un rodaje en Almería.

[1]realize [2]golden age [3]decrease

En los alrededores de Almería se rodaron muchas películas.

6 Almería y el cine

Conteste las siguientes preguntas.

1. ¿Cuál fue la primera película importante que se hizo en Almería? ¿En qué año se filmó?
2. ¿Qué características de Almería eran buenas para filmar películas?
3. ¿Cuál fue la época de oro de Almería?
4. ¿Qué actores famosos filmaron películas allí?
5. ¿Cuándo terminó la época de oro del cine en Almería? ¿Por qué?
6. ¿Qué es hoy Almería?

Capítulo 3   *ciento veintitrés*   **123**

Teacher Resources

  Activity 6 (CD 6, #7)

Activity 4

Answers

6 1. *La llamada de África,* en 1951.
2. El clima y la variedad de paisajes eran ideales para filmar películas; siempre tenía un paisaje perfecto para cada escena.
3. Los años sesenta.
4. Charles Bronson, Brigitte Bardot, Sean Connery, Clint Eastwood, Burt Reynolds y Raquel Welch.
5. En la década de los 70; porque la filmación de películas disminuyó.
6. Es un centro del cine independiente de España.

Activities

Critical Thinking
Instruct students to create a Venn diagram depicting how Almería and Hollywood are alike and how they are different.

Multiple Intelligences (spatial)
A variation of activity 6 is to have your students design a poster about *Almería, el Hollywood español.* The visuals on the poster should reflect the answers to the questions in activity 6.

National Standards

Cultures
2.2

Connections
3.1, 3.2

Comparisons
4.2

Notes

Direct students to locate Almería and its region on a map of Spain. As an extension activity, you might have students make their own map of Spain that outlines all of its provinces.

Invite students to log on to the Internet to find out the average temperature and weather conditions of Almería. They might also download pictures of Almería's landscape.

Teacher Resources

 Activity 2 (CD 1, #34)

 Activities 5–6

 Activity 2

 Activities 3–4

 Activities

Critical Listening
Say aloud several verbs in the preterite and in the imperfect. Have students raise their left hand if the verb is in the preterite. Have them raise their right hand if it is in the imperfect.

Expansion
Have students provide additional sentences for habitual and past actions, as well as descriptions of moods, feelings and intentions, and the provision of background information.

Students with Special Needs
Review the imperfect and preterite endings of regular verbs. Name a verb infinitive and a subject pronoun and have a student supply the preterite/imperfect form. Example: *él/estar: estuvo/ estaba.* Continue with more verbs.

TPR
Give students assorted commands. As a follow-up, ask questions eliciting the imperfect or the preterite. For example: *Luisa, canta. Juan, levántese.* You ask: *¿Qué hizo Luisa? ¿Y Juan?* Or: *¿Qué hacía Luisa cuando Juan se levantó?*

National Standards

Communication
1.1, 1.2, 1.3

Connections
3.1

Comparisons
4.1

124

Idioma

Estructura

Usos del pretérito y del imperfecto

You have learned to use the imperfect and the preterite tenses to talk about the past. Here is a review of the uses of these two tenses.

Use the imperfect...
- to describe habitual past actions and routines.

*Cuando tenía diez años, **me gustaba** hacer crucigramas.*	When I was ten years old, **I liked** to do crossword puzzles.
*Mi papá **trabajaba** para un periódico.*	My dad **used to work** for a newspaper.

- to talk about moods, feelings, desires and intentions.

***Estaba** nervioso.*	**I was** nervous.
***Tenía** miedo de las tormentas.*	**I was** afraid of storms.
***Quería** quedarme en casa.*	**I wanted** to stay at home.

- to set the scene or provide background information.

***Era** un festival famoso.*	**It was** a famous festival.
***Había** muchos reporteros en el teatro.*	**There were** many reporters at the theatre.

Tenía miedo de las tormentas.

Use the preterite...
- to talk about actions completed in the past at a specific time.

*Ayer **hubo** un incendio. Los bomberos **llegaron** y **salvaron** a todos.*	There **was** a fire yesterday. The firemen **arrived** and **saved** everyone.

Use the preterite and imperfect in the same sentence...
- to indicate that one action occurred (preterite) while another was in progress (imperfect).

*Todos **estábamos** en la calle, cuando de repente **oímos** una explosión.*	We **were** all in the street when all of a sudden we **heard** an explosion.

Los bomberos salvaron a todos.

- to report an action (preterite) that took place because of a condition (imperfect) that was in progress.

*El acusado no **dijo** nada porque **estaba** cansado.*	The accused **didn't say** anything because he **was** tired.

- to present an event where the preterite describes the action and the imperfect sets the stage or background for that action.

*Ya **era** de noche cuando **anunciaron** la tormenta.*	It **was** already nighttime when they **announced** the storm.

Notes

For added practice, on the board list time expressions that trigger use of the imperfect and preterite tenses. For example: *ayer, generalmente, anoche, una vez, a veces, todos los días,* etc. Ask students to supply sentences for each of the expressions.

Instruct students to work in pairs to tell each other what they did or were doing last weekend. Have them take notes on what their partner says and report their findings to the class.

Práctica

7 **¿Por qué lo hicieron?**

Diga por qué estas personas hicieron lo siguiente.
Use el pretérito y el imperfecto.

MODELO la reportera / quitarse la chaqueta / tener calor
La reportera se quitó la chaqueta porque tenía calor.

1. tres ladrones / asaltar un banco / necesitar dinero
2. dos osos / robar comida de un camping / tener hambre
3. el presidente / despedirse de todos / ya ser las doce
4. dos niños / esconderse en el ático / tener miedo de la tormenta
5. la acusada / ir a la cárcel / ser culpable
6. la policía / arrestar a los estudiantes / hacer mucho ruido

La reportera no se
puso chaqueta porque
hacía calor.

8 **Recuerdos de una fiesta**

Complete esta conversación entre Fernando y Carlos, usando el pretérito
o el imperfecto de los verbos, según corresponda.

Carlos: Fernando, ¿dónde *(1. conocer)* tú a tu novia?
Fernando: *(2. Ser)* durante nuestro primer año en la universidad. En poco tiempo
nos *(3. hacer)* buenos amigos.
Carlos: ¿Cómo *(4. ser)* ella? ¿Qué le *(5. gustar)* hacer?
Fernando: María *(6. tener)* muchos amigos y a veces *(7. organizar)* fiestas en su casa.
Carlos: ¿Qué *(8. hacer)* Uds. en las fiestas? ¿Cómo *(9. divertirse)*?
Fernando: *(10. Haber)* mucha comida y la gente *(11. bailar)* y *(12. cantar)* hasta
tarde.
Carlos: ¿Y los vecinos no *(13. enojarse)* cuando hacían fiestas?
Fernando: Sí, una noche ellos *(14. llamar)* a la policía y le *(15. decir)* que nosotros
(16. hacer) mucho ruido.
Carlos: Entonces, ¿qué *(17. hacer)* Uds.?
Fernando: ¡*(18. Invitar)* a nuestros vecinos, por supuesto!

9 **¡Robo en un banco de Bilbao!**

El siguiente artículo apareció en varios periódicos
de Bilbao. Cambie los verbos al pasado. Use el
pretérito o el imperfecto, según corresponda.

=LA NACIÓN=

**¡Tres ladrones asaltan
un banco en Bilbao en
pleno día!**

(1. Es) un viernes por la tarde y las calles *(2. están)*
llenas de gente. En el banco sólo *(3. hay)* dos
dependientes trabajando y una cliente. De repente, un
coche *(4. se para)* delante del banco. Un hombre *(5. sale)* del coche.
(6. Es) bajo y calvo. *(7. Lleva)* una maleta grande en la mano. El hombre *(8. entra)*
en el banco. Uno de los dependientes le *(9. pregunta)* al hombre si *(10. quiere)* algo.
El hombre le *(11. dice)*: "Sí, deme todo el dinero que está en sus cajas". El hombre no
(12. es) un cliente. ¡*(13. Es)* un ladrón que *(14. viene)* a robar el banco!

Teacher Resources

 Activity 7 (CD 6, #8)

◆ **Answers**

7 1. Tres ladrones asaltaron un
banco porque necesitaban
dinero.
2. Dos osos robaron comida de
un camping porque tenían
hambre.
3. El presidente se despidió
de todos porque ya eran las
doce.
4. Dos niños se escondieron en
el ático porque tenían miedo
de la tormenta.
5. La acusada fue a la cárcel
porque era culpable.
6. La policía arrestó a los
estudiantes porque hacían
mucho ruido.

8 1. conociste   11. bailaba
2. Fue   12. cantaba
3. hicimos   13. se
4. era   enojaban
5. gustaba   14. llamaron
6. tenía   15. dijeron
7. organizaba   16. hacíamos
8. hacían   17. hicieron
9. se divertían   18. Invitamos
10. Había

9 1. Era   8. entró
2. estaban   9. preguntó
3. había   10. quería
4. se paró   11. dijo
5. salió   12. era
6. Era   13. Era
7. Llevaba   14. venía

National Standards
Communication 1.2
Connections 3.1, 3.2
Comparisons 4.1

 Notes
Before assigning activity 7, you
may want to point out that the verb
despedirse has an e → i change in the third
person singular *(él, ella, Ud.)* and plural
(ellos, ellas, Uds.) forms.

As an expansion of activity 7, have students
write their own headlines using the preterite
and the imperfect tenses.

Ask students to explain why they used the
preterite or the imperfect in activities
8 and 9.

Answers

10 Creative self-expression.
11 1. Vivía cerca de la Casa de Campo.
    2. Practicaba el fútbol.
    3. Las hermanas eran monas.
    4. Las elegían para dar los premios.
    5. No le gustaba porque se aburría.
    6. No jugaba bien.
    7. Decidió ser actor.
    8. Se escuchaba flamenco porque había mucha gente de origen andaluz.
    9. Los chicos pasaban el día jugando en la calle.
    10. No había ordenadores.

Activities

Communities/Comparisons

As an extension of activity 11, have students list in one column activities that children engaged in when their parents were young, and in another the activities they themselves enjoy today. Have them compare the two columns. Suggest that they interview their parents to complete this activity. Discuss how age differences might affect a person's point of view.

Critical Thinking

As a follow-up to activity 11, initiate a whole-class discussion on the impact of computers on the lives of today's teens.

National Standards	
Communication 1.1, 1.3	**Communities** 5.1
Cultures 2.1, 2.2	
Connections 3.1, 3.2	

 ## Comunicación

10 Una escena de desastre

Imagine que Ud. y su compañero/a vieron una película donde ocurre un desastre. Puede ser un incendio, una explosión o un terremoto. Con su compañero/a escriban un párrafo describiendo lo que veían o escuchaban que pasaba en la película. Usen las preguntas siguientes como guía y el pretérito o el imperfecto según el contexto. Luego, presenten su descripción a la clase.

- ¿Qué desastre ocurrió?
- ¿Cuándo ocurrió?
- ¿Dónde tuvo lugar?
- ¿Quiénes eran los personajes principales?
- ¿Qué ropa llevaban?
- ¿Cómo era la música?
- ¿Qué pasó al final?
- ¿Les gustó la película? Explique por qué.

Hubo un tornado.

11 Recuerdos de un actor

Este artículo apareció en la revista del periódico *El Mundo* de Madrid. Relata los recuerdos de un actor madrileño cuando era niño. Después de leer el artículo, conteste las preguntas que siguen.

1. ¿Dónde vivía el chico?
2. ¿Qué deporte practicaba?
3. ¿Cómo eran las hermanas del chico?
4. ¿Para qué las elegían?
5. ¿Le gustaba al chico ser portero? ¿Cómo lo sabe?
6. ¿Cómo jugaba?
7. ¿Qué decidió ser entonces?
8. ¿Por qué se escuchaba flamenco en los bares?
9. ¿Cómo pasaban el día los chicos?
10. ¿Qué es lo que no había en esa época?

É se es mi barrio, cerca de la Casa de Campo. Como todos los madrileños, y españoles, practicaba el fútbol y el campo era uno de los puntos sociales donde se reunía la gente para divertirse y celebrar competiciones. Mis hermanas, como eran monas¹, eran las elegidas para dar los premios. Nunca me llevé una de esas copas². Era el portero de reserva, siempre esperando mi oportunidad. Como me aburría, me cambié después a jugador, pero no era muy bueno. Entonces decidí ser actor. En mi zona había mucha gente de origen andaluz³ y se escuchaba flamenco en todos los bares. Pasábamos todo el día en la calle jugando. En esa época no había ordenadores.

¹pretty ²trophy cups ³from Andalucía

Nos gustaba jugar al fútbol.

Notes

Flamenco as an art form began in the south of Spain, in Andalucía. Its origins are uncertain, though it is commonly believed to have come from the Gypsies. Others believe it has its roots in the culture of the Moors from North Africa. The Moors ruled over this part of Spain for centuries.

The three basic elements of flamenco are song, dance and guitar, and all play an important role during a flamenco performance. It is considered a popular art form. Some of the best flamenco performances take place in the *tablaos*, which are small, intimate bars or clubs, found especially in Andalucía.

12 Un juicio en la clase

En grupos, inventen una escena de un juicio para actuar frente a la clase. Los miembros del grupo van a representar los siguientes papeles: el/la juez *(judge)*, el/la acusado/a, el/la abogado/a defensor(a), el/la fiscal *(prosecutor)*, los miembros del jurado. El/La abogado/a y el/la fiscal van a describir las circunstancias del crimen usando el pretérito o el imperfecto, según corresponda. Los miembros del jurado van a dar su veredicto *(culpable* o *inocente)* y el/la juez va a decidir la sentencia. Incluyan la siguiente información.

Estos jóvenes participan en una escena de un juicio.

- quién era el/la acusado/a
- cuál fue su crimen
- dónde tuvo lugar
- si hubo víctimas
- lo que declaró el/la acusado/a
- lo que realmente ocurrió

Estructura

Cambios de significado en el pretérito y el imperfecto

A few verbs change meaning depending on whether they are used in the imperfect or the preterite.

	imperfecto	pretérito
conocer	Lo **conocía** bien. *I **knew** him well.*	Lo **conocí** en el festival. *I **met** him at the festival.*
poder	**Podía** hacer los crucigramas. *I **was able to** do crossword puzzles.*	**Pude** salvar a mi perro. *I **was able (managed) to** save my dog.*
saber	**¿Sabías** usar la cámara digital? ***Did** you **know how** to use the digital camera?*	**¿Supiste** lo que pasó? ***Did** you **find out** what happened?*
querer	**Querían** arrestar al ladrón. *They **wanted** to arrest the thief.*	**Quisieron** arrestarlo anoche. *They **tried to** arrest him last night.*
no querer	No **queríamos** ver el noticiero. *We **didn't want** to watch the news.*	No **quisimos** hablar con ella. *We **refused** to speak to her.*

Capítulo 3   *ciento veintisiete* **127**

Teacher Resources

 Activities 7–8

 Activity 3

 Activity 5

Answers

12   Creative self-expression.

Activities

Cooperative Learning
Make sure each member of the group has a task or a role in the creation/writing of the scene for activity 12. Some tasks/roles might be: the scribe/secretary, the proofreader, the editor, the person who asks the teacher questions, the director, the person who keeps students on task.

Expansion
Ask the class personal questions using the verbs presented on the page: *¿Cuándo conociste a tu mejor amigo/a?; ¿Dónde lo/la conociste?; ¿Alguno de tus amigos ya lo/la conocía?; ¿Pudiste por fin hacer algo difícil después de mucha práctica?; ¿Qué fue?; ¿Sabías mucho español antes de empezar esta clase?; ¿Querías ir al cine ayer por la noche?; ¿Pudiste ir?*

Spanish for Spanish Speakers
To reinforce the words that carry accent marks, ask students to write sentences for each of the verbs in the chart that carries an accent mark.

National Standards
Communication   1.1, 1.2, 1.3
Connections   3.1
Comparisons   4.1

Notes   Ask students to write additional sentences for verbs that change meaning in the imperfect and the preterite. Have them explain why they chose the tense they did.

You might encourage students to use props in their jury performance.

127

Answers

13 1. sabía
2. supiste
3. supe
4. sabían
5. supe
6. quise
7. querían
8. quise
9. pude
10. podía
11. Pudieron
12. pudimos
13. conociste
14. conocí
15. conocía
16. conocías
17. conocía

14 1. conocía
2. conocí
3. quería
4. sabía
5. pudo
6. quería
7. conocía
8. conocí
9. podía

 Activities

Expansion

After students complete activity 13, have pairs create their own mini-dialog modeled after the ones outlined in the activity. Remind them to include as many of the verbs from page 127 as possible.

Critical Thinking

After students have read the scenario in activity 14, ask: *¿Es un chico o una chica el/la escritor/a? (chico)*

National Standards

Communication
1.1

Cultures
2.2

Connections
3.1, 3.2

128

 Práctica

13 Mini-diálogos

Complete los diálogos con la forma correcta del pretérito o del imperfecto del verbo indicado.

saber

A: ¿Sabes que Andrés estuvo en Torremolinos durante la tormenta?

B: No, no lo (1). Y tú, ¿cuándo lo (2)?

A: Lo (3) ayer, cuando leí una noticia sobre la tormenta en el diario.

B: Pues yo hablé ayer con sus padres y ellos me dijeron que no (4) nada de él.

A: No entiendo cómo yo no lo (5) antes porque él siempre me cuenta todo.

querer

A: Ayer yo te (6) llamar, pero tu teléfono no funcionaba. ¿Qué hiciste?

B: Fui al teatro con mis padres. Ellos (7) ir a ver *Bodas de sangre,* de Federico García Lorca.

A: Yo también (8) verla, pero ya no había boletos.

poder

A: ¿Fuiste ayer a ver el juicio?

B: No, no (9) ir. ¿Tú estabas en el jurado, verdad?

A: Sí. Fue muy interesante porque nadie (10) decidir si el acusado era inocente o no.

B: ¿Y qué pasó entonces? ¿(11) Uds. llegar a un acuerdo?

A: No, (nosotros) no (12) porque no teníamos suficiente información.

conocer

A: ¿Dónde (13) a Margarita Salcedo?

B: La (14) en una rueda de prensa. Ella vino a saludarme y me dijo que ya me (15).

A: ¡Qué interesante! Entonces tú sí la (16).

B: Bueno... yo no me acuerdo de ella, pero (17) muy bien a su familia.

14 Nuevos amigos

Lea lo que le pasó a este muchacho y complete el párrafo con el pretérito o el imperfecto de los verbos entre paréntesis.

Yo no *(1. conocer)* bien a Esteban. Recuerdo que lo *(2. conocer)* el año pasado en una clase de música. Él *(3. querer)* aprender a cantar. Yo le pregunté si *(4. saber)* leer las notas. Él me dijo que no. Entonces, yo lo ayudé y en poco tiempo *(5. poder)* aprenderlas. Un día, Esteban me dijo que *(6. querer)* presentarme a una chica. Él la *(7. conocer)* muy bien porque era compañera de su hermana. Cuando yo la *(8. conocer)* me pareció muy simpática. Esa noche la invité al cine, pero ella me dijo que no *(9. poder)* ir porque ya tenía una cita con Esteban.

Esteban quería aprender a cantar.

Notes *Bodas de sangre* (activity 13) is a tragic play written by Federico García Lorca in 1932. The play explores themes of love and death.

The film *Bodas de sangre* by the director Carlos Saura tells Lorca's tragic love story through flamenco dancing rather than Lorca's words. If it is available, have students watch the second half of the film and describe three emotions represented by the dancers.

Comunicación

 15 **Quise pero no pude**

 Primero, conteste las siguientes preguntas. Luego, hágale estas preguntas a un(a) compañero/a y comparen sus respuestas.

1. ¿Conoció a alguien famoso alguna vez? Si es así, ¿a quién conoció?
2. ¿Conocía Ud. ya a muchos de sus compañeros/as cuando empezó esta clase? Si es así, ¿a quién(es) conocía Ud.?
3. ¿Quiso Ud. hacer algo alguna vez pero no pudo? ¿Qué fue?
4. ¿Hay algo que Ud. nunca pudo hacer bien? ¿Por qué no podía hacerlo?
5. Piense en un momento en que se enteró de una noticia muy importante. ¿Cómo lo supo? ¿Quién más lo sabía?

16 **Incidente durante la Bienal de Flamenco**

Lea este artículo sobre lo que sucedió durante un festival de flamenco en Sevilla. Escriba un mínimo de cinco preguntas sobre la información que contiene para hacérselas a su compañero/a.

¿Cómo cree Ud. que terminó este incidente? Con su compañero/a, escriban cuatro oraciones más para terminar la noticia. Traten de incluir el pretérito o imperfecto de los verbos *querer, poder, conocer* y *saber*.

MODELO ¿Qué se supo hoy?

Sevilla, España

Hoy se supo que la conocida cantante sevillana Macarena está en el hospital. La artista se desmayó en un concierto que se celebró durante la Bienal de Flamenco y tuvo que abandonar el escenario. Aunque muchos reporteros querían entrevistarla, no pudieron hacerlo porque la cantante necesitaba descansar. Esta mañana hubo una protesta delante del hospital porque cientos de aficionados querían verla en persona.

Notes
You should mention to students that the *Bienal de Flamenco* is celebrated every two years in the Spanish city of Sevilla in the heart of Andalucía. This festival is a showcase for new and innovative groups, as well as for more traditional flamenco dancing.

Teacher Resources

 Activity 15 (CD 6, #10)

 Answers

15 Creative self-expression.
16 Creative self-expression.

 Activities

Critical Thinking
After completing activity 15, have students make a list of things they could and could not do in the past.

Expansion
Have students check the headlines of Spanish-language newspapers on the Internet and make a list of news events they learned about that were not covered in the United States.

National Standards

Communication
1.1

Cultures
2.2

Connections
3.1, 3.2

Teacher Resources

 Vocabulario II
Un accidente en la carretera
(CD 6, #11)

 Activity 3 (CD 1, #35)

 Activity 12

 Activities 9–10

 Activity 4

 Activities 6–7

 Activities

Critical Listening

You might start the lesson by talking about an accident that you read about in the newspaper. Use the newspaper photograph as a visual aid. Write *¿Quién?, ¿Qué?, ¿Dónde?, ¿Cuándo?, ¿Por qué?* and *¿Cómo?* on the board, and as a whole-class activity, students can fill in the main details of the incident under these headings.

Multiple Intelligences (linguistic/spatial)

Encourage students to make associations between previous related vocabulary and the new vocabulary on the page. Tell students to write these headings in their notebooks and to list or draw and label all related vocabulary that they can think of under each heading: *La carretera; El hospital; El testigo; La emergencia.*

National Standards
Communication
1.1, 1.2, 1.3
Connections
3.1
Comparisons
4.1

Vocabulario II

Un accidente en la carretera

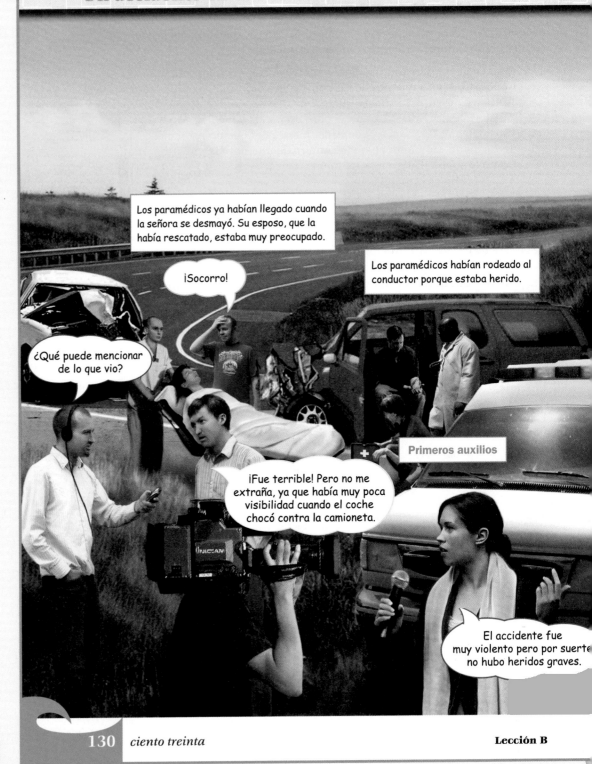

Los paramédicos ya habían llegado cuando la señora se desmayó. Su esposo, que la había rescatado, estaba muy preocupado.

Los paramédicos habían rodeado al conductor porque estaba herido.

¡Socorro!

¿Qué puede mencionar de lo que vio?

Primeros auxilios

¡Fue terrible! Pero no me extraña, ya que había muy poca visibilidad cuando el coche chocó contra la camioneta.

El accidente fue muy violento pero por suerte no hubo heridos graves.

Notes

Ask students: *¿Qué haces en una emergencia? (Llamo al 911.) Pues, en Latinoamérica, llamas al 911 también. ¡Es un número de socorro internacional!*

Teach some of the vocabulary by asking students to act out the scenes on page 130 as you narrate what took place.

17 ¿Qué había sucedido?

 Escuche las entrevistas a los testigos de diferentes accidentes. Seleccione la foto que corresponde con lo que oye.

A

B

C

D

E

F

18 ¿Cuál es la correcta?

Escoja la palabra que completa correctamente cada oración.

1. Los paramédicos habían llegado en la *(ambulancia / camioneta)* después del accidente.
2. La reportera entrevistó al *(acusado / conductor)* del coche.
3. Los bomberos habían *(rescatado / desmayado)* a todas las personas que vivían en el edificio.
4. El accidente había sido muy *(divertido / violento)*. Había muchos heridos.
5. Cuando hay poca *(visibilidad / gente)*, significa que no se puede ver bien en la carretera a causa de la neblina.
6. Cuando una persona necesita ayuda grita *("¡presten atención!" / "¡socorro!")*.
7. Todos los amigos estaban alrededor de Ricardo. Lo habían *(rodeado / chocado)*.
8. El conductor no había visto el otro coche en la carretera y *(corrió / chocó)* contra él.

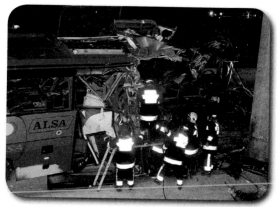

Hubo un accidente.

Notes To provide additional critical listening practice, conduct activity 18 as a listening activity. Students should close their books and listen as you read each sentence aloud. Students must choose and write the most appropriate word for each sentence.

Teacher Resources

 Activity 17 (CD 6, #12)

Answers

17 1. B
2. D
3. A
4. E
5. F
6. C
18 1. ambulancia
2. conductor
3. rescatado
4. violento
5. visibilidad
6. ¡Socorro!
7. rodeado
8. chocó

Activities

Expansion
As a follow-up to activity 17, have students write or tell a story using the photos in the activity as prompts.

Students with Special Needs
Photocopy the page and distribute it to students. Tell students to underline or highlight with a marker the context words in the sentences of activity 18 that helped them choose the correct word.

National Standards

Communication
1.2, 1.3

Connections
3.1

131

Diálogo II
¿Qué había pasado?
(CD 6, #13)
Activity 19 (CD 6, #14)
Activity 20 (CD 6, #15)
Activity 21 (CD 6, #16)

Answers

19 1. Teresa se había desmayado en la calle.

2. Se había sentido enferma cuando salió de su casa.

3. Una persona ya la había ayudado a sentarse cuando llegaron los paramédicos.

4. La llevaron al hospital.

20 Answers will vary.

21 1. B

2. D

3. A

4. C

Activities

Critical Listening/
Multiple Intelligences (spatial)
Tell a story involving an accident. Tell students to draw what they hear. Encourage the use of stick figures.

Prereading Strategy
Tell students to first skim the dialog and write down the key words that they see. What do these words tell them that the dialog is about?

National Standards

Communication	Comparisons
1.2	4.1
Cultures	
2.1, 2.2	
Connections	
3.1	

132

Diálogo II   ¿Qué había pasado?

PEDRO: ¿Qué le había pasado a Teresa?
SILVIA: Se había desmayado en la calle.
PEDRO: ¿Por qué?
SILVIA: Ese día ya se había sentido enferma cuando salió de su casa.

PEDRO: ¿Quién la había rescatado?
SILVIA: Una persona que caminaba por la calle ya la había ayudado a sentarse cuando los paramédicos llegaron al lugar.

PEDRO: ¿Y qué sucedió luego?
SILVIA: Los paramédicos la llevaron en una ambulancia al hospital. Ella ya estaba bien pero tuvo que ir a ver a un doctor.

19 ¿Qué recuerda Ud.?

1. ¿Qué le había pasado a Teresa?
2. ¿Cómo se había sentido ese día cuando salió de su casa?
3. ¿Qué había sucedido cuando llegaron los paramédicos?
4. ¿Adónde la llevaron los paramédicos?

20 Algo personal

1. ¿Fue Ud. testigo de un accidente alguna vez? ¿Qué pasó?
2. ¿Hubo heridos graves? ¿Quiénes vinieron para rescatar a los heridos?
3. ¿Se desmayó Ud. alguna vez? ¿Qué le pasó?

21 ¿Cuál había sido la situación?

Indique la letra de la foto que corresponde con lo que oye.

A   B   C   D

Notes
Spain is among the European countries with the highest rate of road accidents. Young people between the ages of 15 and 24 are at the highest risk of suffering a crash. Spanish data show a worrisome prevalence of DWI (driving while intoxicated) and its consequences, especially among young adults.

Cultura viva II

Sevilla: 3.000 años de historia

Pocas ciudades del mundo tienen una historia tan rica como Sevilla, capital de la región de Andalucía, en España. La ciudad fue fundada hace 3.000 años. Durante seis siglos fue parte del Imperio Romano. En esa época[1] la llamaban "Hispalis". Más tarde, durante 800 años, fue una de las ciudades más importantes del reino[2] musulmán de Al-Andalus, donde se construyó el edificio más alto del mundo en su época: La Giralda, que mide casi 100 pies de altura.

Una plaza de Sevilla.

Sin embargo, la época de mayor esplendor de Sevilla comienza en 1492, con la llegada de los españoles a América. Gracias a su puerto en el río Guadalquivir, Sevilla se convirtió en la puerta de acceso al nuevo continente. Con la caída del imperio español en 1898, la ciudad perdió su posición privilegiada. Sin embargo, Sevilla volvió a resurgir[3] en 1929 cuando se realizó allí la Exposición Iberoamericana.

Sevilla es hoy una ciudad donde se funden las tradiciones más antiguas con la vida moderna. Es famosa por la Feria de Abril, que se celebra desde hace 400 años. Durante la feria, hay numerosas "casetas[4]" donde se baila y se canta hasta el amanecer. Más de un millón de personas van cada año a esta feria.

Pero el gran acontecimiento que dio a Sevilla una fama internacional durante estas últimas décadas fue la Exposición Universal de 1992. La Expo 92, como se conocía también, coincidió con la conmemoración del 500 aniversario de la llegada de Cristóbal Colón a América y tenía como objetivo reunir en la Isla de la Cartuja el mayor número posible de culturas que existen en el mundo. Millones de personas visitaron Sevilla ese año y la Expo fue todo un éxito.

[1]period [2]kingdom [3]emerge [4]dance floors

22 Sevilla ayer y hoy

Conteste las siguientes preguntas.

1. ¿Cómo llamaban los romanos a Sevilla? ¿Cuántos siglos fue la ciudad parte del reino musulmán?
2. ¿Cuál es el símbolo más conocido de Sevilla?
3. ¿Cuándo comienza la época de mayor esplendor de Sevilla? ¿Por qué?
4. ¿Qué es la Feria de Abril?
5. ¿Qué evento le dio a Sevilla fama internacional?
6. ¿Está de acuerdo con que "pocas ciudades del mundo tienen una historia tan rica como Sevilla"? Explique por qué.

Capítulo 3   *ciento treinta y tres* **133**

Notes

Point out that Sevilla is the capital of the province of Andalucía. Ask for a volunteer to point it out on a map of Spain. He or she could also trace the río Guadalquivir. If possible, bring to class pictures of the Feria de Abril and the picturesque Barrio de Santa Cruz.

You might point out to students that someone once said, *"Quién no conoce a Sevilla, no conoce maravilla"*.

Have students summarize Sevilla's history by making a time line of the city's key periods and events.

Teacher Resources

 Activity 22 (CD 6, #17)

 Activity 4 (CD 1, #36)

 Activity 5

◆ Answers

22
1. La llamaban "Hispalis". Fue parte del reino musulmán por 800 años.
2. La Giralda.
3. Comienza en 1492, con la llegada de los españoles a América.
4. Es una feria donde la gente baila y canta toda la noche.
5. La Exposición Universal de 1992 le dio a Sevilla fama internacional.
6. Answers will vary.

◆ Activities

Communities
Instruct students to search for pictures of Sevilla to illustrate the popular saying *Sevilla es una maravilla*. Using their Spanish-language skills, they might contact the National Spanish Tourist Office to request brochures about Sevilla, or they might download pictures from the Internet. A volunteer might find a book in the library.

Prereading Activity
Encourage students to think about the length of Sevilla's history: 3,000 years.

National Standards
Cultures
2.1, 2.2
Connections
3.1, 3.2

Activities

Critical Thinking
Before students read *Idioma*, you might write some examples of sentences with the pluperfect and the preterite on the board. Help students analyze the sentences to arrive at a definition of the pluperfect tense.

Language through Action
Practice the formation of regular and irregular past participles by saying an infinitive and tossing a ball (or beanbag) to a student. If the student answers incorrectly, he or she tosses the ball back to you. If the student gives the correct past participle, he or she says an infinitive and tosses the ball to another student.

Multiple Intelligences (linguistic)
Ask students to provide sample sentences in the pluperfect tense, describing what they had already done before they arrived in class.

(musical)
Have students make a list of the irregular participles that rhyme (*descrito/escrito; vuelto/resuelto; abierto/cubierto*).

National Standards
Communication
1.2
Comparisons
4.1

 # Idioma

Estructura

El participio pasado y el pretérito pluscuamperfecto

The past participle is an adjective formed from a verb. To form the past participle of most *-ar* verbs, add *-ado* to the stem: *rescat**ado**, *mencion**ado***. To form the past participle of most *-er* and *-ir* verbs, add *-ido* to the stem: *agradec**ido**, recib**ido***. The following verbs have irregular participles.

abrir	→	abierto	*(opened)*
cubrir	→	cubierto	*(covered)*
decir	→	dicho	*(said)*
describir	→	descrito	*(described)*
escribir	→	escrito	*(written)*
hacer	→	hecho	*(made, done)*
morir	→	muerto	*(died)*
poner	→	puesto	*(put, placed)*
resolver	→	resuelto	*(solved)*
romper	→	roto	*(broken)*
ver	→	visto	*(seen)*
volver	→	vuelto	*(returned)*

The pluperfect tense (also called past perfect) is formed by combining the imperfect form of *haber* and a past participle.

Pretérito pluscuamperfecto	
había llegado	habíamos llegado
habías llegado	habíais llegado
había llegado	habían llegado

The pluperfect tense is often used to describe an action that had occurred before another action took place.

*Los bomberos ya **habían rescatado** a las víctimas cuando **llegó** la ambulancia.* The firemen **had** already **rescued** the victims when the ambulance **arrived**.

Object and reflexive pronouns always precede the conjugated form of *haber*.

*Ellos **se habían acostado** cuando **empezó** el temblor.* They had gone to bed when the tremor **started**.

*Nadie lo **había visto** después que **ocurrió** el accidente.* No one **had seen him** after the accident **occurred**.

Notes

For extra practice, give students a list of *-ar*, *-er* and *-ir* verbs and have them form the past participle for each infinitive.

Point out that the irregularities in the formation of the past participle of verbs can be divided into two groups: verbs that end in *-to* and verbs that end in *-cho*.

You might also wish to point out that since the past participle functions as part of the verb, it does not have to agree in gender with the subject. It agrees in gender with the subject when the past participle functions as an adjective: *La mesa está cubierta de polvo.*

Práctica

23 Un mal día

Parece que fue un mal día para todos. Diga qué le pasó a estas personas usando el pluscuamperfecto de los verbos entre paréntesis.

1. Teresa quería ir al estreno de la última película de Almodóvar con Julián, pero él ya la *(ver)*.
2. Yo iba a usar mi nueva cámara digital, pero cuando quise sacar una foto me di cuenta que mi hermanito la *(romper)*.
3. Nere fue a la tienda de videos pero cuando llegó ellos ya la *(cerrar)*.
4. Hoy me invitaron a ver la entrega de premios pero yo ya *(hacer)* planes para hacer otra cosa.
5. El policía trató de arrestar a los ladrones pero ellos ya *(escaparse)*.
6. Usted fue a visitar a su amiga pero ella ya *(salir)*.

24 Noticias de Sevilla

Complete el siguiente mensaje electrónico que Estela envió desde Sevilla, usando el pluscuamperfecto de los verbos entre paréntesis.

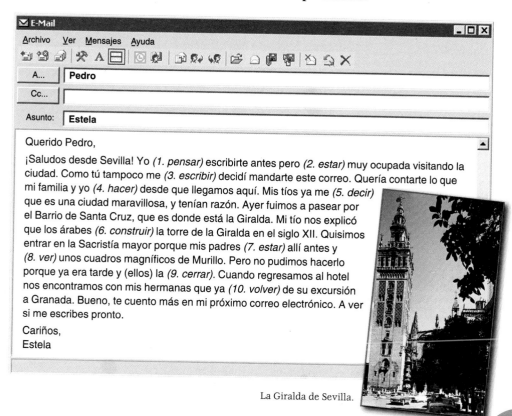

E-Mail

Archivo Ver Mensajes Ayuda

A... Pedro
Cc...
Asunto: Estela

Querido Pedro,

¡Saludos desde Sevilla! Yo *(1. pensar)* escribirte antes pero *(2. estar)* muy ocupada visitando la ciudad. Como tú tampoco me *(3. escribir)* decidí mandarte este correo. Quería contarte lo que mi familia y yo *(4. hacer)* desde que llegamos aquí. Mis tíos ya me *(5. decir)* que es una ciudad maravillosa, y tenían razón. Ayer fuimos a pasear por el Barrio de Santa Cruz, que es donde está la Giralda. Mi tío nos explicó que los árabes *(6. construir)* la torre de la Giralda en el siglo XII. Quisimos entrar en la Sacristía mayor porque mis padres *(7. estar)* allí antes y *(8. ver)* unos cuadros magníficos de Murillo. Pero no pudimos hacerlo porque ya era tarde y (ellos) la *(9. cerrar)*. Cuando regresamos al hotel nos encontramos con mis hermanas que ya *(10. volver)* de su excursión a Granada. Bueno, te cuento más en mi próximo correo electrónico. A ver si me escribes pronto.

Cariños,
Estela

La Giralda de Sevilla.

Capítulo 3   *ciento treinta y cinco*   **135**

Notes   Briefly discuss the domination of Spain by the Moors from the year 711 to 1492. The Moorish influence is still seen today, especially in southern Spain, in the language, architecture, food and literature.

Point out in activity 24 (item 6) that the past participle of *construir* (*construido*) does not carry an accent over the *i*.

Answers

23
1. había visto
2. había roto
3. habían cerrado
4. había hecho
5. se habían escapado
6. había salido

24
1. había pensado
2. había estado
3. habías escrito
4. habíamos hecho
5. habían dicho
6. habían construido
7. habían estado
8. habían visto
9. habían cerrado
10. habían vuelto

Activities

Expansion
After reading the e-mail in activity 24, have students design a travel brochure about Sevilla. Encourage them to use all of the cultural elements mentioned in the chapter.

National Standards

Communication
1.3

Cultures
2.2

Connections
3.1

Teacher Resources

 Activity 6 (CD 1, #38)

 Activities 13–14

 Activity 7

 Activity 11

Answers

25 Creative self-expression.

Activities

Communities
Ask students to research community resources that educate Spanish-speakers about emergency preparedness and crisis prevention.

Expansion
Working in pairs, have students take turns beginning a sentence by saying the name of a person or thing. The partner must complete the sentence using *que* or a preposition + *quien(es)* followed by a phrase that describes the person or thing. For example: *Pedro…* *Pedro es el testigo que vio el accidente.*

Language through Action
Encourage students to act out their dialogs in activity 25.

National Standards	
Communication 1.1, 1.3	**Communities** 5.1
Connections 3.1	
Comparisons 4.1	

136

Comunicación

25 Testigos de un accidente

Imagine que Ud. fue testigo de un accidente y que un(a) reportero/a lo/la entrevista sobre lo que sucedió. Con su compañero/a, hagan los papeles de testigo y reportero/a usando el pluscuamperfecto o el pretérito según corresponda.

MODELO A: ¿Qué vio usted?
B: Vi que un toro había lastimado a uno de los toreros.

¿Qué sucedió?

Estructura

Los pronombres relativos *que, quien(es)*

A relative pronoun is a word that links, or relates, two parts of a sentence. The most common relative pronoun in Spanish is *que* (that, which, who, whom), and it may refer to both people and things.

*Jorge es el chico **que** fue testigo del accidente.*	Jorge is the boy **who** was the witness to the accident.
*No vi al conductor del coche **que** explotó ayer.*	I didn't see the driver of the car **that** exploded yesterday.

After a preposition (*a, con, de, en*), use *que* to refer to things and *quien(es)* to refer to people.

Ésa es la calle en que ocurrió el accidente.	That is the street **where** the accident occurred.
*Ella no es la chica **a quien** viste en el festival.*	She is not the girl **(whom)** you saw in the festival.
*¿Son ellos los reporteros **con quienes** fuiste al juicio?*	Are they the reporters **with whom** you went to the trial?

Use *el que, la que, los que, las que* when you want to distinguish one subject from a group.

*De todos los reporteros, Jorge es **el que** entrevista mejor.*	Of all the reporters, Jorge is **the one who** interviews the best.
*Mientras guardaba las fotos, encontré **las que** saqué de la inundación.*	While I was putting away photos, I found **the ones** I took of the flooding.

Use *lo que* to refer to a situation, action or object not yet identified.

*Ella no entendió **lo que** le explicaron.*	She didn't understand **what** they explained to her.

Notes You might emphasize the reason for using relative pronouns by telling a short story and repeating the same nouns over and over. For example: *Maya es mi gato. Encontré mi gato en la calle.* Then repeat the story using relative pronouns. *Maya es el gato que encontré en la calle.* Ask students: *¿Para qué sirven los pronombres relativos?* Give more examples of how one can avoid repetitions by using relative pronouns. When you think students understand how relative pronouns work, have volunteers give more examples.

Comparisons. Point out that although one may omit "that" in English, one must always use *que* in Spanish.

Práctica

 26 **¿Quiénes son?**

Ud. fue testigo de un accidente e hizo una lista de las personas que estuvieron allí. Un policía quiere saber quiénes son. Con su compañero/a, hagan los papeles de testigo y policía. Usen *el que, la que, los que* y *las que*.

MODELO ese hombre con barba / chocó contra el autobús

  A: ¿Quién es ese hombre con barba?
  B: Es el que chocó contra el autobús.

1. esa señora / se desmayó
2. los chicos que están en la esquina / llamaron a la ambulancia
3. esas chicas / trajeron agua para las víctimas
4. ese reportero / entrevistó a los heridos
5. esa chica con lentes / rescató al niño

 27 **Una fiesta**

Imagine que va a dar una fiesta a la cual va a invitar a mucha gente. Use las preposiciones *a, con, en* y *de* junto con *que, quien/quienes* para completar las oraciones. Luego, termínelas de una manera original.

MODELO La chica ___ te presenté...
  La chica a quien te presenté es paramédica.

1. Las chicas ___ yo te vi anoche...
2. El actor ___ te hablé...
3. Ésa es la cámara ___ saqué...
4. El cantante ___ yo saludé...
5. El chico ___ tú viniste a la fiesta...
6. El actor ___ yo le pedí un autógrafo...
7. Ésta es la mesa ___ puse...

 Ésos son los chicos que conocí en la fiesta.

 ## Comunicación

28 **¿Qué es lo que le gusta?**

 Conteste las siguientes preguntas y luego hágaselas a su compañero/a. Después, comparen sus respuestas.

1. De las noticias que vio Ud. ayer en la televisión, ¿cuál fue la que más le interesó? ¿Por qué?
2. De todos los libros que Ud. leyó este año, ¿cuáles son los que le gustaron más? ¿Cuáles son los que le gustaría leer otra vez? ¿Por qué? ¿Quién es el autor o la autora que más le gusta?
3. ¿Le importa mucho a Ud. lo que dicen en los noticieros? Explique por qué.
4. ¿Le interesan los festivales de cine? Si es así, ¿qué es lo que más le interesa? ¿Por qué?

Capítulo 3   *ciento treinta y siete* **137**

 Notes

Connections. Spain's radio and television broadcasting network recognizes the ethnic/linguistic diversity of the country, and there are several stations broadcasting in Catalan, Galician and the Basque language. Have students locate on a map of Spain the various regions where these languages are spoken.

They might also point out an important city in each area.

Before students begin activity 27, remind them that each answer will contain *a, con* or *de* + *que, quien/quienes.*

 ## Teacher Resources

 Activity 28 (CD 6, #18)

Answers

26 1. ¿Quién es esa señora? / Es la que se desmayó.
2. ¿Quiénes son esos chicos que están en la esquina? / Son los que llamaron a la ambulancia.
3. ¿Quiénes son esas chicas? / Son las que trajeron agua para las víctimas.
4. ¿Quién es ese reportero? / Es el que entrevistó a los heridos.
5. ¿Quién es esa chica con lentes? / Es la que rescató al niño.

27 1. con quienes
2. del que
3. con que
4. a quien
5. con quien
6. a quien
7. en que
Sentence endings will vary.

28 Creative self-expression.

Activities

Multiple Intelligences (spatial)
Organize a visual version of activity 26, based on the photos found in activity 17 on page 131.

Students with Special Needs
Before students begin activity 26, point out that the relative pronoun will replace the person (subject) of each sentence. Model examples.

National Standards

Communication
1.1

Cultures
2.1, 2.2

Connections
3.1

Answers

29 1. Una ciudad medieval, con calles estrechas y sinuosas, construida sobre una colina junto al río y protegida por una muralla.

2. La iglesia de Santa María la Blanca, el monasterio de San Juan de los Reyes y la iglesia del Cristo de la Luz.

3. La llaman así porque durante la Edad Media, cristianos, judíos y musulmanes vivieron en paz en Toledo.

4. Answers will vary.

30 Answers will vary.

Activities

Connections (architecture/art)

Assign groups to research the architectural styles of various historical periods in Spain: Muslim, Mudéjar, Romanesque, Gothic, Renaissance, Baroque, Neoclassical. Instruct students to find examples of these types of architecture and write short descriptions of characteristic features of these constructions.

Critical Listening

Have students listen with books closed to the *Lectura personal*. Test listening comprehension by asking questions such as: *¿A quiénes escribe Mariana?; ¿Adónde fue Mariana?* etc.

National Standards

Communication	Comparisons
1.1, 1.2	4.1, 4.2
Cultures	**Communities**
2.2	5.1
Connections	
3.1, 3.2	

Lectura personal

E-Mail

Archivo Ver Mensajes Ayuda

A... **mamá y papá**

Cc...

Asunto: **Toledo**

Toledo: un encuentro de culturas

Queridos mamá y papá,
Hoy fue un día muy especial. Fuimos a Toledo. Toledo es una ciudad medieval, con calles estrechas y sinuosas[1]. Está construida sobre una colina junto al río y protegida[2] por una muralla. Algunos la llaman "la ciudad de la tolerancia", pues durante la Edad Media[3], cristianos, judíos[4] y musulmanes[5] vivieron en la ciudad en paz. Esa mezcla[6] de culturas todavía puede verse hoy en los edificios y las calles de la ciudad. En la ciudad visitamos la iglesia de Santa María la Blanca, que fue una sinagoga judía en la Edad Media; el monasterio[7] de San Juan de los Reyes, que es un gran edificio gótico construido por la reina Isabel la Católica; y la iglesia del Cristo de la Luz, que era una mezquita[8] construida por los musulmanes en la Edad Media y que después fue convertida en una iglesia católica por los cristianos. Caminar por las calles de Toledo es pasear entre culturas. Por eso este día fue inolvidable[9].
Cariños,
Mariana

[1]winding [2]protected [3]Middle Ages [4]Jews [5]Muslims [6]blend [7]monastery
[8]mosque [9]unforgettable

- Describa un edificio que perteneció a distintas culturas o religiones en diferentes épocas.

- ¿Qué cree que fue lo más importante que aprendieron Mariana y sus amigos en Toledo? ¿Por qué?

 ¿Qué recuerda Ud.?

1. ¿Cómo describe Mariana la ciudad de Toledo?
2. ¿Qué lugares visitó Mariana en esa ciudad?
3. ¿Por qué a Toledo la llaman "la ciudad de la tolerancia"?
4. ¿Qué quiere decir Mariana cuando escribe que "caminar por Toledo es pasear entre culturas"?

 Algo personal

1. ¿Visitó alguna vez una ciudad en que se pueda ver la influencia de otras culturas? Describa su experiencia.
2. ¿Hay algún lugar en su ciudad donde pueda aprender sobre distintas culturas?
3. Imagine que va a Toledo, ¿qué lugar le gustaría visitar? ¿Por qué?

Vista de Toledo.

Notes

The city of Toledo was an example of the collaboration among different ethnic groups. In 1085, King Alfonso VI gathered in Toledo the most important Arab, Jewish and Christian scientists and philosophers of the period. It was during this time that the famous *Escuela de Traductores* was founded.

Connections. Point out that many words in Spanish that begin with *al-* are adapted from Arabic. Have students scan their dictionary to list as many words adapted from Arabic as they can.

¿Qué aprendí?

Autoevaluación

Como repaso y autoevaluación, responda lo siguiente:

1. Mencione tres tipos de desastres o catástrofes que se anuncian a veces en las noticias.

2. Diga una oración con *saber* en el pretérito y otra con *saber* en el imperfecto.

3. Termine la oración: *Estábamos en un restaurante cuando...*

4. ¿Por qué se filmaron tantas películas en Almería?

5. Explique qué es *una camioneta*.

6. ¿Cómo se forma el pluscuamperfecto?

7. Describa a dos de sus amigos usando pronombres relativos.

8. ¿Qué es la Feria de Abril?

Palabras y expresiones

How many of these words and expressions do you recognize?

Las noticias
la bomba
el crimen
la explosión
la inundación
el juicio
el ladrón, la ladrona
la tormenta
la víctima

Para hablar de un juicio
el acusado, la acusada
la cárcel
culpable
inocente
el jurado
la sentencia

En un accidente
la ambulancia
el conductor, la conductora
grave
el paramédico, la paramédica
los primeros auxilios
la visibilidad

Verbos
anunciar
arrestar
asaltar
causar
chocar
declarar
desmayarse
explotar
lograr
matar
mencionar
rescatar
rodear
salvar

Otras palabras y expresiones
la camioneta
contra
por suerte
preocupado,-a
¡Socorro!
terrible
violento,-a

El jurado.

Rescatar.

La camioneta.

Notes

As a culminating activity, divide the class into groups of students to play the roles of TV news broadcasters. One student should be the anchor; other students can play the roles of the co-anchor, sportscaster, on-location reporter and meteorologist. Once students have composed their broadcast, allow sufficient time for them to rehearse. Record the broadcasts to play at a later time.

To emphasize the vocabulary on this page, encourage students to use as many of the words from the lists as possible when they are preparing their mock television broadcast.

Students should visit the Internet Resource Center at www.emcp.com to complete this activity online and check answers.

Teacher Resources

Activity 15

p. 104

Answers

Autoevaluación
Possible answers:
1. Una explosión, una inundación, una tormenta.
2. María *supo* todas las respuestas. Ella no *sabía* bailar bien.
3. Estábamos en un restaurante cuando oímos la explosión.
4. Porque tenía un paisaje perfecto para toda clase de películas.
5. Una camioneta es un vehículo más pequeño que un camión.
6. Se forma con el imperfecto de *haber* y un participio pasado.
7. Carlos es el chico con quien voy a la escuela. Marisa es la chica que vive al lado de mi casa.
8. Es una feria que se celebra en Sevilla con casetas, canciones y bailes.

National Standards

Communication
1.1, 1.3

Connections
3.1

139

Activities

Comparisons

Before students read the *Preparación,* you might point out that romances about chivalry were the favorite pleasure-readings during the Spanish Renaissance. Have students talk about and list their images of chivalry and chivalrous people (young, strong knights; princesses; strict codes of honor, etc.). Then, once they have read the *Preparación,* they can compare their images to that of the middle-aged Don Quijote. Have them save their descriptions for pages 141–143.

Connections

Spanish movie director Manuel Gutiérrez Aragón directed a miniseries about Don Quijote. If available, you might play some episodes in class.

Expansion

As students read the *Estrategia,* you may want to have them practice their dictionary skills by asking them to look up the Spanish words that they see. These words include: *ingenioso, hidalgo, mancha.* Can they think of any synonyms for these words? Have the class discuss what they know about Don Quijote or the author Cervantes.

Estrategia

Use prior knowledge

Chances are you have already heard of the character don Quijote de la Mancha. The name has held an important place in literature and the arts since the 17th century, when Miguel de Cervantes Saavedra wrote his famous novel *El ingenioso hidalgo don Quijote de La Mancha.* Don Quijote has been the subject of a series of paintings by the French artist Honoré Daumier and of a lithograph by Pablo Picasso. The character has also been the inspiration for a 19th-century Russian ballet and a 1965 Broadway musical ("Man of La Mancha") and its follow-up movie. In 2002 another film about him, "Don Quixote, Knight Errant" *(El Caballero don Quijote)* was produced in Spain. Have you seen any of these representations of don Quijote? Before you read, share with your classmates what you know about the story of don Quijote or the author Cervantes.

Preparación

Lea la siguiente información sobre Miguel de Cervantes Saavedra y luego indique si las oraciones que siguen son ciertas (C) o falsas (F). Si son falsas, corríjalas.

Miguel de Cervantes Saavedra (1547–1616) publicó su famosa novela *El ingenioso hidalgo don Quijote de La Mancha* en 1605. Este escritor español, considerado el creador de la novela moderna, se encontró en diferentes situaciones a lo largo de su vida. En 1575, cuando regresaba a España después de pelear en la batalla de Lepanto, donde fue herido[1] y perdió el uso del brazo izquierdo, fue acusado injustamente de no haber pagado sus impuestos[2] y encarcelado[3] durante cinco años en Argel[4]. Fue allí donde empezó a escribir su novela sobre don Quijote. El personaje principal de la novela, que es un hombre mayor, idealista y desilusionado[5] del mundo en que vive, decide recorrer España tratando de revivir[6] la época de la caballería[7], ya desaparecida hacia siglos. En sus aventuras, don Quijote trata de curar males, defender a los indefensos e imponer justicia en un mundo imperfecto, una misión que a veces lo pone en ridículo. A través del personaje de don Quijote y sus muchas derrotas[8], Cervantes intenta narrar la invencibilidad del espíritu humano.

[1]injured [2]taxes [3]imprisoned [4]Algiers [5]disappointed
[6]to revive [7]age of chivalry [8]defeats

Miguel de Cervantes Saavedra.

National Standards

Cultures
2.2

Connections
3.1, 3.2

Comparisons
4.1

140

Notes

Ask students what other famous novels or movies they have read or seen about chivalry (for example: *Ivanhoe, Excalibur, Camelot*).

La Mancha is a treeless, desertlike, underpopulated plain in the south-central part of Spain.

AP Spanish Literature. *De la segunda salida de don Quijote* by Miguel de Cervantes Saavedra is one of the selections on the College Board AP Spanish Medieval and Golden Age literature required reading list.

1. Cervantes publicó *El ingenioso hidalgo don Quijote de La Mancha* cuando tenía 58 años.
2. Cervantes perdió el uso de su brazo en un accidente.
3. El autor empezó a escribir la novela de don Quijote en la cárcel.
4. El personaje de don Quijote vivió durante la época de la caballería.
5. Don Quijote es un personaje malo e injusto.
6. En su novela, Cervantes intenta retratar *(portray)* la fuerza del espíritu humano.

De la segunda salida de don Quijote

Quince días estuvo don Quijote en casa muy sosegado[1]. Sin embargo, en este tiempo solicitó a un labrador[2] vecino suyo, hombre de bien, pero poco inteligente, que le sirviese de escudero[3]. Tanto le dijo, tanto le prometió, que el pobre determinó seguirle.

Decíale, entre otras cosas, don Quijote, que se dispusiese[4] a ir con él de buena gana, porque tal vez le podía suceder alguna aventura en que ganase alguna ínsula[5] y le dejase a él por gobernador de ella. Con estas promesas y otras tales, Sancho Panza, que así se llamaba el labrador, dejó a su mujer y a sus hijos y se fue como escudero de su vecino.

Iba Sancho Panza sobre su asno[6] con sus alforjas[7] y su bota[8], con mucho deseo de verse gobernador de la ínsula que su amo[9] le había prometido. Acertó[10] don Quijote a tomar el mismo camino que había tomado en su primer viaje, por el campo de Montiel, y caminaba con menos pena que la vez pasada porque, por ser la hora de la mañana, los rayos del sol no le fatigaban.

[1]calm, relaxed [2]farmworker [3]squire [4]he should get ready [5]island [6]donkey [7]saddlebags [8]wineskin [9]master [10]He managed to take

Don Quijote y Sancho Panza por Honoré Daumier.

 Answers

Preparación
1. C
2. F / Cervantes perdió el uso del brazo izquierdo en la batalla de Lepanto.
3. C
4. F / Don Quijote vivió siglos después que desapareció la época de la caballería.
5. F / Don Quijote es idealista, y trata de curar males y defender a los indefensos.
6. C

 Activities

Expansion

Some comprehension questions you might ask students after they have read the passage include: *¿Cuántos días estuvo don Quijote en casa?; ¿Cómo estaba don Quijote cuando estaba en casa?; ¿Quién era Sancho Panza?; ¿Qué le prometió don Quijote a Sancho Panza?; ¿Por qué crees que Sancho Panza dejó a su mujer y a sus hijos para acompañar a don Quijote?; ¿Cuál es tu opinión de Sancho Panza?*

Multiple Intelligences (linguistic/spatial)

After students have read the first two paragraphs, ask them to describe Sancho Panza. Some students might prefer to express Sancho Panza's personality through a comic-strip drawing.

National Standards
Communication 1.1, 1.2, 1.3
Cultures 2.2
Connections 3.1

Notes

You might point out to students that *panza* means "belly."

Ask students: *En tu opinión, ¿qué significa el título, De la segunda salida de don Quijote?*

Critical Thinking

After students have read the page, ask: *¿Cuál es tu opinión de don Quijote? Compara tu opinión con las del resto de la clase.*

Expansion

You might ask students comprehension questions about each paragraph:
Paragraph 1: *¿Cúal era la costumbre de los caballeros andantes antiguos?; ¿Qué creía don Quijote que podría hacer en seis días?*
Paragraph 2: *¿Qué descubrieron en el campo?*
Paragraph 3: *¿Con quién(es) quiere hacer batalla don Quijote?; ¿Por qué es "buena guerra"?*
Paragraphs 4–6: *¿Sancho está de acuerdo con don Quijote? Explique. Según Sancho, ¿qué eran en realidad los gigantes?*
Paragraphs 7–8: *¿Cómo se llama el caballo de don Quijote?; ¿Escuchó Quijote los consejos de Sancho?; ¿Qué hizo don Quijote?*

Prereading Activity

Ask students: *¿Qué sucederá en esta página?* After they have read the page, discuss how close their prediction was.

Don Quijote y Sancho Panza por Alexandre Gabriel Decamps.

—Has de saber, amigo Sancho Panza, que fue costumbre muy usada de los caballeros andantes[1] antiguos hacer gobernadores a sus escuderos de las ínsulas o reinos[2] que ganaban, y yo tengo determinado de que por mí no falte tan agradecida costumbre; antes pienso llevar ventaja en ella: porque ellos, algunas veces, esperaban a que sus escuderos fuesen viejos para darles algún título de conde[3] de algún valle; pero, si tú vives y yo vivo, bien podría ser que antes de seis días ganase yo tal reino, que tuviese otros a él unidos, para coronarte[4] rey de uno de ellos.

En esto, descubrieron treinta o cuarenta molinos de viento[5] que hay en aquel campo, y así como don Quijote los vio, dijo a su escudero:

—La suerte va guiando nuestras cosas mejor de lo que acertáramos a desear[6]; porque ves allí, amigo Sancho Panza, donde se descubren treinta, o pocos más, gigantes[7] con quienes pienso hacer batalla y quitarles a todos las vidas, con cuyos despojos[8] comenzaremos a ser ricos; que ésta

es buena guerra, y es gran servicio de Dios quitar tan mala gente de sobre la tierra.

—¿Qué gigantes? —dijo Sancho Panza.

—Aquellos que ves allí —respondió su amo —de los brazos largos, que los suelen tener algunos de casi dos leguas[9].

—Mire vuestra merced[10] —respondió Sancho —que aquellos no son gigantes, sino molinos de viento, y lo que en ellos parecen brazos son las aspas[11], que movidas por el viento, hacen andar la piedra del molino.

—Bien parece —respondió don Quijote —que no estás ejercitado en esto de las aventuras: ellos son gigantes; y si tienes miedo, quítate de ahí, y ponte en oración[12] mientras yo voy a entrar con ellos en terrible y desigual batalla.

Y diciendo esto, dio de espuelas[13] a su caballo Rocinante, sin atender a las voces que su escudero Sancho le daba, advirtiéndole[14] que, sin duda alguna, eran molinos de viento, y no gigantes, aquellos que iba a acometer[15]. Pero él iba tan convencido de que eran gigantes que ni oía las voces:

[1]knights-errant [2]kingdoms [3]count (title of nobility) [4]to crown you [5]windmills [6]more than we could wish for [7]giants [8]spoils of war

[9]leagues [10]your grace [11]blades of a windmill [12]pray [13]spurred [14]warning him [15]attack

Notes Point out that the fight against the windmills is probably the most famous episode in the novel. Ask whether students have heard about this episode before.

You can explain that the phrase "tilting at windmills," which means to fight against a harmless person or thing erroneously

believed to be threatening or evil, originated from this episode of the novel.

Ask students to identify examples of the Spanish *vosotros* form in the text.

National Standards	
Communication 1.1, 1.2	**Comparisons** 4.1
Cultures 2.2	
Connections 3.1	

—No huyáis[1], cobardes[2] y viles criaturas; que un solo caballero es el que os acomete.

Levantóse en esto un poco de viento, y las grandes aspas comenzaron a moverse; visto lo cual por don Quijote, dijo:

—Pues aunque mováis más brazos que los del gigante Briareo, me lo habéis de pagar.

Y diciendo esto, y encomendándose[3] de todo corazón a su señora Dulcinea[4],

[1]Don't flee [2]cowards [3]entrusting himself
[4]Character in the novel. Dulcinea is a woman of questionable morals whom don Quijote believes to be the epitome of feminine virtue.

pidiéndole que en tal aventura le socorriese[5], bien cubierto con su rodela[6], arremetió con la lanza[7] a todo correr de Rocinante y se lanzó[8] contra el primer molino que estaba delante, dándole una lanzada en el aspa. La volvió el viento con tanta fuerza que hizo la lanza pedazos, llevándose tras sí al caballo y al caballero, que fue rodando por el campo. Acudió Sancho Panza a socorrerle a todo el correr de su asno, y cuando llegó le halló que no se podía mover: tal fue el golpe que dio con él Rocinante.

—¡Válgame Dios! —dijo Sancho.

[5]helped him [6]shield [7]lance [8]lunged forward

Don Quijote y los molinos de viento por Francisco J. Torrome.

A ¿Qué recuerda Ud.?

1. ¿Quién es Sancho Panza?
2. ¿Qué le promete don Quijote a Sancho Panza?
3. ¿En qué va montado Sancho Panza?
4. ¿Qué son en realidad los gigantes que ve don Quijote?
5. ¿Qué piensa don Quijote que son las aspas de los molinos?
6. ¿Qué hace don Quijote con el primer molino?

B Algo personal

1. ¿Por qué cree Ud. que don Quijote vio enemigos donde no los había?
2. ¿Conoce Ud. a alguna persona con muchos ideales? ¿Le trae problemas a esa persona tener esos ideales? Dé un ejemplo.
3. ¿A Ud. le gustaría corregir algunos de los problemas de la sociedad? ¿Cuáles? ¿Cree que es fácil corregirlos?

Notes

Suggest that students answer the questions in activity B in groups. Have the groups share their answers with the rest of the class.

Teacher Resources

Activity A (CD 6, #23)
Activity B (CD 6, #24)

◆ Answers

A 1. Sancho Panza es un vecino de don Quijote.
2. Don Quijote le promete ser gobernador de una ínsula.
3. Sancho Panza va montado en un asno.
4. Los gigantes que ve don Quijote son molinos de viento.
5. Don Quijote piensa que son los brazos de los gigantes.
6. Se lanza contra él.

B Answers will vary.

◆ Activities

Multiple Intelligences (interpersonal/linguistic)
Have student pairs imagine and create a dialog between don Quijote and Sancho Panza.

Prereading Activity
Before students read the page, explain the references to Briareo and Dulcinea. Briareo was a figure of Roman mythology, a giant who had 50 heads and 100 arms. Dulcinea's real name was Aldonza Lorenzo. Don Quijote "renamed" her and idealized her as the lady that he worshiped in chivalric fashion.

Spanish for Spanish Speakers
Ask students to summarize the events on the page in their own words.

National Standards
Communication
1.1, 1.2, 1.3
Cultures
2.2
Connections
3.1

Answers

Creative self-expression

Activities

Critical Thinking

Bring to class Spanish-language magazines and newspapers. Have students skim the articles to find examples of imaginative introductions. Students take turns reading aloud their findings to the class. Who can find the snappiest intro?

Language through Action

Assign student pairs the roles of reporter and interviewee. The reporter must use the questions *¿Qué?*, *¿Quién?*, *¿Cuándo?*, *¿Dónde?*, *¿Por qué?* and *¿Cómo* to interview his or her partner about an event in the past. The student interviewed must relate an event using the preterite and imperfect tenses.

Students with Special Needs

For the class, model some snappy introductions with students. You might even clip some bland articles from Spanish-language sources, and have the class improve the lead lines.

National Standards

Communication
1.1, 1.2, 1.3

Connections
3.1, 3.2

144

Ud. escribe ■ ■ ■ ■ ■ ■ ■ ■ ■ ■ ■ ■

Estrategia

Use snappy introductions

In order to get your reader involved in your essay immediately, it is important to use an interesting introduction. One way to begin your introduction is to give readers an idea of where you plan to take them, without telling them the whole story. For example, if you are writing about an event that happened in the past, give your readers an idea of why the event is worth their attention, but refrain from explaining exactly what happened. Save that for later, in the body of your writing. For example, *Ayer tuve una conversación que va a cambiar mi vida para siempre* attracts attention and makes readers wish to read more, while *Estoy triste porque ayer mi novia me dijo que no quería verme más* gives so much away that readers may not want to go further.

Escriba un artículo sobre un evento que ocurrió en el pasado. Incluya detalles que contesten las preguntas *¿Qué?*, *¿Quién?*, *¿Dónde?*, *¿Cuándo?*, *¿Cómo?* y *¿Por qué?* Primero, organice sus ideas en una gráfica como la de abajo. Use la gráfica para escribir el borrador. En una primera revisión del borrador, preste atención a su introducción, asegurándose de que atraiga *(attract)* la atención de los lectores. Recuerde usar lo que ha aprendido en este capítulo sobre el uso del pretérito y el imperfecto para hablar de los eventos en el pasado. Después, comparta su borrador con otro/a estudiante y pídale sus sugerencias o correcciones. Por último, escriba la versión final para incluir las sugerencias de su compañero/a y corregir los errores en los tiempos de los verbos y la ortografía.

Título *(title)*

Ambiente *(setting)*

Personajes *(characters)*

Problema *(problem)*

Eventos *(events)*

Solución *(solution)*

Es importante crear un buen ambiente al escribir.

Notes

As an expansion, have students complete the organizer on this page with more topics.

If students have difficulty coming up with ideas for their article, provide them with a list of suggested topics.

Proyectos adicionales

A Conexión con la tecnología

Se dice que muchas ciudades de países distintos son "hermanas" porque tienen características similares y entre ellas se producen intercambios *(exchanges)* culturales y comerciales. Varias ciudades estadounidenses tienen sus ciudades hermanas en España, tales como Kansas City y Sevilla; Toledo, Ohio y Toledo; Miami y Tenerife (Islas Canarias) y San Diego y Alcalá de Henares (donde nació Cervantes). Busque en la internet la información que necesita para hacer un cartel sobre una ciudad estadounidense y su hermana española. ¿Qué conexiones hay entre las dos ciudades? ¿Por qué son hermanas? Pegue su cartel en el salón de clases.

Miami y Tenerife
son ciudades hermanas.

B Conexión con otras disciplinas: las ciencias

Trabaje en grupos pequeños para investigar el clima mediterráneo. Puede usar la biblioteca y la internet para su investigación. Busque datos sobre las características de este tipo de clima, por ejemplo: temperaturas, lluvias, flora, fauna y lugares donde se encuentra. Su grupo debe hacer una presentación para la clase con la información que encuentre, acompañarla con mapas, tablas y fotografías.

Los olivos son típicos del Mediterráneo.

C Comparaciones

La influencia de España en la historia de Estados Unidos se puede ver hoy en día a través de la arquitectura. En muchos lugares de nuestro país, como California, Texas, Arizona, Nuevo México y Florida, existen casas y edificios con características de la arquitectura española. Haga una comparación entre uno o más edificios estadounidenses y españoles. Observe las características españolas, como torres, arcos *(arches)*, tejados de barro *(clay roof tiles)*, mosaicos *(mosaics)*, patios interiores *(interior courtyards)* y balcones de hierro forjado *(wrought iron)*. Piense si hay alguna casa o edificio en su comunidad para usar como ejemplo de estas influencias. Escriba un informe con la información que encuentre en la internet o en la biblioteca.

Notes

The sister-city concept evolved from President Eisenhower's "People-to-People" program, which was established in 1956 to lessen the chance of future world conflicts and to involve people from all walks of life in diplomacy.

Teacher Resources

p. 89

Activities

Communities
If your town or city does not yet have a Latin American sister city, challenge your students to list good sister-city options. Students must be prepared to tell why the city they have chosen would make a good sister city for your hometown. Volunteers might write a proposal to the local government suggesting that the town adopt one of the sister cities from the class list.

Connections
Activity B offers cross-curricular connections to science.

Critical Thinking
As an extension to activity C, have students research the origins of the architectural styles mentioned. For example, *patios interiores* are a Moorish influence.

National Standards	
Communication 1.1, 1.3	**Comparisons** 4.2
Cultures 2.2	**Communities** 5.1
Connections 3.1, 3.2	

El cuarto misterioso
Documental 2

Trabalenguas (CD 6, #25)

Answers

Así se hace el misterio

1. Anna tiene tres hermanos mayores y cuatro sobrinos. Sus padres son profesionales. Su madre escribe libros para niños. Su hermano mayor ha sido como un segundo padre.
2. A Anna le gusta más la parte del movimiento para trabajar con el cuerpo.
3. El proceso fue muy difícil. Los exámenes son muy duros. Anna no fue aceptada la primera vez que lo intentó.

Activities

Expansion

Ask students to recall the headlines that have been in the news during the current week. A student volunteer can write these on the board. Ask students to decide which news story was the most important, and why.

Trabalenguas

See which student can say the *Trabalenguas* the most times in a row without making a mistake.

National Standards

Communication
1.3

Connections
3.1

146

REPASO

Now that I have completed this chapter, I can...	Go to these pages for help:
classify news in corresponding sections.	100
talk about activities of the media.	110
talk about how long something has been going on.	114
comment on news and events in the media.	120
recall and talk about events in the past.	124, 127
react to news events.	130
link parts of sentences.	136

I can also...

talk about a newspaper supplement dedicated to young people in Spain.	103
identify some places of interest in Madrid.	109
talk about the San Sebastián Film Festival.	113
talk about the reading habits of young people in Spain.	118
discuss the benefits of shooting a movie in Almería.	123
talk about Sevilla's past and present history.	133
discuss the mixture of three cultures in Toledo.	139
read an excerpt from *don Quijote*.	140

Trabalenguas

En un juncal de Junqueira, juncos juntaba Julián.
Juntose Juan a juntarlos y juntos juncos juntaron.

Así se hace el misterio

Después de mirar Episodios 21–24 de *El cuarto misterioso*, contesta las siguientes preguntas.

1. Describe la familia de Anna. ¿Cómo es similar o diferente a la tuya?

2. ¿Qué parte del teatro le gusta más a Anna?

3. ¿Cómo fue el proceso de entrar en una escuela de teatro para Anna?

Notes Loose translation of the *Trabalenguas*:
In a reed bed in Junqueira, Julián gathered reeds.
Juan joined him to gather them, and together they gathered reeds.

AP Spanish Language. Many picture sequences have been included in ¡Aventura! 3 (e.g., pages 122 and 132). Asking students to use Spanish to relate these sequences from time to time will help to prepare students for the Picture Sequences section of the AP Spanish Language Examination.

Vocabulario

aceptar to accept 3A
el **acusado**, la **acusada** accused person 3B
agradecer to thank 3A
la **ambulancia** ambulance 3B
anunciar to announce 3B
arrestar to arrest 3B
asaltar to assault 3B
averiguar to find out 3A
la **bomba** bomb 3B
la **cámara digital** digital camera 3A
la **camioneta** station wagon 3B
la **cárcel** jail 3B
causar to cause 3B
la **ceremonia** ceremony 3A
chocar to crash 3B
los **clasificados** classified 3A
el **conductor** driver 3B
contra against 3B
contribuir (y) contribute 3A
el **crimen** crime 3B
el **crucigrama** crossword puzzle 3A
culpable guilty 3B
dar un discurso give a speech 3A

declarar to declare 3B
desmayarse to faint 3B
destruir (y) to destroy 3A
la **entrega de premios** awards ceremony 3B
entrevistar to interview 3A
el **estreno** premiere 3A
la **explosión** explosion 3B
explotar to explode 3B
el **festival** festival 3A
las **finanzas** finances 3A
grave serious, grave 3B
inocente innocent 3B
la **inundación** flood 3B
el **juicio** trial 3B
el **jurado** jury 3B
el **ladrón**, la **ladrona** thief 3B
lograr to achieve, to obtain 3B
matar to kill 3B
mencionar to mention 3B
el **ocio** free time 3A
la **opinión** opinion 3A
el **ordenador** computer 3A
el **paramédico**, la **paramédica** paramedic 3B
el **periodismo** journalism 3A

por suerte luckily 3B
por supuesto of course 3A
la **prensa** press 3A
preocupado,-a worried 3B
los **primeros auxilios** first aid 3B
al **principio** at the beginning, 3A
la **programación de televisión** TV guide 3A
el **recuerdo** memory 3A
el **reportaje** interview 3A
rescatar to rescue 3B
rodear to surround 3B
la **rueda de prensa** press conference 3A
salvar to save 3B
la **sentencia** sentencing 3B
la **sesión fotográfica** photo session 3A
la **sociedad** society 3A
¡Socorro! Help! 3B
suceder to happen 3A
el **suplemento dominical** Sunday supplement 3A
tener lugar to take place 3A
terrible terrible 3B
la **tormenta** storm 3B
la **víctima** victim 3B
la **videocámara digital** digital videocamera 3A
violento,-a violent 3B
la **visibilidad** visibility 3B

La rueda de prensa.

Un ordenador.

Teacher Resources

Assessment
Test Booklet **ExamView**®
Quizzes   Assessment Suite

◆ Activities

Expansion
In pairs, have students write five catchy headlines using words from the vocabulary list.

Multiple Intelligences (linguistic)
Invite students to create crossword puzzles using the chapter vocabulary and trade them with a classmate. You may wish to provide or have students use computer software to make the crossword puzzles.

Students with Special Needs
Help students reinforce vocabulary comprehension by having them create their own flash cards. On one side of the card, have them write a vocabulary word. On the other side, they can draw a picture.

Notes
As a review, instruct students to choose any five *Vocabulario* words and write a sentence for each. Then have students share their sentences.

National Standards

Communication
1.2, 1.3

Connections
3.1

147

El cuarto misterioso
Documental 2

Symtalk Units 10, 11, and 17

Connections with Parents

To encourage participation with parents or guardians, ask students to talk to them about the friendships they had when they were teenagers. What qualities did they look for in others then—and do they still look for those qualities in friends now that they are grown up? Ask students to make a list of things that their parents or guardians feel are important. Have the class compare those with their own beliefs.

 Answers

El cuarto misterioso
1. Answers will vary.
2. Answers will vary.
3. Anna representaba cómo nace y se apaga un fuego.
4. Answers will vary.

 Activities

Critical Thinking
Ask students if they think that the actors who play Ana and Francisco are friends in real life. Why or why not?

National Standards

Connections
3.1
Comparisons
4.2
Communities
5.1

148

CAPÍTULO 4

Entre amigos

El cuarto misterioso

Contesta las siguientes preguntas sobre esta escena del *Documental 2—Anna Ros (Ana).*

1. ¿Qué imaginas que a Anna le gusta hacer más?
2. ¿Piensas que ser actor es un talento natural?
3. ¿Qué intentaba representar Anna con la máscara y el movimiento del cuerpo?
4. ¿Piensas que Anna es como su personaje de Ana?

DVD 5, Episodios 25-28. Anna baila con una máscara.

Notes The communicative objectives provided on pages 148–149 tell students what to expect in this chapter. A list of these functions appear on page 190 so students can evaluate their progress.

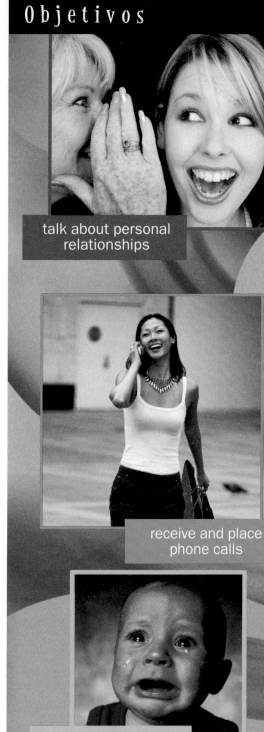

Objetivos

talk about personal relationships

receive and place phone calls

make apologies

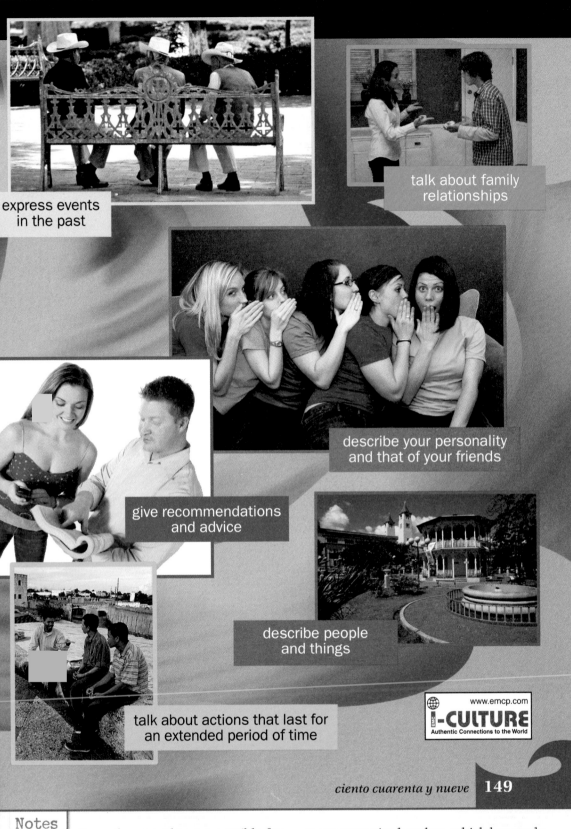

express events
in the past

talk about family
relationships

describe your personality
and that of your friends

give recommendations
and advice

describe people
and things

talk about actions that last for
an extended period of time

www.emcp.com
i-CULTURE
Authentic Connections to the World

ciento cuarenta y nueve **149**

Contexto cultural

Puerto Rico
Nombre oficial: Estado Libre
Asociado de Puerto Rico
Población: 3.900.000
Capital: San Juan
Ciudades importantes: Ponce,
Mayagüez, Bayamón
Unidad monetaria: el dólar (EE.UU.)
Gente famosa: Raúl Julia (actor);
Roberto Clemente (beisbolista)

República Dominicana
Nombre oficial: República
Dominicana
Población: 9.000.000
Capital: Santo Domingo
Ciudad importante: Puerto Plata
Unidad monetaria: el peso
dominicano (RD$)
Gente famosa: Juan Luis Guerra
(cantante); Sammy Sosa (beisbolista)

Activities

Prior Knowledge
Take a few minutes to let students
reflect on the chapter objectives.
Ask students: *¿Cómo eres tú?*
*¿Eras diferente cuando eras más
joven?; ¿Cómo te llevas con tus
compañeros de colegio?; ¿Qué cosas
causan conflictos entre los amigos?;
¿Qué hacías cuando tenías seis años
para divertirte?; ¿Cómo es tu clase
de español?; ¿Qué consejo le darías
a un amigo para que tenga buenas
relaciones con sus hermanos?; ¿Qué
le dices a alguien que te llama y
pregunta por alguien que no vive
ahí? ¿Qué estaba pasando durante el
almuerzo?*

National Standards

Communication
1.1

Connections
3.1

Notes

Several approaches are possible for
the objective introduction. Students can be
asked to answer in complete sentences or
with a short answer.

Explain that Puerto Rico is located in the
Caribbean Sea about 1,000 miles southeast
of the mainland of the United States. The
weather is warm all year, and there are

many very nice beaches, which has made
tourism one of the island's most important
businesses.

Teacher Resources

 Vocabulario I
La amistad (CD 7, #1)

 Activity 1 (CD 2, #1)

 Activity 13

 Activities 1–3

 Activity 1

 Activities 1–3

Content reviewed in *Lección A*
- relationships with friends
- describing people
- the present perfect

 Activities

Expansion

Have students form small groups to play *Teléfono celular*, a variation of the game called *Teléfono*. Have one student tell a second student a secret. The second student then repeats it as closely as possible to the next student, and so on. The last student then says the secret aloud, and the class compares it to the original version. Students can then discuss how this relates to a piece of gossip that is spread around. Suggest that they keep the sentence(s) as short and simple as possible. But if all goes well, encourage them to expand the length of the sentence(s).

National Standards	
Communication 1.1	**Comparisons** 4.2
Cultures 2.2	
Connections 3.1	

150

  Puerto Rico

Vocabulario I
La amistad

Notes

Comparisons. Stolen secrets and broken confidences are an important part of the plots of Hispanic soap operas, which are even more popular than their counterparts in the U.S. Argentina, Venezuela, and Mexico are the principal producers, and their programs are sold to countries all over the world.

Most *telenovelas* are set in the present, but there are also *telenovelas históricas* about famous people and *telenovelas de época* that take place in some of the more romantic periods of the past.

No sé si puedo creerte.

Laura y tu novio no tienen nada en común. ¿No te das cuenta de que él te quiere a ti?

¿Por qué eres tan celosa? No debes tener celos de Laura. Es sólo una amiga.

Eres tan considerada, Elena... Gracias por apoyarme.

Marcos, debes pensar en ti mismo y olvidar a Julieta.

Answers

1.   1. F
    2. D
    3. B
    4. A
    5. C
    6. E

2. Answers will vary.

1   ¡Qué entrometido!

 Indique la letra de la ilustración que corresponde con lo que oye.

A

B

C

D

E

F

2   ¿Cómo es su amigo/a?

Escriba una descripción de un(a) amigo/a. Use como mínimo cuatro palabras o frases de la caja.

celoso/a	honesto/a
confiar	increíble
considerado/a	pensar en sí mismo/a
chismear	tener celos
chismoso/a	tener en común
entrometido/a	

 ¡Extra!

Más descripciones

cortés	*polite*
descortés	*rude*
estupendo, -a	*wonderful*
insoportable	*unbearable*
presumido, -a	*conceited*
tímido, -a	*shy*
tolerante	*tolerant*

Activities

Language through Action
Have students act out situations that involve vocabulary from these pages while others attempt to supply the adjectives that best describe the interactions.

Prereading Strategy
Have students look at the vocabulary pictures on this page and describe what they think is going on. Ask them to make a list of adjectives that might describe these interactions.

Spanish for Spanish Speakers
Have students write brief scenes in which young people react with jealousy, or share or give away secrets. Have them perform their scenes for the class.

Capítulo 4   *ciento cincuenta y uno*   **151**

Notes
Ask students to come up with other situations that involve trust, jealousy, betrayal or other behaviors that are often exhibited in the course of teenage relationships. Ask them to think of appropriate English words that are not covered in the dialogs of *Vocabulario I* (e.g., envy, lie). Have more advanced students look up the Spanish equivalents of those words.

National Standards

Communication
1.1, 1.2, 1.3

Connections
3.1

Comparisons
4.1

Diálogo I
Te voy a contar un secreto
(CD 7, #3)
Activity 3 (CD 7, #4)
Activity 4 (CD 7, #5)
Activity 5 (CD 7, #6)

Answers

3
1. Miguel y Laura se reconciliaron.
2. Se dio cuenta de que Miguel es un chico sincero y honesto.
3. Su problema es que es muy celosa y no confía en ningún chico.
4. Tiene que ser más considerada y aceptar a las amigas de Miguel.
5. Porque Miguel tiene demasiadas amigas.

4 Answers will vary.

5
1. B
2. A
3. C
4. A
5. C
6. A

Activities

Expansion

Have small groups create lists of adjectives to describe several famous people. You can avoid duplication by assigning categories (e.g., female singers, male singers, authors). Still, duplications can be amusing if the groups have different opinions, so you may wish to assign some categories to more than one group.

National Standards	
Communication 1.2	**Comparisons** 4.2
Cultures 2.2	
Connections 3.1	

152

Diálogo I   Te voy a contar un secreto

DIEGO: Te voy a contar un secreto pero no puedes decírselo a nadie.
RITA: ¿Qué es?
DIEGO: Miguel y Laura se reconciliaron.
RITA: ¿Estás seguro?

DIEGO: Sí, Laura lo perdonó. Por fin se dio cuenta de que Miguel es un chico sincero y honesto.
RITA: Sí, pero el problema de Laura es que es muy celosa y no confía en ningún chico.

DIEGO: Laura tiene que ser más considerada y aceptar a las amigas de Miguel.
RITA: Sí, pero Miguel no debe pensar tanto en sí mismo y comprenderla. No es fácil para ella. ¡Miguel tiene demasiadas amigas!

¿Qué recuerda Ud.?

1. ¿Cuál es el secreto que le cuenta Diego a Rita?
2. ¿De qué se dio cuenta Laura, según Diego?
3. ¿Cuál es el problema de Laura, según Rita?
4. ¿Cómo tiene que ser Laura, según Diego?
5. ¿Por qué no es fácil para Laura salir con Miguel?

Algo personal

1. ¿Le contaron alguna vez un secreto que no podía decir a nadie?
2. ¿Pudo guardar ese secreto?
3. ¿Piensa Ud. en las otras personas más que en Ud. mismo/a?
4. ¿Qué tiene en común con su mejor amigo/a?
5. ¿Cómo se describe a sí mismo/a?

¿Cuál es su personalidad?

 Escuche lo que dicen estas personas. Escoja la letra de la palabra que describe la personalidad de cada una.

1. A. honesta   B. celosa   C. increíble
2. A. considerado B. entrometido   C. egoísta
3. A. estricto   B. chismoso   C. honesto
4. A. chismosa   B. nerviosa   C. ocupada
5. A. increíble   B. sincero   C. entrometido
6. A. sincero   B. estudioso   C. celoso

152 *ciento cincuenta y dos*   **Lección A**

Notes

Comparisons. Parks in Spain as well as many Latin American countries tend to be more formal than they are in the United States. Many follow the aristocratic tradition of separating the visitor from the trees with well-defined paths and low walls or hedges. This is in part because some of these parks, such as Madrid's Retiro, were formerly palace gardens for royalty or nobility.

Cultura viva I

La herencia taína

Los taínos eran la cultura más extendida[1] en Puerto Rico en los tiempos en que Cristóbal Colón llegó al continente americano. El propio Colón los describió en su diario como un pueblo hospitalario, que hablaba un idioma agradable, "el más dulce del mundo". Aunque el impacto de la conquista provocó la casi total desaparición de los taínos, todavía quedan huellas[2] de su cultura en los pueblos del Caribe. Muchos creen que el carácter amistoso[3] del pueblo puertorriqueño es parte de la bella herencia[4] de los primeros habitantes de la isla.

Muchas palabras de la lengua de los taínos fueron adoptadas por el español. En el campo, podemos ver los *bohíos*, unas casas pequeñas

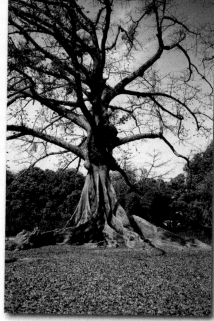
Las ceibas son unos árboles muy grandes.

de madera, y las *ceibas*, unos árboles inmensos que todavía hoy se cree que son sagrados[5]. Por la noche siempre se puede dormir en una *hamaca*.

Y si uno va a Puerto Rico, hay que probar sus frutas más sabrosas: la guanábana, el caimito y el mamey. Como los españoles no conocían esas frutas, les dieron el mismo nombre que los taínos usaban.

Además de su influencia en la lengua, los taínos contribuyeron con sus juegos. Este pueblo practicaba un juego ceremonial llamado *batey*, en el que se usaba una bola hecha de plantas de caucho[6]. Se formaban dos equipos y jugaban en una plaza rectangular rodeada de pilares[7] con grabados artísticos[8].

---

[1]extended [2]traces [3]friendly [4]inheritance [5]sacred [6]rubber [7]pillars [8]engravings

---

6 La cultura taína

Conteste las siguientes preguntas.

1. ¿Cómo definió Colón la cultura taína?
2. ¿Qué huellas de la cultura taína se encuentran hoy en Puerto Rico?
3. Diga algunas palabras taínas que han pasado al español.
4. ¿Por qué hay tantas frutas del Caribe que tienen nombres taínos?
5. ¿Qué árbol piensan algunas personas que es sagrado?
6. ¿Conoce usted algunas palabras taínas que son parte del idioma inglés? ¿Qué significan?

Notes

Archaeologists believe that the Taino people migrated from the South American continent, but are uncertain as to exactly where they came from. Some linguistic evidence suggests the Orinoco Valley in the Amazon region, while other evidence indicates the Andes. The West Indies were probably first populated about 4000 B.C.

When the islands were colonized, the Taino were treated as slaves. Overwork, malnutrition and other factors decimated the population of the Taino.

Teacher Resources

 Activity 6 (CD 7, #7)

 Activity 2 (CD 2, #2)

 Activity 4

◆ Answers

6
1. Los taínos eran un pueblo hospitalario, que hablaba un idioma agradable, "el más dulce del mundo".
2. Muchas palabras de la lengua de los taínos fueron adoptadas por el español.
3. *bohío, hamaca, guanábana, caimito, mamey*
4. Como los españoles no conocían esas frutas, les dieron el mismo nombre que usaban los taínos.
5. la ceiba
6. Answers will vary.

◆ Activities

Critical Thinking

For centuries, Columbus's journey was described as one of discovery, yet the continents he reached had been discovered thousands of years earlier by the ancestors of the people who were living there. The term has come into misuse again recently with the "rediscovery" of an Inca village that Hiram Bingham ignored, despite being told by locals that it was there, on his way to visit Machu Picchu. Ask students to discuss this issue.

National Standards

Cultures
2.1, 2.2

Connections
3.1

Comparisons
4.1, 4.2

Answers

7 Creative self-expression.

 Activities

Expansion

Give index cards or pieces of paper to small groups and ask them to make two sets of cards. One set should contain all of the direct and indirect pronouns. The other set should include at least half a dozen command forms (for example, *contesta, di, escucha, escriba, llama* and *pregunta*). Students should shuffle the cards and place them facedown, then take turns drawing one card from each pile to create a sentence. When all of the verbs have been used, the piles should be reshuffled and the activity repeated.

Multiple Intelligences (spatial)

Divide students into small groups, making sure that each group has at least one member with spatial abilities. Assign each group to create visual ways to show the various methods of linking direct object pronouns with conjugated verbs, infinitives or present participles.

National Standards

Communication
1.1, 1.2, 1.3

Idioma

Repaso rápido

Más sobre verbos y pronombres

Indirect and direct object pronouns as well as reflexive pronouns precede conjugated verbs, that is, verbs with personal endings.

Borré tu correo electrónico, pero **lo** *recuerdo.*	I erased your e-mail, but I remember **it.**
Les *escribo pronto.*	I'll write **to you** soon.

However, in affirmative command forms, pronouns are attached to the commands.

*Lláma***lo** *ahora mismo.*	Call **him** right now.
*Perdóna***me**.	Forgive **me.**

When used with present participles and infinitives, pronouns may either precede the conjugated verb or be attached to the participle or infinitive.

Te *voy a apoyar.*	I'm going to support **you.**
*Voy a apoyar***te**.	
Me *estás mintiendo.*	You are lying to **me.**
*Estás mintiéndo***me**.	

7 **Preparativos para la fiesta**

Imagine que Ud. y su compañero/a están preparando una fiesta. Tienen muchas cosas por hacer. Decidan quién va a hacer cada cosa. Sigan el modelo.

MODELO hacer la lista de invitados
> **A:** Hay que hacer la lista de invitados. ¿La hago yo?
> **B:** Sí, hazla tú. (No, compra las decoraciones.)

Hagamos una fiesta.

La Fiesta

- ☑ hacer la lista de invitados
- ☐ decidir la hora de la fiesta
- ☐ comprar los refrescos
- ☐ llamar a los invitados
- ☐ sacar los platos y los vasos de papel
- ☐ escoger la música
- ☐ buscar las servilletas
- ☐ pasar la aspiradora
- ☐ pedir la comida por teléfono
- ☐ limpiar la mesa
- ☐ poner la mesa

Notes Students may have trouble accepting the idea that something that is said one way in English may be said "backwards" in Spanish. Reinforce the idea that a phrase like *me lo dijo* should not be translated word-for-word to mean "to me it he said." Students should focus instead on the meaning of an entire phrase.

Estructura

Los complementos directos e indirectos en una misma oración

Sometimes both an indirect object pronoun and a direct object pronoun are used in a sentence. Note the object pronouns in these sentences.

Gloria me contó un chiste.

*Gloria **me** contó un chiste.*   Gloria told **me** a joke.

***Me lo** contó ayer en el parque.*   She told **it to me** in the park yesterday.

Notice that the indirect object pronoun (*me* = to whom?) comes before the direct object pronoun (*lo* = what?).

The indirect object pronouns *le* and *les* become *se* when followed by the direct object pronouns *lo, la, los, las.*

*Gloria también **le** contó el chiste a Hugo.*   Gloria also told the joke **to Hugo**.

***Se lo** contó hoy en el colegio.*   She told **it to him** at school today.

Since the indirect object pronouns *le, les,* and *se* can refer to different people (to him, to her, to them, to you), it is often necessary to provide additional information (*a* + name) to avoid confusion.

***Le** pido favores **a mi hermano**, pero **le** hago favores **a mi hermana**.*   I ask my **brother** for favors, but I do favors for **my sister**.

Direct and indirect object pronouns can precede conjugated verbs. They may also be attached to infinitives and present participles.

***Lo** voy a invitar más tarde.*
*Voy a invitar**lo** más tarde.*   I'm going to invite **him** later.

***Las** estoy buscando, pero no **las** encuentro.*
*Estoy buscándo**las**, pero no **las** encuentro.*   I'm looking for **them** but I can't find **them**.

In affirmative commands the object pronouns are attached to the command forms. Note that if the command form is three syllables or longer it requires an accent mark.

***Diles** lo que piensas.*   **Tell them** what you think.
***Escúchala**, va a apoyarte.*   **Listen to her**, she's going to support you.
***Préstamelas**.*   **Lend them to me**.

Teacher Resources

 Activity 4 (CD 2, #4)
Activity 5 (CD 2, #5)

 Activities 6–8

 Activity 2

 Activities 5–6

 Activities

Expansion

Ask a series of simple questions that individual students must answer with object pairs. Use such verbs as *ayudar, comer, dar, decir, pedir, preguntar, prestar* and *regalar.*

Change tenses and persons frequently. Examples: *¿Quién le dio el libro?; ¿Cuándo van Uds. a comer las pizzas?*

Students with Special Needs

Double-object sentences can bring even the best students to a halt, and the best way to deal with special needs students may well be to group them with native speakers. Ask the latter to brainstorm a list of everyday phrases that involve direct and indirect object pronouns and to model these for the others. Have them give the special needs students time to write down the phrases for later practice.

National Standards

Communication
1.1

Comparisons
4.1

Notes   Remind students that when there are two object pronouns in the same sentence, the indirect object pronoun always precedes the direct object pronoun. Also point out that if both object pronouns begin with the letter *l,* the first (indirect object) pronoun becomes *se.*

Answers

8 1. le
2. se los
3. me los
4. se los
5. melos
6. Me los
7. No te los
8. Se los
9. Se los

9 1. ¿Le mostraste el colegio?
Sí, se lo mostré. / No, no se lo mostré.

2. ¿Le presentaste al director?
Sí, se lo presenté. / No, no se lo presenté.

3. ¿La llevaste al gimnasio?
Sí, la llevé. / No, no la llevé.

4. ¿Le contestaste sus preguntas?
Sí, se las contesté. / No, no se las contesté.

5. ¿Le diste los números de teléfono?
Sí, se los di. / No, no se los di.

6. ¿Le enseñaste la sala de computadoras?
Sí, se la enseñé. / No, no se la enseñé.

7. ¿Le indicaste el camino a la cafetería?
Sí, se lo indiqué. / No, no se lo indiqué.

---

 8 **Los discos compactos de José**

¿A quién le va a prestar sus discos compactos José? Escoja el pronombre o los pronombres adecuados para completar la conversación entre ellos.

MODELO Yo siempre ___ digo la verdad a mis amigos. (la / se la / les)
Yo siempre <u>les</u> digo la verdad a mis amigos.

1. José, ¿___ prestaste tú los CD a Andrés ?
(los / le / me los)
2. No, ___ presté a Carolina. (te los / se la / se los)
3. Ella no ___ dio todavía. (me los / me lo / te los)
4. ¿Cuándo ___ prestaste a ella?
(te los / se los / me los)
5. La semana pasada. Ella va a traér ___ mañana.
(melas / selas / melos)
6. ¿___ puedes prestar a mí mañana?
(Me las / Me los / Te los)
7. Lo siento. ___ puedo prestar a ti.
(No te los / No se los / No me las)
8. ___ prometí a mi hermano. (Se los / Te las / Se la)
9. ___ quiero dar a él primero. ¡Primero están los hermanos! (me los / se las / se los)

Le presto mi CD a mi hermana.

 9 **Una nueva estudiante**

 Ha llegado una nueva estudiante a su colegio. Su compañero/a y Ud. están encargados de darle la información que necesita. Túrnese con su compañero/a para saber qué hizo cada uno.

MODELO explicarle el horario de la biblioteca
A: ¿Le explicaste el horario de la biblioteca?
B: Sí, se lo expliqué. / No, no se lo expliqué.

1. mostrarle el colegio
2. presentarle al director
3. llevarla al gimnasio
4. contestar sus preguntas
5. darle los números de teléfono
6. enseñarle la sala de computadoras
7. indicarle el camino a la cafetería

HORARIO:
DE LUNES A VIERNES
·· DE 8:30AM. A 12:30 AM.
·· DE 2:30PM. A 6:30 PM.

Le expliqué el horario.

156

National Standards

Communication 1.1	Comparisons 4.2
Cultures 2.2	
Connections 3.1	

Notes Explain to students that while pop music from the U.S. is popular around the world, every country has its own pop music stars. Few Spanish-speaking artists attain the international popularity of Juan Luis Guerra or Ricky Martin, but many do appeal to the young people of their own countries.

Comunicación

10 ¿A quién se lo vas a dar?

 Imagine que tiene mucho dinero y puede comprar cosas nuevas. Haga una lista de las cosas que ya no quiere y otra lista de los amigos o parientes a quienes se las puede dar. Su compañero/a va a preguntarle a quién le va a dar cada cosa y por qué.

mi primo Agustín
mi hermano
mi hermana
mis amigos
mi amiga Margarita
mi prima Marisa
mi tío

MODELO la computadora

    A: ¿A quién le vas a dar la computadora?

    B: Se la voy a dar a mi primo Agustín.

    A: ¿Por qué a Agustín?

    B: Porque su computadora no funciona bien.

11 La sala de fiestas

Ud. organizó una fiesta con sus compañeros/as en una nueva sala de fiestas de la ciudad donde viven. El gerente los entrevista para saber si están contentos con el servicio. Trabaje en grupo. Túrnese con sus compañeros/as para representar al gerente y a los clientes. Usen algunas de las ideas que siguen y sus propias ideas. Tomen nota de los comentarios. Después de contestar las preguntas del gerente, pueden escribir los comentarios que tienen sobre la sala de fiestas y compartirlos con la clase.

- comida / bebida / postres que pidieron
- comida / bebida / postres que les sirvieron
- calidad de la comida / bebida / postres
- hora a la que Uds. los pidieron
- hora a la que se los trajeron
- atención de los camareros
- música que ustedes pidieron
- música que ofrecieron
- calidad del servicio en general

Notes

Computadora, a word that is borrowed from English, is used throughout most Spanish-speaking countries of Latin America. However, in Spain it is called *el ordenador.*

 Answers

10 Creative self-expression.
11 Creative self-expression.

 Activities

Cooperative Learning
Have students form small groups. Hand out or have students make three sets of index cards, one with object pronouns, one with nouns, one with verbs. Students in turn draw three cards and make a question out of them. Examples: *¿Cómo es el nuevo disco de Los cerdos locos?; ¿Me lo recomiendas?; ¿Conocen a la estudiante de España?; ¿Quieren que se la presente?*

National Standards
Communication 1.1, 1.2, 1.3
Connections 3.1
Comparisons 4.1

Teacher Resources

Vocabulario II
Ha sido un mal día (CD 7, #9)

Activity 6 (CD 2, #6)

Activity 14

Activities 9–10

Activity 3

Activities 7–8

Activities

Language through Action
Model the sentences on these two pages and have students repeat them. Emphasize the speech rhythms and make sure that students capture them correctly. Once they have the idea, ask volunteers to play these roles in front of the class.

National Standards

Communication
1.1, 1.3

Connections
3.1

Comparisons
4.1

158

Pablo

He descubierto que Pablo sale con Analía.

¡Qué raro! ¿Y él lo ha admitido?

Es culpa tuya. Eres una chica demasiado buena.

las lágrimas

Discúlpame. Lo hice sin querer.

¡Qué va! Nunca miras por dónde caminas.

Luisa siempre pierde la paciencia con Tomás.

Carla ha llorado todo el día. Ella vi sola porque su novio la dejó planta

Tomás

Luisa

la discusión

158 *ciento cincuenta y ocho*   Lección A

Notes

Consider engaging students (briefly) in the planning of a teen soap opera involving some of the characters who appear on these vocabulary pages. The setting could be a school very much like your own, and the jealousy, angst and other everyday tragedies can reflect the ones shown on these pages.

As students work out the characters and their relationships, help them state as much of it in Spanish as is comfortable.

Gracias por posponer la reunión para la semana próxima. Eres un chico muy comprensivo.

¡No faltaba más!

¡No fue mi culpa! ¿Por qué no le echas la culpa a Roberto? Él es el que tiene la culpa de esto.

No quise acusarte a ti. Cometí un error pero... tú nunca me devuelves lo que te presto.

Enrique

Marta

Roberto

Marta desconfía de Enrique.

 12 ¡Qué va!

Escuche las siguientes oraciones. Escoja la letra de la respuesta correcta.

1. A. Chévere.
   B. Discúlpame.
   C. ¡No faltaba más!

2. A. Lo hice sin querer.
   B. ¡Qué raro!
   C. ¡Qué va!

3. A. Lo hice sin querer.
   B. ¡Qué raro!
   C. ¡Chévere!

4. A. ¡No faltaba más!
   B. ¡Qué bueno!
   C. No fue mi culpa.

5. A. ¡Qué va!
   B. No fue mi culpa.
   C. ¡Qué raro!

6. A. ¡No faltaba más!
   B. Discúlpame.
   C. Chévere.

 13 Definiciones

Lea las siguientes definiciones y escoja la palabra a la que corresponde cada una.

1. acción de discutir
2. lo que cae al llorar
3. dejar de hacer algo, con idea de hacerlo más tarde
4. aceptar
5. enterarse de algo
6. decir que alguien tiene la culpa de algo

A. acusar
B. descubrir
C. discusión
D. lágrimas
E. posponer
F. admitir

Capítulo 4

Notes
Point out that there are quite a number of cognates on these pages, including a few that are not too obvious: *comprensivo* = comprehending; *culpa* = culpability.

Teacher Resources

 Activity 12 (CD 7, #10)

 Answers

12
1. C
2. A
3. B
4. C
5. A
6. B

13
1. C
2. D
3. E
4. F
5. B
6. A

 Activities

Multiple Intelligences (bodily-kinesthetic)
Students form a circle. Give a beanbag to one, who throws it to another (e.g., José) while asking, *"¿A quién eché la culpa?"* The others answer, *"Echaste la culpa a José."* The guilty party then tosses the bag to someone else. Change the tense and person frequently. For example: *¿A quién debemos echar la culpa?* (Students vote.) *¿Quién tiene la culpa?*

National Standards
Communication
1.1, 1.2
Comparisons
4.1

159

Diálogo II
No ha sido mi culpa
(CD 7, #11)
Activity 14 (CD 7, #12)
Activity 15 (CD 7, #13)
Activity 16 (CD 7, #14)

◆ Answers

14
1. Porque ha descubierto que Diego salió con Clara el viernes pasado.
2. Elena ha visto a Diego con Clara.
3. Clara lo llamó porque tenía un problema y quería hablar con alguien.
4. Porque se olvidó.
5. Porque Diego siempre comete esos errores.

15 Answers will vary.

16
1. C
2. B
3. D
4. A

◆ Activities

Language through Action
Give students a series of simple dialogs to run through.
1) Ask: *"Quién tiene la culpa?"* The first student points to one of the others and says *"[José] tiene la culpa."* The accused replies, *"Yo no. [Juan] tiene la culpa,"* while pointing at another student, and so on.
2) The first student looks at one of the others and asks, *"¿Cuándo vas a llamar al/a la profesor/a?"* To which [Juan] replies, *"Yo no lo voy a llamar. [Carlota] lo va a hacer."* Turning to [Carlota], he asks, *"¿Cuándo vas a llamar al/a la profesor/a?"*, and so on.

National Standards
Communication
1.1, 1.2

Diálogo II No ha sido mi culpa

DIEGO: ¿Por qué estás llorando, Rita?
RITA: He descubierto que saliste con Clara el viernes pasado.
DIEGO: ¿Quién te ha dicho eso?
RITA: Elena.

DIEGO: Yo no salí con ella. Clara me llamó porque tenía un problema y quería hablar con alguien.
RITA: Pero, ¿por qué no me lo contaste?
DIEGO: Porque me olvidé. Discúlpame, pero no ha sido mi culpa.

RITA: ¡Qué va! Tú siempre cometes esos errores. Estoy perdiendo la paciencia contigo.
DIEGO: Créeme. Lo hice sin querer. No puedes desconfiar así de mí.
RITA: No lo sé, Diego. Esta vez necesito pensarlo. Te llamo mañana.

 ¿Qué recuerda Ud.?

1. ¿Por qué está llorando Rita?
2. ¿Quién ha visto a Diego con Clara?
3. ¿Por qué llamó Clara a Diego?
4. ¿Por qué no le avisó Diego a Rita que iba a ver a Clara?
5. ¿Por qué está perdiendo Rita la paciencia con Diego?

 Algo personal

1. ¿Ha tenido Ud. una pelea con alguien? ¿Sobre qué?
2. ¿Reconoce cuando Ud. tiene la culpa o ha cometido un error?
3. ¿Pierde la paciencia con facilidad?
4. ¿Alguna vez le ha echado la culpa de algo a otra persona?

 ¿Qué ha sucedido?

Escuche los siguientes diálogos. Diga a qué foto corresponde cada uno.

A   **B**   **C**   **D**

Notes
This might be a good time to remind students that the basic question words—*por qué, quién, cómo* and the like—are further distinguished by the fact that they have accents.

Cultura viva II

Los jóvenes y la salsa

Todo el mundo sabe que la salsa se usa para dar sabor a la comida. Pero, ¿qué es entonces la música "salsa"?

Tanto los cubanos como los puertorriqueños piensan que son los creadores de la música salsa. Y tienen razón. En realidad, la salsa es la renovación del son[1] cubano que los músicos puertorriqueños y cubanos de Nueva York hicieron durante los años 60 y 70. En esa época surgen[2] en Nueva York las descargas[3] de música latina en las que los músicos cubanos comienzan a colaborar con sus amigos puertorriqueños. Al principio, la salsa recibe duras críticas[4]. Se dice que es una música marginal, poco original, de gente poco educada.

Celia Cruz.

Sin embargo, músicos como Celia Cruz, Willie Colón, Johnny Pacheco y Héctor Lavoe hicieron este ritmo cada vez más popular. Muchos de estos músicos se unieron en la compañía Fania, que en 1973 organizó un concierto en el Yankee Stadium de Nueva York con todas sus grandes estrellas. El concierto fue un fracaso, pero le dio a la salsa su nacimiento oficial.

Hoy en día la salsa es un fenómeno internacional: en Nueva York o en La Habana, en ciudad del Cabo o en Madrid, la gente disfruta[5] esa música con sabor al Caribe. Si no cree que la salsa es ya un fenómeno mundial, sólo tiene que escuchar a los Tokyo Cuba Boys: una orquesta de salsa con músicos y cantantes japoneses que desde hace años hace bailar a todo Japón.

Jóvenes bailando salsa.

[1]mixture of African and European rhythms [2]emerge [3]jam sessions [4]harsh criticisms [5]enjoys

17 ¿Qué sabe de la salsa?

Conteste las siguientes preguntas.

1. ¿Quiénes crearon la salsa?
2. ¿Cómo y cuándo comienza la salsa?
3. ¿Por qué la salsa recibió duras críticas?
4. Según el artículo, ¿cuándo nace oficialmente la salsa?
5. ¿Qué ejemplo se da en el artículo de que la salsa es un fenómeno mundial?

¡Oportunidades!

El español y la salsa
El ritmo contagioso (contagious) de la salsa es tan popular en Estados Unidos como el rock and roll o la música funk. Una manera divertida de practicar español es aprender la letra (lyrics) de las canciones. Si va a una tienda de discos puede conseguir discos de salsa con las letras de las canciones. Escuche las canciones y lea la letra al mismo tiempo. Poco a poco va a poder reconocer el sonido de las palabras y lo que quieren decir.

Capítulo 4 *ciento sesenta y uno* **161**

Notes
Point out to students that not all music from the Spanish-speaking world is pop. Among the classical composers whose work is particularly interesting are: Agustín Barrios, Paraguay (1885–1944), Manuel de Falla, Spain (1876–1946), Astor Piazzolla, Argentina (1921–1992), Manuel Ponce, Mexico (1886–1948) and Fernando Sor, Spain (1778–1839).

Teacher Resources

Activity 11

Activity 4

Answers

17 1. Los músicos cubanos y puertorriqueños de Nueva York.
2. Durante los años 60 y 70, los músicos cubanos colaboran con sus amigos puertorriqueños para crear la salsa.
3. Dijeron que era una música marginal, poco original, de gente poco educada.
4. En 1973, con el concierto de la compañía Fania en el Yankee Stadium de Nueva York.
5. En Japón hay una orquesta de salsa, los Tokyo Cuba Boys, con músicos y cantantes japoneses, que desde hace años hacen bailar a todo Japón.

Activities

Critical Listening
Have students listen to a recording of a salsa performance and discuss it. Is there anything about it that seems to have influence on or to have been influenced by any other music they know?

Spanish for Spanish Speakers
Ask students to write reports on their favorite singers. Have them explain exactly what qualities in the songs, compositions and performances appeal to them.

National Standards	
Communication 1.1	**Comparisons** 4.2
Cultures 2.1, 2.2	
Connections 3.1, 3.2	

Teacher Resources

 Activity 7 (CD 2, #7)

 Activities 12–14

 Activity 5

 Activity 9

 Answers

18 1. has dicho, has sido, he
      hecho, he querido
   2. me he enterado, has visto,
      ha contado
   3. has tenido, ha dejado,
      ha dado

 Activities

Cooperative Learning

Have small groups make lists of five very different places. On a separate sheet, students write what they have done in each place. If time permits, have them exchange lists with other groups and write what they did in those places. Make clear that these do not have to be places that students have actually visited, and that they can use their imagination to come up with the activities for each place.

Expansion

Ask questions about what various members of the class have (or have not) done. Examples: *¿Qué película ha visto últimamente?; ¿Ha hecho la tarea de ayer?; ¿Me ha estado escuchando?*

National Standards

Communication
1.1, 1.2

Comparisons
4.1

 # Idioma

Estructura

Los participios pasados y el pretérito perfecto

You are already familiar with the forms of the past participle in Spanish. For *-ar* verbs, the past participle ends in *-ado* (*llor**ado***); for *-er* and *-ir* verbs, the past participle ends in *-ido* (*perd**ido**, discut**ido***). You learned some irregular past participles in Chapter 3.

The past participle is frequently used with the verb *haber* to describe what you have or have not done. This tense is called the present perfect and it is formed with a conjugated form of *haber* + past participle.

¡Extra!

Participios pasados irregulares

abrir:	abierto
decir:	dicho
escribir:	escrito
hacer:	hecho
poner:	puesto
romper:	roto
ver:	visto

haber	participio pasada
he	
has	
ha	llorado
hemos	perdido
habéis	discutido
han	

*Pedro **ha chismeado** mucho.*   Pedro **has gossiped** a lot.

*Todos **hemos ido** a la fiesta.*   Everybody **has gone** to the party.

Notice that when the past participle is used to form the present perfect tense, it is only used in its masculine singular (*-o*) form.

Direct object, indirect object and reflexive pronouns precede the form of *haber*.

*Rita **nos ha contado** un secreto.*   Rita **has told us** a secret.

*¿**Te lo ha dicho** a ti?*   **Has she told it** to you?

 ## Práctica

 18   Diálogos breves

Complete estos breves diálogos con la forma correcta del pretérito perfecto de los verbos entre paréntesis.

1. **A:** Raúl, tú no me *(decir)* la verdad. ¿Por qué no *(ser)* honesto conmigo?
   B: Perdóname, Cristina, lo *(hacer)* sin querer. No *(querer)* ofenderte.
2. **A:** Yo *(enterarse)* que *(ver)* a tu antiguo novio.
   B: ¿A Nicolás? ¡Qué va! ¿Quién te *(contar)* ese chisme?
3. **A:** Jorge, ¿tú *(tener)* algún problema con Silvia?
   B: Ella es una irresponsable. Me *(dejar)* plantado y no me *(dar)* ninguna explicación.

162   *ciento sesenta y dos*   **Lección A**

Notes

Ask students to comment on the differences they sense between the English sentences "Ana has cried a lot" and "Ana cried a lot." And then, "Everybody has had bad days" and "Everybody had bad days." Try a few more sentences so that students can figure out that there is often not much difference between statements that use the past tense and those that use *haber* plus a past participle.

19 **Carta de Alejandra**

Complete la carta que Alejandra le escribió a Tere, una amiga de San Juan, con la forma correcta del pretérito perfecto de los verbos de la caja.

perder   ser
pelear   estar
romper   pasar
discutir
         salir
darse cuenta
llorar

Querida Tere,

No sabes lo que me (1). Yo (2) la relación con Pedro. Nosotros (3) y nos (4). Anoche yo (5) toda la noche. No sé qué hacer. Yo pensaba que Pedro era muy amable y comprensivo, pero me (6) de que sólo piensa en sí mismo. Yo no (7) con nadie más desde que lo conocí a él, y (8) con él mucho tiempo, casi dos años. Ahora siento que por su culpa estoy sola y que (9) a todos mis amigos. ¡(10) muy tonta! Perdóname esta carta triste. Espero verte pronto. Llámame.
Alejandra

 ## Comunicación

 20 **¿Lo has hecho o no?**

 Con su compañero/a, hablen sobre lo que ha hecho esta última semana. Usen el pretérito perfecto y la lista de actividades que sigue.

MODELO leer algún libro interesante
  A: ¿Has leído algún libro interesante?
  B: Sí, he leído... ¿Quieres leerlo tú?
  A: No gracias, ya lo he leído.

1. estudiar algo interesante
2. hacer la tarea para todas las clases
3. ir al cine
4. ver un programa bueno por televisión
5. discutir con amigos o con tus hermanos/as
6. descubrir algo interesante
7. decir alguna mentira
8. salir con tus amigos

 21 **¿Lo han hecho alguna vez?**

Pregúnteles a tres compañeros si han hecho las siguientes cosas. Anote sus respuestas. Comparta los resultados con la clase.

¿Alguna vez has...?		
echarle la culpa a otra persona	Sí, varias veces.	No, nunca.
decirle una mentira a tu mejor amigo/a		
dejar plantado/a a alguien		
hacerle un cumplido a un(a) profesor(a)		
tener celos de tus hermanos/as		
llorar durante una película		

Capítulo 4

Notes The postcard may be the perfect medium for teenagers: less expensive than a cellular phone call and capable of holding at least as much information. Ask your students to write a postcard to poor Alejandra advising her on how to deal with the self-centered Pedro.

Teacher Resources

 Activity 20 (CD 7, #15)

 ### ◆ Answers

19 1. ha pasado
2. he roto
3. hemos discutido
4. hemos peleado
5. he llorado
6. he dado cuenta
7. he salido
8. he estado
9. he perdido
10. He sido

20 1. ¿Has estudiado...?
2. ¿Has hecho...?
3. ¿Has ido...?
4. ¿Has visto...?
5. ¿Has discutido...?
6. ¿Has descubierto...?
7. ¿Has dicho...?
8. ¿Has salido...?
Answers will vary.

21 Questions:
¿Alguna vez le has echado la culpa a otra persona?
¿Alguna vez le has dicho una mentira a tu mejor amigo/a?
¿Alguna vez has dejado plantado/a a alguien?
¿Alguna vez le has hecho un cumplido a un profesor?
¿Alguna vez has tenido celos de tus hermanos/as?
¿Alguna vez has llorado durante una película?
Answers will vary.

National Standards

Communication
1.1, 1.3

Connections
3.1

Teacher Resources

 Activity 8 (CD 2, #8)

 Activity 15

 Activity 6

 Activities 10–11

 Answers

22 1. B
   2. B
   3. B
   4. B
   5. A

 Activities

Expansion

Have the class join in mixing and matching the nouns and adjectives of the examples in the *Estructura*. For example: *Es una familia grande. Es una gran familia.* Some results may, of course, be amusing *(Es un pobre amigo mío)*.

National Standards

Communication
1.1

Comparisons
4.1

164

Estructura

La posición del adjetivo y su significado

The following common adjectives have two meanings, depending on whether they precede or follow the noun. Observe the following differences.

*Es una **familia pobre**.*	It's a **poor family**. (in poverty)
*¡**Pobre chico**! Su novia lo dejó plantado.*	The **poor guy**! (unfortunate) His girlfriend stood him up.
*Es un **hombre viejo**.*	He is an **old man**. (elderly)
*Es un **viejo amigo** mío.*	He is an **old friend** of mine. (longtime)
*Estos **libros** son muy **antiguos**.*	These **books** are ancient. (very old)
*Mi **antigua estudiante** se mudó a Ponce.*	My **old student** moved to Ponce. (former)
*La **casa** es **nueva**.*	The **house** is **new**. (brand new)
*Necesito una **nueva grabadora**.*	I need a **new tape recorder**. (another one)
*Es una **gran ciudad**.*	It is a **great city**.
*Es una **ciudad grande**.*	It is a **large city**.
*Es un **buen profesor**.*	He is a **good teacher**. (talented)
*Es un **hombre bueno**.*	He is a **kind man**.
*Es el **único mapa** de San Juan que tenemos.*	It's the **only map** of San Juan we have.
*Es un **mapa único**.*	It's a **unique map**. (There's no other like it.)
*Es un **estilo diferente**.*	It is a **different style**.
*Hay **diferentes estilos**.*	There are **various styles**.

Práctica

22 **¡Son viejos amigos!**

Escoja la oración que mejor explique el significado de la primera.

Son viejos amigos.

1. Mi abuelo tiene *amigos viejos*.
   A. Se conocen desde que eran niños.
   B. Todos tienen más de 65 años.

2. *¡Pobre hombre!*
   A. No tiene dinero.
   B. Tiene problemas.

3. Isabel todavía quiere a su *antiguo novio*.
   A. Es un hombre mayor.
   B. Ahora ella tiene otro novio.

4. El equipo necesita *jugadores grandes*.
   A. Necesitan jugadores buenos.
   B. Necesitan jugadores muy altos.

5. Nuestra escuela es *única*.
   A. Es muy especial y diferente.
   B. No hay otras escuelas en la ciudad.

Notes

Remind students of the variations that appear here, and why they exist: *antigua estudiante* reveals the gender even though the noun does not; the forms *gran* and *grande*, *buen* and *bueno* are determined by which side of the noun they appear on; and the word *mapa* is masculine in spite of its ending.

23 En El Yunque

 El Yunque es un parque nacional que está cerca de San Juan. Decida con un(a) compañero/a si los adjetivos entre paréntesis que se usan para describir las palabras en cursiva deben ir antes o después de ellas. Recuerde que algunos adjetivos cambian de significado según su posición. Compartan sus respuestas con la clase.

MODELO El Yunque tiene ___ *animales* ___ que no existen en otros países. (únicos)
El Yunque tiene animales únicos que no existen en otros países.

1. El Yunque es un ___ *parque* muy ___ que tiene 28,000 acres. (grande)
2. Es el ___ *bosque lluvioso* ___ del sistema forestal de Estados Unidos. (único)
3. Es también la ___ *reserva forestal* más ___ del Hemisferio Occidental. (vieja)
4. Tiene una torre de observación que ofrece una ___ *vista* ___ del noreste de la isla. (grande)
5. En las partes bajas de la reserva se encuentran especies de ___ *plantas* ___ que aparecieron hace cientos de años. (antiguas)
6. Uno de los animales más conocidos de El Yunque es la cotorra puertorriqueña. Dicen que después del huracán Hugo la ___ *cotorra puertorriqueña* ___ estaba en peligro de extinción. (pobre)
7. Pero gracias al ___ *interés* ___ que despertó la posible desaparición de esta ave, el número de cotorras ha crecido. (nuevo)

Parque nacional El Yunque.

La cotorra puertorriqueña.

Comunicación

24 Descríbanlo

Trabaje con tres estudiantes para escribir una breve descripción de cada uno de los temas siguientes. Luego, presenten sus descripciones a la clase.

- un mal día
- una película muy mala
- un edificio muy antiguo
- un(a) viejo/a amigo/a
- una gran experiencia
- un lugar muy grande
- un estilo de ropa diferente

23 1. parque muy grande
2. único bosque lluvioso
3. reserva forestal más vieja
4. gran vista
5. plantas antiguas
6. pobre cotorra puertorriqueña
7. nuevo interés
24 Creative self-expression.

Activities

Language Connection
Explain that *yunque* means "anvil," and ask students why they think the park was given that name. Most likely, someone will suggest that the name refers to the shape of the mountain or to the sound of thunder and the "sparks" of lightning that suggest a hammer striking an anvil. But neither is the case. *Yunque* is simply the closest word the Spaniards had to the name of the spirit Yuquiyu whom the Taino believed lived there. Remind students that much the same thing happened with Spanish words in the American Southwest.

Technology
Ask students to search the Internet for information about Puerto Rico's Caribbean National Forest (aka *El Yunque*).

Notes
The Puerto Rican parrot is a small Amazon parrot about eleven inches long. It is one of the rarest birds in the world. It is estimated that before the Spanish arrived on the island there were as many as one million of these birds. By 1971, the wild population was down to only sixteen parrots. The principal cause of their decline is the loss of their natural habitat. By the early 1900s most of the island's forests had been cleared for agriculture and living areas.

National Standards	
Communication 1.1, 1.3	Comparisons 4.1, 4.2
Cultures 2.1	
Connections 3.1, 3.2	

Lectura cultural
En el Viejo San Juan
(CD 7, #16)
Activity 25 (CD 7, #17)
Activity 26 (CD 7, #18)

◆ Answers

25 1. En 1521, los españoles fundaron San Juan de Puerto Rico.
2. Porque a la ciudad llegaban barcos cargados con los tesoros que los españoles llevaban de América a España.
3. Construyeron una muralla.
4. Una noche, uno de los soldados que cuidaban la muralla desapareció. Muchos pensaron que los piratas eran responsables, pero la verdad era que el soldado se había ido con su novia.
5. Answers will vary.

26 Answers will vary.

◆ Activities

Connections

Ask students to find the ages of some of the oldest towns and cities founded on the U.S. mainland and to compare those with San Juan (1521). A few are St. Augustine, FL, 1565 (the oldest); Jamestown, VA, 1607; and Santa Fe, NM, 1610 (the oldest capital city in the United States).

National Standards
Cultures 2.2
Connections 3.1
Comparisons 4.2

166

Lectura cultural

En el Viejo San Juan

En 1521, los españoles fundaron la ciudad de San Juan de Puerto Rico. Desde el principio[1], llegaban a la ciudad barcos cargados con los tesoros[2] que los españoles llevaban de América a España. Por esa razón, San Juan era atacada[3] frecuentemente por piratas[4]. Para defenderla, los españoles construyeron[5] una muralla alrededor de la ciudad.

Cuenta la leyenda[6] que una noche, uno de los soldados que cuidaba la muralla desapareció[7]. Muchos pensaron que los piratas eran responsables de su desaparición. Al día siguiente, sin embargo, se supo la verdad: el soldado se había ido con su novia. Nunca regresó a la muralla. Parece que ese muro, construido para separar[8] a la gente, quería reunirlas.

Hoy en día, San Juan es una de las ciudades coloniales mejor conservadas[9] del Caribe. Cada domingo, la vieja muralla une a gente de diferentes países y culturas que vienen a San Juan en busca de un tesoro más precioso[10] que el oro: la amistad.

Una calle en el Viejo San Juan.

El Paseo de la Princesa en el Viejo San Juan.

[1]beginning [2]treasures [3]attacked [4]pirates [5]built [6]legend [7]disappeared [8]separate [9]preserved [10]precious

25 **¿Qué recuerda Ud.?**

1. ¿Cuándo se fundó San Juan de Puerto Rico? ¿Quiénes fundaron la ciudad?
2. ¿Por qué atacaban los piratas la ciudad de San Juan?
3. ¿Qué hicieron los españoles para defender la ciudad?
4. ¿Qué leyenda se cuenta sobre la muralla de San Juan?
5. ¿Está de acuerdo con que "ese muro, construido para separar a la gente, quería reunirlas"? ¿Por qué?

26 **Algo personal**

1. Observe una de las fotos de San Juan que aparece en el artículo y descríbala.
2. ¿Existen en su ciudad murallas o edificios antiguos?

 Notes To the Taino, the island we know as Puerto Rico was Borinquén. In 1493, Columbus changed the name to San Juan Bautista. A few years later, Ponce de León, the governor of the island at that time, renamed it Puerto Rico. The name San Juan was then given to the city that became the capital.

¿Qué aprendí?

Autoevaluación
Como repaso y autoevaluación, responda lo siguiente:

1. Escriba una definición de cada una de las siguientes palabras: *comprensivo, celoso, entrometido, chismoso.*

2. Escriba dos palabras de origen taíno.

3. Escriba una oración con dos pronombres de complemento. ¿Qué pronombre de complemento va primero, el directo o el indirecto?

4. ¿Cuándo reemplaza *se* a los complementos *le* y *les*?

5. Explique cómo se forma el pretérito perfecto y dé un ejemplo.

6. Explique la diferencia entre *un viejo amigo* y *un amigo viejo.*

7. Diga dos cosas que ha aprendido sobre San Juan.

Palabras y expresiones
How many of these words and expressions do you recognize?

Descripciones
celoso,-a
chismoso,-a
comprensivo,-a
considerado,-a
entrometido,-a
honesto,-a
increíble

En las peleas
la culpa
la discusión
el error
las lágrimas
la pelea

Verbos
acusar
admitir
apoyar
confiar
contar con
chismear
darse cuenta
desconfiar
descubrir
devolver (ue)
llorar
perdonar
posponer
reconciliarse

Otras palabras y expresiones
cometer un error
dejar plantado/a a alguien
Discúlpame.
echar la culpa a alguien
hacer un cumplido
Lo hice sin querer.
¡No faltaba más!
pensar en sí mismo,-a
perder la paciencia
¡Qué raro!
¡Qué va!
tener celos
tener en común
tener la culpa

Ellas chismean.

Las lágrimas.

Teacher Resources

  Activity 16

p. 105

Answers

Autoevaluación
Possible answers:
1. Una persona comprensiva siempre escucha los problemas de sus amigos y trata de entenderlos. Una persona celosa siempre tiene celos de otros. Una persona entrometida siempre quiere saber de qué hablan los demás. Una persona chismosa cuenta los secretos de otros.
2. canoa, hamaca
3. Él me lo regaló. El pronombre de complemento indirecto *(me)* viene primero.
4. Se reemplaza a *le* y *les* cuando van seguidos de los pronombres *lo, la, los, las.*
5. El pretérito perfecto se forma con el pretérito de *haber* y un participio pasivo. *Ella había llorado toda la noche.*
6. *Un viejo amigo* es un amigo de muchos años. *Un amigo viejo* es una persona que no es joven.
7. Los españoles fundaron la ciudad en 1521. San Juan tiene una muralla.

National Standards
Communication
1.1

Connections
3.1

Comparisons
4.1

Notes
A word like *discúlpame* can be confusing to an English speaker's eye and ear. Literally, it appears to mean "unguilt me." Ask students to take apart "excuse me" in the same way: "unaccuse me" (*ex* "from" and *causa* "a charge"). It is another way to remind them that Spanish and English are not all that different.

Ask native speakers to create sentences using one word or phrase from several (or all) of the lists. They can use them in any order. Example: *"Ay, discúlpame", lloraba la chica chismosa.* Students should read their sentences aloud.

Students should visit the Internet Resource Center at www.emcp.com to complete this activity online and check answers.

Vocabulario I
La relación con los padres
(CD 8, #1)

Activitiy 1 (CD 2, #9)
Activitiy 2 (CD 2, #10)

Activity 15

Activities 1–2

Activity 1

Activity 1

pp. 191–192

Content reviewed in *Lección B*

- family relationships
- informal negative commands
- talking on the phone
- the imperfect progressive

 Activities

Cooperative Learning

Have small groups discuss the dialogs and suggest others that might also be appropriate. They should also create a list of five activities or situations that ignite parent–child conflicts. Have a representative of each group read the words and lists to the class.

National Standards
Communication
1.1, 1.3
Cultures
2.1
Comparisons
4.2

168

Notes   While parents and children in many parts of Spain and Latin America appear to have relationship problems that resemble those that are common in the United States, such situations are more characteristic of families that live in cities rather than rural areas.

1 ¿Conflicto u obligación?

 Diga si cada oración que escucha se refiere a un conflicto o a una obligación en una relación.

2 Conflicto en la familia

Complete el siguiente diálogo con las palabras de la caja.

aceptar	obligación	paces
caso	equivocado	reacciona

Padre: Tienes que hacer las (1) con tu hermano. No pueden pelearse así.

Hija: Él siempre (2) mal cuando le pido ayuda para ordenar el cuarto.

Padre: Pero es su (3) mantener el cuarto ordenado.

Hija: Sí, pero a él no le importa. Dice que él no es un chico ordenado y que lo debo (4) como es.

Padre: Está (5). Tengo que hablar con él.

Hija: Él tiene que hacerte (6) a ti.

En las relaciones

alabar	to praise
comentar	to comment
criticar	to criticize
dañar	to hurt
disculpar(se)	to excuse
entrometerse	to meddle
felicitar	to congratulate
ofender	to offend

Tienes que ordenar tu cuarto.

Estrategia

Using cognates and context clues

Try to figure out the meaning of unknown words by looking for cognates or by seeing how other words are used in the sentence. Can you guess the meanings of *aceptar*, *obligación* and *reaccionar* in the word box of activity 2?

Notes

Phrases such as *mantener buenas relaciones* or *resuelvan el conflicto* often sound terribly stilted to the teenage ear. Remind students that everyday English is made up largely of shorter, simpler Anglo-Saxon words, while quotidian Spanish is based more directly on Latin—which is why these statements seem "fancy." Don't forget to point out that those who have a good command of English have a big advantage when learning Spanish.

Teacher Resources

 Activity 1 (CD 8, #2)

 p. 17

Answers

1
1. conflicto
2. conflicto
3. obligación
4. conflicto
5. obligación
6. conflicto

2
1. paces
2. reacciona
3. obligación
4. aceptar
5. equivocado
6. caso

Activities

Technology
Have students combine and refine the lists of activities or situations that ignite parent–child conflicts suggested in the Cooperative Learning activity on page 168. Have them add any that are on or are suggested by the vocabulary on this page. If you have an e-mail relationship with a class in a Spanish-speaking country, send it to them for comment. If not, send it to another Spanish class in your school.

National Standards	
Communication 1.2	**Communities** 5.1
Cultures 2.2	
Comparisons 4.1, 4.2	

Teacher Resources

Diálogo I
¡No vuelvas tarde a casa!
(CD 8, #3)
Activity 3 (CD 8, #4)
Activity 4 (CD 8, #5)
Activity 5 (CD 8, #6)

 Answers

3 1. Juan quiere ir a una fiesta en la casa de Sebastián.
2. Porque se olvidó.
3. Porque no le gusta cuando Juan tiene ese comportamiento.
4. La obligación de Juan es avisarle adónde va.

4 Answers will vary.

5 1. B
2. A
3. A
4. B

Activities

Cooperative Learning
Have small groups practice one of the dialogs until they find their best Juan and Madre. Have each pair present their dialog to the class. Ask the class to comment on which pair seemed the most authentic, and why.

Multiple Intelligences (linguistic)
AP Spanish Language (Essays).
Based on *Diálogo I, (¡No vuelvas tarde a casa!),* ask students to write an essay relating in detail an incident in which they had to convince an adult to give them special permission to do something.

National Standards

Communication
1.1, 1.2, 1.3

Connections
3.1

170

Diálogo I ¡No vuelvas tarde a casa!

JUAN: Mamá, me voy a una fiesta.
MADRE: ¿Adónde?
JUAN: A una fiesta en la casa de Sebastián.
MADRE: Yo no sabía nada de esta fiesta. ¿Por qué no me avisaste antes?
JUAN: Me olvidé.

MADRE: No me gusta ese comportamiento. Respétame un poco.
JUAN: Pero, mamá, ¿por qué reaccionas así?
MADRE: No me levantes la voz, Juan.
JUAN: Pero si estamos hablando...

MADRE: Estoy muy enojada.
JUAN: Discúlpame, por favor. ¿Hacemos las paces?
MADRE: Tu única obligación es avisarme adónde vas.
JUAN: Lo sé... ¿Pero puedo ir a la fiesta?
MADRE: Bueno, puedes ir, ¡pero no vuelvas tarde a casa!

 ¿Qué recuerda Ud.?

1. ¿Adónde quiere ir Juan?
2. ¿Por qué no le avisó Juan a su mamá que iba a la fiesta?
3. ¿Por qué reacciona mal la mamá de Juan?
4. ¿Cuál es la obligación de Juan?

 Algo personal

1. ¿Cómo es su relación con sus padres?
2. ¿Qué obligaciones tiene en su casa con sus padres?
3. ¿Cómo reaccionan sus padres cuando no les avisa algo?

 ¿Qué dice cada diálogo?

Escuche los siguientes diálogos y escoja la palabra que complete las oraciones sobre cada uno.

1. Rodolfo y Mario han hecho
   A. las obligaciones.   B. las paces.   C. las relaciones.
2. Paola está levantando
   A. la voz.   B. la mano.   C. las paces.
3. Tomás no quiere
   A. hacerle caso a sus padres.   B. estar equivocado.   C. hacer las paces.
4. Eugenia y su madre tienen
   A. una obligación.   B. una diferencia de opinión.   C. un comportamiento.

Notes   Some students may find that these dialogs hit uncomfortably close to home. Try to avoid calling on anyone who seems upset by them.

Culturaviva I

Juan Luis Guerra, un canto de esperanza

El músico dominicano Juan Luis Guerra es uno de los artistas latinos más universales. Pero como le pasa a la mayoría de las grandes estrellas, el camino hacia la fama no le fue fácil. En 1986, Juan Luis y su grupo, 4-40, eran poco conocidos. La música y las letras de sus canciones eran mucho más complejas[1] que las del merengue tradicional. Algunos decían que, después de vivir varios años en Estados Unidos, Guerra había perdido el contacto con la gente sencilla de su país.

Ese año, 4-40 sacó un disco con varias canciones que tuvieron gran éxito en América Latina y Estados Unidos. Su fama comenzó a crecer y poco después sus canciones "Ojalá que llueva café[2]" y "La bilirrubina"

dieron la vuelta al mundo. Pero todavía había gente que pensaba que Juan Luis Guerra no era un artista del pueblo.

En diciembre de 1991, después de una larga gira[3] por Estados Unidos, 4-40 dio un concierto en el Estadio Olímpico de Santo Domingo ante una multitud de 70.000 personas. Muy emocionado, Guerra dijo a su gente: "Estoy encantado de estar de regreso en casa. Por primera vez desde hace tiempo no me siento un extraño[4]". La gente aplaudía y no paraba de cantar y bailar sus canciones. Poco después de tocar su canción más popular, "Ojalá que llueva café", comenzó a llover en el estadio, pero había tanta emoción que nadie se movió hasta que terminó el concierto.

Juan Luis Guerra.

[1]complex   [2]I Wish It Would Rain Coffee   [3]tour   [4]stranger

6 Un canto de esperanza

Conteste las siguientes preguntas.

1. ¿Por qué a algunos no les gustaba la música de Juan Luis Guerra?
2. ¿Qué canciones hicieron famoso a Guerra?
3. ¿Qué sucedió en diciembre de 1991?
4. ¿Por qué dijo el artista que ya no se sentía "un extraño"?
5. ¿Qué sucedió en el concierto cuando cantó su canción más popular?

Un CD de Juan Luis Guerra.

Notes

Pop stars do not always launch their careers directly from the family garage, a point worth making to your students. Juan Luis Guerra's musical studies began at the Universidad Autónoma de Santo Domingo. He then moved on to the Conservatorio Nacional de Música de Santo Domingo and later attended Berklee College in Boston, where he studied composition and orchestration.

Teacher Resources

 Activity 6 (CD 8, #7)

Activity 3

◆ Answers

6 1. Porque eran más complejas que las tradicionales.
2. "Ojalá que llueva café" y "La bilirrubina"
3. Juan Luis Guerra dio un gran concierto.
4. Answers will vary.
5. Empezó a llover pero la gente estaba tan emocionada que nadie se movió hasta que terminó el concierto.

◆ Activities

Multiple Intelligences (musical)
Play a recording of one of Guerra's songs. Ask students to comment on the music and the lyrics.

Technology
Have students search for Juan Luis Guerra on the Internet to find out more about the man and the music that he and his group make.

National Standards

Communication
1.1

Cultures
2.2

Connections
3.1, 3.2

 171

Teacher Resources

 Activity 3 (CD 2, #11)

 Activities 4–5

 Activity 2

 Activities 2–4

 Activities

Expansion

Take this opportunity to review the vocabulary from earlier chapters by giving negative commands to the class. Here are some of the words from page 47: *colaborar, darse prisa, dedicar, depender, desaparecer, fijarse, obedecer, pasear, repartir.*

Language through Action

Repetition supported by appropriate context locks in basic speech patterns. Have small groups form circles. One student begins by turning to the neighbor on the left (who is doing or saying something) and gives the command *"No digas eso"* or *"No hagas eso"*. When students have mastered those commands, provide them with variations *("No digas nada más")* or other phrases *("No empieces a contar chismes")*.

Estructura

Los mandatos negativos informales

Negative informal commands are used to tell someone you address as *tú* not to do something. To form an informal negative command, take the *yo* form of the verb and remove the *-o*. Add *-es* to *-ar* verbs, and *-as* to *-er* and *-ir* verbs.

reaccionar	¡No reacciones así!	Don't react like that!
comer	No comas tantos dulces.	Don't eat so much candy.
subir	No subas a ese árbol.	Don't eat so much candy.

Stem-changing verbs and verbs that have irregular *yo* forms also follow this pattern.

contar	No cuentes chismes.	Don't spread gossip.
hacer	No hagas preguntas tontas.	Don't ask silly questions.
decir	No digas mentiras.	Don't tell lies.

Verbs that end in *-car*, *-gar*, *-zar* and *-ger* have a spelling change to preserve the consonant sound of the infinitive.

-gar: llegar	No llegues tarde.	Don't arrive late.
-car: criticar	No critiques a tus profesores.	Don't criticize your teachers.
-zar: empezar	¡No empieces a discutir!	Don't start arguing!
-ger: recoger	No recojas la mesa ahora.	Don't clear the table now.

The following verbs have irregular negative *tú* commands.

ir →	No vayas a la fiesta. Quédate aquí. Don't go to the party. Stay here.	dar →	No me des más consejos. Don't give me more advice.
ser →	¡No seas aburrido! Don't be boring!	estar →	No estés triste. Don't be sad

Note that object pronouns and reflexive pronouns in negative *tú* commands must be placed between *no* and the command. Remember that if you use two object pronouns together the indirect object pronoun comes first.

Vete ahora.	Leave now.	*Dáselo a Carmen.*	Give it to Carmen.
No te vayas.	Don't leave.	*No se lo des.*	Don't give it to her.

Notes

Point out that many of the things we say every day in English are very basic phrases like "Don't go" or "Don't be late." Tell students that the same is true of Spanish, and that if they learn enough of these basic phrases they will be able to deal with a large part of normal conversation.

Práctica

7 Consejos de mamá

Mario es de Santo Domingo. Hoy su madre le está dando consejos. Escoja la forma correcta del verbo apropiado para completar lo que ella dice.

1. Contéstame bien. No ___ con la boca llena. (comer / hablar)
2. Sé bueno con tu hermana. No ___ malo. (ser / saber)
3. Vete a estudiar. No ___ al cine. (venir / ir)
4. Quédate en casa. No ___. (hacer / salir)
5. Estudia para el examen. No ___ música. (escuchar / comenzar)
6. Practica béisbol. No ___ al fútbol. (correr / jugar)
7. Acuéstate temprano. No ___ tarde. (reírse / acostarse)
8. Duérmete pronto. No ___ leyendo hasta tarde. (quedarse / ir)

8 ¡No molestes!

Es el primer día de clase de su hermano menor. Túrnese con su compañero/a para decirle lo que no debe hacer en clase. Pueden agregar dos o tres consejos más.

MODELO hablar en clase sin permiso
No hables en clase sin permiso.

1. llegar tarde
2. comer en clase
3. dormir en clase
4. discutir con los otros chicos
5. gritar en la escuela
6. hacerle preguntas a tu compañero
7. levantar la voz
8. criticar a los otros estudiantes

9 ¡No lo hagas!

Después de la escuela, Marisol cuida niños. Entre ellos está Clarita, una niña imposible. Complete las órdenes informales que le da Marisol a Clarita con la forma correcta del verbo indicado. Agregue los pronombres correspondientes cuando sea necesario.

¡No molestes al perro!

MODELO Clarita, no debes sacar los libros de los estantes.
¡No los saques!

1. Por favor, Clarita, hace calor, ¿por qué *cierras* la ventana? ¡No ___!
2. Clarita, ¿vas a cocinar ahora? ¿Para qué *enciendes* el horno? ¡No ___!
3. No debes *abrir* el armario del dormitorio. Por favor, ¡no ___!
4. Ya te he dicho que no puedes *ponerte* la ropa de tu mamá. ¡No ___!
5. No debes *molestar* a Moni, ¿no ves que está durmiendo? ¡No ___!
6. No, ahora no es hora de *darle* comida al perro. ¡No ___ comida!
7. Y tú ya *has comido* muchos dulces. ¡No ___ más!
8. ¿No ves que está lloviendo? No puedes *ir* al jardín ahora. ¡No ___ al jardín!

Notes
    Although they still use *usted* in some cases, people in Spain now use *tú* in most cases. The change dates back to the death of General Franco and the restoration of representative government.

Teacher Resources

 Activity 8 (CD 8, #8)

◆ Answers

7
1. hables
2. seas
3. vayas
4. salgas
5. escuches
6. juegues
7. te acuestes
8. te quedes

8
1. No llegues tarde.
2. No comas en clase.
3. No duermas en clase.
4. No discutas con los otros chicos.
5. No grites en la escuela.
6. No le hagas preguntas a tu compañero.
7. No levantes la voz.
8. No critiques a los otros estudiantes.

9
1. la cierres
2. lo enciendas
3. lo abras
4. te la pongas
5. lo molestes
6. le des
7. comas
8. vayas

 Activities

Expansion
After students finish the three activities, try a class exercise that redirects activity 7 by using the words that were not the correct ones for the exercise. Work with students to create new sentences that use those words (e.g., *No comas esas galletas*).

National Standards

Communication
1.1

Cultures
2.1

Connections
3.1

173

Answers

10 1. B. Toni, no uses aretes.
2. E. Mayra, no te pongas maquillaje.
3. C. Juan Luis, no mires televisión mientras comes.
4. A. Angelina, no te subas al árbol.
5. D. Sixto, no toques las maracas por la noche.
11 Answers will vary, but they should show adequate comprehension and use of negative commands.

 Activities

Critical Thinking
Are earrings (or any other form of piercing) a good or bad thing? How old should one be before wearing makeup? Have small groups discuss the parental no-no's in activity 10 and poll their members. Have them write out the results in Spanish.

National Standards

Communication
1.1, 1.3

Comparisons
4.2

174

---

 10 **Eso no se permite**

 Observe los dibujos siguientes. Con su compañero/a, diga a cuál de las siguientes situaciones corresponde cada dibujo. Luego, escriban el mandato negativo informal que la madre o el padre le da a cada uno de los jóvenes.

1. A Toni su papá no le permite usar aretes.
2. A Mayra su mamá no la deja ponerse maquillaje.
3. A Juan Luis su mamá no le permite mirar televisión mientras come.
4. A Angelina su madre no le permite subirse al árbol.
5. A Sixto su papá no le permite tocar la guitarra por la noche.

A **B** **C**

D **E**

11 **¡No hagas eso!**

Piense en las cosas que le molestan todos los días. ¿Qué puede decirle a las personas que las hacen? Prepare con su compañero/a cinco carteles *(signs)*. Si quieren, pueden usar los verbos de la caja. Escojan el mejor cartel y compártanlo con sus compañeros/as.

entrar	cerrar	usar	sacar	tocar
saltar	abrir	poner	subir	

Sofía, por favor, no abras mi escritorio.

¡No entres a mi cuarto!

¡Paco, no toques mis papeles!

Notes For activity 11, remind students that some of the verbs have stem changes *(cerrar, poner)* or other spelling changes *(sacar, tocar)*.

AP Spanish Language. Help students prepare for the listening comprehension component of the AP Spanish Language Examination by allowing them to develop their own style: Some students may wish to concentrate on listening only while others may choose to read the questions they must answer as they are listening.

Comunicación

12 Haz una cosa, no hagas la otra

 Llega un(a) nuevo/a estudiante al colegio. Túrnese con su compañero/a para indicarle qué debe y qué no debe hacer en cada uno de los lugares siguientes.

> **MODELO** en la biblioteca
> Pídele los libros a la bibliotecaria.
> No los saques sin permiso.

en la clase de español

en la cafetería

en la biblioteca

en la clase de...

en la clase de inglés

en el gimnasio

en el auditorio

en el patio

13 Consejos útiles

 En grupos de cuatro, piensen en tres consejos para cada una de las situaciones siguientes. Después, compárenlos con los consejos de otros grupos.

¿Qué hago para...?	Oscar	Tania	César
tener buenas notas en en todas las clases	Haz las tareas todos los días.	No salgas con tus amigos durante la semana.	No hables con tus compañeros en la clase.
no tener problemas con mis padres			
resolver un conflicto con mi mejor amigo/a			
no pelearme con mis amigos o hermanos/as			
mantener buenas relaciones con mi familia			

Notes In Spain, students in the upper grades must study Spanish, English, Physical Education, History and Philosophy. They must also choose one of at least three areas of study such as *ciencia y tecnología*, *humanidades* and *arte*, which have a number of both fixed and elective subjects. In addition, students from the autonomous regions of Spain, such as Catalonia, Galicia and the Basque country, have to study their corresponding regional language.

 # Answers

12 Answers will vary, but they should show adequate comprehension and use of affirmative and negative commands.

13 Creative self-expression.

 # Activities

Multiple Intelligences (spatial)

Have students collaborate on drawing a simple floor plan of a school on the board. They should include all of the places listed in activity 12, plus halls to connect them.

National Standards	
Communication 1.1, 1.3	**Comparisons** 4.2
Cultures 2.1	
Connections 3.1	

Answers

14 The use of the preposition *a* is required in: 1, 2, 4, 5, 6, 8, 9, 10, 11, 13, 14, 15 and 16.

Activities

Multiple Intelligences (bodily-kinesthetic)
Have volunteers act out the various uses of *a* as a preposition. For example:
MOTION
You say, *"mi escritorio."*
Student walks to the desk, saying, *"Voy a su escritorio."*
LOCATION
You ask, *"¿Dónde están las ventanas?"*
Class points and says, *"Las ventanas están a la izquierda."*
INFINITIVES
You point to a student and ask, *"¿Quién viene a visitarla?"* and then point to another student.
Second student crosses to first student, saying, *"Yo vengo a visitarla".*

National Standards

Communication
1.1, 1.2, 1.3

Comparisons
4.1

Estructura

Los usos de la preposición *a*

The preposition *a* has five main uses:

¿Vamos al parque?

- to express motion or destination

¿Por qué no vamos **a la catedral**?	Why don't we go to the cathedral?
Cuando llegamos **al parque**, salió el sol.	When we arrived at the park, the sun came out.

- to express location or proximity in certain circumstances

La universidad está **a tres cuadras** de aquí.	The university is three blocks from here.
¿La ves? Está **a la izquierda**.	Do you see it? It's on the left.

- to introduce the direct object, when the direct object is a person (personal *a*)

Debes respetar **a** tus padres.	You must respect your parents.
No veo **a** nadie aquí.	I don't see anyone here.

- to introduce rates and proportions

¿**A cuánto** están las bananas hoy?	How much are the bananas today?
Toni conduce muy rápido, él va **a 80 millas por hora**.	Toni drives very fast, he goes 80 miles an hour.

- to introduce an infinitive after certain common verbs, such as *ir a, venir a, aprender a, empezar a,* and *comenzar a.*

Voy a avisarte más tarde.	I'll let you know later.
Mi amiga **viene a** visitarnos.	My friend is coming to visit us.
Él ha **aprendido a** resolver sus problemas.	He has learned to solve his problems.
Si **empiezas a** criticarme, me voy.	If you start to criticize me, I'll leave.

Práctica

14 **Mini-diálogos**

Complete los siguientes diálogos con la preposición *a* sólo cuando sea necesario. Luego, lea los diálogos en voz alta con su compañero/a.

A: ¿Quieres venir (1)___ la casa de Mauricio? Vamos (2)___ estudiar para el examen.
B: Lo (3)___ siento, pero los jueves no puedo. Tengo que ir (4)___ clase. Estoy aprendiendo (5)___ conducir.
A: Hace mucho tiempo que no veo (6)___ Joaquín. ¿Sabes (7)___ algo de él?
B: Sí, hoy he visto (8)___ su prima. Me ha dicho que él se ha ido (9)___ la piscina. Está (10)___ unas cuatro cuadras de aquí.
A: ¿Conoces (11)___ la hermana de Valentín?
B: No, no (12)___ la conozco, pero dicen que se parece mucho (13)___ su hermano.
A: ¡Ay! Ha empezado (14)___ llover y tengo que volver (15)___ casa caminando.
B: ¿Cómo? ¿No viene (16)___ buscarte tu mamá?

Notes
This is an opportunity to practice the use of *a* with object pronouns. Briefly review the direct object pronouns *lo, la, los, las* and do an impromptu exercise with simple sentences about members of the class: *¿Pueden ver ustedes a [María]?* to elicit answers like this one: *Sí, la vemos.*

Comunicación

 ¿Qué ha hecho últimamente?

 Conteste las siguientes preguntas según su experiencia, usando la preposición *a*. Luego, hágale las mismas preguntas a su compañero/a y comparen sus respuestas.

1. ¿Ha conocido a alguien famoso últimamente? ¿A quién?
2. ¿Adónde va generalmente después del colegio? ¿Qué hace allí?
3. ¿A cuántas millas de su casa está el centro comercial más cercano? ¿Ha ido Ud. allí esta semana?
4. ¿Ha visto Ud. a otra persona hacer algo peligroso esta semana? ¿A quién? ¿Qué hizo?
5. ¿Ha ido Ud. al supermercado esta semana? ¿Se ha fijado en los precios de la fruta? ¿A cuánto está la libra de manzanas?
6. ¿A quiénes respeta Ud. más? ¿Por qué?

16 **El comportamiento de los jóvenes**

Una revista para jóvenes hace una encuesta entre sus lectores. Conteste las preguntas usando la preposición *a* cuando sea necesario. Luego, compare sus respuestas con las de sus compañeros.

Encuesta

1. ¿Cuántas veces por semana discutes con tus padres o con los adultos de tu familia? ¿Y con tus hermanos/as?
2. ¿Cuáles son las causas principales de esos conflictos? ¿Tu comportamiento? ¿Una diferencia de opiniones? Explícalo en una o dos oraciones.
3. ¿Respetas las opiniones de tus padres? Explica por qué sí o por qué no.
4. ¿Y las de tus hermanos o hermanas mayores? ¿Y las de otros adultos de tu familia? Explica por qué sí o por qué no.
5. ¿Piensas que tus padres te respetan a ti? ¿Por qué?
6. ¿Te critican tus padres o te aceptan tal como eres? Explica tu respuesta.

Notes
The use of the preposition *a* to indicate proximity and destination can be utilized to expand students' knowledge of geography. Use classroom-size maps with distance scales, almanacs or atlases to work out distances.

Teacher Resources

 Activity 15 (CD 8, #10)

 Answers

15 Creative self-expression.
16 Answers will vary.

Activities

Critical Thinking
Have small groups discuss the value of *encuestas.* Have them consider such questions as: *¿Han ayudado ustedes a hacer una encuesta?; ¿Qué clase de encuesta les parece más útil?; ¿Qué clase les parece inútil?; ¿Creen ustedes que las revistas populares realmente hacen encuestas o que se lo inventan todo?*

Students with Special Needs
Form a circle of special needs students and start a round of statements. Turn to the student next to you and shake hands, saying *Conozco a [Tomás],* and have [Tomás] turn to the next person and repeat the statement and action. When it is your turn again, initiate a variation on the next part of activity 15 (e.g., *Después del colegio, voy a casa*).

National Standards

Communication
1.1
Connections
3.1

177

Vocabulario II
Por teléfono (CD 8, #11)

 Activity 5 (CD 2, #13)

 Activity 16

 Activities 8–10

 Activity 4

 Activities 6–7

 p. 18

Activities

Spanish for Spanish Speakers

Ask native speakers to create a series of telephone dialogs that use the vocabulary on these two pages in amusing ways. They can use any kind of telephone (desk, cellular, etc.) in any setting or part of the classroom. Encourage them to make fun of the problems we have with telephones, and the many off-the-wall TV commercials for telephone service.

National Standards
Communication
1.1
Connections
3.1

Vocabulario II
Por teléfono

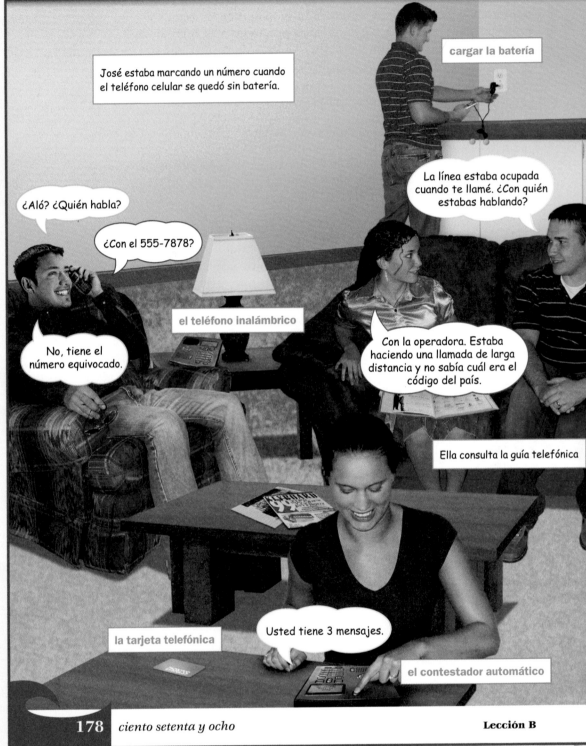

178 *ciento setenta y ocho* — Lección B

Notes Alexander Graham Bell invented the telephone (or "harmonic telegraph," as he called it then) in 1876. Early reactions were largely negative, and by 1910 the invention had made little headway. There were then around forty thousand phones in all of South America (a large number of them in Buenos Aires), about ten thousand in Mexico and twenty thousand in Spain.

Even in the United States there were only eight phones per hundred people.

Challenge students to think of reasons why people were so slow to adopt the phone. (Hint: Ask how they had lived without it for so long.)

Diga.

sonar

Sí.

Es la operadora. Tiene una llamada de cobro revertido de su hijo Enrique. ¿La acepta?

Aunque es una llamada local, la recepción no es muy buena. Voy a colgar y te llamo otra vez.

Teacher Resources

Activity 17 (CD 8, #12)
Activity 18 (CD 8, #13)

Answers

17 1. F
2. B
3. D
4. E
5. A
6. C

18 1. C
2. C
3. A
4. C
5. B
Answers will vary.

17 Sobre el teléfono

Escuche las oraciones y diga a qué foto corresponde cada una.

A   B   C

D   E   F

18 ¿Qué palabra no está relacionada con las otras?

Diga qué palabra no está relacionada con las demás. Luego, escoja un grupo de tres palabras y escriba una oración con ellas.

1. A. mensaje   B. grabar   C. cargar   D. contestador
2. A. marcar   B. número   C. avisar   D. teléfono
3. A. mensaje   B. batería   C. cargar   D. teléfono celular
4. A. ¿Aló?   B. ¿Quién habla? C. ¡Qué va!   D. Diga.
5. A. llamada local B. tarjeta   C. llamada de   D. llamada de
                       telefónica   cobro revertido   larga distancia

Activities

Students with Special Needs
Review the photos in activity 17 with the class, asking students to identify each photo in English and then in Spanish. Afterward, ask a few relevant questions in random order, such as: *¿Para qué sirven los contestadores automáticos?*; *¿Han hecho una llamada de larga distancia?*; *¿A qué ciudad?*

Capítulo 4

ciento setenta y nueve **179**

Notes
Mobile phone networks are relatively inexpensive to set up, which has made it possible for many Spanish-speaking countries to fix a huge problem. Few small towns or villages that were far from major cities had telephone connections when everything was still done with wires. Ask students to speculate about how providing phone access has improved people's lives.

National Standards

Communication
1.1, 1.2

Connections
3.1

Diálogo II
¿Qué estabas haciendo?
(CD 8, #14)
Activity 19 (CD 8, #15)
Activity 20 (CD 8, #16)
Activity 21 (CD 8, #17)

◆ Answers

19 1. Estaba hablando con Pedro por su teléfono celular.
2. Pedro vive en Caracas.
3. Estaba haciendo una llamada de larga distancia.
4. Usó una tarjeta telefónica porque era mucho más barato.
20 Answers will vary.
21 1. B
2. A
3. C
4. B
5. C
6. A

◆ Activities

Students with Special Needs
If these exercises prove too difficult for some of your students, ask them to make a list of all the cognates they can find on the page.

National Standards	
Communication 1.2	**Communities** 5.1
Connections 3.2	
Comparisons 4.1	

180

Diálogo II ¿Qué estabas haciendo?

MADRE: ¿Por qué no contestabas el teléfono, Juan? Te dejé dos mensajes en el contestador automático. ¿Qué estabas haciendo?

JUAN: Estaba hablando con Pedro por mi teléfono celular.

MADRE: ¡Pedro! ¡Ay, no! Pero si él vive en Caracas. ¿Él te llamó?

JUAN: No, yo lo llamé. Necesitaba hablar con él.

MADRE: ¡Pero estabas haciendo una llamada de larga distancia!

JUAN: Usé una tarjeta telefónica. Es mucho más barato.

MADRE: ¿Y puedes hacer llamadas locales con esa tarjeta?

JUAN: Creo que sí. Si quieres, le preguntamos a la operadora...

MADRE: Buena idea... así ahorramos dinero.

 ¿Qué recuerda Ud.?

1. ¿Qué estaba haciendo Juan cuando lo llamó su madre?
2. ¿Dónde vive Pedro?
3. ¿Qué tipo de llamada estaba haciendo Juan?
4. ¿Qué usó Juan para hacer la llamada? ¿Por qué?

 Algo personal

1. ¿Hace llamadas de larga distancia? ¿A quién?
2. ¿Usa alguna vez tarjetas telefónicas? ¿Cuánto cuestan?
3. ¿Tiene en su casa un contestador automático?
4. Si necesita alguna información para hacer una llamada, ¿consulta la guía telefónica o llama a la operadora?
5. ¿Hace llamadas de cobro revertido? ¿Por qué?

Consultamos la guía telefónica.

 ¿Cuál es la palabra?

🔊))) Escuche las definiciones y escoja la letra de la palabra a la que se refiere cada una.

1. A. sonar
2. A. código
3. A. diccionario
4. A. moverse
5. A. escribir
6. A. recepción

B. colgar
B. año
B. revista
B. sonar
B. indicar
B. sonido

C. consultar
C. día
C. guía telefónica
C. cargar
C. marcar
C. batería

Notes   **Communities.** Encourage students to find out what is done to help Spanish speakers in your community to use the services of the telephone company. Are there bilingual signs on public telephones? Spanish-speaking operators for 911? Separate Yellow Pages? If the Hispanic community is too small, encourage using the Internet to find out what is available in cities such as New York, El Paso or Los Angeles.

Cultura viva II

A los jóvenes dominicanos les gusta pasarla bien.

Los jóvenes dominicanos de hoy

Aunque viven en otro país, en el trópico, rodeados de playas y disfrutando de un clima siempre cálido, los jóvenes dominicanos de hoy no son tan distintos a los jóvenes estadounidenses.

Fuera de clases, como a cualquier chico, les gusta pasarla bien, salir con los amigos, jugar con la "play station" y escuchar la música de moda, de Shakira hasta el hip-hop. Los viernes por la noche van a bailar a las discotecas Neón, Omni o Vértigo, las que están más de moda en Santo Domingo, y los sábados van al cine o a pasear con los amigos.

A los más aventureros les gusta hacer ecoturismo y deportes extremos. Tienen la suerte de que la geografía y el clima de la República Dominicana permiten practicar los deportes más de moda entre los jóvenes, como el excursionismo¹, la escalada², el paracaidismo³, los deportes de vela⁴, el surfing, el buceo, el kayak y, el más nuevo de todos y uno de los que está reuniendo más aficionados en todo el mundo, el *kite boarding*, que es el rey de los deportes acuáticos.

Una de las actividades más populares entre los dominicanos que prefieren quedarse en la ciudad es el *skateboarding*. Pueden encontrárselos en una calle desierta, pero a menudo los verán los domingos por la mañana en plazas, donde a veces se juntan grupos de *skaters* de 20 y hasta 30 jóvenes, que se organizan en distintos grupos, para hacer piruetas⁵ y saltar escaleras: ¡cuantos más escalones⁶, mejor!

Los jóvenes dominicanos tienen su propia jerga⁷, en la que se reflejan muchas influencias del inglés. Se saludan diciendo "Qué lo qué" y muchas veces, se despiden diciendo "Tá kool", que quiere decir "está bien". Para ellos, "janguear" es salir con los amigos, un "bonche" es una fiesta y "tripeo" es pasarla bien. Alguien "friquiao" está loco, algo "piedra" es lo máximo y cuando dicen "Ése es un totao", es que está fuera de moda. ¿*Tá kool?*

Los deportes extremos son muy populares entre los jóvenes dominicanos.

¹trekking ²rock climbing ³parachuting ⁴sail sports ⁵twirls ⁶steps ⁷slang

 22 ## ¿Qué hacen los jóvenes dominicanos?

Conteste las siguentes preguntas.

1. ¿En qué se parecen los jóvenes dominicanos a los estadounidenses?
2. ¿Qué hacen muchos chicos dominicanos los viernes?
3. ¿Qué deportes extremos se pueden practicar en la República Dominicana?
4. ¿Qué hacen muchos jóvenes que prefieren quedarse en la ciudad?
5. Diga cómo se saludan y se despiden los jóvenes dominicanos.

Capítulo 4   *ciento ochenta y uno* **181**

Notes

Challenge students to think of other projects that might help them learn more about the Dominican Republic. The Internet should provide many ideas.

Teacher Resources

🔘 **Activity 22** (CD 8, #18)

🎧 **Activity 6** (CD 2, #14)

✅ **Activity 5**

◆ Answers

22 1. A los dos grupos les gusta pasarla bien, salir con amigos, jugar con la "play station" y escuchar la música de moda.
2. Los viernes, muchos dominicanos van a bailar a las discotecas Neón, Omni o Vértigo.
3. Se pueden practicar el excursionismo, la escalada, el paracaidismo, los deportes de vela, el surfing, el buceo, el kayak y el *kite boarding*.
4. Hacen *skateboarding*.
5. Se saludan diciendo "Qué lo qué" y se despiden diciendo "Tá kool".

◆ Activities

Multiple Intelligences (spatial)

Have students draw a map of the Dominican Republic. Have them include a few major cities, roads, rivers, landmarks and the names of the bodies of water that surround the island.

National Standards

Cultures
2.1, 2.2

Connections
3.1, 3.2

Comparisons
4.1, 4.2

Activities

Cooperative Learning

Form small groups and give them this task: One student begins by saying a simple statement to the neighbor to his or her right. For example: *Te estaba llamando.* That student turns to the next and "flips" the sentence: *Estaba llamándote.* The third student must make up a new sentence, and so on. Try to include an odd number of students in each group so that no one will always have the same role.

National Standards

Communication
1.1

Comparisons
4.1

 Idioma

Estructura

El imperfecto progresivo

Use the imperfect progressive tense to speak about past actions that lasted for an extended time. This tense is formed with the imperfect of the verb *estar* plus the present participle of the verb (the *-ando* or *-iendo* forms of the verb).

el imperfecto progresivo	
estaba	hablando
estabas	
estaba	comiendo
estábamos	
estabais	escribiendo
estaban	

Estaba hablando *con mi novio.*	**I was talking** to my boyfriend.
Estábamos buscando *tu número de teléfono.*	**We were looking for** your phone number.

When you want to use direct or indirect object pronouns or reflexive pronouns, you have two options: You can place the pronouns before the form of *estar* or attach them to the *-ando* or *-iendo* forms. Remember that sometimes you will have to write accent marks when you attach pronouns to present participles.

Te estaba *llamando.*	I was calling you.
*Estaba **llamándote**.*	
Me estaba *vistiendo.*	I was getting dressed.
*Estaba **vistiéndome**.*	

When an ongoing action in the past is interrupted by another event, the imperfect progressive is used for the ongoing action.

Estaba saliendo *de casa cuando sonó el teléfono.*	**I was leaving** the house when the phone **rang**.
Estaba durmiendo *cuando* ***empezó*** *a llover.*	**I was sleeping** when it **started** raining.

Estaba caminando cuando empezó a llover.

Notes Point out that English speakers use a similar structure to express the same thing: "was doing." Examples: "It was raining when I went to sleep" or "We were eating lunch when you called."

Práctica

 Use el imperfecto progresivo para decir lo que estaba haciendo cada persona.

1. Yo *(marcar)* tu número de teléfono cuando tú llegaste.
2. ¿Tú me *(llamar)* cuando yo llegué?
3. Nosotros *(hablar)* de ti cuando te vimos llegar.
4. El teléfono *(sonar)* cuando abrí la puerta.
5. Te *(escribir)* un correo electrónico cuando recibí el tuyo.
6. Ellas *(despedirse)* cuando se cortó la comunicación.

 ¿Dónde estabas?

  Un amigo lo/la llamó varias veces pero Ud. no contestó el teléfono. Ahora él quiere saber por qué. Déle diferentes excusas. Trabaje con su compañero/a. Pueden crear algunas excusas más.

¿Dónde estaban el domingo?

MODELO el lunes por la noche / visitar a mis primos

A: Te llamé el lunes por la noche, ¿qué estabas haciendo?

B: Estaba visitando a mis primos.

1. el domingo por la mañana / montar en bicicleta en el parque
2. el martes al mediodía / almorzar con mi amigo de Santo Domingo
3. el miércoles muy temprano / dormir
4. el jueves por la tarde / jugar al béisbol
5. el viernes por la noche / divertirse con amigos

  Comunicación

 Una gran noticia

 Con su compañero/a, piensen en una noticia importante de los últimos cinco años. Puede ser un concierto, un campeonato deportivo, un desastre natural, un accidente, unas elecciones *(elections)*... Túrnense para preguntarse qué estaban haciendo diferentes miembros de su familia o amigos cuando se enteraron de la noticia.

MODELO **A:** ¿Qué estaban haciendo tus hermanos cuando los Yankees ganaron la Serie Mundial?

B: Estaban viendo el partido en el estadio.

Notes

Another way to take advantage of an exercise such as activity 23 or 24 is to simply turn it around: *Cuando tú llegaste, yo estaba marcando tu número de teléfono.* This can be particularly useful in helping students grasp the structure of the *imperfecto progresivo*.

 Answers

23 1. estaba marcando
2. estabas llamando
3. estábamos hablando
4. estaba sonando
5. estaba escribiendo
6. estaban despidiéndose

24 1. Te llamé el domingo..., ¿qué estabas haciendo? Estaba montando...
2. Te llamé el martes..., ¿qué estabas haciendo? Estaba almorzando.
3. Te llamé el miércoles..., ¿qué estabas haciendo? Estaba durmiendo.
4. Te llamé el jueves..., ¿qué estabas haciendo? Estaba jugando...
5. Te llamé el viernes..., ¿qué estabas haciendo? Estaba divirtiéndome...

25 Creative self-expression.

 Activities

Expansion
Form small groups and give each student several index cards. He or she then writes down a time period (e.g., last weekend, lunchtime) on each card. These are placed facedown and shuffled. One student draws a card and asks his or her neighbor a "Where were you" or a "What were you" question. Example: *¿Qué estabas haciendo el sábado por la mañana? Estaba jugando fútbol en la playa.* Encourage students to use more than just the first- and second-person forms.

National Standards
Communication 1.1
Connections 3.1

Teacher Resources

Lectura personal (CD 8, #19)
Activity 26 (CD 8, #20)
Activity 27 (CD 8, #21)

◆ Answers

26 1. Fue el primer edificio militar que construyeron los españoles en América.
2. En 1992.
3. La gente de esa ciudad, porque son muy amigables.
4. Van a llamar a sus familias por teléfono.

27 Answers will vary.

◆ Activities

Technology
Have students write an e-mail home about an imaginary trip to a city in Latin America. They may use Santo Domingo or choose another city. Part of the letter should describe an argument between two (fictitious) members of the group.

National Standards	
Communication 1.1	**Comparisons** 4.2
Cultures 2.1, 2.2	
Connections 3.1	

Lectura personal

E-Mail

Archivo   Ver   Mensajes   Ayuda

A...   Mariana

Cc...

Asunto: Santo Domingo

Santo Domingo: un mundo nuevo

Queridos mamá y papá:

Hoy hemos visitado la primera ciudad de América construida por los europeos. Primero fuimos a la hermosa Fortaleza Ozama, que fue el primer edificio militar[1] que construyeron los españoles en América, en 1503. Más tarde visitamos la Catedral de Santo Domingo, de estilo[2] gótico y clásico. Se cree que en esa iglesia estuvo enterrado[3] hasta 1992 Cristobal Colón. En ese año se terminó la construcción del Faro a Colón, un imponente edificio en forma de cruz que se construyó en homenaje[4] al 500 aniversario de su llegada.

Al caminar por las calles de Santo Domingo, lo que más me impresionó no fueron los edificios, sino la gente. A pesar de que en esta ciudad hay mucha pobreza y la vida está llena de problemas, la gente es muy amigable[5]. Si uno le pregunta a alguien dónde está un lugar, la gente siempre responde con una sonrisa y comienza a hablar contigo como un viejo amigo.

Por la tarde nuestro guía nos dijo que teníamos dos horas de tiempo libre. Casi todos, al oír esas palabras, fuimos a buscar nuestras tarjetas telefónicas para llamar a nuestras familias. Creo que la gente de Santo Domingo, con su sonrisa amable, nos hizo pensar en los amigos que están tan lejos. ¡Y todos corrimos a llamarlos!

Cariños,
Mariana

[1]fortress   [2]style   [3]buried   [4]honor   [5]friendly

En este alcázar vivió el hijo de Colón.

 ¿Qué recuerda Ud.?

1. ¿Qué importancia tiene la Fortaleza Ozama?
2. ¿Cuándo se construyó el Faro a Colón?
3. ¿Qué fue lo que más impresionó a Mariana en Santo Domingo? ¿Por qué?
4. ¿Qué hacen todos cuando el guía les da dos horas libres?

 Algo personal

1. ¿Visitó alguna vez una ciudad donde la gente es muy amistosa? Describa su experiencia.
2. Mariana habla de algunos problemas que tiene la gente en Santo Domingo. ¿Cuáles son los problemas más grandes que tiene su ciudad?

184   *ciento ochenta y cuatro*   **Lección B**

Notes

Christopher Columbus established the first Spanish settlement in the Western Hemisphere in 1492. It was a fort named La Navidad, and it was located on the northern coast of the island of Española (Hispaniola). Within a year, the site was destroyed. In 1494, Columbus tried again nearby with a colony called La Isabela. Two years later, Bartolomeo Columbus established Nueva Isabela on the south coast. Soon afterward, it was renamed Santo Domingo.

Autoevaluación

Como repaso y autoevaluación, responda lo siguiente:

INTERNET RESOURCE center

1. Dígale a su compañero/a tres cosas que no debe hacer en clase.
2. ¿Dónde va el pronombre en un mandato negativo con *tú*? Dé un ejemplo.
3. Explique tres usos de la preposición *a* y dé un ejemplo para cada uno.
4. ¿Quién paga por una llamada de cobro revertido?
5. ¿Qué debe hacer cuando el teléfono celular no funciona?
6. Mencione dos deportes que practican los jóvenes dominicanos.
7. ¿Cómo se forma el progresivo en el imperfecto?

Palabras y expresiones

How many of these words and expressions do you recognize?

Relaciones con los padres
el adulto, la adulta
el comportamiento
el conflicto
la diferencia de opinión
la obligación
la relación

Verbos
avisar
cargar
colgar (ue)
consultar
criticar
marcar
reaccionar
respetar
sonar (ue)

Expresiones
tal como
estar equivocado,-a
hacer caso
hacer las paces
levantar la voz
ponerse de acuerdo
¿Quién habla?

Al teléfono
la batería
el código
el contestador
automático
la guía telefónica
la línea
la llamada de cobro
revertido
la llamada de larga
distancia
el mensaje
el número equivocado
el operador, la
operadora
la recepción
la tarjeta telefónica
el teléfono inalámbrico

¿Quién habla?

Notes
Students will have to learn a lot more vocabulary before they are able to discuss personal problems in Spanish. Ask them to brainstorm a list of words they might use in English. Assign each student one of the words to look up in Spanish.

Students should visit the Internet Resource Center at www.emcp.com to complete this activity online and check answers.

Teacher Resources

 Activity 14

 p. 106

Answers

Autoevaluación
Possible answers:
1. No comas en clase. No hables. No te duermas.
2. El pronombre va entre la palabra *no* y el mandato. No te vayas.
3. Indicar destino: Vamos *a* la ciudad. Indicar ubicación: La escuela está *a* la izquierda. Presentar el infinitivo: Voy *a* salir más tarde.
4. La persona que recibe la llamada.
5. Cargar la batería.
6. El paracaidismo y el surfing.
7. Se forma con el imperfecto de *estar* y el participio presente.

Activities

Cooperative Learning
Form small groups and assign each one a letter (or two) of the alphabet. Have them turn to the vocabulary pages in this chapter and list all the verbs. Have them make a sentence for each one using the imperfect progressive. (The best letters to assign are: *a-b*, *c-d*, *h-i*, *l-m*, *n-p* and *r-s*.)

National Standards

Communication
1.3

Cultures
2.1

Connections
3.1

185

Teacher Resources

¡Viento en popa!
"A Julio de Burgos" (CD 8, #22)

Answers

Preparación

Wording of answers may vary, but the following ideas should be expressed:

1. Julia de Burgos nació en Barrio Santa Cruz, Carolina, en Puerto Rico.
2. Sus padres insistieron en la buena educación de sus hijos.
3. Empezó a escribir cuando asistía a la universidad.
4. Se ocupa del feminismo de su época.
5. La afectaron los problemas psicológicos y emocionales.

Activities

Connections

De Burgos's use of language has been compared to that of Carlos Fuentes and Jorge Luis Borges. Have students research a list of twentieth-century Hispanic writers who have been singled out for their unique styles. Remind them to look at the lists of Nobel Prize winners.

National Standards
Communication 1.2
Cultures 2.2
Connections 3.1

186

Ud. lee

Estrategia

Inferring the poet's attitude

In poetry, every word must carry weight and add something to the poet's expression of an idea. This means that you can infer a poet's attitude toward the subject of a poem by examining his or her choice of words. As you read the following poem, pay attention to the poet's use of repetition, especially of the words *tú* and *yo*. Ask yourself questions such as: "To what two parts of the poet do *tú* and *yo* refer?" "What are the differences between these two parts?" "What point is the poet trying to make?"

Preparación

Lea lo siguiente y, luego, conteste las preguntas que siguen.

Julia de Burgos nació en 1914 en el Barrio Santa Cruz, Carolina, en Puerto Rico. Era la mayor de trece hermanos. Aunque su familia era pobre, sus padres insistieron en la buena educación de sus hijos. En 1933, logró obtener el Certificado de Maestra de la Universidad de Puerto Rico. Fue durante su época universitaria cuando comenzó a escribir poemas, los cuales empieza a publicar a partir de 1936. De Burgos vivió en Nueva York desde 1940 hasta 1953, año en que murió. Gran parte de la poesía de esta escritora refleja sus ideas feministas. También trata temas personales, como las relaciones románticas y los problemas psicológicos y emocionales que la afectaron como individuo.

1. ¿Dónde nació Julia de Burgos?
2. ¿En qué insistieron los padres de Julia de Burgos?
3. ¿En qué época de su vida empezó a escribir poemas?
4. ¿Qué refleja gran parte de la poesía de Julia de Burgos?
5. ¿Qué tipo de problemas afectaron a Julia de Burgos en su vida?

Julia de Burgos.

"A Julia de Burgos"

Ya las gentes murmuran[1] que yo soy tu enemiga
porque dicen que en verso doy al mundo tuyo.

Mienten, Julia de Burgos. Mienten, Julia de Burgos.
La que se alza[2] en mis versos no es tu voz: es mi voz;
porque tú eres ropaje[3] y la esencia[4] soy yo;
y el más profundo abismo[5] se tiende[6] entre las dos.

[1]mutter [2]rises up [3]clothing [4]essence [5]abyss [6]stretches out

Notes

Julia de Burgos's 203 known poems were brought together in a volume titled *Song of the Simple Truth* (Curbstone Press, 1996). The poems are accompanied by English translations by the poet Jack Agüeros. It is the first complete edition of her work, and it includes several poems that had never before been published.

AP Spanish Literature. This poem by Julia de Burgos is a College Board AP Spanish literature required reading selection for twentieth-century authors. Use the margin activities as you see fit to prepare students for the AP Spanish literature examination.

Tú eres fría muñeca[1] de mentira social,
y yo, viril destello[2] de la humana verdad.

Tú, miel[3] de cortesanas[4] hipocresías; yo no;
que en todos mis poemas desnudo[5] el corazón.

Tú eres como tu mundo, egoísta; yo no;
que todo me lo juego a ser lo que soy yo.

Tú eres sólo la grave señora señorona;
yo no, yo soy la vida, la fuerza, la mujer.

Tú eres de tu marido, de tu amo[6]; yo no;
yo de nadie, o de todos, porque a todos, a todos,
en mi limpio sentir y en mi pensar me doy.

Tú te rizas[7] el pelo y te pintas[8]; yo no;
a mí me riza el viento; a mí me pinta el sol.

Tú eres dama casera[9], resignada, sumisa[10],
atada[11] a los prejuicios[12] de los hombres; yo no;
que yo soy Rocinante[13] corriendo desbocado[14]
olfateando[15] horizontes de justicia de Dios.

Tú en ti misma no mandas; a ti todos te mandan;
en ti mandan tu esposo, tus padres, tus parientes,
el cura[16], la modista[17], el teatro, el casino,
el auto, las alhajas[18], el banquete, el champán,
el cielo y el infierno, y el qué dirán social.

En mí no, que en mí manda mi solo corazón,
mi solo pensamiento; quien manda en mí soy yo.

Tú, flor de aristocracia; y yo la flor del pueblo.
Tú en ti lo tienes todo y a todos se lo debes,
mientras que yo, mi nada a nadie se la debo.

Tú, clavada al estático dividendo ancestral,
y yo, un uno en la cifra[19] del divisor social,
somos el duelo a muerte[20] que se acerca fatal.

"Retrato."

[1]doll [2]sparkle; gleam [3]honey [4]courtly [5]bare
[6]master [7]curl [8]apply makeup [9]housewife
[10]submissive [11]tied [12]prejudices [13]The name of
don Quijote's horse in Cervantes's novel *El ingenioso
hidalgo don Quijote de La Mancha* (see the reading
in Capítulo 3) [14]runaway (said of horses)
[15]sniffing out [16]priest [17]dressmaker [18]jewels
[19]number; digit [20]duel to the death

A ¿Qué recuerda Ud.?

1. Haga una tabla de dos columnas con los títulos: *Tú* y *Yo*. Escriba las características que Julia de Burgos atribuye a cada una de estas partes de sí misma.
2. Según la estrofa dos, ¿cómo es la distancia entre las dos partes de la poeta?
3. Según la estrofa diez, ¿de dónde vienen los mandatos, del interior o del exterior de la poeta? ¿Y en la estrofa 11?
4. ¿Qué generalización puede hacer entre la parte "tú" y la parte "yo" de la poeta?

B Algo personal

1. ¿Por qué cree Ud. que este poema se considera un ejemplo de poesía feminista?
2. Imagine que Ud. tiene una parte "tú" y una parte "yo". ¿Qué dice cada parte sobre Ud.?

Notes
Students should be made aware of how different the world was for everyone, especially Hispanic women, in the period of the 1930s–1950s. Themes of feminism, politics and self-negation were unusual at that time—although they would later find a voice in the works of writers such as Sylvia Plath.

Teacher Resources

Activity A (CD 8, #23)
Activity B (CD 8, #24)

◆ Answers

A Wording of answers will vary, but the following ideas should be expressed:
1. Columns should show, respectively, the main characteristics of the exterior (social) and interior (subjective) conditions of modern womanhood.
2. Hay una gran distancia.
3. Según la estrofa 10, vienen del exterior. Según la estrofa 11, vienen del interior.
4. Answers will vary.

B Answers will vary.

◆ Activities

Critical Thinking
Have small groups collaborate on a poem. Ask them to begin with an action that was happening in the past (using the imperfect progressive tense) and to move between the ongoing action in the past and other actions that occurred—in much the same way as Julia de Burgos shifted between *tú* and *yo*.

National Standards
Communication
1.2, 1.3
Cultures
2.2
Connections
3.1

Answers

Creative self-expression.

Activities

Communities

Suggest that students look into possible ways to continue using the Spanish language outside of the classroom. Talk to them about opportunities for doing volunteer work or other ways of establishing contact with the Spanish-speaking members of your community.

Expansion

Suggest novels that students might enjoy, and elicit the names of books in Spanish with which they are familiar.

National Standards
Communication 1.3
Connections 3.1, 3.2
Communities 5.1

Ud. escribe ■■■■■■■■■■■■■■■■

Estrategia

Transitions

Transitional words and phrases signal a connection between ideas and assist the reader in following his or her line of thinking. You can use transitional words and phrases to organize your ideas and keep your writing coherent. The transitional words and phrases that you use depend on the type of organization that you want to show. There are transitions that show a chronological organization (*primero, luego, segundo, finalmente*), cause and effect (*como resultado, por lo tanto, por esta razón*), spatial organization (*arriba, abajo, afuera*), comparison and contrast (*sin embargo, en contraste*), and order of importance (*además, principalmente*). Remember to use different types of transitions in order to make your writing more interesting.

 Escriba una composición sobre una serie de eventos pasados, reales actuales o imaginarios. Concéntrese en la relación causa y efecto entre los distintos eventos. Puede describir un evento, por ejemplo un encuentro personal o un accidente, y después mostrar los resultados de este evento. No se olvide de usar palabras o expresiones de transición para mostrar la relación de causa y efecto entre los eventos. Use una gráfica como la de abajo para organizar su borrador. Recuerde usar el pretérito perfecto y el imperfecto progresivo para hablar de los eventos en el pasado, así como los complementos directos e indirectos y los mandatos informales negativos. Comparta su borrador con otro/a estudiante y pídale sus sugerencias o correcciones. Por último, escriba la versión final para incluir las sugerencias de su compañero/a y para corregir los errores en los tiempos de los verbos, el uso de las palabras o expresiones de transición y la ortografía.

CAUSA	EFECTO
¿Por qué ocurre?	¿Qué ocurre?

Notes Prepare students for this material by brainstorming transitional words and phrases. (One possible approach: ask them to briefly locate the transitions in a simple story such as "Goldilocks and the Three Bears" and take note of them. Make sure that they use a different word for each transition.)

Proyectos adicionales ■■■■■■■■

A Conexión con la tecnología

La República Dominicana está situada en la parte este de la isla llamada La Española. Esta isla forma parte de una cadena de islas, las Antillas Mayores *(Greater Antilles)*. ¿Cómo se formaron estas islas? ¿Cuándo? ¿Hay volcanes? ¿Qué tipo de clima tienen? ¿Qué flora y fauna tienen? Haga una investigación en la internet para contestar estas preguntas y otras que pueda tener Ud. Use los datos, las fotos y los mapas que encuentre para hacer una presentación oral sobre la geología y geografía de esta parte del mundo.

B Conexión con otras disciplinas: la música y el baile

El merengue es una forma de música y baile típico de la República Dominicana y de otras partes del Caribe. Hoy en día, este baile se ha hecho popular en todo el mundo. Piense si conoce a alguien que sepa bailar merengue. Pídale a esta persona que le enseñe a bailarlo. Luego, trabaje en grupos para hacer una exhibición sobre el merengue. Investiguen cuál es su origen, qué artistas tocan merengue, qué instrumentos usan y de qué hablan las letras de las canciones. Acompañen la exhibición con una demostración del baile.

El merengue se baila en todo el mundo.

C Comparaciones

El béisbol es un deporte muy importante no sólo en Estados Unidos sino en varios países latinoamericanos, especialmente en el Caribe. Trabaje en grupos pequeños para investigar y hacer una comparación entre el mundo del béisbol en Estados Unidos y en América Latina. Pueden contestar preguntas como las siguientes: ¿En qué países latinoamericanos es el béisbol un deporte importante? ¿Tiene Estados Unidos un efecto sobre el béisbol en estos países? ¿Hay diferencias en la organización de las ligas *(leagues)* o en las reglas del juego entre los países? Pueden usar una tabla para comparar.

El béisbol es muy popular en Cuba.

Notes

Dominicans have a history of playing baseball that goes back more than 100 years. Cuban refugees fleeing the Spanish-American War introduced the game, which soon became a national passion. In 1937, dictator Rafael Trujillo spent huge amounts to lure Negro League stars such as Satchel Paige to play for his own team, Ciudad Trujillo. And in 1958 the inevitable finally happened: the first Dominican players entered the major leagues.

When President George W. Bush (formerly an owner of the Texas Rangers) was asked what he felt was the biggest mistake of his adult life, his answer was: "Trading Sammy Sosa."

Teacher Resources

🗨 p. 90

◆ Activities

Spanish for Spanish Speakers
Have students make lists of the most outstanding Hispanic players on baseball teams in the United States. Ask them to discuss these players and make a report that suggests reasons why Hispanics seem to excel at "the great American pastime." Have them present their report to the class.

National Standards	
Communication 1.1, 1.3	**Comparisons** 4.2
Cultures 2.1, 2.2	
Connections 3.1, 3.2	

El cuarto misterioso
Documental 2

Trabalenguas (CD 8, #25)

Answers

Así se hace el misterio

1. Anna es más tímida. Pero, como su personaje, tiene ganas de luchar y es competitiva.
2. En un monólogo hay que saber cómo modular la voz, proyectarla y tener buena dicción.
3. Answers will vary.

Activities

Trabalenguas

Ask students to debate what is inside of the boxes that are discussed in the *Trabalenguas*.

Students with Special Needs

Have native speakers work with special needs students to master the *Trabalenguas*. Make sure the native speakers grasp that pronunciation and speech rhythms are more important than content.

National Standards
Communication
1.3
Connections
3.1

190

REPASO

Now that I have completed this chapter, I can...	Go to these pages for help:
describe your personality and that of your friends.	150, 151
talk about personal relationships.	158, 159
make apologies.	158, 159
express events in the past.	162
describe people and things.	164
talk about family relationships.	168
give recommendations and advice.	172
receive and place phone calls.	178
talk about actions that lasted for an extended time.	182

I can also...

identify some Taíno words and talk about the influence of Taíno culture in the Caribbean.	153
name some of the best interpreters of salsa and discuss the popularity of this music.	161
identify places of interest in San Juan, Puerto Rico.	166
discuss the relationship of the musician Juan Luis Guerra and his audience.	171
talk about the popularity of extreme sports in the Dominican Republic and name some of them.	181
talk about historical places in Santo Domingo.	184
read a poem by a well-known Puerto Rican woman poet.	186, 187

Trabalenguas

Tengo un tío cajonero
que hace cajas y calajas
y cajitas y cajones.
Y al tirar de los cordones
salen cajas y calajas y
cajitas y cajones.

Así se hace el misterio

Después de mirar Episodios 25–28 de *El cuarto misterioso,* contesta las siguientes preguntas.

1. ¿Cómo es Anna similar o diferente a su personaje de Ana?

2. ¿Cómo se utiliza la voz en un monólogo?

3. ¿Tienes tú ganas de ser actor o actriz?

190 *ciento noventa*

¡Viento en popa!

Notes

Loose translation of the *Trabalenguas*:
I have an uncle who is a box maker who makes boxes and big boxes, and little boxes and drawers.
And when you pull the cords, boxes and big boxes, and little boxes and drawers come out.

Vocabulario

acusar to accuse *4A*
admitir to admit *4A*
el **adulto,** la **adulta** adult *4A*
apoyar to support, to back (another person) *4A*
avisar to let someone know *4B*
la **batería** battery *4B*
cargar (la batería) recharge (the battery) *4B*
celoso,-a jealous *4A*
chismear to gossip *4A*
chismoso,-a gossipy *4A*
el **código** (country) code *4B*
colgar (ue) to hang up *4B*
cometer un error to make a mistake *4A*
el **comportamiento** behavior *4B*
comprensivo,-a understanding *4A*
confiar to trust *4A*
el **conflicto** conflict *4B*
considerado,-a thoughtful, considerate *4A*
consultar to check *4B*
contar con to count on someone *4A*
el **contestador automático** answering machine *4B*

criticar to criticize *4A*
la **culpa** fault *4A*
darse cuenta to realize *4A*
dejar plantado/a a alguien to stand someone up *4A*
desconfiar to mistrust *4A*
descubrir to find out, to discover *4A*
devolver (ue) to return *4A*
la **diferencia de opinión** difference of opinion *4B*
Discúlpame. Forgive me. *4A*
la **discusión** discussion *4A*
echar la culpa a otro, -a/ alguien to blame someone else *4A*
entrometido,-a nosy *4A*
estar equivocado,-a to be wrong *4B*
la **guía telefónica** phone book *4B*
hacer caso to listen to, to pay attention, to obey *4B*
hacer las paces to make up with someone *4B*
hacer un cumplido to compliment someone *4A*
honesto,-a honest *4A*
increíble incredible *4A*
las **lágrimas** tears *4A*
levantar la voz to raise one's voice *4B*
la **línea ocupada** busy line *4B*
la **llamada de cobro revertido** collect call *4B*
la **llamada de larga distancia** long-distance phone call *4B*
llorar to cry *4A*
Lo hice sin querer. I didn't mean to do it. *4A*

marcar to dial *4B*
el **mensaje** message *4B*
¡No faltaba más! Don't mention it! *4A*
el **número equivocado** wrong number *4B*
la **obligación** obligation *4B*
el **operador,** la **operadora** operator *4B*
la **pelea** fight *4A*
pensar en sí mismo,-a to think of oneself *4A*
perder la paciencia to lose patience *4A*
perdonar to forgive *4A*
ponerse de acuerdo to reach an agreement *4B*
posponer to postpone *4A*
¡Qué raro! How odd! *4A*
¡Qué va! No way! *4A*
¿Quién habla? Who is it? (telephone greeting) *4B*
reaccionar to react *4B*
la **recepción** (telephone) reception *4B*
reconciliarse to make up *4A*
la **relación** relation(ship) *4B*
respetar to respect *4B*
sonar (ue) to ring *4B*
tal como soy just as I am *4B*
la **tarjeta telefónica** calling card *4B*
el **teléfono inalámbrico** cordless phone *4B*
tener celos to be jealous *4A*
tener en común to have in common *4A*
tener la culpa to be someone's fault *4A*

La operadora.

Teacher Resources

Assessment
Test Booklet
Quizzes
ExamView
Assessment Suite

Activities

Multiple Intelligences (intrapersonal)
Encourage students to make an evaluation of their skills as Spanish speakers and to discuss additional opportunities for using Spanish. If any have visited countries where Spanish is spoken, ask about their experiences. Also ask how many would like to visit a different country someday.

Notes

When new words are needed, English speakers often turn to other languages for inspiration, as in the case of "telephone," a combination of the Greek words for "far off" and "sound." Spanish-speaking countries often adopt English words, sometimes outright *(marketing, Internet)*, but often adapting the spelling and pronunciation *(teléfono)*. In some cases, objects may have both native and loanword names, as in the case of *batería*, which is *pila* in Spain (from the Latin word of the same spelling, which means "column" or "pillar").

National Standards

Communication
1.1

Comparisons
4.1

Communities
5.1

Teacher Resources

El cuarto misterioso
Documental 3

Symtalk Unit 20

Connections with Parents

Encourage parents and guardians to serve as informational resources for students. Invite parents or guardians who have lived in or traveled to Spanish-speaking countries to come share their observations and experiences with the class.

◆ Answers

El cuarto misterioso
1. Alejandro parece mucho más simpático y divertido.
2. Answers will vary.
3. Answers will vary.
4. Answers will vary.

National Standards

Connections
3.1

Communities
5.1

CAPÍTULO 5

Ciudad y campo

El cuarto misterioso

Contesta las siguientes preguntas sobre esta escena del *Documental 3–Alejandro Manzano (Rafael)*.

1. ¿En qué es diferente Alejandro de su personaje de Rafael?
2. ¿Por qué es importante la relación entre los actores?
3. Adivina los intereses de Alejandro.
4. ¿Cuáles son algunos tipos de habilidades requisito para producir un video profesional?

DVD 5, Episodios 37–43. Alejandro se presenta a nosotros.

Objetivos

talk about train travel

ask for and give directions

CEDA EL PASO

identify road signs

Notes

Communicative objectives are provided to prepare students for the upcoming chapter. A list of these functions appears at the end of each chapter so students can evaluate their progress.

Ask students to discuss if they think that Alejandro would be a better director or actor.

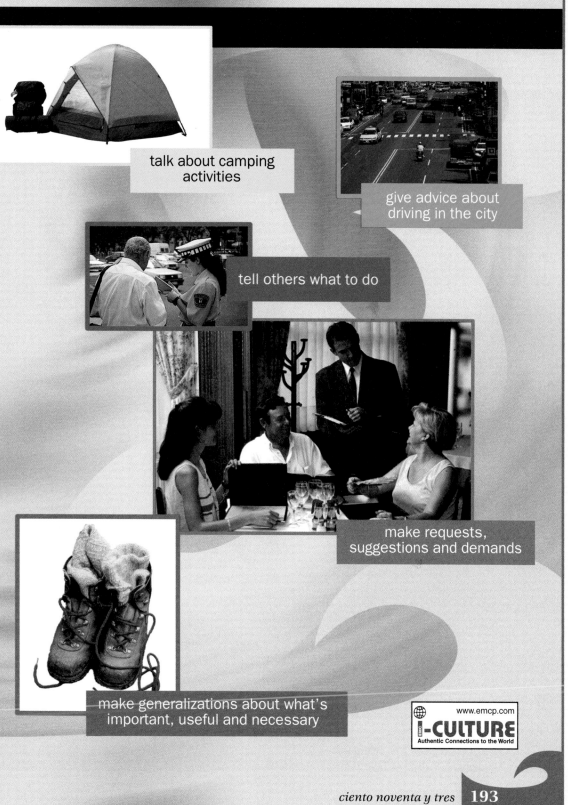

talk about camping activities

give advice about driving in the city

tell others what to do

make requests, suggestions and demands

make generalizations about what's important, useful and necessary

www.emcp.com

i-CULTURE
Authentic Connections to the World

ciento noventa y tres **193**

 Contexto cultural

Argentina
Nombre oficial: República Argentina
Población: 39.000.000
Capital: Buenos Aires
Ciudades importantes: Córdoba, Mendoza, San Juan
Unidad monetaria: el peso
Fiesta nacional: 9 de julio, Proclamación de la Independencia
Gente famosa: Jorge Luis Borges (escritor); Evita Perón (líder popular)

Chile
Nombre oficial: República de Chile
Población: 15.400.000
Capital: Santiago de Chile
Ciudades importantes: Valparaíso, Viña del Mar
Unidad monetaria: el peso
Fiesta nacional: 18 de septiembre, Día de la Independencia
Gente famosa: Pablo Neruda, Isabel Allende, Gabriela Mistral (escritores)

◆ **Activities**

Prior Knowledge
Take a few minutes to let students reflect on the chapter objectives. Ask students: *¿Qué tienes que hacer para conducir de manera responsable?; ¿Cómo es la señal de "alto"?; ¿Cómo le dirías a un adulto que no doble a la derecha?; ¿Cómo son las direcciones para llegar a tu casa?; ¿Qué es importante que uno tenga en cuenta cuando conduce?; ¿Has viajado en tren alguna vez?; ¿Qué es necesario hacer para tener una experiencia de camping positiva?; ¿Qué le recomendarías a alguien que va ir al bosque?*

National Standards

Communication
1.3

Connections
3.1

Notes

About one-third of the approximately 37 million inhabitants of Argentina live in the capital city of Buenos Aires. In contrast, Santiago de Chile has a population of approximately 5.5 million people in its metropolitan area.

Several approaches are possible for the objective introduction. You can call on one person at a time to answer the questions.

Vocabulario I
Manejar en la ciudad
(CD 9, #1)

Activity 1 (CD 2, #16)

Activity 17

Activities 1–3

Activity 1

Activities 1–2

Content reviewed in *Lección A*

- driving in the city
- giving formal commands
- places in the city
- asking for directions

 Activities

Language through Action

Have students prepare and perform short dramatic skits to illustrate the action in *Vocabulario I*. Assign students various roles such as the police officer, driving instructor and driving student.

Multiple Intelligences (spatial)

Visual students may enjoy illustrating a city traffic scene. Ask them to share their illustrations with their peers and discuss what is happening in each scene. Then have students label their scenes with the new vocabulary words.

National Standards

Communication
1.1, 1.3

Connections
3.1

Comparisons
4.2

194

Vocabulario I

Manejar en la ciudad

Argentina

194 *ciento noventa y cuatro*   Lección A

Notes

Before presenting the vocabulary on pages 194–195, activate students' prior knowledge about driving in the city. Ask students to name and describe what they see in these scenes.

Comparisons. Have students compare the street scenes on pages 194–195 to their own town or city. Are they similar or different?

EL ESTACIONAMIENTO

Estacionemos en este espacio vacío.

la calle de una vía

Prohibido doblar

Pise el acelerador despacio y ponga la marcha atrás.

el acelerador

 1 ¡Respetemos las señales!

 Indique la letra de la foto que corresponde con lo que oye.

A

B

C

D

E

F

2 Lógico

Complete en forma lógica las frases de la izquierda con una de las frases de la derecha.

1. Marcos debe pisar...
2. Disminuyamos...
3. Mis amigos estacionaron el coche...
4. La señal dice...
5. Ponga la marcha atrás...
6. Respetemos...

A. ...prohibido doblar.
B. ...para estacionar.
C. ...las reglas de tránsito.
D. ...el acelerador con cuidado.
E. ...la velocidad.
F. ...en el estacionamiento del barrio.

Notes   Activity 1 is intended for listening comprehension practice. Play the audio of the activity or use the transcript that appears in the ATE Introduction if you prefer to read the activity yourself.

Teacher Resources

Activity 1 (CD 9, #2)

Answers

1
1. B
2. F
3. C
4. E
5. D
6. A

2
1. D
2. E
3. F
4. A
5. B
6. C

Activities

Cooperative Learning
Have students work in pairs to complete activity 2. Have one student read the beginning of the sentence, and the other choose the appropriate ending. Students can then alternate roles.

Pronunciation
Model the pronunciation of the phrases from *Vocabulario I* for students to repeat. Ask students to imagine these phrases in different contexts. What if the police officer were giving a friendly reminder? *Disminuya la velocidad.* What if an accident were about to occur? *¡Disminuya la velocidad!*

National Standards

Communication
1.1, 1.2

Connections
3.1

Teacher Resources

Diálogo I
¡No acelere! (CD 9, #3)
Activity 3 (CD 9, #4)
Activity 4 (CD 9, #5)
Activity 5 (CD 9, #6)

Answers

3 1. María debe ponerse el cinturón de seguridad siempre.
2. Debe pisar con mucho cuidado el acelerador.
3. Al principio debe ir despacio.
4. El instructor le dice a María: ¡Disminuya la velocidad!

4 Answers will vary.

5 1. la licencia de conducir
2. el espejo retrovisor
3. estacionar
4. ceden

Activities

Prereading Strategy
Based on the photographs, have students predict what this dialog is going to be about. Who might these two people be? What might María be trying to achieve?

National Standards

Communication
1.1, 1.2, 1.3

Connections
3.1

Comparisons
4.2

196

Diálogo I ¡No acelere!

MARÍA: Quiero obtener la licencia de conducir. Hoy es mi primera clase.
INSTRUCTOR: Muy bien. Súbase a este coche. ¿Ya sabe todas las normas de tránsito?
MARÍA: Sí. ¿Me pongo el cinturón de seguridad?
INSTRUCTOR: Por supuesto. Siempre debe ponérselo.

MARÍA: ¿Qué hago ahora?
INSTRUCTOR: Primero ajuste el espejo retrovisor y luego encienda el motor.
MARÍA: ¿Acelero?
INSTRUCTOR: No, no acelere todavía. Busque el freno...

INSTRUCTOR: Pise el acelerador con mucho cuidado. Al principio debe ir despacio. No quite las manos del volante...¡Con cuidado! ¡Disminuya la velocidad!
MARÍA: Profesor, tenga más paciencia conmigo.

3 ¿Qué recuerda Ud.?

1. ¿Cuándo se debe poner María el cinturón de seguridad?
2. ¿Qué debe hacer para acelerar?
3. ¿Cómo debe ir al principio?
4. ¿Qué le dice el instructor a María al final?

4 Algo personal

1. ¿Sabe conducir coches?
2. ¿Tiene licencia de conducir?
3. ¿Conoce las normas de tránsito?
4. ¿Es prudente cuando conduce?
5. ¿Qué errores comete la gente o Ud. al conducir?

¡Extra!

En otras palabras

la licencia de conducir	*el carnet de conducir*
las normas de tránsito	*las reglas de tráfico*

5 Para conducir

Escuche cada diálogo y escoja la frase que completa correctamente cada oración.

1. Roberto quiere tener *(la licencia de conducir / la señal de tránsito)*.
2. Carla debe ajustar primero *(el acelerador / el espejo retrovisor)*.
3. Víctor está poniendo la marcha atrás porque va a *(estacionar / acelerar)*.
4. Los conductores le *(ceden / disminuyen)* el paso a la señora.

196 *ciento noventa y seis*

Lección A

Notes

Students might be interested to know that U.S. driver's licenses are valid in Argentina's capital city, as well as throughout the province of Buenos Aires. However, to drive anywhere else in the country, one needs an Argentine or international driver's license. The minimum driving age in Argentina is 18.

After students listen to the dialog on the *¡Aventura!* audio, give them opportunities to take on the roles of *María* and *Instructor*. Encourage students to read their lines dramatically.

Cultura viva I

¿En subte o en colectivo? El transporte público en Buenos Aires

Una estación de subte en Buenos Aires.

La manera más rápida de viajar en Buenos Aires, la capital de Argentina, es usar el transporte público, que es muy eficaz.[1] El subterráneo, o subte, como lo llama la gente del país, tiene varias líneas que llegan a los principales lugares de la ciudad. El servicio empieza a las seis de la mañana y termina a las 10 de la noche, excepto los fines de semana y los días feriados, que acaba a las ocho de la tarde. La tarifa es de 70 centavos y permite hacer conexiones ilimitadas entre las diferentes líneas.

La red de autobuses, llamados "colectivos" en Argentina, es muy extensa. Funciona las 24 horas del día y, en general, es el transporte público preferido por los ciudadanos. El tiempo de espera varía de los cinco minutos en hora punta[2] hasta los 20 minutos por la noche o durante las horas de menos tráfico. El boleto del colectivo cuesta 80 centavos y se compra en el mismo autobús, en máquinas que funcionan con monedas pero que devuelven cambio. ¡No se olvide de llevar siempre monedas si va a ir en colectivo!

El colectivo es el sistema de transporte más rápido.

[1] efficient [2] rush hour

¿Qué sabe del transporte público en Buenos Aires?

Conteste las siguientes preguntas.

1. ¿Cuáles son los dos tipos principales de transporte público en Buenos Aires?
2. ¿Cuánto cuesta el subte?
3. ¿Cuál es el horario del subte?
4. ¿Dónde se compran los boletos para el colectivo?
5. ¿Cuál es el horario de servicio del colectivo?

Líneas de subte.

Capítulo 5

ciento noventa y siete **197**

Notes   Point out to students that many major South American cities have metro systems. While Buenos Aires's *subte* is the oldest subway system in South America, newer metros can also be found in Santiago de Chile, Caracas and São Paulo, among others.

Teacher Resources

Activity 6 (CD 9, #7)

Activity 4

Answers

6 1. Los dos transportes principales son el colectivo y el subte.
2. El billete de subte cuesta 70 centavos.
3. El horario del subte es de las 6 de la mañana a las 10 de la noche, excepto los fines de semana y días feriados, que es de las 6 de la mañana a las 8 de la tarde.
4. Se compran en el mismo autobús, en una máquina que funciona con monedas.
5. El servicio del colectivo funciona las 24 horas del día.

Activities

Critical Thinking
Have students create a Venn diagram to graphically represent how the transportation system of Buenos Aires is similar to, and different from, the transportation system in their community.

Prereading Strategy
Have students preview the questions in activity 6 before reading the *Cultura viva* selection. Encourage them to identify essential words and key information.

National Standards
Cultures 2.1, 2.2
Connections 3.1
Comparisons 4.2

Teacher Resources

 Activity 2 (CD 2, #17)

 Activities 5–6

 Activity 2

 Activities 3–4

 p. 19

 Activities

Spanish for Spanish Speakers

Have students explain to the class when they would use formal versus informal commands. With whom and in what kinds of situations would the formal command be appropriate?

Students with Special Needs

Help these students break down the process of constructing formal commands. Allow them to work through the process with each verb step-by-step in writing, starting with the infinitive, constructing the *yo* form, dropping the *o*, etc.

TPR

Have students write examples of formal plural commands on index cards. Then have them take turns choosing a card and reading the command to the class. The other students should pantomime the action of the command that they hear.

National Standards

Communication
1.2, 1.3

Comparisons
4.1

Idioma

Estructura

Los mandatos formales y plurales

To tell a person you address as *usted* what to do, use a formal *(Ud.)* command. To form the formal command, take the *yo* form of the present tense and drop the final *-o*. For *-ar* verbs, *e*; for *-er* and *-ir* verbs, add *a*. The same rule applies to stem- and spelling-changing verbs. To make a plural *(Uds.)* command add *n* to the *Ud.* form.

(pisar) ¡**Pise** el freno!	**Step on** the brake!
(estacionar) **Estacione** en la esquina.	**Park** at the corner.
(leer) **Lean** las instrucciones.	**Read** the directions.
(salir) **Salgan** del garaje.	**Leave** the garage.

Affirmative and negative formal singular and plural commands are the same. To make a command negative, add *no*.

No pare aquí.	**Don't stop** here.
No enciendan los faros.	**Don't turn on** the car lights.

The following five verbs have irregular formal commands:

	Ud. form	Uds. form	
dar	**dé**	**den**	*(give)*
estar	**esté**	**estén**	*(be)*
ir	**vaya**	**vayan**	*(go)*
saber	**sepa**	**sepan**	*(know)*
ser	**sea**	**sean**	*(be)*

Sea prudente y **sepa** las normas de conducir.	**Be** cautious and **know** the driving rules.
No **sean** impacientes y **vayan** despacio.	**Don't be** impatient and **go** slowly.

Object and reflexive pronouns are attached to the end of formal affirmative and plural commands. They precede negative commands.

Muéstreme la licencia de conducir.	**Show me** your driver's license.
Abróchense los cinturones.	**Fasten** your seatbelts.
No me dé órdenes.	**Don't give me** orders.

Abróchese el cinturón de seguridad.

Notes   Point out to students that commonly used irregular verbs, such as those presented on page 198, may require memorization. Encourage students to create their own resource lists of these commonly used formal commands.

Práctica

7 Conduzca con cuidado

La señora Cánova está aprendiendo a manejar. ¿Cuáles son las instrucciones que le da la instructora?

MODELO no cruzar en rojo
No cruce en rojo.

1. no estar nerviosa
2. abrocharse el cinturón de seguridad
3. obedecer las señales de tránsito
4. no ir rápido
5. disminuir la velocidad
6. ser prudente

8 ¿Qué mandato corresponde?

Escriba un mandato con *Ud.* o *Uds.* para cada señal usando los verbos del globo.

MODELO Disminuya(n) la velocidad.

1.

2.

3.

4.

5.

6.

seguir
abrocharse
parar ceder
(no) doblar
(no) estacionar
disminuir

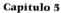 **Comunicación**

9 Mandatos en todas partes

Trabaje con su compañero/a para escribir mandatos afirmativos o negativos con *Ud.* o *Uds.* para cada uno de los siguientes lugares.

MODELO en la sala
Encienda el televisor.
No se duerma en el sofá.

1. en un coche
2. en la clase de español
3. en la calle
4. en la biblioteca
5. en una tienda
6. en la cocina

Notes
Comparisons. Remind students that Spanish does not use "do not" to form negative commands. In Spanish, *no* is simply placed before the command form of the verb. For example, "Do not run" would be translated as *No corra*.

Teacher Resources

 Activity 7 (CD 9, #8)

Answers

7 1. No esté nerviosa.
2. Abróchese el cinturón de seguridad.
3. Obedezca las señales de tránsito.
4. No vaya rápido.
5. Disminuya la velocidad.
6. Sea prudente.
8 1. Ceda(n) el paso.
2. Pare(n).
3. No doble(n) a la izquierda.
4. No estacione(n).
5. Abróchese el cinturón; Abróchense los cinturones.
6. Siga(n) por la calle de una sola vía.
9 Creative self-expression.

Activities

Multiple Intelligences (spatial)
As an extension to activity 7, you might ask your visual students to illustrate or make a collage of one of the scenes. Then have students generate a longer list of "Do's" and "Don'ts" for that setting. Have them attach their lists to their illustrations.

National Standards

Communication
1.1

Connections
3.1

Comparisons
4.1

199

Activity 3 (CD 2, #18)
Activity 4 (CD 2, #19)

 Activity 7

 Activity 3

 Activities 5–6

◆ Answers

10 Creative self-expression.

◆ Activities

Cooperative Learning
Before students complete activity 10, give them guidelines for working as a group. Ensure that each group member has an equal opportunity to contribute and participate.

Expansion
Have students create a poster of suggestions to improve their Spanish class or their school in general. Have them express these suggestions through commands using *nosotros*.

Language through Action
Have individual students read the examples in *Los mandatos con nosotros* aloud to the group. Have all students act out the command as they repeat it aloud.
Individual: *¡Abrochémonos los cinturones!*
Group: *¡Sí, abrochémonos los cinturones!*

National Standards

Communication
1.1, 1.3

Connections
3.1

Comparisons
4.1

---

 10 Especial para jóvenes conductores

Trabajen en un grupo de tres o cuatro estudiantes. Escojan las cinco recomendaciones más importantes del anuncio. Formen con ellas mandatos e intercambien sus mandatos con la clase.

¿Cuál es la recomendación más importante para la clase?

Dirección General de Tráfico
Recomendaciones para jóvenes conductores
¿Acaba de sacarse la licencia de conducir?
¡ENHORABUENA!

RESPETE LOS
LÍMITES DE
VELOCIDAD

PERO RECUERDE:
- Conducir siempre con precaución.
- Revisar su vehículo: frenos, luces, gasolina, etc.
- Obedecer las reglas de tránsito.
- No conducir con sueño o cansancio.
- Respetar las señales de tráfico.
- Respetar a los peatones.
- Llevar siempre el cinturón de seguridad abrochado.
- No conducir si se han tomado medicamentos.
- Respetar las velocidades máximas.
- Ser prudente.

CONDUCIR NO ES UN JUEGO

Estructura

Los mandatos con *nosotros*

Using a *nosotros* command allows you to suggest that others do some activity with you and is equivalent to saying "Let's (do something)" in English. Form the *nosotros* command by substituting the *–o* of the present-tense *yo* form of a verb with *–emos* for most *–ar* verbs, or *–amos* for most *–er* and *–ir* verbs.

***Estacionemos** aquí.*	**Let's park** here.
***Crucemos** en la esquina.*	**Let's cross** at the corner.
***Pidamos** un mapa.*	**Let's ask for** a map.

As with *Ud.* and *Uds.* commands, object and reflexive pronouns are attached to affirmative *nosotros* commands and precede negative commands.

***Entreguémosle** su permiso.*	**Let's give him** his permit.
***No se lo enviemos** por correo.*	**Let's not send it to him** by mail.

Note that pronouns attached to affirmative *nosotros* commands of reflexive verbs drop the final consonant(s): *olvidemos + nos = olvidémonos.*

***¡Abrochémonos** los cinturones!*	**Let's fasten** our seat belts!
***Pongámonos** las gafas de sol.*	**Let's put on** our sunglasses.

Notes

Comparisons. Point out to students the possible variations in forming command forms with "we" in both Spanish and English. Whereas English speakers might use "Let's..." or "Why don't we...," Spanish speakers would use *Vamos a...*

Práctica

11 ¿Seguimos o no?

Un conductor de otro país le hace preguntas a su amigo/a de Buenos Aires. Conteste sus preguntas usando un mandato con *nosotros*. Use la forma afirmativa o negativa según se indica entre paréntesis.

MODELO A: ¿Encendemos los faros? (No)
B: No, no los encendamos.

1. ¿Adónde vamos? ¿Al Tigre? (Sí)
2. ¿Por dónde tomamos? ¿Por la Avenida General Paz? (No)
3. ¿Doblamos a la derecha? (No)
4. ¿Seguimos derecho? (Sí)
5. ¿Preguntamos cómo llegar? (Sí)
6. ¿Paramos aquí? (No)
7. ¿Le pedimos ayuda a ese señor? (Sí)

Avda. 9 de Julio en Buenos Aires.

12 ¿Qué hacemos?

Ud. y su compañero/a están manejando por Buenos Aires y tienen algunos problemas. Decidan qué van a hacer para resolverlos. Usen mandatos con *nosotros*. Ofrezcan dos opciones para cada situación.

MODELO No encuentran lugar para estacionar el coche.
A: Busquemos estacionamiento en otra calle.
B: No, tratemos de encontrar un lugar en esta calle.

1. El semáforo está en rojo.
2. No pueden encontrar el restaurante que buscan.
3. Perdieron el mapa con las indicaciones.
4. Hay un coche que quiere pasarlos.
5. No pueden ver bien por el espejo retrovisor.
6. El freno no funciona bien.

> **Estrategia**
>
> **Using lists**
> Simple lists can help you organize your thoughts before creating and presenting a dialog.

Comunicación

13 Indicaciones útiles

Piense en algo que Ud. sepa hacer bien: montar en bicicleta, usar la computadora, tocar un instrumento musical, cocinar, etc. Déles una o dos indicaciones a dos o tres compañeros/as para hacer esa actividad. Use mandatos en plural. Sus compañeros/as van a reaccionar según el modelo.

MODELO (Instrucciones para hacer una ensalada.)
A: Primero laven bien la lechuga.
B: ¿Lavamos la lechuga?
C: Sí, lavémosla. / No, no la lavemos.

Capítulo 5

doscientos uno **201**

Teacher Resources

Activity 11 (CD 9, #9)
Activity 12 (CD 9, #10)

Answers

11 1. Sí, vayamos al Tigre.
2. No, no tomemos por la Avenida General Paz.
3. No, no doblemos a la derecha.
4. Sí, sigamos derecho.
5. Sí, preguntemos cómo llegar.
6. No, no paremos aquí.
7. Sí, pidámosle ayuda a ese señor.

12 Answers will vary. Possible answers are:
1. Paremos.
2. Preguntemos a un policía.
3. Compremos otro mapa.
4. Disminuyamos la velocidad.
5. Ajustémoslo.
6. Arreglémoslo.

13 Creative self-expression.

Activities

Expansion
In groups of three, have students develop the items in activity 12 into a short dramatic skit. Have them write out their dialogs in script form, and then act them out for the rest of the class.

National Standards

Communication
1.1, 1.2

Connections
3.1

Notes
You might encourage students to further develop their mini-lectures from activity 13. Encourage them to bring in actual tools and materials so that they might really teach a hands-on workshop in their area of expertise to a small group of their peers.

Students may be interested to know that Buenos Aires's grid pattern of streets makes the city fairly easy to navigate. However, it is inadvisable to bring a car into the city center. Traffic is known for being hectic and demanding. Visitors should plan on using public transportation or hailing one of the city's many taxis.

Teacher Resources

 Vocabulario II
La vida en la ciudad
(CD 9, #11)

 Activity 5 (CD 2, #20)

 Activity 18

 Activities 8–9

 Activity 4

 Activity 7

 p. 20

 Activities

Expansion
Invite students to write a follow-up comment to each of the phrases on page 202.

Prereading Strategy
Before students read or listen to the vocabulary in *La vida en la ciudad,* have them cover the dialog bubbles with one hand. Ask them to predict and paraphrase what each character might be saying.

Spanish for Spanish Speakers
As Spanish varies around the Spanish-speaking world, ask students to contribute any synonyms or "slang" that they may know for city street or traffic vocabulary.

National Standards	
Communication 1.2, 1.3	**Communities** 5.1
Connections 3.1, 3.2	
Comparisons 4.1	

202

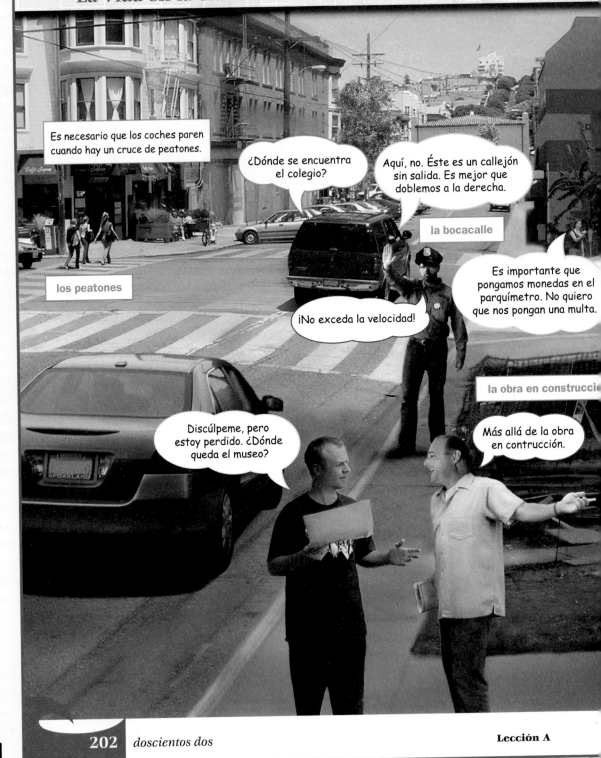

Notes

Communities. Encourage students to "virtually visit" and explore the sights of Buenos Aires by way of the Internet.

Instead of translating new vocabulary into English, encourage students to describe each item in Spanish. For example, *Los peatones son las personas que están caminando.*

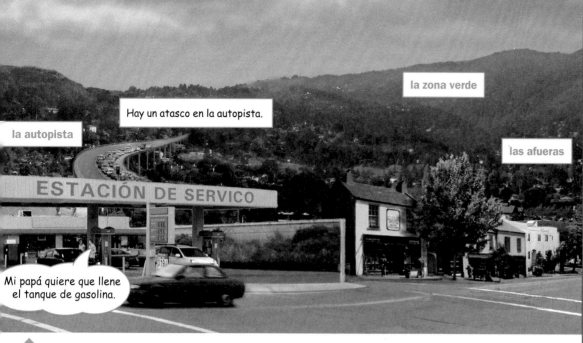

la zona verde

Hay un atasco en la autopista.

la autopista

las afueras

ESTACIÓN DE SERVICO

Mi papá quiere que llene el tanque de gasolina.

Answers

14 1. B
2. E
3. A
4. F
5. D
6. C

15 1. espejo retrovisor
2. multa
3. kiosco
4. perdido

14 Es mejor que…

 Indique la letra de la foto que corresponde con lo que oye.

A

B

C

D

E

F

15 ¿Qué palabra?

Diga la palabra que no pertenece al grupo.

1. bocacalle   calle de una vía   espejo retrovisor   callejón sin salida
2. estación de servicio   gasolina   tanque   multa
3. kiosco   gasolina   coche   camioneta
4. multa   exceder   velocidad   perdido

Capítulo 5   *doscientos tres* **203**

Activities

Critical Thinking
After students complete activity 15, have them explain why their choice does not fit into the group. How might they describe the category suggested by the other three terms?

Expansion
Provide students with magazines to locate photographs of the items in *Vocabulario II.* Have students create their own flash cards with the vocabulary on one side and an appropriate photo on the other.

National Standards

Communication
1.2

Connections
3.1

Notes
Encourage students to listen for and then repeat key words and phrases when listening to the script for activity 14. Remind them to focus on these key words and phrases when making their choices.

Teacher Resources

Diálogo II
Creo que estamos perdidos
(CD 9, #13)
Activity 16 (CD 9, #14)
Activity 17 (CD 9, #15)
Activity 18 (CD 9, #16)

Answers

16 1. Se olvidó la dirección de Marisa en su casa.
2. Cerca de una estación de servicio o de un callejón sin salida.
3. María no ve ni un callejón sin salida ni una estación de servicio.
4. Que llamen a Marisa por teléfono y le digan que están perdidos.
5. No, Raúl no lo tiene.

17 Answers will vary.

18 1. B
2. D
3. A
4. C

Activities

Multiple Intelligences (linguistic)
Linguistic students may enjoy rewriting the dialog, changing the details of the scene. They might look for *la casa de Jaime que está cerca de un colegio*. Give students the opportunity to read their modified dialogs.

Spanish for Spanish Speakers
Provide students with the opportunity to expand their answers in activity 17 into a longer story. Encourage students to edit their stories and illustrate the final draft.

National Standards
Communication 1.2, 1.3
Connections 3.1
Comparisons 4.1

204

Diálogo II Creo que estamos perdidos

MARÍA: ¿Dónde queda la casa de Marisa?
RAÚL: Creo que es ésa... No, me parece que no.
MARÍA: ¿No tienes su dirección?
RAÚL: No, la olvidé en casa.
MARÍA: No lo puedo creer.

MARÍA: ¿Y tú has ido alguna vez a su casa?
RAÚL: Sí, recuerdo que estaba cerca de una estación de servicio... ¿O era de un callejón sin salida?
MARÍA: ¡No veo ni un callejón sin salida ni una estación de servicio!

RAÚL: Creo que estamos perdidos. ¿Tienes un mapa?
MARÍA: No, no tengo. Es mejor que llamemos a Marisa por teléfono y le digamos que estamos perdidos. ¿Tienes su número?
RAÚL: ¿De teléfono? Pues... no.

 ¿Qué recuerda Ud.?

1. ¿Qué le sucedió a Raúl?
2. ¿Dónde estaba la casa de Marisa, según Raúl?
3. ¿Qué es lo que no ve María?
4. ¿Qué dice María que es mejor?
5. ¿Tiene Raúl el número de teléfono de Marisa?

También se dice así

el atasco	el embotellamiento
la estación de servicio	la gasolinera
el estacionamiento	el aparcamiento
el tanque	el depósito

 Algo personal

1. ¿Se perdió alguna vez en la ciudad? ¿Qué sucedió?
2. ¿Qué puede hacer la gente cuando se pierde?
3. ¿Va a las afueras de la ciudad? ¿Qué hace allí?
4. ¿Le han puesto alguna vez una multa a un miembro de su familia? ¿Por qué?

 Al conducir un coche

 Escuche los siguientes diálogos. Diga a qué foto corresponde cada uno.

A   B   C   D

Notes   This dialog has been recorded by native speakers and is included in the *¡Aventura!* Audio Program. Have students cover up the dialog on page 204 and look at the photographs as you play the audio version. Then discuss the contents of the dialog to evaluate what students have understood.

Cultura viva II

El mundo de Mafalda

Mafalda es uno de los personajes de historieta[1] más queridos del mundo hispano. Fue creado por Quino, un dibujante argentino. Mafalda es una niña argentina de finales de los años 60 y principios de los 70. Es muy inteligente y se preocupa por el mundo y por los problemas de la sociedad. Vive con sus padres y su hermanito, Guille, en un departamento de Buenos Aires.

Tiene, como cualquier niña de su edad, una pandilla[2] de amigos:

Susanita es chismosa y su gran deseo es convertirse[3] en una señora casada y madre de varios hijos. Muchas veces se pelea con Manolito.

Manolito es hijo de un inmigrante español que tiene un almacén de alimentos. Su único interés es ganar dinero. Es muy realista.

Felipe es el mejor amigo de Mafalda. Es mal estudiante, muy tímido e inseguro[4], pero tiene una gran imaginación. Es el mayor de la pandilla.

Libertad es una niña muy bajita. Sus padres son *hippies* y, como Mafalda, se interesa por los problemas sociales del mundo. Fue el último personaje en unirse al grupo de Mafalda.

Miguelito es muy inocente y Mafalda se esfuerza[5] por enseñarle las cosas de la vida. Es el más joven del grupo.

Quino dibujó tiras cómicas[6] de Mafalda durante diez años. Creó la primera historieta de Mafalda en 1963 para una agencia de publicidad que no la utilizó. A partir de 1965, las tiras de Mafalda empezaron a publicarse en diarios y revistas de países de habla hispana. Aunque Quino entregó las últimas historietas en 1973, las aventuras de Mafalda y sus amigos se siguen publicando hoy en día en todo el mundo.

[1]comics [2]gang [3]become [4]insecure [5]tries hard [6]comic strips

19 ¿Conoce a Mafalda?

Conteste las siguientes preguntas.

1. ¿Quién es Mafalda?
2. ¿Quién es su creador?
3. ¿Cuándo se dibujó la primera tira de Mafalda? ¿Para qué?
4. ¿Qué familia tiene Mafalda?
5. ¿Cómo se llaman los amigos de su pandilla?
6. ¿Dónde se publican hoy las historietas de Mafalda?

¡Oportunidades!

Historietas en español

¿Le gustan las historietas? Puede practicar su español leyendo tiras cómicas y chistes en revistas y periódicos hispanos. Vaya a la biblioteca de su área y busque algunas publicaciones en español, o compre algún periódico hispano en un kiosco. Busque las historietas o chistes que publican y trate de comprender el vocabulario que no conozca con la ayuda de las imágenes y del contexto. ¡Siempre es más divertido aprender un idioma riendo!

Teacher Resources

- Activity 19 (CD 9, #17)
- Activity 6 (CD 2, #21)
- Activity 10
- Activity 5

Answers

19
1. Mafalda es un personaje de historieta. Es una niña argentina.
2. El creador de Mafalda es el dibujante argentino Quino.
3. La primera tira de Mafalda se dibujó en 1963, para una agencia de publicidad.
4. Mafalda tiene un padre, una madre y un hermanito.
5. Los amigos de su pandilla son Susanita, Miguelito, Felipe, Manolito y Libertad.
6. Las historietas de Mafalda se publican por todo el mundo.

Activities

Multiple Intelligences (spatial)
Visual students may enjoy creating their own Spanish-language comic strips. Encourage students to follow in the tradition of *Mafalda* and base their comic strip on a group of friends. They might also strive to provide some kind of social commentary in their story lines.

National Standards	
Communication 1.3	**Comparisons** 4.2
Cultures 2.2	
Connections 3.1, 3.2	

Notes

Comparisons. Ask students to discuss their own favorite comic strips and comic books. Are there any English-language comics that are similar to *Mafalda* in its portrayal of a group of friends?

Quino was born Joaquín Salvador Lavado in Mendoza, Argentina. He was called Quino from a very early age so as not to be confused with his uncle, Joaquín, who was also an artist.

The first publication to carry *Mafalda* regularly was the Buenos Aires weekly *Primera Plana*.

Teacher Resources

   Activities 11–12

   Activities 8–9

 Answers

20 1. preguntas
    2. pregunta
    3. pedimos
    4. pides
    5. pregunto
    6. piden
    7. piden
    8. pido

Activities

Critical Thinking
After students complete activity 20, have them provide the rationale for their choices. Encourage them to explain why the situation prompted them to choose *preguntar* or *pedir*.

Language through Action
Have students create a short role-play situation that utilizes both the verbs *preguntar* and *pedir* in the same scene. The drama might take place in a restaurant or a store, for example. Give students the opportunity to practice their scenes and present them to the class.

Spanish for Spanish Speakers
Ask students to model additional examples of sentences that illustrate the distinction between *preguntar* and *pedir*.

National Standards
Communication
1.1, 1.3
Connections
3.1
Comparisons
4.1

Idioma

Repaso rápido

Preguntar y pedir

Preguntar and *pedir* both mean "to ask" in English. However, in Spanish they have separate uses, and they are not interchangeable. *Preguntar* means "to ask" as in to ask a question, to ask for information. *Pedir* means "to ask for (something), to request (something)." Compare the uses of *preguntar* and *pedir* in the following examples.

Le **pregunté** a Julio cómo se llega al kiosco y le **pedí** dinero.	**I asked** Julio how to get to the kiosk and **I asked** him for money.

Pedir has the additional meaning of "to order" in a restaurant.

Mmm… voy a **pedir** pollo.	Mmm… I'm going **to order** chicken.

20 **¿Pedir o preguntar?**

Complete las siguientes oraciones con la forma correcta del presente de *pedir* o *preguntar*.

1. ¿Por qué no le ___ tú a ese señor si hay un kiosco cerca de aquí?
2. El policía nos ___ adónde vamos.
3. Nosotros le ___ un mapa de la ciudad.
4. ¿Les ___ tú ayuda a tus vecinos?
5. No, sólo les ___ si saben dónde está mi gato.
6. ¡Estoy harta! Mis primos siempre me ___ favores.
7. Ahora, ellos me ___ dinero prestado porque deben pagar una multa.
8. En ese restaurante yo siempre ___ empanadas. ¡Son deliciosas!

Le pregunté si vendía historietas de Mafalda.

¿Qué van a pedir?

Notes Review with students other Spanish verbs that have distinct meanings while "translating" to the same English verb. For example: *estar* and *ser* both mean "to be," and *saber* and *conocer* both mean "to know."

As added reinforcement, have students complete activity 20 both orally and in writing.

Estructura

El subjuntivo: verbos regulares y con cambios ortográficos

The subjunctive mood is commonly used to request or suggest that someone else do something. In most sentences that use the subjunctive there are two parts connected by the word *que*. Each part has a different subject, and the verb of the second part is in the subjunctive mood.

El policía quiere que Ud. **pare** *ahora mismo.*	The police officer wants you **to stop** right now.
Yo quiero que **estaciones** *aquí.*	I want you **to park** here.

You can also make suggestions or demands using expressions such as *es necesario, es importante, es mejor* followed by *que* and a verb form in the subjunctive mood.

Es necesario que aprendas *a manejar.*	**It's necessary that you learn** to drive.
Es importante que Ud. llene *el tanque.*	**It's important that you fill** the tank.
Es mejor que no excedan *la velocidad.*	**It's better that you don't exceed** the speed limit.

Like formal (*Ud.*) commands, the subjunctive is formed taking the *yo* form of the present tense and dropping the final *-o*. For *-ar* verbs, add the endings *-e, -es, -e, -emos, -éis* and *-en*. For *-er* and *-ir* verbs, add the endings *-a, -as, -a, -amos, -áis* and *-an*.

parar	vender	subir
par**e**	vend**a**	sub**a**
par**es**	vend**as**	sub**as**
par**e**	vend**a**	sub**a**
par**emos**	vend**amos**	sub**amos**
par**éis**	vend**áis**	sub**áis**
par**en**	vend**an**	sub**an**

Verbs that have spelling changes (*-car, -gar, -zar*) in the *Ud.* command form and verbs that have irregular *yo* forms (*-go, -zc, -j*) maintain these changes in the subjunctive.

Quiero que lo **busques**.	I want **you** to **look for** it.
Es importante que **traigas** *el permiso.*	It's important that **you bring** your permit.

No quiero que estacione aquí.

Notes   You may wish to have students create a resource bank of subjunctive verb forms. Let pairs of students choose a common verb and provide the table of subjunctive forms on a poster or piece of chart paper. Display these resources for easy reference.

Teacher Resources

Activity 7 (CD 2, #22)

Activities 13–15

Activity 6

Activity 10

Activities

Critical Listening
Provide students with additional examples of sentences that use the subjunctive after *que*. Ask students to listen for and then repeat the subjunctive form they hear. Then have them identify the phrase that indicates the use of the subjunctive.

Expansion
In small groups, have students create posters with lists of suggestions for newcomers or visitors to their school. Have them begin each suggestion with *Es importante que...* or *Es necesario que...* Encourage them to illustrate and display their posters.

Language through Action
Set up a starting line and finish line for this action game. Assign one student the role of *director*. This student will provide instructions to other students using the subjunctive form of action verbs following *Yo quiero que ustedes...,* for example, *Yo quiero que ustedes corran. Yo quiero que ustedes paren.* The other students must start and stop a series of actions accordingly. The first to reach the finish line is the winner.

National Standards

Communication
1.2, 1.3

Comparisons
4.1

21 1. Es importante que tú
respetes las normas del
tránsito.
2. ...que miremos el mapa.
3. ...que paren en el cruce de
peatones.
4. ...que no exceda la
velocidad.
5. ...que los conductores
cedan el paso.
6. ...que no toque el claxón.
7. ...que el instructor tenga
paciencia.
8. ...que los peatones crucen
en la esquina.
22 A. tenga, B. aprendan,
C. compren, D. pague,
E. salga, F. permitan,
G. pongan, H. disminuyan
1. G   5. D
2. H   6. A
3. F   7. E
4. B   8. C

Activities

Students with Special Needs
For activity 21, take students
through the process of formulating
their answers step-by-step. First,
point out the pronoun that will
determine the subjunctive form of
the verb. Then, have students create
this form. Finally, have them put
all of the elements of the sentence
together.

National Standards

Communication
1.1

Connections
3.1

 Práctica

21 **Es importante que...**

**Ud. está conduciendo con sus amigos por Buenos Aires.
Forme oraciones para decirles qué es importante que
hagan. Use el subjuntivo.**

MODELO nosotros / conducir con cuidado
Es importante que conduzcamos con cuidado.

1. tú / respetar las normas de tránsito
2. nosotros / mirar el mapa
3. Uds. / parar en el cruce de peatones
4. yo / no exceder la velocidad
5. los conductores / ceder el paso
6. Ud. / no tocar el claxon
7. el instructor / tener paciencia
8. los peatones / cruzar en la esquina

Es importante que no aceleren.

22 **Todos quieren algo**

**Con su compañero(a), completen las frases de la columna B
con el subjuntivo del verbo entre paréntesis. Luego, escojan
la terminación de la columna B que complete mejor cada
situación de la columna A.**

A	B
1. Los conductores no quieren que...	A. el instructor (tener) ___ paciencia con ellos.
2. El peatón quiere que...	B. todos los estudiantes (aprender) ___ a manejar bien.
3. Nosotros queremos que...	C. los turistas (comprar) ___ un mapa en el kiosco.
4. El instructor quiere que...	D. el conductor (pagar) ___ una multa.
5. El policía quiere que...	E. mi hermano (salir) ___ con el coche.
6. Los estudiantes quieren que...	F. nuestros padres nos (permitir) ___ usar el coche.
7. Mis padres no quieren que...	G. a ellos no les (poner) ___ una multa.
8. El guía de turismo quiere que...	H. los conductores (disminuir) ___ la velocidad.

El policía les pide que paren.

Notes
Before students do activity 22,
briefly review some of the irregular verbs
that they will encounter, such as *tener, salir*
and *poner*.

After determining the correct answers for
activity 21 and activity 22, have students
read their completed answers aloud. This
will help increase reading fluency, as well
as reinforce the grammar content.

23 ¿Qué es mejor?

Con su compañero/a, creen diálogos para aconsejar qué hacer en las
siguientes situaciones. Usen *es mejor que* y *es necesario que* en sus
respuestas. Pueden usar las siguientas opciones o inventar otras.

MODELO haber mucho tráfico por aquí/ tomar la autopista

> **A:** Hay mucho tráfico por aquí.
> **B:** Es mejor que tomes la autopista.

SITUACIONES	OPCIONES
1. estar perdido	• poner gasolina
2. conducir por primera vez	• doblar
3. tener el tanque vacío	• ser prudente
4. estar en un callejón sin salida	• poner monedas en el parquímetro
5. buscar estacionamiento	• mirar/comprar un mapa
6. tener prisa	• acelerar/no exceder la velocidad

 Comunicación

24 ¿Qué dicen?

Cree con su compañero/a diálogos cortos entre las siguientes personas.
Use *quiero, es mejor* y *es necesario* con verbos en subjuntivo.

MODELO el policía y el conductor

> **A:** Es necesario que
> Ud. pare.
> **B:** ¿Parar, yo?
> **A:** Sí, quiero que me enseñe
> su licencia, por favor.

> • el/la instructor(a) de conducir y un(a) estudiante
> • el peatón y el/la conductor(a)
> • el/la guía de turismo y un(a) turista
> • el/la profesor(a) y un(a) estudiante

25 Para tener éxito…

Uno de sus amigos quiere empezar a aprender español. Use *es necesario, es mejor*
y *es importante* para darle consejos para tener éxito en sus estudios. Puede usar
algunas de las ideas que siguen o inventar otras. Luego, comparta sus consejos
con dos o tres estudiantes. Escojan los mejores consejos y léanlos en la clase.

asistir siempre a clase
usar un buen diccionario
leer libros en español
escribir en español
hacer la Tarea
mirar programas en español
practicar mucho
tener amigos hispanos

Capítulo 5 · *doscientos nueve* **209**

Notes

Connections. Allow students
to expand on activity 25 to connect with
other curricular areas. Have some students
brainstorm suggestions for math class or art
class, for example.

Ensure that students are interacting with
a variety of classmates during dialogs and
group activities. If students seem to always
gravitate to the same partner or group, you
may need to mix up the groups.

 Answers

23 Answers will vary, but should
use the subjunctive after *es
mejor que* and *es necesario que.*
24 Creative self-expression.
25 Creative self-expression.

 Activities

**Multiple Intelligences
(interpersonal)**
As a way to support students'
interpersonal intelligence, have
them select one of the situations
presented in activity 23. Instruct
students to walk around the
classroom consulting their peers
about these problems. Tell them
that when someone approaches
them with a problem, it is their job
to offer a suggestion.
A: *Estoy perdido.*
B: *Es importante que compres un
mapa.*

Pronunciation
Throughout activities 23 and
24, encourage students to
overemphasize the subjunctive
endings of the appropriate verbs.
Push them to be unmistakably
clear in the pronunciation
difference between *pare* and
para, for example.

National Standards
Communication
1.1, 1.3
Connections
3.1

Lectura cultural
El tango (CD 9, #18)
Activity 26 (CD 9, #19)
Activity 27 (CD 9, #20)

◆ Answers

26 1. El tango nació en los conventillos donde vivía la gente más pobre de Buenos Aires.
2. Se tocaba con un solo instrumento, y no tenía letra ni se bailaba.
3. Los instrumentos típicos del tango son el bandoneón y la guitarra.
4. El tango se considera como la música nacional de Argentina cuando las orquestas de tango triunfan en París.
5. Muchos solistas de música clásica tocan tangos en sus repertorios.

27 Answers will vary.

◆ Activities

Multiple Intelligences (musical)
Support students' musical intelligence by bringing in examples of tango music to play in the classroom. You might also encourage students who play a musical instrument to locate and prepare a tango piece to present to the class.

Prereading Strategy
Before reading *El tango,* have students make a list of their prior knowledge and associations with the tango. Also, have them draft a list of questions about this musical form.

National Standards

Cultures
2.1, 2.2
Connections
3.1, 3.2
Comparisons
4.2

Lectura Cultural

El tango

El tango, esa música triste[1], nació a fines del siglo XIX, en los conventillos[2] de Buenos Aires, donde se mezclaban miles de inmigrantes españoles, italianos e irlandeses.

Al principio, el tango se tocaba con un solo instrumento, y no tenía letra[3] ni se bailaba. Más tarde, comenzaron a aparecer las letras y los instrumentos que hoy conocemos como típicos del tango: el bandoneón[4] y la guitarra.

A principios del siglo XX el tango estuvo prohibido[5], pero en 1912 las orquestas de tango comenzaron a viajar a Europa y el tango triunfó en los salones de baile de París. A partir de ese momento el tango se considera la música nacional de Argentina.

Hoy en día, el tango ha pasado a formar parte del repertorio de algunos grandes músicos clásicos: desde el chelista Yo Yo Ma, hasta el pianista Daniel Barenboim, muchos solistas de fama mundial incluyen en sus conciertos un tango. ∎

El bandoneón.

El chelista Yo Yo Ma.

[1]sad [2]tenements [3]lyrics [4]instrument similar to the accordion [5]banned

26 ¿Qué recuerda Ud.?

1. ¿Dónde nació el tango?
2. ¿Cómo era el tango al principio?
3. ¿Cuáles son los instrumentos típicos del tango?
4. ¿Cuándo es considerado el tango como la música nacional de Argentina?
5. ¿Quiénes tocan tangos hoy en día?

27 Algo personal

1. ¿Conoce algún tango o ha visto a personas bailándolo? ¿Qué elementos de esa música le impresionaron? ¿Por qué?
2. ¿Conoce otros bailes de América Latina? Explique cuáles y cómo son.
3. ¿Cuál es su música preferida? ¿Dónde surgió? ¿Qué influencias tuvo? ¿Quiénes son sus principales intérpretes?

• ¿Conoce algún ritmo musical que haya nacido entre los grupos de inmigrantes más pobres de la sociedad?

Dos intérpretes de tango.

Notes

Comparisons. Discuss with students other musical forms they are familiar with that originated in poor or immigrant communities. Do they know of any musical genres in the English-speaking countries that have a comparable history? (One example might be the American "blues.")

Carlos Gardel, known as the songbird of Buenos Aires, was a famous figure in the history of the Argentine tango. While tango was originally an instrumental form, Gardel helped transform the tango into a "sung" tradition. Tango lyrics are usually in a form of Argentine urban slang known as *lunfardo.*

¿Qué aprendí?

Autoevaluación

Como repaso y autoevaluación, responda lo siguiente:

1. Diga tres mandatos con Ud. para alguien que está aprendiendo a manejar.

2. Su vecino conduce como un loco. Déle tres mandatos formales negativos.

3. Mencione dos medios de transporte público en Argentina.

4. Diga una oración con *pedir* y una oración con *preguntar*.

5. ¿En qué parte de la oración va el verbo en subjuntivo, antes de *que* o después de *que*? Dé un ejemplo.

6. Escriba una oración usando una expresión impersonal seguida de *que* y un verbo en subjuntivo.

7. ¿Quién es Mafalda?

Palabras y expresiones

How many of these words and expressions do you recognize?

En el coche
el acelerador
el espejo retrovisor
la licencia de conducir

Al conducir
ceder el paso
el estacionamiento
la marcha atrás
las normas de tránsito
la velocidad

Verbos
acelerar
ajustar
disminuir
estacionar
exceder
llenar el tanque
pisar
poner una multa

Las señales
la calle de doble vía
la calle de una sola vía
la glorieta
pare
prohibido doblar
el semáforo

La ciudad
las afueras
el atasco
la autopista
la bocacalle
el callejón sin salida
el cruce de peatones
la estación de servicio
la gasolina
el kiosco
la obra en construcción
el parquímetro
el peatón, la peatona
la zona verde

Para pedir instrucciones
¿Dónde queda...?
¿Dónde se
    encuentra...?
más allá de
perdido, -a

Expresiones y otras palabras
cometer errores
despacio
paciencia
prudente
vacío, -a

El cruce de peatones.

ESTACIONAMIENTO RESERVADO
$ 250.00 MULTA

Se prohíbe estacionar.

La glorieta.

Capítulo 5

doscientos once **211**

Notes

Encourage students to keep an ongoing log or journal of new vocabulary. They might organize their "personal dictionaries" both alphabetically and by theme for easy cross-reference.

Students may be interested to know that Quino's *Mafalda* books are available in a variety of languages. Encourage students to locate more information about this series using either the Internet or resources at their local library.

Students should visit the Internet Resource Center at www.emcp.com to complete this activity online and check answers.

Teacher Resources

p. 107

Answers

Autoevaluación
Possible answers:
1. Ajuste el cinturón de seguridad. Conduzca despacio. Sea prudente.
2. No pise el acelerador. No exceda la velocidad. No acelere tanto.
3. El colectivo y el subte.
4. El policía me pide la licencia de conducir. Usted le pregunta a un peatón dónde queda el kiosco.
5. El verbo en subjunctivo va después de *que*. Quiero que conduzcan con cuidado.
6. Es mejor que crucemos en la esquina.
7. Es un personaje muy famoso de una historieta cómica argentina.

Activities

Critical Thinking
In small groups, assign students to copy some of the *Palabras y expresiones* onto index cards. Have students mix their cards and then organize their words and expressions into categories.

Students with Special Needs
Provide students with the page numbers of material and activities that can serve as resources for the *Autoevaluación* questions. Allow them to reference these pages to support their answers.

National Standards

Cultures
2.2

Connections
3.1, 3.2

Comparisons
4.1

Teacher Resources

 Vocabulario I
Un viaje en tren (CD 10, #1)

 Activity 1 (CD 2, #23)

 Activity 19

 Activities 1–3

 Activity 1

 Activities 1–2

Content reviewed in *Lección B*
- traveling by train
- expressing emotions
- giving opinions and advice
- going camping

 Activities

Critical Thinking
Have students identify cognates and familiar root words in the new vocabulary.

Pronunciation
Model each new word or expression. Ask students to repeat the words individually. Have them constructively critique their peers.

Technology
International train schedules, routes and fares are available on the Internet. Students may visit the official Web site of the Chilean State Railway (*Empresa de los Ferrocarriles del Estado*).

National Standards

Connections
3.1, 3.2

Comparisons
4.1

Lección B — Vocabulario I
Un viaje en tren

Chile

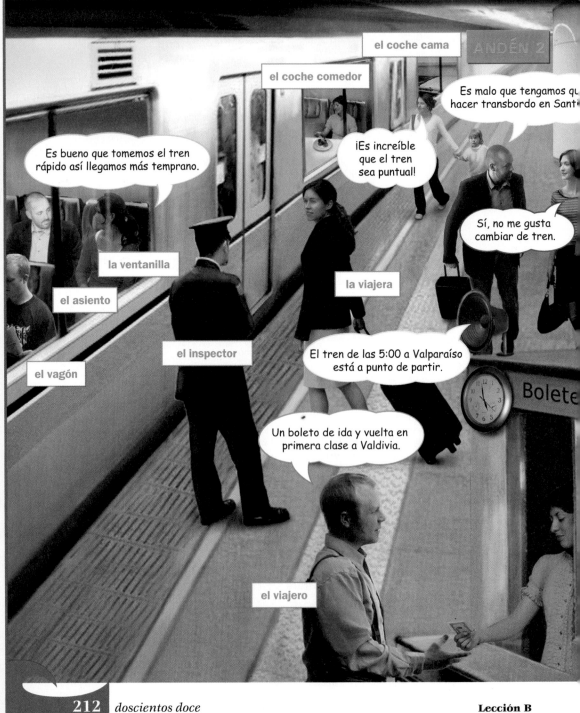

Notes

Comparisons. On a map of South America, point out the geographic proximity of Argentina and Chile. Invite students to make comparisons between these two countries using the *Contexto cultural* on page 193.

Students may be interested to know that Chile has the fourth largest railway system in Latin America, measuring almost 9,000 kilometers in total. Its first line started running in 1851 between the cities of Caldera and Copiapo. Discuss with students what features of Chile's landscape and geography might have led to the development of a railway system.

212

¿Está con retraso el tren local a Santiago?

Es una lástima que te vayas.

Sí, está con media hora de retraso.

Es inútil que me quede. Mi hermana ya está bien.

la inspectora

 Answers

1 1. D
    2. E
    3. F
    4. C
    5. A
    6. B
2 Answers will vary.

 Activities

Critical Listening
Before students listen to the script for activity 1, have them list key words or phrases indicated by each picture. Remind them to listen for these words and phrases while making their choices during the activity.

Spanish for Spanish Speakers
Invite students to incorporate the words in activity 2 into a longer story. The story can be a true or fictional account of a train journey.

---

1 **Viajar en tren**

 Indique la letra de la foto que corresponde con lo que oye.

A

B

C

D

E

F

2 **Con retraso…**

Escriba oraciones con las palabras de la caja.

MODELO Espérame en el andén.

asiento	clase	a punto	local
retraso	transbordo	controla	andén

Capítulo 5 *doscientos trece* **213**

Notes

Give individual students the opportunity to read the scripts for listening activities such as activity 1, *Viajar en tren*. Remind students to read loudly, clearly and accurately when placed in this important role.

Comparisons. Point out to students that the expression for "to be delayed" or "to have a delay" is formed using the preposition *con* in Spanish: *El tren está con retraso.*

National Standards

Communication
1.2, 1.3

Connections
3.1

Comparisons
4.1

Diálogo I
¿A qué hora sale el tren?
(CD 10, #3)
Activity 3 (CD 10, #4)
Activity 4 (CD 10, #5)
Activity 5 (CD 10, #6)

 Answers

3
1. Mario quiere ir a Valdivia.
2. El tren rápido está hoy con retraso.
3. Mario decide tomar el tren local porque llega casi a la misma hora que el rápido.
4. Tiene más tiempo para mirar el paisaje por la ventanilla.

4 Answers will vary.

5
1. A
2. B
3. B
4. A

 Activities

Critical Listening

As students listen to the script for activity 5, have them write down the sentences they hear. Then have students compare the sentence they have written to the two choices presented.

Multiple Intelligences (logical-mathematical)

Ask students to analyze the schedule information presented in the dialog. Have them assign a specific time of day to the action, such as 11:00 A.M. Then ask follow-up questions: *Si el tren local sale en 20 minutos, ¿a qué hora va a salir?*; *Si el tren local tarda 1 hora, ¿a qué hora llegará?*

National Standards
Communication
1.1, 1.2
Connections
3.1
Comparisons
4.2

214

Diálogo I ¿A qué hora sale el tren?

MARIO: Papá, ¿de qué andén sale el tren que va a Valdivia?
PAPÁ: Del andén 7.
MARIO: ¿A qué hora sale el tren?
PAPÁ: ¿El tren local o el rápido?
MARIO: El que llegue antes.

PAPÁ: Llega antes el rápido, pero hoy está con retraso.
MARIO: Entonces, ¿cuál de los dos trenes es mejor que tome?
PAPÁ: El tren local sale en 20 minutos pero tarda una hora en llegar. El tren rápido sale en 40 minutos y tarda media hora.

MARIO: Es mejor que tome el local porque llega casi a la misma hora que el rápido.
PAPÁ: Sí, es una lástima que el rápido vaya con retraso.
MARIO: No importa, tengo más tiempo para mirar el paisaje por la ventanilla.

 ¿Qué recuerda Ud.?

1. ¿Adónde quiere ir Mario?
2. ¿Cómo está hoy el tren rápido?
3. ¿Qué tren decide tomar Mario? ¿Por qué?
4. ¿Para qué tiene más tiempo Mario durante el viaje en el tren local?

 Algo personal

1. ¿Viaja Ud. en tren? ¿Adónde?
2. ¿Le gusta mirar el paisaje por la ventanilla? ¿Por qué?
3. ¿Qué prefiere, el tren rápido o el local? ¿Por qué?

 ¡Qué lástima!

))) **Escuche las siguientes expresiones. Escoja la letra de la oración que dice la expresión de otra manera.**

1. **A.** ¡Qué lástima que el tren rápido no vaya a Valdivia!
   B. Es una suerte que el tren vaya directo a Valdivia.
2. **A.** No viajo en un coche cama porque me encanta dormir en los viajes.
   B. No viajo en un coche cama porque nunca puedo dormir mientras viajo.
3. **A.** Por suerte el tren sale con una hora de retraso.
   B. Es un problema que el tren salga una hora más tarde.
4. **A.** Por suerte no debemos cambiar de tren en Valparaíso.
   B. Es una suerte que debamos cambiar de tren en Valparaíso.

Notes

Comparisons. Different countries, regions and cities have very different transportation needs and systems. Discuss the degree of reliance on train travel in your area. If train travel is not prevalent there, discuss with students what other modes of transportation local people rely on.

Ask students to imagine why Mario might be going to Valdivia. It might be helpful to know that the city lies on the picturesque *Río Valdivia* near the ocean, and that Valdivia is also home to *La Universidad Austral de Chile.*

Cultura viva

El Tren de la Poesía

A principios del siglo XX, Don José del Carmen Reyes era inspector de trenes en la ciudad de Temuco, Chile. Muchas veces llevaba en sus viajes a su hijo, que observaba el paisaje y los pequeños pueblos. Unos años después, siendo aún muy joven, el hijo publicó bajo el nombre de Pablo Neruda un libro de poemas que lo hizo famoso en todo el mundo. Neruda fue uno de los grandes poetas del siglo XX. Aunque murió el 23 de septiembre de 1973, sigue siendo uno de los poetas más leídos de todo el mundo.

Pablo Neruda fue uno de los grandes poetas del siglo XX.

En 1993, un grupo de escritores chilenos decidió organizar un evento llamado el Tren de la Poesía para honrar[1] a Neruda. En este evento, que se celebra durante los días 23 y 24 de septiembre de cada año, estos escritores viajan en un antiguo tren por los pueblos y ciudades que visitaba Neruda en los viajes con su padre.

Durante esos dos días, en los vagones del tren hay conferencias sobre la vida y la obra de Neruda y presentaciones de nuevos libros de

[1]honor

poemas. Pero, sobre todo, los viajeros hablan de Neruda y de poesía, mientras observan por las ventanas del tren los mismos paisajes y los mismos pueblos que llenaron la imaginación del gran poeta cuando era niño.

Al llegar a las estaciones de los pueblos, cientos de personas se reúnen en los andenes para recibir al Tren de la Poesía. Allí celebran actos en honor al gran poeta y se leen sus poemas. Porque para los habitantes de Temuco y las ciudades vecinas, Neruda sigue paseando en los trenes y en los sueños.

Temuco, Chile.

6 Paseando en los trenes y en los sueños

Conteste las siguientes preguntas.

1. ¿Qué importancia tuvieron los trenes en la vida de Neruda?
2. ¿Cómo se hizo famoso Pablo Neruda?
3. ¿Qué es el Tren de la Poesía?
4. ¿Qué actividades se realizan en el Tren de la Poesía?
5. ¿Por qué cree que el evento se celebra el 23 y el 24 de septiembre?
6. ¿Por qué se dice en el artículo que "para los habitantes de Temuco y las ciudades vecinas, Neruda sigue paseando en los trenes y en los sueños"?

Capítulo 5   *doscientos quince* **215**

Notes

Neruda was born Neftalí Ricardo Reyes Basoalto. He took the name of the 19th century Czech writer Jan Neruda. In 1971, Pablo Neruda was awarded the Nobel Prize in literature.

Divide students into small groups. Assign each group one paragraph of *El Tren de la Poesía*. Instruct each group to come up with a sentence that expresses the main idea of their paragraph.

Communities. Temuco is the capital of the Araucania Region of Chile. The area is now one of Chile's premier tourist destinations, offering national parks, lakes, volcanoes, ski resorts and Mapuche settlements for exploration.

Teacher Resources

 Activity 6 (CD 10, #7)

Activity 4

Answers

6
1. Su padre era inspector de trenes y Neruda iba con él en sus viajes.
2. Siendo joven, publicó un libro de poemas que lo hizo famoso.
3. Un evento en el que un grupo de escritores viaja en un antiguo tren por los pueblos y ciudades que visitaba Neruda en los viajes con su padre.
4. Se realizan conferencias sobre la vida y la obra de Neruda y se hacen presentaciones de nuevos libros de poemas.
5. El 23 de septiembre es el aniversario de la muerte de Neruda.
6. Answers will vary.

Activities

Students with Special Needs
Present a chart of the following "characters" from the reading: *Don José del Carmen Reyes, Pablo Neruda, un grupo de escritores chilenos, los habitantes de Temuco.* As students read, have them list information they learn about each person or group.

National Standards

Communication
1.2, 1.3

Cultures
2.1, 2.2

Connections
3.1

215

Activities

Communities

Discuss with students positive and negative aspects of their own school or community. Have them phrase their observations using impersonal expressions followed by the subjunctive: *Es bueno que... Es malo que... Es una lástima que...*

Cooperative Learning

Divide students into small groups. Present each group with a different setting such as a train station, a traffic intersection or a school. Instruct each group to brainstorm a list of appropriate sentences making use of the impersonal expressions presented on page 216. Remind students that their sentences should relate to their particular setting.

Language through Action

Lead students through a modified game of Charades. Each student should brainstorm a sentence using an impersonal expression, and then act that sentence out in such a way that other students can orally name the action, for example, *Es bueno que estudiemos español.*

National Standards

Communication
1.1, 1.2

Comparisons
4.1

Idioma

Estructura

El subjuntivo: verbos irregulares y más expresiones impersonales

There are six verbs that have irregular forms in the subjunctive.

saber	haber	estar
sepa	haya	esté
sepas	hayas	estés
sepa	haya	esté
sepamos	hayamos	estemos
sepáis	hayáis	estéis
sepan	hayan	estén

dar	ir	ser
dé	vaya	sea
des	vayas	seas
dé	vaya	sea
demos	vayamos	seamos
déis	vayáis	seáis
den	vayan	sean

You have already learned to use the subjunctive after certain impersonal expressions that indicate opinions about actions and events, such as: *Es importante, es necesario,* and *es mejor.* Here are some other impersonal expressions that often require the use of the subjunctive.

es bueno que	*it's good that*	es inútil que	*it's useless that*
es malo que	*it's bad that*	es una lástima que	*it's a pity that*
es increíble que	*it's incredible that*	es una suerte que	*it's fortunate that*

Es increíble que no **sepas** tu número de asiento.

It's incredible that **you** don't **know** your seat number.

Es una lástima que **se vayan** tan pronto.

It's a pity that **you're leaving** so soon.

Es una lástima que te vayas tan pronto.

216 *doscientos dieciséis*   **Lección B**

Notes

Display the collection of impersonal expressions that students have learned. Have students present each phrase on individual sentence strips, or as a group on a poster or chart.

Encourage students to keep a log of the common irregular verbs presented on this page. Whenever they learn a new form,

have them add a new section to their own reference charts.

Model for students the correct pronunciation of the irregular subjunctive forms presented on this page. Say them aloud, and have students repeat.

Práctica

 7 **¿Qué es mejor?**

Cambie el verbo en infinitivo (indicado en cursiva) a la forma
correspondiente del subjuntivo según el sujeto indicado entre paréntesis.

1. Es importante *tomar* el tren rápido para llegar antes. (nosotros)
2. Es malo *llegar* con retraso a la estación. (el tren)
3. Es necesario *hacer* transbordo en Santiago. (Ud.)
4. Es mejor *comprar* boleto de ida y vuelta. (ellos)
5. Es bueno *comer* en el coche comedor. (los viajeros)
6. Es una lástima no *ver* el paisaje. (yo)
7. Es una suerte *estar* sentado al lado de la ventanilla. (tú)
8. Es inútil *esperar* en el andén. (ustedes)

 8 **Hablan los viajeros**

Escoja el verbo apropiado del globo y
complete lo que dicen los viajeros usando
la forma que corresponda. Algunos verbos
se pueden usar más de una vez.

haber estar
dar ir ver saber
llegar venir
ser

1. Es increíble que ___ tantos viajeros
   esperando en el andén.
2. Es importante que tú ___ puntual.
   No quiero que nosotros ___ tarde a la estación.
3. Es bueno que ___ trenes rápidos a Chillán todos los días,
   pero es necesario que nosotros ___ en un tren local.
4. Es mejor que tú le ___ los boletos al inspector. Es necesario
   que él los ___.
5. Es una lástima que nosotros ___ lejos del coche comedor.
6. Es una suerte que tú ___ dónde tenemos que bajarnos.
7. ¿Quiere Ud. que ellos ___ con nosotros?

9 **Antes de partir**

Complete el siguiente diálogo entre Julia y Beatriz, dos amigas chilenas,
con el subjuntivo del verbo apropiado.

Julia: ¿No es increíble que el tren *(1. salir / haber)* a tiempo?
Beatriz: ¡Es una suerte! Es mejor que nosotras *(2. saber / llegar)* a
    Valparaíso temprano.
Julia: El tren va a salir en cinco minutos. Es mejor que tú *(3. dar / subir)*.
Beatriz: ¡Espera! Es necesario que les *(4. decir / ir)* adiós a mis hermanitos.
Julia: ¡Oh! Es una lástima que ellos no *(5. viajar / ser)* con nosotras.
Beatriz: Pero es mejor que *(6. quedarse / saber)* en Santiago.
Julia: Sí, claro, es necesario que tus hermanos *(7. partir / ir)* a la escuela.
Beatriz: Es increíble que ellos ya *(8. venir / estar)* tan grandes. ¡Cómo pasa el tiempo!

Capítulo 5   *doscientos diecisiete* **217**

 Notes

After students complete the dialog
in activity 9, give them the opportunity
to read it aloud to the whole group. Also,
give more than one pair of students the
opportunity to read aloud. This allows them
to practice both reading and listening skills.

Ensure that all students are participating
in activities that require reading aloud or
speaking. You may create some kind of
checklist or structure to make sure that
everyone is "speaking up."

 Teacher Resources

 Activity 7 (CD 10, #8)

Answers

7 1. que nosotros tememos
    2. que el tren llegue
    3. que usted haga
    4. que ellos compren
    5. que los viajeros coman
    6. que yo no vea
    7. que tu estés
    8. que ustedes esperen

8 Possible answers:
    1. haya
    2. seas, lleguemos
    3. haya, vayamos
    4. des, vea
    5. estemos
    6. sepas
    7. vengan

9 1. salga
    2. lleguemos
    3. subas
    4. diga
    5. viajen
    6. se queden
    7. vayan
    8. estén

Activities

Expansion
After students have completed
activity 7, expand on their practice
by changing the nouns or pronouns
in parentheses where appropriate.
Provide as many examples for each
item as possible.

National Standards

Communication
1.3

Connections
3.1

Answers

10 Creative self-expression.
11 Answers will vary, but will include the following:
1. Es importante que pidas...
2. Es malo que te sientes...
3. Es necesario que consigas...
4. Es mejor que te despiertes...
5. Es importante que vuelvas...
6. Es bueno que te vistas...

 Activities

Pronunciation
Model the pronunciation of these subjunctive forms and have students repeat chorally. Then call on individual students to evaluate the clarity of their pronunciation.

Students with Special Needs
Review with students the present tense forms of the verbs presented on page 218. Remind students that these verbs undergo a similar stem change in the present tense.

Technology
Allow students to record their "radio shows" from activity 10 on CDs, MP3 or video.

National Standards
Communication
1.1, 1.3
Connections
3.1

 Comunicación

10 **Diferencia de opiniones**

Con un(a)compañero/a, imaginen que trabajan en un programa de radio sobre viajes y un(a) oyente *(listener)* llama para pedir consejos sobre cómo organizar un viaje. Déle consejos, usando las expresiones impersonales y el subjuntivo.

MODELO **A:** Quiero ir a Buenos Aires, pero no me gusta viajar en avión.
B: Es mejor que vaya en tren. Es necesario que compre los boletos antes de llegar a la estación.

Estructura

El subjuntivo: verbos con cambios de raiz

Stem-changing verbs ending in *-ar* and *-er* have the stem changes in the present subjunctive as they do in the present indicative.

pensar	
pi**e**nse	pensemos
pi**e**nse	penséis
pi**e**nse	pi**e**nsen

volver	
v**ue**lva	volvamos
v**ue**lvas	volváis
v**ue**lva	v**ue**lvan

Stem-changing verbs ending in *-ir* have a stem change in all forms of the present subjunctive except *nosotros* and *vosotros*.

pedir	
p**i**da	p**i**damos
p**i**das	p**i**dáis
p**i**da	p**i**dan

sentir	
s**i**enta	sintamos
s**i**entas	sintáis
s**i**enta	s**i**entan

dormir	
d**ue**rma	durmamos
d**ue**rmas	durmáis
d**ue**rma	d**ue**rman

  Práctica

11 **Consejos para viajeros**

Con otro/a compañero/a, hagan una lista de consejos para un(a) viajero/a usando expresiones impersonales y verbos en subjuntivo. Luego, léanle los consejos a otro/a estudiante para ver si está de acuerdo o no.

MODELO necesario / dormir
Es necesario que duermas bien antes de un viaje.

1. importante / pedir
2. malo / sentarse
3. necesario / conseguir
4. mejor / despertarse
5. importante / volver
6. bueno / vestirse

Notes During their work on activity 11, have students write each of their suggestions on a sentence strip or piece of chart paper. Then choose one of the suggestions as the basis for a "formal" debate. Assign one group of students to take the "pro" stance, and another group to take the "con" position. Give the groups adequate time to brainstorm facts about their position and present their arguments in debate form.

A visit to your local library or travel agency can provide numerous travel resources such as travel guides, excursion brochures and train schedules for students to explore and reference.

12 Es necesario que los viajeros...

 Observe los dibujos siguientes. Luego, túrnese con su compañero/a para decir a cuál de las situaciones corresponde cada dibujo. Escriban luego oraciones usando "es necesario que", "es importante que" o "es mejor que" que se refieran a lo que deben hacer los pasajeros en cada situación.

1. entender el horario	6. encontrar el número de su asiento
2. conseguir los boletos en la boletería	7. poner su equipaje en el lugar indicado
3. esperar en el andén	8. sentarse en el asiento correspondiente
4. subir al tren con cuidado	9. no quedarse de pie en el corredor
5. mostrar su boleto al inspector	10. no ir de un vagón a otro

A B C D E

F G H I J

Comunicación

13 Una gran fiesta

 Ud. y su compañero/a están organizando una fiesta para juntar dinero para su clase. Escojan primero el tipo de fiesta que quieren hacer. Después piensen en cómo la pueden preparar, qué es mejor hacer, dónde comprar las cosas necesarias, etc. Comenten las diferentes opciones y den su opinión, utilizando algunas expresiones impersonales y el subjuntivo.

MODELO Tipo de fiesta

A: ¿Por qué no hacemos una "fiesta de los deportes"?

B: No, es mejor que hagamos una "fiesta de la amistad".

OPCIONES
- Tipo de fiesta
- Tipo de decoraciones (decorations)
- Comida y bebida
- Invitaciones e invitados
- Lugares donde hacer la fiesta

Capítulo 5   *doscientos diecinueve* **219**

Notes

Expand on activity 13 by allowing students to plan and conduct the party of their choice. If the party is being used to raise money, discuss with students what that money will be used for. They might want to revisit some of their suggestions for their school or community brainstormed in the course of the Communities activity on page 216.

Train travelers in Chile should plan to buy their tickets at least a few days in advance, and should plan to arrive at the station well before their departure time. There are usually two classes of travel available. Travelers should also note that outside of Argentina, there are no rail passes in South America.

Teacher Resources

  Activity 12 (CD 10, #9)

Answers

12 1. Es necesario/importante/ mejor que los pasajeros entiendan el horario. C
 2. ...consigan los boletos en la boletería. G
 3. ...esperen en el andén. B
 4. ...suban al tren con cuidado. J
 5. ...muestren su boleto al inspector. D
 6. ...encuentren el número de su asiento. E
 7. ...pongan su equipaje en el lugar indicado. I
 8. ...se sienten en el asiento correspondiente. A
 9. ...no se queden de pie en el corredor. H
 10. ...no vayan de un vagón a otro. F

13 Creative self-expression.

Activities

Prereading Strategy
Before students read the phrases in activity 12, have them focus on the illustrations and discuss what they see happening in each of the scenes. Encourage them to note key words and phrases.

Spanish for Spanish Speakers
Have students discuss what would happen if the suggestions in activity 12 were not followed—for example, if the passengers did not understand the schedule or did not board the train carefully.

National Standards
Communication 1.1
Cultures 2.2
Connections 3.1

Teacher Resources

 Vocabulario II
En el campo (CD 10, #10)

 Activity 20

 Activities 9–11

 Activity 4

 Activities 8–9

 Activities

Critical Listening

Devise short descriptions or "riddles" for each of the new vocabulary items. Read these clues aloud to students and have them figure out which item is being described. Then have students devise their own short riddles.

Critical Thinking

Have students identify cognates they find in the new vocabulary.

Pronunciation

Have students use their knowledge of the Spanish phonetic system to pronounce the new vocabulary aloud. If necessary, correct students' pronunciation and have them repeat.

TPR

Locate photographs of the vocabulary items on page 220 in a camping magazine or catalog. Display these photographs on a poster. Ask pairs of students to come up to the poster. One student must say a vocabulary word aloud. The other students must point to the appropriate photograph.

National Standards
Communication 1.3
Connections 3.1
Comparisons 4.1

220

Vocabulario II
En el campo

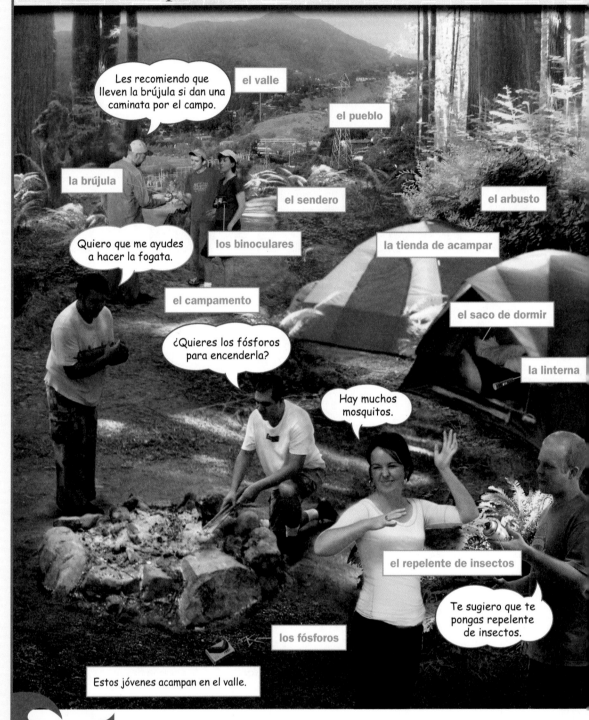

Notes

Connections. Encourage students to research and learn more about the mechanics of some of the equipment presented on this page. Students can connect their learning to science by giving a short presentation on the technology behind *la linterna, la brújula* or *los binoculares.*

Allow students to brainstorm other vocabulary that applies to the subject of camping. Encourage them to research the Spanish translations for these terms.

Te exijo que te pongas el casco y las botas para escalar.

Espero que escalen las rocas con cuidado.

el casco

las rocas

14 En el campamento

Escuche las oraciones y diga a qué foto corresponde cada una.

A

B

C

D

E

F

15 ¿Qué necesito?

Un(a) amigo/a suyo/a quiere ir a acampar. Dígale lo que necesita para cada actividad.

1. ¿Qué necesito para acampar?
2. ¿Qué necesito para escalar?
3. ¿Qué necesito para no perderme?
4. ¿Qué necesito para dormir en un campamento?
5. ¿Qué necesito para protegerme de los insectos?
6. ¿Qué necesito para encender una fogata?

Capítulo 5

doscientos veintiuno **221**

Notes

Travelers interested in the outdoors can experience adventure tours such as trekking in southern Chile. The Torres del Paine National Park offers an "eco-camp" where visitors stay in simple but comfortable domed tents. These alternative structures offer protection from the natural elements, but utilize sustainable energy and strive to interfere with the environment as little as possible.

Chile's landscape and geography also make it a prime destination for rock and mountain climbers. The *Federación Andinismo de Chile* runs mountain-climbing courses. There are even "rock walls" in the city of Santiago that climbers can use to practice.

Teacher Resources

Activity 14 (CD 10, #11)

Answers

14
1. F
2. B
3. D
4. C
5. A
6. E

15
1. Possible answer: Necesitas una tienda de acampar.
2. Possible answer: Necesitas botas.
3. Necesitas una brújula.
4. Possible answer: Necesitas un saco de dormir.
5. Necesitas un repelente de insectos.
6. Possible answer: Necesitas fósforos.

Activities

Expansion
Ask students to pretend that they are rangers in a national park with camping facilities. Have them create a brochure for campers complete with suggestions, rules and illustrations.

Students with Special Needs
Before students listen to the sentences in activity 14, have them list key words or phrases that correspond to each of the photos. Encourage them to review pages 220 and 221 to locate the appropriate vocabulary.

National Standards

Communication
1.2, 1.3

Cultures
2.2

Connections
3.1

221

Teacher Resources

Diálogo II
Te sugiero que lleves botas
(CD 10, #12)
Activity 16 (CD 10, #13)
Activity 17 (CD 10, #14)
Activity 18 (CD 10, #15)

◆ Answers

16 1. Porque hay muchos mosquitos en el campo.
2. Para poder dar una caminata de noche.
3. Debe recordar que es bueno llevarse botas porque puede llover.

17 Answers will vary.

18 1. F
2. C
3. A
4. B
5. D
6. E

◆ Activities

Prereading Strategy
Before students read or listen to the dialog, have them preview the questions in activity 16. Remind them to listen and read for the information necessary to answer these questions.

National Standards

Diálogo II Te sugiero que lleves botas

MARIO: Lucas, es la primera vez que me voy de campamento. ¿Qué debo llevar?

LUCAS: Te recomiendo que lleves un repelente de insectos. Hay muchos mosquitos en el campo.

MARIO: Y para escalar, ¿qué cosas necesito?

LUCAS: Te sugiero que lleves un casco. Si te caes te puede ayudar.

MARIO: ¿Y si quiero dar una caminata por la noche?

LUCAS: Es mejor que tengas una linterna.

LUCAS: ¿Llevas la tienda de acampar?

MARIO: No, Rubén la lleva.

LUCAS: ¿Y el saco de dormir?

MARIO: Sí, compré uno ayer. ¿Tienes algún otro consejo?

LUCAS: Recuerda que es bueno que lleves botas. Puede llover.

16 ¿Qué recuerda Ud.?

1. ¿Por qué le recomienda Lucas a Mario que lleve un repelente de insectos?
2. ¿Por qué es mejor que Mario tenga una linterna?
3. ¿Qué debe recordar Mario? ¿Por qué?

17 Algo personal

1. ¿Ha ido alguna vez de campamento? ¿Le gustó la experiencia?
2. Su amigo/a se va de campamento. ¿Qué le recomienda que lleve?
3. ¿Le gustan las actividades al aire libre? ¿Cuáles?

18 ¿Qué me recomienda?

Escuche las siguientes preguntas y escoja la foto que corresponde a cada una.

A

B

C

D

E

F

Notes
Although the dialogs are primarily intended for listening comprehension practice, let students read them aloud as well. Have different pairs of students take turns reading the two roles. This will allow them to practice pronunciation as well as improve reading fluency.

Connections. Discuss with students how the topic of camping connects to the life sciences and environmental education. Have students brainstorm a list of suggestions and rules for camping that is friendly to the environment. Encourage them to use impersonal expressions followed by the subjunctive: *Es importante que... Es necesario que...*

Parque Nacional Torres del Paine.

Los parques nacionales de Chile

Por su extensa geografía y su variado clima, en Chile puede verse todo tipo de paisajes: desde zonas desérticas hasta bosques frondosos[1], desde volcanes hasta glaciares. En Chile, hay 32 parques nacionales, donde se protege[2] la flora y la fauna del lugar. Entre los parques más famosos están el Torres del Paine, el Puyehue, el Laguna del Laja y el Laguna San Rafael.

El ecoturismo, es decir, el turismo que acerca[3] el público a la naturaleza, está muy de moda en Chile. Por ello, los parques nacionales chilenos son visitados anualmente por miles de personas, de todas las edades.

En los parques nacionales hay actividades para todos los gustos. Las personas más tranquilas pueden disfrutar observando la bella fauna y flora de cada lugar, o probando comida típica chilena en los restaurantes de los refugios. La gente más activa puede hacer caminatas por senderos que recorren[4] miles de kilómetros. En el Parque Nacional Torres del Paine, por ejemplo, hay un circuito de caminatas de 100 kilómetros, que se pueden hacer entre seis y diez días. En otros parques también se puede pescar, esquiar o pasear en bote.

Cada parque nacional tiene su oficina de turismo donde se pueden conseguir buenos mapas e información sobre las actividades de la zona. Para visitar un parque nacional se recomienda llevar botas de montaña, gafas de sol, ropa de abrigo y protector solar.

El volcán Antuco, en el Parque Nacional Laguna del Laja.

[1]leafy   [2]is protected   [3]brings near   [4]run through

19 ¿Vamos a un parque nacional de Chile?

Conteste las siguientes preguntas.

1. ¿Qué son los parques nacionales?
2. ¿Qué es el ecoturismo?
3. ¿Cuántos parques nacionales hay en Chile?
4. Nombre tres parques nacionales chilenos.
5. Mencione cuatro actividades que se pueden hacer en un parque nacional.
6. ¿Qué se recomienda llevar a un parque nacional?

Capítulo 5

doscientos veintitrés **223**

Teacher Resources

 Activity 19 (CD 10, #16)

 Activity 4 (CD 2, #26)

 Activity 5

◆ Answers

19
1. Los parques nacionales son lugares donde se protege la flora y la fauna del lugar.
2. Es el turismo que acerca el público a la naturaleza.
3. En Chile hay 32 parques nacionales.
4. Answers will vary, but may include the following: Torres del Paine, Puyehue, Laguna del Laja, Laguna San Rafael.
5. Answers will vary, but may include the following: hacer cominatas, observar la flora y fauna, comer comida chilena, pasear en bote, pescar, esquiar.
6. Se recomienda llevar botas de montaña, gafas de sol, ropa de abrigo y protector solar.

◆ Activities

Connections
Ecotourism is a growing industry throughout Central and South America. Along with Chile and Argentina, Costa Rica has been in the forefront of developing environmental tourism.

National Standards	
Communication 1.2, 1.3	**Comparisons** 4.2
Cultures 2.1, 2.2	**Communities** 5.1
Connections 3.1, 3.2	

Notes

Have students read *Los parques nacionales de Chile* in groups of three. Assign students the following roles: reader, reminder and recorder. The reader reads a paragraph aloud; the reminder summarizes the main idea of the paragraph; and the recorder writes down the information. Students should rotate roles at the end of each paragraph.

Comparisons. Have students create a Venn diagram to compare and contrast what they have learned about national parks in Chile to what they know about national parks in another country, such as the United States. Which elements of these natural settings are similar and which are different?

Activities

Critical Listening

After students have reviewed the information on page 224, reread some of the examples, leaving out the preposition *para* or *por*. Remind students to listen carefully to determine the meaning of the sentence in order to choose the correct preposition.

Critical Thinking

When practicing the distinction between *para* and *por,* insist that students explain the reasoning behind their choice.

Expansion

Have students write a story about a group of friends on a camping trip. Encourage them to use *para* and *por* in as many different contexts as possible.

Language through Action

Have students brainstorm their own sentences utilizing *para* or *por*. Then have students act out their sentences with or without words. Instruct the group to guess the sentence that was written. Then discuss whether or not the preposition used is the appropriate one.

National Standards

Communication
1.3

Comparisons
4.1

 Idioma

Estructura

Por y para

You have used *por* and *para* in many occasions. Remember that although *por* and *para* are equivalent to "for" in English, they are not interchangeable.

Use *para* to express
- where you are headed for

  Salimos **para** el aeropuerto. — We're leaving **for** the airport.
  Vamos **para** el campamento. — We're headed **for** the camping site.

- who or what something is for

  ¿Una linterna **para** mí? ¡Gracias! — A flashlight **for** me? Thanks!
  Estos binoculares son **para** tu hermano. — These binoculars are **for** your brother.
  Y esta brújula es **para** ti. — And this compass is **for** you.

- when something is due

  Debe estar listo **para** mañana. — It must be ready **for** tomorrow.

- what something or an action is for, that is, its purpose

  ¿**Para** qué sirve esto? — What is this **for**?
  Son fósforos **para encender** la fogata. — They are matches **to light** the bonfire.
  Vine aquí **para dártelos**. — I came here **to give them to you**.

Use *por* to express
- movement through space

  Los chicos caminaron **por** todo el valle. — The boys walked **all over** the valley.
  ¿Vamos **por** el sendero? — ¿Shall we go **along** the path?

- duration of time

  Acamparon en el bosque **por** dos semanas. — They camped in the forest **for** two weeks.

- manner or means

  Envié la carta **por** correo. — I sent the letter **by** mail.
  Se enteró **por** el periódico. — He found out **through** the newspaper.

- reason, cause or motivation

  Me caí **por** no usar la linterna. — I fell down **for** not using the flashlight.
  ¿**Por** qué no me llamaste? — **Why** didn't you call me?
  Lo hice **por** mis amigos. — I did it **for** my friends. (for their benefit)

- proportion, rate or exchange

  Pagué cincuenta dólares **por** este saco de dormir. — I paid fifty dollars **for** this sleeping bag.
  El límite de velocidad es de 55 millas **por** hora. — The speed limit is 55 miles **per** hour.

Notes

Remind students that earlier in the chapter they discussed the differences between the two words for "to ask" in Spanish. Review with them in what contexts to use *preguntar* and *pedir*.

Have students create a display illustrating the different uses of *para* and *por*. Encourage them to use drawings or photographs to show the different contexts. Keep this display in the classroom for easy reference.

Práctica

20 Mini-diálogos

Complete los diálogos que siguen usando *por* o *para*.

A: Mira, aquí tengo un regalo (1) ti.

B: ¿(2) mí? ¿Qué es?

A: Algo necesario (3) el campamento.

B: ¡Una brújula! Gracias (4) el regalo.

A: ¿Vamos (5) el pueblo?

B: ¿(6) dónde quieres ir? ¿(7) la carretera o (8) el sendero?

A: No sé, quiero pasar (9) la tienda (10) comprar repelente.
Anoche no pude dormir (11) los mosquitos.

A: ¿Pagaste mucho (12) esas botas?

B: ¡No pagué nada! Me las regalaron mis padres (13) mi cumpleaños. Creo
que las compraron (14) la internet. ¿(15) qué lo preguntas?

A: (16) saber dónde puedo comprarlas.

21 Gracias, tío

Alcira le escribe a su tío para darle
las gracias por un regalo que le
envió. Complete la carta de Alcira
usando *por* o *para* según corresponda.

> Querido tío:
>
> ¿Cómo está? Yo no estaba en casa la última vez
> que habló con mamá (1) teléfono y no pude darle las
> gracias (2) los binoculares que Ud. me mandó. ¡Son
> fantásticos (3) acampar! Ud. sabe cómo me gusta
> andar (4) la montaña. (5) las vacaciones pienso
> irme de campamento (6) un mes, y voy a llevar los
> binoculares conmigo. Mamá me dijo que va a venir a
> visitarnos. Quiero que se quede mucho tiempo, así
> vamos a poder pasear (7) el pueblo. Hasta pronto.
> Muchos saludos
> de Alcira.

Comunicación

22 Un volante

Ud. y su compañero/a reciben este
folleto de publicidad anunciando
una gran venta *(sale)*. Primero, complétenlo
usando *por* o *para*; después, escriban un folleto
similar anunciando otro producto. Lean su folleto ante la clase.

---

(1) celebrar sus 20 años

"Todo (2) el campamento" ofrece
los mejores precios (3) el público (4) diez días solamente.
Un diez y un quince (5) ciento menos de los precios regulares
en tiendas de acampar y sacos de dormir.
¡No se lo pierda!
(6) recibir más información (7) correo o internet,
vaya a http://www.campa.com

Notes

While completing activities 20, 21 and
22, encourage students to read through each
sentence before trying to decide whether to
use *para* or *por*. Remind them to establish the
situation and context, and then decide on the
correct preposition to use.

AP Spanish Language. Remind students
that to better understand a text, it is always a
good practice to skim the passage first to get
an idea of the theme. They may even wish
to underline the main ideas to better make
them stand out in the readers mind. Suggest
that students then reread the selection,
focusing on the details.

Answers

20
1. para
2. Para
3. para
4. por
5. para
6. Por
7. Por
8. por
9. por
10. para
11. por
12. por
13. para
14. por
15. por
16. Para

21
1. por
2. por
3. para
4. por
5. Para
6. por
7. por

22
1. Para
2. para
3. para
4. por
5. por
6. Para
7. por

Activities

Expansion
Have students draft their own
thank-you letters to a friend or
family member, basing them on
the model in activity 21.

National Standards

Communication
1.1, 1.3

Teacher Resources

 Activity 23 (CD 10, #17)

 Activity 6 (CD 2, #28)

 Activities 13–14

 Activity 7

 Activities 11–12

 Answers

23 1. Sus amigos le insisten en que use un saco de dormir.
2. Su madre le pide que no vaya a dar caminatas solo.
3. El guía quiere que lleve un casco para escalar montañas.
4. El vendedor espera que compre los binoculares más caros.
5. Sus compañeros le sugieren que duerma en la tienda de acampar.
6. El instructor le pide que encienda la linterna.
7. Las reglas le exigen que no acampe cerca de las rocas.
8. Todos le dicen que use la brújula para no perderse.

 Activities

Critical Thinking

Before looking at the box on page 226, ask students to brainstorm a list of the verbs they know that indicate desire, will or wish. Then have them compare their list to the one in the box.

National Standards
Comparisons 4.1

Estructura

El subjuntivo con verbos de obligación

You already know that the verb *querer* is followed by the subjunctive.

*Mi hermano **quiere que yo vaya** a acampar con él.* — My brother **wants me to go** camping with him.

Other verbs besides *querer* that indicate desire, demand, will, or wish are also used with the subjunctive.

desear	*(to wish)*	aconsejar	*(to advise)*	ordenar	*(to order)*
esperar	*(to wish)*	sugerir	*(to suggest)*	mandar	*(to order)*
decir	*(to tell)*	recomendar	*(to recommend)*	necesitar	*(to need)*
insistir en	*(to insist)*	exigir	*(to demand)*	pedir	*(to ask)*

*Te recomiendo que **lleves** la brújula si van al bosque.* — I recommend **you take** the compass if you go to the forest.

*El guía espera que **usen** los cascos para escalar las rocas.* — The guide hopes **you use** your helmets to climb the rocks.

Note that when the two verbs refer to the same subject, the form of the second verb is either the infinitive or the indicative.

*Mi padre insiste en **hacer** una fogata.* — My father insists **on making** a campfire.

*Mi padre insiste en que él **va a hacer** una fogata.* — My father insists that **he's going to make** a campfire.

  ## Práctica

23 **Por primera vez**

Es la primera vez que Rolando va de campamento. Todos quieren que él haga algo. Forme oraciones completas para indicar qué quieren que haga.

MODELO su hermano recomendarle / llevar unas buenas botas
Su hermano le recomienda que lleve unas buenas botas.

1. sus amigos insistir en / usar un saco de dormir
2. su madre pedirle / no ir a dar caminatas solo
3. el guía querer / llevar un casco para escalar montañas
4. el vendedor esperar / comprar los binoculares más caros
5. sus compañeros sugerirle / dormir en la tienda de acampar
6. el instructor pedirle / encender la linterna
7. las reglas exigirle / no acampar cerca de las rocas
8. todos decirle / usar la brújula para no perderse

Me recomiendan que lleve unas buenas botas.

 Notes

Encourage students to repeat their answers for activity 23 three times: once to formulate the answer; the second time to practice; and the third time to read through the answer fluently.

Review the present tense forms of the boxed verbs. Remind students that some of these undergo a stem change.

Remind students to listen critically to the responses given by their peers, so that they are engaged in thinking even when it is not their turn.

24 ¿Qué consejo corresponde?

Complete las oraciones de la columna B con el subjuntivo de uno de los verbos de la lista. Luego, con un compañero/a escoja el consejo que mejor corresponda a cada situación de la columna A. Pueden dar diferentes respuestas a la última situación o inventar una respuesta original.

> usar   llevar   ponerse   tener

A

1. Voy a escalar las rocas.
2. ¿Hago una fogata?
3. Queremos ir al valle.
4. El sendero está cubierto de hielo.
5. Hay muchos mosquitos.
6. No queremos perdernos.
7. Quiero observar los pájaros.
8. Vamos a dar una caminata.

B

A. Te aconsejo que ___ los binoculares.
B. Entonces, insisto en que ___ las botas.
C. Está bien, pero les sugiero que ___ el sendero.
D. Te pido que ___ el casco.
E. Les aconsejo que ___ la brújula.
F. Sí, pero espero que ___ cuidado con el fuego.
G. Espero que ___ el repelente de

Comunicación

25 ¿Qué sugieren Uds.?

Con su compañero/a, creen diálogos breves sobre consejos que se dan en algunas de las siguientes situaciones. Cuando terminen, cambien de papel.

MODELO   No veo nada. ¡Está oscuro!
> **A:** Te sugiero que enciendas la linterna.
> **B:** Te pido que vuelvas al campamento.

SITUACIONES

- Estar perdidos
- Estar cansados y no poder caminar
- No tener saco de dormir
- Observar los pájaros
- No tener fósforos para encender la fogata
- Estar lloviendo
- Haber mucha nieve en la tienda de acampar
- Estar lejos del pueblo

Te sugiero que observes ese pájaro.

26 Piden, recomiendan y exigen

Ud. y su compañero/a son consejeros de un campamento para niños. Hagan una lista de los consejos que darían a los niños. Usen *pedir, recomendar, exigir* y otros verbos de obligación. Compartan sus consejos con la clase.

Answers

24 Possible answers:
A. lleves, B. te pongas,
C. usen,   D. te pongas,
E. usen,   F. tengas,
G. uses

1. D   5. G
2. F   6. E
3. C   7. A
4. B   8. B, C, E, G or creative self-expression.

25 Creative self-expression.
26 Creative self-expression.

Activities

Expansion
Ask students who have gone camping, gone away to camp or worked as camp counselors to share their experiences. Did they ever run into a problematic situation like any of the ones described in activity 25?

Language through Action
As a whole-group activity, have pairs of students act out the situations presented in activity 25. Then have the whole group guess the situation, and give suggestions for dealing with the problem.

National Standards

Communication
1.1, 1.3

Connections
3.1

Notes
After students have completed activity 24 in pairs, have them review the activity as a large group. Assign half the group to read the first sentence in column A. Have the other half of the group respond chorally with the correct choice from column B. Then have the groups switch columns for the next example.

Answers

27 1. No es un puerto de mar, sino que está junto al lago Llanquihue.
2. Hay muchos volcanes, ríos, glaciares, cascadas y montañas.
3. Es uno de los centros turísticos más importantes del sur de Chile desde 1934.
4. Lo que más le sorprendió a Mariana de Puerto Varas fue ver tantas casas de estilo alemán.
5. Answers will vary.

28 Answers will vary.

 Activities

Critical Thinking
Ask students to imagine that a student from Chile is visiting their community. What might that student's e-mail to home sound like? In groups, have students draft this e-mail message. It might begin: *Anoche llegamos a la ciudad de* _____ *que es un lugar* _____.

Prereading Strategy
Remind students to preview the reading passage before they begin reading. What can they learn from the address and subject lines of the e-mail? What information does the photograph give?

National Standards

Communication 1.3	**Comparisons** 4.2
Cultures 2.2	**Communities** 5.1
Connections 3.1	

228

Lectura personal

✉ E-Mail   _ □ ✕

Archivo   Ver   Mensajes   Ayuda

A... | Mamá y Papá
Cc... |
Asunto: | Chile

Recuerdos de Chile: Puerto Varas

Queridos mamá y papá,

Anoche llegamos a la ciudad de Puerto Varas, que es un sitio increíble. En primer lugar, este puerto del sur de Chile no da al mar, sino al lago Llanquihue. Muchos consideran a esta ciudad como la puerta al mundo de los volcanes, los ríos, los glaciares, las cascadas y las montañas que abundan[1] en esta región.

¡El lago es inmenso! Cuando uno lo mira desde la ciudad cree que está frente al mar. Muchas personas que vienen a visitar esta región para ver los famosos Saltos[2] del Petrohué o el Volcán Osorno, paran primero en Puerto Varas. Desde hace mucho tiempo, la ciudad también atrae[3] a miles de turistas que vienen a bañarse en el lago durante la temporada de verano. En 1934, con la construcción del Gran Hotel, la ciudad se convirtió en uno de los centros turísticos más importantes del sur de Chile.

Lo que más me sorprendió de Puerto Varas fue encontrar tantas casas de estilo alemán. Nuestra guía nos explicó que a mediados[4] del siglo XIX llegaron a la ciudad un grupo de inmigrantes alemanes que decidieron establecerse en ella. Por eso aún hoy se puede ver la presencia de la cultura alemana, no sólo en la arquitectura, sino en las comidas de la región, las costumbres y hasta en los apellidos de sus habitantes. Estoy encantada de haber conocido un sitio tan hermoso y sorprendente a la vez.

Cariños,
Mariana

[1]abound   [2]waterfalls   [3]attracts   [4]in the middle

Casas de estilo alemán en Puerto Var

 ¿Qué recuerda Ud.?

1. ¿Cuál es la primera característica de Puerto Varas que describe Mariana?
2. ¿Cómo es la naturaleza de la región donde se encuentra Puerto Varas?
3. ¿Qué importancia tiene la ciudad?
4. ¿Qué fue lo que más sorprendió a Mariana de la ciudad?
5. ¿Cree que Mariana tiene razón al decir que Puerto Varas es un lugar increíble y sorprendente? Explique su respuesta.

28 Algo personal

1. ¿Ha visitado alguna vez una ciudad que le pareció sorprendente? Describa su experiencia.
2. Imagine que usted llega a Puerto Varas después de leer la descripción de Mariana. ¿Adónde quiere ir? ¿Qué lugar le parece más interesante para visitar?

Notes

Communities. The southern provinces of Valdivia, Llanquihue and Osorno all exhibit the influence of German immigration on life in Chile. There is even a German-speaking village, Frutillar, on the shores of Lago Llanquihue.

Review with students the Spanish phrases used to open and close a personal letter.

Have students research establishing e-mail pen pals in Chile or some other Spanish-speaking country. Using the Internet, pen pals can send messages instantly or even chat in real time. Encourage students to practice their keyboard skills in Spanish.

¿Qué aprendí?

Autoevaluación

Como repaso y evaluación, responda lo siguiente:

1. Escriba lo contrario de: tren rápido, puntual, ciudad.

2. ¿Qué es el Tren de la Poesía?

3. Mencione cuatro cosas que una persona necesita cuando va a acampar.

4. Escriba una oración con la expresión *Es mejor que...* seguida de un verbo en subjuntivo.

5. Escriba una oración que empiece con *Te recomiendo que...*

6. Explique dos usos de *por* y dos usos de *para* y dé un ejemplo para cada uno.

7. Mencione dos actividades que se pueden hacer en los parques nacionales de Chile.

Palabras y expresiones

How many of these words and expressions do you recognize?

En el tren
el andén
el asiento
el coche cama
el coche comedor
el inspector, la inspectora
local (tren)
rápido (tren)
el vagón
la ventanilla
el viajero, la viajera

En la estación de tren
la boletería
de primera (segunda) clase
el transbordo

Verbos
acampar
escalar
exigir
partir
recomendar (ie)
sugerir (ie)

En el campo
el arbusto
el campo
el pueblo
la roca
el sendero
el valle

En el campamento
los binoculares
la brújula
el campamento
el casco
la fogata
los fósforos
la linterna
el mosquito
el repelente de insectos
el saco de dormir
la tienda de acampar

Expresiones y otras palabras
a punto de
con retraso
dar una caminata
Es increíble que...
Es inútil que...
puntual

El coche comedor.

En la ventanilla de la taquilla.

Notes

Create vocabulary displays that can be reused. For example, label pictures or photographs with sticky notes or Velcro. This way, students can practice matching words to pictures on multiple occasions.

Seat the whole group in a circle. Tell students that they are going to improvise a story. Moving around the circle, each person is responsible for one sentence in the story. As a challenge, insist that each sentence contain one of the words or expressions on page 229.

Students should visit the Internet Resource Center at www.emcp.com to complete this activity online and check answers.

Teacher Resources

Activity 15

p. 108

Answers

Autoevaluación
Possible answers:
1. tren local, con retraso, campo
2. Es un tren que pasa por los lugares que visitó Neruda de niño, y en el que van escritores para hablar de la obra del poeta.
3. Una tienda de acampar, una brújula, una linterna y binoculares.
4. Es mejor que compres repelente de insectos.
5. Te recomiendo que lleves una tienda de acampar.
6. *Por* se usa para expresar movimiento y para indicar cómo se hizo algo: *Fuimos por el sendero. Envié la carta por correo. Para* se usa para expresar el destino de una acción y para indicar el propósito de algo: *Salimos para el aeropuerto. Esas botas son para escalar.*
7. pescar, probar la comida típica chilena

Activities

Multiple Intelligences (linguistic)
Linguistic students may enjoy creating crossword puzzles as a way to review vocabulary.

National Standards

Communication
1.1

Cultures
2.2

Connections
3.1

229

Answers

Preparación

Wording of answers may vary, but the following ideas should be expressed:

1. Jorge Luis Borges nació en Buenos Aires, Argentina.
2. Fue bilingüe por influencia de su abuela materna, que era de origen inglés.
3. Borges supo que quería ser escritor a los 6 años.
4. De sus antepasados hereda una tradición militar y otra literaria.
5. Answers will vary, but may include the following: *Ficciones, El Aleph, Historia universal de la infamia, Inquisiciones* and *El libro de arena*.

Activities

Expansion

Borges knew he wanted to be a writer since the age of six. Ask students if they have set career plans. Ask them to share their aspirations and the reasons behind their choices.

Students with Special Needs

Have students read the selection about Jorge Luis Borges one sentence at a time. After each sentence, have them isolate and record a few key words or phrases.

National Standards	
Communication 1.1	Communities 5.2
Connections 3.1	
Comparisons 4.2	

¡Viento en popa!

Ud. lee

Estrategia

Identifying symbols

A symbol is a literary figure that has, at least, two layers of meaning: what it really is, and what it suggests or represents. An open window, for instance, can be a symbol of freedom, apart from being the obvious —a window that has been opened. In our daily life we find many symbols we might not even be aware of, such as Uncle Sam, being a symbol for the United States, or a Christmas tree, being a symbol for Christmas. In literature, symbols are used to convey the meaning of a story. As you read, try to identify some of the symbols the author might be using and find out their other meaning. Identifying symbols will give you valuable clues about the theme of the piece.

Preparación

Lea lo siguiente y conteste las preguntas que siguen.

Jorge Luis Borges nació el 23 de agosto de 1899 en Buenos Aires, Argentina. Fue bilingüe desde pequeño y aprendió a leer en inglés antes que en español, por la influencia de su abuela materna, que era de origen inglés. De sus antepasados, Borges dice que heredó dos tradiciones: una militar (su bisabuelo materno y su abuelo paterno eran coroneles del ejército) y otra literaria (su bisabuelo paterno fue el editor de uno de los primeros periódicos ingleses en Argentina y uno de sus antepasados fue el poeta romántico Juan Crisóstomo Lafinur). Quiso ser escritor desde que tenía seis años. Empezó a escribir ensayos y a hacer traducciones cuando era niño. Sus primeras obras publicadas fueron ensayos y, después, empezó a escribir cuentos y poemas. También fundó numerosas revistas de literatura. Durante los años 30 comenzó a perder la vista, hasta que se quedó totalmente ciego, pero nunca dejó de escribir. Entre sus obras más conocidas se encuentran *Ficciones, El Aleph, Historia universal de la infamia, Inquisiciones* y *El libro de arena*. Borges murió en Ginebra, Suiza, el 14 de junio de 1986.

1. ¿Dónde nació Jorge Luis Borges?
2. ¿Por qué era bilingüe?
3. ¿Cuándo supo Borges que quería ser escritor?
4. ¿Qué dos tradiciones hereda de sus antepasados?
5. Nombre tres obras de Jorge Luis Borges.

Jorge Luis Borges.

Notes

Comparisons. Ask students to brainstorm a list of other works they have read, both in Spanish and in English, that exhibit the use of symbols. Then hold a class discussion. Are there any "standard symbols" that students can agree upon? What do they symbolize?

Although Borges was born in Argentina, his family moved to Switzerland in 1914. There Borges learned both German and French. After World War I, the family relocated to Spain, and in 1921 Borges settled in Buenos Aires.

El Sur

El hombre que desembarcó en Buenos Aires en 1871 se llamaba Johannes Dahlmann y era pastor de la iglesia evangélica; en 1939, uno de sus nietos,
5 Juan Dahlmann, era secretario de una biblioteca municipal en la calle Córdoba y se sentía hondamente[1] argentino. Su abuelo materno había sido aquel Francisco Flores, del 2 de infantería de
10 línea, que murió en la frontera de Buenos Aires, lanceado[2] por indios de Catriel; en la discordia de sus dos linajes, Juan Dahlmann (tal vez a impulso de la sangre germánica) eligió el de ese antepasado[3]
15 romántico, o de muerte romántica. Un estuche[4] con el daguerrotipo de un hombre inexpresivo y barbado[5], una vieja espada[6], la dicha y el coraje de ciertas músicas, el hábito de estrofas del
20 *Martín Fierro*, los años, el desgano[7] y la soledad, fomentaron ese criollismo algo voluntario, pero nunca ostentoso. A costa de algunas privaciones, Dahlmann había logrado salvar el casco de una estancia[8]
25 en el Sur, que fue de los Flores; una de las costumbres de su memoria era la imagen de los eucaliptos balsámicos y de la larga casa rosada que alguna vez fue carmesí[9]. Las tareas y acaso la indolencia lo
30 retenían en la ciudad. Verano tras verano se contentaba con la idea abstracta de posesión y con la certidumbre de que su casa estaba esperándolo, en un sitio preciso de la llanura[10]. En los últimos días
35 de 35febrero de 1939, algo le aconteció.

Ciego[11] a las culpas, el destino puede ser despiadado[12] con las mínimas distracciones. Dahlmann había conseguido, esa tarde, un ejemplar
40 descabalado[13] de *Las mil y una noches* de Weil; ávido de examinar ese hallazgo, no esperó que bajara el ascensor y subió con apuro las escaleras; algo en la oscuridad[14] le rozó la frente[15] ¿un murciélago[16], un
45 pájaro? En la cara de la mujer que le abrió la puerta vio grabado el horror, y la mano

Una biblioteca.

que se pasó por la frente salió roja de sangre. La arista de un batiente[17] recién pintado que alguien se olvidó de cerrar le habría hecho esa herida[18]. Dahlmann
50 logró dormir, pero a la madrugada[19] estaba despierto[20] y desde aquella hora el sabor de todas las cosas fue atroz. La fiebre lo gastó y las ilustraciones de *Las mil y una noches* sirvieron para
55 decorar pesadillas[21]. Amigos y parientes lo visitaban y con exagerada sonrisa[22] le repetían que lo hallaban muy bien. Dahlmann los oía con una especie de débil estupor y le maravillaba que no
60 supieran que estaba en el infierno. Ocho días pasaron, como ocho siglos. Una tarde, el médico habitual se presentó con un médico nuevo y lo condujeron a un sanatorio de la calle Ecuador, porque era
65 indispensable sacarle una radiografía[23]. Dahlmann, en el coche de plaza que los llevó, pensó que en una habitación que no fuera la suya podría, al fin, dormir. Se sintió feliz y conversador; en cuanto
70 llegó, lo desvistieron; le raparon[24] la cabeza, lo sujetaron con metales a una camilla[25], lo iluminaron hasta la ceguera y el vértigo, lo auscultaron y un hombre enmascarado le clavó una aguja[26] en el
75 brazo. Se despertó con náuseas, vendado[27],

---

[1]profoundly [2]killed by a lance [3]ancestor [4]case [5]bearded [6]sword [7]apathy [8]farmhouse and surrounding buildings [9]crimson [10]prairie [11]blind [12]merciless [13]incomplete [14]darkness [15]brushed the forehead [16]bat [17]sharp edge of window [18]wound [19]dawn [20]awake [21]nightmares [22]smile [23]x-ray [24]shaved [25]stretcher [26]needle [27]bandaged

---

Capítulo 5

Teacher Resources

 ¡Viento en popa! *El Sur* (CD 10, #21)

Activities

Cooperative Learning
Put students in pairs to read the selection. This way, students can help each other negotiate the meaning of the story.

Prereading Activity
Have students read the opening section of the selection, scanning for words or phrases that appear unfamiliar. Encourage them to define these words before rereading the opening of the story.

Spanish for Spanish Speakers
Allow students to read the story independently. Encourage them to research and locate other selections by Borges. Then have them compare and contrast their chosen selection with *El Sur*.

Notes

One of the literary journals founded by Borges was entitled *Sur*. It became one of Argentina's most important literary journals.

El Gaucho Martín Fierro is perhaps one of the most well-known works in Argentine literature. The poem was written by José Hernández in 1872. A sequel, *La Vuelta de Martín Fierro,* was published in 1879.

AP Spanish Literature. This story by Jorge Luis Borges is on the College Board AP Spanish literature required reading list for twentieth-century authors.

National Standards

Cultures
2.2

Connections
3.1, 3.2

231

Critical Thinking

Borges writes, *"A la realidad le gustan las simetrías..."* He goes on to describe how Dahlmann arrived at the sanatorium *en un coche de plaza,* and will leave in one as well. Discuss with students the similarities they notice between the character of Dahlmann and Borges himself. Also, remind students to keep an eye out for other similarities as the story progresses.

Expansion

Throughout the story, Dahlmann makes reference to traveling not just in space, but back in time as well. Discuss with students places they have visited that seem to be "from another time." Are there locations or attractions in your community that take one "back in time"?

Students with Special Needs

Encourage students to determine the setting of each paragraph as they read through the text on page 232. Establishing the setting will help students predict and understand the action of the story. For example:
1) *el sanatorio*
2) *un coche de plaza, las calles de Buenos Aires*
3) *la Avenida Rivadavia*
4) *la estación, el café*

Esperando el tren hacia el sur.

en una celda que tenía algo de pozo[1] y, en los días y noches que siguieron a la operación, pudo entender que apenas había estado, hasta entonces,
5 en un arrabal[2] del infierno. El hielo no dejaba en su boca el menor rastro de frescura[3]. En esos días, Dahlmann minuciosamente se odió[4]; odió su identidad, sus necesidades corporales,
10 su humillación, la barba que le erizaba la cara. Sufrió con estoicismo las curaciones[5], que eran muy dolorosas[6], pero cuando el cirujano[7] le dijo que había estado a punto de morir de una
15 septicemia, Dahlmann se echó a llorar, condolido de su destino. Las miserias físicas y la incesante revisión de las malas noches no le habían dejado pensar en algo tan abstracto como la muerte.
20 Otro día, el cirujano le dijo que estaba reponiéndose[8] y que, muy pronto, podría ir a convalecer a la estancia. Increíblemente, el día prometido llegó.

A la realidad le gustan las simetrías
25 y los leves[9] anacronismos; Dahlmann había llegado al sanatorio en un coche de plaza y ahora un coche de plaza lo llevaba a Constitución. La primera frescura del otoño, después de la opresión
30 del verano, era como un símbolo natural de su destino rescatado de la muerte y la fiebre. La ciudad, a las siete de la mañana, no había perdido ese aire de casa vieja que le infunde la noche; las calles eran como

largos zaguanes[10], las plazas como patios. 35
Dahlmann la reconocía con felicidad y con un principio de vértigo; unos segundos antes de que las registraran sus ojos, recordaba las esquinas, las carteleras, las modestas diferencias de Buenos 40
Aires. En la luz amarilla del nuevo día, todas las cosas regresaban a él.

Nadie ignora que el Sur empieza del otro lado de Rivadavia[11]. Dahlmann solía repetir que ello no es una convención 45
y que quien atraviesa esa calle entra en un mundo más antiguo y más firme. Desde el coche buscaba entre la nueva edificación, la ventana de rejas, el llamador[12], el arco de la puerta, el 50
zaguán, el íntimo patio.

En el *hall* de la estación advirtió[13] que faltaban treinta minutos. Recordó bruscamente[14] que en un café de la calle Brasil (a pocos metros de la casa 55
de Yrigoyen) había un enorme gato que se dejaba acariciar[15] por la gente, como una divinidad desdeñosa. Entró. Ahí estaba el gato, dormido. Pidió una taza de café, la endulzó lentamente, la probó 60
(ese placer le había sido vedado[16] en la clínica) y pensó, mientras alisaba[17] el negro pelaje, que aquel contacto era ilusorio y que estaban como separados por un cristal, porque el hombre vive en 65
el tiempo, en la sucesión, y el mágico animal, en la eternidad del instante.

[1]well [2]outskirts [3]trace of freshness
[4]hated [5]treatments [6]painful [7]surgeon
[8]recovering [9]slight

[10]hallways [11]name of an avenue in Buenos Aires Argentina [12]door knocker [13]noticed [14]suddenly
[15]to caress [16]banned [17]smoothed out

Notes

It may be helpful to explain to students that *septicemia* is the clinical name for blood poisoning. Potentially caused by an infected wound, symptoms include fever, chills and disorientation.

The Avenue *Rivadavia* is located on the *Plaza de Mayo* in the heart of the city center of Buenos Aires. Famous sights on the avenue

include the Metropolitan Cathedral and the National Bank of Argentina. South of the *Plaza de Mayo* are *La Boca, Monserrat* and *San Telmo,* Buenos Aires's oldest and most historic neighborhoods.

National Standards

Cultures
2.2

Connections
3.1

Comparisons
4.2

A lo largo del penúltimo andén el tren esperaba. Dahlmann recorrió los vagones y dio con uno casi vacío. Acomodó en la red la valija; cuando los
5 coches arrancaron[1], la abrió y sacó, tras alguna vacilación, el primer tomo de *Las mil y una noches*. Viajar con este libro, vinculado[2] a la historia de su desdicha[3], era una afirmación de que esa desdicha
10 había sido anulada y un desafío alegre y secreto a las frustradas fuerzas del mal.

A los lados del tren, la ciudad se desgarraba[4] en suburbios; esta visión y luego la de jardines y quintas[5]
15 demoraron el principio de la lectura. La verdad es que Dahlmann leyó poco; la montaña de piedra imán[6] y el genio que ha jurado[7] matar a su bienhechor[8] eran, quién lo niega[9], maravillosos, pero no
20 mucho más que la mañana y que el hecho de ser. La felicidad lo distraía de Shahrazad y de sus milagros superfluos; Dahlmann cerraba el libro y se dejaba simplemente vivir.

25 El almuerzo (con el caldo[10] servido en boles[11] de metal reluciente[12], como en los ya remotos veraneos de la niñez) fue otro goce tranquilo y agradecido. "Mañana me despertaré en la estancia"
30 pensaba, y era como si a un tiempo fuera dos hombres: el que avanzaba por el día otoñal y por la geografía y la patria[13], y el otro, encarcelado en un sanatorio y sujeto a metódicas servidumbres. Vio
35 casas de ladrillo sin revocar, esquinadas y largas, infinitamente mirando pasar los trenes; vio jinetes[14] en los terrosos caminos; vio zanjas[15] y lagunas y haciendas; vio largas nubes luminosas
40 que parecían de mármol, y todas estas cosas eran casuales, como sueños de la llanura. También creyó reconocer árboles y sembrados[16] que no hubiera podido nombrar, porque su directo
45 conocimiento de la campaña era harto[17] inferior a su conocimiento nostálgico y literario.

[1]started [2]linked [3]misfortune [4]was torn
[5]farms [6]magnet stone [7]has sworn [8]beneficent
[9]deny [10]clear soup [11]bowls [12]shiny [13]homeland
[14]horsemen [15]ditches [16]sown fields [17]very

Alguna vez durmió y en sus sueños estaba el ímpetu del tren. Ya el blanco sol intolerable de las doce del día era el sol 50 amarillo que precede al anochecer y no tardaría en ser rojo. También el coche era distinto; no era el que fue en Constitución, al dejar el andén: la llanura y las horas lo habían atravesado[18] y transfigurado. Afuera 55 la móvil sombra[19] del vagón se alargaba hacia el horizonte. No turbaban la tierra elemental ni poblaciones ni otros signos humanos. Todo era vasto, pero al mismo tiempo era íntimo y, de alguna manera, 60 secreto. En el campo desaforado[20], a veces no había otra cosa que un toro. La soledad era perfecta y tal vez hostil, y Dahlmann pudo sospechar que viajaba al pasado y no sólo al Sur. De esa conjetura fantástica lo 65 distrajo el inspector, que al ver su boleto, le advirtió[21] que el tren no lo dejaría en la estación de siempre sino en otra, un poco anterior y apenas conocida por Dahlmann. (El hombre añadió una explicación que 70 Dahlmann no trató de entender ni siquiera de oír, porque el mecanismo de los hechos no le importaba.)

[18]crossed [19]shadow [20]boundless [21]warned

Paisaje de la pampa.

Capítulo 5   *doscientos treinta y tres* **233**

Notes

Las mil y una noches is also known by the title *Arabian Nights*. One of the classics of world literature, it is a collection of Arabian fairy tales told by Scheherazade. Some of the best-known stories are *Ali Baba, Sinbad* and *Alladin*. The first European translation of the text was undertaken by Abbé Antoine Galland in French in the early 1700s.

When reading a long passage, remind students to take their time and read for clarity. Discourage them from moving ahead in the story until they have a clear understanding of the sections they have tackled thus far.

Activities

Critical Thinking
Discuss with students the significance of the book *Las mil y una noches*. What does Dahlmann feel it symbolizes in terms of his experience? Encourage students to learn more about the origin and themes of this classic work. Does its symbolic significance go even further?

Expansion
Borges was influenced by the work of the British philosopher George Berkeley, who maintained that reality is not an external truth, but rather what we perceive it to be. Discuss with students how this theme relates to the themes in *El Sur*.

Multiple Intelligences (spatial)
Visual students may enjoy illustrating the landscape described on page 233. Encourage students to use the written text as a guide for their own drawings.

Spanish for Spanish Speakers
After students have read the story independently, invite them to read a passage aloud. Encourage them to read dramatically, modeling not only pronunciation, but also inflection, tone and mood.

National Standards

Cultures
2.2

Connections
3.1

233

Activities

Cooperative Learning

As students continue with a paired reading of the story, have them ask each other comprehension questions at the end of each paragraph. If students have difficulty formulating their own questions, provide a set of general questions that may be used after each paragraph. For example, *¿Qué pasó?; ¿Qué aprendimos?*

Expansion

Pablo y Virginia (Paul et Virginie in French) was written by the French author Bernardin de Saint-Pierre and published in 1788. The story takes place on the French colony of Île de France, now Mauritius, and helped popularize the genre of pastoral fiction. Discuss with students why Borges might have chosen this work of literature as a means to describe the setting.

Prereading Strategy

Before students pick up the story at the beginning of page 234, ask them to make some predictions about what will happen next. Will Dahlmann make it to the ranch? What will he find there?

Students with Special Needs

When questioning students for comprehension, provide them with possible choices for each answer: *¿A dónde caminó Dahlmann? ¿Al almacén o a la estancia?*

National Standards

Communication
1.1

Cultures
2.2

Connections
3.1

El tren laboriosamente se detuvo[1], casi en medio del campo. Del otro lado de las vías quedaba la estación, que era poco más que un andén con un cobertizo[2].
5 Ningún vehículo tenían, pero el jefe opinó que tal vez pudiera conseguir uno en un comercio que le indicó a unas diez, doce, cuadras.

Dahlmann aceptó la caminata como
10 una pequeña aventura. Ya se había hundido[3] el sol, pero un esplendor final exaltaba la viva y silenciosa llanura, antes de que
15 la borrara la noche. Menos para no fatigarse[4] que para hacer durar esas cosas, Dahlmann
20 caminaba despacio, aspirando con grave felicidad el olor del trébol[5].

El almacén, alguna vez,
25 había sido punzó[6] pero los años habían mitigado para su bien ese color violento. Algo en su pobre arquitectura le recordó un grabado en acero[7], acaso de una vieja edición de
30 *Pablo y Virginia*. Atados al palenque[8] había unos caballos. Dahlmann, adentro, creyó reconocer al patrón; luego comprendió que lo había engañado[9] su parecido con uno de los empleados
35 del sanatorio. El hombre, oído el caso, dijo que le haría atar la jardinera; para agregar otro hecho a aquel día y para llenar ese tiempo, Dahlmann resolvió comer en el almacén.

40 En una mesa comían y bebían ruidosamente[10] unos muchachones, en los que Dahlmann, al principio, no se fijó. En el suelo, apoyado en el mostrador, se acurrucaba[11], inmóvil
45 como una cosa, un hombre muy viejo. Los muchos años lo habían reducido y pulido[12] como las aguas a una piedra o las generaciones de los hombres a una

[1]stopped with great difficulty [2]shed [3]had sunken
[4]to get tired [5]clover [6]very bright red [7]engraved
in steel [8]tied to the stockade [9]had confused him
with [10]noisily [11]curled up [12]polished

sentencia. Era oscuro, chico y reseco, y estaba como fuera del tiempo, en 50 una eternidad. Dahlmann registró con satisfacción la vincha[13], poncho de bayeta[14], el largo chiripá[15] y la bota de potro[16] y se dijo, rememorando[17] inútiles discusiones con gente de los partidos del 55 Norte o con entrerrianos[18], que gauchos de ésos ya no quedan más que en el Sur.

Dahlmann se acomodó junto a la ventana. La oscuridad fue quedándose con el 60 campo, pero su olor y sus rumores aun le llegaban entre los barrotes[19] de hierro. El patrón 65 le trajo sardinas y después carne asada[20]; Dahlmann las empujó con unos vasos de vino tinto[21]. 70 Ocioso, paladeaba el áspero sabor y dejaba errar[22] la mirada por el local, ya un poco soñolienta. La lámpara de kerosén pendía[23] de uno de 75 los tirantes[24]; los parroquianos[25] de la otra mesa eran tres: dos parecían peones de chacra[26], otro, de rasgos achinados[27] y torpes, bebía con el chambergo[28] puesto. Dahlmann, de pronto, sintió un leve roce 80 en la cara. Junto al vaso ordinario de vidrio turbio, sobre una de las rayas del mantel, había una bolita de miga[29]. Eso era todo, pero alguien se la había tirado.

Los de la otra mesa parecían ajenos[30] 85 a él. Dahlmann, perplejo, decidió que nada había ocurrido y abrió el volumen de *Las mil y una noches*, como para tapar la realidad. Otra bolita lo alcanzó a los pocos minutos, y esta vez los peones se 90 rieron. Dahlmann se dijo que no estaba asustado, pero que sería un disparate que él, un convaleciente, se dejara arrastrar por desconocidos a una pelea confusa.

[13]headband [14]cloth [15]garment worn by gauchos over trousers [16]colt [17]reminiscing about [18]people from Entre Ríos, a province in Argentina [19]bars [20]roast [21]red wine [22]wander [23]hung [24]roof beams [25]regular customers [26]small farm [27]Asian looking [28]wide-brimmed hat [29]ball of bread [30]indifferent

Gauchos del sur.

Notes The *gauchos* of the *pampas* or grasslands of Argentina and Uruguay were prevalent from the 18th century through the mid-19th century. Famous for their independent lifestyle of hunting wild cattle on horseback and their distinctive clothing, these figures also became central to the culture and literature of Argentina. Eventually, an increase in the immigration of farmers from Europe brought the era of the *gaucho* to an end.

Resolvió salir; ya estaba de pie cuando el patrón se le acercó y lo exhortó con voz alarmada: —Señor Dahlmann, no les haga caso a esos mozos[1], que están
5 medio alegres.

Dahlmann no se extrañó de que el otro, ahora, lo conociera, pero sintió que estas palabras conciliadoras agravaban, de hecho, la situación. Antes,
10 la provocación de los peones era a una cara accidental, casi a nadie; ahora iba contra él y contra su nombre y lo sabrían los vecinos. Dahlmann hizo a un lado al patrón, se enfrentó con los peones y les
15 preguntó qué andaban buscando.

El compadrito[2] de la cara achinada se paró, tambaleándose[3]. A un paso de Juan Dahlmann, lo injurió[4] a gritos, como si estuviera muy lejos. Jugaba a exagerar
20 su borrachera[5] y esa exageración era una ferocidad y una burla. Entre malas palabras y obscenidades, tiró al aire un largo cuchillo, lo siguió con los ojos, lo barajó[6], e invitó a Dahlmann a pelear.
25 El patrón objetó con trémula voz que Dahlmann estaba desarmado. En ese punto, algo imprevisible ocurrió.

Desde un rincón, el viejo gaucho extático, en el que Dahlmann vio una
30 cifra del Sur (del Sur que era suyo), le tiró una daga desnuda que vino a caer

a sus pies. Era como si el Sur hubiera resuelto que Dahlmann aceptara el duelo. Dahlmann se inclinó a recoger la daga y sintió dos cosas. La primera, que 35 ese acto casi instintivo lo comprometía a pelear. La segunda, que el arma, en su mano torpe, no serviría para defenderlo, sino para justificar que lo mataran. Alguna vez había jugado con 40 un puñal[7], como todos los hombres, pero su esgrima[8] no pasaba de una noción de que los golpes deben ir hacia arriba y con el filo[9] para adentro. "No hubieran permitido en el sanatorio que me 45 pasaran estas cosas", pensó.
—Vamos saliendo —dijo el otro.

Salieron, y si en Dahlmann no había esperanza[10], tampoco había temor. Sintió, al atravesar el umbral[11], que 50 morir en una pelea a cuchillo, a cielo abierto y acometiendo, hubiera sido una liberación para él, una felicidad y una fiesta, en la primera noche del sanatorio, cuando le clavaron la aguja. Sintió que 55 si él, entonces, hubiera podido elegir o soñar su muerte, ésta es la muerte que hubiera elegido o soñado.

Dahlmann empuña[12] con firmeza el cuchillo, que acaso no sabrá manejar, 60 y sale a la llanura.

[1]young boys [2]show-off [3]tottering [4]insulted
[5]drunkenness [6]tossed it from one hand to the other

[7]dagger [8]fencing [9]blade
[10]hope [11]threshold
[12]takes up

Un gaucho argentino.

A ¿Qué recuerda Ud.?

1. ¿Quién es el protagonista de este cuento?
2. ¿Por qué tuvo que ir Dahlmann a un sanatorio?
3. ¿Adónde quiere ir Dahlmann al salir del sanatorio?
4. Explique cómo termina el cuento.

B Algo personal

1. ¿En qué se parece Juan Dahlmann al autor, Jorge Luis Borges?
2. ¿Qué prefiere usted: el campo o la ciudad? ¿Por qué?
3. ¿Alguna vez participó en una pelea? ¿Cómo empezó?

Answers

A Wording of answers will vary, but the following ideas should be expressed:
1. El protagonista del cuento es Juan Dahlmann.
2. Tuvo que ir al sanatorio por una herida en la frente.
3. Quiere ir a su estancia, en el Sur.
4. Answers will vary.

B Answers will vary.

Activities

Critical Thinking

El Sur begins and ends with Dahlmann pondering a choice. Discuss with students what these two choices are. How do these choices relate to the symmetry discussed earlier?

Expansion

AP Spanish Language (Essays). As a follow up to discussing Dahlmann's two choices, have students write a detailed composition summarizing the decisions and how they relate to the question of symmetry *(En un ensayo bien organizado, explique cuáles son las dos decisiones que se toman al principio y al final del cuento. ¿Cómo se relacionan con la simetría que se discutió anteriormente?)*.

National Standards	
Communication 1.3	**Comparisons** 4.2
Cultures 2.1, 2.2	
Connections 3.1	

Notes

Point out to students that the Spanish word *cifra* means "cipher." Tell them that "cipher" means a code or abbreviation, as "decipher" means to break or understand a code.

In the story, the word *cifra* is used as "symbol." Refer students back to the *Estrategia* on page 230. Is Borges using this old man as a symbol? If so, what does he symbolize? What does "the South" symbolize for both Dahlmann and Borges?

Creative self-expression.

 Activities

Cooperative Learning
Allow students to brainstorm their prewriting ideas in groups. This way, they can benefit from the ideas of their peers and generate more details for their individual writing.

Spanish for Spanish Speakers
Have students model the phrases presented to express similarities and differences. Provide them with two objects or two people to compare. Ask them to use these phrases in the context of complete sentences.

Students with Special Needs
Before students begin to compare and contrast the abstract ideas of life in the city versus life in the country, give them the opportunity to practice their comparison skills with a more concrete topic, such as two classmates or two popular movies, for example.

National Standards

Communication
1.2, 1.3

236

Ud. escribe

Estrategia
Comparing and contrasting

To describe two things, persons, places, or ideas that can be related but that are different, you can compare and contrast them. To do this, you need to find information and analyze the common aspects and the different ones. For example: *Los gatos y los perros son las mascotas más populares de mi clase. Tanto los gatos como los perros pueden ser buenos compañeros. Pero los perros necesitan más atención. Hay que sacarlos a pasear varias veces al día. Mientras que los gatos pueden quedarse en casa todo el año.*

There are different ways to organize a **compare and contrast** paragraph.

- You can first write all the similarities, and then all the differences.
- You can compare them, point by point, stating each time if they are alike or they differ in that aspect.
- You can combine the two previous styles.

Here are some words you can use to express similarities and differences.

Semejanzas	Diferencias
se parece a	a diferencia de
es igual que	por otro lado
al igual que	al contrario que
también	en contraste con

 Escriba una composición sobre la vida en el campo y la vida en la ciudad y dé recomendaciones sobre qué estilo de vida es mejor para cada tipo de persona (alguien mayor, alguien joven y activo, alguien a quien le gusta la naturaleza, etc).

Concéntrese en comparar y contrastar los dos estilos de vida. No se olvide de usar palabras o expresiones de comparación. Use una gráfica como la de abajo para organizar su borrador. Recuerde usar los mandatos formales y el subjuntivo. (Sugerencia: En su composición, puede tratar de convencer a alguien de que vaya a vivir a un lugar o a otro.) Comparta su borrador con otro/a estudiante y pídale sus sugerencias o correcciones. Por último, escriba la versión final para incluir las sugerencias de su compañero/a y para corregir los errores en los tiempos de los verbos, el uso de las palabras o expresiones de transición y la ortografía.

```
                Comparación y contraste
                         |
                Quién o qué se compara
                    /           \
   En qué se parecen        En qué se diferencian
```

¡Viento en popa!

Notes

Review with students the use of a Venn diagram as an effective graphic organizer for the purposes of comparing and contrasting. Offer this option in addition to the graphic on page 236.

Sometimes two peer editors are better than one. Once students have swapped drafts with a classmate, have them swap once again. This way, each draft will be read by two peers who might offer differing critiques and/or suggestions.

Proyectos adicionales

A Conexión con la tecnología

Es interesante, al visitar una ciudad que no se conoce, saber ya cuáles son los sitios más importantes que uno quiere visitar. Escoja una ciudad de Chile o de Argentina que le gustaría visitar. Haga una investigación en la internet para averiguar cuáles son los lugares más interesantes y qué actividades se pueden hacer en cada lugar. Use los datos, las fotos y los mapas que encuentre para hacer la página de una guía de viajes, en tamaño cartel, para mostrar en la clase.

B Conexión con otras disciplinas: música

La música andina es una música tradicional que nació en la región de los Andes. Hoy en día se puede escuchar grupos de música andina en las calles y plazas de muchas ciudades de Estados Unidos. En la internet, busque información sobre los siguientes aspectos de la música andina:

- dónde nació
- quién la toca
- qué instrumentos usa

Con la información que encuentre, haga una presentación oral en clase. Si puede, trate de conseguir un disco de música andina, en la biblioteca pública o en una tienda de discos, para completar su presentación.

Un grupo de música andina.

C Comparación

Los gauchos y los *cowboys* tienen muchas características en común. Compare cómo es la vida de un gaucho argentino con la vida de un *cowboy* de Estados Unidos. Explique cómo se viste cada uno, dónde viven, cuál es su trabajo, qué comen y beben. Busque información en la internet o en la biblioteca. Luego escriba un párrafo comparándolos.

Los gauchos se parecen a los *cowboys*.

Capítulo 5

doscientos treinta y siete **237**

Teacher Resources

p. 91

Activities

Critical Listening

Offer students the opportunity to present their projects to the class as a whole. Encourage the "audience" to listen critically so that they will be able to respond to, and reflect on, what they have learned. Remind presenters to include time for questions and answers at the end of their presentations.

National Standards

Communication	Comparisons
1.3	4.2
Cultures	Communities
2.2	5.1
Connections	
3.1, 3.2	

Notes

Connections. Projects A and C also connect to curricular areas of Social Studies/History and Art.

Communities. Whenever students present or display projects they have researched and created, invite other members of the community to share in the presentations.

These might include parents and guardians, siblings or other classes.

El cuarto misterioso
Documental 3

Trabalenguas (CD 10, #24)

  Answers

Así se hace el misterio
1. Alejandro es simpático y bueno, no malo como Rafael.
2. Es difícil ser entretenido y didáctico. Hay que usar un vocabulario muy limitado.
3. Answers will vary.

Activities

Cooperative Learning
Have students read through the *Repaso* in pairs. Require students to "prove" to their partner that they have mastered the elements of the chapter by providing an example of each.

Expansion
The items listed under "I can also..." may also be used as the basis for additional projects.

Trabalenguas
Ask students to identify more words based on the root word *encapotar* (to cover, as in overcast). Challenge students to integrate these new words into an adapted *Trabalenguas*.

National Standards
Cultures
2.2

Connections
3.1

238

REPASO

Now that I have completed this chapter, I can...	Go to these pages for help:
give advice about driving in the city.	194
identify road signs.	194
tell others what to do.	198
ask for and give directions.	202
make generalizations about what's important, useful and necessary.	207, 216, 218
talk about train travel.	212, 213
talk about camping activities.	220, 221
make requests, suggestions and demands.	226

I can also...	
discuss public transportation in Buenos Aires.	197
talk about Mafalda, a famous comic-book character.	205
talk about the origins of the tango and its importance today.	210
talk about the Poetry Train, honoring Pablo Neruda.	215
comment on several National Parks in Chile.	223
talk about the beauty of Puerto Varas, Chile.	228
read a story by a renowned Argentinian writer.	231

Trabalenguas
El cielo está encapotado.
¿Quién lo desencapotará?
El desencapotador que
lo desencapote, buen
desencapotador será.

Así se hace el misterio

Después de mirar Episodios 37–43 de *El cuarto misterioso*, contesta las siguientes preguntas.

1. Compare a Alejandro con su personaje de Rafael.

2. ¿Qué dificultades existen al hacer un video para la enseñanza?

3. ¿Qué parte de hacer un video te interesa más?

Notes

Chile is the only Spanish-speaking Latin American country to boast two Nobel Prize winners in literature: Gabriela Mistral in 1945 and Pablo Neruda in 1971.

In addition to Jorge Luis Borges, other Argentine literary figures include Julio Cortázar and Manuel Puig.

Loose translation of the *Trabalenguas*:
The sky is cloudy.
Who will "uncloud" it?
The "unclouder" who "unclouds" it is certainly a good "unclouder."

Vocabulario

a punto de (partir) about (to leave) *5B*

acampar to camp *5B*

el **acelerador** gas pedal *5A*

acelerar to speed (up) *5A*

las **afueras** suburbs *5A*

ajustar to adjust *5A*

el **andén** train platform *5B*

el **arbusto** bush *5B*

el **asiento** seat *5B*

el **atasco** traffic jam *5A*

la **autopista** highway *5A*

los **binoculares** binoculars *5B*

la **bocacalle** street entrance *5A*

la **boletería** ticket office *5B*

la **brújula** compass *5B*

la **calle de doble vía** two-way street *5A*

la **calle de una sola vía** one-way street *5A*

el **callejón sin salida** blind alley *5A*

el **campamento** camp site *5B*

el **campo** countryside, field *5B*

el **casco** helmet *5B*

ceder el paso to yield *5A*

el **coche cama** sleeping car *5B*

el **coche comedor** dining car *5B*

con retraso delayed *5B*

el **cruce de peatones** pedestrian crossway *5A*

dar una caminata to take a walk *5B*

despacio slowly *5A*

disminuir to slow (down) *5A*

¿Dónde queda...? Where is...? *5A*

¿Dónde se encuentra...? Where is...? *5A*

Es increíble que... It's incredible that... *5B*

Es inútil que... It's useless that... *5B*

escalar to climb *5B*

el **espejo retrovisor** rear-view mirror *5A*

la **estación de servicio** gas station *5A*

el **estacionamiento** parking lot *5A*

estacionar to park *5A*

exceder to exceed *5A*

exigir to demand *5B*

la **fogata** camp fire *5B*

los **fósforos** matches *5B*

la **gasolina** gas *5A*

la **glorieta** rotary *5A*

el **inspector,** la **inspectora** inspector *5B*

el **kiosco** kiosk *5A*

la **licencia de conducir** driver's license *5A*

la **linterna** flashlight *5B*

llenar el tanque to fill up the gas tank *5A*

la **marcha atrás** reverse gear *5A*

más allá beyond *5A*

el **mosquito** mosquito *5B*

las **normas de tránsito** traffic rules *5A*

la **obra en construcción** construction site *5A*

la **paciencia** patience *5A*

pare stop *5A*

el **parquímetro** parking meter *5A*

partir to leave *5B*

el **peatón,** la **peatona,** pl **peatones** pedestrian *5A*

perdido,-a lost *5A*

pisar to step on *5A*

poner una multa to give a ticket *5A*

de primera (segunda) clase first (second) class *5B*

prohibido doblar no turn *5A*

prudente cautious *5A*

el **pueblo** village *5B*

puntual on time *5B*

recomendar (ie) to recommend *5B*

el **repelente de insectos** insect repellent *5B*

la **roca** rock *5B*

el **saco de dormir** sleeping bag *5B*

el **semáforo** traffic light *5A*

el **sendero** path *5B*

sugerir (ie) to suggest *5B*

la **tienda de acampar** tent *5B*

el **transbordo** transfer *5B*

el **tren local** local train *5B*

el **tren rápido** express train *5B*

vacío,-a empty *5A*

el **vagón** car train *5B*

el **valle** valley *5B*

la **velocidad** speed *5A*

la **ventanilla** window *5B*

el **viajero,** la **viajera** traveler *5B*

la **zona verde** green space *5A*

El campamento.

La linterna.

Assessment
Test Booklet
Quizzes
ExamView
Assessment Suite

◆ Activities

Critical Thinking

Have students organize the vocabulary into two groups: *la ciudad y el campo.* If there are words or phrases that do not belong to either category, or that belong to both categories, have students explain why.

Pronunciation

In order to reinforce correct pronunciation of new vocabulary, have students read the words and phrases aloud and critically listen to their peers. If there are words that students are struggling with, model the correct pronunciation and have them repeat.

National Standards

Connections
3.1

Notes

Remind students that the words and expressions listed here are provided for easy reference and comprise all the vocabulary they must know from *Capítulo 5.* Students should review the *Vocabulario* in preparation for the chapter test.

Connections with Parents

Involve parents and guardians in their children's school lives by sending home a brief questionnaire to parents/guardians to find out whether they are Hispanic, speak Spanish and/or use Spanish on the job. Invite these parents/guardians to give a talk to the class or to assist with different activities in the classroom.

Answers

El cuarto misterioso

1. Es José.
2. Answers will vary.
3. Answers will vary.
4. Answers will vary.

CAPÍTULO 6

De viaje

El cuarto misterioso

Contesta las siguientes preguntas sobre esta escena del *Documental 3–Alejandro Manzano (Rafael)*.

1. ¿Reconoces a este actor?
2. ¿Qué te gustaría preguntarle a Roberto Ladd?
3. ¿Cómo es la relación entre Roberto y Alejandro?
4. ¿Qué personaje de *El cuarto misterioso* te gustaría interpretar?

DVD 5. Episodios 44–49. Alejandro habla con el actor Roberto Ladd.

240 *doscientos cuarenta*

Objetivos

state wishes and preferences

make weather predictions

talk about events that will take place in the future

express doubt or certainty about certain facts

Notes

Communicative objectives are provided on pages 240–241 to prepare students for the chapter they are about to study. A list of these functions appears on page 284 so students can evaluate their progress.

National Standards

Communication
1.1

Connections
3.1

make lodging
arrangements

describe a visit to a
national park

express emotions,
likes and dislikes

make requests in a
polite manner

make travel plans

www.emcp.com
I-CULTURE
Authentic Connections to the World

Panamá
Nombre oficial: República de
Panamá
Población: 3.200.000
Capital: Ciudad de Panamá
Ciudades importantes: San
Miguelito, Colón, David
Unidad monetaria: el balboa
Fiesta nacional: 3 de noviembre
Gente famosa: Rubén Blades
(cantante, actor)

Costa Rica
Nombre oficial: República de Costa
Rica
Población: 4.000.000
Capital: San José
Ciudades importantes: Alajuela,
Cartago, Puerto Limón
Unidad monetaria: el colón
Fiesta nacional: 15 de septiembre
Gente famosa: Ana Brown-Hernández
(escritora)

Activities

Prior Knowledge
Take a few minutes to let students
reflect on the chapter objectives.
Ask students: *¿Qué pasó la última vez
que estuviste en un aeropuerto?; ¿Crees
que va a llover este fin de semana?;
¿Adónde viajarás cuando seas
mayor?;¿Qué dudas que va a pasar
hoy?; ¿Qué amenidades debe tener en
un hotel para que estés cómodo/a?;
¿A que tipo de hotel preferirías ir en
tus próximas vacaciones?; ¿Cómo
pedirías que te traigan un refresco a
la habitación de un hotel?; ¿Qué te
gustaría hacer si viajaras a un parque
nacional?; ¿Qué es lo que más te
agrada y disgusta de tu mejor amigo/a?*

National Standards
Communication
1.1

Connections
3.1

Notes
    Panama is about the size of South
Carolina. Have students share what they
know about Panama. Have them locate
Costa Rica on a map.

Challenge students to find out why Panama's
currency is called the *balboa.*

Several approaches are possible for the
objective introduction. Students can prepare
the questions for homework or during quiet
time after they finish the previous chapter
exam.

Vocabulario I
Vamos a planear un viaje
(CD 11, #1)

 Activity 1 (CD 3, #1)

 Activity 21

 Activities 1–3

 Activity 1

 Activities 1–4

Content reviewed in *Lección A*

- making travel plans
- saying when things will be done
- traveling by plane
- talking about the future
- expressing doubt and denial

 Activities

Cooperative Learning/ Prereading Activity

Introduce the chapter theme, *De viaje*, by saying to students: *Imaginen que Uds. ganaron un viaje gratis. Pueden viajar adonde quieran. Pero tienen que viajar durante este año. En grupos tienen que decidir adónde van y por qué.* Each group of students should report their decision to the class. List the places on the board and have students discuss their travel preferences.

National Standards

Communication
1.1

Connections
3.1, 3.2

Comparisons
4.1

242

Lección A ◆ Vocabulario I   🇵🇦 Panamá

Vamos a planear un viaje

Notes

Before you begin the lesson, discuss with students the preparations one would need to make before traveling abroad, such as obtaining passports and visas, making reservations, getting vaccinations and so on. Ask any students who have already traveled to other countries to share their experiences of getting ready for their trips.

Have students make a list of the cognates they find while scanning pages 242–243.

Using gestures, miming actions and paraphrasing in Spanish, define the new vocabulary words. For example: *...por adelantado, o sea, antes de ir.* If possible, bring to class Spanish-language travel brochures and hotel ads.

No haga las reservas de hotel hasta que no tenga la confirmación de los pasajes de avión.

LOS HORARIOS DE EXCURSIÓN ESTÁN SUJETOS A CAMBIOS A CAUSA DEL TIEMPO.

No le podemos devolver el dinero. No aceptamos cancelaciones a último momento sin previo aviso.

Teacher Resources

 Activity 1 (CD 11, #2)

Answers

1
1. dos semanas antes
2. pueden cambiar
3. descripciones
4. cruzan
5. aceptar
6. más barato

2
1. malentendido
2. reserva
3. previo
4. volcán
5. cheques de viajero
6. descuento

Activities

Communities
You might invite a travel agent to class to talk about the best ways to plan a trip.

Multiple Intelligences (linguistic)
As an extension to activity 2, have students write their own sentences for each of the words in the word box.

Students with Special Needs
Suggest to students that they read each sentence in activity 1 before they listen to the audio.

---

 1 En la agencia de viajes

 Escuche las siguientes oraciones. Indique qué frase o palabra completa correctamente cada oración para que su significado sea similar al de la oración que oye.

1. Los pasajes hay que pagarlos *(dos semanas antes / dos semanas después)*.
2. Los viajes en avión *(no cambian / pueden cambiar)* si hay mal tiempo.
3. El folleto ofrece *(descripciones / reservas)* interesantes sobre la excursión al Volcán Porú.
4. En la excursión, las personas *(vuelan / cruzan)* la selva tropical.
5. Para *(cancelar / aceptar)* la reserva de hotel, hay que llamar a la agencia de viajes.
6. El precio del hotel es un diez por ciento *(más barato / más caro)*.

2 De viaje

Complete las oraciones con las palabras de la caja.

cheques de viajero	descuento	malentendido
previo	reserva	volcán

1. Ana y Roberto discutieron a causa de un ___.
2. Tan pronto como supimos que no podíamos viajar, cancelamos la ___.
3. No se puede cancelar el viaje sin ___ aviso.
4. Desde el hotel podíamos observar el fuego que salía del ___.
5. Cuando una persona viaja a otro país es común que pague con ___.
6. Cuando compramos los boletos nos hicieron un 10% de ___ por ser estudiantes.

Capítulo 6   *doscientos cuarenta y tres*   **243**

Notes   Parque Nacional Portobelo, famous for its coral reefs, is approximately 100 kilometers from Ciudad de Panamá on the Caribbean coast. This park is a diver's paradise and a favorite haunt for photographers of marine life. Parque Nacional Volcán Porú, another national park in Panama, was established in 1976 around the volcano Barú, the highest peak in Panamá. It is well known for its biodiversity. Among its attractions, the park is a refuge for the quetzal, a beautiful Central American bird of striking color, as well as home to the puma and jaguar. Recently, a project to build a highway through the middle of the park is threatening to do serious environmental damage.

National Standards	
Communication 1.2	**Communities** 5.1
Cultures 2.2	
Connections 3.1	

Diálogo I
¿Tiene los pasajes? (CD 11, #3)
Activity 3 (CD 11, #4)
Activity 4 (CD 11, #5)
Activity 5 (CD 11, #6)

Answers

3 1. Hicieron la reserva el lunes pasado.
2. En la computadora dice que Rosa y Marcos no confirmaron los pasajes.
3. Tan pronto como supieron que podían viajar, llamaron a la agencia.
4. Les dijeron que hasta que no los fueran a buscar no tenían que pagarlos.
5. El agente dice que ha habido un malentendido.

4 Answers will vary.

5 1. B
2. A
3. B
4. B
5. A
6. B

Activities

Expansion

Create different scenes for *Diálogo I* for students to improvise and act out. For example: *Rosa y Marcos sí habían confirmado los pasajes; Rosa y Marcos están en la agencia de viajes incorrecta; Rosa y Marcos habían pagado los boletos; Rosa ya no quiere ir en el viaje; El agente de repente se enferma y tiene que salir; Marcos recibe una llamada en su teléfono celular—hay una emergencia.*

National Standards

Communication
1.1, 1.2, 1.3

Connections
3.1

Diálogo I   ¿Tiene los pasajes?

ROSA: Venimos a buscar los pasajes para Panamá.
AGENTE: ¿Cuándo hicieron la reserva?
MARCOS: El lunes pasado...
AGENTE: Permítanme mirar la información en la computadora.

ROSA: ¿Tiene los pasajes?
AGENTE: No, aquí dice que Ud. no los confirmaron.
MARCOS: Claro que los confirmamos. Tan pronto como supimos que podíamos viajar, llamamos a la agencia para hacer la confirmación.

AGENTE: ¿Y pagaron los boletos?
ROSA: No, nos dijeron que hasta que no pasáramos a buscarlos no teníamos que pagarlos.
AGENTE: Creo que ha habido un malentendido... Pero no se preocupen, podemos hacer una nueva reserva.

 ¿Qué recuerda Ud.?

1. ¿Cuándo hicieron la reserva Rosa y Marcos?
2. ¿Qué información da la computadora sobre los pasajes?
3. ¿Qué hicieron Marcos y Rosa tan pronto como supieron que podían viajar?
4. ¿Cuándo les dijeron que tenían que pagar los pasajes?
5. ¿Qué dice la agente que ha habido?

 Algo personal

1. ¿Ha planeado alguna vez un viaje? ¿Adónde?
2. ¿Ha tenido que cancelar algún viaje? ¿Cuándo?
3. Si tiene que viajar, ¿hace las reservas con una agencia de viajes?
4. ¿Ha tenido algún malentendido con alguien? Explique.

Una agencia de viajes.

 Daniel y su viaje a Panamá

Escuche la siguiente historia. Después de cada párrafo va a oír dos preguntas. Escoja la mejor respuesta para cada una.

1. **A.** gastó el dinero	**B.** confirmó su reserva
2. **A.** la reserva del hotel	**B.** la reserva del carro
3. **A.** con dinero	**B.** con cheques de viajero
4. **A.** atravesar la selva	**B.** atravesar la ciudad
5. **A.** con anticipación	**B.** el día del viaje
6. **A.** si no leía el detalle del viaje	**B.** si cancelaba sin previo aviso

---

Notes

Ask students to look closely at the photos and to quickly identify the items in Spanish.

Have groups of three students take turns acting out *Diálogo I*. To make the scene as authentic as possible, ask the class to bring in travel agency props and posters, and to help you transform a corner of the classroom into a travel agency. Students might give the business a name and make and hang a sign for it.

Cultura viva I

Panamá, tres ciudades en una

En la Panamá Vieja está la Catedral de Nuestra Señora de la Asunción.

Ciudad de Panamá es un lugar fascinante. Durante los más de 500 años de historia desde su creación, han pasado por ella un mosaico de gentes que ha ido dejando su huella[1] por las distintas calles de la ciudad. Por eso, los panameños dicen que Panamá son tres ciudades en una: la Panamá Vieja, la Panamá Colonial y la Panamá Moderna.

Encontramos la Panamá Vieja a 8 kilómetros de la ciudad moderna. Allí están las ruinas de la primera ciudad de Panamá, llamada la Reina del Pacífico, que fue destruida por el pirata Henry Morgan, que la saqueó[2] y la incendió en 1671. En la Panamá Vieja se puede ver todavía la Catedral de Nuestra Señora de la Asunción, así como restos[3] del Puente del Rey y el Ayuntamiento[4].

En un paseo por las calles de la Panamá Colonial, entre pequeñas calles, edificios coloniales y casas de piedra, se puede observar la influencia de tres estilos: español, francés e italiano. El Casco Viejo es uno de los barrios más pintorescos[5] de esta zona. Otros hermosos lugares son la Catedral Metropolitana y las bóvedas[6] de la antigua cárcel española, donde hoy se encuentran galerías de arte, un teatro y hasta una discoteca.

Pero el tiempo ha pasado y Panamá, aunque conserva restos del pasado, se ha convertido en una ciudad moderna y cosmopolita, donde hay rascacielos, centros comerciales y tiendas donde se venden productos de todo el mundo. La gente del lugar recomienda ir de compras a la Avenida Central, una vía peatonal llena de tiendas, adornada con plantas y flores.

Vista de la Panamá Moderna.

¹mark ²pillaged ³remains ⁴city hall ⁵picturesque ⁶vaults

6 La historia en las calles de Panamá

Conteste las siguientes preguntas.

1. ¿Por qué dicen los panameños que Panamá es tres ciudades en una?
2. ¿Quién destruyó la Panamá Vieja y cuándo?
3. ¿Qué estilos se pueden ver en la Panamá Colonial?
4. ¿Adónde recomienda ir de compras la gente del lugar?
5. Si Ud. visitara Ciudad de Panamá, ¿a cuál de las tres zonas le gustaría más ir?

Teacher Resources

 Activity 6 (CD 11, #7)

 Activity 4

Answers

6　1. Porque hay una Panamá vieja, una Panamá colonial y una Panamá moderna.
　2. La destruyó el pirata Henry Morgan en 1671.
　3. Se pueden ver los estilos español, francés e italiano.
　4. La gente del lugar recomienda ir de compras a la Avenida Central.
　5. Answers will vary.

Activities

Connections (architecture)
Ask the class to compare architectural styles in Latin American capital cities. How does the difference in styles reflect the unique history of each country?

Spanish for Spanish Speakers
Ask Spanish speakers to research the capital city of their home country and to create *un folleto turístico* about the most attractive tourist sites, the size of the population and typical activities. Decorate the classroom with brochures of capital cities from around the Spanish-speaking world.

National Standards	
Communication 1.3	**Comparisons** 4.2
Cultures 2.1, 2.2	
Connections 3.1	

Notes

Point out to students that Ciudad de Panamá is the capital of Panama. A large percentage of the country's population lives there. Migration to the cities is a trend that can be seen all over Latin America. The rural poor travel to the capital cities in search of a better life. As a result, in many cases the capital cities become overcrowded with up to half the population of the country. Have the class compare this phenomenon with migration patterns in the U.S.

Teacher Resources

Activity 2 (CD 3, #2)
Activity 3 (CD 3, #3)

Activities 5–7

Activity 2

Activities 5–6

Activities

Expansion

To provide extra practice using adverbs, ask students to think of some alternative endings for the different grammar examples on the page. For example, *Vamos a confirmar el viaje tan pronto como obtengamos un pasaporte;* *...mis padres me den permiso...;* *...tengamos el dinero...,* etc.

Prereading Activity

Have students skim the chart of adverbs, then point out that they saw two of these *claúsulas adverbiales* in *Diálogo I* on page 244 *(tan pronto como, hasta que).* Have students find the examples in the dialog.

National Standards

Communication
1.1

Comparisons
4.1

246

Idioma

Estructura

El subjuntivo con cláusulas adverbiales

The subjunctive is used after the following conjunctions to talk about events that have not happened yet or that may not happen at all.

cuando	when
tan pronto como	as soon as
en cuanto	as soon as
hasta que	until
después de que	after
antes de que	before
para que	so that / in order that

Tan pronto como sepamos la fecha vamos a confirmar el viaje.

*Vamos a confirmar el viaje **tan pronto como** sepamos la fecha de salida.*

We're going to confirm our trip **as soon as** we know the departure date.

*Van a recibir los pasajes **cuando** los paguen.*

You will receive your tickets **when** you pay for them.

The subjunctive is not used after these conjunctions if the action refers to events in the past or habitual actions.

*Confirmamos el viaje **tan pronto como supimos** la fecha de salida.*

We confirmed the trip **as soon as we knew** the departure date.

*Recibieron los pasajes **cuando los pagaron**.*

They received their tickets **when they paid** for them.

*Generalmente confirmamos un viaje **tan pronto como sabemos** la fecha de salida.*

Generally we confirm a trip **as soon as we know** the departure date.

*Siempre reciben los pasajes **después de que los pagan**.*

They always receive their tickets **after they pay** for them.

Antes de que is the exception to the previous rule. You use the subjunctive with *antes de que* no matter what the time reference is.

*Ponte las botas **antes de que empiece** a nevar.*

Put on your boots **before** it **starts** snowing. (It hasn't started to snow yet.)

*Siempre **me pongo** las botas **antes de que empiece** a nevar.*

I always **put on** my boots **before** it **starts** snowing.

Notes The use of *de* in *antes (de) que* and *después (de) que* is optional.

You might review expressions that generally convey habitual actions: *generalmente, en general, siempre,* etc.

Práctica

Complete cada diálogo con el verbo adecuado de la caja en la forma correspondiente del subjuntivo.

acabarse	enviar	dar
regresar	estar	enterarse
poder	haber	

1. **Sara:** Miguel, ¿tú ya estás decidido a hacer el viaje?

   Miguel: No. No puedo decidirme antes de que mis padres me ___ permiso, ¿y tú?

   Sara: Sí, yo voy a hacer la reserva tan pronto como ___.

2. **Agente:** ¿Piensa Ud. planear sus vacaciones con nosotros?

   Cliente: Sí, voy a llamar cuando ___ seguro de la fecha.

   Agente: Llame pronto, antes de que ___ los pasajes con descuento.

3. **Cliente:** ¿Cuándo me van a devolver el dinero de los pasajes?

   Agente: Después de que Ud. nos ___ la nota firmada por su médico.

   Cliente: Gracias, pero no se la puedo dar hasta que él ___ de vacaciones.

4. **Cliente:** Por favor, dígame cuáles son las condiciones para que no ___ malentendidos.

   Agente: Bien, se las voy a leer para que Ud. ___.

8 Planes de viaje

Escoja uno de los verbos entre paréntesis y use la forma que corresponda del subjuntivo para completar los dos correos electrónicos que siguen.

Querido Antonio,
¡No sabes lo contenta que estoy! Finalmente mis padres han decidido ir a Bocas del Toro para las fiestas. Espero que tú *(1. poder / salir)* venir con nosotros. ¡Nos vamos a divertir muchísimo! Pídeles permiso a tus padres y contéstame en cuanto *(2. hablar / preguntar)* con ellos. Espero que te *(3. seguir / decir)* que sí. Escríbeme tan pronto como te *(4. decidir / saber)* para que nosotros *(5. estar / poder)* hacer la reserva.
Hasta pronto,
Consuelo

Querida Consuelo,
Me encantó recibir tus noticias y tu invitación. No puedo decirte nada del viaje por ahora, pero voy a volver a escribirte después de que *(6. pedir / hablar)* con mis padres. ¡Espero que me *(7. dar / decir)* permiso para ir! Ellos han ido a la casa de mis abuelos el fin de semana, pero en cuanto *(8. hacer / volver)* voy a preguntarles y tan pronto como *(9. saber / entender)* la respuesta te llamo por teléfono.
Saludos,
Antonio

Notes

Before students begin activity 7, quickly review what they have already learned about how to form the subjunctive mood.

---

7 1. den, pueda
   2. esté, se acaben
   3. envíe, regrese
   4. haya, se entere

8 1. puedas
   2. hables
   3. digan
   4. decidas
   5. podamos
   6. hable
   7. den
   8. vuelvan
   9. sepa

Activities

Expansion
You might ask students simple comprehension questions about the e-mail exchange in activity 8: *¿Por qué está contento Antonio?*; *¿Adónde van sus padres?*; *¿Qué espera Antonio que haga Consuelo?*; *¿Por qué está encantada Consuelo?*; *¿Cuándo va a volver a escribir a Antonio?*; *¿Cuándo va a hablar con sus padres?*

Pronunciation
After students have completed activity 7, you might divide the class in half to read the parts of the *Agente* and *Cliente* in a choral fashion. Listen carefully to make sure students demonstrate correct pronunciation and inflection.

National Standards

Communication
1.1

1. llega
2. tengo
3. termine
4. reciba
5. ahorre
6. empezó
7. tengo
8. gastes
9. llegaron

10 Answers will vary.

 Activities

Critical Thinking

Have students explain why they used each verb form in activities 9 and 10.

Expansion

Have students learn more about the wide variety of animals in Panama by researching the wildlife in some of Panama's parks. Encourage students to bring pictures of the animals they find.

Technology

As an extension to activity 10, ask students to check the Internet for information about Parque Natural Metropolitano.

9 **¿Cuándo lo van a hacer?**

Complete las oraciones con la forma correcta del verbo entre paréntesis. No todas las oraciones requieren el uso del subjuntivo.

MODELO Fui a comprar las maletas después de que *(confirmar)* confirmé las reservas.

1. Normalmente no viajo hasta que *(llegar)* el verano.
2. Siempre que *(tener)* vacaciones voy a visitar a mis tíos en La Chorrera.
3. Tan pronto como *(terminar)* de hacer estos ejercicios, voy a hacer la reserva.
4. Cuando *(recibir)* la confirmación voy a pagar el pasaje.
5. No voy a poder ir de viaje hasta que *(ahorrar)* el dinero que necesito.
6. Me puse las botas tan pronto como *(empezar)* a llover.
7. Cuando *(tener)* dinero siempre lo gasto en ropa.
8. Es mejor que compres el pasaje antes de que te *(gastar)* el dinero en otra cosa.
9. Llamaron a sus padres tan pronto como *(llegar)* al hotel.

Voy a visitar a mis tíos tan pronto como llegue a la capital.

10 **En Ciudad de Panamá**

Ramón y su amigo Miguel están haciendo planes para visitar Ciudad de Panamá. Haga oraciones lógicas usando palabras y expresiones de cada columna. Recuerde que a veces debe escoger entre el indicativo y el subjuntivo.

Siempre espero	cuando	llegar la confirmación del hotel
Te llamaré	hasta que	(nosotros) recibir los pasajes
Te voy a mandar un mapa	para que	(nosotros) no tener mucho dinero
Iremos al Parque Natural Metropolitano	después que	(tú) saber adónde vamos a ir
No pararemos		(nosotros) encontrar un buen hotel
Iremos de compras a la Avenida Central		
Siempre atravieso el canal		

National Standards

Cultures
2.2

Connections
3.1, 3.2

Notes   Near Ciudad de Panamá, Parque Natural Metropolitano is the closest protected tropical forest to any urban area in the Americas. It has hiking trails and more than 200 different species of birds, mammals and reptiles.

Comunicación

11 Consejos para viajeros

Ud. y su compañero/a tienen amigos que están planeando un viaje. Denles consejos para su viaje completando las oraciones que siguen con una cláusula en subjuntivo.

1. Ahorren mucho dinero para que...
2. Vayan a una agencia de viajes en cuanto...
3. Hagan muchas preguntas a su agente de viajes cuando...
4. Compren su pasaje antes de que...
5. Hagan sus reservas tan pronto como...
6. Escojan un hotel en cuanto...
7. Preparen las maletas antes de que...
8. No cancelen el viaje hasta que...

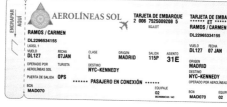

¿Qué necesitamos para el viaje?

12 ¡A viajar!

En grupos de tres, planeen un viaje a Panamá. Deben decidir lo siguiente:

- cuándo piensan viajar
- qué lugares quieren visitar
- cómo van a ir
- cuántos días piensan quedarse
- qué actividades quieren hacer
- cuánto dinero quieren gastar
- qué necesitan llevar

Hagan una lista de preguntas para el/la agente de viajes. Uno de Uds. va a ser el/la agente de viajes y los otros/as dos los clientes. Usen ejemplos con verbos en subjuntivo en cláusulas adverbiales. Representen su diálogo frente a la clase.

MODELO **A:** ¿Cuándo piensan viajar?
B: Iremos en cuanto ahorremos el dinero para los pasajes.

Capítulo 6

doscientos cuarenta y nueve **249**

Notes

Mention to students that the *balboa*, the currency used in Panama, is exactly equivalent to the U.S. dollar, unlike the currencies of other countries in the region.

Answers

11 Creative self-expression.
12 Creative self-expression.

Activities

Expansion
As a class, visit the Centers for Disease Control Web site and check travel advisories for different parts of Latin America. Have the class note special warnings and vaccinations for specific countries.

Multiple Intelligences (logical-mathematical)
Ask students to find the currencies used in different countries in Latin America. They can list them on a chart, and then find the exchange rates with the U.S. dollar. Ask students to calculate how much U.S. $10 would be in each local currency.

Spanish for Spanish Speakers
Have the Spanish speakers in class find travel advice in Spanish and divide the advisories into categories: airline warnings; medical warnings; safety warnings. Use them in class to practice travel conversations.

National Standards

Communication
1.1, 1.3

Connections
3.1

Vocabulario II
Retraso en el aeropuerto
(CD 11, #8)

Activity 4 (CD 3, #4)

Activity 22

Activities 8–9

Activity 3

Activities 7–8

Activities

Multiple Intelligences (naturalist)
Naturalists might draw illustrations of the different types of clouds and rain showers.

Multiple Intelligences (spatial)
Suggest that students illustrate and label the weather vocabulary in their notebooks.

Prereading Strategy
Draw on students' prior knowledge about flying by pointing to the pictures or transparencies and asking these questions: *¿Tienen miedo de volar?; ¿Tienen miedo si hay niebla o turbulencia?; ¿Por qué hay retrasos en el aeropuerto?*

Technology
Have students research and report weather conditions in Central America by visiting Intellicast's Web page.

National Standards
Communication
1.1, 1.3
Connections
3.1

250

Vocabulario II
Retraso en el aeropuerto

250 *doscientos cincuenta*

Lección A

Notes Review with students the vocabulary they already know related to traveling and the weather.

As a homework assignment, have students practice the new vocabulary by imagining that they have to tell someone who has never flown before the steps one takes in the airport to catch a plane. Students should write the steps with as much detail as possible. You might encourage them to illustrate each step.

Indique la letra de la foto que corresponde con lo que oye.

A

B

C

D

E

F

14 ¿Qué palabra?

Escoja la palabra o frase que completa correctamente cada oración.

1. El avión se movía mucho. Había mucha *(turbulencia / niebla)*.
2. Dudo que José y Mario *(se presenten / pierdan)* el vuelo. Ellos nunca se retrasan.
3. El ruido que hacían *(las nubes / los truenos)* era muy fuerte. No podíamos dormir en el avión.
4. Nos *(embarcaremos / asustaremos)* tan pronto como encontremos las tarjetas de embarque.
5. Todos los aviones están retrasados. El agente dice que el *(relámpago / retraso)* será de tres horas.
6. Para subir al avión, tendré que *(hacer fila / negar)* en la puerta de embarque.

En la puerta de embarque.

Notes
For further practice with the vocabulary, have students redo activity 14, rewriting the sentences to accommodate the **incorrect** word. For example: *El avión se movía lentamente. Había mucha niebla.*

Teacher Resources

 Activity 13 (CD 11, #9)

 Answers

13 1. D
2. C
3. F
4. B
5. E
6. A

14 1. turbulencia
2. pierdan
3. los truenos
4. embarcaremos
5. retraso
6. hacer fila

 Activities

Critical Listening
Have students listen to the weather forecast on Spanish radio or television. Have them take notes and share their findings with the class.

Pronunciation
Make sure students pronounce *turbulencia* correctly (especially the second /u/). Remind them to always write exactly what they say in Spanish. If they say *turbulencia* wrong, they'll spell it wrong.

Spanish for Spanish Speakers
Ask students to interview a relative about an airplane trip he or she has taken. The interview might be written in a question and answer format. Encourage students to use as much of the new vocabulary as possible.

National Standards

Communication
1.1, 1.2, 1.3

Connections
3.1, 3.2

Communities
5.1

251

Diálogo II
No creo que haya tormenta
(CD 11, #10)
Activity 15 (CD 11, #11)
Activity 16 (CD 11, #12)
Activity 17 (CD 11, #13)

p. 24

Answers

15 1. Está retrasado.
2. Dijeron que habrá un gran aguacero a la hora que sale el avión.
3. No quiere embarcarse si hay tormenta.
4. El avión saldrá cuando pare la tormenta.

16 Answers will vary.

17 1. D
2. C
3. B
4. A

Activities

Critical Thinking
Ask students how *Diálogo II* might change if there is no impending storm. In pairs, have students rewrite the dialog accordingly. Have volunteers act out their scripts for the class.

Language through Action
Call on student volunteers to play the roles of Marcos and Rosa in *Diálogo II*. Encourage students to read and act with expression.

Prereading Activity
Have students sit quietly, relax and listen to *Diálogo II* before attempting to read it.

National Standards
Communication
1.1, 1.2, 1.3
Connections
3.1

Diálogo II   No creo que haya tormenta

MARCOS: ¿Sabes cuál es nuestro número de vuelo, Rosa?
ROSA: No. Es mejor que nos fijemos en la pantalla de información.
MARCOS: Aquí está. Es el vuelo 137... pero dice que está retrasado.

ROSA: ¿Por qué estará retrasado? No creo que haya tormenta.
MARCOS: Todavía no está lloviendo, pero dijeron en las noticias que habrá un gran aguacero a la hora que sale nuestro avión.

ROSA: ¡Yo no quiero embarcarme si hay una tormenta!
MARCOS: Relájate, Rosa. No tienes que asustarte. Piensa que el avión no saldrá hasta que pare la tormenta.
ROSA: Tienes razón.

 ¿Qué recuerda Ud.?

1. ¿Qué sucede con el vuelo 137?
2. ¿Qué dijeron en las noticias?
3. ¿Qué no quiere hacer Rosa si hay tormenta?
4. ¿Cuándo saldrá el avión?

 Algo personal

1. ¿Viajó alguna vez en avión durante una tormenta? ¿Cómo fue el viaje?
2. ¿Puede relajarse mientras viaja en avión o se pone nervioso/a?
3. ¿Qué siente cuando hay turbulencias en el avión?
4. ¿Qué hace si su avión está retrasado?
5. ¿Perdió alguna vez un avión porque llegó tarde? ¿Qué hizo entonces?

 En el aeropuerto

Escuche los siguientes anuncios en un aeropuerto. Diga a qué foto corresponde cada uno.

A   **B**   **C**   **D**

Notes Before beginning the dialog, review how to say three-digit numbers in Spanish.

San Blas es un archipiélago de pequeñas islas.

San Blas, un viaje al pasado

A sólo 20 minutos en avión desde la Ciudad de Panamá, en el mar Caribe, está la tierra de los indios kuna. Es San Blas, un archipiélago de pequeñas islas, donde los habitantes todavía conservan sus costumbres antiguas. Los kuna llaman a este conjunto de islas y cayos[1] Kunayala.

Los kuna son bajitos y fornidos[2], y mientras que los hombres kuna se han adaptado un poco a los tiempos y llevan pantalones bermuda y camisetas, las mujeres kuna siguen vistiendo la ropa tradicional: una falda y una blusa, de colores vivos, decorada en el pecho y en la

espalda con la *mola*, una auténtica expresión del arte indígena. Las muñecas y los tobillos se decoran con cientos de cuentas[3] de colores y en la nariz llevan anillos de oro.

Los kuna viven de los cocos[4], que crecen en las miles de palmeras que llenan sus islas, y de la pesca, principalmente de langostas y tortugas. Poco a poco, el turismo se está convirtiendo en otro de sus medios de supervivencia, aunque todavía hay muchas islas deshabitadas[5], y otras muchas donde no hay lugares para albergar a los turistas. De hecho, en muchas de las islas todavía no hay agua corriente ni electricidad.

Las mujeres kuna siguen vistiendo la ropa tradicional.

[1]keys [2]stocky [3]beads [4]coconuts [5]uninhabited

18 **La tierra de los kuna**

Conteste las siguientes preguntas.

1. ¿Qué es San Blas? ¿Dónde está?
2. ¿Quiénes viven en San Blas?
3. ¿Cómo llaman al archipiélago los kuna?
4. ¿Cómo visten las mujeres kuna?
5. ¿De qué viven los kuna?

¡Oportunidades!

El español y los centros culturales

Antes de visitar un país de habla hispana, es una buena idea aprender un poco sobre la cultura, la geografía y la historia de ese país. Los consulados de muchos países latinoamericanos tienen centros culturales, en donde es muy fácil encontrar folletos sobre el país escritos en español. Estos centros también organizan actividades culturales en español, como charlas, lecturas y películas, a las que Ud. podría asistir para tener una oportunidad de hablar en español y aprender muchas cosas interesantes sobre estos países.

Teacher Resources

 Activity 18 (CD 11, #14)

 Activity 5 (CD 3, #5)

Activity 10

Activity 4

Answers

18 1. San Blas es un archipiélago de Panamá. Está en el mar Caribe.
2. En San Blas viven los indios kuna.
3. Los kuna llaman al archipiélago Kunayala.
4. Las mujeres kuna visten la ropa tradicional: falda y blusa decorada con la mola.
5. Los kuna viven de los cocos y de la pesca.

Activities

Multiple Intelligences (bodily-kinesthetic/spatial)
Have students make *molas* out of different-colored sheets of construction paper. Put the *molas* together to make a wall hanging.

Multiple Intelligences (logical-mathematical)
Have students research how many miles away from Panama's coast the archipiélago de San Blas lies (200 miles).

Prereading Activity
Have students scan an atlas to find archipelagos in other parts of Latin America.

National Standards	
Cultures 2.1, 2.2	**Communities** 5.1
Connections 3.1, 3.2	
Comparisons 4.2	

Notes

Molas are brightly colored, intricately designed appliquéd cloth panels. The word *mola* originally referred to an entire piece of clothing, such as a blouse or dress. Now *mola* signifies just the brightly colored panels that appear on the front and back of Kuna blouses.

Connections. To discover more about

indigenous populations in Latin America, form research groups in class. Using an atlas, have students choose a region and a particular native group from that area.

Comparisons. Discuss with students how the Kuna compare with a Native American group from your area. They can use a Venn diagram to compare and contrast.

Teacher Resources

 Activity 6 (CD 3, #6)

 Activities 11–13

 Activity 5

 GV Activities 9–10

Activities

Critical Thinking

Have students compare and contrast sentences that indicate certainty with those that express probability: *El avión sale en media hora; El avión saldrá en media hora.*

Multiple Intelligences (linguistic/spatial)

Have students copy the future-tense verb charts into their notebooks, adding any visual aids that might help them remember the forms.

Students with Special Needs

To provide further practice with the future tense of probability, ask questions such as the following: *¿Qué tiempo hará mañana?; ¿Qué servirán en la cafetería hoy?; ¿Dónde estará* (name of absent student)?

National Standards

Communication
1.1

Comparisons
4.1

Estructura

El futuro

You already know how to use *ir a* + the infinitive to talk about plans for the future.

Voy a visitar Panamá el mes próximo.   **I am going** to visit Panama next month.

The future tense is generally used to talk about a more distant time in the future than *ir a* + the infinitive. The future tense is formed by adding to the infinitive of the verb the following personal endings: *-é, -ás, -án, -emos, -éis, -án*. These endings are the same for all verbs. Don't forget to use the accent marks.

viajar	ver	ir
viajar**é**	ver**é**	ir**é**
viajar**ás**	ver**ás**	ir**ás**
viajar**á**	ver**á**	ir**á**
viajar**emos**	ver**emos**	ir**emos**
viajar**éis**	ver**éis**	ir**éis**
viajar**án**	ver**án**	ir**án**

*En las vacaciones, **iré** a Panamá.*   On my vacation **I will go** to Panama.

***Compraré** los pasajes esta semana.*   **I will buy** the tickets this week.

*Nos **quedaremos** allí por diez días.*   **We will stay** there for ten days.

Some verbs have an irregular stem in the future tense but have the same endings as regular verbs.

haber (hay): habr-	poner: pondr-
saber: sabr-	venir: vendr-
querer: querr-	tener: tendr-
hacer: har-	poder: podr-
decir: dir-	salir: saldr-

¿Cuándo llegará el avión?

*El avión **saldrá** con media hora de retraso.*   The plane **will leave** half an hour late.

*No **podremos** embarcarnos sin la tarjeta de embarque.*   We **won't be able** to board without our boarding pass.

The future tense is also used to express uncertainty or probability in the present. This is the equivalent to the English "probably" or "I wonder. . . ."

*¿Qué hora **será**?*   What time do you think it is? (I **wonder** what time it is.)

*¿Dónde **estará** mi tarjeta de embarque?*   Where could my boarding pass be? (I **wonder** where my boarding pass is.)

Notes

The future tense is rarely used in informal spoken language with simple future meaning. The present tense or *ir a* + infinitive construction is more common.

Other verbs that have an irregular stem in the future tense are: *caber (cabré), hacer (haré), valer (valdré).*

Point out that all future endings except *nosotros* have an accent.

Práctica

19 ¿Qué harán?

Para saber qué pasará, forme oraciones con el futuro de los verbos en infinitivo.

MODELO haber / algo de niebla y bastante frío
Habrá algo de niebla y bastante frío.

1. los pasajeros / presentarse en la puerta número 2
2. haber / mucha gente haciendo fila
3. ellos / perder el avión si no se dan prisa
4. nosotros / no poder embarcarnos hoy
5. el avión / moverse mucho si hay turbulencia
6. Margarita / asustarse mucho con la tormenta
7. el aguacero / ser muy fuerte
8. el avión / no salir hasta que pare la tormenta

Habrá niebla.

20 ¿Qué pasará?

Diga qué pasará en las siguientes situaciones. Complete los comentarios de los pasajeros con el futuro del verbo entre paréntesis.

1. No confirmamos la reserva. Nosotros no *(poder)* viajar.
2. Llamaron para embarcarse. Los pasajeros *(subirse)* al avión.
3. Mis amigos no están aquí. Ellos no *(querer)* volar en medio de una tormenta.
4. Estás muy cansado. Tú *(dormir)* todo el viaje aunque haya truenos.
5. Los truenos no me *(despertar),* pero si el avión se mueve, yo *(asustarse).*
6. El avión está aterrizando. Ud. *(abrocharse)* el cinturón.

21 Mini-diálogos

Con su compañero/a, completen cada diálogo con el futuro del verbo adecuado de la caja.

estar	hacer	salir
haber	ser	tomar
llover	llegar	perder
poder	terminar	conseguir

1. **A:** Mañana a esta hora nosotras ya ___ en Panamá.
   B: Sí, pero si tú no dejas de hablar no ___ hacer el equipaje y nosotras ___ el vuelo.
2. **A:** ¿Cuánto tiempo ___ el viaje?
   B: Pienso que ___ un viaje muy corto. Los chicos ___ de aquí a las cinco de la mañana y ___ a las siete.
   A: ¿Te parece que ellos ___ un taxi a esa hora?
   B: Sí, no ___ ningún problema.
3. **A:** ¿Sabes el pronóstico del tiempo para mañana?
   B: Sí, ___.
   A: No, dicen que ___ de llover esta noche y que mañana ___ buen tiempo.

Notes

To provide extra practice with the future tense, ask students to write an original sentence in the future using each of the verbs listed in the box in activity 21.

You might point out that students read an example of wonderment with the future tense in *Diálogo II*, on page 252. Have them locate this sentence: *¿Por qué estará retrasado?*

Answers

19
1. Los pasajeros se presentarán en la puerta número 2.
2. Habrá mucha gente haciendo fila.
3. Ellos perderán el avión si no se dan prisa.
4. Nosotros no podremos embarcarnos hoy.
5. El avión se moverá mucho si hay turbulencia.
6. Margarita se asustará mucho con la tormenta.
7. El aguacero será muy fuerte.
8. El avión no saldrá hasta que pare la tormenta.

20
1. podremos
2. se subirán
3. querrán
4. dormirás
5. despertarán, me asustaré
6. se abrochará

21
1. estaremos, podrás/ podremos, perderemos
2. tomará, será, saldrán, llegarán, conseguirán, habrá
3. lloverá, terminará, hará

 ## Activities

Prereading Strategy
Before students begin the activities, you might have them practice the future tense by asking them questions such as: *¿Cuándo verán la nueva película (nombre)?*

National Standards

Communication
1.1

Connections
3.1

Answers

22 Creative self-expression. Answers will vary, but they should show adequate use of the future tense and the future of probability.
23 Creative self-expression.

Activities

Spanish for Spanish Speakers
Have students research a similar weather chart and create a weather report for their country of origin.

Students with Special Needs
Make sure students understand the visuals and data on the weather chart before you assign activity 23.

22 **¿Dónde estarán?**

 Ud. y su compañero/a tienen amigos que están de viaje. Usando el futuro de probabilidad, háganse preguntas sobre sus amigos y el viaje que están haciendo. Traten de hacer dos o tres preguntas para cada situación.

> **MODELO** el tiempo que hace en el lugar donde ellos están
> ¿Qué tiempo hará? ¿Hará frío?

1. el lugar donde están
2. si les gusta ese lugar o no
3. el tiempo que hace, si tienen la ropa adecuada
4. las actividades que están haciendo
5. el dinero que gastan
6. las personas con quienes están
7. cómo lo pasan, si se divierten o no
8. si tienen problemas

¿Qué tiempo hará?

🤟 Comunicación

23 **¿Qué tiempo hará?**

 En un periódico en español, busque el pronóstico del tiempo y lea con su compañero/a qué tiempo anuncian para el fin de semana. Con los datos que encuentren, describan en un párrafo qué tiempo hará el sábado y el domingo. No dejen de incluir si habrá niebla, humedad, tormentas, lluvia o sol, y sugieran algunas actividades apropiadas según el tiempo. Luego, lean su pronóstico a la clase.

EL TIEMPO

OTRAS CIUDADES
BOCAS DEL TORO
Temp. 29°
máx. 30 / mín. 23
Parcialmente nublado

DAVID
Temp. 29°
máx. 28 / mín. 23
Parcialmente nublado

SANTIAGO
Temp. 30°
máx. 30 / mín. 21
Parcialmente despejado

Ciudad de Panamá
Parcialmente nublado
Temp. 27°
máx. 28 / mín. 23

Humedad:	84%
Viento:	N/14° Km/h
Salida del sol:	6:08
Puesta del sol:	17:54

weather.com/español

National Standards

Communication
1.1, 1.3

Connections
3.1

Communities
5.1

256

Notes

Personalize activity 22 by having the class ask wonderment questions about a student who is absent from class: *¿Dónde estará?; ¿Qué hará?;* etc.

AP Spanish Language. If you are preparing the class for the AP Spanish Language Examination, remind students that the *Comunicación* activities are intended for spoken interaction with another individual in Spanish. Point out that students should therefore avoid simple yes or no answers without follow up and that they should try to use appropriate body language and circumlocution as needed for effectively communicating their ideas in the time allotted.

Estructura

El subjuntivo para expresar duda y negación

The subjunctive is often used to convey doubt, uncertainty, or denial. This use of the subjunctive is found after verbs such as the following.

dudar que	to doubt that
no creer que	to not believe that
no pensar que	to not think that
no estar seguro/a de que	to not be sure that
negar que	to deny that

Dudo que *el avión salga a tiempo.*
No creo que *llueva hoy.*
No estoy segura de que *podamos embarcarnos.*

I doubt the plane will leave on time.
I don't believe it will rain today.
I am not sure we will be able to board.

Note that the subjunctive is not required after expressions of certainty such as *pensar que, creer que,* and *estar seguro/a de que.* Neither is the subjunctive used after the impersonal expressions *es verdad que, es cierto que,* and *es evidente que,* since these expressions confirm information and certainty, and they do not express subjective opinions.

Creo que *el avión saldrá a tiempo.*
Pienso que *hará buen tiempo en Panamá.*
Estoy seguro de que *llegaremos a tiempo.*

I believe the plane will leave on time.
I think the weather will be good in Panama.
I am sure we will arrive on time.

The subjunctive is however needed after the following expressions of uncertainty or possibility to express events that have not yet occurred and that may never occur.

tal vez: **Tal vez** *vaya en autobús.*
quizá(s): **Quizá** *tome mucho tiempo.*
ojalá: **Ojalá** *que no cueste mucho dinero.*

I might travel by bus.
It might take a long time.
I hope it doesn't cost much.

 ## Práctica

24 ¿De qué dudan?

Complete los comentarios siguientes con la forma apropiada del subjuntivo del verbo entre paréntesis.

1. Dudo que *(hacer)* mal tiempo mañana.
2. No pienso que *(haber)* mucha gente en el aeropuerto.
3. No creen que el avión *(llegar)* con retraso.
4. No estoy seguro de que ése *(ser)* el número del vuelo.
5. Duda que sus amigos *(tener)* vacaciones ahora.
6. No cree que ellos *(poder)* viajar este mes.

Teacher Resources

 Activity 7 (CD 3, #7)

 Activities 14–15

 Activity 6

 Activity 11

 ### Answers

24
1. haga
2. haya
3. llegue
4. sea
5. tengan
6. puedan

 ### Activities

Critical Listening

You might practice the subjunctive with doubt and certainty by organizing a dictation. Tell students to write what they hear you say:

1. *Dudo que haga mal tiempo mañana.*
2. *Creo que hace mucho sol.*
3. *No crees que llueva, ¿verdad?*
4. *Pienso que todo va a salir muy bien.*

Expansion

Have students use the expressions of doubt, uncertainty and denial to play a chain game. Students, one after the other, give an example of the subjunctive after a certain verb or expression. For example: S. 1: *No creo que venga.* S. 2: *No creo que salga.* S. 3: *No creo que pueda.*

National Standards

Communication
1.2, 1.3

Comparisons
4.1

Notes
    Before you begin *Estructura,* you might quickly review the uses of the subjunctive that students have learned thus far.

Have students tell what they might do or hope to do this weekend using *tal vez, quizá(s)* or *ojalá.*

Answers

25 1. lloverá
   1A. lloverá
   1B. llueva
   2. parará
   2A. pare
   2B. parará
   3. Estará
   3A. está/estará
   3B. esté
   4. caerá
   4A. caiga
   4B. caiga

26 1. quieras
   2. tengas
   3. gusta
   4. haga
   5. salga
   6. pasemos
   7. pueda
   8. estás
   9. eres
   10. estás
   11. te sientas
   12. vaya
   13. pienses
   14. podamos
   15. cuentes
   16. haga
   17. vayamos
   18. pasemos
   19. hagamos

Activities

Expansion

After students complete activity 25, ask them to write one more set of statements about the weather that follows the pattern of the statements in questions 1–4.

National Standards

Communication
1.1, 1.3

Connections
3.1

 25 **¡Ojalá que no llueva!**

Un grupo de personas está escuchando el pronóstico del tiempo. La primera oración de cada serie es el pronóstico que escuchan. Las oraciones siguientes son las reacciones que expresan. Complete las oraciones con la forma apropiada del subjuntivo o del indicativo de los verbos de la caja. Cada verbo aparece más de una vez.

caer	llover	parar	estar

1. Mañana ___ todo el día.
  A: Estoy seguro/a de que ___.
  B: Yo no pienso que ___.
2. Hoy por la tarde ___ de llover.
  A: ¡Ojalá que ___!
  B: Yo creo que ___.
3. ___ nublado por la mañana temprano.
  A: Es cierto que ___ nublado.
  B: Yo no creo que ___ nublado.
4. Es evidente que ___ un aguacero en cualquier momento.
  A: Yo dudo que ___ un aguacero.
  B: Ojalá que no ___ un aguacero.

¿Cuál será el pronóstico para mañana?

26 **No creo que vengas**

Con su compañero/a, decida cuál es la forma que corresponde — subjuntivo o indicativo — del verbo entre paréntesis para completar los dos correos electrónicos que siguen.

E-Mail
Archivo Ver Mensajes Ayuda
A...   Graciela
Cc...
Asunto: ¡Hola!

Querida Graciela,
Dudo que tú (1. querer) venir a pasar tus vacaciones aquí. No estoy segura de que (2. tener) tiempo ni ganas de verme. No niego que me (3. gustar) la playa y la de aquí es muy bonita. Pero no creo que (4. hacer) buen tiempo el mes próximo. Tal vez (5. salir) el sol en algún momento, pero lo dudo. Si decides visitarme, no pienso que nosotras lo (6. pasar) muy bien. Si quieres venir, escríbeme, pero no creo que (7. poder) ir a buscarte al aeropuerto.
Saludos, Amalia

E-Mail
Archivo Ver Mensajes Ayuda
A...   Amalia
Cc...
Asunto: ¡Hola!

Querida Amalia,
Es evidente que no (8. estar) muy contenta. Es verdad que tú no (9. ser) muy divertida, pero pienso que ahora no lo (10. estar) pasando muy bien. Ojalá tú (11. sentirse) mejor cuando yo (12. ir), porque yo quiero ir a pasar las vacaciones contigo aunque tú (13. pensar) que yo no debo ir. Espero que nosotras (14. poder) hablar y que tú me (15. contar) qué te pasa. Ojalá que (16. hacer) muy buen tiempo. Quiero que nosotras (17. ir) a la playa todos los días. Espero que lo (18. pasar) muy bien y que (19. hacer) muchas cosas juntas.
Hasta pronto, Graciela

Notes

Before you begin the page, ask students questions about the weather, using the subjunctive: *¿Qué tiempo hará mañana?*; *¿Tal vez haya niebla?*; *¿Crees que haga buen tiempo?*

Point out to students that Amalia (activity 26) is an *aguafiestas,* or "party pooper." Ask students: *¿Tienes un(a) amigo/a como Amalia?*; ¿Es difícil a veces salir con él/ella?; ¿Por qué?*

Ask Spanish-speaking students to rewrite Amalia's e-mail letter in a more upbeat and positive way.

27 Opiniones diferentes

Con su compañero/a, expresen opiniones diferentes sobre las siguientes situaciones usando el futuro y el subjuntivo con expresiones de duda.

MODELO El cielo está nublado y oyen truenos. (llover)

    A: ¿Lloverá?

    B: No creo que llueva.

1. En una tienda del centro ven una camiseta que les gusta mucho. (costar)
2. Su profesora le hace una pregunta a una de sus compañeras que parece muy nerviosa. (saber)
3. Tienen una cita con un amigo a las tres, pero se olvidaron el reloj. (ser)
4. Están en el teatro y la obra es muy larga y aburrida. (terminar)
5. Se levantan para ir a la escuela. Cuando miran por la ventana ven que hay mucha nieve en las calles. (haber)

Comunicación

28 Predicciones

Ahora tiene la oportunidad de predecir el futuro de algunos de sus compañeros/as de clase. Escoja a tres compañeros/as y escriba cuatro oraciones sobre lo que el futuro les traerá. Puede predecir acerca de sus estudios, su trabajo, sus viajes, sus relaciones con amigos o familiares, etc. Recuerde que debe usar el tiempo futuro y el subjuntivo con expresiones de duda.

MODELO Viajarás por todo el mundo.
    Dudo que ganes todos los partidos.

¿Qué pasará?

29 ¿Está Ud. seguro/a?

Haga una lista de tres cosas que está seguro/a que pasarán, tres cosas que duda que pasen, tres cosas que tal vez pasen y una que espera que pase. Puede pensar en sus vacaciones, en la escuela, en la clase de español, en su familia o en su comunidad. Lea su lista en un grupo de tres o cuatro estudiantes. Comparen sus listas y decidan en qué se parecen y en qué se diferencian.

MODELO mis vacaciones
    Estoy seguro que tendré vacaciones.
    Dudo que pueda ir a Panamá.
    Tal vez vaya a la playa.
    ¡Ojalá Javier pueda venir conmigo!

Estrategia

Using graphic organizers
Use simple charts or tables to organize your thoughts before giving a presentation.

Capítulo 6   *doscientos cincuenta y nueve* **259**

Notes

Communities. To practice the future and subjunctive forms, ask students to predict how the Hispanic population will vote on key issues in the country or their community. They should first identify what the key issues are and then, if possible, interview community members to obtain the needed information.

Teacher Resources

 Activity 27 (CD 11, #15)

Answers

27 Answers will vary.
    Possible answers:

1. ¿Costará mucho? No creo que cueste mucho.
2. ¿Sabrá la respuesta? No creo que sepa la respuesta.
3. ¿Serán las tres? No creo que sean las tres.
4. ¿Terminará pronto? No creo que termine pronto.
5. ¿Habrá clases hoy? No creo que haya clases hoy.

28 Creative self-expression.

29 Creative self-expression.

Activities

Cooperative Learning
In small groups, have students predict the future of their favorite sports teams by using expressions of doubt or certainty: *Dudo que los Mets vayan a perder este año.*

Expansion
Ask students to respond to their classmates' predictions in activity 28, using statements of certainty or doubt.

National Standards
Communication 1.1
Communities 5.1

Teacher Resources

Lectura cultural
La historia del Canal de Panamá (CD 11, #16)
Activity 30 (CD 11, #17)
Activity 31 (CD 11, #18)

◆ Answers

30 1. Porque se quería unir el océano Atlántico con el Pacífico.
2. Empezó con la creación del Departamento del Istmo.
3. Se encargó a Ferdinand de Lesseps. Era famoso porque había construido el Canal de Suez.
4. El *Ancon* tardó diez horas en cruzar el canal.

31 Answers will vary.

◆ Activities

Connections (art)

After viewing the murals that depict the construction of the Panama Canal, done by artist William B. Van Ingen, ask students to write an account of the construction of this site. To view the murals, visit the official Panama Canal Web site.

Multiple Intelligences (logical-mathematical)

Using a map, have students calculate the miles a ship saves by using the Panama Canal to get from New York to San Francisco instead of going around South America. They may also want to calculate the time saved.

National Standards
Communication 1.3
Connections 3.1, 3.2
Comparisons 4.2

260

Lectura cultural

La historia del Canal de Panamá

Desde que en 1501 los exploradores españoles Rodrigo de Bastidas y Vasco Núñez de Balboa, acompañados por el cartógrafo[1] Juan de la Cosa, llegaron al Istmo[2] de Panamá, se había estado buscando una manera de unir el océano Atlántico con el Pacífico.

El Canal de Panamá une los océanos Atlántico y Pacífico.

Pero la verdadera historia del canal no comenzó hasta 1821, con la creación del Departamento del Istmo, una provincia que pertenecía entonces a la Gran República de Colombia. En 1878, el gobierno colombiano autorizó a Francia la construcción del canal. Las obras las comenzó el ingeniero Ferdinand de Lesseps, que había creado con gran éxito el Canal de Suez. Lesseps contrató trabajadores de África, Asia y Latinoamérica y empezó las excavaciones, en un terreno lleno de montañas y zonas pantanosas[3]. Pero después de casi siete años de trabajo, debido a[4] los altos costos, a la contratación[5] continua de trabajadores (más de 18.000 trabajadores murieron, a causa de enfermedades y accidentes) y a la dificultad del trabajo, la compañía de Lesseps se declaró en quiebra[6].

En 1903, el Departamento del Istmo, con el apoyo[7] de Estados Unidos, consiguió su independencia de Colombia: así nació Panamá. Estados Unidos conservó los derechos[8] sobre la zona de tierra de construcción del canal.

El primer barco que cruzó el Canal de Panamá fue el *Ancon,* que tardó diez horas en llegar de la *Bahía Limón, en el Atlántico,* hasta la *Bahía de Panamá, en el Pacífico,* el 15 de agosto de 1914. Desde entonces, más de medio millón de barcos han cruzado el canal. Hoy día se calcula que por él pasan 10.000 barcos al año.

Diagrama del Canal de Panamá.

[1]cartographer [2]isthmus [3]swampy [4]due to [5]hiring [6]declared bankruptcy [7]support [8]rights

 ¿Qué recuerda?

1. ¿Por qué se quería construir un canal en el istmo?
2. ¿Cuándo empezó la verdadera historia del canal?
3. ¿A quién se encargó por primera vez la construcción del canal? ¿Por qué era famoso este ingeniero?
4. ¿Cuánto tardó el *Ancon* en cruzar el canal?

 Algo personal

1. ¿Hay un canal cerca de donde Ud. vive? Si es así, ¿cómo se llama?
2. ¿Le gustaría visitar el Canal de Panamá? ¿Por qué sí o por qué no?

 Notes

The *Lectura cultural* makes a curricular connection to history.

Mention to students that the Panama Canal was built and operated by the United States until the signing of the Panama Canal Treaty (Torrijos-Carter Treaty) on September 7, 1977. It was not given over to the Republic of Panama, however, until December 31, 1999.

The agreement between the United States and Panama states that the canal will remain open, safe and neutral to all ships of all countries. Ask students why it might have taken the United States so long to hand the Canal over to the Panamanian people.

¿Qué aprendí?

Autoevaluación

Como repaso y autoevaluación, responda lo siguiente:

1. Mencione tres actividades que un turista puede hacer en Panamá.

2. Dé dos razones para visitar una agencia de viajes.

3. Forme dos oraciones en subjuntivo con las conjunciones *tan pronto como* y *aunque*.

4. Mencione cuatro condiciones que indican mal tiempo.

5. Explique dos usos del tiempo futuro. Dé un ejemplo para cada uno.

6. Complete cada una de las siguientes oraciones: *Dudo que… Estoy segura que… Tal vez…*

7. ¿Qué océanos une el Canal de Panamá?

Palabras y expresiones

How many of these words and expressions do you recognize?

En la agencia de viajes
la cancelación
el cheque de viajero
la confirmación
el descuento
el detalle
la excursión
la reserva

En el aeropuerto
el retraso
retrasado,-a
la tarjeta de embarque
la turbulencia

El tiempo
la niebla
la nube
el relámpago
el trueno
el aguacero

Verbos
asustarse
atravesar(ie)
cancelar
confirmar
embarcar
gastar
mover(se) (ue)
negar(ie)
observar
perder(ie)
planear
presentarse
relajarse

Otras expresiones
a último momento
hacer fila
hasta que
el malentendido
por adelantado
sin previo aviso
sujeto a cambio
tan pronto como
el volcán

El Canal de Panamá.

Capítulo 6

doscientos sesenta y uno **261**

Notes
Have students make crossword or word search puzzles out of the vocabulary words for other students to complete.

Students should visit the Internet Resource Center at www.emcp.com to complete this activity online and check answers.

Teacher Resources

 p. 109

Answers

Autoevaluación
Possible answers:
1. Bucear en el Parque Nacional Portobelo. Visitar el volcán Porú. Atravesar la selva.
2. Hacer una reserva de hotel. Pagar los pasajes.
3. Pagaré los pasajes tan pronto como reciba el dinero. Iremos al parque aunque llueva.
4. Relámpagos, nubes, niebla, truenos.
5. Hablar de planes para el futuro: La semana próxima viajaré a Costa Rica. Referirse al presente sin estar seguro/a de algo: ¿Qué hora será?
6. Dudo que lleguemos a tiempo. Estoy segura que vamos a tener buen tiempo. Tal vez atravesemos la selva.
7. El océano Atlántico y el océano Pacífico.

Activities

Multiple Intelligences (linguistic)
Ask students to write all the words that carry accents. Then they should study the words to see what ending three of them have in common (they end in *-ión*).

National Standards

Connections
3.1

261

Vocabulario I
¿Dónde nos alojamos?
(CD 12, #1)

 Activity 1 (CD 3, #8)

 Activity 23

 Activities 1–3

 Activity 1

 Activities 1–3

 p. 26

Content reviewed in *Lección B*
- hotel services
- talking about probable or desired events
- visiting a national park
- expressing emotions

 Activities

Expansion

Use overhead transparency 23 to introduce the new words and expressions in *Vocabulario I*. Point to the words and expressions as you say them. You might help students understand the verb *alojarse* by using it in context: *Estamos de viaje. Es de noche y casi es la hora de dormir. ¿Adónde vamos a alojarnos? ¿Nos alojamos en un hotel?*

National Standards

Communication
1.1

Connections
3.1

Comparisons
4.1

262

 Vocabulario I

 Costa Rica

¿Dónde nos alojamos?

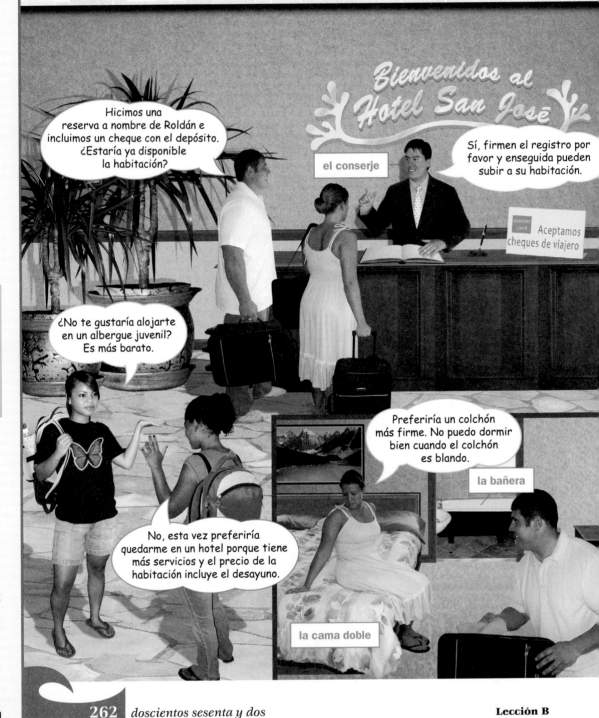

262 *doscientos sesenta y dos*   **Lección B**

Notes Point out that a female concierge is *la conserje*. You might also explain that *un(a) conserje* is a hotel worker who arranges transportation, tours and other services.

You might also want to make sure all students understand that *un cheque de viajero* is a check for a fixed amount that may be cashed on signature. Ask students why

people take traveler's checks when they travel.

You might point out that Costa Rica is one of the oldest democracies in America. The country is often described as an oasis of peace. It is the only country in Latin America that does not have an army.

¿Qué servicios tiene el hotel?

Tiene lavandería, cancha de tenis y piscina.

la cama sencilla

La habitación da a las montañas de San José.

1 En el hotel

Indique la letra de la foto que corresponde con lo que oye.

A

B

C

D

E

F

2 ¿Cuál es la definición?

Indique a qué palabra se refiere cada definición. Luego, escriba un párrafo en el que use por lo menos tres de estas palabras.

1. Cuando algo está libre para usarse.
2. Dinero que se da por adelantado al hacer una reserva.
3. Formar parte de otra cosa.
4. Libro donde se escriben los datos de una persona que llega a un hotel.
5. Cuando algo no es duro.
6. Servicio ofrecido en los hoteles en donde se lava la ropa.

A. el registro
B. lavandería
C. disponible
D. blando
E. el depósito
F. incluir

Capítulo 6 *doscientos sesenta y tres* **263**

Notes

Have students use other vocabulary they know in brainstorming a list of other services a hotel might offer: *golf, un gimnasio, una discoteca, una tienda de recuerdos, un restaurante, un bar, la Red, salas para conferencias, el fax, un autobús,* and so on.

Related words students may wish to know include: *el portero* (doorman), *el carrito de maletas* (luggage cart), *el huésped* (guest), *la máquina de hielo* (ice machine), *el servicio de estacionamiento* (valet parking).

Remind students of the other meaning of *sencilla* (simple).

Teacher Resources

Activity 1 (CD 12, #2)

Answers

1
1. D
2. C
3. F
4. E
5. B
6. A

2
1. C
2. E
3. F
4. A
5. D
6. B

Answers will vary.

Activities

Cooperative Learning

Pair students and have them ask each other whether they have stayed in a hotel, motel or youth hostel. Have students describe their experiences. The listener should take notes and be prepared to report to the class.

Prereading Strategy

Before you go over the new words on the page, draw on students' prior knowledge by asking them to think about a hotel or motel with which they are familiar. Ask: *¿Dónde hay un hotel o motel por aquí?; ¿En qué calle queda?; ¿Qué servicios crees que tiene el hotel/ motel?; ¿Tiene piscina? ¿golf?*

National Standards

Communication
1.1, 1.2, 1.3

Connections
3.1

Diálogo I
En el albergue juvenil
(CD 12, #3)
Activity 3 (CD 12, #4)
Activity 4 (CD 12, #5)
Activity 5 (CD 12, #6)

◆ Answers

3 1. Le pregunta si tendría una habitación disponible para esa noche.
2. No hay habitaciones sencillas porque es un albergue juvenil.
3. El albergue tiene servicio de lavandería y cafetería.
4. Compartiría la habitación con cinco muchachas de Nicaragua.
5. La habitación daría al jardín.

4 Answers will vary.

5 For Alicia: hotel, familia, servicio de lavandería y canchas de tenis, habitación individual con colchón blando, una que diera al mar
For David: albergue juvenil, amigos, cafetería, habitación doble con cama dura, una que diera a las montañas

◆ Activities

Expansion
Have students summarize *Diálogo I* by having them describe an *albergue juvenil.*

Prereading Strategy
Draw on students' background knowledge by asking them what questions someone might ask before they check into a youth hostel or hotel for the night.

National Standards
Communication
1.2, 1.3
Connections
3.1

◆ Diálogo I   En el albergue juvenil

ANA: ¿Tendría una habitación disponible para esta noche?
CONSERJE: Habría una cama disponible en una habitación para seis personas.
ANA: ¿No tiene habitaciones sencillas?
CONSERJE: No, éste es un albergue juvenil.

ANA: ¿Y qué servicios tiene el albergue?
CONSERJE: Tiene servicio de lavandería y cafetería.
ANA: ¿Cuánto costaría la noche?
CONSERJE: Costaría 3.300 colones.
ANA: ¿Incluiría el desayuno?
CONSERJE: Por supuesto que no.

ANA: ¿Y con quién compartiría la habitación?
CONSERJE: Con otras cinco muchachas de Nicaragua.
ANA: ¿Y adónde daría la habitación?
CONSERJE: La habitación daría al jardín... Señorita, ¿nunca ha estado en un albergue juvenil?

 ¿Qué recuerda Ud.?

1. ¿Qué le pregunta Ana al conserje?
2. ¿Por qué no hay habitaciones sencillas?
3. ¿Qué servicios tiene el albergue?
4. ¿Con quién compartiría Ana la habitación?
5. ¿Adónde daría la habitación?

 Algo personal

1. ¿Ha estado alguna vez en un albergue juvenil?
2. ¿Le gusta alojarse en hoteles cuando viaja?
3. ¿Qué servicios prefiere que tenga un hotel?

Estrategia
Listen to the message
Improve your listening skills by concentrating on the message being communicated rather than the individual words.

 ¿Qué prefieren?

Escuche lo que dicen Alicia y David acerca de dónde les gusta alojarse cuando viajan. Complete una tabla como la siguiente con los datos que oye.

¿Qué prefieren?	Alicia	David
Lugar donde alojarse		
Con quiénes viajar		
Servicios		
Tipo de habitación		
La habitación perfecta		

Notes You might mention to students that in 1502, Christopher Columbus became the first European explorer to encounter Costa Rica. Later, a Spaniard named Gil González Dávila gave the country its name, meaning "rich coast" because of the gold jewelry worn by the Costa Rican inhabitants. *Colones* might come from Columbus's name, Cristobal Colón.

Have students research the conversion rate of Costa Rican *colones* to the U.S. dollar. If possible, locate some Costa Rican *colones* to show the class.

Cultura viva I

El volcán Arenal

De todos los parques nacionales de Costa Rica, uno de los más visitados es el Parque Nacional Volcán Arenal, y su atracción principal es, precisamente, el volcán que le da nombre. El volcán Arenal tiene 1.657 metros de altitud y está activo desde que en 1968 se despertó de su largo letargo[1] de 400 años. En la actualidad, el Arenal tiene frecuentes erupciones[2] que provocan a diario columnas de humo, explosiones y riachuelos[3] de brillante lava roja. En junio de 2003 hubo 1.070 erupciones, ¡una media[4] de 34 por día! Pero en general, la media de erupciones es de una cada dos horas.

El volcán Arenal en erupción.

Debido a su constante actividad, este joven volcán, que se creó debido a las erupciones de un volcán vecino, el Cerro Chato (hoy extinto[5]), es uno de los más espectaculares de Costa Rica. Este hecho[6], unido a que muy cerca, en el gran lago Arenal, se produce energía hidroeléctrica para gran parte del país, hace que la zona sea un gran centro de interés para científicos de todo el mundo.

Vista del volcán Arenal.

[1]long sleep [2]eruptions [3]streams [4]average [5]extinct [6]fact

 6 ### Un volcán para el estudio

Conteste las siguientes preguntas.

1. ¿Cuándo se "despertó" el volcán Arenal?
2. ¿Qué quiere decir que el volcán está "activo"?
3. ¿Qué se puede ver cuando hay erupciones?
4. ¿Por qué la zona del volcán Arenal tiene interés científico?
5. ¿Le gustaría visitar el volcán Arenal? ¿Por qué?

Capítulo 6   *doscientos sesenta y cinco* **265**

Notes

A dormant volcano might erupt in the future. An extinct volcano, on the other hand, will not become active again.

There are four major mountain ranges in Costa Rica and all are of volcanic origin. There are over 200 identified volcanoes in the country, and more than a dozen of them are active!

Service Learning. You might have students use the Internet to research the International Red Cross, Doctors Without Borders, Oxfam or a United Nations Web site to find out whether there is a Spanish-speaking country in need of help due to a natural disaster. Students can find out how they can help, possibly by sending blankets or clothing or by raising money.

Teacher Resources

 Activity 6 (CD 12, #7)

 Activity 2 (CD 3, #9)

Activity 4

Answers

6
1. Se despertó en 1968.
2. Quiere decir que tiene erupciones.
3. Se pueden ver columnas de humo, explosiones y riachuelos de brillante lava roja.
4. Wording of answers will vary but should reflect the following idea: *Porque el volcán tiene erupciones frecuentes y porque muy cerca, en el lago Arenal, se produce mucha energía hidroeléctrica.*
5. Answers will vary.

Activities

Critical Thinking
Check students' comprehension of the article by having each student make a fact sheet about *el volcán Arenal* that includes: *nombre, lugar, metros de altitud, edad, número de erupciones al día.*

Expansion
Assign students to research and make a chart of the major volcanoes of Latin America.

National Standards	
Communication 1.2, 1.3	**Communities** 5.1
Cultures 2.2	
Connections 3.1	

265

Activities

Critical Listening
Read sentences in the future and the conditional tenses. Ask students to identify those sentences that are in the conditional tense.

Expansion
Have students quickly practice the first- and second-person forms of the conditional by playing this Chain game around the room:
S. 1: *Yo viajaría a (nombre de un país). ¿Adónde viajarías tú?*
S. 2: *Yo viajaría a (nombre de un país). ¿Adónde viajarías tú?*
S. 3: (And so on.)

Students with Special Needs
Provide three sets of cards with subjects, infinitives and conditional endings. Have students combine cards from each set to form sentences.

National Standards

Communication
1.1

Comparisons
4.1

Idioma

Estructura

El condicional

The conditional tense often indicates probability or desire and is often used where "would" might be used in English. The conditional is formed similarly to the future, taking the infinitive of the verb and adding the conditional endings: *-ía, -ías, -ía, -íamos, -íais, -ían*.

viajar	ver	ir
viajar**ía**	ver**ía**	ir**ía**
viajar**ías**	ver**ías**	ir**ías**
viajar**ía**	ver**ía**	ir**ía**
viajar**íamos**	ver**íamos**	ir**íamos**
viajar**íais**	ver**íais**	ir**íais**
viajar**ían**	ver**ían**	ir**ían**

*Yo **pediría** una habitación con baño.*　**I would ask** for a room with a bathroom.

*Nos **quedaríamos** unos diez días.*　**We would stay** approximately ten days.

***Preferiría** un colchón mas duro.*　**I would prefer** a harder mattress.

Some verbs have an irregular stem in the conditional (the same verbs that have irregular stems in the future).

haber (hay): habr-	decir: dir-	tener: tendr-
saber: sabr-	poner: pondr-	poder: podr-
querer: querr-	venir: vendr-	salir: saldr-

***Saldría** a cenar esta noche, pero estoy muy cansada.*　**I would go** out for dinner tonight, but I'm very tired.

*Yo no **pondría** mi equipaje ahí.*　**I wouldn't put** my luggage there.

Nos quedaríamos una semana.

Notes
Point out to students that they already know how to say something using the conditional: *Me gustaría ir a Costa Rica.* As a review, have each student write or tell a sentence with *me gustaría.*

Práctica

7 Soñar no cuesta nada

Laura está soñando con ir de vacaciones a Costa Rica. Para saber qué le gustaría hacer, forme oraciones con el condicional de los verbos en infinitivo.

MODELO yo / escoger un hotel de lujo
Yo escogería un hotel de lujo.

1. me gustar / ir a la playa Naranjo
2. yo pedir / una habitación doble
3. la habitación / ser muy elegante / y dar al mar
4. yo / pagar por adelantado
5. quedarme / en Limón por un mes
6. mis amigos / venir a visitarme
7. el clima / ser estupendo y siempre / haber sol
8. nosotros / ir a la playa Puntarenas / y bañarse en el mar todos los días
9. nosotros / comer mariscos todos los días
10. ¡todos nosotros / pasarlo muy bien!

Yo escogería un hotel de lujo.

8 ¿Adónde irías tú?

Un estudiante entrevista a una compañera sobre sus vacaciones ideales. Complete su conversación con la forma correspondiente del condicional de los verbos entre paréntesis

1. **A:** ¿Adónde ___ tú, al mar o a las montañas? (ir)
   B: Yo ___ ir a las montañas. Me ___ aprender a esquiar. (preferir / gustar)
2. **A:** ¿Qué tipo de hotel ___? (escoger)
   B: Yo ___ en un albergue juvenil. Los albergues son baratos y así yo ___ ahorrar un poco de dinero. (quedarse / poder)
3. **A:** ¿Con quién ___ ir tú? (querer)
   B: Me ___ ir con mis dos mejores amigas. Nosotras lo ___ muy bien. (encantar / pasar)
4. **A:** ¿Y cuánto tiempo ___ Ud. quedarse? (poder)
   B: Nosotras ___ unos diez días. (quedarse)
   A: ¿Qué actividades ___ ustedes? (hacer)
   B: Además de esquiar, nosotras ___ al tenis y ___ otros deportes. ¡___ mucho! (jugar / practicar / divertirse)

En el hotel

el botones	bellboy
la camarera	maid
el sauna	sauna
el servicio de habitación	room service
el vestíbulo	lobby

Notes

After you go over the words in *¡Extra!*, have students listen to clues and then write the word you describe. For example: *Cuando entras en un hotel, estás en... (el vestíbulo).*

Have students redo activity 8 for homework. Now they should answer each question truthfully, changing the verbs to express their preferences.

Teacher Resources

 Activity 7 (CD 12, #8)

 p. 25

Answers

7
1. Me gustaría ir a la playa Naranjo.
2. Yo pediría una habitación doble.
3. La habitación sería muy elegante y daría al mar.
4. Yo pagaría por adelantado.
5. Me quedaría en Limón por un mes.
6. Mis amigos vendrían a visitarme.
7. El clima sería estupendo y siempre habría sol.
8. Nosotros iríamos a la playa Puntarenas y nos bañaríamos en el mar todos los días.
9. Nosotros comeríamos mariscos todos los días.
10. ¡Todos nosotros lo pasaríamos muy bien!

8
1. irías, preferiría, gustaría
2. escogerías, me quedaría, podría
3. querrías, encantaría, pasaríamos
4. podrían, nos quedaríamos, harían, jugaríamos, practicaríamos, Nos divertiríamos

Activities

Multiple Intelligences (interpersonal)
After students complete activity 7, have them name at least three things they would do on vacation in Costa Rica.

National Standards
Communication 1.1, 1.2, 1.3
Connections 3.1
Comparisons 4.1

Teacher Resources

 Activities 7–8

 Activity 3

 Activity 7

 Answers

9 Creative self-expression.
10 Answers will vary, but they should show adequate use of the conditional.

 Activities

Cooperative Learning

You might turn activity 9 into a cooperative learning activity by adding a third person to each pair. This third person acts as a recorder of Student A's and Student B's answers. Later, call on the recorders to share some of the recorded responses with the class.

Critical Listening /Language through Action/TPR

Practice softening requests by making requests that can be carried out in the classroom. First model a few requests and then have students give each other requests using the conditional: (Nombre), *¿me podrías traer la tiza, por favor?*; (Nombre), *¿podrías darme una hoja de papel, por favor?*; (Nombre), *¿podrías cerrar la puerta, por favor?*, etc.

National Standards	
Communication 1.1, 1.3	**Comparisons** 4.1
Cultures 2.1	
Connections 3.1	

268

 ¡Cuántas cosas haríamos!

 Con su compañero/a, hablen de lo que harían en las siguientes situaciones. Pueden agregar otras situaciones más.

MODELO Uds. son actores conocidos.
   A: Yo viviría en Hollywood.
   B: Yo trabajaría en películas de misterio.

1. Uds. son ricos/as.
2. Uds. viven en Costa Rica.
3. Uds. tienen 21 años.
4. Uds. trabajan en un hotel.
5. Uds. son profesores de este colegio.

Comunicación

10 **Las mejores vacaciones**

Trabaje en un grupo de tres o cuatro estudiantes. Hablen acerca de sus vacaciones ideales. Tomen notas y compartan la información con otros grupos. Pueden usar las siguientes ideas o añadir otras.

 ¡Extra!

Otros lugares donde alojarse

el hostal	hostelry, inn
el hotel de lujo	luxury hotel
el motel	motel
el parador	government-sponsored inn
la pensión	boardinghouse

- lugar adonde irían
- con quién irían
- tipo de hotel que escogerían
- servicios que tendría el hotel
- tipo de habitación que les gustaría
- cuánto tiempo se quedarían
- actividades que harían

Estructura

Otros usos del condicional

In addition to expressing hypothetical situations, the conditional may be used to soften a request, that is, to ask for things very politely, using an interrogative sentence. This usage is the equivalent to "would," "could," or "should," in English. You may simply use the conditional of the verb or add the conditional of the verb *poder* (*podría*, could you?) followed by the infinitive.

Déme una habitación más grande.	Give me a bigger room.
*¿Me **daría** una habitación más grande?*	**Could you** give me a bigger room?
Tráigame un refresco.	Bring me a soda.
*¿Me **podría** traer un refresco?*	**Could you** bring me a soda?

The conditional is also used when you're not entirely sure of facts in the past. This usage corresponds to the English "must have been" or "might have been."

*Cuando salimos del aeropuerto, **serían** las tres.*	When we left the airport, **it must have been** around three o'clock.
*El hotel era viejo. **Tendría** unos 100 años.*	The hotel was old. **It might have been** 100 years old.

Notes

Review the conditional of *poder* and *dar* before teaching the *Estructura*.

Usually, a stay in a hotel in a Spanish-speaking country includes breakfast in the price. One can pay extra for *media pensión* (*el almuerzo o la cena*) or *pensión completa* (price includes *el almuerzo y la cena*). In many Spanish-speaking countries, hotels are classified by stars. A hotel of five stars is a luxury hotel, while those of one star are more modest and economical.

11 **Para ser amable**

Use el condicional en las frases siguientes para hacerlas más amables.

MODELO Ábrame la puerta.
¿Me abriría la puerta, por favor? /
¿Podría abrirme la puerta, por favor?

1. Envíeme el depósito el lunes.
2. Firme el registro.
3. Pague por adelantado.
4. Déme una habitación doble.
5. Deje la habitación a las 12.

6. Tráigame toallas limpias.
7. Dígame cuánto es.
8. Acepte este cheque.
9. Sáquenos una foto.
10. Vuelva en otro momento.

 Comunicación

12 **Hotel Arenal**

Imagine que Ud. está en Costa Rica y quiere quedarse en el Hotel Arenal. Con un(a) compañero/a, creen un diálogo entre el/la conserje y un(a) turista basado en la información del folleto. Usen el condicional.

MODELO **A:** ¿Habría habitaciones disponibles para dos personas?
B: Claro que sí. Tenemos 25 habitaciones.
A: ¿Podría tener un televisor en mi cuarto?
B: Por supuesto. Todas las habitaciones tienen televisión.

HOTEL ARENAL

Ubicación: a 2 Km del volcán Arenal
Ciudad: Fortuna

TARIFAS
Precio para dos personas en habitación doble US$ 42–115. Se aceptan tarjetas de crédito.

HABITACIONES
25 habitaciones. Suites, baño privado, agua caliente, aire acondicionado, teléfono, televisión.

SERVICIOS
Bar, cafetería, restaurante, piscina, jacuzzi, fax, internet, servicios de habitación, lavandería.

ACTIVIDADES
Alquiler de autos, bicicletas, barcos, kayaks, canoas, caminatas, equitación, pesca, bajadas en balsas.

Teléfono: (506) 555-0000

Notes

Point out to students that *bajadas en balsas* means "rafting trips." White-water rafting is a popular tourist sport in Costa Rica.

Communities. You might see if a local motel in your community would appreciate having some of its material translated into Spanish by your students.

Have students practice making room reservations by role-playing a potential guest and the concierge at the Hotel Arenal. Students call the number on the *folleto* (activity 12) and ask to reserve a room. Ask for volunteers to present their scene in front of the class. Tell the "guest" to ask at least three questions.

 Answers

11 1. ¿Me enviaría/podría enviarme el depósito el lunes?
2. ¿Firmaría/podría firmar el registro?
3. ¿Pagaría/podría pagar por adelantado?
4. ¿Me daría/podría darme una habitación doble?
5. ¿Dejaría/podría dejar la habitación a las 12?
6. ¿Me traería/podría traerme toallas limpias?
7. ¿Me diría/podría decirme cuánto es?
8. ¿Aceptaría/podría aceptar este cheque?
9. ¿Nos sacaría/podría sacarnos una foto?
10. ¿Volvería/podría volver en otro momento?

12 Creative self-expression.

Activities

Critical Listening
You might check students' understanding of the *folleto* in activity 12 by asking these questions: *¿Cómo se llama el hotel?; ¿Cuál es su teléfono?; ¿En qué ciudad queda?; ¿Cuánto cuesta una habitación doble?; ¿Se aceptan tarjetas de crédito?; ¿Cuáles son los servicios que ofrece el hotel?; ¿Qué se puede alquilar?; ¿Está cerca del volcán Arenal?*

Expansion
Ask students to make a list of polite requests to the following people: *el conserje, el botones, la camarera, el conductor del taxi.*

National Standards	
Communication 1.1, 1.2	**Communities** 5.1
Cultures 2.1	
Connections 3.1, 3.2	

269

Vocabulario II
Vamos de excursión
(CD 12, #9)

 Activity 4 (CD 3, #11)

 Activity 24

 Activities 9–11

 Activity 4

 Activity 8

 Activities

Expansion

Have students research via the Internet or the library other flora and fauna found in Costa Rica that they can add to their charts.

Multiple Intelligences (logical-mathematical)

After you go over the new words on pages 270–271, have students group the words under these headings in their notebooks: *Flora/Fauna: Mamíferos, Pájaros/Insectos.*

Prereading Strategy

You might set the scene with an advance organizer: Before introducing *Vocabulario II*, tell students that they will be taking a trip to Costa Rica where they will learn about some of the national parks and the animals that live there, as well as some of the fun activities that are available. Ask students to tell what they already know about Costa Rica.

National Standards	
Communication 1.1	**Comparisons** 4.1
Cultures 2.2	
Connections 3.1	

270

Vocabulario II
Vamos de excursión

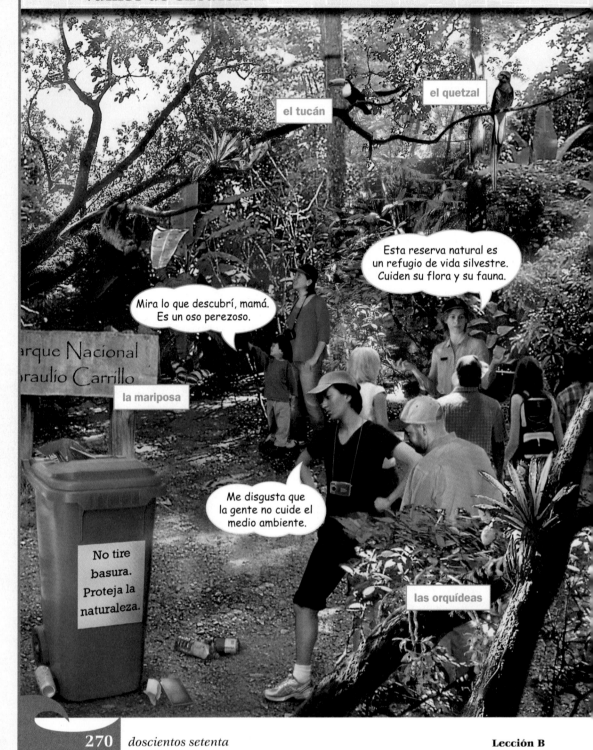

el tucán

el quetzal

Esta reserva natural es un refugio de vida silvestre. Cuiden su flora y su fauna.

Mira lo que descubrí, mamá. Es un oso perezoso.

Parque Nacional Braulio Carrillo

la mariposa

Me disgusta que la gente no cuide el medio ambiente.

No tire basura. Proteja la naturaleza.

las orquídeas

270 *doscientos setenta*

Lección B

Notes

Costa Rica is considered to have the greatest biodiversity of any country in the world. It is home to 130 species of freshwater fish, 160 species of amphibians, 208 species of mammals, 220 species of reptiles, 850 species of birds (one-tenth of the world's total), 1,200 varieties of orchids, 9,000 species of plants and 34,000 species of insects.

Point out that *disgustar* does not have the meaning of the English "to disgust." It is a false cognate, meaning "to dislike."

A feature in *Parque Nacional Braulio Carrillo* is the *Teleférico del Bosque Lluvioso*, or "rain-forest tram," which provides a way to view life in the treetops.

Me fastidia que no podamos bucear.

navegar por rápidos

el jaguar

la balsa

Me sorprende que el agua sea tan clara.

No bucear en el río

la cabalgata

Answers

13 1. E
    2. D
    3. A
    4. F
    5. B
    6. C
14 1. quetzal
    2. parque nacional
    3. rápidos
    4. balsa
    5. bucear

13 En el refugio de vida silvestre

Escuche las frases y diga a qué foto corresponde cada una.

A

B

C

D

E

F

14 En el parque nacional

Complete el siguiente diálogo con las palabras de la caja.

| balsa | bucear | rápidos |
| quetzal | parque nacional | |

Marcia: ¿Viste qué bonitos colores tiene ese (1)?
Franco: Sí, es muy bonito. Me encanta ver aves en el (2).
Marcia: A mí también. ¿Cuándo vamos a ir a navegar por los (3)?
Franco: Mañana. ¿Sabes cuántas personas van en la (4)?
Marcia: Hasta ocho personas. ¿Crees que podamos (5) en el río?

Activities

Critical Thinking
Have students ask you questions about Costa Rica, using the new words and expressions on the page. For example, students might ask: *¿Dónde se puede navegar por rápidos?; ¿Dónde vive el jaguar?*

Multiple Intelligences (interpersonal)
Have students turn to their partner and tell two things that bother them *(Me fastidia...)* and two things they dislike *(Me disgusta...)*. Volunteers can share their opinions with the class.

Multiple Intelligences (spatial)
Before you begin activity 13, have students comment on the photos in the activity: *Es gracioso el oso perezoso; la orquídea es bonita,* etc.

Capítulo 6 · · · · · · · · · · · · · · · · · *doscientos setenta y uno* **271**

Notes

After you complete activity 13, ask students to use the activity as a model and to make up their own listening scripts to read aloud based on the photos in the activity. The rest of the class writes the letter of the item being described.

One-third of Costa Rica's territory is protected in the network of national parks and reserves.

National Standards
Communication 1.1, 1.2, 1.3
Cultures 2.2
Connections 3.1

Teacher Resources

Diálogo II
¡Temo que nos perdamos en la selva! (CD 12, #11)
Activity 15 (CD 12, #12)
Activity 16 (CD 12, #13)
Activity 17 (CD 12, #14)

 Answers

15
1. La oficina del refugio de vida silvestre está al final del sendero.
2. El sendero va por la selva.
3. Teme que se pierdan en la selva.
4. Va a proteger a Ana y Débora.
5. Las mariposas le dan miedo a Leo.
6. Le fastidia que Ana exagere.

16 Answers will vary.

17
1. parque nacional
2. ciudad
3. parque nacional
4. parque nacional
5. ciudad
6. parque nacional

 Activities

Prereading Activity

Draw on students' experience with the topic of *Diálogo II* by asking them questions such as these: *¿Te has perdido?; ¿Dónde?; ¿Cómo te sentiste?; ¿De qué tenías miedo?; Describe la situación.*

Spanish for Spanish Speakers

Have students create a new ending to *Diálogo II* and write a summary that includes the new ending.

National Standards

Communication
1.1, 1.2

Connections
3.1

272

Diálogo II   ¡Temo que nos perdamos en la selva!

ANA: Leo, ¿estás seguro que sabes dónde está la oficina del refugio de vida silvestre?

LEO: Sí, está al final de este sendero.

DÉBORA: Pero este sendero va por la selva. ¡Temo que nos perdamos en la selva!

ANA: ¿No hay otra forma de llegar?

LEO: Tranquilas, muchachas. No creo que nos perdamos. Yo tengo un mapa.

DÉBORA: ¿Y si en el camino nos encontramos con un jaguar?

ANA: ¿O un oso perezoso?

LEO: No se preocupen, yo las protejo.

ANA: ¿Cómo nos vas a proteger tú, si hasta las mariposas te dan miedo?

LEO: Me fastidia que exageres, Ana.

ANA: No exagero. Es la verdad... Ya verás cómo nosotras somos las que te protegemos a ti.

 ¿Qué recuerda Ud.?

1. ¿Dónde está la oficina del refugio de vida silvestre?
2. ¿Por dónde va el sendero?
3. ¿Qué teme Débora que les pase?
4. ¿Qué va a hacer Leo si en el camino se encuentran con un jaguar?
5. ¿Qué le da miedo a Leo?
6. ¿Qué le fastidia a Leo?

¿Por dónde va el sendero?

 Algo personal

1. ¿Estuvo alguna vez en un parque nacional? ¿Dónde?
2. ¿Qué animales y plantas se pueden ver en un parque nacional?
3. ¿Se perdió alguna vez en un bosque u otro lugar de la naturaleza?
4. ¿Navegó alguna vez por rápidos o fue de cabalgata?

 ¿Qué me recomienda?

 Escuche las oraciones y diga si cada una se refiere a una situación en un parque nacional o en una ciudad.

Notes Costa Rica's rain forests house more species of birds than the U.S. and Canada combined. It also has more types of butterflies than Africa. You might discuss with the class the contributing factors in the destruction of the world's rain forests, such as cattle ranching, farming, oil drilling, mining and logging that exploit the land.

Both the quetzal and the jaguar are endangered species.

El viaje de las tortugas verdes

Tortuguero está en la costa norte del Caribe costarricense.

Cada año, durante los meses de verano (de julio a septiembre), miles de tortugas verdes llegan a Tortuguero, para poner sus huevos en esta hermosa playa costarricense.

La tortuga verde es una especie en peligro de extinción[1]. Una tortuga verde adulta puede pesar hasta 200 kilos y sus aletas[2] miden un metro de largo.

El viaje de la tortuga verde hasta Tortuguero, Costa Rica, es un fenómeno natural a la vez hermoso e interesante. El proceso comienza cuando las tortugas deben dejar sus lugares habituales porque no encuentran alimento y viajan hasta la costa. Allí se aparean[3] y, poco después, la hembra[4] llegará a la playa para preparar el nido[5].

Cuando el nido ya es bastante profundo[6], la tortuga pone los huevos en él (un promedio de 100). Luego, tapa[7] los huevos con arena y vuelve al mar.

Dos meses después, los huevos se abren y las tortuguitas salen del nido. Esperan hasta la noche para cruzar la playa y llegar al mar.

La tortuga verde es una especie de tortuga marina.

[1]endangered [2]fins [3]mate [4]female [5]nest [6]deep [7]covers

18 La playa de las tortugas

Conteste las siguientes preguntas.

1. ¿Cuándo llegan las tortugas a Tortuguero?
2. ¿Por qué comienzan su viaje las tortugas?
3. ¿Qué hace la hembra después de aparearse?
4. ¿Qué hace la hembra después de poner los huevos?
5. ¿Cuánto tiempo tardan las tortuguitas en salir del huevo?

Teacher Resources

 Activity 18 (CD 12, #15)

✓ **Activity 5**

◆ Answers

18 1. Llegan en los meses de verano (de julio a septiembre).
2. Porque no encuentran su alimento donde viven.
3. Va a la playa para preparar el nido.
4. Tapa los huevos con arena y vuelve al mar.
5. Las tortuguitas tardan dos meses en salir del huevo.

◆ Activities

Critical Listening
Here is a way to check for comprehension without relying on oral production. Have the entire class indicate with a thumbs-up or thumbs-down sign their response to yes/no or true/false statements. Sample questions: *Cada verano miles de tortugas verdes llegan a Costa Rica. (Sí) Las tortugas ponen sus huevos en las selvas. (No)*

Prereading Activity
Have students locate Tortuguero on a map of Costa Rica. You might also show the class a variety of pictures of the *tortuga verde.* You might be able to download such photos from the Internet.

Notes
Tortuguero National Park boasts the largest breeding population of green sea turtles in the world.

Have students create "Save the turtle from extinction" posters. Encourage them to use information from *Cultura viva* on the posters.

National Standards

Communication
1.2, 1.3

Connections
3.1

Activities

Multiple Intelligences (bodily-kinesthetic)

As students read the sentences, encourage them to read with emotion and to act out sentences that can be dramatized.

Multiple Intelligence (interpersonal)

Request that students turn to their partner and say one thing he or she likes that the other person does. Remind students to use the subjunctive and a verb from the page.

Multiple Intelligence (intrapersonal)

Direct students to write sentences using the verbs followed by an infinitive. They should write one sentence for each verb, using the subject *Yo/Me*. Then have students write sentences for each verb that incorporate two subjects. They should write about their feelings when someone else does something.

Multiple Intelligences (linguistic/logical-mathematical)

Tell students to list the verbs on page 274 in two categories: verbs that express positive emotion and those that express negative emotion.

National Standards
Communication
1.3
Comparisons
4.1

274

Idioma

Estructura

El subjuntivo con verbos que expresan emoción

The subjunctive is used after verbs that denote emotion or feelings and the conjunction *que* when there are two different subjects.

Temo que aparezca un jaguar entre los árboles. **I'm afraid a jaguar will appear** in between the trees.

Note that the subjunctive and the conjunction *que* are not needed when the subject is the same.

Temo llegar tarde. **I'm afraid to arrive** late.

The following are some verbs of emotion that require the subjunctive when there are two subjects. They all follow the pattern of *gustar*.

agradar	*to please*	fastidiar	*to annoy*
alegrar	*to be glad*	importar	*to matter*
complacer	*to please*	interesar	*to be of interest*
disgustar	*to dislike*	molestar	*to bother*
encantar	*to delight*	preocupar	*to worry*
enojar	*to annoy*	sorprender	*to surprise*
fascinar	*to fascinate*		

Me encanta que vengas con nosotros. **I'm delighted that you're coming** with us.

Remember that you can also use these verbs followed by the infinitive.

Me gusta explorar la naturaleza. **I like to explore** nature.

Me fastidia tener que salir temprano. **Having** to leave early **annoys me**.

Other verbs that express emotion but do not follow the pattern of *gustar* are *sentir* (to be sorry, to regret) and *tener miedo de* (to be afraid of).

Tengo miedo de que haya una tormenta. **I'm afraid there will be** a storm.

Me alegra que vengas con nosotros.

Notes

Point out that *temer* is less common and less strong than *tener miedo*. *Temer* tends to be used in more formal contexts.

You might suggest that students use *Diálogo II* on page 272 as a springboard for their sentences in the Multiple Intelligences suggestions above. For example: *Temo perderme. Me encanta pasear por la* *naturaleza. Me sorprende que los chicos se pierdan.*

Ask the class to brainstorm sentences using the verbs in the box with the subjunctive. Write the sentences on the board.

Práctica

19 **¿Le gusta o le fastidia?**

Complete las oraciones con el subjuntivo del verbo entre paréntesis.

> **MODELO** Me alegra que ustedes *(poder)* ir al parque nacional.
> Me alegra que ustedes puedan ir al parque nacional.

1. Me agrada que en los parques nacionales se *(proteger)* la naturaleza.
2. ¿No le disgusta a Ud. que la gente no *(cuidar)* el medio ambiente?
3. A nosotros nos molesta que ellos *(tirar)* la basura en cualquier parte.
4. A los chicos les fastidia que no se *(permitir)* bucear en el lago.
5. ¿A ti te preocupa que algunas plantas *(estar)* en peligro?
6. Me sorprende que *(haber)* tantas orquídeas en este lugar.
7. ¿No te encanta que nosotros las *(poder)* ver?
8. Mi hermano teme que la balsa *(ser)* demasiada pequeña.

Me encanta ir al parque nacional.

20 **A mí… y a los demás**

Cambie el verbo en infinitivo a la forma correspondiente del subjuntivo según el sujeto indicado entre paréntesis.

> **MODELO** Me gusta *visitar* los parques nacionales y me encanta que…
> (todo el mundo)
> Me gusta visitar los parques nacionales y me encanta que todo el mundo los visite.

1. Me agrada *cortar* flores pero me molesta que… (ellos)
2. Me encanta *navegar* por rápidos, pero me da miedo que… (mi hermano)
3. Me da miedo *subir* a la balsa, pero no me molesta que…. (Ud.)
4. Me encanta *descubrir* secretos, pero me fastidia que… (otras personas)
5. A mí me importa *proteger* el medio ambiente, y me sorprende que no… (la gente)
6. Me molesta *tirar* basura en el parque, y me enoja que… (mis amigos)
7. Me interesa *estudiar* la flora y la fauna y me agrada que… (tú)

 Answers

19 1. proteja
2. cuide
3. tiren
4. permita
5. estén
6. haya
7. podamos
8. sea

20 1. las corten
2. navegue
3. suba
4. los descubran
5. lo proteja
6. la tiren
7. las estudies

Activities

Prereading Activity
Before you begin activity 19, quickly review the subjunctive with a substitution drill, such as the following: S. 1: *Me alegra que* (cue students with a verb) *vengas.* S. 2: *Me alegra que hables español.* S. 3: *Me alegra que me visites.* S. 4: *Me alegra que me quieras,* etc.

Students with Special Needs
Remind students that the endings to form the subjunctive are added to the *yo* form of the present tense after dropping the *-o*. Leave an example on the board before students begin activity 20.

Help students identify the direct object pronouns in activity 20.

 Notes
You might point out that one-third of Costa Rica's total territory is protected parklands.

National Standards

Communication
1.3

Connections
3.1

Answers

21 Answers will vary, but should contain the following subjunctives:
1. trabajes/estés
2. organices
3. tengas/seas
4. viajes/te encante
5. extrañes
6. vayas
7. haya
8. quieras

22 Answers will vary, but they should show adequate comprehension and use of the subjunctive after verbs of emotion.

◆ Activities

Expansion
Ask students to change the signs to very polite requests. For example: *¿Podrías no molestar a los animales, por favor?*

Students with Special Needs
Pair students with more able students to complete activities 21 and 22.

National Standards

Communication
1.1

Cultures
2.2

Comparisons
4.1, 4.2

276

---

21 **¿Cómo reacciona Ud.?**

Ud. está caminando en San José, Costa Rica, cuando se encuentra con un(a) amigo/a. Reaccione a las noticias que le da, usando verbos que expresan emoción y una forma del subjuntivo.

MODELO Ya hace seis años que vivo en San José.
Me sorprende que vivas aquí.

1. Trabajo en una agencia de viajes y estoy muy contenta.
2. Organizo excursiones a las reservas naturales.
3. Tengo muchos amigos y soy muy feliz en Costa Rica.
4. Viajo por toda América Central y me encanta.
5. Extraño a mis hermanos y a mi familia.
6. Voy a ir a estudiar a la Universidad de Costa Rica.
7. Aquí hay cursos muy interesantes sobre la protección del medio ambiente.
8. No quiero volver a los Estados Unidos.

22 **¿No le molesta?**

Ud. y su compañero/a están en un parque nacional de Costa Rica. Expresen su reacción a lo que dicen los siguientes carteles. Usen los verbos de la caja. Sigan el modelo.

MODELO ¡No corten las flores!
A: Me sorprende que no se puedan cortar las flores.
B: Pues a mí me alegra que prohíban cortarlas.

agradar	molestar	preocupar
alegrar	fastidiar	sorprender
complacer	disgustar	enojar

¡Por favor, cuiden el medio ambiente!

¡Protejan la naturaleza!

¡No tiren basura en el césped!

Prohibido bucear en el río.

No molesten a los animales.

No enciendan fogatas.

Visiten nuestro refugio de vida silvestre.

Notes

Comparisons. For homework, have students observe the types of signs that are in your local parks. Have them contrast the signs with the signs on the page. What do the signs tell about our culture and Costa Rican culture?

Comunicación

23 En lugares diferentes

 Trabaje en un grupo de tres o cuatro estudiantes. Túrnense para decir qué les agrada y qué les disgusta en los siguientes lugares o situaciones. Agreguen otros lugares o situaciones más. Comparen sus respuestas con otros grupos.

MODELO en la clase de español
> **A:** Me agrada que podamos hablar mucho.
> **B:** Me disgusta que haya que escribir composiciones.

	Me agrada	Me encanta	Me fastidia	Me enoja
1. en la escuela				
2. en el aeropuerto				
3. en el hotel				
4. en una fiesta				
5. en un parque nacional				

Nos fastidia hacer fila en el aeropuerto.

Me agrada que estudiemos español.

24 La verdad

Haga una lista de tres cosas que le agradan de un amigo o pariente y de tres cosas que le molestan o fastidian. Intercambie sus listas con su compañero/a y léanlas a la clase.

MODELO Me agrada que Jorge me invite a sus fiestas.
> A veces me fastidia que mi hermana no conteste el teléfono.

Capítulo 6 *doscientos setenta y siete* **277**

Answers

23 Creative self-expression.
24 Creative self-expression.

Activities

Multiple Intelligences (logical-mathematical)
Mathematical students might make a graph of the results to activity 23.

Multiple Intelligences (spatial)
Visually oriented students might make a visual aid for each of the categories on the chart in activity 23.

Spanish for Spanish Speakers
As an extension to activity 24, have students write a letter to a good friend in Spanish outlining what they like and dislike about the friend and their friendship. Remind students to check their work for accent marks, and to close the letter appropriately.

National Standards

Communication
1.1, 1.3

Connections
3.1

Comparisons
4.1

Notes
As a warm-up to the page, you might ask each student questions such as these: *¿Qué te agrada?* y *¿Qué te disgusta?* Or: *¿Qué te disgusta más, la basura o el desinterés?*, etc.

Remind students that *disgustar* is a false cognate. It means the opposite of *gustar*.

Teacher Resources

Lectura personal (CD 12, #17)
Activity 25 (CD 12, #18)
Activity 26 (CD 12, #19)

Answers

25 1. Porque hay una gran variedad de vegetación y de animales.
2. Porque tiene influencias del Pacífico y del Caribe, y porque la geografía variada crea muchos microclimas.
3. El clima cambia según la zona.
4. Dice que son muy amables y que siempre quieren ayudar.
5. Answers will vary.

26 Answers will vary.

Activities

Expansion
Have students leaf through the chapter and take notes on Costa Rica. Then ask them to write a brief report on Costa Rica in Spanish.

Pronunciation
Students may need help pronouncing *costarricenses*. Remind them that when a /c/ is next to an /i/ and/or an /e/, the /c/ is soft. Other words like this are *cereales*, *cero*, *cierra*.

Technology
Encourage students to browse the Internet to find "green" photos of Costa Rica and its numerous cloud forests and rain forests.

National Standards	
Communication 1.3	**Comparisons** 4.1, 4.2
Cultures 2.1, 2.2	
Connections 3.1, 3.2	

278

E-Mail

Archivo Ver Mensajes Ayuda

A... Lucía

Cc...

Asunto: San José, Costa Rica

Recuerdos de San José

Querida Lucía,

Saludos desde San José, Costa Rica.

Éste es un país hermosísimo. Nunca había visto una vegetación tan variada ni tantos animales diferentes. Nuestro guía dice que es porque hay influencias del Pacífico y del Caribe, y porque su geografía, llena de volcanes y valles, crea muchos microclimas distintos. ¡Y todo eso en un país tan pequeño que se puede recorrer de un lado a otro en sólo unas horas!

Una tercera parte de la geografía de Costa Rica está protegida. Hay muchos parques nacionales y muchos centros dedicados al estudio de la biodiversidad costarricense. ¡Es fascinante!

El tiempo cambia mucho. A veces llueve muchísimo y otras hace sol y calor. Y cuando visitamos el volcán Poas, que tiene 2.700 metros de altura, tuvimos que ponernos ropa de abrigo.

Además, la gente del país, que se llaman a ellos mismos "ticos", por su forma de hablar, son muy amables. Todo el mundo quiere ayudarte o enseñarte cosas cuando ven que eres un turista. Y, claro, ¡a mí me descubren enseguida, porque siempre estoy mirando el mapa o la guía! Un día tenemos que hacer un viaje a Costa Rica las dos juntas. Te va a gustar mucho.

Hasta pronto,

Alicia

El Parque Nacional Braulio Carrillo.

 25 **¿Qué recuerda Ud.?**

1. ¿Por qué cree Alicia que Costa Rica es hermosísima?
2. ¿Qué razón le da el guía a la gran variedad de plantas y animales?
3. ¿Cómo es el clima en Costa Rica?
4. ¿Cómo describe Alicia a los costarricenses?
5. ¿Le gustaría visitar Costa Rica? ¿Por qué?

 26 **Algo personal**

1. ¿Ha visitado alguna vez un parque nacional? Si es así, ¿qué parque visitó? ¿Qué animales o plantas vio allí?
2. Si Ud. va a Costa Rica algún día, ¿qué cree que le sorprenderá más? ¿Por qué?

- Describa una planta o un animal típico de la zona en la que vive.
- ¿Por qué cree usted que la tercera parte de Costa Rica está protegida?

Notes

With a land area of less than 20,000 square miles, Costa Rica is about the size of West Virginia.

Some people say that Costa Ricans call themselves *ticos* because they use *tico/a* as a diminutive and add it to a lot of words: *chiquitico*, for example.

You might point out that a popular saying in Costa Rica is *"¡Pura vida!"* Ask students what this might mean. Students might also be interested to know that it is a long-standing tradition for *ticos* to prepare and eat *tamales* at breakfast, lunch and dinner, and on Christmas and at year-end parties.

¿Qué aprendí?

Autoevaluación

Como repaso y autoevaluación, responda lo siguiente:

1. ¿Cuál es la diferencia entre un albergue juvenil y un hotel?

2. Use el condicional para pedirle algo a la camarera de un hotel.

3. ¿Cuándo llegan las tortugas a la playa de Tortuguero?

4. Menciones tres animales que podría encontrar en una reserva natural de Costa Rica.

5. Diga tres actividades que podría hacer en uno de los parques nacionales de Costa Rica.

6. Escriba una oración que empiece con *Me alegro de que*....

Palabras y expresiones

How many of these words and expressions do you recognize?

Para alojarse
el albergue juvenil
la bañera
la cama doble
la cama sencilla
la cancha de tenis
el conserje, la conserje
la lavandería
el registro
los servicios

Adjetivos
blando,-a
firme
disponible

Verbos
dar a
disgustar
fastidiar
incluir
proteger
sorprender

La naturaleza
la naturaleza
el medio ambiente
el parque nacional
el refugio de vida silvestre
la reserva natural

Actividades en los parques
la balsa
bucear
la cabalgata
navegar por rápidos

Animales y plantas
el jaguar
la mariposa
la orquídea
el oso perezoso
el quetzal
el tucán

Otras palabras y expresiones
el depósito
Es una lástima que...

Una orquídea.

Capítulo 6

doscientos setenta y nueve **279**

Notes

You might have students write and illustrate an "Animals of the Costa Rican Rain Forest" book for young children. First, have students research other animals that live in the Costa Rican rain forest besides the ones they learned about in the chapter.

Communities. If you choose to organize the bookmaking activity above, you might organize a trip to a local elementary school so that your students can read their "books" to children studying Spanish.

Students should visit the Internet Resource Center at www.emcp.com to complete this activity online and check answers.

Teacher Resources

Activity 15

p. 110

Answers

Autoevaluación
Possible answers:
1. Un albergue juvenil no tiene tantas facilidades y es más barato.
2. ¿Podría traerme una almohada más blanda?
3. Llegan de julio a septiembre.
4. El tucán, el quetzal y el oso perezoso.
5. Bucear, navegar rápidos, hacer cabalgatas.
6. Me alegro de que visitemos Costa Rica.

Activities

Expansion
Have students practice the chapter vocabulary and the conditional by playing a memory game. Student 1 says where he or she would travel to and why. Student 2 repeats what Student 1 said and then adds where he or she would travel to and why. Student 3 repeats what Students 1 and 2 said, and then says where he or she would go and why, and so on.

National Standards	
Communication 1.1	**Communities** 5.1
Cultures 2.2	
Connections 3.1	

279

Answers

Preparación
1. Cierto
2. Falso
3. Falso
4. Falso
5. Falso

Activities

Prereading Strategy

Begin the *Estrategia* by explaining to students that in the poem by José María Heredia, they're going to see how a poet uses words to paint a picture. You might also share with students this background information about Latin America. In the 1800s Spain had major holdings throughout the Western Hemisphere, until the liberator Simón Bolívar started liberating Latin American countries from Spanish rule (except Puerto Rico and Cuba). In 1823, the United States was casting an acquisitive eye on Cuba. By the end of the year, President James Monroe, in what became known as the Monroe Doctrine, claimed the Western Hemisphere as a U.S. "sphere of influence" and warned European nations not to interfere with any of the newly independent nations there. By the end of the next year, Spain was forced to leave all of its American colonies except Cuba and Puerto Rico. However, Spain would retain control of Cuba for almost 75 years.

National Standards

Cultures
2.2

Connections
3.1

280

Estrategia

Interpreting figurative language

Many times in literature, and especially in poetry, you don't have to take the meaning of certain expressions literally. You have to interpret what the author wants to say, and figure out the effect he or she wants to accomplish.

The following examples provide a guide on how to interpret figurative language:

Frase con lenguaje figurado	Interpretación	Efecto
El mar grita, el viento mueve los árboles, el sol tiene miedo y se esconde: viene el huracán.	El mar hace ruido, hay mucho viento y no hay sol porque viene un huracán.	El lenguaje figurado crea la imagen de que hay mucha violencia en la naturaleza por la llegada del huracán.

Preparación

Lea esta breve nota biográfica sobre el poeta José María de Heredia y luego diga si las oraciones que siguen son ciertas o falsas.

José María de Heredia nació en Santiago, Cuba, en 1803. Sus padres eran dominicanos y cuando era pequeño tuvo que vivir en varios países, por el trabajo de su padre, pasando por Estados Unidos, Venezuela y la República Dominicana. Estudió para abogado en Cuba y trabajó brevemente en la ciudad cubana de Matanzas. Pero dos años más tarde tuvo que irse del país debido a su conspiración contra el régimen colonial español. Vivió la mayor parte de su exilio en México, donde murió en 1839. A Heredia se le considera el precursor del movimiento romántico en Cuba y uno de los primeros grandes poetas latinoamericanos. Entre sus poemas más conocidos están *Oda al Niágara, Himno del desterrado* y *En el Teocalli de Cholula.* También escribió algunos relatos y obras de teatro.

1. Heredia es un poeta cubano.
2. Vivió la mayor parte de su vida en Santo Domingo.
3. Heredia estudió medicina en Cuba.
4. A Heredia se lo considera un poeta realista.
5. Heredia sólo escribió poesía.

José María de Heredia.

Notes

Note the cross-curricular connection to Literature.

You might have students correct the false statements in the *Preparación*.

In 1823 Cuban poet José María Heredia helped organize a secret society known as "Suns and Rays of Bolívar." The society planned a rebellion for independence from Spain and sought to ally itself with Bolívar. As a result of these activities, Heredia was exiled to the United States.

After you go over the *Estrategia*, ask for students to give more examples of figurative language.

En una tempestad

Huracán, huracán, venir te siento,
y en tu soplo[1] abrasado[2]
respiro[3] entusiasmado
del señor de los aires el aliento[4] .
En las alas[5] del viento suspendido
vedle rodar[6] por el espacio inmenso,
silencioso, tremendo, irresistible,
en su curso veloz[7]. La tierra en calma,
siniestra, misteriosa,
contempla con pavor[8] su faz[9] terrible.
¿Al toro[10] no miráis? El suelo escarban[11]
de insoportable[12] ardor sus pies heridos[13]:
la frente[14] poderosa levantando,
y en la hinchada[15] nariz fuego aspirando[16],
llama la tempestad con sus bramidos[17].
¡Qué nubes! ¡Qué furor! El sol temblando[18]
vela[19] en triste vapor su faz gloriosa,
y su disco nublado sólo vierte[20]
luz fúnebre[21] y sombría,
que no es noche ni día...
¡Pavoroso[22] color, velo[23] de muerte[24]!
Los pajarillos tiemblan y se esconden
al acercarse el huracán bramando,
y en los lejanos montes retumbando[25]
le oyen los bosques, y a su voz responden.
Llega ya... ¿No lo veis? ¡Cuál desenvuelve[26]
su manto[27] aterrador y majestuoso!...
¡Gigante de los aires, te saludo!...
En fiera confusión el viento agita[28]
las orlas[29] de su parda[30] vestidura... ¡Ved! ...
    ¡En el horizonte

los brazos; rapidísimos enarca[31], y con ellos abarca[32]
cuanto alcanzo[33] a mirar de monte a monte!
¡oscuridad universal!... ¡Su soplo
levanta en torbellinos[34]
el polvo[35] de los campos agitado!...
En las nubes retumba despeñado[36]
el carro del Señor, y de sus ruedas
brota el rayo veloz, se precipita,
hiere[37] y aterra el suelo,
y su lívida[38] luz inunda[39] el cielo.
¡Qué rumor! Es la lluvia ... Desatada[40]
cae a torrentes[41], oscurece al mundo,
y todo es confusión, horror profundo.
Cielo, nubes, colinas[42], caro[43] bosque,
¿dó[44] estáis?... Os busco en vano:
desaparecisteis... La tormenta umbría[45]
en los aires revuelve[46] un océano
que todo lo sepulta...
Al fin, mundo fatal, nos separamos:
el huracán y yo solos estamos.
¡Sublime tempestad! ¡Cómo en tu seno[47],
de tu solemne inspiración henchido[48],
al mundo vil y miserable olvido
y alzo la frente, de delicia lleno!
¿Dó está el alma[49] cobarde
que teme[50] tu rugir[51]?... Yo en ti me elevo
al trono del Señor; oigo en las nubes
el eco de su voz; siento a la tierra
escucharle y temblar. Ferviente lloro[52]
desciende por mis pálidas mejillas[53],
y su alta majestad trémulo adoro.

[1]blow [2]burning [3]I breathe [4]breath [5]wings [6]roll [7]fast
[8]terror [9]face [10]bull [11]dig [12]unbearable [13]injured [14]forehead
[15]swollen [16]inhaling [17]roaring [18]trembling [19]watches [20]pours
[21]mournful [22]horrific [23]veil [24]death [25]reverberating
[26]uncovers [27]cape [28]shakes [29]fringes [30]grayish
[31]rounds [32]encircles [33]reach [34]whirls [35]dust [36]precipitated
[37]hurts [38]pale [39]floods [40]unleashed [41]gushing [42]hills
[43]dear [44]where [45]somber [46]stirs [47]bosom [48]filled [49]soul
[50]fears [51]roaring [52]tears [53]cheeks

A ¿Qué recuerda Ud.?

1. ¿Qué se describe en este poema?
2. ¿Qué hace el narrador?
3. ¿Qué siente el narrador al observar la tempestad?
4. ¿Qué efectos cree Ud. que consigue el poeta?

B Algo personal

1. ¿Alguna vez vio una tempestad como la que describe Heredia? ¿Cómo fue?
2. ¿Qué tipo de climas prefiere Ud.? ¿Por qué?
3. Imagine que está con Heredia viendo esta tempestad. ¿Cómo se siente? ¿Cómo le afecta la tempestad?

Un huracán.

Teacher Resources

¡**Viento en popa!**
En una tempestad (CD 12, #20)
Activity A (CD 12, #21)
Activity B (CD 12, #22)

Answers

A   Wording of answers will vary, but the following ideas should be expressed.
  1. Se describe una tempestad.
  2. El narrador observa la tempestad y la naturaleza.
  3. Siente alegría y emoción.
  4. Answers will vary.

B   Answers will vary.

Activities

Multiple Intelligences (linguistic)
Divide the class into seven groups. Assign a stanza to each group. Have each group do a choral reading of its stanza.

Multiple Intelligences (naturalist)
Ask students to research how often Cuba is hit by a hurricane. They might also explore what type of damage is caused by hurricanes in Cuba (deaths, ruined crops, wrecked sugar mills, destroyed homes).

Prereading Strategy
Before you play the audio of the poem, turn down the lights and have students visualize an angry hurricane. You might suggest that they imagine the cyclone in the movie or book *The Wizard of Oz*. Have students freely brainstorm some of the adjectives of feeling and description that come to mind. Write these words on the board.

National Standards
Communication
1.1
Connections
3.1
Comparisons
4.1

Notes

Before reading or listening to the poem, you might point out some of the *vosotros* forms in the poem.

Point out that *"el Señor"* refers to God.

After students read the poem, ask: *¿Qué palabra describe mejor la tormenta, según el poeta?* (débil, graciosa, poderosa)

You might ask students: How do you think the Cuban culture is shaped by living under the threat of hurricanes?

AP Spanish Literature. This selection by José María de Heredia is on the College Board AP Spanish literature required reading list for nineteenth-century authors.

Answers

Creative self-expression.

Activities

Students with Special Needs
Have students make a list of the information they need to research: hotels, climate, recommendations for travelers. They might write next to each item where they will look for the information, such as on the Internet or at the library.

Ud. escribe ■ □ ■ ■ ■ ■ ■ ■ ■ ■ ■ ■ ■ ■ ■ ■

Estrategia

Organizing information
When you have to write about a topic, it is important that before starting to write, you organize the information you have and the information you need to find out. Think of all the things you already know about the topic, and list them. Then, think of additional information you need to find out. Sometimes it is useful to write the items you need to research as questions. Research the information you need using one or more sources: in the library, on line, or even, depending on what you are writing about, asking questions to people who might know about your topic or be involved with it. If you are writing about a fire, for instance, you could interview a firefighter in your neighborhood. Organize the information you researched, making sure that you obtained answers for all your questions. Once you have all the information at hand you are ready to write.

 Escriba un folleto turístico sobre una visita a Panamá o a Costa Rica. Mencione los hoteles donde se pueden quedar los turistas y el tipo de clima que hay en cada lugar. También, haga recomendaciones para los viajeros. No se olvide de organizar la información que tiene y la información que necesita para su folleto. Use una gráfica como la de abajo para organizar la información. Recuerde usar cláusulas adverbiales con el subjuntivo, el condicional, el futuro y el subjuntivo para expresar duda y negación. Comparta su borrador con otro/a estudiante y pídale sus sugerencias o correcciones. Por último, escriba la versión final para incluir las sugerencias de su compañero/a y para corregir los errores en los tiempos de los verbos, el uso de las palabras o expresiones de transición y la ortografía.

Lo que sé	Lo que quiero saber	Lo que aprendí

282 *doscientos ochenta y dos*   **¡Viento en popa!**

National Standards

Communication
1.3

Connections
3.1, 3.2

Notes
Bring to class samples of Spanish- or English-language travel brochures.

Put the brochures in a binder to make a class reference guide on Panama and Costa Rica. Students can add to it throughout the year. Additions might include recipes, recommended clothing, sayings, etc.

282

Proyectos adicionales

A Conexión con la tecnología

LACSA es una compañía de aviación costarricense.

Hoy en día, mucha gente no usa las agencias de viaje cuando tienen que viajar, sino que utilizan la internet. Haga una investigación en la internet sobre los mejores precios para viajar a Costa Rica y Panamá. Luego, informe a la clase sobre las mejores direcciones de internet para encontrar viajes baratos a estos países, las aerolíneas que viajan hasta allí, y los hoteles y excursiones que recomiendan.

El gobierno de Costa Rica se dedica a la paz.

B Conexión con otras disciplinas: ciencias

En Costa Rica hay una gran riqueza vegetal y animal. Hay animales que no se encuentran en ningún otro lugar del mundo, pero, por desgracia, algunos de ellos están en peligro de extinción. Investigue cuáles son los animales más típicos de Costa Rica. Después, haga un mapa del país y ponga dónde se encuentra cada animal. Use su mapa para hacer una presentación sobre los animales costarricenses en clase.

Mapa de Costa Rica.

C Comparación

Desde hace ya varios años, el gobierno costarricense decidió ser un gobierno dedicado a la paz y a la protección de la naturaleza. De hecho, en Costa Rica no hay ejército y es un país neutral. Use la internet para hallar más información sobre el gobierno costarricense y compárelo con el gobierno de Estados Unidos.

Activities

Critical Thinking
As an extension to activity C, ask students: *¿Hay otros países en el mundo que son neutrales?; ¿Es importante tener ejército?*

Prereading Strategy
Have students skim the activity paragraphs to get the key points. Discuss the points and content with the class.

Spanish for Spanish Speakers
Have students research airfare prices to their country of origin. Have them share with the class the best ways to reach their country, the names of the airlines one can take and the excursions tourists might go on when they arrive.

Capítulo 6   *doscientos ochenta y tres*   **283**

Notes
Activity B offers cross-curricular connections to science.

You might suggest that students use a Venn diagram to help them organize their data for activity C.

Costa Rica was one of the first countries in the world to be concerned with ecological issues.

People in Costa Rica and the U.S. are working together to try to find ways to preserve the rain forests and their rich animal life, such as buying land from developers.

Service Learning. Have students brainstorm ways to help the endangered species of Central America. Students can make a plan and take action!

Answers

Así se hace el misterio
1. Answers will vary.
2. Answers will vary.
3. Answers will vary.

Activities

Expansion
Have students tell which country they are most interested in and why—Costa Rica or Panama? As an extension, tell students they must convince the rest of the class that their choice is the best.

Multiple Intelligences (spatial)
Invite students to make a collage of Panama or Costa Rica. Good sources of information include the Internet, national tourism offices and travel agencies.

Trabalenguas
Ask students to see how many times they can quietly say the *Trabalenguas* in one minute.

National Standards
Communication 1.3
Cultures 2.2
Connections 3.1, 3.2

284

REPASO

Now that I have completed this chapter, I can...	Go to these pages for help:
make travel plans.	242
make weather predictions.	250
talk about events that will take place in the future.	254
express doubt or certainty about certain facts.	257
make lodging arrangements.	262
state wishes and preferences.	266
make requests in a polite manner.	268
describe a visit to a national park.	270
express emotions, likes and dislikes.	274

I can also...	
describe Panama City.	245
talk about San Blas and the Kuna indians.	253
discuss the construction and history of the Panama Canal.	260
talk about the Arenal volcano.	265
mention facts about the tortoises of Tortuguero.	273
comment on different aspects of Costa Rica.	278
read a Romantic poem about a tempest.	281

Así se hace el misterio

Después de mirar Episodios 44–49, de *El cuarto misterioso*, contesta las siguientes preguntas.

1. ¿Hay alguna parte de la producción de un video que te interesa más? ¿Por qué?

2. ¿Cuáles son algunos de tus talentos o intereses?

3. Escoge un trabajo de la producción de un video y describe los talentos relacionados.

Trabalenguas

Contigo
entro
un tren
con trigo;
un tren
con trigo
contigo
entro.

Notes
Loose translation of the *Trabalenguas:*
With you I enter a train with wheat;
a train with wheat with you I enter.

Students can find out more about Costa Rica by visiting the Costa Rica Tourism Board Web site.

Vocabulario

a último momento at the last moment *6A*

el **aguacero** (heavy) shower *6A*

el **albergue juvenil** youth hostel *6B*

asustarse to get scared *6A*

atravesar (ie) to go across *6A*

la **balsa** raft *6B*

la **bañera** bathtub *6B*

blando,-a soft *6B*

bucear to scuba dive *6B*

la **cabalgata** horseback ride *6B*

la **cama doble** double bed *6B*

la **cama sencilla** single bed *6B*

la **cancelación** cancellation *6A*

cancelar to cancel *6A*

la **cancha de tenis** tennis court *6B*

el **cheque de viajero** traveler's check *6A*

la **confirmación** confirmation *6A*

confirmar to confirm *6A*

el **conserje**, la **conserje** concierge *6B*

dar a to look onto *6B*

el **depósito** deposit *6B*

el **descuento** discount *6A*

el **detalle** detail *6A*

disgustar to dislike *6B*

disponible available *6B*

embarcar to board *6A*

Es una lástima que... It's a pity that... *6B*

la **excursión** outing *6A*

fastidiar to bother *6B*

firme firm *6B*

gastar to spend *6A*

hacer fila to stand on line *6A*

hasta que until *6A*

incluir to include *6B*

el **jaguar** jaguar *6B*

la **lavandería** laundry *6B*

el **malentendido** misunderstanding *6A*

la **mariposa** butterfly *6B*

el **medio ambiente** enviroment *6B*

mover(se) (ue) to move *6A*

la **naturaleza** nature *6B*

navegar por rápidos to do white-water rafting *6B*

negar(ie) to deny *6A*

la **niebla** fog *6A*

la **nube** cloud *6A*

observar to observe *6A*

la **orquídea** orchid *6B*

el **oso perezoso** sloth *6B*

el **parque nacional** national park *6B*

perder(ie) to miss *6A*

planear to plan *6A*

por adelantado in advance *6A*

presentarse to show up *6A*

proteger to protect *6B*

el **quetzal** quetzal *6B*

el **refugio de vida silvestre** wildlife refuge *6B*

el **registro** register *6B*

relajarse to relax *6B*

el **relámpago** lightning *6A*

la **reserva** reservation *6A*

la **reserva natural** natural reserve *6B*

retrasado,-a delayed *6A*

el **retraso** delay *6A*

los **servicios** services *6B*

sin previo aviso without previous notice *6A*

sorprender to surprise *6B*

sujeto a cambio subject to change *6A*

tan pronto como as soon as *6A*

la **tarjeta de embarque** boarding pass *6A*

el **trueno** thunder *6A*

el **tucán** tucan *6B*

la **turbulencia** turbulence *6A*

el **volcán** volcano *6A*

Las nubes.

El quetzal.

Assessment
Test Booklet
Quizzes
ExamView®
Assessment Suite

Activities

Expansion
Have students research the many beautiful birds and butterflies of Costa Rica. Have them bring pictures to share with the rest of the class.

Multiple Intelligences (interpersonal)
Have pairs take turns assigning a word on the page to be defined. Student A picks the word, for example, *la nube*. Student B defines the word in Spanish, for example, *la cosa blanca en el cielo*.

Multiple Intelligences (linguistic/musical)
Have students write a brief poem or song about the cloud pictured on the page. Encourage them to use figurative language.

Multiple Intelligences (naturalist)
Have students list all the words that have to do with nature.

Multiple Intelligences (spatial)
Have students create a map of Panama or Costa Rica, detailing the locations and names of important cities, rivers, national parks, mountain ranges, etc.

Notes

Students might be interested to know that by law in Costa Rica there is a mandatory 10% service charge at restaurants. If your service was excellent, it is recommended to give an extra 5% or 10% tip.

Communities. Ask students to compile information for exchange students visiting your area of the United States. Students should recommend *los parques naturales/las reservas naturales* and *los refugios* that should be seen, as well as any popular outdoor activities and excursions. They can also advise travelers of the climate in your area.

National Standards	
Communication 1.1, 1.2	**Communities** 5.1
Cultures 2.1	
Connections 3.1	

Connections with Parents

In *Capítulo 7,* students
will focus on the topics of
food, grocery shopping and
restaurants. Brainstorm ways
that parents and guardians
might contribute their own
experience and expertise.
Some examples might include
offering a presentation on
a favorite food or recipe, or
accompanying students on
a field trip to a market or
restaurant.

Answers

El cuarto misterioso

1. Jennifer es menor. Está en el
   bachillerato.
2. Vive en Barcelona.
3. Answers will vary.
4. Answers will vary.

CAPÍTULO 7

Buen provecho

El cuarto misterioso

**Contesta las siguientes
preguntas sobre esta escena
del *Documental 4–Jennifer
Blanco (Conchita).***

1. ¿Piensas que Jennifer es
   mayor o menor que los
   otros actores en El cuarto
   misterioso?
2. ¿Tienes una idea de dónde
   vive Jennifer?
3. Los padres de Jennifer son
   de países diferentes. Adivina
   cuáles son los dos países.
4. ¿Hay una calle como ésta en
   tu comunidad?

DVD 5, Episodios 63–66. A Jennifer le encanta pasear en la calle
Las Ramblas.

Objetivos

discuss food
preparations

make comparisons

talk about grocery
shopping

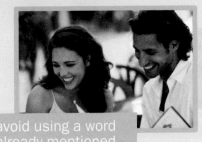

avoid using a word
already mentioned

National Standards

Cultures
2.2

Connections
3.1

Communities
5.1

Notes

Review with students the
communicative objectives for *Capítulo 7.*
A list of these functions appears on page 332
so that students can evaluate their progress.

Communities. Locate stores, shops,
markets and/or restaurants in your
community that specialize in Latin
American or South American products and
foods. If possible, locate establishments with
Spanish-speaking personnel who would be
willing to host a visit from your class.

express accidental
occurrences

order food at a
restaurant

talk about good
manners

Camarera, esta pechuga
de pavo está muy seca y muy
salada. Quiero devolverla
y pedir otra cosa.

make complaints

single out something

www.emcp.com
i-CULTURE
Authentic Connections to the World

describe foods in terms
of flavor and freshness

doscientos ochenta y siete **287**

Contexto cultural

Bolivia
Nombre oficial: República de Bolivia
Población: 9.000.000
Capital: La Paz (administrativa);
Sucre (judicial)
Ciudades importantes: Santa Cruz,
Oruro, El Alto
Unidad monetaria: el boliviano
Fiesta nacional: 6 de agosto, Día de
la Independencia
Gente famosa: Alcides Arguedas,
Jesús Lara (escritores); Simón Bolívar
(líder)

Perú
Nombre oficial: República del Perú
Población: 28.300.000
Capital: Lima
Ciudades importantes: Arequipa,
Trujillo
Unidad monetaria: el nuevo sol
Fiesta nacional: 28 de julio, Día de
la Independencia
Gente famosa: Mario Vargas Llosa,
César Vallejo (escritores)

Activities

Connections
Create concept webs around the
topics of Bolivia and Peru. Ask
students to share the knowledge,
information and associations they
already have regarding these two
South American countries.

Prior Knowledge
Take a few minutes to let students
reflect on the chapter objectives.
Ask students *¿Adónde va tu familia
de compras?; ¿Cómo tienen que estar
los ingredientes para preparar tu
plato favorito?; ¿Cuál es la mejor/
peor comida que ofrece la cafetería de
tu colegio?*

National Standards
Communication 1.1
Cultures 2.2
Connections 3.1

Notes

The lessons in *Capítulo 7* focus on
the countries of Bolivia and Peru. Using
the maps at the front of the *¡Aventura! 3*
book or a wall map, have students locate
these countries. Ask them to discuss their
observations in terms of geographic features,
neighboring countries, relative size, etc.

For some of the more complex objectives,
model the answers that you would like
students to elicit.

Vocabulario I
En el mercado (CD 13, #1)

 Activity 1 (CD 3, #14)

 Activity 25

 Activities 1–2

 Activity 1

 Activities 1–2

Content reviewed in *Lección A*
- going grocery shopping
- comparing items
- cooking
- following steps in a recipe

 Activities

Multiple Intelligences (spatial)
Visual students can create ads for the foods available at the market. Using magazine or supermarket circulars, have them create posters, flyers or signs for their products. Have them advertise their products in Spanish. Once students have mastered comparatives and superlatives, they might add additional text.

Students with Special Needs
Classify new vocabulary into nouns, verbs and adjectives. Then have students use these building blocks to create their own sentences. For example: *Las cerezas + estar + podridas.*

National Standards

Communication
1.3

Cultures
2.1, 2.2

Connections
3.1

  Bolivia

Vocabulario I

En el mercado

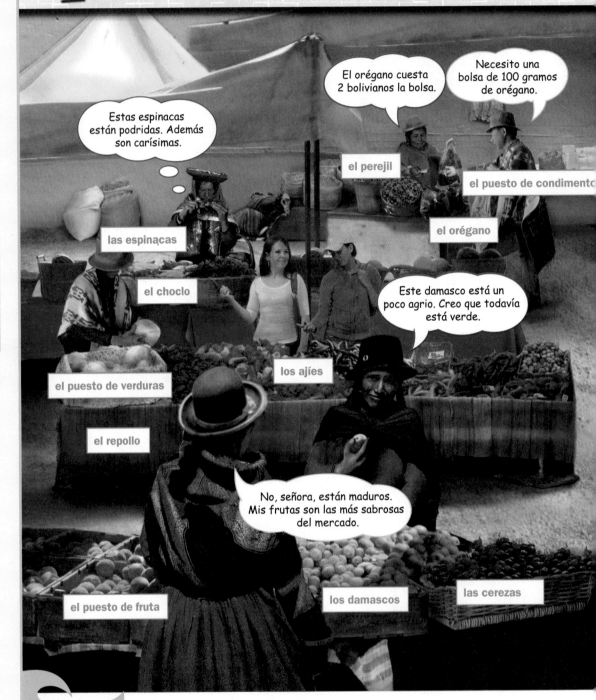

288 *doscientos ochenta y ocho*   **Lección A**

Notes

Brainstorm with students a list of names of fruits and vegetables that they already know. Have them look up new words in the dictionary.

Students may be interested to know that while agriculture employs almost half of the workforce in Bolivia, it accounts for only about 15% of the country's exports. The major export crop is soybeans. Agriculture in Bolivia is also highly dependent on geography. The *Altiplano* or high plains in the west of the country produce potatoes and maize, while the *Yungas* to the east of the Andes produce sugarcane, tropical fruits and coffee.

Los frijoles son tan buenos como los garbanzos. No estoy segura qué comprar.

los frijoles

las lentejas

los garbanzos

1 De compras

 Indique la letra de la foto que corresponde con lo que oye.

A

B

C

D

E

F

2 Comidas

Escoja la palabra que completa en forma lógica cada oración.

1. Cuando fuimos al mercado en Bolivia pagamos con *(bolivianos / dólares)*.
2. Este durazno está tan *(agrio / sabroso)* que no lo puedo comer.
3. El orégano es el mejor *(cereal / condimento)* que existe para cocinar.
4. La comida boliviana es menos *(picante / podrida)* que la mexicana.
5. En el restaurante nos sirvieron una comida con arroz y *(damascos / frijoles)* que estaba buenísima.
6. Los damascos están un poco *(verdes / picantes)*. Es mejor que esperemos hasta mañana para comerlos.

Notes

Connections. Students can connect their learning to mathematics by conducting a survey on the topic of favorite foods. Have students analyze and graph the results of the survey. Save these graphs to use as a basis for forming comparative and superlative statements later in the chapter.

Activity 1 is intended for listening comprehension practice. Play the audio program of the activity or use the transcript that appears in the ATE Introduction if you prefer to read the activity yourself.

Answers

1
1. E
2. D
3. A
4. F
5. B
6. C

2
1. bolivianos
2. agrio
3. condimento
4. picante
5. frijoles
6. verdes

Activities

Critical Listening
Before students listen to the script for activity 1, ask them to recall and write the key vocabulary word associated with each picture. Have them repeat these words aloud. Encourage students to listen carefully for these key words when making their selections.

Critical Thinking
After students complete activity 2, ask them to explain how they made their choices. How do they know their choice is the correct one? For example: *El boliviano es la unidad monetaria de Bolivia. No es el dólar.*

National Standards
Communication
1.1, 1.2
Cultures
2.1
Connections
3.1

Teacher Resources

Diálogo I
***Estas manzanas son
carísimas*** (CD 13, #3)
Activity 3 (CD 13, #4)
Activity 4 (CD 13, #5)
Activity 5 (CD 13, #6)

  p. 27

Answers

3 1. Las cerezas están maduras y sabrosísimas.
2. Las manzanas cuestan 3 bolivianos el kilo.
3. Los damascos están un poco verdes.
4. Los duraznos están mejor que los damascos.
5. Eva compra un kilo y medio de duraznos.

4 Answers will vary.

5 Primer puesto: lentejas, garbanzos, orégano, perejil
Segundo puesto: cerezas, espinacas, choclos, damascos

Activities

Expansion
Ask students to share their own experiences going to the market. Encourage them to tell any funny, unusual or surprising shopping experiences that they have had.

Prereading Strategy
Based on the photographs, have students predict what this dialog is going to be about. Who might these two people be? What is Eva doing? Also, encourage students to preview the questions in activity 3 before reading or listening to the dialog.

National Standards

Communication
1.1, 1.2, 1.3

Connections
3.1

290

Diálogo I Estas manzanas son carísimas

VENDEDOR: ¿Le puedo ayudar, señorita?
EVA: Sí, necesito medio kilo de cerezas. ¿Están maduras?
VENDEDOR: Sí, y muy sabrosas también. ¿Quiere probarlas?
EVA: Gracias. Tiene razón, están sabrosísimas.

VENDEDOR: ¿Qué otra cosa necesita?
EVA: ¿Cuánto cuestan las manzanas?
VENDEDOR: Cuestan 3 bolivianos el kilo.
EVA: Uy, están carísimas.

EVA: Y los damascos, ¿a qué precio están?
VENDEDOR: A 2 bolivianos el kilo, pero están un poco verdes. Los duraznos están mejor que los damascos.
EVA: Muy bien, déme un kilo y medio y póngalos en una bolsa.

3 ### ¿Qué recuerda Ud.?

1. ¿Cómo están las cerezas?
2. ¿Cuánto cuestan las manzanas?
3. ¿Cómo están los damascos?
4. ¿Cómo están los duraznos?
5. ¿Cuántos kilos de duraznos compra Eva?

¿Qué condimentos le gustan?

4 ### Algo personal

1. ¿Va Ud. al mercado? ¿Qué le gusta comprar allí?
2. ¿Qué prefiere: las frutas o las verduras? ¿Por qué?
3. ¿Le gusta la comida picante?
4. ¿Cuál es el condimento que más le gusta?
5. ¿Cuál es para Ud. la comida más sabrosa? ¿Por qué?

5 ### Las compras de Leticia

 Escuche los siguientes diálogos. Escriba en una hoja lo que compra Leticia en el primer puesto del mercado y lo que compra en el segundo puesto. Complete una tabla como la siguiente con la información.

En el primer puesto	En el segundo puesto

290 *doscientos noventa* **Lección A**

Notes

After students listen to the dialog on the *¡Aventura!* audio program, give them opportunities to take on the roles of *Eva* and *el vendedor*. Encourage students to read expressively. Students need not read the dialog aloud in front of the group. Many dialogs can be taking place at the same time.

Students may be interested to know that one *boliviano* (BOB) is equal to approximately $0.13. Or, one U.S. dollar is equal to approximately 7.5 *bolivianos*. Students can research the most current exchange rates on the Internet. One *boliviano* can be divided into 100 *centavos*.

Cultura viva I

El carnaval de Oruro.

El Carnaval de Oruro

Una de las fiestas más importantes que se celebra cada año en Bolivia es el Carnaval de Oruro. Este carnaval, conocido por sus danzas folclóricas y la diversidad y vistosidad[1] de sus trajes y máscaras, ganó el premio de "Patrimonio Oral e Intangible de la Humanidad"[2] otorgado[3] por la UNESCO.

Máscara de carnaval.

El origen de esta celebración viene de una leyenda boliviana. Oruro es un pueblo minero[4] de los Andes. Cuenta la leyenda que Huari, el dios de la cordillera[5], se enojó con los urus, los habitantes de la región, porque querían ir por el camino del bien, en lugar de hacer el mal, como él les había enseñado. Para castigarlos[6], les envió una gran serpiente por el sur, un sapo[7] gigantesco por el norte, una plaga de hormigas hambrientas[8] por el este y un monstruoso lagarto[9] por el oeste. Pero ante los gritos de terror de los urus, apareció la bella Ñusta, que logró derrotar[10] a Huari. Éste se escondió en lo más profundo de la tierra, mientras que el sapo, la serpiente y el lagarto se convirtieron en piedras y las hormigas, en arena.

Pero, todavía hoy, cada vez que hay accidentes en las minas, los mineros culpan[11] a Huari, el señor que cuida las riquezas[12] de la tierra, y se protegen con la imagen de Ñusta, que es la Virgen del Socavón.

Hoy en día, durante el carnaval, bailarines con trajes vistosos y coloridas[13] máscaras y maquillaje, representan en sus bailes a los animales que quisieron matar a los habitantes de Oruro y a Huari. Este carnaval es tan importante culturalmente, que en el Museo Británico, en Londres, le han dedicado una sección de su colección permanente.

[1]brilliant colors [2]Oral and Intangible Heritage of Humanity [3]granted [4]mining town [5]mountain range [6]punish them [7]toad [8]plague of hungry ants [9]lizard [10]defeat [11]blame [12]riches [13]colorful

6 La leyenda del Carnaval de Oruro

Conteste las siguientes preguntas.

1. ¿Qué premio ganó el Carnaval de Oruro?
2. ¿Quién era Huari?
3. ¿Por qué quería castigar Huari a los urus?
4. ¿Qué animales envió Huari para castigar a los urus?
5. ¿Quién defendió finalmente a los urus?
6. ¿Cómo recuerdan la leyenda en Oruro durante el carnaval?

Capítulo 7

doscientos noventa y uno

Teacher Resources

 Activity 6 (CD 13, #7)

 Activity 3

Answers

6 1. Ganó el premio de Patrimonio Oral e Intangible de la Humanidad.
2. Huari era el dios de la cordillera.
3. Porque los urus querían hacer el bien.
4. Les envió una serpiente, un sapo, hormigas y un lagarto.
5. Ñusta los defendió.
6. La recuerdan con bailes en los que representan a los animales y a Huari.

Activities

Multiple Intelligences (bodily-kinesthetic/musical)
Students can research additional information about *El Carnaval de Oruro*. Support musical and bodily-kinesthetic intelligences by providing students with the opportunity to compose, rehearse and present their own dances representing the animals and gods of this legend.

Technology
Encourage students to use the Internet to learn more about the places and topics introduced in *Cultura viva.*

National Standards

Cultures
2.1, 2.2

Connections
3.1, 3.2

Comparisons
4.2

Notes

Comparisons. Using a Venn diagram, have students compare the legend of Huari to another famous legend with which they are familiar. Brainstorm other famous stories with plots, themes or structures similar to the legend of Huari.

Bolivia's UNESCO World Heritage sites also include the city of Potosí, the historic city of Sucre and the Noel Kempff Mercado National Park.

Answers

7 1. Rosario cocina mejor que sus hermanas.
2. Este tomate está menos podrido que los otros.
3. El vendedor es menor que su esposa.
4. El novio de Analía es más joven que ella.
5. Los frijoles negros son peores que las lentejas para la ensalada.
6. La manzana que tú tienes está menos madura que la mía.

Activities

TPR

Have students write examples of comparative statements on index cards. Then, in pairs, have them take turns choosing a card. The partners pantomime the meaning of the comparison on their card. The rest of the group guesses what the comparative statement is. For example: *Juan corre más rápidamente que Jaime.*

National Standards

Communication
1.1, 1.2, 1.3
Comparisons
4.1

292

Idioma

Repaso rápido

El comparativo

To compare persons and things in terms of "more than" and "less than" use *más* or *menos* plus an adjective or an adverb followed by *que*.

Las cerezas son **más caras que** los damascos.	Cherries are **more expensive than** apricots.
El choclo cuesta **menos que** el repollo.	Corn costs **less than** cabbage.
Camino **más rápido que** tú.	I walk **faster than** you.

A few common adjectives have irregular comparative forms.

bueno	(good)	→	mejor	(better)
malo	(bad)	→	peor	(worse)
joven	(young)	→	menor	(younger)
viejo	(old)	→	mayor	(older)
pequeño	(small)	→	menor	(smaller, younger)
grande	(big)	→	mayor	(bigger, older)

Este repollo está **mejor que** aquél.	This cabbage looks **better than** that one.
Este puesto de frutas es **peor que** el otro.	This fruit stand is **worse than** the other one.
Ella es **menor que** mi hermana.	She is **younger than** my sister.
Él es **mayor que** yo.	He **older than** I am.

The comparative forms of the adverbs *bien* (well) and *mal* (badly) are *mejor* and *peor*.

Cocino **mejor que** tú.	I cook **better than** you do.

 7 **Comparaciones**

Forme oraciones comparativas con el adjetivo que está entre paréntesis. El signo + indica *más... que*, y el signo –, *menos... que*.

MODELO   este ají parece / (–picante) que aquél
Este ají parece menos picante que aquél.

1. Rosario cocina / (+ bueno) que sus hermanas
2. este tomate está / (– podrido) que los otros
3. el vendedor es / (– viejo) que su esposa
4. el novio de Analía es / (+ joven) que ella
5. los frijoles negros son / (– bueno) que las lentejas para la ensalada
6. la manzana que tú tienes está / (– madura) que la mía

Notes

Using photographs or illustrations from magazines, have students create a resource bank of "characters." Have them glue interesting images of people onto individual index cards or pieces of construction paper. Keep this "cast of characters" available as a visual resource to create observations and comparisons.

The topic of family provides a good basis for creating comparisons. After students complete activity 7, have them draft their own paired sentences based on their own families. *Yo soy mayor que mi hermano. Pero mi hermana es menor que yo.*

8 ¿Qué cuesta más?

Ud. está en el mercado con su compañero/a. Comparen los precios de las verduras. Túrnense para hacerse preguntas.

MODELO papas/repollo

A: ¿Qué cuesta más, las papas o el repollo?
B: El repollo cuesta más que las papas. /
El repollo es más caro que las papas.

Un puesto de verduras.

Estructura

El comparativo de igualdad

Use *tan* and an adjective or an adverb followed by *como* (as... as) to express that two or more persons or things are equal in terms of qualities or characteristics.

*Las cerezas están **tan maduras como** los duraznos.*	The cherries are **as ripe as** the peaches.
*Tú no cocinas **tan bien como** mi madre.*	You don't cook **as well as** my mother.

Use *tanto/a... como* to express equality of amount. The form of *tanto (tanta, tantas, tantos)* agrees with the object that follows. The English equivalents to these expressions are "as much as" and "as many as."

*En esta panadería hay **tanto pan como** en la otra.*	In this bakery there is **as much bread as** in the other one.
*Necesito **tantas cerezas como** uvas.*	I need **as many cherries as** grapes.

Tanto como can also be used to express equality of verb actions.

*No leo **tanto como** Uds.*	I don't read **as much as** you do.
*Compramos **tanto como** ellos.*	We buy **as much as** they do.

Teacher Resources

 Activity 3 (CD 3, #16)

 Activities 5–6

 Activity 2

 Activity 5

 Answers

8 Answers will vary, but they should show adequate comprehension and use of comparisons.

 Activities

Multiple Intelligences (spatial)
Visual students may enjoy creating illustrated riddles that express equality. Have students draw an "equation"—for example, a picture of five cherries, an equal sign and a picture of five apples. Then have students exchange pictures and write a sentence describing the drawing, for example, *Yo tengo tantas cerezas como manzanas.*

Students with Special Needs
Provide students with extra practice focusing on the need for agreement when using *tanto, tantos, tanta* and *tantas* to express equal amounts. Have students circle the object that must be agreed with.

Notes

Comparisons. Remind students that English also calls for agreement when expressing equal amounts. We say "as much as" for singular or grouped objects and "as many as" for plural objects. Remind students that in Spanish there is also the need for agreement based on gender.

Set up a market "center" or assemble market "props" for use throughout *Capítulo 7*. Whenever activities call for dramatization or role play, have students use these objects.

National Standards

Communication	1.1
Connections	3.1
Comparisons	4.1

293

Answers

9 1. tan
2. tanto
3. como
4. tanta
5. mejor/peor
6. peor/mejor
7. más/menos
8. menos/más

10 1. menos, que, más, tantas, como
2. más, que, tantos, como
3. más, más, que, más, tanto, tanto, como

11 Creative self-expression.

Activities

Expansion
Invite students to give a short presentation on how to shop for a particular kind of fruit or vegetable. How does one know if it's ripe, fresh, spoiled, etc.?

Spanish for Spanish Speakers
Have students expand activity 11 into a longer presentation on either topic: *La comida* or *Los amigos*. Instruct students to form sentences that use comparatives and superlatives based on specific information, facts and examples.

National Standards

Communication	Comparisons
1.1, 1.3	4.2

Cultures
2.2

Connections
3.1

Práctica

9 ¿Fresco o no?

Use las palabras de la caja para completar el párrafo que aparece a continuación.

como	tan	más	tanta
peor	mejor	menos	tanto

Muchos de los alimentos que comemos no son (1) frescos como pensamos. Cuando vamos al mercado, debemos ver que (2) las frutas (3) las verduras estén en buen estado. Esto significa que debemos comparar los alimentos entre sí. Muchas veces hay (4) variedad de alimentos, que es difícil elegir qué producto es (5) o (6) que otro. Por ejemplo, es fácil ver si un tomate está (7) maduro, o (8) fresco que otro y también si tiene algo de podrido. Es importante prestar mucha atención a la calidad de un producto antes de comprarlo.

10 Hablando de comida

La comida es el tema de las siguientes conversaciones. Complételas con *más*, *menos*, *más... que*, *menos... que*, *tanto/a/os/as... como*, según corresponda.

1. **A:** Me parece que mi ensalada tiene ___ fruta ___ la tuya.
   B: Mira, creo que tiene ___ peras, pero no tiene ___ cerezas ___ la tuya.
2. **A:** ¿Puedes hacer seis sándwiches de jamón y cuatro de queso?
   B: ¡Ah!, ¿quieres que haga ___ sándwiches de jamón ___ de queso?
   A: No, mejor haz seis y seis, haz ___ sándwiches de jamón ___ de queso.
3. **A:** ¿Qué te gusta ___, la carne o el pescado?
   B: Me gusta ___ el pescado ___ la carne.
   A: ¡Ah, bueno! Voy a preparar ___ pescado que carne.
   B: No, por favor, no trabajes ___ por mí. Prepara ___ pescado ___ carne.

Comunicación

11 Comparaciones

Complete las siguientes oraciones según su experiencia. Luego, compárelas con las de su compañero/a.

La comida
1. Me gustan más (menos)... que....
2. Por lo general... más (menos) picantes que...
3. La comida italiana es más (menos)... que la comida...

Los amigos
4. Mi mejor amigo/a es tan... como...
5. Tengo tantos... como...
6. Mis compañeros... tanto como...

La comida mexicana es más picante.

Notes

As with its agriculture, the typical foods of Bolivia vary according to geography. In the high plains, meat and potatoes are common, often spiced with peppers or *ají*. In the lowlands, fish, fruits and vegetables are more common staples of the diet. Bolivians also enjoy a sweet breakfast tea called *api*. It is made from corn, lemon, cloves and cinnamon.

Comparisons. Ask students to share their favorite cuisines and specialties. Then use a Venn diagram to compare and contrast two of the most popular menus. How does Bolivian cuisine compare to Mexican or Italian, for example?

Estructura

El superlativo

The superlative ("the best," "the most expensive," "the tallest," etc.) is used when you want to single out one item or individual compared to others. You can use the following formula.

> **el/la/los/las + más/menos + adjective/adverb + de**

*Este puesto de frutas es **el más caro** de la ciudad.*	This fruit stand is **the most expensive** in the city.
*Estas lentejas son **las más ricas** de todas.*	These lentils are **the most delicious** of all.
*Esta pera es **la más madura** de la bolsa.*	This pear is **the ripest one** in the bag.

Recall that some adjectives are irregular.

*Este mercado es **el mejor de** la ciudad.*	This market is **the best** in the city.
*Pero éste es **el peor de** todos.*	But this one is **the worst** of all.
*Mi hermana pequeña es **la menor de** la familia.*	My little sister is **the youngest** in the family.

The noun and *de* are not always necessary. Compare the two examples below.

*Éstos son **los** pescados **más frescos** del mercado.*	These are **the freshest** fish in the market.
*Éstos son **las más frescos**.*	These are **the freshest**.

Another way to intensify your descriptions is to use *tan* before adjectives and adverbs.

*¡Estos ajíes son **tan picantes**!*	These peppers are **so hot**!
*Pepe, no comas **tan rápido**.*	Pepe, don't eat **so fast**.

To say that someone or something is extraordinarily good (or extraordinarily bad, etc.), drop the end vowel of the adjective and attach to it the suffix *–ísimo/a*.

*Estas cerezas están **buenísimas**.*	These cherries are **extraordinarily good**.
*Ay, mira los precios. ¡Todo está **carísimo**!*	Oh, look at the prices. Everything is **outrageously expensive!**

The last vowel is dropped before adding *–ísimo/a* except with adjectives that end in *–ble*, which change the ending to *–bil*.

> *amable* → **amabilísimo**

Sometimes a spelling change is needed.

ie → e:	caliente, calentísimo	**c → que:**	fresca, fresquísima
z → c:	feliz, felicísimo	**g → gu:**	largos, larguísimos

Notes
Students may be interested to know that Bolivia can claim a few of the world's "superlatives." La Paz is the capital city with the highest altitude in the world, and Lake Titicaca is the world's highest navigable lake.

Teacher Resources

 Activity 4 (CD 3, #17)

 Activities 7–8

 Activity 3

 Activities 6–7

 Activities

Critical Listening
Have students research a list of facts about Bolivia. Based on this information, have them each create superlative sentences, which may be true or false. For example: *La Paz es la capital más alta del mundo.* Have students read their sentences aloud. The group must decide if the sentence they've heard is *cierto o falso*.

Expansion
Have students conduct a survey about their school and classmates. Then have them create a poster of superlative statements expressing the information they have learned. For example: *Pedro es el estudiante más joven de la clase.*

Students with Special Needs
Help students brainstorm lists of nouns and adjectives that they can then use to construct their superlative sentences.

National Standards	
Communication	1.1, 1.3
Connections	3.1
Comparisons	4.1

295

Teacher Resources

 Activity 12 (CD 13, #8)

 p. 28

◆ Answers

12 Answers will vary, but they should show adequate comprehension and use of the superlative.

13
1. La cena está riquísima.
2. Tú comes muchísimo.
3. La sopa está calentísima.
4. Los garbanzos están sabrosísimos.
5. Los frijoles se cocinan lentísimo.
6. Los guisantes se cocinan rapidísimo.
7. El ají está picantísimo.
8. Las cerezas están fresquísimas.
9. Este restaurante es carísimo.
10. Los camereros son amabilísimos.

14
1. baratísimo
2. riquísima
3. fresquísimas
4. sabrosísimos
5. muchísimo
6. buenísimo
7. malísimo
8. carísimo
9. malísima
10. picantísimos
11. podridísimas
12. lentísimos

National Standards

Communication
1.1

Connections
3.1

Communities
5.1

👐 Práctica

12 La familia y los amigos

Pregúntele a su compañero/a sobre sus familiares y amigos.

MODELO **A:** ¿Quién es el mayor de tus hermanos?
B: Mi hermano Daniel es el mayor de todos.

1. ¿Cuál es el más alto de tus amigos?
2. ¿Quién es el menor de tu grupo de amigos?
3. ¿Quién es la persona de tu familia que cocina mejor?
4. ¿Y la que cocina peor?
5. ¿Cuál de tus amigos tiene más hermanos?
6. ¿Quién es la persona más joven de tu familia?

13 ¡Está riquísimo!

Escriba oraciones completas con el superlativo según los elementos dados.

MODELO cerezas /estar / muy sabrosas
Las cerezas están sabrosísimas.

1. cena /estar /muy rica
2. tú / comer / mucho
3. sopa / estar / muy caliente
4. garbanzos / estar / muy sabrosos
5. frijoles / cocinarse / muy lento
6. guisantes /cocinarse / muy rápido
7. ají / estar / muy picante
8. cerezas / estar / muy frescas
9. este restaurante / ser / muy caro
10. camareros / ser / muy amables

14 Dos cenas diferentes

Ramón y Nora fueron a cenar a dos restaurantes diferentes. Complete sus correos electrónicos con el superlativo de cada uno de los adjetivos y adverbios entre paréntesis.

E-Mail — Archivo Ver Mensajes Ayuda
A... Ramón
Cc...
Asunto: ¡Hola!

Querido Ramón,
¿Te gustó el restaurante adónde fuiste anoche? Como sabes, nosotros fuimos al restaurante Esmeralda, el más barato de la ciudad. Aunque es *(1. barato)*, la comida estaba *(2. rica)*, las verduras *(3. frescas)* y los postres *(4. sabrosos)*. A todos nos gustó *(5. mucho)*. ¡Te lo recomiendo! Cuéntame cómo te fue a ti.
Cariños, Nora

E-Mail — Archivo Ver Mensajes Ayuda
A... Nora
Cc...
Asunto: ¡Hola!

Querida Nora,
Me dices que el restaurante Esmeralda es *(6. bueno)*, al contrario que el Martín que es *(7. malo)* y además *(8. caro)*.
Anoche la comida estaba *(9. mala)*, los ajíes estaban *(10. picantes)* y las frutas *(11. podridas)*. Como los camareros eran *(12. lentos)*, la cena estaba fría cuando la sirvieron y tuvimos que hacerla calentar. Siento mucho no haber ido contigo al restaurante Esmeralda.
Hasta pronto, Ramón

Notes Review with students the headings at the top of each e-mail message presented on page 296. Discuss what clicking on each of these headings or icons would do. Also, ensure that students are familiar with how to create Spanish-language punctuation using their own or the school's word processing or e-mail programs. Different programs have different commands to create accent marks, inverted question marks and exclamation points.

Encourage students to communicate with each other in Spanish via e-mail. They might check homework, exchange project ideas or just chat.

Comunicación

 15 **¡Compre aquí!**

Ud. y su compañero/a están en el mercado y ven los siguientes carteles. Complétenlos usando una forma del superlativo. Después, escojan un producto del mercado para vender. Escriban un cartel similar a los que se ven aquí para anunciarlo. Lean su cartel a la clase.

¡AQUÍ, LAS ESPINACAS _ FRESCAS _ MERCADO! COMPRE NUESTRA VERDURA.

1.

¡LAS FRUTAS Y LAS VERDURAS RICAS Y LAS MÁS _ ESTA ZONA! SI QUIERE PRODUCTOS _ Y BARATÍSIMOS, ¡VISÍTENOS!

2.

¡LLEVE LOS _ DAMASCOS _ LA CIUDAD! NUESTROS DAMASCOS SON _. ¡COMPRE AQUÍ!

3.

 16 **Experiencias inolvidables**

En grupos de tres, hablen de los siguientes temas.

- una comida sabrosísima
- un día aburridísimo
- el mejor día de su vida
- el mejor restaurante
- unas vacaciones divertidísimas
- una receta de cocina facilísima
- una película interesantísima

Notes

Communities. Activity 15 can also be applied to current events in your school or community. Students might create campaign posters for the upcoming student government elections or a poster encouraging their peers to come out to the latest sporting event. Allow students to broaden the scope of the advertisements as they use superlative statements.

Before students divide into groups of three for activity 16, give them a few minutes to look over the topics and brainstorm a few ideas. It will be much easier to get their conversations started if everyone comes to the table with an idea or story in mind. Also, encourage students to ask each other follow-up questions.

 Answers

15 Creative self-expression. Possible answers:
1. ¡Aquí, las espinacas más frescas del mercado! Compre nuestra verdura.
2. ¡Las frutas y las verduras más ricas y las más baratas/frescas/ sabrosas/de esta zona! Si quiere productos buenísimos/riquísimos/ sabrosísimos/ fresquísimos y baratísimos, ¡visítenos!
3. ¡Lleve los mejores damascos de la ciudad! Nuestros damascos son buenísimos/riquísimos/ sabrosísismos/ fresquísimos/ baratísimos.

16 Creative self-expression.

 Activities

Spanish for Spanish Speakers
Have students expand one of the discussion topics in activity 16 into a longer written story. After completing a draft, have students exchange papers with a partner, peer-edit and then revise. Invite students to read their stories aloud to the group.

National Standards

Communication
1.1, 1.3

Connections
3.1

Communities
5.1

Vocabulario II
Una receta (CD 13, #9)

 Activity 26

 Activities 9–10

 Activity 4

 Activities 8–9

Activities

Critical Thinking

Ask follow-up questions to assess students' comprehension of the recipe on page 298. Questions might begin: *¿Qué se hace antes de...?*; *¿Qué se hace después de...?*; *¿Qué se hace cuando...?*

Expansion

Have students start a collection of recipe cards as they progress through this section of *Capítulo 7*. When they come across an interesting recipe, encourage them to copy the ingredients and directions onto a recipe or index card.

Prereading Strategy

Before students read the phrases in *Vocabulario II*, have them focus on the illustrations. Ask students to discuss what they observe happening in each of the scenes. Encourage them to note key words and phrases.

Pronunciation

Model each new word or new expression. Ask students to repeat them individually after you.

National Standards
Communication 1.1, 1.2
Cultures 2.2
Connections 3.1, 3.2

298

Vocabulario II
Una receta

Notes The Internet is a great resource for locating recipes from around the Spanish-speaking world. Encourage students to look up recipes for Bolivian specialties, including *picante de pollo* (spicy chicken); *chairo paceño* (beef stew); and *llajua* (a picante sauce made from chili peppers and tomatoes).

Teacher Resources

Activity 17 (CD 13, #10)

Answers

17 C, F, D, B, A, E
18 1. E
    2. C
    3. D
    4. A
    5. F
    6. B
19 Answers will vary.

Activities

Critical Listening
Before students listen to the recipe that accompanies activity 17, instruct them to preview the written statements. Based on the meaning of the sentences, have them note which steps are at the beginning, middle and end of the recipe.

Expansion
If students have access to cooking facilities in your school, allow them to make cookies. Students might work in groups to prepare different kinds of cookies and then compare their recipes.

Students with Special Needs
Have students create flash cards for the verbs listed in activity 19. Instruct them to write the verb on one side of the card, and to draw a picture or glue a photograph of someone performing the action on the other side.

17   Tarta de queso

Escuche la siguiente receta de cocina. Coloque los pasos en el orden que corresponda según lo que oye.

A. Se hornea por 30 minutos.
B. La mezcla se coloca en una asadera.
C. Se mezclan la harina, la leche y el azúcar.
D. Se baten todos los ingredientes de la receta.
E. Se deja enfriar.
F. Se agrega el queso y el limón.

Se agrega el queso y el limón.

18   ¿Cuál es la definición?

Diga a qué palabra corresponde cada definición.

1. Aparato que se usa para batir ingredientes.
2. Cortar algo en pedazos muy pequeños.
3. Parte amarilla del huevo.
4. Poner en el fuego una comida.
5. Parte blanca del huevo.
6. Las partes en que se corta una cosa.

A. cocer
B. pedazos
C. picar
D. yema
E. batidora
F. clara

19   Tareas en la cocina

Escriba oraciones con los verbos de la caja.

| picar | hervir | hornear | batir |
| mezclar | revolver | pelar | asar |

Capítulo 7   *doscientos noventa y nueve*   299

National Standards

Communication
1.2, 1.3

Cultures
2.2

Connections
3.1

Notes
    Encourage students to bring in easy or simple recipes from home. They can translate these recipes into Spanish and add them to their collection of recipe cards. Remember, even if cooking facilities are not available, there are numerous dishes that can be prepared without cooking or baking.

For a Bolivian sweet treat, students may be interested to learn more about *pan dulce navideño* (Christmas sweet bread); *Tawa-Tawas* (sweet fritters); or *leche asada* (roasted milk) which is similar to a pudding or custard made from eggs, milk and sugar.

Teacher Resources

Diálogo II
¡Ay, se me cayó el plato!
(CD 13, #11)
Activity 20 (CD 13, #12)
Activity 21 (CD 13, #13)
Activity 22 (CD 13, #14)

◆ Answers

20 1. Se pica la carne y se pone a freír en una sartén con un poco de aceite y sal.
2. Se pelan y se cortan en pedazos pequeños.
3. Las puso en un plato.
4. Porque la carne ya está hecha y Eva debe mezclarla con las cebollas y los dientes de ajo.

21 Answers will vary.

22 1. enfriado
2. baten
3. una batidora
4. la sartén
5. asadera
6. revuelven

◆ Activities

Multiple Intelligences (spatial)
Visual students may enjoy illustrating both choices for the sentences in activity 22. One picture will be logical, the other somewhat silly.

Technology
Have students prepare their own dialogs around a recipe as if they were presenting their own cooking program on television. Allow students to videotape and watch their segments.

National Standards
Communication 1.1, 1.2, 1.3
Connections 3.1
Comparisons 4.2

300

Diálogo II ¡Ay, se me cayó el plato!

EVA: ¿Tenemos todos los ingredientes para hacer picadillo?
RUBÉN: Creo que sí. ¿Qué se hace primero?
EVA: Se pica la carne y se pone a freir en una sartén con un poco de aceite y sal.

RUBÉN: ¿Qué se hace con las papas?
EVA: Las papas tienen que ser peladas y cortadas en pedazos pequeños... ¿Dónde están las cebollas?
RUBÉN: Las puse en ese plato, ya están picadas.
EVA: Tráemelas, por favor.

RUBÉN: ¡Ay, se me cayó el plato!
EVA: Debes ser más cuidadoso, Rubén.
RUBÉN: Lo siento. Voy a picar otras cebollas.
EVA: Apúrate. La carne ya está hecha y debo mezclarla con las cebollas y los dientes de ajo.

¿Qué recuerda Ud.?

1. ¿Qué se hace primero en la receta para hacer picadillo?
2. ¿Qué se hace con las papas?
3. ¿Qué hizo Rubén con las cebollas?
4. ¿Por qué debe Rubén apurarse para picar las cebollas?

Algo personal

1. ¿Ayuda a cocinar a su madre u a otro familiar?
2. ¿Le gusta a Ud. cocinar? ¿Qué comidas cocina?
3. ¿Sabe la receta de alguna comida? ¿Cuál?
4. ¿Qué es lo que más le gusta hacer cuando cocina? ¿Por qué?

Estrategia

Using visual images
Record words, ideas or expressions in Spanish with visual images or icons that will help you remember them.

En la cocina

🔊))) Escuche los siguientes diálogos y escoja la palabra o frase que completa correctamente cada oración según lo que oye.

1. El pastel debe ser *(enfriado / calentado)* para poderlo comer.
2. Se *(hierven / baten)* los huevos por cinco minutos.
3. Se baten los ingredientes con *(una batidora / un abrelatas)*.
4. Las papas se fríen en *(la sartén / la clara)*.
5. El pollo fue asado en una *(cacerola / asadera)*.
6. Se *(revuelven / hornean)* los ingredientes con mucho cuidado.

300 *trescientos* **Lección A**

Notes

Although dialog activities are primarily intended to strengthen listening skills, remember that just about any activity can be adapted to each of the four modes of communication. A dialog can be listened to, spoken, read or (re)written.

Comparisons. Review with students the ingredients Eva and Rubén use to prepare *picadillo*. Then have them brainstorm and discuss familiar dishes that are similar.

Yuca, el tubérculo andino

Esta mujer prepara harina de yuca.

La yuca es una planta de la familia de la papa, que dicen que nació en los Andes. Hoy en día sirve de alimento a más de 500 millones de personas y es un ingrediente básico en la comida boliviana.

Este tubérculo[1] tiene muchas cualidades. Tiene un aspecto[2] rústico y se puede cultivar fácilmente y con poco costo durante todo el año. Además, se puede utilizar en su totalidad, desde la raíz[3] hasta las hojas. De las hojas de la yuca se hace una harina que es muy rica en proteínas. La raíz es la parte que se come y que sirve como buena fuente[4] de carbohidratos.

Pero uno de los principales beneficios de la yuca es que es muy alimenticia[5] y a la vez muy barata. De hecho, durante la Primera Guerra Mundial, cuando en Europa había escasez[6] de pan, se importaron grandes cantidades de yuca para hacer pan con su harina y así evitar que mucha gente muriera de hambre.

Bolivia es uno de los países donde se produce y se consume más yuca. La yuca forma parte de la vida cotidiana de Bolivia, y también de su idioma: una expresión típica del país es "es flaco[7] como un jipurí", que es el palito[8] del centro de la yuca.

Campo de yuca.

[1]tuber [2]look [3]root [4]source [5]nourishing [6]shortage [7]skinny [8]little stick

23 La buena yuca

Conteste las siguientes preguntas.

1. ¿Qué es la yuca y de dónde viene?
2. ¿Qué se hace con las hojas de la yuca?
3. ¿Cuál es la parte de la yuca que se come?
4. ¿Por qué fue importante la yuca en la Primera Guerra Mundial?
5. ¿Qué expresión usan los bolivianos para decir que alguien es muy delgado?

La comida en los dichos

Many Spanish sayings refer to food. *Vete a freír espárragos* (Go fry asparagus) is a popular saying equivalent to the English "Go fly a kite!" *Contigo, pan y cebolla* (With you, bread and onion) is a reference to enduring love. It means that a person will stay with his or her beloved one even if they only had bread and onion to eat.

Teacher Resources

 Activity 23 (CD 13, #15)

 Activity 5 (CD 3, #18)

 Activity 11

 Activity 5

Answers

23 1. La yuca es una planta de la familia de las papas que viene de los Andes.
2. Se hace una harina rica en proteína.
3. Se come la raíz.
4. Se importó harina de yuca a Europa para hacer pan.
5. Es flaco como un jipurí.

Activities

Prereading Strategy
Using a concept web, assess students' prior knowledge on the topic of *Yuca, el tubérculo andino*. If students have more questions than information, record these on the concept web as well. Remind students to seek answers to their questions while reading the selection.

Students with Special Needs
Provide students with a photocopy of the *Cultura viva* selection. Instruct them to highlight or underline key words and phrases to help them with their reading comprehension.

National Standards

Cultures
2.1, 2.2

Connections
3.1

Comparisons
4.1, 4.2

 Notes

Yuca, or yucca root, is also known as *cassava, manioc, madioca* and *Brazilian arrowroot*. There are both sweet and bitter varieties. Due to a short shelf life, it is wise to eat *yuca* within a few days of buying it at the market.

Often compared to the potato, *yuca* can be used to create several products usually associated with the potato. Today, one can enjoy *yuca* chips, or even *yuca* French fries.

As they read, have students compile a list of the positive uses of the *yuca*.

Activities

Cooperative Learning
Ask students to draft sentences in the active voice on the topic of cooking. Then have students meet with a partner, exchange sentences and transform each sentence into the passive voice.

Spanish for Spanish Speakers
Have students compose a story about a special meal or cooking experience. Instruct them to use as many statements in the passive voice as possible. For example: *La cena fue preparada por toda la familia. La carne fue asada por mi hermana. Las papas fueron peladas por mi hermano...*

Students with Special Needs
Have students compile a list of relevant verbs important to this chapter. Then have them create a resource bank of the participle forms of these verbs. Once students have these lists to refer to, supply them with different subjects to allow them to practice constructing sentences. Remind them that the participle must agree with the subject.

National Standards
Communication 1.1, 1.3
Connections 3.1
Comparisons 4.1

Idioma

Estructura

La voz pasiva

In the passive voice the subject is not the doer, but the receiver of the action. The passive voice is often used with the word *por* (by).

Ella hirvió el agua.	She boiled the water.
*El agua fue hervida (**por** ella).*	The water was boiled (**by** her).
Yo tengo que pelar las papas.	I have to peel the potatoes.
*Las papas tienen que ser peladas (**por** mí).*	The potatoes have to be peeled (**by** me).

The passive voice is formed with a form of *ser* and the past participle of the verb. Note that the past participle agrees with the subject in gender and number.

*La carne **fue asada**.*	The meat **was roasted**.

The passive voice can be expressed in the present, the past, and the future by using the present, past, and future tense forms of *ser* and the past participle.

(él/ella) Asa la carne.	→	La carne es asada (**por** él/ella).
Asó la carne.	→	La carne fue asada (**por** él/ella).
Asará la carne.	→	La carne será asada (**por** él/ella).

Sometimes the passive voice can be expressed simply by using the third person plural of the verb.

***Picarán** el ajo más tarde.*	The garlic **will be chopped** later.

Sometimes *se* can express the passive voice. Compare the following pairs.

*El desayuno **fue servido** a las nueve.*	Breakfast **was served** at nine.
***Se sirvió** el desayuno a las nueve.*	

El almuerzo se sirvió a las dos.

Notes
Remind students that while *para* and *por* can both be translated as "for" in certain circumstances, and therefore confused, *por* is the only preposition used with the passive voice in Spanish. Tell students to think of *por* in this context as meaning "by" as opposed to "for."

Práctica

24 La comida fue preparada por todos

Los estudiantes de la escuela de cocina están todos muy ocupados. Diga quién preparó cada cosa. Use la voz pasiva.

> **MODELO** Ricardo hirvió el agua.
> El agua fue hervida por Ricardo.

1. Juanita preparó el arroz.
2. Esteban y Carlos pelaron las papas.
3. Mi hermana picó el ajo.
4. La profesora encendió el horno.
5. Rosario asó las papas.
6. Ramiro y Paula cortaron las cebollas en pedazos pequeños.
7. Maribel batió las claras de huevo.
8. Rosario y Carlos lavaron las verduras.

Ella peló las papas.

25 ¿Quién lo cocinará?

Complete las siguientes oraciones con la voz pasiva del verbo entre paréntesis. Use el tiempo verbal *(tense)* que se indica.

1. La receta *(pretérito/crear)* __ por mi abuela.
2. Los condimentos *(futuro/comprar)* __ mañana.
3. El pollo *(pretérito/asar)* __ ayer.
4. Las verduras *(presente/cortar)* __ en pedazos pequeños.
5. Los tomates *(presente/lavar)* __ en agua fría.
6. La sopa *(futuro/preparar)* __ por mi tío.
7. El cereal *(presente/mezclar)* __ con la leche.
8. Los huevos *(pretérito/batir)* __ por mi hermana.

Se sirvió cereal con fruta.

26 ¡Qué mal está la comida!

 La comida no ha quedado bien. Túrnese con su compañero/a para completar las respuestas. Siga el modelo.

> **MODELO** Las verduras están frías. ¿Quién las cocinó? (Celia)
> Fueron cocinadas por Celia.

1. La lechuga está sucia. ¿Quién la lavó? (Carla)
2. Los tomates están mal cortados. ¿Quién los cortó? (papá)
3. La cebolla no está bien picada. ¿Quién la picó? (yo)
4. Las papas no están bien peladas. ¿Quién las peló? (Mario)
5. El arroz está mal cocido. ¿Quién lo cocinó? (Celia)
6. Las galletas no están bien horneadas. ¿Quién las horneó? (mamá)
7. Estos duraznos están verdes. ¿Quién los compró? (tú)

Teacher Resources

 Activity 24 (CD 13, #16)

Answers

24 1. El arroz fue preparado...
2. Las papas fueron peladas...
3. El ajo fue picado...
4. El horno fue encendido...
5. Las papas fueron asadas...
6. Las cebollas fueron cortadas...
7. Las claras de huevo fueron batidas...
8. Las verduras fueron lavadas...

25 1. fue creada
2. serán comprados
3. fue asado
4. son cortadas
5. son lavados
6. será preparada
7. es mezclado
8. fueron batidos

26 1. Fue lavada por Carla.
2. Fueron cortados por papá.
3. Fue picada por mí.
4. Fueron peladas por Mario.
5. Fue cocinado por Celia.
6. Fueron horneadas por mamá.
7. Fueron comprados por ti.

Activities

Critical Thinking
Although activity 26 seeks to assign responsibility and hold people accountable, discuss with students how the passive voice can be used to avoid assigning responsibility and blame. In what situations might they use the passive voice to be kind or diplomatic?

National Standards

Communication
1.1

Connections
3.1

Notes

For further practice, have students complete the items in activity 25 for each of the time frames presented: *pretérito, presente* and *futuro*.

AP Spanish Language. Remind student that the oral questions for activity 26 try to elicit a particular tense. Although there might be several correct alternatives, ask students to try to respond in the tense in which the question is being asked.

303

Teacher Resources

 Activities 14–15

 Activity 7

 Activity 11

 Answers

27 Creative self-expression.

 Activities

Cooperative Learning
Divide students into groups of three or four. Instruct students to create sentences using each of the verbs presented on page 304. Each group member should come up with a different sentence for each of the verbs. For example: *La puerta está abierta. La ventana está abierta. Mi bolsa está abierta.*

Critical Thinking
Have students organize their comparisons in activity 27 into a Venn diagram. Give students the opportunity to expand this activity into a more extensive comparison-and-contrast essay.

Pronunciation
Review with students the pronunciation of the irregular participles presented on page 304. Model and have them repeat.

National Standards	
Communication 1.1	Comparisons 4.1
Cultures 2.1	
Connections 3.1	

304

Comunicación

27 Comparaciones

Descríbale a un(a) compañero/a algunas costumbres de Bolivia que Ud. ha aprendido en esta lección o en la internet. Su compañero/a le describirá una costumbre similar en los Estados Unidos. Deben usar la forma pasiva con *se*.

MODELO A: En Bolivia se preparan muchas comidas con yuca.
B: En los Estados Unidos se preparan muchas comidas con papas.

Estructura

Estar y el participio pasado

Estar is used with the past participle to describe a condition that is the result of a previous action. The past participle is used as an adjective and must agree in gender and number with the noun it modifies.

El ajo **está picado**.	The garlic **is chopped**.
La comida **está servida**.	Dinner **is served**.

Recall that to form the past participle of *-ar* verbs you drop the ending of the infinitive and add *-ado (pelado)*. For *-er* and *-ir* verbs, you drop the ending and add *-ido (cocido, batido)*.

The following verbs have irregular past participles.

abrir	→	abierto	*(opened)*	poner	→	puesto	*(put, placed)*
cubrir	→	cubierto	*(covered)*	resolver	→	resuelto	*(solved)*
decir	→	dicho	*(said, told)*	romper	→	roto	*(broken)*
escribir	→	escrito	*(written)*	ver	→	visto	*(seen)*
hacer	→	hecho	*(made, done)*	volver	→	vuelto	*(returned)*
morir	→	muerto	*(dead)*				

La ventanilla está rota.

304 *trescientos cuatro*

Lección A

Notes Students may be interested to know that lunch is usually the main meal of the day in Bolivia. Breakfast is typically small and simple, consisting of bread and coffee. For this reason, Bolivians often enjoy a mid-morning snack. *Salteñas*, stuffed turnovers similar to *empanadas*, are popular at this time of day. Encourage students to do further research about dining customs in Bolivia.

Práctica

28 Desayuno familiar

Mire el dibujo y complete las descripciones con el participio pasado de los verbos de la caja.

abrir	dormir	poner	cubrir	revolver	servir
apagar	hervir	sentarse	encender	romper	

MODELO Los gatos están <u>dormidos</u> debajo de la mesa.

1. La mesa está ___, pero el desayuno no está ___ todavía.
2. La mesa está ___ con un mantel de colores.
3. Dos de los chicos ya están ___.
4. La radio está ___, pero el televisor está ___.
5. Las ventanas están ___ porque hace calor y el aire acondicionado está ___.
6. Marisa le dice a su mamá que el agua para el té ya está ___, pero los huevos no están ___ todavía.

29 Soluciones domésticas

 Con su compañero/a, complete los siguientes anuncios de un periódico boliviano con el participio pasado de los verbos entre paréntesis.

1. Si Ud. llega a su casa y la comida no está *(hacer)*, ¡no se preocupe más! Sus problemas están *(resolver)*. Llámenos y le enviamos al instante la comida *(pedir)*. Tel. 555-9876.
2. ¿No le quedan sus pollos nunca bien *(asar)*? ¿Está *(romper)* su horno? Todos sus aparatos estarán *(arreglar)* en un abrir y cerrar de ojos si llama a Arreglalotodo: 555-2032.
3. La primavera comienza. ¿Necesita muebles nuevos para su jardín? ¿Un techo para poder comer al aire libre? ¡Sus muebles estarán *(colocar)* en cuanto Ud. los pida! Los techos estarán *(poner)* en 24 horas. www.ultrajardines.com.

Notes

Before reading the items in activity 28, have students describe the scene in their own words. Remind students that when placed after *estar*, these participles are really acting as adjectives, or describing words.

Encourage students to develop advertisements for their own skills or services. They might offer to tutor, wash windows, babysit, etc. Have them draft their "pitches" using *estar + el participio pasado*, as well as comparative and superlative forms practiced earlier in *Capítulo 7*.

Answers

28 1. puesta, servido
2. cubierta
3. sentados
4. encendida, apagado
5. abiertas, roto
6. hervida, revueltos

29 1. hecha, resueltos, pedida
2. asados, roto, arreglados
3. colocados, puestos

Activities

Expansion

AP Spanish Language (Structure in Context). On the chalkboard (or overhead transparency), copy the advertisements from activity 29. Leave a blank space in place of the infinitives. Then read the sentences, mentioning each infinitive as students write the appropriate verb form for each infinitive you name. Finally, ask for volunteers to write the correct verb forms in the appropriate space, according to the context in which the verb is used.

Language through Action

Before students complete activity 28, have them review the meaning of each of the verbs presented on page 305. Ask one student to pantomime the action of one of the verbs. Then have the other students guess the verb being acted out.

Students with Special Needs

Have students write out a complete sentence for each of the items in activity 28. Then have them circle the subject and the participle that need to agree. If they do not agree, have students make the necessary corrections.

National Standards

Communication
1.1, 1.2, 1.3

Connections
3.1

305

Teacher Resources

 Activity 31 (CD 13, #17)

 Activity 16

 Activity 8

 Activities 12–13

Answers

30 Creative self-expression.

31 1. Después se lavan las verduras.
2. Se corta el tomate en pedazos pequeños.
3. Se pica el ajo con cuidado.
4. Se pone aceite y vinagre a la ensalada.
5. Se baten las claras sin las yemas.
6. Se colocan los huevos en una sartén.
7. No se agrega sal.
8. Se cocinan las papas lentamente.

Activities

Expansion

In groups of three or four, have students create a story about a cooking or restaurant experience in which everything goes terribly wrong. Instruct them to use the pronoun *se* to express the ongoing string of accidents.

Spanish for Spanish Speakers

Have students expand activity 30 into a descriptive essay. They might use a photograph, a piece of art or an actual location as the basis for their descriptions. Encourage students to use adjectives to elaborate on their descriptions.

National Standards	
Communication 1.1, 1.3	**Comparisons** 4.1, 4.2
Cultures 2.1, 2.2	
Connections 3.1, 3.2	

Comunicación

30 Describa lo que ve

Describa una escena *(scene)* usando una forma de *estar* y el participio pasado. Puede ser sobre la clase de español, su cuarto, la cocina, etc. Luego, compare su descripción con las de otros estudiantes.

> **MODELO** Posible escena en la clase de español:
> La profesora está parada, los alumnos están sentados, la luz está encendida, la puerta está cerrada.

Estructura

Más usos de se

You have used *se* to form the passive voice to mean "you," "one," "they"

| *En Bolivia **se come mucha** yuca.* | **They eat** a lot of yucca in Bolivia. |

You can also use the pronoun *se* to express accidental occurrences. In this case, the verb agrees with the subject of the sentence.

| *La receta **se perdió**.* | The recipe **got lost**. |
| ***Se rompieron** dos platos.* | Two plates **got broken**. |

You may also add an indirect object pronoun in this usage to indicate who is affected by the occurrence.

| *¡Ay! **Se me rompió** la taza.* | Oh, **I accidentally broke** the cup! |
| *¡Mira! **Se te cayó** el plato.* | Look!, **you dropped** the plate! |

Práctica

31 Instrucciones de cocina

Complete estas instrucciones de cocina usando el pronombre *se* y la voz pasiva. Siga el modelo.

> **MODELO** primero / hervir / el agua
> Primero se hierve el agua.

1. después / lavar / las verduras
2. cortar / el tomate en pedazos pequeños
3. picar / el ajo con cuidado
4. poner / aceite y vinagre a la ensalada
5. batir / las claras sin las yemas
6. colocar / los huevos en una sartén
7. no agregar / sal
8. cocinar / las papas lentamente

En grupo, se cocina mejor.

Notes

Comparisons. Using the Internet, travel guides or books from the library, locate photographs showing typical Bolivian scenes. If possible, these should include some scenes mentioned in activity 30, such as a classroom, a kitchen, etc. Have students use these photographs as the basis for their descriptions in activity 30. Encourage them to expand their descriptions by comparing these scenes to their own classroom, kitchen, etc.

Review with students what they have learned thus far about Bolivia and its culture. Have students express their knowledge using the pronoun *se* to mean "you," "one" or "they": *En Bolivia se comen salteñas.*

32 Errores y consecuencias

Raúl decidió ir a Oruro para las fiestas de carnaval. Pero se le olvidó hacer muchas cosas antes de salir. Empareje *(Match)* los errores de Raúl con las consecuencias.

Errores

1. Se le olvidó cerrar la puerta.
2. Se le olvidaron las llaves.
3. Se le olvidó dejarle comida al gato.
4. Se le olvidó la licencia de conducir.
5. Se le olvidaron los lentes.
6. Se le olvidó hacer reserva en el hotel.

Consecuencias

A. No va a poder alojarse.
B. Le van a dar una multa.
C. ¡Mimí se va a morir de hambre!
D. No va a poder ver nada.
E. Va a ocurrir un robo en su casa.
F. No va a poder abrir la puerta cuando regrese.

33 ¡Nada sale bien!

Parece imposible, pero hoy nada sale bien. Con su compañero/a, creen un diálogo según las indicaciones. Sigan el modelo.

MODELO el azúcar / acabarse
   A: ¿Y el azúcar? ¿Se te acabó?
   B: Sí, se me acabó el azúcar.

1. ingredientes / olvidarse
2. receta / perderse
3. huevos / caerse
4. sartén / romperse
5. comida / quemarse
6. horno / apagarse
7. sal / terminarse
8. gafas de sol / caerse

🖐 Comunicación

34 Antes y ahora

Conteste las siguientes preguntas. Luego, hágaselas a su compañero/a y comparen sus respuestas.

1. ¿Qué cosas se le perdían de niño/a? Y ahora, ¿qué cosas se le pierden a menudo?
2. ¿Qué cosas importantes se le olvidaba hacer de vez en cuando? ¿Y qué se le olvida hacer ahora?
3. ¿Qué cosas se le rompían de niño/a? ¿Qué cosas se le rompen ahora?
4. ¿Se le caían cosas a menudo? ¿Dónde? ¿Y ahora se le caen cosas también?

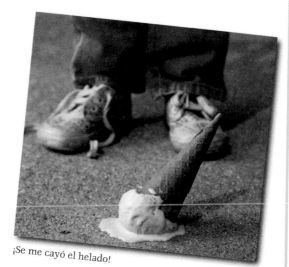

¡Se me cayó el helado!

Notes

Remember to give students adequate "warm-up" time when they converse with their peers in activities 33 and 34. Encourage students to extend their conversations.

The city of Oruro, about three hours south of La Paz, at an altitude of approximately 3,700 meters above sea level, is known for its cold weather. Historically a mining city, silver extraction was Oruro's main industry until its decline in the 19th century, when tin became more important.

Answers

32 1. E
   2. F
   3. C
   4. B
   5. D
   6. A

33 1. ¿Y los ingredientes? ¿Se te olvidaron? Sí, se me olvidaron.
   2. ¿Y la receta? ¿Se te perdió? Sí, se me perdió.
   3. ¿Y los huevos? ¿Se te cayeron? Sí, se me cayeron.
   4. ¿Y la sartén? ¿Se te rompió? Sí, se me rompió.
   5. ¿Y la comida? ¿Se te quemó? Sí, se me quemó.
   6. ¿Y el horno? ¿Se te apagó? Sí, se me apagó.
   7. ¿Y la sal? ¿Se te terminó? Sí, se me terminó.
   8. ¿Y las gafas de sol? ¿Se te cayeron? Sí, se me cayeron.

34 Creative self-expression.

Activities

Prereading Strategy
Before students match Raúl's mistakes to their consequences in activity 32, have them preview the list of mistakes. Ask them to brainstorm possible consequences for each. Once students have come up with three or four possible outcomes, see if any matches one of the sentences under *consecuencias.*

National Standards		
Communication		
1.1		
Connections		
3.1		

Las dos capitales de Bolivia

olivia es un país muy especial. Además de ser el país con mayor población indígena de Sudamérica, es el único que tiene dos capitales. Sucre es la capital judicial, donde está el Tribunal Supremo, y La Paz es la capital administrativa, donde está el gobierno. Las dos capitales tienen su propio encanto[1].

Sucre, por su arquitectura colonial y su gran cantidad de museos e iglesias, es una ciudad bellísima. Esta capital, llamada "la ciudad blanca", por el color de muchos de sus edificios, también es famosa por su ambiente juvenil y su vida nocturna. En Sucre hay un lugar muy curioso: la fuente de Inisterio. Dicen que quien bebe sus aguas se vuelve muy inteligente, pero si bebe demasiada agua, se puede volver loco.

La Paz es la ciudad más grande de Bolivia. Está situada a 3.650 metros de altura sobre el nivel del mar[2] y es por eso que muchos la llaman "la ciudad que toca el cielo". Pero lo que hace que La Paz sea tan especial es la gente de la ciudad, los paceños. Ninguna otra ciudad sudamericana se aferra[3] con tanta fuerza a su pasado. Muchas mujeres llevan a diario las ropas tradicionales. Además, La Paz es como un mercado gigantesco. En todas las calles hay puestos donde comprar desde ropa, artesanías y comida local, hasta computadoras, muebles y amuletos de la buena suerte[4].

[1]charm   [2]above sea level   [3]clings   [4]good luck amulets

Sucre es la capital judicial de Bolivia.

La ciudad de La Paz está a 3.650 metros sobre el nivel del mar.

35 **¿Qué recuerda Ud.?**

1. ¿Cuáles son las dos capitales de Bolivia?
2. ¿Por qué llaman a Sucre "la ciudad blanca"?
3. ¿Qué le pasa a la gente que bebe demasiada agua de la fuente de Inisterio?
4. ¿Por qué llaman a La Paz "la ciudad que toca el cielo"?
5. ¿Cuál es el principal atractivo de La Paz?

36 **Algo personal**

1. ¿Cuál de las dos ciudades le gustaría visitar? ¿Por qué?
2. ¿Qué compraría Ud. en los puestos de La Paz?

Lectura cultural
Las dos capitales de Bolivia
(CD 13, #18)
Activity 35 (CD 13, #19)
Activity 36 (CD 13, #20)

Answers

35 1. Sucre y La Paz.
2. Porque tiene muchos edificios coloniales blancos.
3. Se puede volver loca.
4. Porque está a 3650 metros de altura sobre el nivel del mar.
5. La gente y los puestos en las calles de la ciudad.

36 Answers will vary.

Activities

Cooperative Learning
Instruct students to draft their own comprehension questions based on the *Lectura cultural*. Then have them divide into pairs and trade questions with a partner. Allow students to "correct" the answers of their partner.

Critical Listening
Have students preview the questions in activity 35. Then ask for volunteers to take turns reading *Las dos capitales de Bolivia* aloud. Have students answer as many questions as they can based on hearing, rather than reading, the selection. Then have students go back and read the selection independently.

National Standards	
Communication 1.1	**Comparisons** 4.1
Cultures 2.1, 2.2	**Communities** 5.1
Connections 3.1	

308

Notes

Communities. Point out to students the nicknames given to Bolivia's two capitals: *la ciudad blanca* (Sucre) and *la ciudad que toca el cielo* (La Paz). Point out the nicknames of other famous cities. Ask students to brainstorm an appropriate nickname for your own town or city.

Suggest that students keep a journal to record their responses to *Algo personal*. At the end of the school year, students will be able to look back on their responses to a variety of different topics.

¿Qué aprendí?

Autoevaluación

Como repaso y autoevaluación, responda lo siguiente:

1. Diga cinco cosas que se pueden comprar en el mercado.
2. Dé el significado opuesto de dulce, fresco y maduro.
3. ¿Qué celebración en Bolivia fue declarada por la UNESCO Patrimonio de la Humanidad?
4. Diga dos oraciones usando tan... como y tanto(a, os, as)... como.
5. Diga dos oraciones usando las dos formas del superlativo.
6. Mencione cinco verbos que asocia con preparar una receta.
7. ¿Cómo se forma la voz pasiva de un verbo? Dé un ejemplo.
8. Escriba una oración que describa algo que ocurrió accidentalmente.
9. ¿Cuáles son las dos capitales de Bolivia?

Palabras y expresiones

How many of these words and expressions do you recognize?

Las verduras
el ají, *pl.* los ajíes
las espinacas
el choclo
el repollo

Las legumbres
la lenteja
el garbanzo
el frijol

Los condimentos
el ajo
el condimento
el orégano
el perejil

Las frutas
la cereza
el damasco

Para describir los alimentos
agrio,-a
cocido,-a
picante
podrido,-a
sabroso,-a
verde

Verbos
asar
batir
cocer (ue)
enfriar
revolver
hervir (ie)
hornear
mezclar
pelar
picar

En la cocina
la asadora
la batidora
el recipiente
la sartén

Medidas
el gramo
el litro

Otras palabras y expresiones
el boliviano
la clara
el diente (de ajo)
la harina
el pedazo
el puesto
la yema

Un puesto de verduras.

El agua está hirviendo.

Notes
When studying each chapter, set aside a special area to display any photographs, labels, flash cards, charts or other materials that are appropriate to the themes, topics and concepts being learned. Keep these materials available to students for the entirety of the chapter's duration.

Try compiling a resource bank of games and activities to practice and reinforce vocabulary, such as Bingo, flash cards, Charades and crossword puzzles.

Students should visit the Internet Resource Center at www.emcp.com to complete this activity online and check answers.

Teacher Resources

p. 111

Answers

Autoevaluación
Possible answers:

1. Las espinacas, el repollo, los damascos, las cerezas, el orégano.
2. Agrio, podrido, verde.
3. El Carnaval de Oruro.
4. Este repollo es tan sabroso como ése. Las cerezas cuestan tanto como los damascos.
5. Este puesto es el más caro de todos. Estas manzanas son riquísimas.
6. Hervir, batir, hornear, asar, mezclar.
7. Se forma con una forma del verbo *ser* y el participio pasado. El horno fue encendido.
8. Se me cayeron los platos.
9. Sucre y La Paz.

Activities

Cooperative Learning
Organize students into pairs. Have them take turns asking and answering the questions. Instruct the "questioner" to write down the response of his or her partner.

Students with Special Needs
Before students answer the questions, provide them with the list of page numbers where they can find the answers.

National Standards
Communication
1.1, 1.2
Connections
3.1

309

Teacher Resources

 Vocabulario I
Buenos modales en la fiesta
(CD 14, #1)

 Activity 1 (CD 3, #20)

 Activity 27

 Activities 1–3

 Activity 1

 Activities 1–4

Content reviewed in *Lección B*

- good manners
- party food
- talking about things said in the past
- going to a restaurant
- describing people and places

 Activities

Critical Thinking

Draw students' attention to the new subjunctive form used in some of the sentences on pages 310 and 311. For example: *Te dije que no hablaras mientras masticas.* Ask students to consider what purpose this new form might serve. Tell them that it is the past tense of the subjunctive.

National Standards

Connections
3.1

Comparisons
4.2

310

 Lección B **Vocabulario I** **Perú**

Buenos modales en la fiesta

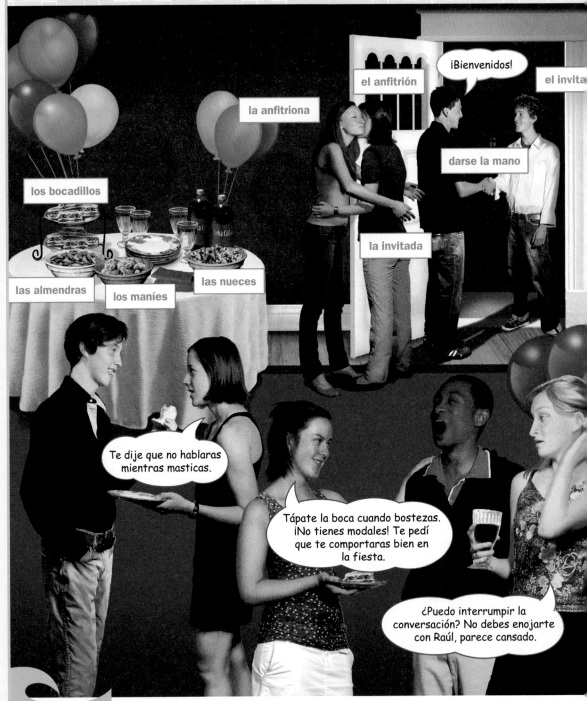

¡Bienvenidos!

el anfitrión

el invita[do]

la anfitriona

darse la mano

los bocadillos

la invitada

las almendras

los maníes

las nueces

Te dije que no hablaras mientras masticas.

Tápate la boca cuando bostezas. ¡No tienes modales! Te pedí que te comportaras bien en la fiesta.

¿Puedo interrumpir la conversación? No debes enojarte con Raúl, parece cansado.

Notes

A great culminating activity for this section of *Capítulo 7* would be to have students plan and host their own party.

Comparisons. Using a Venn diagram, have students compare and contrast the party scenes depicted on pages 310 and 311 with a typical party they might host or attend. What

things would be the same? What would be different?

Encourage students to break unfamiliar words into syllables to help sound them out.

La anfitriona me dijo que bajara el volumen. A los vecinos no les gusta el ruido.

Los invitados pidieron que subieras el volumen de la música.

¡Me encanta la música bailable!

los parlantes

el disc jockey

el sistema de audio

los pasos de baile

1 ¿Qué sucedió?

 Indique la letra de la foto que corresponde con lo que oye.

A

B

C

D

E

F

2 En la fiesta

Conteste las siguientes preguntas según la información en el Vocabulario I.

1. ¿Cómo se les dice a las personas que hacen una fiesta en su casa? ¿Y a las personas que van a la fiesta?
2. ¿Qué comidas se sirven en la fiesta?
3. ¿Qué debe hacer una persona cuando bosteza?
4. ¿Cómo se llaman los aparatos por donde sale la música?
5. ¿Qué puede hacer el disc jockey con el volumen de la música?
6. ¿Cómo se llama la música que es buena para bailar?

¡Extra!

En otras palabras

el bocadillo	el sándwich, el emparedado
el maní	el cacahuete

Capítulo 7

trescientos once

Notes

Bocadillos are sandwiches usually made on bread similar to a French *baguette*. They are popular throughout Central America, South America and Spain. *Bocadillos* can be filled with just about anything.

What constitutes good manners is often culturally based. In some cultures arriving late is considered bad manners; in others it is the norm.

Ensure that all students are participating in activities that require reading aloud or speaking. You may create some kind of checklist to make sure that everyone is "speaking up."

Teacher Resources

 Activity 1 (CD 14, #2)

Answers

1
1. C
2. F
3. A
4. B
5. E
6. D

2
1. anfritiones, invitados
2. bocadillos, maníes, almendras, nueces
3. taparse la boca
4. parlantes
5. subir o bajar el volumen
6. música bailable

Activities

Critical Listening
Allow students to listen to the scripts for listening activities such as activity 1 more than once. The first time, encourage them to "preview" the material. The second time, instruct them to listen for the purpose of completing the activity.

Expansion
Encourage students to answer the questions in activity 2 using complete sentences. Remind them to use part of the question in stating their answer. For example: *¿Qué comidas se sirven en la fiesta? En la fiesta se sirven bocadillos, maníes, almendras y nueces.*

National Standards	
Communication 1.1, 1.2	**Comparisons** 4.1
Cultures 2.1, 2.2	
Connections 3.1	

311

Teacher Resources

Diálogo I
¡Te dije que no pusieras los codos en la mesa! (CD 14, #3)
Activity 3 (CD 14, #4)
Activity 4 (CD 14, #5)
Activity 5 (CD 14, #6)

 Answers

3 1. Le gustaría que le enseñara buenos modales.
2. Mientras come, no puede poner los codos en la mesa. Mientras mastica, no puede hablar.
3. Debe responderle cuando termina de masticar.
4. Hay que taparse la boca al bostezar.

4 Answers will vary.

5 1. Ahora mismo bajo el volumen.
2. Se besaron.
3. Hay maníes y almendras.
4. Discúlpenme, no quería interrumpirlas.
5. Te sugeriría que te taparas la boca al bostezar.

 Activities

Students with Special Needs
Review with students the rules for good manners, as explained by Elisa. Provide them with the following starters, and have them complete the sentences based on what they learned from the dialog. *Cuando estás comiendo...; Mientras masticas...; Al bostezar...*

National Standards

Communication
1.1, 1.2, 1.3
Cultures
2.2
Connections
3.1, 3.2

Diálogo I   ¡Te dije que no pusieras los codos en la mesa!

MATEO: Me gustaría que me enseñaras buenos modales. Tengo una cita con Carolina y quiero comportarme bien.
ELISA: Claro, pero debes prestarme atención y no interrumpirme.
MATEO: Te lo prometo.

ELISA: Cuando estás comiendo, no puedes poner los codos en la mesa... Tampoco puedes hablar mientras masticas la comida.
MATEO: ¿Pero qué hago si Carolina me pregunta algo mientras estoy comiendo?
ELISA: Le respondes cuando termines de masticar.

ELISA: ¿Quieres hacer la prueba?
MATEO: Bueno...
ELISA: ¡Te dije que no pusieras los codos en la mesa!
MATEO: Discúlpame... Tengo mucho sueño.
ELISA: Tápate la boca al bostezar... Ésa es otra regla que debes recordar.

 ¿Qué recuerda Ud.?

1. ¿Qué le gustaría a Mateo que hiciera Elisa?
2. ¿Qué no puede hacer Mateo mientras come? ¿Y mientras mastica?
3. ¿Qué debe hacer Mateo si Carolina le pregunta algo mientras está comiendo?
4. ¿Qué otra regla le enseña Elisa?

 Algo personal

1. ¿Qué buenos modales conoce Ud.?
2. ¿Tiene buenos modales al comer? Explique su respuesta.
3. ¿Qué le gusta hacer en las fiestas?
4. ¿Cómo escucha la música: con el volumen alto o bajo?
5. ¿Le gusta bailar? ¿Qué pasos de baile conoce?

 ¡Qué modales!

 Escoja una respuesta correcta a lo que oye.

> *Discúlpenme, no quería interrumpirlas.*
> **Ahora mismo bajo el volumen.**
> *Te sugeriría que te taparas la boca al bostezar.*
> Se besaron.
> Hay maníes y almendras.

Notes
Give students opportunities to experience the dialog in different ways. Allow them to read, listen to and act out each of the dialogs.

Remind students to preview the questions in activity 3 prior to reading or listening to the dialog.

Organize students into groups of three to discuss their responses to *Algo personal.* For each item, assign one student the role of reader, one the role of responder and the third the role of recorder.

Cultura viva I

Inti Raymi, la Fiesta del Sol

Un baile típico del Inti Raymi.

El 24 de junio, los incas celebraban el solsticio de invierno, es decir, el principio del año nuevo del Sol. Inti Raymi quiere decir "año nuevo" en su lengua, el quechua. En el festival de año nuevo se hace un homenaje a Apu Punchao Inca, el dios del Sol, y especialmente a la unión eterna[1] entre el Sol y sus hijos, los seres humanos. En esta fiesta, los incas le agradecían[2] al dios del Sol las cosechas[3] que les había dado. Antes de la llegada de los españoles, el Inti

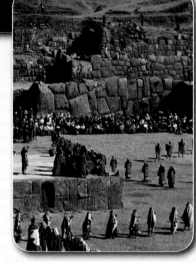

La Fiesta del Sol, Cuzco.

Raymi era la celebración más importante del imperio inca.

Hoy en día, los habitantes de Cuzco siguen celebrando la Fiesta del Sol, que es el festival más grande de América Latina, después del Carnaval de Rio de Janeiro, en Brasil. En esta celebración, un grupo de actores representa la fiesta del Inti Raymi en la fortaleza[4] de Sacsayhuamán. Antes, cuando sólo vivían en Cuzco la familia real, los sacerdotes[5] y los personajes importantes del imperio, la fiesta tenía lugar en lo que hoy es la Plaza de Armas de la ciudad. Unas cincuenta mil personas participaban en la celebración. Se reunían allí y esperaban a que saliera el sol para adorarlo[6].

Todos los participantes habían ayunado[7] durante nueve días, para poder celebrar al sol y llevar ofrendas[8] a su hijo, el Inca (que era el gobernante). El Inca les ofrecía a cambio un banquete con alimentos típicos incas, como asado y panes de maíz.

---

[1]never ending [2]thanked [3]harvests [4]fortress [5]priests [6]adore it [7]fasted [8]gifts

6 La Fiesta del Sol

Conteste las siguientes preguntas.

1. ¿Quiénes celebraban el Inti Raymi?
2. ¿Dónde tenía lugar la celebración?
3. ¿Qué se celebra en el Inti Raymi?
4. ¿Quién era el Inca?
5. ¿Para qué se reunían los participantes en la Plaza de Armas?

Capítulo 7

trescientos trece **313**

Notes

Comparisons. Discuss with students how *Inti Raymi* compares to their own New Year's celebrations and traditions.

Cuzco, the capital city of the Incas, reflects the history of the region. While much of the original masonry constructed by the Incas was destroyed by the Spanish *conquistadores*, today one can visit colonial churches built upon the stone foundations of Incan temples.

In 1536, a battle took place between the Incas and the Spanish at *Sacsayhuamán*. Many consider this event the definitive defeat of the Incas.

Teacher Resources

 Activity 6 (CD 14, #7)

 Activity 4

◆ Answers

6 1. Los incas celebraban el Inti Raymi.
2. Tenía lugar en Cuzco.
3. Se celebra al dios del Sol.
4. El Inca era el gobernante.
5. Se reunían para esperar la salida del sol y adorarlo.

◆ Activities

Pronunciation
Before students read *Inti Raymi, la Fiesta del Sol,* instruct them to skim the text for new or unfamiliar words. Model the correct pronunciation of challenging words.

Students with Special Needs
As students read through the selection, provide them with a short follow-up question following each sentence. Allow them to reread the sentence as a way to answer the question. For example: *¿Qué celebraban los incas el 24 de junio? El 24 de junio, los incas celebraban el solsticio de invierno.*

Technology
A diversity of cultures existed in Peru prior to the empire of the Incas. Encourage students to access the Internet to learn more about Peru's complex cultural history.

National Standards

Communication	Comparisons
1.1	4.1, 4.2
Cultures	
2.1, 2.2	
Connections	
3.1, 3.2	

313

Teacher Resources

 Activity 2 (CD 3, #21)
Activity 3 (CD 3, #22)

Activities 5–8

Activity 2

Activities 5–7

Activities

Critical Thinking
Have students brainstorm a list of verbs that, when used at the beginning of a sentence, indicate a clause in the subjunctive. Some examples might include *decir, querer* and *insistir*. Review with students the imperfect, preterite and conditional forms of these verbs.

Pronunciation
Model for students the correct pronunciation of these past-tense subjunctive forms. Check for accuracy.

Students with Special Needs
Have students create a resource bank of verbs relevant to this chapter. Then have them give the past-tense subjunctive forms for each of those verbs, similar to the example for *comer* on page 314.

National Standards
Comparisons 4.1

Idioma

Estructura

El imperfecto del subjuntivo

You already know how to use the present tense of the subjunctive. The subjunctive also has a past tense. To form the past tense of the subjunctive, take the *ellos* form of the preterite tense and remove the final *-on* of the ending. Then, add the new endings: *-a, -as, -a, -amos, -ais, -an*. This pattern applies to all verbs.

el imperfecto del subjuntivo	
yo comier**a**	nosotros comiér**amos**
tú comier**as**	vosotros comier**ais**
él/ella comier**a**	ellos comier**an**

Note that the *nosotros* form in the past subjunctive requires an accent mark: *comiéramos.*

As you know, the subjunctive is used in a sentence in which there are two parts connected by the word *que.* Each part has a different subject and a different verb. The main verb in the first part is always in the indicative mood, while the verb in the second or subordinate part is in the subjunctive mood. When the main verb in the sentence is in the preterite, imperfect, or conditional, the past subjunctive is used. Compare the following pairs of present subjunctive and past subjunctive usage.

Sugeriría que comieras la fruta.

Dice que no interrumpas la conversación.	He **says you shouldn't interrupt** the conversation.
Dijo que no interrumpieras la conversación.	He **said you shouldn't interrupt** the conversation.
Es importante que te comportes bien.	**It's** important **that you behave** well.
Era importante que te comportaras bien.	**It was** important **that you behaved** well.
Quiero que te encargues de la comida.	**I want you to take care** of the food.
Quería que te encargaras de la comida.	**I wanted you to take care** of the food.
Sugiero que traigas unos bocadillos.	**I suggest you bring** a few sandwiches.
Sugeriría que trajeras unos bocadillos.	**I would suggest you bring** a few sandwiches.

Notes
Refer students back to the vocabulary on pages 310 and 311 and the dialog on page 312. Have them identify and reread sentences utilizing the past tense of the subjunctive.

Práctica

7 Todos tienen algo

Complete las oraciones con el presente o el imperfecto del subjuntivo del verbo entre paréntesis según corresponda.

MODELO Me dijo que *(ir)* a su casa.
Me dijo que fuera a su casa.

1. Yo no quería que ellos *(venir)* temprano.
2. Sería mejor que Sara y Agustín *(quedarse)* en su casa.
3. Es importante que tú no les *(decir)* nada.
4. Me gusta que todos *(comportarse)* bien cuando vienen aquí.
5. El doctor le ordenó que no *(comer)* maníes.
6. Te sugiero que *(taparse)* la boca cuando bosteces.
7. Les insisto a ellos que no *(hablar)* con la boca llena.
8. Sería bueno que ustedes no *(poner)* los codos en la mesa.

Le sugirió que se tapara la boca al bostezar.

8 Una fiesta estupenda

Ana hizo una fiesta. Complete las oraciones con el imperfecto del subjuntivo de los verbos de la caja para saber qué pasó en la fiesta.

ir	ser	llegar	comportarse	tener	venir
traer	poner	salir	dormirse	hacer	

1. Ana le pidió a los invitados que ___ a las seis, pero dudaba que todos ___ a esa hora.
2. Antes de la fiesta ella le dijo al disc jockey que ___ música bailable.
3. No quería que el volumen ___ muy alto para no molestar a los vecinos.
4. Sus amigos se encargaron de todo para que Ana no ___ que comprar nada.
5. Ana le pidió a su amigo Rafael que ___ algunos discos compactos.
6. Aunque ella quería que su hermanito pequeño no ___ de su habitación, él no la obedeció.
7. Entonces Ana le sugirió que ___ bien y que no ___ mucho ruido.
8. Todos se alegraron mucho de que el niño por fin ___.

9 ¡Te dije que no molestaras!

Ángel, el hermanito pequeño de Ana, no presta atención a lo que ella le dice. Ana debe repetirle todo dos veces. Siga el modelo.

MODELO Lávate las manos antes de comer.
¡Te dije que te lavaras las manos antes de comer!

1. Saluda a los invitados.
2. Dale la mano a la invitada.
3. No interrumpas la conversación.
4. Busca un vaso, no tomes agua de la botella.
5. No hables al masticar.
6. No pongas los codos en la mesa.
7. Tápate la boca al bostezar.
8. Pide permiso para levantarte de la mesa.

Capítulo 7

trescientos quince **315**

Answers

7 1. vinieran
2. se quedaran
3. digas
4. se comporten
5. comiera
6. te tapes
7. hablen
8. pusieran

8 1. llegaran, vinieran
2. pusiera
3. fuera
4. tuviera
5. trajera
6. saliera
7. se comportara, hiciera
8. se durmiera

9 1. ¡Te dije que saludaras a los invitados!
2. ¡...que le dieras la mano a la invitada!
3. ¡...que no interrumpieras la conversación!
4. ¡...que buscaras un vaso, que no tomaras agua de la botella!
5. ¡...que no hablaras al masticar!
6. ¡...que no pusieras los codos en la mesa!
7. ¡...que te taparas la boca al bostezar!
8. ¡...que pidieras permiso para levantarte de la mesa!

Notes Help students break down activity 7 into distinct steps. First, have them determine whether the sentence is in the present, the past or the conditional. Then, have them identify the verb requiring the subjunctive. Finally, have them create the appropriate subjunctive form and put the entire sentence together.

Encourage students to research additional vocabulary on the subjects of cooking or hosting a party. If there are specific words or phrases that students are interested in, suggest that they use a dictionary to locate them.

Answers

10 Possible answers:
1. A: Joaquín, ¿qué te pidió...?
   B: Me pidió que fuera temprano... Me pidió que llegara...
2. A: Ramiro, ¿qué quería...?
   B: Quería que comprara... Quería que pidiera...
3. A: Mariana, ¿qué te sugirió...?
   B: Me sugirió que preparara... Me sugirió que limpiara...
4. A: Catalina, ¿qué te pidió...?
   B: Me pidió que consiguiera... Me pidió que trajera...
5. A: Pablo, ¿qué te dijo...?
   B: Me dijo que me encargara... Me dijo que pensara...

11 1. Falso. El artículo sugería que los románticos escucharan al dúo Sin Bandera o a los cantantes Alberto Plaza o Chayanne.
2. Cierto.
3. Falso. Sin Bandera es un grupo famoso.
4. Cierto.
5. Cierto.
6. Falso. El ránking semanal tenía a David Bisbal en cuarto lugar.
7. Cierto.
8. Falso. Sugerían que en una cena las personas escucharan al dúo Sin Bandera o a los cantantes Alberto Plaza o Chayanne.

National Standards

Communication
1.1, 1.3

Cultures
2.2

Connections
3.1, 3.2

 Preparativos

Antes de hacer una fiesta Luis le pidió a Ud. que hablara con los invitados para asegurarse de que supieran lo que tenían que hacer. Túrnese con su compañero/a para representar a cada invitado. Sigan las indicaciones de la lista. Usen expresiones como: *pidió que, dijo que, quería que, insistió en que* y *sugirió que.*

MODELO José: comprar almendras y nueces
A: José, ¿qué te pidió Luis a ti?
B: Me pidió que comprara almendras y nueces.

1. **Joaquín:**	ir temprano para ayudar llegar antes que los demás invitados
2. **Ramiro:**	comprar platos y vasos de papel pedir pizza para todos
3. **Mariana:**	preparar unos bocadillos limpiar después de la fiesta
4. **Catalina:**	conseguir al disc jockey traer discos compactos
5. **Pablo:**	encargarse de los refrescos pensar en juegos nuevos

11 **Música para la fiesta**

En una revista de Perú salió el siguiente artículo sobre las mejores canciones de la semana. Lea las recomendaciones de la semana y diga si las oraciones son ciertas o falsas. Si son falsas, corríjalas.

10	Ránking de la semana			Recomendaciones de la semana
	Rosas	1	La oreja de Van Gogh	Esta semana nuestras recomendaciones tienen música para todos los gustos. Si te gusta divertirte y estás pensando en hacer una fiesta, te recomiendo que elijas los ritmos bailables de Alex Ubago o los ritmos caribeños de Gloria Estefan. Si, en cambio eres una persona romántica y estás pensando en una cena para dos, o con amigos, no te olvides del famoso dúo Sin Bandera o de los cantantes Alberto Plaza o Chayanne. Si quieres escuchar música rock muy vanguardista, La oreja de Van Gogh es tu grupo.
	Mientes tan bien	2	Sin Bandera	
	Un siglo sin ti	3	Chayanne	
	Miénteme	4	David Bisbal	
	No es lo mismo	5	Alejandro Sanz	
	Febrero catorce	6	Alberto Plaza	
	No hace falta	7	Cristian	
	Hoy	8	Gloria Estefan	
	Jaleo	9	Ricky Martin	
	Sabes	10	Alex Ubago	

1. El artículo sugería que los románticos escucharan a La oreja de Van Gogh.
2. Recomendaba que a una persona a quien le gusta divertirse comprara el disco de Gloria Estefan.
3. El artículo decía que Sin Bandera no era un dúo muy conocido.
4. El autor sugería que a las personas a quienes les gusta bailar pusieran la música de Alex Ubago.
5. El artículo decía que los románticos no se olvidaran de Chayanne.
6. El ránking semanal tenía a David Bisbal en segundo lugar.
7. El artículo recomendaba que a los que le gusta la música rock vanguardista escucharan a La oreja de Van Gogh.
8. También sugerían que en una cena las personas escucharan a Ricky Martin.

Notes Traditional Andean or Peruvian music has gained popularity around the world. The most distinctive instrument is the traditional Andean panpipe, made of tubes of bamboo reed at varying lengths strapped together. The pipes are played by blowing through the tops of the tubes. Like so much of Peru's culture, its music draws on both indigenous and European roots. The Spanish brought stringed instruments to Peru. These were adapted and incorporated into the local music.

Have students practice the past tense of the subjunctive with daily activities such as peer-editing. After students have critiqued each others' work, ask them to report on the feedback they received.

Comunicación

12 ¿Qué sugeriría Ud.?

Su compañero/a prepara una fiesta y le pide ayuda. Déle sus sugerencias según la lista de la caja. Puede agregar otros elementos a la lista. Use el imperfecto del subjuntivo. Después, cambien de papel.

> • día y hora de la fiesta • para comer
> • lugar de la fiesta   • para beber
> • número de invitados   • tipo de música

MODELO A: ¿Qué día sugerirías tú que hiciera la fiesta?
B: Te sugeriría que la hicieras el sábado por la noche.

13 Fiesta de niños

Piense en una fiesta importante de su niñez. Complete las siguientes oraciones según su experiencia, usando verbos en el imperfecto del subjuntivo. Luego, compare sus experiencias con las de sus compañeros/as.

MODELO Yo esperaba que en la fiesta...
Yo esperaba que en la fiesta hubiera payasos.

1. Yo quería que...
2. Mis padres me permitieron que yo...
3. Mi mejor amigo/a quería que...
4. Todos los invitados me pidieron que...
5. Los vecinos nos dijeron que...
6. Era importante que...
7. Me gustó que todos los invitados...
8. Después de la fiesta, mis padres me pidieron que...

Quería que...

Notes

Comparisons. Students may be interested in learning that some birthday party traditions in Peru are very similar to those in the United States. Guests typically go home with some kind of party favor or souvenir, and partygoers often wear hats, with a special hat provided for the birthday boy or girl.

Be sure to provide students with adequate time as they practice new and complex constructions, such as the past-tense subjunctive. Provide them with an adequate opportunity to "put all the pieces together" as they respond to questions and form sentences aloud.

Expansion
After students have completed activity 12 with a partner, open the discussion up to the entire group. Encourage students to use this information to plan an actual party for the class. *¿Qué día sugerirían ustedes que hiciéramos la fiesta? Yo sugeriría que la hiciéramos el viernes que viene.*

National Standards
Communication 1.1
Cultures 2.1
Comparisons 4.2

317

Vocabulario II
En un restaurante (CD 14, #9)

 Activity 4 (CD 3, #23)

 Activity 28

 Activities 9–11

 Activity 3

 Activities 8–10

 p. 30

 Activities

Language through Action
In small groups, have students devise and role-play a restaurant scene. Their scenes should include the characters of a waiter/waitress and customer(s), as well as the action of placing an order, receiving the order and lodging a complaint. Refer students to the boxed vocabulary on page 319 for other useful phrases.

Multiple Intelligences (spatial)
Visual students may be interested in creating their own menus utilizing the vocabulary presented on page 318. Encourage them to use illustrations or magazine photographs to make their menus appealing and easy to read.

Students with Special Needs
Assist students in isolating new vocabulary and organizing it according to parts of speech. Have students create a list of the new nouns and adjectives presented at the top of page 318.

National Standards
Communication
1.1
Cultures
2.2
Connections
3.1

Vocabulario II
En un restaurante

RESTAURANTE LA LIMEÑA

¿Qué desean de plato principal?

Quiero una costilla de cordero que no esté muy cruda.

Yo quiero un ceviche de camarones marinados en limón y con especias.

la clienta

el cliente

el bistec con papas

el pollo relleno con almendras

la botella

Y el salmón de mis fideos no está ahum...

Camarera, esta pechuga de pavo está muy seca y muy salada. Quiero devolverla y pedir otra cosa.

quejarse

Entonces les recomiendo pescado a la parrilla con papas asadas.

las especias

los fideos

318 *trescientos dieciocho*   **Lección B**

Notes There are many choices when it comes to restaurants in Peru. Try a *cevichería* for *ceviche,* or *chifas* for a taste of Peruvian-influenced Chinese food. If you just want an informal Peruvian meal, try a *picantería* or *chichería.*

14 En el restaurante

 Escuche las frases y diga a qué foto corresponde cada una.

A

B

C

D

E

F

15 Grupos de palabras

Diga qué palabra no pertenece a cada grupo.

1. A. cordero   B. pavo   C. pollo   D. papas fritas
2. A. frito   B. asado   C. queja   D. a la parrilla
3. A. seco   B. botella   C. agua   D. beber
4. A. orégano   B. plato principal   C. especias   D. pimienta
5. A. salado   B. marinado   C. fideos   D. ahumado
6. A. picante   B. cliente   C. camarero   D. restaurante

16 ¿Qué comida prefiere?

Imagine que va al restaurante del Vocabulario II. Lea las comidas de las que se habla en esa sección y escriba oraciones con cada una. Puede hablar sobre las comidas que usted prefiere, sobre las que no le gustan y sobre cómo prefiere comer cada una.

MODELO A mí me gusta más la pechuga de pavo asada que la marinada.

¡Extra!

En el restaurante

Éstas son algunas expresiones que se usan en un restaurante.

¿Está listo/a para pedir?   *Are you ready to order?*
¿Cuáles son los platos   *What are the specials today?*
especiales del día?
¿Qué aperitivos me   *What do you suggest for*
recomienda?   *appetizer?*
Camarero/a, hay algo en   *Waiter (waitress), there's*
mi sopa.   *something in my soup.*
Más café, por favor.   *More coffee, please.*
La cuenta, por favor.   *The check, please.*
La cuenta tiene un error.   *The check has a mistake.*

Capítulo 7   *trescientos diecinueve* **319**

Teacher Resources

 Activity 14 (CD 14, #10)

Answers

14 1. F
2. C
3. E
4. A
5. B
6. D
15 1. papas fritas
2. queja
3. seco
4. plato principal
5. fideos
6. picante
16 Answers will vary.

Activities

Critical Thinking
Have students explain the rationale behind their choices in activity 15. How would they define the common characteristic or category? Why does their choice not fit in?

Students with Special Needs
Refer students back to the vocabulary presented on page 318 to assist them in completing activities 14 and 15.

National Standards	
Communication 1.2	**Comparisons** 4.1
Cultures 2.2	**Communities** 5.1
Connections 3.1	

Notes

Communities. Plan a field trip to a Peruvian or South American restaurant. If one is not available, students might set up their own Peruvian restaurant for a day. Have them prepare a set menu of simple dishes, take orders and serve their cuisine to teachers and other staff. The restaurant could even be used as a fund-raising activity for your class or school.

The diversity in Peru's cuisine mirrors the diversity of its geography. Food varies according to region: highland, coastal or tropical. While seafood is a staple of the coastal areas, potatoes and corn are more prevalent in the highlands.

Diálogo II
Pide lo que quieras
(CD 14, #11)
Activity 17 (CD 14, #12)
Activity 18 (CD 14, #13)
Activity 19 (CD 14, #14)

Answers

17 1. Va a pedir cordero que no sea asado.
2. Le gusta el bistec.
3. Lo mejor es el ceviche.
4. Quiere preguntarle si el bistec está marinado y si lleva muchas especias.
18 Answers will vary.
19 1. B
2. A
3. A
4. B

Activities

Critical Listening

Remind students to use the time when they are not speaking to listen critically but respectfully to the responses given by their peers.

Critical Thinking

Before students listen to the script for activity 19, ask them to preview the two choices presented in each item. Then have students draft a question that summarizes the issue presented in each. For example: *¿Qué papas fritas son más saladas, las de la cafetería o las del restaurante?*

National Standards
Communication 1.2
Cultures 2.2
Connections 3.1

Diálogo II   Pide lo que quieras

MATEO: Pide lo que quieras, Elisa. Quiero agradecerte tus consejos sobre los buenos modales.
ELISA: Espero que te sirvan.
MATEO: Seguro. ¿Qué vas a pedir de plato principal?
ELISA: Creo que el cordero... pero que no sea asado.

MATEO: Puedes pedirlo a la parrilla con papas fritas.
ELISA: No sé... también me gusta el bistec.
MATEO: Lo mejor en este restaurante es el ceviche.
ELISA: A mí no me gusta el pescado.

MATEO: Entonces, pide el bistec.
ELISA: ¿Crees que el bistec esté marinado?
MATEO: No creo. ¿Por qué no le preguntas a la camarera?
ELISA: Tienes razón. Espero que tampoco lleve muchas especias.

 ¿Qué recuerda Ud.?

1. ¿Qué va a pedir Elisa?
2. ¿Qué otro plato le gusta a Elisa?
3. ¿Qué es lo mejor en ese restaurante?
4. ¿Qué quiere preguntarle Elisa a la camarera?

 Algo personal

1. ¿Qué prefiere pedir de plato principal?
2. ¿Cómo le gusta comer el bistec?
3. ¿Le gusta la comida muy salada?
4. ¿Ha comido ceviche alguna vez?

 Lo mismo...

)))) **Escoja la oración que dice lo mismo que la oración que escucha, pero de otra manera.**

1. **A.** Las papas fritas del restaurante no son tan saladas como las de la cafetería.
   B. Las papas fritas de la cafetería son menos saladas que las del restaurante.

2. **A.** La sopa de pollo es mejor que la sopa de pescado.
   B. Lo mejor del restaurante es la sopa de pescado.

3. **A.** El tocino que necesito comprar no debe ser muy ahumado.
   B. No quiero tocino que sea ahumado.

4. **A.** Prefiero no comer bistec si no es asado.
   B. Preferiría comer el bistec a la parrilla.

Bistec a la parrilla.

Notes

Have students share their responses to activity 18. Encourage them to use nominalization to express their thoughts and opinions: *Me gusta el bistec a la parrilla más que el marinado.*

To prepare *ceviche,* marinate fish and/or seafood in lemon or lime juice. The seafood is combined with vegetables such as onion,

sweet potato and corn. Although a signature dish of Peruvian cuisine, debate exists about whether *ceviche* first originated in Peru or Ecuador.

Cultura viva II

Una receta peruana

La comida peruana es muy rica, y diversa según las diferentes zonas del país. Se usan muchos productos regionales, y son famosos los ceviches de pescados y mariscos y los guisos[1], que muchas veces utilizan choclo y yuca. Los sancochaos, que quiere decir "hervidos", son también muy populares y los hay de muchos tipos. Ésta es una receta de sancochao como se hace en Lima, la capital de Perú.

Sancochao a la limeña

Ingredientes

1 kilo de carne	1 yuca amarilla, pelada y cortada
1 zanahoria grande, pelada y cortada	3 camotes[5] pelados
3 papas	1/4 de kilo de vainitas[6]
4 ramas de apio[2]	1 pedazo de zapallo[7]
1/2 poro[3]	2 ramas de hierbabuena[8]
1/2 nabo[4]	1 cucharada de orégano
1/4 repollo	sal
3 choclos tiernos, cortados por la mitad	

Preparación

Cocinar la carne, en pedazos, en una olla con agua junto con el apio, el poro, el nabo, la yuca y los choclos. Poner el caldo en otra olla, con la carne y los choclos. Si las yucas ya están cocidas, guardarlas en un recipiente aparte. Si no, ponerlas en la olla con la carne para que se terminen de cocer. Añadir las papas peladas y cortadas por la mitad, los camotes, el zapallo, las vainitas, el repollo y la zanahoria, echar sal, tapar y dejar que hierva, hasta que esté todo cocido. Finalmente, poner la hierbabuena y el orégano y dejar hervir 5 minutos más. Servir caliente.

---

[1]stews [2]celery [3]gourd [4]turnip [5]yams [6]string beans [7]pumpkin [8]spearmint

---

 20 ¿Cómo se prepara el sancochao?

Conteste las siguientes preguntas.

1. ¿Qué es un sancochao?
2. Mencione seis ingredientes del sancochao a la limeña.
3. ¿Cuánto zapallo se necesita para esta receta?
4. ¿Qué se tiene que hacer con la yuca si está cocida?
5. ¿Cómo se debe servir el sancochao?

¡Oportunidades!

Aprenda español cocinando

¿Le gusta cocinar? ¿Le gusta probar platos de otros países? En la internet puede encontrar cientos de recetas de países hispanos, escritas en español. Trate de leer alguna receta e intente comprender los ingredientes y la preparación de algún plato. No sólo va a poder poner en práctica todo el vocabulario que ha aprendido sobre alimentos y cocina, sino que también va a tener la oportunidad de descubrir lo variada y atractiva que puede ser la comida hispana. ¡Buen provecho!

 Activity 20 (CD 14, #15)

Activity 5 (CD 3, #24)

Activity 4

 Answers

20
1. Es un guiso hervido.
2. Answers will vary but may include: yuca, carne, zanahoria, papas, apio, choclo, etc.
3. Se necesita un pedazo.
4. Se guarda en un recipiente aparte.
5. Se debe servir caliente.

Activities

Prereading Strategy

Remind students to preview the questions in activity 20 prior to reading the recipe for *Sancochao a la limeña*.

Technology

As suggested in *¡Oportunidades!*, have students conduct an Internet search for Peruvian recipes. Have students rewrite and format their recipes using a computer word-processing or graphics program. Then assemble the collection of recipes into a class cookbook.

National Standards	
Communication 1.3	**Comparisons** 4.2
Cultures 2.2	
Connections 3.1, 3.2	

Notes

Because *Sancochao a la limeña* may seem like a complicated recipe, try having the entire class prepare it. Assign various students to bring in individual ingredients. You may assign pairs of students to chip in together to bring in the most expensive ingredients, such as the meat.

For dessert, have students find a recipe for *picarones*. These Peruvian specialties are sweet fritters, similar to donuts, made from pumpkin or other kinds of squash.

Teacher Resources

 Activity 21 (CD 14, #16)

 Activity 6 (CD 3, #25)

 Activity 12

 Activity 5

 Activity 11

◆ Answers

21 1. Busco una persona que sepa hacer ceviche.
2. No conozco a nadie que pueda ayudarte.
3. Necesito alguien a quien le guste cocinar.
4. Quiero una costilla de cordero que no esté muy asada.
5. ¿Hay alguien que pueda decirme cuáles son los platos especiales de hoy?
6. Busco un restaurante que sirva pescado a la parrilla.

◆ Activities

Critical Thinking
Have students brainstorm a list of verbs that might be found at the beginning of sentences that describe people, places and things that may or may not exist.

Students with Special Needs
Review the present tense of the subjunctive. Point out that these examples of the subjunctive are to express doubt in the present tense.

National Standards

Comparisons
4.1

Estructura

El subjuntivo después de pronombres relativos

The relative pronouns *que* (that) and *quien* (who/whom) refer to and help describe a previously mentioned noun. Sometimes they are preceded by a preposition.

Mi abuela prepara un salmón ahumado **que** *está buenísimo.*	My grandmother makes a smoked salmon **that** is absolutely delicious.
Ella es la persona **a quien** *le recomendé los fideos.*	She is the person **to whom** I recommended the noodles.

The subjunctive is used after relative pronouns to describe people, places and things that may or may not exist. Notice that the personal *a* is not used with direct object nouns that refer to hypothetical persons. Compare the following pairs of sentences.

Busco un cocinero **que sepa** *preparar recetas peruanas.*	I am looking for a cook **that knows** how to prepare Peruvian recipes. (There may or may not be one around here.)
Conozco un cocinero muy bueno **que sabe** *preparar recetas peruanas.*	I know a very good cook t**hat knows** how to prepare Peruvian recipes. (He does exist.)
Quiere comprar una salsa **que no tenga** *muchas especias.*	She wants to buy a sauce **that isn't** too spicy. (She may not find any.)
Ella siempre compra esta salsa **que no tiene** *muchas especias.*	She always buys this sauce **that isn't** too spicy. (It's the one over there.)

The subjunctive is also used in negative clauses, that is, to state that something or someone does not exist.

No conozco a nadie **a quien no le gusten** *los helados.*	I don't know anybody **who doesn't like** ice cream.

The subjunctive is also used in questions to find out information about someone or something the speaker does not know much about.

¿Hay alguien aquí **que conozca** *un restaurante peruano?*	Is there someone here **that knows** a Peruvian restaurant?

 ## Práctica

 21 **¿Qué quieren…?**

Forme oraciones usando el subjuntivo después de cada pronombre relativo.

MODELO Quiero un postre que / no ser muy dulce.
Quiero un postre que no sea muy dulce.

1. Busco una persona que / saber hacer ceviche.
2. No conozco a nadie que / poder ayudarte.
3. Necesito alguien a quien / gustarle cocinar.
4. Quiero una costilla de cordero que / no estar muy asada.
5. ¿Hay alguien que / poder decirme cuáles son los platos especiales de hoy?
6. Busco un restaurante que / servir pescado a la parrilla.

Quiero un plato que no tenga ajo.

Notes

Comparisons. Comparing this use of the subjunctive with the English "would" or "might" may help students comprehend this concept of people, places and things that may or may not exist. *Busco un cocinero que sepa recetas peruanas* can be translated as: "I'm looking for a cook who would/might know Peruvian recipes."

Have Spanish-speaking students model examples of expressions using the subjunctive to describe people, places and things that may or may not exist. Discuss with the class what types of situations might lead to this construction.

22 De regreso a casa

Ud. estuvo de vacaciones en Lima. Ahora está de regreso y le gustaría comer comida peruana. Complete las oraciones.

MODELO Aquí no hay ningún restaurante que *(servir)* pollo relleno con almendras.
Aquí no hay ningún restaurante que sirva pollo relleno con almendras.

1. No conozco a nadie a quien no le *(gustar)* la comida peruana.
2. Mis amigos peruanos buscan un restaurante donde *(servir)* ceviche.
3. Pueden ir a una tienda donde *(vender)* los ingredientes para hacerlo.
4. ¿Hay alguien que me *(prestar)* dinero para comprar los camarones?
5. ¿Te parece que habrá alguien que *(conocer)* un cocinero peruano?
6. Lo siento, pero en mi familia no hay nadie que *(saber)* cocinar bien.
7. Tampoco hay nadie que *(tener)* la receta para hacer ceviche.

 23 Se busca persona que...

 Con un compañero/a, sigan las indicaciones para escribir anuncios solicitando un(a) cocinero/a y un(a) camarero/a. Pueden comenzar las oraciones del anuncio con las expresiones de la caja.

| se busca | busco | se necesita(n) | prefiero |
| se prefiere | necesitamos | queremos | preferimos |

MODELO persona que.../saber hablar inglés
Se necesita persona que sepa hablar inglés.

A. cocinero o cocinera que...
1. saber preparar platos de Perú
2. hablar español
3. ser amable y responsable
4. poder trabajar los fines de semana

B. camarero o camarera que...
1. ser simpático/a y sociable
2. tener dos años de experiencia
3. hablar español y francés
4. estar libre los fines de semana

 ## Comunicación

 24 Encuesta

En grupos de seis, hagan una encuesta. Anoten el número de personas que corresponde a cada categoría para presentar los resultados a la clase. Sigan el modelo.

MODELO En nuestro grupo hay tres personas que cocinan frecuentemente.
No hay nadie a quien no le gusten los camarones.

¿Hay alguien en el grupo que...?
- cocine frecuentemente
- no le guste el pavo
- le gusten las costillas de cordero
- coma comida picante
- vaya a restaurantes peruanos
- conozca un(a) cocinero/a peruano/a

Capítulo 7 *trescientos veintitrés* **323**

22 1. guste
2. sirvan
3. vendan
4. preste
5. conozca
6. sepa
7. tenga
23 A. cocinero o cocinera que...
1. sepa preparar...
2. hable español.
3. sea amable y responsable.
4. pueda trabajar...
B. camerero o camerera que...
1. sea simpático/a y...
2. tenga 2 años de experiencia.
3. hable español...
4. esté libre...
24 Creative self-expression.

Activities

Multiple Intelligences (logical-mathematical)
To support students' logical-mathematical intelligence, ask them to analyze the results of their surveys in activity 24. Have them present their results in the form of a pie chart, bar graph or table using percentages. Review vocabulary needed to express these mathematical concepts.

Notes Allow students to change the profession they speak about in activity 23. You might suggest they create a job announcement for the career they are interested in pursuing.

Encourage students to create their own questions for their surveys in activity 24. If there is an issue or topic they are interested in exploring, have them add that to their investigation.

Discuss with students other jobs and professions that would require one to speak more than one language. Ask students to consider ways they might use their Spanish skills in their future work.

National Standards
Communication 1.1, 1.3
Connections 3.1
Communities 5.2

Teacher Resources

 Activities 13–14

 Activity 6

 Activities 12–13

 Activities

Critical Thinking

Direct students to look through the vocabulary in this section and to draft a list of possible food choices. For example: *pollo: ¿a la parrilla o marinado?; nueces: ¿más saladas o menos saladas?* Have students use these examples to practice nominalization.

Students with Special Needs

Explain to students that an additional way to think about nominalization in Spanish is to simply remove the noun from the sentence the second time it is used. The article before the noun and the adjective or adjective phrase following the noun will serve to communicate the meaning: *Me gusta la comida del restaurante más que la (comida) de la cafetería.*

National Standards

Connections
3.1

Comparisons
4.1

Estructura

La nominalización y el pronombre relativo *que*

When an object has been identified, it's not necessary to keep repeating its name in order to be understood. You may instead use an article followed by an adjective or an adjective phrase to refer to the object. This is called nominalization. Take a look at the following example.

*Me gusta más **el salmón** a la parrilla **que el salmón** marinado.*	I like the grilled **salmon** more **than** the marinated **salmon**.
*Me gusta más **el salmón** a la parrilla **que el** marinado.*	I like the grilled **salmon** more **than** the marinated **one**.

Note that the article is the same gender and number as the noun being replaced. Here are more examples of nominalization.

*Por favor, compra **las almendras** ahumadas, **no las** saladas.*	Please buy the smoked **almonds, not** the salted **ones**.
***El pescado** que has hecho es mejor **que el del** restaurante.*	**The fish** you've made is better **than the** restaurant's.

You have seen more examples of nominalization using *lo* and *lo + que* to express an abstract idea.

***Lo mejor** fue el cordero asado.*	**The best thing** was the roasted lamb.
***Lo que** más me gusta es el pollo relleno.*	**What** I like most is stuffed chicken.

To refer to specific things rather than abstract ones, you may use *el que, la que, los que, las que*. This kind of nominalization always occurs in relative clauses.

*Quiero **la que** sea más dulce.*	I want **the one that** is sweeter.
*No me gustan **los que** están crudos.*	I don't like **the ones that** are raw. (I don't like the raw ones.)

Notice that if the nominalization refers to an object that has not been determined yet, the subjunctive is used. Compare the following.

*Compraré **lo que quieres**.*	I will buy **what you want**. (I already know what you want.)
*Compraré **lo que quieras**.*	I will buy **whatever you want**. (I don't know what you want.)

Pediré lo que quieras.

Notes

Give students strategies for organizing and processing the information presented in *Estructura*. Students might read the page independently or as a group, and then record notes and examples.

As students progress through *Capítulo 7* and the remainder of ¡*Aventura! 3*, remind them to keep an eye out for situations in which they can apply the knowledge learned in previous chapters.

Práctica

 25 **Lo que tuvimos que hacer**

Hay muchas palabras que se repiten en el siguiente párrafo. Use la nominalización para reemplazar *(replace)* las palabras en cursiva.

En la escuela de cocina nos dijeron a Manuel y a mí que cocináramos juntos el plato típico de Perú o *(1. el plato típico)* de otro país de Latinoamérica. Primero tuvimos que escoger una receta y escogimos *(2. la receta)* de Manuel. Pienso que mi plato era mejor, pero *(3. el plato)* de Manuel era más fácil. Luego, fue necesario decidir si cocinábamos en mi casa o en *(4. la casa)* de Manuel; y si era mejor la tarde del miércoles o *(5. la tarde)* del jueves. Por fin decidimos cocinar en mi casa el jueves por la tarde. Cuando terminamos, le pedí a mi mamá que invitara a sus amigas del barrio y a *(6. las amigas)* de la clase de gimnasia para que probaran la comida. A todas les gustó *(7. la comida)* que preparamos y ninguna se quejó de dolor de estómago.

 26 **¡Camarero, por favor!**

Ud. y su compañero/a están cenando en un restaurante con otros amigos y tienen problemas con el servicio. Túrnese con su compañero/a para quejarse. Usen la nominalización. Sigan el modelo.

MODELO El pastel lleva manzanas. Su amiga pidió el pastel que lleva cerezas.
Este pastel lleva manzanas. Ella pidió el que lleva cerezas.

1. La sopa es de pollo. Ud. pidió la sopa que está hecha con tomate.
2. El ceviche tiene mariscos. Su amigo quiere el ceviche que tiene sólo pescado.
3. La carne está marinada con especias. Sus amigos pidieron la carne que está frita con tomate y cebolla.
4. Los bistecs están fritos. Uds. pidieron los bistecs que están asados a la parrilla.
5. La cuenta indica que Ud. tomó la sopa que tiene camarones. Ud. tomó la sopa que tiene pollo.

 Comunicación

27 **Encuesta**

Con su compañero/a, digan qué plato prefieren en las siguientes situaciones. Observen el menú y sigan el modelo. Usen la nominalización.

MODELO **A:** Si hace frío, yo prefiero una sopa. Me gusta la sopa de verduras. ¿Y a ti?
B: Yo prefiero la de pollo.

• si hace calor	• si hace frío
• si tienen mucha hambre	• si tienen prisa

Menú

Sopa
de verduras
de pescado
de fideos
de pollo

Ensaladas
de lechuga y cebolla
de tomate
de atún
de pollo

Sándwiches
de queso
de jamón y queso
de pollo
de verduras

Capítulo 7

trescientos veinticinco **325**

Notes
When dining out in Peru, one can find a number of restaurants offering *un menú del día, menú económico, menú ejecutivo, menú de la casa* or *menú turístico.* These are all three-course meals with limited choices, usually at very affordable prices.

 Teacher Resources

 Activity 26 (CD 14, #17)

Answers

25 1. el
2. la
3. el
4. la
5. la
6. las
7. la

26 1. Esta sopa es de pollo. Yo pedí la que está hecha con tomate.
2. Este ceviche tiene mariscos. Mi amigo quiere el que tiene sólo pescado.
3. Esta carne está marinada con especias. Mis amigos pidieron la que está frita con tomate y cebolla.
4. Estos bistecs están fritos. Nosotros pedimos los que están asados a la parrilla.
5. La cuenta indica que yo tomé la sopa que tiene camarones. Yo tomé la que tiene pollo.

27 Creative self-expression.

Activities

Expansion
Suggest that students design their own personal menus for an ideal meal. Then have them compare choices with a partner. Encourage them to use nominalization when comparing their menus to the class: *A Paula le gusta la sopa de verduras, pero a mí me gusta la de pollo.*

National Standards	
Communication 1.1, 1.3	**Comparisons** 4.1
Cultures 2.1	
Connections 3.1	

325

Teacher Resources

Lectura personal (CD 14, #18)
Activity 28 (CD 14, #19)
Activity 29 (CD 14, #20)

Answers

28 1. Piura y Catacaos.
  2. Comió seis platos: sopa, ensalada, postre, arroz, carne y otro postre.
  3. Hay piedras de excavaciones y maquetas, y pinturas de los paisajes y ciudades del mundo inca.
  4. Porque los primeros invasores no fueron los españoles, sino los aztecas.
  5. Vio unas danzas típicas en la Plaza de Armas.

29 Answers will vary.

Activities

Multiple Intelligences (bodily-kinesthetic)
To support bodily-kinesthetic intelligence, encourage students to find out more about typical or folkloric dance in Peru. Have students share their findings through a presentation or demonstration for the class.

Prereading Strategy
Construct a concept web around the heading *Piura, Perú*. As students read, have them add information they have learned about this city to the web.

National Standards
Communication 1.3
Cultures 2.2
Connections 3.1

326

Lectura personal

E-Mail

Archivo   Ver   Mensajes   Ayuda

A... | Miranda
Cc... |
Asunto: | Perú

Recuerdos de Piura

Querida hermana,
Un saludo desde Piura, Perú, adonde llegamos anoche, muy cansados. Hoy comimos el almuerzo más abundante del viaje. Nos dieron seis platos en total, muy mezclados: primero sopa y luego ensalada y postre; después arroz, carne y ¡otro postre!
Por la mañana, visitamos el Museo del Oro, donde hay piedras de excavaciones y maquetas[1] y pinturas de los paisajes y ciudades del mundo inca. También vimos la Casa Museo del Almirante[2] Miguel Grau, donde hay muchos cuadros interesantes.
Por la tarde fuimos a Catacaos, un pueblecito cerca de Piura. Un señor del pueblo nos contó que los primeros invasores de Catacaos no fueron los españoles. Dice que los aztecas invadieron el pueblo y que por eso la gente del lugar tiene un acento tan parecido a los mexicanos. ¿No es interesante? Allí hay también una iglesia muy grande y paseamos por las calles, que están llenas de mercados. No te preocupes: ya te compré un objeto de artesanía[3] como recuerdo.
Por la noche, en la Plaza de Armas, vimos unas danzas típicas de la región. En general, fue un día lleno de actividad. Ahora me voy a descansar, porque mañana seguimos el viaje.
Besos, Manu

[1]models   [2]Admiral   [3]handicraft

La Plaza de Armas de Piura, Perú.

 ¿Qué recuerda Ud.?

1. ¿Qué dos ciudades menciona Manu en su correo electrónico?
2. ¿Qué comió de almuerzo?
3. ¿Qué hay en el Museo del Oro?
4. ¿Por qué en Catacaos hablan con un acento parecido al mexicano?
5. ¿Qué vio Manu por la noche?

 Algo personal

1. Cuando viaja, ¿le gusta mandar cartas o correos electrónicos? ¿A quién se los manda?
2. ¿Qué lugares de Piura o Catacaos le parecen más interesantes? ¿Por qué?

Notes   The *tondero* is an Afro-Peruvian folk dance popular in Piura. Performed in bare feet, it combines rhythmic music and colorful costumes. The music and dance are joyful, focusing on the themes of love and happiness.

Peruvian handicrafts might include ceramic figures, pottery, decorative mirrors, woven garments, tapestries or even games, dolls and children's toys.

Autoevaluación

Como repaso y autoevaluación, responda lo siguiente:

1. Diga tres reglas de buenos modales.

2. ¿Qué es el Inti Raymi?

3. ¿Cómo se forma el imperfecto del subjuntivo?

4. Escriba la siguiente oración en pasado: *Quiero que traigas algo para comer.*

5. Dé tres razones para devolver un plato en un restaurante.

6. Identifique cuatro ingredientes del "sancochao".

7. Complete la siguiente oración: *No conozco a nadie a quien...*

8. Use la nominalización en la siguiente oración: *Este ceviche es mejor que el ceviche de mi mamá.*

Palabras y expresiones

How many of these words and expressions do you recognize?

La fiesta
el anfitrión, la anfitriona
el invitado, la invitada
los modales

Verbos
bajar
comportarse
devolver (ue)
interrumpir
masticar
quejarse
recomendar (ie)
subir
tapar

Para bailar
el disc jockey, la disc jockey
la música bailable
los parlantes
los pasos (de baile)
el sistema de audio
el volumen

Para comer
la almendra
el bistec
el bocadillo
el ceviche
el cordero
los fideos
el maní, *pl.* los maníes
la nuez, *pl.* las nueces
la pechuga de pavo
las papas fritas
el salmón

Para describir la comida
a la parrilla
ahumado,-a
asado-a
crudo,-a
frito,-a
marinado,-a
relleno,-a
seco,-a
salado,-a

Expresiones y otras palabras
la botella
el cliente, la clienta
las especias
el plato principal

Las especias.

Los parlantes.

Capítulo 7   *trescientos veintisiete*   327

Notes

Gather and display a collection of photographs from food or cooking magazines that are related to the vocabulary presented on page 327. Read a word or phrase aloud, and have students point to the appropriate picture.

Encourage students to be honest in their self-assessment. Require them to prove to themselves, a partner or a small group that they have mastered these elements.

Students should visit the Internet Resource Center at www.emcp.com to complete this activity online and check answers.

Teacher Resources

 Activity 15

 p. 112

Answers

Autoevaluación
Possible answers:

1. No interrumpir. No masticar con la boca abierta. Taparse la boca cuando uno bosteza.

2. Es un festival de año nuevo en homenaje al sol que tiene lugar en Perú.

3. Se usa la forma *ellos* del pretérito y se le quita la terminación *-on*. Se le agregan las terminaciones *-a, -as, -a, -amos, -ais, -an.*

4. Quería que trajeras algo para comer.

5. Está crudo, está seco, está salado.

6. Carne, cebolla, yuca y repollo.

7. No conozco a nadie a quien no le guste el pollo relleno.

8. Este ceviche es mejor que el de mi mamá.

Activities

Cooperative Learning
Have students create additional examples for questions 4 and 8.

Critical Thinking
To help reinforce the meaning of the words listed under *Para comer* and those listed under *Para describir la comida,* have students match nouns with appropriate adjectives.

National Standards
Cultures 2.2
Connections 3.1, 3.2

Preparación
1. Neftalí Ricardo Reyes Basoalto.
2. Nació en Parral, Chile.
3. Estudió pedagogía.
4. Fue diplomático y fundó varias revistas.
5. Ganó el Premio Nobel de Literatura en 1971.

 Activities

Prereading Strategy
Before reading the selection on page 328, have students skim the text for dates. Create a time line of the dates mentioned. As students read, have them add a short description of the significance of each date to the time line.

Spanish for Spanish Speakers
Assign students one of the works by Neruda mentioned in the selection to analyze and respond to. Encourage students to share their critical readings with the whole group.

National Standards

Communication
1.3

Connections
3.1, 3.2

328

¡Viento en popa!

Ud. lee ▪▪▪▪▪▪▪▪▪▪▪▪▪▪▪

Estrategia

Using your senses
Poets often use details that invite the reader to feel with the five senses what they are talking about. If you use your senses, you can easily visualize the setting and the actions of the poem. Use your imagination to place yourself in the situation and think about what you can smell, touch, see, hear, and taste. Be aware that one detail can appeal to more than one sense.

Preparación

Lea la siguiente información sobre el poeta chileno Pablo Neruda y luego conteste las preguntas que siguen.

Neftalí Ricardo Reyes Basoalto nació en el pueblo chileno de Parral, en 1904. Años después sería conocido en todo el mundo como el gran poeta Pablo Neruda. Su padre era obrero de trenes y su madre, maestra de escuela. A la muerte de su madre, cuando el escritor tenía sólo dos años, la familia se fue a vivir a Temuco, donde Pablo asistió a la escuela. En 1921, Neruda se mudó a Santiago, la capital, para estudiar pedagogía en la universidad. Además de escribir numerosos poemas, Neruda fundó y dirigió varias revistas literarias y vivió en diferentes países como diplomático. Entre sus obras más conocidas están *Veinte poemas de amor y una canción desesperada*, *Tentativa del hombre infinito*, *Odas elementales* y sus memorias, *Confieso que he vivido*. En 1971, Neruda recibió el Premio Nobel de Literatura. El poeta murió en Santiago de Chile el 23 de septiembre de 1974.

1. ¿Cuál era el verdadero nombre de Pablo Neruda?
2. ¿Dónde nació Neruda?
3. ¿Qué estudió en la universidad?
4. ¿Qué otras profesiones tuvo, además de la de escritor?
5. ¿Cuándo ganó el Premio Nobel de Literatura?

Pablo Neruda.

Notes Students may be interested in researching more about Peruvian poets and poetry. Suggest that they research the life and work of the political poet César Vallejo or the contemporary poet Antonio Cisneros.

Remind students that they were previously introduced to Pablo Neruda in *Capítulo 5*. Refer them to the *Cultura viva* selection on page 215, *El Tren de la Poesía*. Discuss with students what they remember about this poet's life and work.

AP Spanish Literature. This poem by Pablo Neruda is on the College Board AP Spanish literature required reading list for twentieth-century authors.

Oda a la alcachofa

La alcachofa[1]
de tierno[2] corazón
se vistió de guerrero[3],
erecta, construyó
una pequeña cúpula,
se mantuvo
impermeable[4]
bajo
sus escamas[5],
a su lado
los vegetales locos
se encresparon[6],
se hicieron
zarcillos[7], espadañas[8],
bulbos conmovedores[9],
en el subsuelo
durmió la zanahoria
de bigotes rojos,
la viña[10]
resecó los sarmientos[11]
por donde sube el vino,
la col[12]
se dedicó
a probarse faldas,
el orégano
a perfumar el mundo,
y la dulce
alcachofa
allí en el huerto[13],
vestida de guerrero,
bruñida[14]
como una granada,

orgullosa,
y un día
una con otra
en grandes cestos
de mimbre[15], caminó
por el mercado
a realizar su sueño:
la milicia[16].
En hileras[17]
nunca fue tan marcial
como en la feria,
los hombres
entre las legumbres
con sus camisas blancas
eran
mariscales
de las alcachofas,
las filas apretadas[18],
las voces de comando,
y la detonación
de una caja que cae,
pero
entonces
viene
María
con su cesto,
escoge
una alcachofa,
no le teme[19],
la examina, la observa
contra la luz como si fuera un huevo,
la compra,

la confunde[20]
en su bolsa
con un par de zapatos,
con un repollo y una
botella
de vinagre
hasta
que entrando a la cocina
la sumerge en la olla.
Así termina
en paz
esta carrera
del vegetal armado
que se llama alcachofa,
luego
escama por escama
desvestimos
la delicia
y comemos
la pacífica[21] pasta
de su corazón verde.

[1]artichoke [2]soft [3]warrior
[4]waterproof [5]scales [6]bristled
[7]tendrils [8]belfries [9]moving
[10]vine [11]vine shoots [12]cabbage
[13]orchard [14]polished
[15]wicker baskets [16]military
[17]rows [18]pressed together
[19]isn't afraid of it
[20]gets it mixed up [21]peaceful

A ¿Qué recuerda Ud.?

1. ¿Qué se describe en este poema?
2. ¿Con qué compara el poeta a la alcachofa?
3. ¿Cuál es la historia de la alcachofa del poema?
4. ¿Cómo termina la vida de esta alcachofa?

B Algo personal

1. ¿Le gustan las alcachofas? ¿Por qué?
2. ¿Por qué cree Ud. que, al final del poema, el poeta hace dos referencias a la paz?
3. Imagine su fruta o verdura favorita. ¿A qué se parece? ¿Con qué la compararía?

La alcachofa.

Capítulo 7 · *trescientos veintinueve* **329**

Teacher Resources

 ¡Viento en popa!
Oda a la alcachofa
(CD 14, #21)
Activity A (CD 14, #22)
Activity B (CD 14, #23)

 Answers

A Answers will vary, but the following ideas should be expressed:
1. Se describe una alcachofa.
2. La compara con un guerrero.
3. Se escapa para ir a la guerra, pero la compran para cocinarla.
4. Termina en la mesa, cuando la comemos.

B Answers will vary.

 Activities

Pronunciation
Have students read through the poem chorally. Stop periodically to ask whether there are any words or phrases that students need help pronouncing. Model these words and phrases and have students repeat. Then continue with the choral reading.

Multiple Intelligences (spatial)
Visual students may enjoy expressing Neruda's poetic images through drawing or sculpture. How might they visually express the line *La alcachofa de tierno corazón se vistió de guerrero...?*

National Standards
Communication 1.3
Connections 3.1
Comparisons 4.1, 4.2

Notes

Point out to students that the Spanish word *oda* means "ode." Discuss this genre of poetry. What is the purpose of an ode? Are there other famous odes with which students are familiar?

Have students brainstorm other fruits and vegetables that would make for an interesting ode.

Allow Spanish-speaking students to read the poem independently. Encourage them to research and locate other poems by Neruda. Then have them compare and contrast their chosen selection with *Oda a la alcachofa*.

Answers

Creative self-expression.

 Activities

Cooperative Learning

Allow students to brainstorm their prewriting ideas in groups. This way, they can benefit from the ideas of their peers and generate more details for their individual writing.

Multiple Intelligences (linguistic)

Linguistic students may enjoy writing their descriptions in poetic form. Encourage them to consider rhythm and line breaks when writing in this genre.

Students with Special Needs

Help students draft a resource bank of adjectives to use in their descriptions. Encourage them to search through the vocabulary lists as well as Neruda's poem for interesting and descriptive words.

National Standards
Communication 1.3
Connections 3.1

Ud. escribe

Estrategia
Using sensorial details
To make a description more vivid, you can add details that appeal to each one of the five senses. Think of what you are describing and try to find words that tell your reader how it smells, sounds, feels to the touch, tastes or looks like. You can also think of things your object reminds you of, and then use sensory adjectives to compare it to the object you are describing. For instance, if you are describing a cloud and it reminds you of a cotton ball, you can use adjectives that describe the cotton ball and apply them to the cloud.

 Escriba una descripción de su comida favorita usando detalles sensoriales. Piense en adjetivos que describan qué forma y colores tiene, cómo huele, qué gusto tiene y cómo es al tacto (suave, dura, blanda). Piense también en adjetivos que le sugieran algún sonido relacionado con esa comida, por ejemplo, "ruidoso", si la comida le recuerda el lugar donde se vende por lo general. Use la gráfica que se encuentra a continuación para ordenar los detalles. Incluya en su descripción oraciones con el subjuntivo después de pronombres relativos y la nominalización (por ejemplo, el que coma la alcachofa, se enamorará de ella). Comparta su borrador con otro/a estudiante y pídale sugerencias o correcciones. Por último, escriba la versión final para incluir las sugerencias de su compañero/a y para corregir los errores en los tiempos de los verbos, el uso de las palabras o expresiones de transición y la ortografía.

¡Viento en popa!

Notes

Discuss with students which sense they usually rely on when describing an object. If it's sight, for example, encourage them to focus on their other four senses. Remind students that their writing will be more interesting if it is somewhat unexpected. Have them think about the sound of a tomato, for example, or the smell of a carrot.

Sometimes two peer editors are better than one. Once students have swapped drafts with a classmate, have them swap once again. This way, each draft will be read by two peers who might offer different suggestions.

330

Proyectos adicionales ■■■■■■■■

El mercado de Pisac, Perú.

A Conexión con la tecnología

En Perú hay muchos mercados interesantes para visitar. Haga una investigación en la internet y busque información sobre los mercados más importantes de Perú, dónde están, cuándo tienen lugar y qué productos se pueden encontrar en cada uno. Luego, comparta con la clase la información que encuentre.

B Conexión con otras disciplinas: arqueología

¿Sabía Ud. que no sólo en Egipto hay momias? Los incas también hacían momias. Se han encontrado en los últimos años muchas momias incas en distintos lugares de la región andina. Haga una investigación en la internet y busque información sobre momias incas. Luego, escriba un informe diciendo cómo eran, en qué lugares se han encontrado y en qué estado estaban. Lea su informe en clase.

C Comparaciones

Compare un plato típico de su área con un plato peruano o boliviano de características parecidas. Primero, escoja un plato típico de Perú o Bolivia. Puede buscarlo en la internet o en un libro de recetas de la biblioteca. Después, compare la preparación y los ingredientes de ese plato con los del plato de su región. Escriba un párrafo comparando ambos platos.

La yuca se usa en muchos platos típicos peruanos y bolivianos.

Capítulo 7   *trescientos treinta y uno* **331**

Teacher Resources

p. 93

◆ Activities

Critical Listening
Offer students the opportunity to present their projects to the class as a whole. Encourage the "audience" to listen critically so that they will be able to respond to, and reflect on, what they have heard and learned. Remind presenters to include time for questions and answers at the end of their presentations.

Expansion
Encourage students to develop project C into a lecture-demonstration. They might prepare the dishes they are comparing, and allow their peers to see, smell and taste the differences for themselves.

Technology
Create an Internet resource list for each topic, country or theme explored. When students locate a helpful and informative Web site, have them post the address to this list. That way, all students can access these relevant sites and cut down on "surfing" time.

National Standards	
Communication 1.2, 1.3	**Comparisons** 4.2
Cultures 2.1	**Communities** 5.1
Connections 3.1, 3.2	

Notes
For tourists interested in archaeology, Peru offers endless opportunities to combine travel and history. Tours are available to explore many of Peru's archaeological marvels, such as Machu Picchu and the city of Cuzco.

Communities. Whenever students present or display projects they have researched and created, invite other members of the community to hear and/or see the presentations. You might invite parents and guardians, siblings or other classes.

Connections. Project B also connects to the curricular areas of Social Studies and History.

Teacher Resources

El cuarto misterioso
Documental 4

Trabalenguas (CD 14, #24)

Answers

Así se hace el misterio
1. Answers will vary.
2. Answers will vary.
3. Se comen muchas frutas mediterráneas, jamón serrano y mariscos.

Activities

Cooperative Learning
Have students read through *Repaso* in small groups. Ask students to "prove" to their groups that they have mastered the elements of the chapter by providing an example of each.

Expansion
The items listed under *I can also...* may also be used as the basis for additional projects.

Pronunciation
Encourage students to practice the *Trabalenguas* multiple times. Have them start slowly and gradually increase speed as they become more familiar with the tongue twister.

Trabalenguas
See which student can say the *Trabalenguas* the most times in a row without making a mistake.

National Standards

Cultures
2.2

Connections
3.1

REPASO

Now that I have completed this chapter, I can...

	Go to these pages for help:
talk about grocery shopping.	288, 289
describe foods in terms of flavor and freshness.	288
make comparisons.	292, 293
single out something.	295
discuss food preparations.	298, 299
express accidental occurrences.	306
talk about good manners.	310, 311
order food at a restaurant.	318
make complaints.	318
avoid using a word already mentioned.	324

I can also...

talk about a carnival that takes place in Oruro, Bolivia.	291
explain why the yucca plant was so important during World War I.	301
identify the two capitals of Bolivia and give details about each of them.	308
talk about the Inti Raymi festival in Peru.	313
explain how to prepare a peruvian recipe	321
Read a poem by a Nobel prize Chilean poet.	329

Trabalenguas

Si Sansón no sazona su salsa con sal, le sale sosa;
Le sale sosa su salsa a Sansón si la sazona sin sal.

Así se hace el misterio

Después de mirar Episodios 63–66 de *El cuarto misterioso*, contesta las siguientes preguntas.

1. ¿Hay un paseo como Las Ramblas en tu ciudad? ¿En qué es similar o diferente?

2. A Jennifer la gusta ir de compras en el mercado, ¿prefieres comprar comestibles en un mercado o en un supermercado? ¿Por qué?

3. ¿Qué comidas son típicas de Barcelona?

Notes Loose translation of the *Trabalenguas*:
If Sampson doesn't season his sauce with salt, it tastes tasteless;
Sampson's sauce tastes tasteless if he doesn't season it with salt.

Vocabulario

agrio,-a sour 7A
ahumado,-a smoked 7B
el ají, *pl.* los ajíes pepper 7A
la almendra almond 7B
el anfitrión, la anfitriona host, hostess 7B
asado-a roasted 7B
la asadora baking pan 7A
asar to roast 7A
bajar to lower 7B
la batidora blender 7A
batir to beat 7A
el bistec steak 7B
el bocadillo sandwich 7B
el boliviano Bolivian currency 7A
la botella bottle 7B
la cereza cherry 7A
el ceviche *ceviche* (marinated sea food dish) 7B
el choclo ear of corn 7A
la clara egg white 7A
el cliente, la clienta customer 7B
cocer (ue) to cook 7A
cocido,-a cooked, done 7A
comportarse to behave 7B
el condimento seasoning 7A
el cordero lamb 7A
crudo,-a raw, undone 7B
el damasco apricot 7A
el diente de ajo garlic clove 7A

el disc jockey, la disc jockey disc jockey (DJ) 7B
enfriar to cool 7A
las especias spices 7B
las espinacas spinach 7A
los fideos noodles 7B
el frijol bean 7A
frito,-a fried 7B
el garbanzo chick-pea 7A
el gramo gram 7A
la harina flour 7A
hervir (ie) to boil 7A
hornear to bake 7A
interrumpir to interrupt 7B
el invitado, la invitada guest 7B
la lenteja lentil 7A
el litro liter 7A
el maní, *pl.* los maníes peanut 7B
marinado,-a marinated 7B
masticar to chew 7B
mezclar to mix 7B
los modales manners 7B
la música bailable dancing music 7B
la nuez, *pl.* las nueces walnut 7B
el orégano oregano 7A
las papas fritas French fries 7B
los parlantes speakers 7B

a la parrilla grilled 7B
los pasos (de baile) (dance) steps 7B
la pechuga de pavo turkey breast 7B
el pedazo piece 7A
pelar to peel 7A
el perejil parsley 7A
picante hot 7A
picar to chop 7A
el plato principal main dish 7B
podrido,-a rotten 7A
el puesto stall 7A
quejarse to complain 7B
el recipiente bowl 7A
relleno,-a stuffed 7B
el repollo cabbage 7A
revolver (ue) to stir 7A
sabroso,-a tasty 7A
salado,-a salty 7B
el salmón salmon 7B
la sartén frying pan 7A
seco,-a dry 7B
el sistema de audio audio system 7B
subir to raise 7B
tapar to cover 7B
verde unripe 7A
el volumen volume 7B
la yema egg yolk 7A

La sartén.

La asadora.

Notes   Tell students that some food names vary according to different regions or countries.

Remind students that the words and expressions listed here are provided for easy reference and consist of all vocabulary they must know from *Capítulo 7*. Students should review and test themselves on the content of the *Vocabulario* in preparation for the chapter test.

Teacher Resources

Assessment
Test Booklet
Quizzes
ExamView®
Assessment Suite

◆ Activities

Critical Thinking
Have students organize the vocabulary on page 333 into different categories. Categories may include *comida, verbos de cocinar* and *adjetivos*. If there are words or phrases that do not belong to any category, have students explain why. Students may even subdivide categories, such as breaking *comida* into *verduras, frutas, nueces, especias*, etc.

Pronunciation
In order to reinforce correct pronunciation of new vocabulary, have students read the words and phrases aloud and encourage them to critically listen to their peers. If there are words that students are struggling with, model the correct pronunciation and have them repeat.

National Standards
Communication 1.2
Cultures 2.2
Connections 3.1

Connections with Parents

Follow these suggestions to create a strong connection with significant adults in your students' lives:

1. Encourage parents/guardians to visit your classroom.
2. Send out a monthly newsletter or create a class Web page.
3. Ask parents to sign papers with good and bad grades.
4. Call or e-mail with good news.
5. Return phone calls with parents/guardians as soon as possible.
6. Be a good listener when you talk to parents.
7. Be positive, yet notify parents and guardians as soon as you see a problem developing.
8. Display your students' work and take photos of your students to hang around the room so that parents can see their child's work displayed.

◆ Answers

El cuarto misterioso

1. Los Juegos Olímpicos se hicieron en Barcelona en el año 1992.
2. Answers will vary. Puede incluir a Picasso, Gaudí y Miró.
3. Answers will vary.
4. Necesita construir hoteles, restaurantes, bares, discotecas.

National Standards

Communication
1.1

Connections
3.1

Objetivos

CAPÍTULO 8

La buena salud

El cuarto misterioso

Contesta las siguientes preguntas sobre esta escena del *Documental 4–Jennifer Blanco (Conchita).*

1. ¿Recuerdas cuándo se hicieron los Juegos Olímpicos en Barcelona?
2. ¿Puedes mencionar algunos artistas famosos de Barcelona?
3. ¿Puedes mencionar otros lugares famosos de Barcelona?
4. Además de pistas y canchas, ¿qué necesita construir una ciudad sede de las Olimpiadas?

DVD 5, Episodios 67–70. Jennifer está en el Puerto Olímpico.

talk about situations would have happe

express future even

ask for and provide medical information

Notes

Point out that Latin America suffers from poorer health than the developed world due to problems such as poverty and lack of resources. As an example, the infant mortality rate is higher than in the U.S. and the life span is shorter for the overall population. There are differences within Latin America.

Ask students who have traveled to Barcelona to provide their personal experiences with the class.

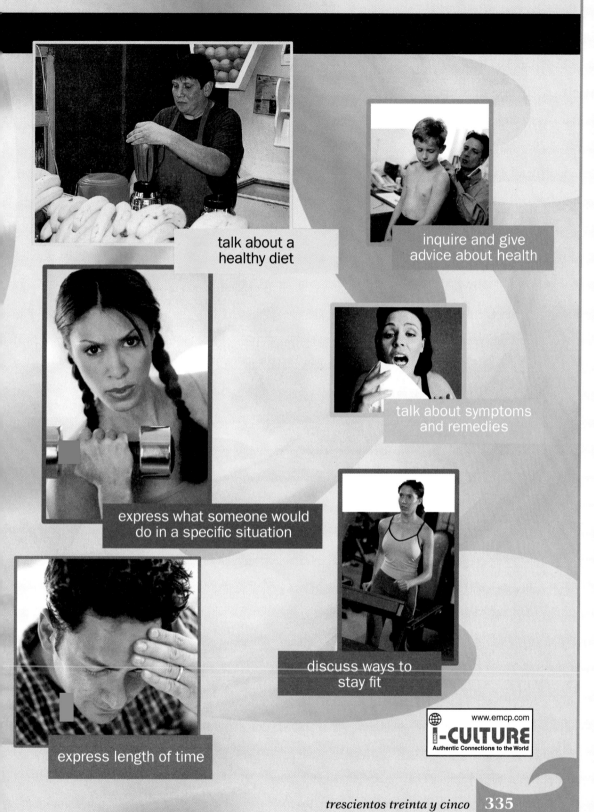

talk about a
healthy diet

inquire and give
advice about health

talk about symptoms
and remedies

express what someone would
do in a specific situation

discuss ways to
stay fit

express length of time

www.emcp.com
EMC **i-CULTURE**
Authentic Connections to the World

trescientos treinta y cinco **335**

Guatemala
Nombre oficial: República de Guatemala
Población: 12.300.000
Capital: Ciudad de Guatemala
Ciudades importantes: Antigua, Chichicastenango, Quetzaltenango
Unidad monetaria: el quetzal
Fiesta nacional: 15 de septiembre, Día de la Independencia
Gente famosa: Rigoberta Menchú (líder popular); Ricardo Arjona (cantante)

Honduras
Nombre oficial: República de Honduras
Población: 6.900.000
Capital: Tegucigalpa
Ciudades importantes: Choluteca, Comayagua, Santa Rosa de Copán
Unidad monetaria: el lempira
Fiesta nacional: 15 de septiembre, Día de la Independencia
Gente famosa: Jorge Luis Oviedo (escritor); La Banda Blanca (grupo musical)

◆ **Activities**

Prior Knowledge
Take a few minutes to let students reflect on the chapter objectives. Ask students: *¿Qué harías tú si tuvieras una fractura en un brazo? ¿Cómo te tratarías?; Imagínate que hoy es viernes. ¿Qué habrás hecho esta semana?; ¿Qué habrías hecho si rompieras tu pierna ayer?; ¿Cuáles son los síntomas de una pulmonía?; ¿Te han operado alguna vez?; ¿Cuál es tu posesión más preciosa? ¿Qué harías si lo perdieras?*

National Standards	
Communication 1.1	**Comparisons** 4.1, 4.2
Cultures 2.2	
Connections 3.1	

Notes

In many countries in Latin America, there is a public health system and a private one. While doctors often work in both systems, the conditions in the private system are far superior to those in the public one.

The *quetzal,* Guatemala's currency, is also a colorful bird of Central America. This bird is a symbol of liberty and appears on Guatemala's coat of arms.

Communicative objectives are provided on pages 334–335 to prepare students for the chapter they are about to begin. A list of these functions appears on page 374 so students can evaluate their progress.

Teacher Resources

 Vocabulario I
Accidentes de todos los días
(CD 15, #1)

 Activity 1 (CD 3, #26)

 Activity 29

 Activities 1–2

 Activity 1

 Activities 1–3

Content reviewed in *Lección A*

- talking about accidents
- speculating about things that might take place
- illnesses and remedies
- talking about how long something has been going on

 Activities

Critical Listening

Ask students: *¿Es verdad que tenemos accidentes todos los días?; ¿Cuántos han tropezado con algo hoy?; ¿Cuántos se resbalaron hoy?*

Language through Action

Bring a basic first-aid kit *(el botiquín de primeros auxilios)* to class. With a student volunteer, role-play an injured student and the school nurse. As the school nurse, say what you are doing as you apply first-aid items to the "wound" or "bruise."

National Standards	
Communication 1.1, 1.3	**Comparisons** 4.1, 4.2
Cultures 2.2	
Connections 3.1	

Lección A **Vocabulario I** **Guatemala**

Accidentes de todos los días

LA SALA DE EMERGENCIAS

CLÍNICA DE GUA

Para la semana próxima, ya me habrán quitado el yeso.

las muletas

el yeso

El gato me ha hecho estos rasguños.

la curita

¿Cómo se dio este golpe? ¿Tropezó con algo?

No, me resbalé en la calle. Estaba mojada.

¿Y se puso un antiséptico para las heridas?

la venda

la radiografía

Enfermera, me duele mucho el tobillo, creo que me lo he quebrado.

sufrir

El doctor lo va a examinar y dirá si tiene una fractura o si se ha torcido el tobillo.

la silla de ruedas

336 *trescientos treinta y seis*

Lección A

Notes

Explain to students that *me lo he quebrado* literally means "I have broken it on me." You might also point how *curita* is related to *curar*.

Mention to students that *sala de emergencia* is sometimes referred to as *sala de urgencia*. *Clínica* is synonymous with *hospital*. In some countries, the difference between a *clínica*

and an *hospital* is quality: the *clínica* has the more advanced technology. For example, in Chile, for socioeconomic reasons, an *hospital* is attended by the public sector. The *clínica* is attended by the private sector.

...ándo le quitan la ...da de la muñeca?

¿Fue profundo el corte, enfermero?

Sí, pero cuando llegue a casa ya no le va a doler más.

El doctor me dijo que para el sábado ya me la habrían quitado. Pero todavía la necesito.

los puntos

la muñeca

---

1 Después de un accidente

 Indique la letra de la foto que corresponde con lo que oye.

A   **B**   **C**

D   **E**   **F**

2 ¿Qué ha sucedido?

Complete las oraciones con las palabras de la caja.

antiséptico	herida	muñeca	torcido	yeso

1. En la sala de emergencias me dijeron que en un mes ya le habrán quitado el __ del tobillo.
2. A Ana le tuvieron que dar puntos en la __ porque era muy profunda.
3. ¿Te has puesto un __ en el corte?
4. Me duele la __, creo que me la he fracturado.
5. En el partido de básquetbol, uno de los jugadores se había __ el tobillo.

Capítulo 8   *trescientos treinta y siete* **337**

Notes

Ask students if they remember the other meaning for *muñeca* (doll).

One of the most common causes of death and/or serious injury to a person in Latin America results from traffic accidents. Some reasons are: roads are often in poor condition; there are only single-lane highways in many areas; driver education is often inadequate; vehicles are generally poorly maintained; traffic laws are fairly lax. You may want to compare Latin American conditions with those in the U.S. Also, in Latin America it is not common to carry car insurance to cover third-party injuries. An average annual insurance fee may amount to more than $30 U.S. per year, and provides minimal coverage.

Teacher Resources

Activity 1 (CD 15, #2)

Answers

1
1. D
2. E
3. A
4. F
5. B
6. C

2
1. yeso
2. herida
3. antiséptico
4. muñeca
5. torcido

Activities

Cooperative Learning
Divide the class into groups. Have students ask each other questions using the new vocabulary. For example: *¿Te han puesto puntos?*

Expansion
For homework, you might have students create their own version of activity 2 for another student to complete. (Students write sentences with a vocabulary word missing in each one.)

Students with Special Needs
If you have a *calendario* handy, hang it on the board and initiate a substitution drill with the new vocabulary, such as the following: T: ¿Cuándo le quitan *la venda de la muñeca*? (Point to *el sábado*.) S: *el sábado*. Other questions you might ask include: ¿Cuándo le quitan *los puntos*? ¿Cuándo le quitan *el yeso*? ¿Cuándo le quitan *la curita*?

National Standards
Communication 1.1, 1.2
Connections 3.1
Comparisons 4.1, 4.2

337

Teacher Resources

Diálogo I
¿Cómo te quebraste el brazo?
(CD 15, #3)
Activity 3 (CD 15, #4)
Activity 4 (CD 15, #5)
Activity 5 (CD 15, #6)

Answers

3 1. Estaba jugando a la pelota y tropezó.
2. Lo llevaron a la clínica del barrio.
3. El médico le examinó el brazo y le sacó una radiografía.
4. Le dijo que dentro de tres semanas ya se lo habrían quitado.
5. Se pintará el yeso de rojo para que sus compañeros lo vean cuando jueguen.

4 Answers will vary.

5 1. paciente
2. médico
3. paciente
4. médico
5. médico
6. paciente
7. médico
8. paciente

Activities

Language through Action
Have pairs of students dramatize *Diálogo I*. You may wish to assign a student to videotape the performances to show to other Spanish classes.

Spanish for Spanish Speakers
Have students write about someone who has suffered a broken bone, fracture or sprain, in as much detail as possible.

National Standards
Communication 1.1, 1.2, 1.3
Connections 3.1
Comparisons 4.1

338

Diálogo I   ¿Cómo te quebraste el brazo?

LUZ: ¿Cómo te quebraste el brazo, Jorge?
JORGE: Estaba jugando a la pelota y me tropecé.
LUZ: ¿Te llevaron a la sala de emergencias?
JORGE: Sí, me llevaron a la clínica del barrio.

LUZ: ¿Qué te hicieron allí?
JORGE: El médico me examinó el brazo y me sacó una radiografía.
LUZ: ¿Se veía la fractura en la radiografía?
JORGE: Por supuesto.

LUZ: ¿Cuánto tiempo debes tener el yeso en el brazo?
JORGE: El médico me dijo que dentro de tres semanas ya me lo habrían quitado.
LUZ: ¿Qué vas a hacer ahora?
JORGE: Me pintaré el yeso de rojo para que mis compañeros me vean cuando juguemos.
LUZ: ¡Eres imposible, Jorge!

 ¿Qué recuerda Ud.?

1. ¿Cómo se quebró Jorge el brazo?
2. ¿Adónde lo llevaron?
3. ¿Qué le hizo el médico?
4. ¿Para cuándo le dijo el médico que le habrían quitado el yeso del brazo?
5. ¿Qué va a hacer ahora Jorge?

 ¡Extra!

El artículo definido

When speaking of parts of the body, clothing and other items, definite articles are used instead of possessive adjectives.

*Me quebré **el** brazo.*   I broke **my** arm.
*¿Perdió usted **el** suéter?*   Did you lose **your** sweater?

 Algo personal

1. ¿Ha tenido que ir a la sala de emergencias alguna vez? ¿Por qué?
2. ¿Se ha quebrado algo alguna vez? ¿Cómo?
3. ¿Ha tenido algún accidente?
4. ¿Qué usa cuando tiene una herida o un corte?
5. ¿Va al doctor a examinarse una vez por año?

 ¿Médico o paciente?

 Escuche las siguientes oraciones. Para cada una, diga si la persona que habla es el/la médico/a o el/la paciente.

Notes

Before students begin *Diálogo I*, have them share their experiences in Spanish in a *sala de emergencia*.

Instruct students to number their papers from 1 to 8 before they begin activity 5.

Point out that *un consultorio* is the word for "doctor's office" in Spanish (not *oficina*).

Ask students to hypothesize the top group sports for high school sports injuries (*el baloncesto, el fútbol americano, el béisbol, el fútbol*) and to name the most likely common injury for each sport. For example: *El baloncesto: torcer el tobillo.*
A volunteer might use the Internet or the library to see if these hypotheses are correct.

La manzanilla es buena para el dolor de estómago.

Los mayas usaban remedios naturales, hechos con cosas que encontraban a su alrededor, para curar todo tipo de enfermedades y afecciones[1]. Los doce remedios más usados, y que todavía se siguen usando en algunas comunidades, son la manzanilla[2], la cola de caballo[3], el llantén[4], el amargón[5], el ajenjo[6], la ortiga[7], el limón, la naranja, la manzana, la cebolla, el ajo y la zanahoria.

La medicina maya

Manzanilla:	Cura el dolor de estómago y alivia[8] la conjuntivitis[9].
Cola de caballo:	Previene[10] el cáncer.
Llantén:	Limpia la sangre[11] y los pulmones[12].
Amargón:	Cura la anemia.
Ajenjo:	Va bien para el dolor de cabeza.
Ortiga:	Tranquiliza[13]. Recomendada para el estrés.
Limón:	Limpia el cuerpo de enfermedades.
Naranja:	Cura el cuerpo. Tiene muchas vitaminas.
Manzana:	Despierta el hambre y alivia dolores.
Cebolla:	Previene el cáncer y ayuda al trabajo del cerebro[14].
Ajo:	Se recomienda para la presión alta[15].
Zanahoria:	Cura enfermedades de la vista[16].

Ajo.

[1]ailments [2]chamomile [3]horsetail [4]plantain [5]dandelion [6]absinthe [7]nettle [8]alleviates [9]pink eye [10]Prevents [11]blood [12]lungs [13]Calms down [14]brain [15]high blood pressure [16]sight

6 **¿Qué remedios usaban los mayas?**

Conteste las siguientes preguntas.

1. ¿Qué usaban los mayas para curar enfermedades?
2. Mencione cuatro de los remedios más usados.
3. ¿Qué usaban los mayas para el dolor de estómago?
4. ¿Qué se recomienda para el estrés?
5. ¿Con qué se curan enfermedades de la vista?

Teacher Resources

 Activity 6 (CD 15, #7)

Activity 3

◆ Answers

6 1. Usaban remedios naturales.
 2. Answers will vary, but might include: la manzanilla, la cola de caballo, el llantén, el amargón, etc.
 3. Usaban la manzanilla para curar el dolor de estómago.
 4. Se recomienda la ortiga.
 5. Se curan con zanahoria.

◆ Activities

Critical Listening / Multiple Intelligences (spatial)
Allow students to keep their books open to this page. Read aloud a list of Mayan remedies and have students draw the word they hear.

Prereading Strategy
Draw on students' prior knowledge by having them list the foods, herbs and plants they know that are healthy remedies. Compile student answers into one master list on the board. Compare the class list to the Mayan list on the page.

Spanish for Spanish Speakers
Have students ask their parents and relatives for natural remedies that are used in their home countries. Students might make a list like the one on this page. Have students share their findings with the class.

National Standards	
Communication 1.2, 1.3	**Comparisons** 4.2
Cultures 2.1, 2.2	**Communities** 5.1
Connections 3.1	

Notes   The Maya were an ancient indigenous people of Central America. Tikal, one of the best-known Mayan cities, was founded around 700 B.C. The Mayan language (*quiché*) and traditions are still very much alive in Guatemala.

The use of herbal teas for medicinal purposes throughout Latin America is common. Vendors are frequently found selling dried herbs for use in teas in open-air markets and on city streets. People prefer to drop the dried herbs into boiling water rather than use tea bags.

In case students ask, *la cola de caballo* is not a horse's tail, but rather a species of plant, similar to the fern.

Answers

7 1. ¿Qué les duele a ellos? / Les duelen los tobillos.
2. ¿Qué le duele a Ud.? / Me duele la cabeza.
3. ¿Qué le duele a tu hermano? / Le duele la muñeca.
4. ¿Qué le duele a Marisa? / Le duele el corte.
5. ¿Qué les duele a ustedes? / Nos duele la espalda.
6. ¿Qué le duele a Ud.? / Me duele la rodilla.

Activities

Language through Action

You might quickly practice *doler* before starting activity 7. Point to a body part and motion for students to communicate that that body part is aching. For example, [wrists]: *Me duelen las muñecas.*

You might also play a game of *Simón dice* with *doler* and body parts: *Simón dice, Me duele la cabeza; Simón dice, Me duelen los pies,* etc.

Students with Special Needs

You might have a student model the plural form of *doler* in activity 7, by changing *estómago* (in the *modelo*) to *los pies: ¿Qué le duelen a Enrique? Le duelen los pies.*

National Standards
Communication
1.1, 1.2, 1.3
Comparisons
4.1

Idioma

Repaso rápido

El verbo *doler*

The verb *doler* is similar to the verb *gustar* because it is used with an indirect object pronoun. It has two basic forms, *duele* and *duelen*. Use *duele* with a singular noun and *duelen* with a plural noun.

***Me duele** la rodilla.*	My knee **hurts.**
*A Carlos **le duelen** mucho las muñecas.*	Carlos' wrists **hurt** a lot.

To express that you have a headache, stomachache, and so on, use the verb *tener* + *dolor* (ache) *de* + the part of the body that is aching.

*¿**Tienes dolor de** cabeza?*	**Do you have a** headache?

 7 ¿Qué les duele?

 Imagine que se encuentra con las siguientes personas y a todas les duele algo. Con su compañero/a, pregunten y contesten según cada ilustración e información dada.

 MODELO

Enrique / estómago
A: ¿Qué le duele a Enrique?
B: Le duele el estómago.

1. ellos / tobillos   **2.** Ud. / cabeza   **3.** tu hermano / muñeca

4. Marisa / corte   **5.** Uds. / espalda   **6.** Ud. / rodilla

 Notes

You might point out that stomachache can be *dolor de estómago o dolor de barriga* (belly).

Mention to students that there are other expressions that may be used to express pain or physical irritation. For a burn, *me arde la piel;* for a rash, *me pica el brazo (picazón);* for swelling, *se me hincha la mano (hinchazón);* for a cramp, *se me acalambra la pierna (calambre).*

To demonstrate the difference between *doler* and *tener dolor de,* ask a student to pantomime a headache. Ask: *¿Tienes dolor de cabeza?* Student answers: *¡Ay, sí, me duele mucho la cabeza!* Act out similar episodes with different body aches.

Estructura

Los tiempos compuestos: el futuro perfecto y el condicional perfecto

The perfect (or compound) tenses consist of a form of *haber* combined with a past participle. You have learned the present perfect and the past perfect tenses.

There are two more perfect tenses that use a form of *haber* combined with a past participle. These are the future perfect and the conditional perfect.

To form the future perfect *(futuro perfecto)*, use a future form of *haber* + past participle. The future perfect expresses a future event that will have been completed before another future event.

Cuando hable con el doctor, él ya **habrá visto** *la radiografía.*

When I speak to the doctor, he **will have** already **seen** the X-ray.

To form the conditional perfect *(condicional perfecto)*, use a conditional form of *haber* + past participle. The conditional perfect expresses a situation that would have happened or that would have been if something else had ocurred. It is related to another event in the past. In the following example, the event in the past is *dijo*. The event likely to have happened is me *habrían quitado*.

La enfermera dijo que para la semana pasada ya me **habrían quitado** *la venda.*

The nurse said that they **would have taken off** the bandage by last week.

Práctica

8 ¡Qué raro!

Imagine que un(a) amigo/a le contó lo que les había sucedido a ciertas personas pero Ud. cree que se ha equivocado. Con su compañero/a, hablen de lo que le sucedió a cada persona. Sustituyan la palabra en cursiva con la palabra entre paréntesis usando el pluscuamperfecto. Sigan el modelo.

MODELO A: *Juan se torció el tobillo.* (Jorge)
B: ¡Qué raro! Yo creí que Jorge se había torcido el tobillo.

1. Natalia se quebró *la muñeca*. (el pie)
2. Rosa tenía un fuerte dolor de *cabeza*. (el estómago)
3. Los enfermeros le quitaron el yeso de *la pierna* a Roberto. (el brazo)
4. *Teresa* estaba en una silla de ruedas después del accidente. (Maribel)
5. El padre de Enrique se dio un golpe en *la rodilla*. (el codo)
6. Los hermanos *Gómez* fueron a la sala de emergencias de la clínica. (Durán)

Se quebró la muñeca.

Teacher Resources

 Activity 8 (CD 15, #8)

 Activity 3 (CD 3, #28)

 Activities 5–7

 Activity 2

 Activities 5–7

Answers

8 1. ¡Qué raro! Yo creí que Natalia se había quebrado el pie.
2. ¡Qué raro! Yo creí que Rosa había tenido un fuerte dolor de estómago.
3. ¡Qué raro! Yo creí que los enfermeros le habían quitado el yeso del brazo a Roberto.
4. ¡Qué raro! Yo creí que Maribel había estado en una silla de ruedas después del accidente.
5. ¡Qué raro! Yo creí que el padre de Enrique se había dado un golpe en el codo.
6. ¡Qué raro! Yo creí que los hermanos Durán habían ido a la sala de emergencias de la clínica.

Activities

Multiple Intelligences (logical-mathematical)
Help students make a chart of the four compound tenses of *haber*: present perfect: *he;* past perfect: *había;* future perfect: *habré;* conditional perfect: *habría.*

National Standards
Communication 1.1
Connections 3.1
Comparisons 4.1

Notes   You might review how to form the past participle forms of *-ar, -er* and *-ir* verbs *(-ado, -ido)*. Review the irregular past participles for *abrir, decir, descubrir, escribir, hacer, morir, poner, romper, ver, volver.*

You might ask students to vary the ways they show surprise in activity 8. They might replace *¡Qué raro!* with: *¡Qué extraño!, ¡Qué cosa!* or *¡Qué chiste!*

To practice the conditional perfect, have students work in pairs or small groups to make a list of some of the things students *will have done* before they arrive in class the following day.

Answers

9
1. Para el lunes, tú ya habrás salido de la clínica.
2. Para mañana, ya me habré cambiado la curita.
3. Para el martes, los doctores ya le habrán quitado los puntos a Ana.
4. Para el viernes, el antiséptico ya se habrá acabado.
5. Para el mes próximo, mi hermano ya se habrá olvidado de la fractura.
6. Cuando comience a llover, nosotros ya habremos llegado a la clínica.

10 Answers will vary. Creative self-expression.

Activities

Expansion
To practice the future perfect, have students describe activities they can predict with some certainty that they will have accomplished before the end of the school year.

Students with Special Needs
It might help some students if you were to allow them to complete quizzes and activities, such as activity 9, orally from time to time.

National Standards

Communication
1.1

Connections
3.1

Comparisons
4.1

342

---

9 **¿Qué habrá sucedido para la semana próxima?**

Muchas veces podemos predecir lo que sucederá en diferentes situaciones. Diga cómo serán las cosas siguiendo las indicaciones.

MODELO la semana próxima / el médico / examinar la radiografía
Para la semana próxima, el médico ya habrá examinado la radiografía.

1. el lunes / tú / salir de la clínica
2. mañana / yo / cambiarse la curita
3. el martes / los doctores / quitarle los puntos a Ana
4. el viernes / el antiséptico / acabarse
5. el mes próximo / mi hermano / olvidarse de la fractura
6. cuando comience a llover / nosotros / llegar a la clínica

10 **Mini-diálogos**

Con un(a) compañero/a, hagan mini-diálogos usando elementos de las tres columnas. Usen verbos como *decir, explicar* o *anunciar* en las preguntas y el condicional perfecto en las respuestas.

MODELO **A:** ¿Qué dijeron tus compañeros?
B: Dijeron que para el sábado, ya habrían terminado la tarea.

tus compañeros	el sábado	corregir los exámenes
tu amigo(a)	el lunes	reparar el coche
tu papá	la semana pasada	parar de llover
la doctora	el domingo	instalar la computadora
el reportero	el fin de semana	entrenarse para el campeonato
el profesor		cambiar las vendas
la tenista		terminar la tarea
el mecánico		examinar todas las radiografías

Radiografía.

Notes

Go over activity 9 by calling on different students to write the answers on the board.

Point out that the word *coche* is typically used for "car" in Spain. It means "baby carriage" throughout most of Latin America. The words *auto* and *carro* are used more commonly for "car" in Latin America. In some places *ordenador* or *computador* are used instead of *computadora*.

Comunicación

11 Había hecho tantas cosas en Guatemala

Ud. y un(a) amigo/a habían hecho planes para ir a Guatemala, pero no pudieron ir. Con su compañero/a, lean el folleto turístico sobre Guatemala y hablen de lo que habrían hecho allí. Usen la siguiente lista como guía.

- dónde se habrían alojado
- museos que habrían visitado
- excursiones que habrían escogido
- restaurantes donde habrían comido
- regalos que habrían comprado
- mercados que habrían visitado

MODELO A: ¿Dónde te habrías alojado?
B: Me habría alojado en el Intercontinental porque es de cinco estrellas.

Conozca Guatemala

Ciudad de Guatemala.

La ciudad de Guatemala ofrece a los visitantes todos los servicios que esperan encontrar en un viaje de placer o de negocios.

Hoteles recomendados

Hotel	Estrellas
Intercontinental	★★★★★
Westing Camino Real	★★★★★
Quinta Real	★★★★★
Gran Tikal Futura Hotel	★★★★★
Apartamentos Las Torres	★★★
Hostal Los Volcanes	★★

Restaurantes recomendados	Tipo de comida
Donde Mikel	española
Tre Fratelli	italiana
Hacienda Real	parrilla y mariscos
Fuego Lento	carne a la parrilla

Mercados

El mercado de abastos ofrece frutas y verduras de toda la región. Abierto lunes, jueves y sábados.

En el mercado de artesanías se puede comprar jade, cristal, tejidos y productos autóctonos no sólo de la región, sino de todo el país. Horario: Lunes a sábado de 8:00 a 18:00 hrs. y domingo de 8:30 a 14:00 hrs. Precio de entrada: Gratuita.

Centros comerciales

Los modernos centros comerciales de la ciudad ofrecen una gran variedad de tiendas, entre las cuales se encuentran tiendas de ropa, zapatos, artículos para el hogar, todas con precios razonables y productos de alta calidad. También cuentan con salas de cine con sonido digital para que Ud. pueda disfrutar de las mejores películas.

Centros comerciales recomendados:

La Pradera, Unicentro, Los Próceres, Tikal Futura.

Museos

Museo Ixchel del Traje Indígena. Horario: Lunes a viernes de 9:00 a 17:00 hrs. Sábado de 9:00 a 13:00 hrs. Precio de entrada: Q20 ($2.56)

Museo Popol Vuh. Horario: Lunes a viernes 9:00 a 17:00 hrs. Sábado de 9:00 a 13:00 hrs. Precio entrada: Q20 ($2.56)

Museo Nacional de Historia. Horario: Lunes a viernes de 9:00 a 17:00 hrs. Precio de entrada: Gratuita.

Museo Nacional de Arqueología y Etnología. Horario: Martes a viernes de 9:00 a 16:00 hrs. Sábados y domingos de 9:00 a 12:00 hrs. y de 14:00 a 16:00 hrs. Precio entrada: Q30.00 ($3.85).

Palacio Nacional de la Cultura. Horario: Lunes a sábado de 9:00 a 12:00 hrs. y de 14:00 a 17:00 hrs. Precio entrada: Gratuita.

Museo de Arte Moderno. Horario: Lunes a viernes de 9:00 a 16:00 hrs. Sábados de 9:00 a 12:00 hrs. Precio entrada: Q10.00 ($1.28).

Excursiones recomendadas a otras regiones del país

Visitar las Ruinas Mayas de Tikal

Pasear por la ciudad colonial de Antigua

Escalar volcanes, como el volcán de Agua y el Pacaya, que todavía sigue activo

Navegar en el Lago de Izabal

Navegar en balsa por el río Caabon

Comprar artesanías en los mercados de Chichicastenango

Un mercado de Chichicastenango.

Notes

Communities. Ciudad de Guatemala was founded in 1776, and in 1821 declared its independence from Spain.

Chichicastenango is known for its colorful market held every Sunday and Thursday.

The *Popol Vuh* is considered to be the sacred Mayan bible. It tells the story of creation according to the Maya, in which humans were created from maize.

Tikal is the most important Mayan ceremonial center. This city existed over 2,000 years ago, but today only its ruins remain in the form of pyramids, temples, an acropolis and plazas. It is located deep within the Guatemalan rain forest.

Answers

11 Creative self-expression.

Activities

Cooperative Learning
You might divide the class into groups and have each group search the Internet to find out more about Guatemala, such as 1) Ciudad de Guatemala, 2) the Maya, 3) major attractions, 4) history, etc. Have groups take turns sharing their new information with the class.

Multiple Intelligences (logical-mathematical)
Direct students to the copy under *Museos*. Ask students to figure out how much 1 quetzal is in U.S. dollars and/or cents.

Prereading Strategy
Tell students that they can learn a lot about the content of an article by first reading the headings or subtitles. Have students read the subtitles in the *Conozca Guatemala* brochure. Discuss what type of information will most likely appear under each subtitle.

Technology
Have students visit on the Internet the *museos* listed in the brochure and download a picture of something at each museum that interests them. Have them pretend that they went to the museum and saw the pictured art. Students take turns sharing their experiences and "treasures" with the class.

National Standards

Communication
1.1, 1.3

Cultures
2.1, 2.2

Connections
3.1, 3.2

Teacher Resources

 Vocabulario II
En el hospital (CD 15, #9)

 Activity 30

 Activities 8–9

 Activity 3

 Activities 8–10

 p. 31

Activities

Language through Action

Photocopy the new words and phrases and stack them in a pile. Write these headings on the board: *Los remedios, El cuerpo, Los síntomas*. Ask students to choose a card from the pile and to tape it to the board under the correct heading.

You might also bring a child's doctor kit to class so that students can take turns acting out some of the vocabulary with props.

TPR

You might have students use props found in the doctor's waiting room. Point to individual students and ask them to perform the following actions: *estornuda; tose; toma dos aspirinas; respire hondo; pásame la planilla médica; pásale el jarabe.*

National Standards
Communication 1.2
Connections 3.1
Comparisons 4.1

344

Vocabulario II
En el hospital

344 *trescientos cuarenta y cuatro*　　　　**Lección A**

Notes

You might remind students of the words for ear: *el oído* (inner ear) and *la oreja* (outer ear).

Other useful related words you might introduce include: *la cita, la sala de espera, tomar la temperatura.*

Point out that *síntoma* is masculine. Have students recall other words they have learned that end in "a" yet are masculine (*día, problema, mapa*).

Spanish speakers should use caution when writing forms of *toser*. They need to double-check their work to make sure they wrote an "s" and not a "c."

Speech bubbles in the image:
- Doctora, no me siento bien. No puedo respirar bien, tengo tos y tengo fiebre.
- Hace una semana que tengo esta erupción en la piel.
- Tiene una alergia. Se curará con esta crema que le voy a recetar.
- Tosa, por favor... Tiene una infección. Le recetaré un antibiótico y un jarabe.
- la pacienta

12 **¿Cuáles son sus síntomas?**

Escuche lo que dicen los siguientes pacientes y escoja qué enfermedad sería lógico que tuvieran.

1. A. pulmonía   B. erupción   C. alergia
2. A. erupción   B. alergia   C. pulmonía
3. A. presión   B. alergia   C. infección
4. A. erupción   B. gripe   C. inflamación
5. A. erupción   B. pulmonía   C. resfriado

13 **¿Qué me receta?**

Imagine que Ud. es médico/a. Escoja qué les recetaría a los pacientes que tienen los siguientes síntomas.

A. aspirina
E. pastilla para dormir
D. antibiótico
C. gotas para los ojos
B. jarabe

1. Tengo una inflamación en los ojos. ¿Qué me puede recetar?
2. Tengo dolor de cabeza. ¿Qué puedo tomar?
3. Estoy tosiendo mucho. Hace dos noches que no puedo dormir. ¿Qué remedio me puede ayudar?
4. Tengo una infección en la garganta y mucha fiebre. ¿Qué me va a recetar?
5. Mi bebé tiene mucha fiebre pero no puede tomar pastillas todavía. ¿Qué le puede recetar?

Answers

12 1. A
2. B
3. C
4. C
5. A

13 1. C
2. A
3. E
4. D
5. B

Activities

Expansion

Have students describe the illnesses in activity 12. Students should imagine that they're in a clinic in Guatemala and that they can't remember the exact word for their illness. What would they say?

Language through Action

As an extension to activity 13, pair students and have them develop a skit between a doctor or nurse and a patient, using the vocabulary on pages 344–345. Pairs should act out their skits in front of the class. Have the class vote for the best skit and the best performance.

Multiple Intelligences (bodily-kinesthetic/linguistic)

To practice the new vocabulary, have pairs take turns acting out the different patient–doctor scenarios at the top of the page. Encourage students to be dramatic.

Notes

Mention to students that drugstores in Latin American countries are very different from those in the United States. In many cases, the drugs are all located behind the counter. Also, many prescription drugs in the United States are often obtainable without a prescription, including certain types of antibiotics. Another difference is that Spanish and Latin American pharmacists are trained to give medical advice to customers. Pharmacies work together to provide 24-hour service to each neighborhood.

National Standards	
Communication 1.1, 1.2, 1.3	**Comparisons** 4.1
Cultures 2.1	
Connections 3.1	

Diálogo II
¿Qué síntomas tiene?
(CD 15, #12)
Activity 14 (CD 15, #13)
Activity 15 (CD 15, #14)
Activity 16 (CD 15, #15)

Answers

14
1. Lo va a ver porque no se siente bien.
2. Se siente muy cansada, tose bastante y tiene una inflamación en la garganta.
3. Hace casi una semana que se siente mal.
4. Ha tomado aspirinas.
5. Le pide que respire hondo y tosa.
6. Por sus síntomas parece que tiene una infección.

15 Answers will vary.

16
1. F
2. D
3. A
4. E
5. C
6. B

Activities

Cooperative Learning
Have students write questions using these key verbs from *Diálogo II: sentirse, tener, tomar, respirar.* Pair students and have them take turns asking and answering the questions.

Prereading Strategy
To prepare students for *Diálogo II*, have them label the photos. For example: *Una paciente y un médico están hablando; El doctor le hace preguntas a la paciente; El doctor examina a la paciente.*

National Standards	
Communication 1.1, 1.2	**Comparisons** 4.2
Cultures 2.2	**Communities** 5.1, 5.2
Connections 3.1	

346

Diálogo II ¿Qué síntomas tiene?

LUZ: Buenas tardes, doctor. Vengo a verlo porque no me siento bien.
DOCTOR: ¿Qué síntomas tiene?
LUZ: Me siento muy cansada y toso bastante. Además creo que tengo una inflamación en la garganta.

DOCTOR: ¿Tiene fiebre?
LUZ: No.
DOCTOR: ¿Cuántos días hace que se siente así?
LUZ: Casi una semana.
DOCTOR: ¿Y ha tomado algún remedio?
LUZ: He tomado aspirinas.

DOCTOR: Voy a examinarla... Respire hondo y tosa.
LUZ: ¿Qué enfermedad tengo, doctor? ¿Es muy grave?
DOCTOR: No. Según sus síntomas parece que tiene una infección. Con un antibiótico se va a curar en unos días.

14 ¿Qué recuerda Ud.?

1. ¿Por qué va Luz a ver al doctor?
2. ¿Qué síntomas tiene Luz?
3. ¿Cuánto tiempo hace que Luz se siente mal?
4. ¿Qué remedio ha tomado?
5. ¿Qué le pide el doctor a Luz que haga?
6. ¿Qué parece que tiene Luz, por sus síntomas?

15 Algo personal

1. ¿Va Ud. a veces al doctor?
2. ¿Qué enfermedades ha tenido?
3. ¿Qué toma cuando le duele la cabeza?
4. ¿Cuánto tiempo hace que le pusieron una vacuna?

16 Situaciones

))) **Indique la letra de la foto que corresponde con los diálogos que oye.**

A   **B**   **C**   **D**   **E**   **F**

¡Oportunidades!

Use español en los hospitales
Si usted está interesado/a en trabajar en un hospital, ¡repase su español! En los hospitales, especialmente los de las grandes ciudades, siempre necesitan gente que sea bilingüe. Los hospitales atienden a muchos enfermos que, a veces, sólo hablan español y es importante que los médicos y asistentes puedan hacerles preguntas. Algunos hospitales incluso tienen sus propios intérpretes para ayudarlos. Saber bien español va a ser una ventaja para usted si quiere conseguir un trabajo relacionado con la salud.

346 *trescientos cuarenta y seis*   **Lección A**

Notes
You might ask for volunteers to dramatize *Diálogo II*.

In the U.S., hospitals are not the only public places where Spanish interpreters are needed. By law the courts are required to provide an interpreter for an individual if he or she does not speak English. There is a great need for court interpreters in the U.S. justice system. Distinguish between translators and interpreters. A translator deals with written documents, whereas an interpreter deals with the spoken language.

Have students write an absence note for Luz that explains why she missed school.

Cultura viva II

Baños termales[1] en Guatemala

En Guatemala, donde hay muchos volcanes, se usan las buenas propiedades[2] del agua para hacer baños termales. El agua, que sale ya caliente de la fuente, debido a[3] la actividad volcánica de la zona, es muy buena para curar dolores de los huesos[4] y los músculos. En los baños termales suele haber diferentes piscinas de agua caliente, en las que la gente se baña para sentirse mejor físicamente.

En Amatitlán, muy cerca del volcán Pacaya, están los baños termales Santa Teresita. Al pie del volcán Cerro Quemado, a sólo 3 kilómetros de Quetzaltenango, están los baños termales Los Vahos. En este balneario salen gases con azufre[5] y los baños son de vapor. Además, por su ubicación, Los Vahos tiene la mejor vista de la ciudad.

Del Cerro Quemado salen las aguas de los baños termales de Almolonga, donde se puede bañar toda la familia.

En la falda del volcán Zunil, en medio de las montañas, están las Fuentes Georginas, que se caracterizan por estar cubiertas[6] de niebla, porque están en el centro de un bosque tropical húmedo. Cerca de este volcán están también los baños Aguas Amargas.

El manantial[7] de los baños Chicovix está en la ribera[8] del río Salamá y sus aguas salen a una temperatura constante de 40° centígrados.

El volcán Pacaya en Guatemala.

[1]thermal baths [2]properties [3]due to [4]bones [5]sulfur [6]covered [7]fountainhead [8]river bank

17 Aguas que curan

Conteste las siguientes preguntas.

1. ¿Dónde se usan las buenas propiedades del agua?
2. ¿Por qué el agua de los baños termales sale caliente de la fuente?
3. ¿Para qué se usan los baños termales?
4. ¿Dónde están los baños termales Los Vahos?
5. ¿A qué temperatura sale el agua de los baños Chicovix?

 Activity 17 (CD15, #16)

 Activity 4 (CD 3, #29)

 Activity 10

 Activity 4

Answers

17
1. Se usan en los baños termales.
2. Porque hay actividad volcánica.
3. Se usan para curar dolores en los huesos y músculos.
4. Están al pie del volcán Cerro Quemado.
5. Sale a 40° centígrados.

Activities

Communities
Have students research the Internet to find other thermal baths in Latin America. Direct students to complete a chart that lists the bath, town and country, and the origin of the bath (volcano, etc.).

Prereading Strategy
Prompt students to gather information about *baños termales* by skimming the content of the *Cultura viva* before they actually start to read.

Spanish for Spanish Speakers
Ask students to interview their parents or relatives to find out what people do in their country of origin to help cure ailments. Have students write an essay that describes what they found out.

National Standards	
Communication 1.3	**Communities** 5.1
Cultures 2.2	
Connections 3.1, 3.2	

Notes

40° *centígrados* is about 104°F.

Thermal springs are common throughout Latin America, especially in mountainous and volcanic areas. Their medicinal effects have been known since ancient times. Some baths are natural pools of water outdoors. In other cases, baths are located inside and the water is piped into tubs. The most outstanding spas today have thermal baths as one of their main features.

Have students create a radio announcement, a poster, a flyer or a jingle to promote the thermal baths.

Answers

18 1. A: ¿Cuánto tiempo hacía
   que la paciente tenía...
   B: Hacía unos días que la
   paciente tenía...

2. A: ¿Cuánto tiempo hace
   que el doctor le recetó...
   B: Hace una semana que el
   doctor me recetó...

3. A: ¿Cuánto tiempo hace
   que el niño no para...
   B: Hace diez minutos que
   el niño no para...

4. A: ¿Cuánto tiempo hacía
   que a Ud. le dolía...
   B: Hacía una semana que a
   mí me dolía...

5. A: ¿Cuánto tiempo hace
   que la enfermera le
   tomó...
   B: Hace dos horas que la
   enfermera le tomó...

6. A: ¿Cuánto tiempo hace
   que el doctor leyó...
   B: Hace un mes que el
   doctor leyó...

7. A: ¿Cuánto tiempo hacía
   que los pacientes
   estaban...
   B: Hacía varios días que los
   pacientes estaban...

8. A: ¿Cuánto tiempo hacía
   que Ud. no tomaba...
   B: Hacía dos días que yo no
   tomaba...

National Standards

Communication
1.1

Connections
3.1

Comparisons
4.1

348

Idioma

Estructura

Expresiones con *hace / hacía... que*

To find out or tell how long something has been going on, use:

> ¿*Cuánto tiempo hace* + *que* + present/preterite?
> *hace* + period of time + *que* + present/preterite

¿*Cuánto tiempo hace que* tienes gripe?	**For how long** have you had the flu?
Hace mucho tiempo que ella está en la clínica.	She has been in the clinic **for a long time**.
¿*Cuántas semanas hace que* te caíste?	**How many weeks ago** did you fall?

To tell how long something had been going on in the past, use:

> *hacía* + period of time + *que* + imperfect tense

Hacía dos días que Pedro no tosía.	Pedro hadn't coughed **for two days.**
Hacía una hora que estábamos en la clínica.	We had been in the clinic **for an hour**.

 ## Práctica

 18 **En el hospital de Guatemala**

 Imagine que trabaja en un hospital de Guatemala. Con su compañero/a, hagan diálogos según el modelo. Los verbos pueden estar en presente, en pretérito o en imperfecto, según las indicaciones.

MODELO Ud. no poder respirar bien *(presente)* / una semana
   A: ¿Cuánto tiempo hace que no puede respirar bien?
   B: Hace una semana que no puedo respirar bien.

1. la paciente tener pulmonía *(imperfecto)* / unos días
2. el doctor recetar un antibiótico *(pretérito)* / una semana
3. el niño no parar de toser *(presente)* / diez minutos
4. usted dolerle la barriga *(imperfecto)* / una semana
5. la enfermera tomar la presión al paciente *(pretérito)* / dos horas
6. el doctor leer el historial médico *(pretérito)* / un mes
7. los pacientes estar en el hospital *(imperfecto)* / varios días
8. usted no tomar las pastillas *(imperfecto)* / dos días

Hace dos horas que tengo dolor de cabeza.

Notes

Point out that when the direction says *(imperfecto)* in activity 18, students must conjugate the first verb in the imperfect tense.

Students should be aware of common traveler's maladies such as: *diarrea,* usually from drinking tap water or eating unwashed fruit; *bronquitis,* which frequently results from the pollution in heavily contaminated cities such as Mexico City and Santiago, Chile; and *gastroenteritis,* a severe stomach infection.

Create and photocopy a list of questions that incorporate *hace/hacía... que* expressions. Have pairs take turns asking and answering the questions.

19 Hacía mucho que…

Muchas cosas les sucedieron a las siguientes personas durante el invierno. Complete las oraciones usando la forma apropiada del verbo entre paréntesis.

MODELO Hacía dos meses que yo no *(ir)* al gimnasio.
Hacía dos meses que yo no iba al gimnasio.

1. Hacía un año que Carmen no *(tener)* una inflamación en los oídos.
2. Hacía un mes que nosotros no *(estornudar)* todos los días.
3. Hacía tres meses que Héctor no *(toser)* al levantarse por la mañana.
4. Hacía dos años que Federico y Natalia no *(verse)*.
5. Hacía un mes que yo *(sufrir)* de alergias.
6. Hacía una semana que los niños *(tomar)* un jarabe.

 ## Comunicación

20 Experiencias personales

Conteste las siguientes preguntas usando una expresión con *hace* o con *hacía*. Luego, hágale las mismas preguntas a su compañero/a y comparen sus respuestas.

1. ¿Cuándo fue la última vez que fue al médico? ¿Cuánto tiempo hacía que no había visitado a un médico?
2. ¿Cuánto tiempo hace que le pusieron una vacuna? ¿Para qué fue?
3. ¿Cuánto tiempo hace que vio un accidente? ¿Dónde ocurrió? ¿Qué pasó?
4. La última vez que se sintió mal, ¿qué síntomas tenía? ¿Cuánto tiempo hacía que se sentía mal?
5. La última vez que se enfermó, ¿qué remedios le recetó el doctor? ¿Cuánto tiempo hacía que no se enfermaba?

¡Extra!

Enfermedades que se pueden prevenir con vacunas

la hepatitis B	*hepatitis B*
el sarampión	*measles*
las paperas	*mumps*
la poliomielitis	*polio*
la varicela	*chicken pox*

21 ¿Cuánto hace que…?

Lea la siguiente lista de actividades y comente con su compañero/a cuánto tiempo hace que Ud. y su compañero/a hacen o no hacen cada cosa. Comparen lo que dice cada uno.

MODELO tomarse la presión
A: Hace un año que no me tomo la presión.
B: Hace dos meses que me tomé la presión.

• tomar un jarabe	• darse un golpe	• caerse en la calle
• ponerse gotas en los ojos	• visitar a un pariente en el hospital	• hacer ejercicio
• ir al médico	• cortarse un dedo	

Teacher Resources

  Activity 20 (CD 15, #17)

Answers

19 1. tenía
2. estornudábamos
3. tosía
4. se veían
5. sufría
6. tomaban
20 Answers will vary.
21 Creative self-expression.

Activities

Multiple Intelligences (linguistic)
Start each day off with a quick review activity of the past perfect. Write a personalized list of phrases on the board, modeled on the phrases in activity 19. Have the list ready as students enter the room. Your list, however, names students from your class. Have students complete the sentences creatively. Request that they write the entire sentence. *Hacía un año que* (nombre) *no…; Hacía un mes que nosotros…; Hacía una semana que los estudiantes…*

Technology
Have students use the Internet to find out the vaccinations needed to enter different Spanish-speaking countries. Discuss as a class why the vaccinations differ. Do people need a vaccination to enter the U.S.?

National Standards	
Communication 1.1	**Comparisons** 4.1, 4.2
Cultures 2.1	
Connections 3.1, 3.2	

Notes
Many of the vaccinations that schools require of students in the U.S. are also required in Latin America. There are some differences, however. The hepatitis B vaccination is not yet required, but the tuberculosis shot is commonly given. What does this tell students about health conditions and requirements around the world?

Students should be aware of the fact that there are many diseases in Latin America which are not common in the United States, such as malaria, typhoid and cholera. The health ministries in Latin American countries wage campaigns frequently to teach their people how to avoid contracting such diseases. Teach students the saying: *Más vale prevenir que curar.*

Teacher Resources

Lectura cultural
Miguel Ángel Asturias
(CD 15, #18)
Activity 22 (CD 15, #19)
Activity 23 (CD 15, #20)

Answers

22 1. Nació en Ciudad de
Guatemala.
2. Tradujo el *Popol Vuh*.
3. Le inspiró *Leyendas de
Guatemala*.
4. Trata temas sociales y
antiimperialistas.
5. Ganó el Premio Lenin de
la Paz y el Premio Nobel de
Literatura.

23 Answers will vary.

Activities

Critical Thinking
After students have read the
Lectura cultural, ask them to come
up with an adjective to describe
Miguel Ángel Asturias.

Expansion
After students have read the
selection, have them work in pairs
to prepare questions and answers
for an interview with Miguel Ángel
Asturias. Then call on volunteers
to role-play their interviews for the
class.

Multiple Intelligences (interpersonal)
You might have student pairs read
and discuss the *Lectura cultural*
together.

**Multiple Intelligences
(logical-mathematical)**
Miguel Ángel Asturias died in 1974.
Ask your mathematical students
how old he was when he died.

National Standards	
Communication 1.1, 1.3	**Comparisons** 4.1, 4.2
Cultures 2.2	
Connections 3.1	

350

Lectura cultural

Miguel Ángel Asturias

El 10 de octubre de 1899 nació en Ciudad de
Guatemala Miguel Ángel Asturias, el escritor
más ilustre de Guatemala y uno de los más
importantes de la lengua española. Asturias fue
también abogado y diplomático. En París estudió
en la prestigiosa universidad de la Sorbona y fue
allí, en colaboración con el escritor mexicano
J. M. González de Mendoza, donde tradujo el
Popol Vuh, el libro sagrado de los indios quichés
de Guatemala. Los temas mágicos del libro le
inspiraron para escribir una de sus obras más
conocidas: *Leyendas de Guatemala.*

Miguel Ángel Asturias ganó el Premio
Nobel de Literatura en 1967.

A Asturias siempre le preocuparon los temas sociales y
fue uno de los fundadores de la Universidad Popular de
Guatemala, que ayuda a promover la cultura y la artesanía
del país. Fue embajador de su país en México, Argentina y
El Salvador y, después de 12 años de exilio, también en
Francia.

Por el contenido social y antiimperialista de sus poemas
y novelas ganó el Premio Lenin de la Paz en 1966. Un año
más tarde, en reconocimiento a su gran carrera literaria, le
otorgaron el Premio Nobel de Literatura. También escribió
ensayos y obras de teatro.

Además de las ya mencionadas, otras obras famosas de
Miguel Ángel Asturias son *Viento fuerte, Mulata de Tal,
Chantaje* y *El Señor Presidente.*

Leyendas de Guatemala.

22 ¿Qué recuerda Ud.?

1. ¿Dónde nació Miguel Ángel Asturias?
2. ¿Qué obra famosa tradujo cuando estaba en Francia?
3. ¿Qué obra le inspiró el *Popol Vuh*?
4. ¿Qué temas trata en sus obras?
5. ¿Qué importantes premios ganó Miguel Ángel Asturias?

23 Algo personal

1. ¿Conoce Ud. alguna leyenda de su país? ¿Cuál?
2. ¿Sobre qué temas le gusta a Ud. leer?

Notes

The *Popol Vuh* is the sacred book
of the Quiché Indians, also known as the
Libro del Consejo. It is based on Mayan oral
traditions.

It is very common to find double names
throughout Latin America, such as Miguel
Ángel, María Elena, Marco Antonio, María
de los Ángeles, Juan Carlos. Have students
think of equivalents in the English language
and then brainstorm a list of other double
names.

The Quiché Indians are descendants of the
ancient Maya. At one time Quiché was the
most powerful and cultured nation in the
Guatemalan territory. A Quiché Indian is
credited with writing the *Popol Vuh.*

Autoevaluación

Como repaso y evaluación, responda lo siguiente:

1. Describa en tres o cuatro oraciones lo que le pasa a un paciente cuando llega al hospital con una pierna quebrada.

2. Mencione tres remedios de la medicina maya.

3. ¿Cuántas formas tiene el verbo *doler*? ¿Cómo se usan? Dé un ejemplo para cada una.

4. ¿Cómo se forman el futuro perfecto y el condicional perfecto? Dé un ejemplo para cada uno.

5. Sugiera un remedio para cada uno de los siguientes síntomas o enfermedades: dolor de oído, pulmonía, tos, dolor de cabeza.

6. ¿Por qué sale caliente el agua de los baños termales de Guatemala?

7. Escriba una oración con la construcción *hace + tiempo + que*.

8. ¿Cuál es una de las obras más conocidas de Miguel Ángel Asturias?

Palabras y expresiones

How many of these words and expressions do you recognize?

Para hablar de los accidentes
el antiséptico
el corte
la curita
darse un golpe
la fractura
las muletas
los puntos
la radiografía
el rasguño
la silla de ruedas
la venda
el yeso

Partes del cuerpo
la barriga
la muñeca
la piel
los pulmones
el tobillo
Las enfermedades y los síntomas
la alergia
la enfermedad
la erupción
la infección
la inflamación
la pulmonía
los síntomas

Verbos
curar(se)
estornudar
examinar
quebrarse (ie)
recetar
resbalarse
respirar
sufrir
tomar(se) la presión
torcerse (ue)
toser
tropezar

Los remedios
el remedio
la aspirina
las gotas
el jarabe
el antibiótico
la inyección
la pastilla
Otras palabras y expresiones
la clínica
el historial médico
hondo,-a
el paciente, la paciente
profundo,-a
la sala de emergencias
la vacuna

Las curitas.

Notes

Ask students to scan newspapers for articles about injured athletes or ailing celebrities. Have each student give an oral report on his or her article to the class.

AP Spanish Language. After you have returned corrected assignments, have students create their own error correction list consisting of mistakes they should avoid the next time they hand in written work.

Students should visit the Internet Resource Center at www.emcp.com to complete this activity online and check answers.

Teacher Resources

pp. 34, 113

Answers

Autoevaluación

Possible answers:

1. El doctor le examina la pierna. Le toman una radiografía de la pierna. Le ponen yeso. El paciente debe usar muletas.

2. La manzanilla, la cola de caballo, el limón.

3. El verbo *doler* tiene dos formas: *duele* y *duelen*. *Duele* se usa con un sustantivo singular: *Me duele el pie*. *Duelen* se usa con un sustantivo plural: *Me duelen las muñecas*.

4. El futuro perfecto se forma con una forma del futuro de *haber* y un participio pasado: *Para mañana, ya me habrán sacado la venda*. El condicional perfecto se forma con una forma del condicional de *haber* y un participio pasado: *El doctor me dijo que para el sábado ya me habrían quitado el yeso*.

5. Gotas, antibiótico, jarabe, aspirina.

6. Por causa de la actividad de los volcanes.

7. Hace tiempo que no voy al cine.

8. *Leyendas de Guatemala*.

National Standards

Communication	Comparisons
1.3	4.1
Cultures	
2.2	
Connections	
3.1	

351

Vocabulario I
En forma (CD 16, #1)

 Activity 1 (CD 3, #31)

 Activity 31

Activities 1–3

 Activity 1

G V **Activities 1–4**

Content reviewed in *Lección B*
- exercise and healthy habits
- making recommendations
- diet and nutrition
- prepositions, pronouns and infinitives

◆ Activities

Critical Thinking
Ask: *¿Cree que los estudiantes deben pasar una prueba de natación antes de graduarse del colegio?*

Language through Action
Have students take turns pantomiming the different exercises. The rest of the class guesses the action.

Multiple Intelligences (logical-mathematical)
Have students take a class poll to find out how many students practice each exercise listed on the page. You might have students graph the results.

National Standards
Communication
1.1, 1.3
Connections
3.1
Comparisons
4.2

352

 Vocabulario I
En forma

 Honduras

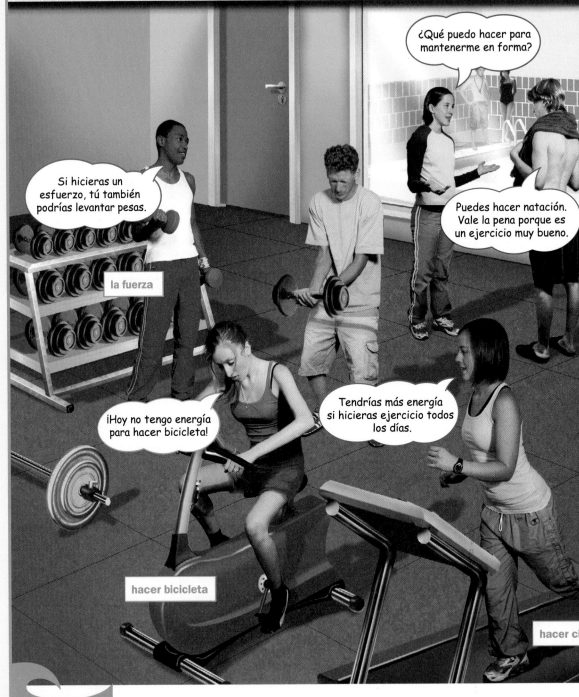

Notes Daily exercise in Latin America is not promoted as much as it is in the United States. Sports are practiced more by males than by females. As an example, girls do not play soccer in Latin America as they do in the United States. It is generally regarded as a male sport.

¡Ay, tengo un calambre en la pierna!

Debes estirarte antes de hacer ejercicio para evitar los calambres.

hacer abdominales

hacer flexiones

Hacer yoga ayuda a evitar el estrés.

estirarse

1 Hacer ejercicio

Indique la letra de la foto que corresponde con lo que oye.

A

B

C

D

E

F

2 Consejos

Diga lo que les aconseja a las siguientes personas.

MODELO   No tengo tiempo para hacer ejercicio. (hacer un esfuerzo)
Si hicieras un esfuerzo, tendrías tiempo para hacer ejercicio.

1. No tengo energía. (hacer ejercicio)
2. No tenemos fuerza. (levantar pesas)
3. Tengo un calambre. (estirarse)
4. No tengo fuerza en los brazos. (hacer flexiones)
5. Tengo estrés. (hacer yoga)
6. No nos mantenemos en forma. (hacer natación)

Capítulo 8   *trescientos cincuenta y tres*   **353**

Notes
In Latin America, physical education classes are often suspended in the large cities that are heavily polluted because exercise aggravates the respiratory system. On those days, students might watch a health-related video or do some other type of sedentary activity. Senior citizens and pregnant women are also advised to stay indoors and exert themselves as little as possible.

Teacher Resources

Activity 1 (CD 16, #2)

Answers

1
1. E
2. C
3. A
4. F
5. B
6. D

2
1. Si hicieras ejercicio, tendrías energía.
2. Si levantaran pesas, tendrían fuerza.
3. Si te estiraras, no tendrías un calambre.
4. Si hicieras flexiones, tendrías fuerza en los brazos.
5. Si hicieras yoga, no tendrías estrés.
6. Si hicieran natación, se mantendrían en forma.

Activities

Expansion
Have students describe someone who is fit and explain how this person stays fit.

Language through Action
You might ask a student to lead the class in warm-up exercises that practice the new verbs in *Vocabulario I*. Make sure he or she has the class repeat aloud the exercise in Spanish.

Students with Special Needs
You will want to review the forms of the regular past subjunctive and the conditional before students begin activity 2.

National Standards
Communication 1.2
Cultures 2.1
Connections 3.1

353

Answers

3 1. Se sentiría mejor si hiciera ejercicio.
2. Puede levantar pesas o hacer cinta.
3. Es bueno porque ayuda a evitar el estrés y a mantenerse en forma.
4. Hará un esfuerzo e irá a una clase de yoga.
4 Answers will vary.
5 Elisa: hacer bicicleta, hacer cinta, descanso, levantar pesas, hacer natación.
Antonio: estirarse, hacer abdominales, hacer flexiones, descanso, hacer yoga.

Activities

Critical Thinking
After introducing *Diálogo I,* ask students with whom they identify most, Isabel or Jaime? *¿Por qué?*

Expansion
Have students turn to their partner and ask: *¿Qué hace para mantenerse en forma?*

Prereading Activity
You might have students listen to the audio before reading *Diálogo I.*

National Standards	
Communication 1.1, 1.2	**Comparisons** 4.2
Cultures 2.2	
Connections 3.1	

Diálogo I Si hicieras ejercicio, te sentirías mejor

JAIME: ¿Por qué te sientes tan cansada, Isabel?
ISABEL: No sé, siento que no tengo energía.
JAIME: ¿Haces ejercicio para mantenerte en forma?
ISABEL: No mucho.
JAIME: Si hicieras ejercicio, te sentirías mejor.

ISABEL: Lo sé, pero siempre hay mucha gente haciendo bicicleta en el gimnasio.
JAIME: Pero puedes hacer otras cosas, como levantar pesas o hacer cinta.
ISABEL: No sé... creo que quiero hacer algo diferente.

JAIME: Me han dicho que hacer yoga es bueno para evitar el estrés... Además ayuda a mantenerse en forma.
ISABEL: ¿Y ofrecen clases de yoga en el gimnasio?
JAIME: Hay clases todos los días.
ISABEL: Bueno, entonces haré un esfuerzo e iré a una clase.

 ¿Qué recuerda Ud.?

1. ¿Cómo se sentiría Isabel si hiciera ejercicio?
2. ¿Qué otras cosas puede hacer Isabel además de hacer bicicleta?
3. ¿Por qué hacer yoga es bueno?
4. ¿Qué hará Isabel?

Estrategia
Circumlocution
When you don't know or can't remember the word for something, you can use other words to describe it. For example, if you can't recall the word for *estirarse* (to stretch), you might instead use the words: *Es un ejercicio para evitar calambres.*

 Algo personal

1. ¿Hace Ud. ejercicio? ¿Qué tipo de ejercicio hace?
2. ¿Le gusta ir al gimnasio? ¿Qué le gusta hacer allí?
3. ¿Se estira antes de hacer ejercicio?
4. ¿Hace Ud. yoga o conoce a alguien que haga yoga?
5. ¿Qué otras cosas hace, además de ejercicio, para mantenerse en forma?

 Rutinas de ejercicio

 Escriba en una hoja los nombres de Elisa y Antonio. Escuche y anote debajo de los nombres cuál es la rutina de ejercicio de cada uno.

Elisa   Antonio

Notes Professional gyms are relatively new in Latin America and restricted to those persons who can afford to pay for membership fees. It is more common to see young professionals working out than high school or university-age youth. Even at many universities, gyms are just beginning to become part of the infrastructure. The concept of wellness, fitness and prevention is also new to many countries in Latin America.

Sports are not important to the formal agenda at most public schools in Latin America. For example, schools do not generally have teams for soccer or any other major sports. However, boys often play soccer in the schoolyard.

Cultura viva

Estas jóvenes hondureñas compitieron en los Juegos.

Los Juegos Deportivos Estudiantiles

En el año 2003 se celebraron en Honduras los primeros Juegos Deportivos Estudiantiles Nacionales. En ellos, más de 40.000 estudiantes de todo el país fueron a competir en distintos deportes, como fútbol, básquetbol, atletismo, judo, karate, natación, tae-kwon-do, tenis, tenis de mesa, voleibol y ajedrez.

Los participantes se escogieron a través de varias competencias en 327 colegios de 93 ciudades de Honduras. Los deportistas que fueron a estos juegos estaban muy motivados porque los ganadores de cada deporte representarían a Honduras en los VIII Juegos Deportivos Centroamericanos, unos meses después.

Con estos Juegos el gobierno hondureño quiere promover[1] el deporte entre los jóvenes, para que escojan un estilo de vida sano. Uno de los jóvenes deportistas más famosos de Honduras es David Mendoza, que ganó una medalla[2] de oro de atletismo en los Juegos Panamericanos de ese año. Para que los jóvenes hondureños sigan su ejemplo, el presidente de Honduras le dio una beca[3] para que Mendoza continuara sus estudios secundarios.

[1]promote [2]medal [3]scholarship

6 Deportistas jóvenes de Honduras

Conteste las siguientes preguntas.

1. ¿Cuándo fueron los primeros Juegos Deportivos Estudiantiles?
2. ¿Cuántos jóvenes participaron en los Juegos?
3. ¿En qué competencia representarían a Honduras los ganadores de los Juegos?
4. ¿Qué ganó David Mendoza?
5. ¿Qué le dio el presidente a Mendoza?

Capítulo 8 *trescientos cincuenta y cinco* **355**

Notes

The main sport that people enjoy in Latin America is soccer, which is played year round. Generally speaking, there are no seasons for different sports, as occurs in the United States with football, basketball and baseball. In some countries, such as in the Caribbean, baseball is very popular.

Comparisons. As an extension, have students research on the Internet various aspects of sport in Honduras, both professional and amateur, and compare or contrast these with athletic practices in the United States.

Teacher Resources

 Activity 6 (CD 16, #7)

 Activity 4

Answers

6 1. Fueron en el año 2003.
   2. Participaron más de 40.000 jóvenes.
   3. Representarían a Honduras en los VIII Juegos Deportivos Centroamericanos.
   4. Ganó una medalla de oro de atletismo en los Juegos Panamericanos.
   5. Le dio una beca para que continuara sus estudios secundarios.

Activities

Communities
As a class, discuss ways that your community promotes health and fitness. Are there any ways that this could be improved?

Expansion
Have students take turns reading the different paragraphs in the article. After each paragraph, ask comprehension questions about that section. For example: *¿En qué año se celebraron los primeros Juegos Deportivos Estudiantiles Nacionales?*; *¿Cuáles son algunos de los deportes que practicaron allí?*

Prereading Activity
Draw on students' background knowledge by having them share what they know about any U.S. student sports competitions.

National Standards	
Communication 1.1	**Comparisons** 4.2
Cultures 2.1, 2.2	**Communities** 5.1
Connections 3.1, 3.2	

Answers

7
1. hicieras / tendrías
2. hicieran / respirarían
3. jugaran / se mantendrían
4. evitaría / hiciera
5. estiraran / se lastimarían
6. aumentaría / levantaras
7. fuera / recibirían
8. se entrenaran / jugarían

 Activities

Cooperative Learning

Have students work in pairs. Student A starts a sentence with *si* + imperfect subjunctive, and Student B completes the sentence with a conditional clause. Example:
S. A: *Si viviera en México...*
S. B: *hablarías español muy bien.*

Expansion

Write *Si tuviera un millón de dólares...* on the board and have students brainstorm how they would spend the money. What is the most popular response? The most outlandish response? The most unimaginative?

Students with Special Needs

You might review the preterite tense from which the imperfect subjunctive is derived.

National Standards
Communication 1.1
Connections 3.1
Comparisons 4.1

356

 Idioma

Estructura

El imperfecto del subjuntivo con *si*

Use the imperfect subjunctive after *si* to express a desire for things to be other than how or what they are, or an imagined event or condition. Use the conditional tense in the accompanying clause.

Si comieras más frutas, te sentirías mejor.

If you ate more fruit, **you would feel** better.

The *si* clause may be used first or last.

Tendrías más fuerza si levantaras pesas.
Si levantaras pesas, tendrías más fuerza.

You would be stronger **if you lifted** weights.

 Práctica

7 **Consejos**

El entrenador de fútbol les da los siguientes consejos a sus jugadores. Complete las oraciones usando *si* + *subjuntivo*.

MODELO Si Uds. *(correr)* dos millas por día, *(tener)* más energía.
Si Uds. corrieran dos millas por día, tendrían más energía.

1. Si tú *(hacer)* flexiones, *(tener)* más fuerza.
2. Si ustedes *(hacer)* natación, *(respirar)* mejor al jugar.
3. Si ellos *(jugar)* todos los días, *(mantenerse)* en forma.
4. Él *(evitar)* los calambres si *(hacer)* flexiones todos los días.
5. Si ustedes *(estirarse)* antes de jugar, no *(lastimarse)* tanto.
6. Tu fuerza *(aumentar)* si *(levantar)* pesas dos veces por semana.
7. Si yo no *(ir)* a los entrenamientos, los estudiantes no *(recibir)* instrucciones.
8. Si ustedes *(entrenarse)* todos los días, *(jugar)* mejor.

Si levantaras pesas, tendrías más fuerza.

Notes

Remind students that speakers from Spain also use the endings *-ase, -ases, -ase, -ásemos, -áseis, -asen* for the imperfect subjunctive of *-ar* verbs, and the endings *-ese, -eses, -ese, -ésemos, -éseis, -esen* for the imperfect subjunctive of *-er* and *-ir* verbs.

8 Si mi amigo/a...

Piense en lo que sucedería si un(a) amigo/a suyo/a hiciera las actividades de la columna I. Una los elementos de las dos columnas para escribir oraciones que tengan sentido.

MODELO Si hiciera flexiones, tendría más fuerza en los brazos.

I	II
hacer flexiones	curarse más rápido
acostarse temprano	evitar el estrés
hacer abdominales	mantenerse en forma
estirarse antes de hacer ejercicio	no estar tan cansado/a
comer bien	tener más fuerza en los brazos
hacer yoga	no tener calambres
ir al médico	tener más fuerza en el estómago

  Comunicación

9 ¿Qué recomiendas?

¿Qué le recomendaría a su amigo/a en las siguientes situaciones? Con un(a) compañero/a, hagan mini-diálogos con los siguientes datos. Agreguen la información necesaria. Túrnense para representar cada parte del diálogo.

MODELO tener mucho estrés
A: Hace un mes que tengo mucho estrés.
B: Si hicieras yoga, evitarías el estrés.

1. tener hambre
2. faltarle energía
3. sentirse cansado/a
4. tener calambres
5. perder cosas importantes
6. llegar tarde a las citas
7. sacar malas notas en los exámenes
8. resfriarme en el invierno

10 Si yo fuera...

Si Ud. fuera una de las siguientes personas, ¿qué haría? ¿Cómo sería? ¿Cómo reaccionarían sus amigos o familiares? En grupos de tres, hablen de lo que harían y comparen sus respuestas.

MODELO el/la profesor(a) de esta clase
Si yo fuera el/la profesor(a) de esta clase daría menos tarea. Sería estricto/a pero ayudaría a todos mis estudiantes. Mis estudiantes se sentirían muy orgullosos de mí.

un actor o una actriz famoso/a
el/la director(a) de este colegio
un(a) doctor(a) conocido/a

el/la mejor jugador(a) del equipo de...
un(a) escritor(a) famoso/a
el presidente o la presidenta de este país

8 Possible answers:
1. Si se acostara temprano, no estaría tan cansado/a.
2. Si hiciera abdominales, tendría más fuerza en el estómago.
3. Si estirara el cuerpo antes de hacer ejercicio, no tendría calambres.
4. Si comiera bien, se mantendría en forma.
5. Si hiciera yoga, evitaría el estrés.
6. Si fuera al médico, se curaría más rápido.
9 Creative self-expression.
10 Creative self-expression.

 Activities

Communities/Expansion
Challenge students to find health-related brochures in Spanish in your community. Students should bring the materials to class. Then have pairs look at the materials and create their own mini-brochures for the Spanish-speaking community. Some questions to answer include: *¿Por qué es importante tomar desayuno?; ¿Qué son los alimentos nutritivos?; ¿Qué saben sobre las grasas?; ¿Cómo ayuda el ejercicio a la salud?*

Spanish for Spanish Speakers
Have Spanish speakers check Spanish-language news Web sites for health information. Ask them to highlight the major health issues discussed in the Spanish media. Then compare these in class with health issues of concern in English-language media.

National Standards	
Communication 1.1, 1.3	**Communities** 5.1
Cultures 2.1, 2.2	
Connections 3.1, 3.2	

 Notes

Circulate around the room to make sure students stay on task for activity 10.

There are places in Latin America that are considered to be mystical sites, such as the ancient Inca city of Machu Picchu in Peru and the Valle de Elquí in Chile. It is not uncommon to find people who have journeyed to these attractions to find inner peace and physical rejuvenation.

Vocabulario II
Una dieta saludable
(CD 16, #8)

Activity 3 (CD 3, #33)

Activity 32

Activities 8–10

Activity 3

Activities 8–9

Activities

Critical Thinking
Ask for a show of hands of how many students *necesitan cambiar sus hábitos de alimentación*.

Language through Action
Students might enjoy putting together a junk food display. Invite students to bring junk food wrappers to class to pin to the bulletin board. Each item should be identified in Spanish. Students might have fun translating candy wrappers into Spanish. With the class, brainstorm a suitable name in Spanish for the display.

Prereading Activity
Have students look quickly through *Vocabulario II* to find cognates and other words they recognize.

Spanish for Spanish Speakers
As Spanish can vary from country to country, have students list any alternative words they know for the new vocabulary.

National Standards
Communication 1.1, 1.3
Connections 3.1
Comparisons 4.1

358

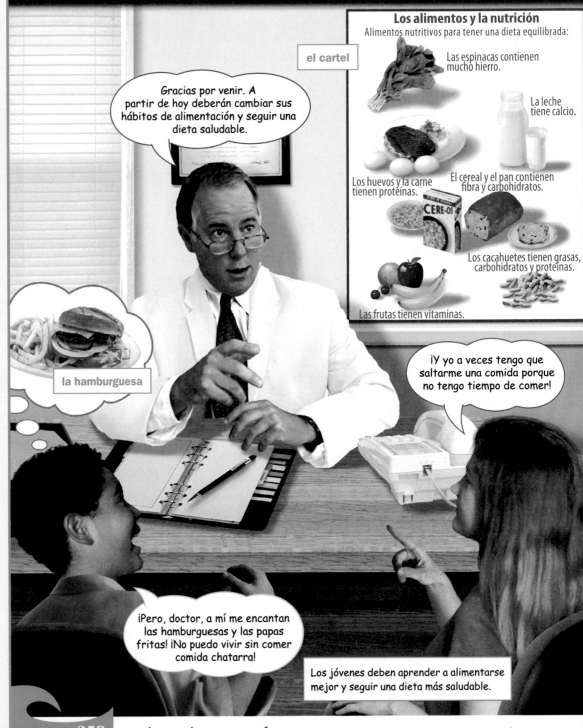

Notes You might bring to class cans of beans and other Latin American foods. Have students read the health labels to find out how much calcium, carbohydrates and protein the foods contain.

11 **Definiciones de nutrición**

 Escuche las siguientes definiciones y diga a qué palabra se refiere cada una.

1. **A.** comida nutritiva   **B.** comida saludable   **C.** comida chatarra
2. **A.** dieta   **B.** proteínas   **C.** calcio
3. **A.** fuerte   **B.** chatarra   **C.** nutritiva
4. **A.** alimentarse   **B.** saltarse una comida   **C.** mantener la dieta
5. **A.** saludable   **B.** cocido   **C.** interesante
6. **A.** igual   **B.** diferente   **C.** equilibrado

12 **Alimentos nutritivos**

Conteste las siguientes preguntas según la información dada en el Vocabulario II.

Las bananas tienen vitaminas.

1. ¿Qué contienen las espinacas?
2. ¿Qué tiene la leche?
3. ¿Qué tienen los huevos y la carne?
4. ¿Qué contienen el cereal y el pan?
5. ¿Qué tienen las frutas?
6. Dé un ejemplo de comida chatarra.

13 **¿Cuál es su dieta?**

Piense en sus hábitos alimenticios. Haga una lista de los alimentos nutritivos y la comida chatarra que come por lo general en una semana. Compare los alimentos de su lista y decida cómo es su dieta: saludable o no, y explique por qué.

MODELO Mi dieta no es saludable porque como mucha comida chatarra.

Alimentos nutritivos	Comida chatarra

Notes

Mealtimes in Latin America are different from the U.S. Breakfast is usually very light and sometimes eaten late in the morning, if at all. Children sometimes just have a glass of milk for breakfast. Lunches are frequently hot meals eaten between 1:30 and 2:00 P.M., though a bit earlier in schools. Dinner is eaten later than in the United States, usually between 7:00 and 9:00 P.M.

Mention that the term "fast food" is also used in Latin America: *comida rápida.* For more than a decade, fast-food chains have mushroomed throughout Latin America. Kentucky Fried Chicken, McDonald's and Burger King are just a few examples. Even Starbucks has begun to operate in some of these countries.

Teacher Resources

 Activity 11 (CD 16, #9)

 Answers

11 1. C
2. A
3. C
4. B
5. A
6. C

12 1. Las espinacas contienen hierro.
2. La leche tiene calcio.
3. Los huevos y la carne tienen proteínas.
4. El cereal y el pan contienen fibras.
5. Las frutas tienen vitaminas.
6. Possible answer: hamburguesas con papas fritas

13 Answers will vary.

 Activities

Expansion
Write *proteínas, hierro, calcio* on the board. Break the class into small groups. Assign them to brainstorm a list of foods that fall under each category.

Multiple Intelligences (logical-mathematical)
Have students tally the class's findings in activity 13 to see how healthy the class is.

Spanish for Spanish Speakers
Ask students to reflect on their culture of origin and the North American culture. Which culture has more junk food? Why?

National Standards	
Communication 1.2	**Comparisons** 4.1, 4.2
Cultures 2.1	
Connections 3.1	

359

Teacher Resources

Diálogo II
¡Evita la comida chatarra!
(CD 16, #10)
Activity 14 (CD 16, #11)
Activity 15 (CD 16, #12)
Activity 16 (CD 16, #13)

 p. 33

Answers

14 1. La dieta de Manuel no es muy equilibrada.
2. Come pizza, hamburguesas y papas fritas.
3. Hay que comer frutas, verduras y leche.
4. Son nutritivos porque contienen proteínas, hierro y calcio.
5. Va a cambiar su dieta.

15 Answers will vary.

16 1. D
2. A
3. E
4. B
5. C

Activities

Critical Thinking
Ask students: *¿Creen que Manuel cambiará su dieta inmediatamente? ¿Por qué sí o no?*

Multiple Intelligences (linguistic)
Have students write a fourth dialog scene. Encourage them to provide a specification for the visual, too.

Students with Special Needs
Suggest to students that they first read all the answers in activity 16 before listening to the audio.

National Standards	
Communication 1.1, 1.2	**Comparisons** 4.2
Cultures 2.1	
Connections 3.1	

360

Diálogo II ¡Evita la comida chatarra!

ISABEL: ¿Cómo es tu dieta, Manuel?
MANUEL: Bueno... no es muy equilibrada. No puedo vivir sin comer pizza y hamburguesas con papas fritas.
ISABEL: ¿No estás cansado de comer tanta comida chatarra?
MANUEL: No, me encanta.

ISABEL: Debes cambiar esos hábitos. Aquí hay un artículo sobre la nutrición y los alimentos que hay que comer para llevar una dieta saludable.
MANUEL: ¿Qué alimentos?
ISABEL: Alimentos nutritivos como frutas, verduras y leche.

MANUEL: ¿Y por qué los recomiendan?
ISABEL: Porque contienen proteínas, hierro y calcio...
MANUEL: Está bien, me convenciste. A partir de mañana voy a cambiar mi dieta.

14 ¿Qué recuerda Ud.?

1. ¿Cómo es la dieta de Manuel?
2. ¿Qué tipo de comida chatarra come?
3. ¿Qué alimentos nutritivos hay que comer?
4. ¿Por qué esos alimentos son nutritivos?
5. ¿Qué va a hacer Manuel a partir de mañana?

Comida chatarra.

15 Algo personal

1. ¿Lleva Ud. una dieta saludable?
2. ¿Cómo son sus hábitos de alimentación?
3. ¿Qué prefiere: la comida chatarra o los alimentos saludables?
4. ¿Le interesan los artículos sobre nutrición?

16 La alimentación

Escoja una respuesta correcta a lo que oye.

A.	Todos los días, como alimentos nutritivos como frutas y verduras.
B.	Tienen grasas, carbohidratos y proteínas.
C.	Yo también espero que haya comido bien hoy.
D.	Es mejor evitar la comida chatarra.
E.	No, no creo que el artículo haya sido escrito por un médico.

Notes
The diet in Latin America is different from that in the United States. Legumes such as chickpeas and lentils are eaten frequently in rich soups. Sandwiches are not popular, especially not the type made with white bread. Rice, beans and corn are staples in many countries. Meat is consumed, though it is considered to be expensive. The fish that is consumed is frequently native to the region and not found in the United States, unless imported.

For additional practice with these concepts, divide the class into teams that take turns making false statements about *Diálogo II.* The other team must correct the statements. Keep score on the board.

Cultura viva II

La cocina hondureña

Tortillas para el desayuno.

Gran parte de la tradición de la comida de Honduras viene de la época de antes de la colonización española, como el uso de diferentes tipos de maíz, frijoles[1], calabazas[2] y de animales domésticos como pavos y patos, además de la flora (hongos, frutos, palmas y miel) y la fauna silvestres[3] (pescados de la zona, cerdo del monte o incluso armadillo). Con la llegada de los colonizadores se introdujeron ingredientes como el trigo y la cebada[4], otras variedades de frutas (higos[5], uvas, naranjas, mandarinas[6] y melones, entre otras), la caña de azúcar y muchas verduras y legumbres (ajos, cebollas, perejil[7], zanahorias, garbanzos[8], etc.). Hoy el plato típico de Honduras incluye varios alimentos simples, presentados en un mismo plato con tortillas. A veces, las tortillas se sustituyen por yuca, arroz o plátano verde, mientras que los ingredientes principales pueden ser carne, huevos, queso, mantequilla agria[9] y frijoles, generalmente molidos[10] y fritos.

Hay tres comidas principales al día, que en Honduras se llaman "tiempos de comida". En el desayuno suele haber plátano maduro, aguacate y huevos. En el almuerzo casi siempre hay arroz, con carne y ensalada. La cena puede combinar alimentos de las dos comidas anteriores, como arroz con huevos, aguacate, y frijoles con mantequilla agria. Generalmente habrá tortillas, pero especialmente en el desayuno y la cena.

Comida típica hondureña.

[1]beans [2]pumpkins [3]wild [4]barley [5]figs [6]tangerines [7]parsley [8]chickpeas [9]sour [10]ground

17 ¿Qué sabe de la cocina de Honduras?

Conteste las siguientes preguntas.

1. ¿De dónde viene gran parte de la tradición de la cocina hondureña?
2. Mencione cinco alimentos que había antes de la colonización.
3. ¿Qué frutas trajeron los europeos a Honduras?
4. ¿Cómo se llaman las tres comidas principales en Honduras?
5. ¿Qué se suele comer en el desayuno en Honduras?

Capítulo 8   *trescientos sesenta y uno* **361**

Notes

Throughout Latin America, staples such as corn, bananas and avocado may be prepared differently. Hot spicy food is typical in many countries, though the spices or peppers used may vary. The *jalapeño* is typical in Mexico. The *ají* is typical in the southern areas and can be either sweet or hot. Contrary to popular belief, people in many countries in Latin America do not have hot spicy food in their diet.

If resources are available, you might have students prepare a typical Honduran meal to share with their classmates.

Teacher Resources

 Activity 17 (CD 16, #14)

 Activity 4 (CD 3, #34)

 Activity 4

◆ Answers

17 1. Viene de la época de antes de la colonización.
2. Answers will vary, but may include: maíz, frijoles, calabazas, pavos, patos, hongos, palmas, miel, pescados, armadillo.
3. Trajeron higos, uvas, naranjas, mandarinas y melones.
4. Se llaman tiempos de comida.
5. Se suele comer plátano maduro con aguacate y huevos.

◆ Activities

Connections/Prereading Activity
Have students locate Honduras on a map of Central America. Given its geographic location, ask: What might the weather be like in Honduras? What types of plants probably grow there?

Critical Thinking
Ask students: *¿Son nutritivos los platos hondureños? ¿Por qué?*

Multiple Intelligences (linguistic)
Have student volunteers make word searches or crossword puzzles of the foods mentioned in the reading. The rest of the class can solve the puzzles!

National Standards
Communication 1.1, 1.3
Cultures 2.1, 2.2
Connections 3.1

Answers

18 1. Según ella
2. con nosotros
3. contigo
4. para mí
5. a él
6. para sí misma

 Activities

Multiple Intelligences (linguistic/musical/spatial)

For homework, or for the last few minutes of class, ask students to write corny love statements that start with *Sin ti... (Sin ti, el mundo es triste...)*. Your artistic students can embellish the statements with illustrations, and your musical students can add a tune!

Students with Special Needs

To practice *mí* and *ti*, bring snacks, candies or school supplies to class. Have students work in pairs to take turns dividing up the items. The first student says: *Las uvas son para mí; El plátano es para ti,* and so on. This practice exercise can be done orally or in writing.

National Standards
Communication 1.1, 1.3
Connections 3.1
Comparisons 4.1

Idioma

Repaso rápido

Preposiciones y pronombres

In Spanish, prepositions are often followed by one of these pronouns: *mí, ti, usted/sí, él/sí mismo, ella/sí misma, nosotros, nosotras, vosotros, vosotras, ustedes/sí, ellos/sí,* and *ellas/sí.* Two exceptions are the prepositions *entre* and *según,* which are followed by the subject pronouns, for example *yo* (instead of *mí*) and *tú* (instead of *ti*).

*Voy a empezar la dieta **sin ti**.*	I am going to start the diet **without you.**
*¿Esta hamburguesa es **para mí**?*	Is this hamburger **for me?**
***Según tú**, debemos comer fibra.*	**According to you**, we have to eat fiber.
*Leo se preparó la cena **para sí mismo**.*	Leo prepared dinner **for himself.**

The preposition *con* combines with *mí, ti* or *sí* to form *conmigo, contigo* and *consigo.*

*Puedes hablar **conmigo** acerca de tu dieta.*	You can talk **to me** about your diet.
*No quiero ir al gimnasio **contigo**.*	I don't want to go to the gym **with you.**
*Ella no tiene el historial médico **consigo**.*	She doesn't have the medical history form **with her.**

18 **Hablando de comida...**

Ud. y sus amigos se reúnen para hablar sobre las comidas. Escoja la expresión que complete cada oración de una manera lógica.

 Mi madre cocina las espinacas
(conmigo / con mí).
Mi madre cocina las espinacas conmigo.

1. *(Según ella / Según sí)*, no es bueno saltarse una comida.
2. El profesor de nutrición quiere hablar *(con sí / con nosotros)*.
3. Si me esperas, voy al restaurante *(contigo / con tú)*.
4. ¿Este libro sobre las proteínas y las grasas en los alimentos es *(para yo / para mí)*?
5. Patricia y Ana lo observan *(a él / consigo)* mientras come.
6. Laura compró el almuerzo *(para consigo / para sí misma)*.

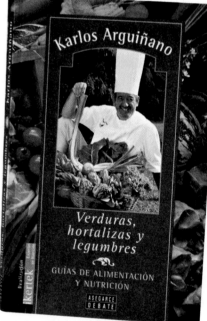

¿Este libro es para ti?

Notes

Point out how *ti* does not carry an accent mark. *Mí* carries an accent mark to distinguish it from the possessive *mi; sí* carries an accent mark to distinguish it from the conditional *si* (if).

For quick additional practice with *conmigo/contigo*, ask students to pair up. Student A invites Student B to go some place with him

or her: *¿Quieres ir al centro comercial <u>conmigo</u>?* Student B answers: *Sí (No, no) quiero ir al centro comercial <u>contigo</u>.*

Students can gain additional practice by writing mini-dialogs that require the use of these prepositions and pronouns.

19 ¿Qué sucede?

Escriba oraciones completas usando los siguientes datos. Use las preposiciones y los pronombres apropiados.

MODELO Elena / llevar / una lista de alimentos / con ella
Elena lleva siempre una lista de alimentos consigo.

1. yo / ir / al mercado / con tú
2. ¿tú / querer / preparar estas espinacas / con yo?
3. yo / ir / a comprar / estas vitaminas / para tú
4. según / tú / nosotros / no deber / comer / comida chatarra
5. Pablo / traer / una bolsa de cacahuetes / con él
6. María / escoger / espinacas y tomates / para ella

Espinacas.

Estructura

Preposiciones seguidas de infinitivo

In Spanish, prepositions are sometimes followed by an infinitive to express an action.

*Gracias **por ir** conmigo a la biblioteca.* — Thanks **for going** with me to the library.

*Estoy aburrida **de comer** comida chatarra.* — I'm bored **eating** junk food.

The word *al* meaning "at," "while," or "when" is also used with infinitives.

*No hables **al comerte** la hamburguesa.* — Don't talk **while you eat** the hamburger.

*No había nadie **al entrar** en la clínica.* — There was nobody **when I entered** the clinic.

Prepositions often used with infinitives are: *para, por, de, a, hasta, sin* and *tras*. Some other words followed by these prepositions are:

| antes de | cansado/a de | harto/a de | seguir hasta |
| despues de | aburrido/a de | listo/a para | quedar... por |

Listo para levantarse.

Notes
To reenter the vocabulary from *Lección A,* and to practice *para + infinitivo,* have students turn back to page 357, activity 8. Have students make healthy sentences using *Para* + the verb phrases in column 2. For example, *Para curarte más rápido, debes acostarte temprano. Para evitar el estrés, debes hacer yoga,* etc.

Fast food is not widely accepted in all Latin American countries. Many families avoid this type of food, since it is not as nutritious as foods in their regular diet. Also, American food chains are frequently targets of boycotts and protests when U.S. foreign policy offends the people of a particular country.

Teacher Resources

 Activity 6 (CD 3, #36)

 Activities 13–14

 Activity 5

 Activities 11–13

◆ Answers

19
1. Yo voy al mercado contigo.
2. ¿Quieres tú preparar estas espinacas conmigo?
3. Yo voy a comprar estas vitaminas para ti.
4. Según tú, nosotros no debemos comer comida chatarra.
5. Pablo trae una bolsa de cacahuetes consigo.
6. María escoge espinacas y tomates para sí misma.

◆ Activities

Expansion
With the help of the class, make sentences with infinitives and the phrases listed in the green box.

Multiple Intelligences (linguistic/logical-mathematical/spatial)
Ask students to create posters to promote nutrition and/or healthy living. Require that students write sentences with a preposition and an infinitive. Give the class a few examples, such as these: *Para aliviar el estrés,...; Para mantenerse en forma,...; Para seguir una dieta saludable,...; Antes de comer comida chatarra,...;* etc.

National Standards	
Communication 1.3	**Comparisons** 4.2
Cultures 2.1	
Connections 3.1	

Answers

20 1. Al   5. para
     2. para   6. de
     3. de   7. Para
     4. de   8. al

21 Possible answers:
1. Seguiré leyendo hasta terminar el libro.
2. La nutrición es importante para tener buena salud.
3. No te puedo dar el jarabe sin tener una nota del médico.
4. Mis hermanos están hartos de levantarse temprano todos los días.
5. Estamos listos para irnos de vacaciones al campo.
6. Víctor visitará a su abuela después de salir de la escuela.

Activities

Multiple Intelligences (bodily-kinesthetic)

To make activity 21 more hands-on, photocopy the activity for each student. Ask students to cut out columns A and B and each word from the box. Students can form the sentences by manipulating the pieces.

Pronunciation

After students have completed activity 20, have them practice reading the article aloud as a radio announcer would for homework. In class, have students take turns reading aloud as they have practiced at home.

National Standards

Communication
1.1, 1.3

Cultures
2.1

Connections
3.1

364

 Práctica

20 **La nutrición**

Complete el siguiente artículo sobre nutrición con las preposiciones *a, de, para,* según corresponda. Recuerde que *a* unida con *el,* forma *al.*

¿Por qué es importante la nutrición?

Llevar una buena dieta es muy importante. (1) alimentarnos bien, nuestro cuerpo recibe todos los elementos que necesita (2) funcionar. Antes (3) comer algo, es importante saber qué beneficios le trae al cuerpo. Por ejemplo, la comida chatarra no es nutritiva, y aunque nunca estés cansado (4) comerla, no siempre es lo mejor (5) darle a tu cuerpo. Muchas veces, después (6) comer una comida que no es saludable, te sientes sin energía y con sueño. Eso es porque no has comido los alimentos que necesita tu cuerpo. (7) llevar una dieta saludable, es necesario comer alimentos que contengan hierro, fibra, calcio, proteínas y vitaminas. Recuerda que (8) cambiar tu dieta, tu vida será mejor.

21 **Listos para unir frases**

Escriba oraciones uniendo las frases de las dos columnas con las palabras de la lista. Algunas palabras se usan más de una vez.

hasta   de   para   sin   después de

MODELO   las espinacas son buenas
      Las espinacas son buenas para llevar una dieta saludable.

I	II
1. seguiré leyendo	tener una nota del médico
2. la nutrición es importante	irnos de vacaciones al campo
3. no te puedo dar el jarabe	levantarse temprano todos los días
4. mis hermanos están hartos	salir de la escuela
5. estamos listos	llevar una dieta saludable
6. Víctor visitará a su abuela después	tener buena salud
	terminar el libro

Notes   Protein in the Latin American diet is obtained from a combination of legumes and rice perhaps more than from meat and fish. However, the diet of people in many Latin American countries is changing, perhaps for the worse, as more and more people incorporate fast foods into their diets.

Bring to class several nutrition and/or health magazines and ask Spanish-speaking students to translate the cover copy into perfect Spanish. As a follow-up to this activity, students might enjoy creating their own original health magazine covers with story lines. Tell them to include the visuals!

Comunicación

22 Unas preguntas sobre Ud.

¿Cómo se siente hoy? ¿Cómo es su rutina? Con su compañero/a, contesten las siguientes preguntas y comparen luego sus respuestas.

1. ¿De qué está Ud. cansado/a?
2. ¿De qué está Ud. aburrido/a?
3. ¿Está listo/a para hacer algo? ¿Qué?
4. ¿Está Ud. harto/a de algo? ¿De qué?
5. ¿Se olvidó de hacer algo esta mañana? Si es así, ¿qué se olvidó de hacer?
6. ¿Sale Ud. a veces sin desayunar? ¿Cómo se siente después?
7. ¿Qué hace Ud. al entrar en una clase por primera vez?

23 ¿Para qué lo hago?

Todos los días hacemos diferentes cosas sin detenernos a pensar por qué o para qué las hacemos. Con su compañero/a, conversen sobre los siguientes temas. Escriban oraciones expresando sus opiniones y usando preposiciones apropiadas.

MODELO tener una dieta equilibrada
Para tener una dieta equilibrada, hay que comer todo tipo de alimentos.
despertarse temprano
Al despertarse temprano, hay más tiempo para hacer cosas durante el día.

- alimentarse bien
- evitar la comida chatarra
- estar listo/a para correr una maratón
- estudiar para un examen difícil
- ir al doctor una vez al año
- comer frutas y verduras
- no estar aburrido/a de…
- no estar harto/a de…

24 Un artículo para la comunidad

Con su compañero/a, escriban un artículo sobre un tema importante relacionado con la salud; por ejemplo, la nutrición, el ejercicio físico, las vacaciones, etc. Expliquen por qué es importante y qué cosas buenas trae para la salud. Recuerden usar preposiciones en su artículo.

MODELO **Las vacaciones**
Una de las actividades que ayudan a mantener la buena salud, es irse de vacaciones. Las vacaciones son muy importantes para relajarse…

De vacaciones.

Notes

Daily activities for an average young person in Latin America are different from those of a teenager in the United States. Frequently, students attend public school in either a morning or an afternoon shift to be able to accommodate the entire school population. This means fewer hours of class, in many cases. What would your students do with a free half-day?

 ## Answers

22 Answers will vary.
23 Creative self-expression.
24 Creative self-expression.

Activities

Cooperative Learning
AP Spanish Language (Structure in Context). Have students rewrite their corrected articles from activity 24 (page 365), omitting every eighth (or seventh, or sixth, etc.) word and listing the words they removed in random order at the end of the article. Next, have students exchange their articles with a classmate. Each student must then complete the articles using words from the random list. Finally, have students compare and discuss whether they completed their work correctly.

Multiple Intelligences (intrapersonal)
You might give students the option of doing activity 22 alone. Have students consider and write the advice one might give to himself/herself. To extend this activity, have each student design a Venn diagram that compares himself/herself to another family member.

Technology
Ask students to access Spanish-language newspapers on the Internet to search for health-related articles. Once found, students should download the articles to use as models for activity 24.

National Standards	
Communication 1.1	**Comparisons** 4.2
Cultures 2.1	
Connections 3.1, 3.2	

Teacher Resources

Lectura personal (CD 16, #15)
Activity 25 (CD 16, #16)
Activity 26 (CD 16, #17)

Answers

25 1. Se descubrió en Guanaja, Honduras.
2. Lo usaban como bebida y en ceremonias.
3. Le dieron una bolsita con habas de cacao.
4. Lo mezclaron con miel y vainilla.
5. La encontraron en la tumba de un rey maya, en Copán.

26 Answers will vary.

Activities

Multiple Intelligences (bodily-kinesthetic)
You might bring to class a variety of chocolate, with and without sugar, for students to taste-test blindfolded. *¿Cuál les gusta más? ¿Menos?*

Multiple Intelligences (linguistic/spatial)
Have students make and write thank-you cards to Colón for introducing chocolate to the Americas. Remind them to use an infinitive after *gracias por*.

Prereading Strategy
Have students read the title of the article, look at the photo, and predict what the article will be about.

National Standards	
Communication 1.1	Comparisons 4.2
Cultures 2.2	
Connections 3.1	

Lectura personal

A... Sebastián

Cc...

Asunto: desde Honduras

El cacao[1]: un gran descubrimiento

Querido Sebastián,

Ayer, en nuestra Ruta Quetzal, pasamos frente a las costas de Honduras. ¡Qué vistas más hermosas! Aunque el barco se movía bastante, fue muy bonito estar en la cubierta[2] y contemplar[3] las playas hondureñas. Pasamos por la isla de Guanaja y nuestro guía nos comentó algo que a ti, que eres un adicto al chocolate, te va a parecer muy interesante. ¡Fue en esta isla, que hoy pertenece a Honduras, donde se descubrió el cacao por primera vez! Cuando llegó Cristóbal Colón en su cuarto viaje, en 1502, los indígenas del lugar le regalaron una bolsita con granos[4] de cacao. Pero al volver a Europa con ellas, nadie supo qué hacer. No fue hasta años después, cuando empezaron a mezclar el cacao con azúcar, que se convirtió en la bebida favorita de las cortes[5] española y francesa, y de ahí se extendió al resto del mundo.

La historia del cacao es verdaderamente fascinante. Los mayas lo bebían y lo usaban en ceremonias. Después, los aztecas usaron miel[6] y vainilla para mejorar la receta. A veces también se mezclaba con especias picantes.

Tú, que vives en Nueva York, tal vez tuviste oportunidad de ver la tableta[7] de chocolate más antigua del mundo. Es del año 437 y la encontraron en la tumba de un rey maya en Copán. La exhibieron en una exposición dedicada al chocolate en el Museo de Historia Natural de tu ciudad.

Bueno, tanto hablar de chocolate y cacao, me dieron ganas de comprarme una tableta antes de irme a dormir.

Muchos recuerdos,

Cecilia

[1]cocoa   [2]on deck   [3]view   [4]beans   [5]courts   [6]honey   [7]bar

El cacao se descubrió en Guanaja (Honduras) hace más de 500 años.

25 ¿Qué recuerda Ud.?

1. ¿Dónde se descubrió por primera vez el cacao?
2. ¿Para qué usaban el cacao los mayas?
3. ¿Qué le dieron a Colón los indígenas de Guanaja?
4. ¿Con qué mezclaron el cacao años después?
5. ¿Dónde encontraron la tableta de chocolate más antigua del mundo?

26 Algo personal

1. ¿Alguna vez probó cacao sin azúcar? ¿Qué le pareció?
2. ¿Cómo prefiere tomar Ud. el chocolate?

Notes

Young people in Latin America like chocolate just as much as teenagers in the United States. They have the same types of chocolate: bars, chips, drops and chocolate-covered candies, but they have different names. One popular M&M-type chocolate candy in Latin America is the *Chubi*.

After students read the *Lectura personal*, have them summarize the history of chocolate in their own words.

As an extension, students might research and compare the Honduran cacao-growing industry with that in other places such as West Africa and Southeast Asia.

¿Qué aprendí?

Autoevaluación

Como repaso y autoevaluación, responda lo siguiente:

1. Mencione tres tipos de ejercicio que puede hacer para mantenerse en forma.

2. ¿Dónde y cuándo se celebraron los primeros Juegos Deportivos Estudiantiles Nacionales?

3. Complete la siguiente oración: *Si durmieras ocho o más horas,...*

4. Mencione cuatro tipos de alimentos nutritivos y diga qué contienen.

5. La preposición *con* se combina con los pronombres *mí, sí o ti* para formar...

6. Complete la siguiente oración: *Vi mucha gente al...*

7. ¿Qué se descubrió por primera vez en la isla de Guanaja, Honduras?

Palabras y expresiones

How many of these words and expressions do you recognize?

Acciones en el gimnasio
estirarse
evitar
hacer abdominales
hacer bicicleta
hacer cinta
hacer flexiones
hacer natación
hacer yoga
levantar pesas
mantenerse en forma

La nutrición
la alimentación
el alimento
los cacahuetes
el calcio
el carbohidrato
la comida chatarra
la dieta
las espinacas
la fibra
la grasa
el hábito
la hamburguesa
el hierro
la nutrición
la proteína
la vitamina

Adjetivos
equilibrado,-a
nutritivo,-a
saludable

Expresiones y otras palabras
alimentarse
a partir de
el calambre
la energía
el estrés
la fuerza
hacer un esfuerzo
valer la pena
saltarse (una comida)

Estos alimentos contienen vitaminas.

El pan contiene carbohidratos.

Capítulo 8   *trescientos sesenta y siete* **367**

Notes

Encourage students to find out more about Honduras by going on the Internet.

Latin America has many islands that are exotic and interesting to visit, like Guanaja in Honduras. They feature scuba diving, fishing, kayaking, wind sailing and other extreme adventure sports.

Students should visit the Internet Resource Center at www.emcp.com to complete this activity on line and check answers.

Teacher Resources

Activity 15

p. 114

Answers

Autoevaluación
Possible answers:
1. Hacer cinta, levantar pesas, hacer natación.
2. Los primeros Juegos Deportivos Estudiantiles Nacionales se celebrararon en Honduras en 2003.
3. Si durmieras ocho o más horas, tendrías más energía.
4. Las espinacas contienen mucho hierro. La leche tiene calcio. La carne tiene proteínas. El cereal contiene fibra y carbohidratos.
5. Conmigo, consigo y contigo.
6. Vi a mucha gente al llegar a la clínica.
7. Se descubrió el cacao.

Activities

Students with Special Needs
You might give students the option of completing the *Autoevaluación* orally.

National Standards

Connections
3.1, 3.2

367

Answers

Preparación
1. Cierto.
2. Falso.
3. Falso.
4. Cierto.
5. Falso.

Activities

Prereading Activity

Bring to class pictures related to dental health. Using the visuals and/or hand motions, introduce dental vocabulary in Spanish. Some of these words are: *caries* (cavities), *las encías* (gums), *la muela* (molar), *el cordal* (wisdom tooth), *la dentadura postiza* (set of false teeth), *la seda dental* (dental floss), *enjuagar* (to rinse mouth out with water), *pasta dentífrica* (toothpaste).

Prereading Strategy

Point out to students that in 1948 the liberal and labor party candidate Jorge Eliécer Gaitán was assassinated and a war broke out between liberals and conservatives. A climate of terror reigned throughout Colombia. More than 300,000 people died over a 10-year period! These occurrences affected García Márquez's writing. This background information will help students understand why, in the story, the dentist hates the mayor so much.

National Standards
Cultures 2.2
Connections 3.1
Comparisons 4.1, 4.2

Estrategia

Using context clues to clarify meaning

When you find a word you don't understand in a text, you can clarify its meaning by looking at context clues. These clues may be a repetition of the statement with other words, an example or an explanation. Many times the context holds the key to the meaning of the word.

You can write down the word you don't know, write next to it possible meanings, and look for clues in the text that will help you choose the correct meaning. If the context doesn't help you clarify the meaning, use a dictionary.

Preparación

Lea el texto y, después, diga si las oraciones que siguen son ciertas o falsas.

Gabriel García Márquez nació en Aracataca, Colombia, el 6 de marzo de 1928. Era el mayor de doce hermanos. De pequeño, lo dejaron al cuidado de sus abuelos maternos. De los cuentos y leyendas que ellos le contaban, "Gabo", como lo llamaban sus familiares y amigos, sacó la inspiración para ser escritor. Estudió periodismo y comenzó a escribir cuentos y novelas. Su estilo se conoce como realismo mágico porque en él mezcla la fantasía con la realidad.

Su obra más famosa es *Cien años de soledad*, que es la historia de Macondo, un pueblo ficticio, y sus habitantes.

En 1982 García Márquez obtuvo el Premio Nobel de Literatura. Otras obras conocidas son *La hojarasca, Del amor en los tiempos del cólera, Crónica de una muerte anunciada, El otoño del patriarca, Doce cuentos peregrinos* y *Del amor y otros demonios.*

A lo largo de su vida ha combinado su trabajo como periodista y como escritor. Hoy en día, cuando no está viajando para participar en lecturas y conferencias por todo el mundo, divide su tiempo entre Colombia y México, donde vive desde 1975.

1. García Márquez viene de una familia numerosa.
2. Su padre le contaba cuentos y leyendas.
3. Estudió medicina y literatura.
4. Su estilo se llama realismo mágico.
5. Hoy en día vive principalmente en Colombia.

Gabriel García Márquez.

Notes

García Márquez is one of the most important writers of Latin American literature. Invite students to see what they can find out about García Márquez on the Internet.

You might point out that it is common for family members in Latin America to care for small children while parents go to work.

Organized and/or state-run child care does exist, though the family continues to fill this important role. Care for older parents also continues to be a family responsibility. Senior-citizen or nursing homes do exist, though they are not as prevalent as in the U.S.

Un día de éstos

El lunes amaneció tibio y sin lluvia. Don Aurelio Escovar, dentista sin título y buen madrugador, abrió su gabinete[1] a las seis. Sacó de la vidriera[2] una dentadura postiza[3] montada aún en el molde de yeso[4] y puso sobre la mesa un puñado de instrumentos que ordenó de mayor a menor, como en una exposición. Llevaba una camisa a rayas, sin cuello, cerrada arriba con un botón dorado, y los pantalones sostenidos con cargadores elásticos. Era rígido, enjuto, con una mirada que raras veces correspondía a la situación, como la mirada de los sordos[5].

Instrumentos dentales.

Cuando tuvo las cosas dispuestas sobre la mesa, rodó la fresa[6] hacia el sillón de resortes y se sentó a pulir[7] la dentadura postiza. Parecía no pensar en lo que hacía, pero trabajaba con obstinación, pedaleando en la fresa incluso cuando no se servía de ella.

Después de las ocho hizo una pausa para mirar el cielo por la ventana y vio dos gallinazos[8] pensativos que se secaban al sol en el caballete de la casa vecina. Siguió trabajando con la idea de que antes del almuerzo volvería a llover. La voz destemplada de su hijo de once años lo sacó de su abstracción.

—Papá.

—Qué.

—Dice el alcalde[9] que si le sacas una muela[10].

—Dile que no estoy aquí.

Estaba puliendo un diente de oro. Lo retiró a la distancia del brazo y lo examinó con los ojos a medio cerrar. En la salita de espera volvió a gritar su hijo.

—Dice que sí estás porque te está oyendo.

El dentista siguió examinando el diente. Sólo cuando lo puso en la mesa con los trabajos terminados, dijo:

—Mejor.

Volvió a operar la fresa. De una cajita de cartón donde guardaba las cosas por hacer, sacó un puente de varias piezas y empezó a pulir el oro.

—Papá.

—Qué.

Aún no había cambiado de expresión.

[1]office [2]glass cabinet [3]set of false teeth [4]plaster [5]deaf [6]drill [7]to polish [8]buzzards
[9]mayor [10]molar

Capítulo 8   *trescientos sesenta y nueve*   369

Notes It is still common in many countries of Latin America to find people with gold fillings. Dental care is uneven in poorer areas and consequently many children's teeth are examined in the schools free of charge, since parents are not able to afford a dental visit. Children also receive free eye exams and vaccinations in the schools.

AP Spanish Literature. This selection by Gabriel García Márquez is on the College Board AP Spanish literature required reading list for twentieth-century authors.

Teacher Resources

 ¡Viento en popa!
Un día de éstos (CD 16, #18)

 Activities

Critical Thinking
Ask students: *¿Por qué creen que García Márquez decidió usar la imagen de dos gallinazos?*

Multiple Intelligences (linguistic)
After students have read the first paragraph, ask them to describe Don Aurelio Escovar.

National Standards

Communication
1.1

Cultures
2.1

Connections
3.1

Critical Thinking

Say to students: *Hay mucha tensión entre Don Aurelio y el alcalde. Busca las frases que muestran esa tensión.*

Expansion

Have students discuss their feelings as they read: *¿Qué sienten? ¿Les da risa, miedo, disgusto?*

—Dice que si no le sacas la muela te pega un tiro[1].

Sin apresurarse[2], con un movimiento extremadamente tranquilo, dejó de pedalear en la fresa, la retiró del sillón y abrió por completo la gaveta[3] inferior de la mesa. Allí estaba el revólver.

—Bueno —dijo—. Dile que venga a pegármelo.

Hizo girar el sillón hasta quedar de frente a la puerta, la mano apoyada en el borde de la gaveta. El alcalde apareció en el umbral[4]. Se había afeitado la mejilla izquierda, pero en la otra, hinchada y dolorida, tenía una barba de cinco días. El dentista vio en sus ojos marchitos[5] muchas noches de desesperación. Cerró la gaveta con la punta de los dedos y dijo suavemente:

—Siéntese.

—Buenos días —dijo el alcalde.

—Buenos —dijo el dentista.

Mientras hervían los instrumentales, el alcalde apoyó el cráneo en el cabezal de la silla y se sintió mejor. Respiraba un olor glacial[6]. Era un gabinete pobre: una vieja silla de madera, la fresa de pedal y una vidriera con pomos[7] de loza[8]. Frente a la silla, una ventana con un cancel[9] de tela hasta la altura de un hombre. Cuando sintió que el dentista se acercaba, el alcalde afirmó los talones1[10] y abrió la boca. Don Aurelio Escovar le movió la cara hacia la luz. Después de observar la muela dañada[11], ajustó la mandíbula[12] con una cautelosa presión de los dedos.

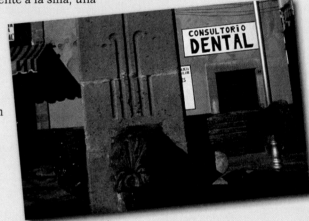

Consultorio dental.

—Tiene que ser sin anestesia —dijo.

—¿Por qué?

— Porque tiene un absceso.

El alcalde lo miró en los ojos.

—Está bien —dijo, y trató de sonreír.

El dentista no le correspondió. Llevó a la mesa de trabajo la cacerola con los instrumentos hervidos y los sacó del agua con unas pinzas frías, todavía sin apresurarse. Después rodó la escupidera[13] con la punta del zapato y fue a lavarse las manos en el aguamanil. Hizo todo sin mirar al alcalde. Pero el alcalde no lo perdió de vista.

Era un cordal[14] inferior. El dentista abrió las piernas y apretó la muela con el gatillo[15] caliente. El alcalde se aferró a las barras de la silla, descargó toda su fuerza en los pies y sintió un vacío helado en los riñones[16], pero no soltó un suspiro[17]. El dentista sólo movió la muñeca. Sin rencor, más bien con una amarga ternura[18], dijo:

[1]will shoot you   [2]without rushing   [3]drawer   [4]threshold   [5]faded   [6]icy   [7]knobs
[8]porcelain   [9]panel   [10]heels   [11]damaged   [12]jaw   [13]spitoon   [14]wisdom tooth   [15]forceps
[16]a cold emptiness in his kidneys   [17]sigh   [18]bitter tenderness

National Standards

Communication
1.1

Connections
3.1

Comparisons
4.2

Notes

When a child loses a tooth in Latin America, it is believed the *ratoncito,* not the tooth fairy, takes the tooth from under the pillow at night. He leaves behind a piece of chocolate or other treat.

—Aquí nos paga veinte muertos, teniente.

El alcalde sintió un crujido de huesos[1] en la mandíbula y sus ojos se llenaron de lágrimas. Pero no suspiró hasta que no sintió salir la muela. Entonces la vio a través de las lágrimas. Le pareció tan extraña a su dolor, que no pudo entender la tortura de sus cinco noches anteriores. Inclinado sobre la escupidera, sudoroso[2], jadeante[3], se desabotonó la guerrera[4] y buscó a tientas[5] el pañuelo en el bolsillo del pantalón. El dentista le dio un trapo[6] limpio.

—Séquese las lágrimas —dijo.

El alcalde lo hizo. Estaba temblando[7]. Mientras el dentista se lavaba las manos, vio el cielorraso[8] desfondado y una telaraña polvorienta[9] con huevos de araña e insectos muertos. El dentista regresó secándose las manos.

—Acuéstese —dijo— y haga buches[10] de agua de sal.

El alcalde se puso de pie, se despidió con un displicente saludo militar, y se dirigió a la puerta estirando[11] las piernas, sin abotonarse la guerrera.

—Me pasa la cuenta —dijo.

—¿A usted o al municipio?

El alcalde no lo miró. Cerró la puerta, y dijo, a través de la red metálica:

—Es la misma vaina[12].

[1]a crunching of bones [2]sweaty [3]panting [4]military style jacket [5]gropingly [6]cloth [7]trembling [8]ceiling [9]a dusty spiderweb [10]rinse your mouth [11]stretching [12]It's one and the same thing.

A ¿Qué recuerda Ud.?

1. ¿Qué está haciendo el dentista cuando llega el alcalde?
2. ¿Quién le dice al dentista que el alcalde quiere verlo?
3. ¿Cómo reacciona el dentista al saber que el alcalde está ahí?
4. ¿Qué quiere el alcalde?
5. Según el dentista, ¿por qué tiene que sacar la muela sin anestesia?
6. ¿Cree Ud. que el dentista le dijo la verdad al alcalde con respecto a la necesidad de no usar anestesia? ¿Qué oración ilustra lo que realmente piensa el dentista?

B Algo personal

1. ¿Cómo se siente cuando tiene que ir al dentista?
2. ¿Alguna vez le quitaron una muela? ¿Qué pasó?
3. ¿Cree Ud. en el proverbio "Ojo por ojo, diente por diente" o cree que uno debe perdonar al enemigo? Explique por qué.

Capítulo 8 — *trescientos setenta y uno* **371**

Teacher Resources

Activity A (CD 16, #19)
Activity B (CD 16, #20)

Answers

A Wording of answers will vary, but the following ideas should be expressed:
1. Está trabajando en su gabinete.
2. El hijo del dentista se lo dice.
3. No lo quiere ver.
4. Quiere que el dentista le saque una muela.
5. Porque el alcalde tiene un absceso.
6. Answers will vary. La oración que ilustra lo que realmente piensa es: "Aquí nos paga veinte muertos, teniente".

B Answers will vary.

Activities

Expansion
Ask students to explain how García Márquez critiques corruption in the government.

Language through Action
Have pairs of students choose a scene from the story to act out for the class.

National Standards
Communication
1.,3
Cultures
2.1
Connections
3.1

Notes
    Mention to students that the last phrase of the text refers to corruption by an authority. This is a serious problem in many countries of Latin America. García Márquez, as a journalist, is quite familiar with the customs (and bad habits) of his people and describes them in his writing.

Answers

Creative self-expression.

 Activities

Technology

Mention to students that creating an organization chart is an important skill to master in many professions. On the Internet, a map of a Web site is an example of such a chart. Suggest that students go to a Spanish search engine such as Terra, Yahoo or Google and key in the word *organigrama* to get examples of organization charts.

National Standards

Communication
1.3

Connections
3.1, 3.2

Comparisons
4.1

Ud. escribe ■ ■ ■ ■ ■ ■ ■ ■ ■ ■ ■ ■

Estrategia

Describing a process

To describe a process properly it is important to organize the information you are about to give your reader in chronological order. You can make a list of the events that take place in the process, and organize each event step by step, in the order they occur. If the process is a circular one, that is, that it starts and ends in the same place, you can use a circular graphic organizer like the one below.

The following is a list of words that can be useful when describing a process.

al principio	*at the beginning*
primero	*first*
antes	*before*
luego	*after*
poco a poco	*little by little*
más tarde	*later*
después	*then*
finalmente	*finally*
al final	*at the end*

Escriba uno o dos párrafos describiendo un accidente o una enfermedad que Ud. tuvo. Diga qué pasó, cómo se sentía al principio y qué fue pasando hasta que se curó. Use una gráfica como la de la derecha para organizar la información. Recuerde usar el vocabulario de este capítulo, así también como expresiones con *hace/ hacía que...*, el imperfecto del subjuntivo con *si*, preposiciones y pronombres. Comparta su borrador con otro/a estudiante y pídale sus sugerencias o correcciones. Por último, escriba la versión final para incluir las sugerencias de su compañero/a y para corregir los errores en los tiempos de los verbos, el uso de las palabras o expresiones de transición y la ortografía.

¡Viento en popa!

Notes To locate an Internet map on a Web site in Spanish, students should click on *mapa* or *mapa del sitio* and then study the *organigrama* that appears as an example of an organization chart.

Proyectos adicionales

A Conexión con la tecnología

Imagine que va a ir de viaje a Guatemala, Honduras u otro país de Centroamérica. En grupos, busquen información en la internet sobre las condiciones de salud de esos países. Averigüen también si necesitan vacunas. Pueden usar un buscador en español con la palabra "vacuna" y el nombre del país. Comparen la información con otros grupos.

B Conexión con otras disciplinas: medicina

Escoja uno de los remedios naturales mayas que se pueda encontrar fácilmente en su ciudad (manzanilla, limón, naranja, manzana, ajo, cebolla, etc.). Busque toda la información que pueda sobre sus usos medicinales, en la internet, en revistas o en la biblioteca. Averigüe para qué síntomas es bueno y cuáles son sus beneficios. Haga una presentación en la clase sobre lo que aprendió. Si es posible, traiga el remedio o una foto o ilustración de éste para mostrárselo a sus compañeros.

Manzanilla.

Chocolate en lata.

C Comparaciones

En este capítulo aprendió algunas cosas sobre el cacao y el chocolate. Use la internet para buscar información sobre cómo preparaban chocolate los mayas y los aztecas y cómo se prepara hoy en día. Puede incluir recetas para bebidas, comidas o postres. Prepare un cartel con esta información y preséntelo en clase.

Capítulo 8 *trescientos setenta y tres* **373**

Teacher Resources

💬 p. 94

◆ Activities

Multiple Intelligences (bodily-kinesthetic)
Encourage students to demonstrate how to make an herbal tea or remedy with authentic props.

Multiple Intelligences (interpersonal)
Have student volunteers teach a younger class about the history of chocolate.

Multiple Intelligences (linguistic/musical)
Have students research poems, songs and rhymes about chocolate in Spanish to share with the class.

National Standards
Communication 1.3
Connections 3.1, 3.2
Comparisons 4.2

Notes To obtain quick and complete information about the health situation in any Latin American country, the Centers for Disease Control issues extensive information to travelers regarding required vaccinations or travel warnings.

Teacher Resources

El cuarto misterioso
Documental 4

Trabalenguas (CD 16, #21)

 Answers

Así se hace el misterio
1. Answers will vary.
2. Answers will vary.
3. Answers will vary.

 Activities

Expansion
You might introduce some other tongue twisters that you know. After students have read the tongue twister below, ask them to write their own! You might "publish" a collection of tongue twisters by students in a class book.

Trabalenguas
Ask students to write questions that the content of the *Trabalenguas* can answer.

National Standards

Connections
3.1

R E P A S O

Now that I have completed this chapter, I can...

	Go to these pages for help:
inquire and give advice about health.	336
express future events.	341
talk about situations that would have happened.	341
talk about symptoms and remedies.	344, 345
ask for and provide medical information.	344, 345
express length of time.	348
discuss ways to stay fit.	352
express what someone would do in a specific situation.	356
talk about a healthy diet.	358

I can also...

identify some natural remedies used by the Mayans.	339
discuss the benefits of thermal baths in Guatemala.	347
talk about the life and work of a Nobel Prize winning author.	350
describe a sports competition for young people in Honduras.	355
identify some essential components of Honduran cooking.	361
mention some facts about the history of cocoa.	366
read a story by a well-known writer.	369

Trabalenguas

Pepe puso un peso en el piso del pozo.
En el piso del pozo Pepe puso un peso.

Así se hace el misterio

Después de mirar Episodios 67–70 de *El cuarto misterioso*, contesta las siguientes preguntas.

1. ¿Dónde prefieren pasear los jóvenes en Barcelona?

2. Si Jennifer viniera a tu ciudad, ¿qué lugares de interés le enseñarías?

3. Menciona algunas personas famosas de tu comunidad.

Notes
Review the functions and other objectives in the *Repaso* and assign the activities. Answer questions so students can prepare for the chapter test. Follow up by reviewing the activities as a class.

Loose translation of the *Trabalenguas:*
Pepe put a weight on the floor of the well.
On the floor of the well Pepe put a weight.

Vocabulario

la **alergia** allergy *8A*
la **alimentación** diet *8B*
 alimentarse to eat *8B*
el **alimento** food *8B*
el **antibiótico** antibiotic *8A*
el **antiséptico** antiseptic *8A*
la **aspirina** aspirin *8A*
la **barriga** belly *8A*
el **cacahuete** peanut *8B*
el **calambre** cramp *8B*
el **calcio** calcium *8B*
el **carbohidrato** carbohydrate *8B*
la **clínica** clinic *8A*
la **comida chatarra** junk food *8B*
el **corte** cut *8A*
 curar(se) to cure, to recover *8A*
la **curita** band-aid *8A*
 darse un golpe to bang oneself *8A*
la **dieta** diet *8B*
la **energía** energy *8B*
la **enfermedad** disease *8A*
 equilibrado,-a balanced *8B*
la **erupción** rash *8A*
 estirarse to stretch *8B*
 estornudar to sneeze *8A*
el **estrés** stress *8B*
 evitar to avoid *8B*
 examinar to examine *8A*
la **fibra** fiber *8B*
la **fractura** fracture *8A*
la **fuerza** strength *8B*
las **gotas** drops *8A*
la **grasa** fat *8B*

el **hábito** habit *8B*
 hacer abdominales to do sit-ups *8B*
 hacer bicicleta to ride a stationary bike *8B*
 hacer cinta to use a treadmill *8B*
 hacer flexiones to do push-ups *8B*
 hacer natación to practice swimming *8B*
 hacer un esfuerzo to make an effort *8B*
 hacer yoga to do yoga *8B*
la **hamburguesa** hamburger *8B*
el **hierro** iron *8B*
el **historial médico** medical history form *8A*
 hondo,-a deep(ly) *8A*
la **infección** infection *8A*
la **inflamación** inflammation *8A*
la **inyección** injection, shot *8A*
el **jarabe** syrup *8A*
 levantar pesas to lift weights *8B*
 mantenerse en forma to keep in shape *8B*
las **muletas** crutches *8A*

la **muñeca** wrist *8A*
la **nutrición** nutrition *8B*
 nutritivo,-a nutritious *8B*
el **paciente, la paciente** patient *8A*
la **pastilla** pill *8A*
la **piel** skin *8A*
 profundo,-a deep *8A*
la **proteína** protein *8B*
el **pulmón,** *pl.* los **pulmones** lung *8A*
la **pulmonía** pneumonia *8A*
los **puntos** stitches *8A*
 quebrarse to break *8A*
la **radiografía** X-ray *8A*
el **rasguño** scratch *8A*
 recetar to prescribe *8A*
el **remedio** remedy, medicine *8A*
 resbalarse to slip *8A*
 respirar to breathe *8A*
la **sala de emergencias** emergency room *8A*
 saltarse (una comida) skip (a meal) *8B*
 saludable healthy *8B*
la **silla de ruedas** wheelchair *8A*
los **síntomas** symptoms *8A*
 sufrir to suffer *8A*
el **tobillo** ankle *8A*
 tomar(se) la presión to take the blood pressure *8A*
 torcerse(ue) to twist *8A*
 toser to cough *8A*
 tropezar con to stumble, to trip *8A*
la **vacuna** vaccination *8A*
 valer la pena to be worth your while *8B*
la **venda** bandage *8A*
la **vitamina** vitamin *8B*
el **yeso** cast *8A*

Nos estiramos para evitar calambres.

Las muletas.

Teacher Resources

Assessment
Test Booklet
Quizzes
ExamView®
Assessment Suite

Activities

Cooperative Learning
Have small groups of students create skits to gain additional practice with the *Vocabulario*.

Multiple Intelligences (bodily-kinesthetic)
Put different items listed in the vocabulary into a bag. Have students take turns feeling the bag and guessing the contents.

Multiple Intelligences (linguistic)
You might divide the class in half and organize a spelling bee based on the vocabulary words.

Notes
Students should have a good bilingual dictionary for their classes. Point out that some are better for use in Latin America, others for use in Spain. The bible of the Spanish language for proper usage and meaning is the *Diccionario de la Lengua Española* by the Real Academia Española, the most respected authority in the Spanish-speaking world.

National Standards
Communication
1.1, 1.3

Teacher Resources

El cuarto misterioso
Documental 5

Symtalk   Units 6, 9, 14, 17, 20

Connections with Parents

Capítulo 9 focuses on fashion. This theme offers numerous possibilities for involving parents, guardians and families. Encourage students to bring in photographs of family members to use as visual aids throughout the chapter. Also, encourage students to share what they are learning with their family members at home. In addition, ask students to discuss the topic of handicrafts with their parents or guardians. Perhaps someone has a hobby or skill he or she would be willing to share with the class.

Answers

El cuarto misterioso
1. Answers will vary.
2. Answers will vary.
3. Answers will vary.
4. Answers will vary.

National Standards	
Communication 1.1	**Communities** 5.1
Connections 3.1	
Comparisons 4.2	

CAPÍTULO 9

Última moda

El cuarto misterioso

Contesta las siguientes preguntas sobre esta escena del *Documental 5–Gabriel Ibarzábal (Carlos).*

1. Compara la apariencia de Gabriel y su personaje Carlos.
2. Adivina dónde está Gabriel.
3. ¿Qué sabes de la historia de México?
4. ¿Puedes relatar un viaje a México?

DVD 5, Episodios 79–82. Gabriel hace el papel de Carlos.

376   *trescientos setenta y seis*

Notes   Review with students the communicative objectives for *Capítulo 9*. A list of these functions appears on page 422 so that students can evaluate their progress.

Objetivos

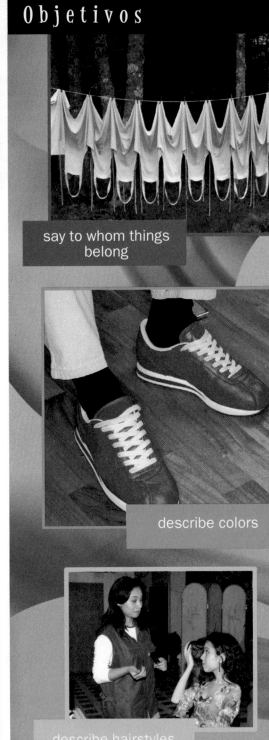

say to whom things belong

describe colors

describe hairstyles

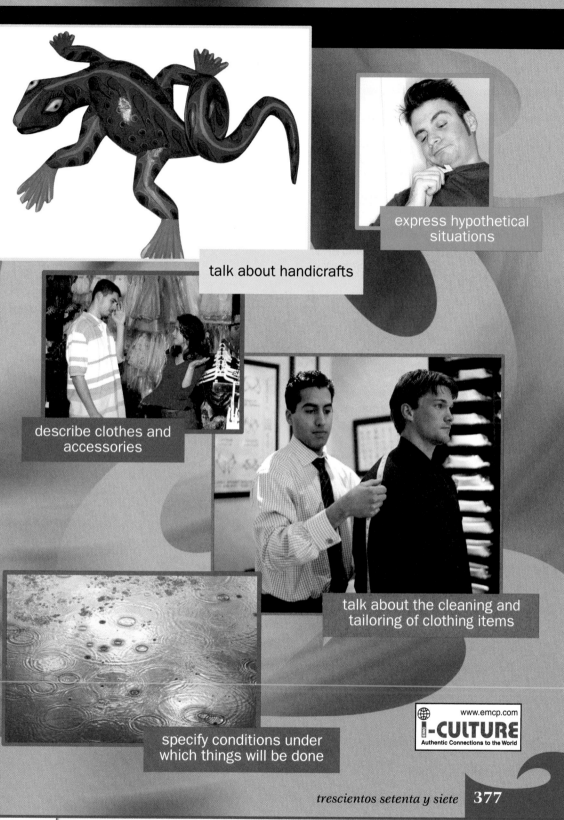

express hypothetical situations

talk about handicrafts

describe clothes and accessories

talk about the cleaning and tailoring of clothing items

specify conditions under which things will be done

www.emcp.com
EMCP **i-CULTURE**
Authentic Connections to the World

trescientos setenta y siete **377**

Contexto cultural

México

Nombre oficial: Estados Unidos Mexicanos

Población: 107.400.000

Capital: México, D.F.

Ciudades importantes: Monterrey, Guadalajara

Unidad monetaria: el peso

Fiesta nacional: 16 de septiembre, Día de la Independencia

Gente famosa: Frida Kahlo, Diego Rivera (artistas); Octavio Paz, Carlos Fuentes (escritores); Emiliano Zapata (líder popular)

Activities

Connections

Invite students to share their prior knowledge about Mexico. Record their personal experiences and impressions in the form of an experience chart.

Prior Knowledge

Take a few minutes to let students reflect on the chapter objectives. Ask students: *¿Has tenido un peinado feo en algún momento?; ¿Qué tipo de peinado te harías si pudieras tener cualquier peinado?; ¿Describe la ropa de tres compañeros?; ¿De qué color es la ropa que lleva hoy tu mejor amigo/a del colegio?; ¿Cómo tienes que lavar la ropa para que no se encoja?; ¿Qué consejo le darías a alguien a fin de que la ropa no se encoja?; ¿Es la camisa/blusa mía a rayas?; ¿Tiene tu familia muchas artesanías en casa?*

Notes

Capítulo 9 focuses on Mexico. Using the maps at the front of the book or a wall map, have students describe the location and geography of Mexico. Also, ask them to discuss the areas of the United States that border Mexico. What prior knowledge do they have about this region of the United States?

National Standards

Communication
1.1

Connections
3.1

Comparisons
4.2

Teacher Resources

 Vocabulario I
En el salón de balleza
(CD 17, #1)

 Activity 1 (CD 4, #1)

 Activity 33

 Activities 1–3

 Activity 1

 Activities 1–3

 p. 35

Content reviewed in *Lección A*

- hairstyles
- hypothetical situations
- fashion
- describing sizes and colors

 Activities

Critical Thinking

Have students create their own Spanish definitions for the vocabulary presented on pages 378 and 379. How would they describe *la cola* or *el gel* using vocabulary they already know?

Pronunciation

Model the phrasing of the complex sentences presented on pages 378 and 379. Remind students that, as in English, a comma signals a slight pause in the sentence.

National Standards

Communication
1.2

Connections
3.1

Notes

Review with students other vocabulary they know that might be appropriate to the theme of hair and hairstyles. Have them brainstorm "reminder lists" of descriptive words pertaining to colors, textures, etc.

Before reading the new vocabulary, point out students in the class whose hairstyles reflect the words and phrases presented. Have students determine the meaning of the new vocabulary by hearing it in context.

Encourage students to create their own flash cards for this unit's vocabulary.

la tintura

teñir

Sería mejor que no me hubiera hecho la permanente.

No debe ponerse cualquier acondicionador porque su pelo es grasoso.

Los peluqueros esperan que los clientes hayan salido contentos del salón de belleza.

1 Cortes y peinados

 Indique la letra de la foto que corresponde con lo que oye.

A

B

C

D

E

F

2 Hablando de peinados

Complete el diálogo con las palabras de la lista.

| a capas | Al fin y al cabo | atractiva | estilo |
| flequillo | horroroso | permanente | teñírmelo |

Claudia: No me gusta mi color de pelo. Quiero (1) de negro.

Eva: ¿De negro? El pelo negro es (2). No te va a quedar bien.

Claudia: Necesito cambiar mi (3). Hasta creo que voy a hacerme una (4) y voy a cortarme el (5).

Eva: ¿Por qué no te lo cortas (6)? Te verías muy (7) con ese corte.

Claudia: No, quiero tener el pelo ondulado. (8), si no me gusta, me hago otro corte.

Capítulo 9 — *trescientos setenta y nueve* **379**

Notes

Communities. Ask students to share information about the salons or beauty shops in their community. How do those places compare with the ones presented on pages 378 and 379?

Activity 1 is intended for listening comprehension practice. Play the audio program of the activity or use the transcript that appears in the ATE Introduction if you prefer to read the activity yourself. You might also encourage student volunteers to read the script aloud to their peers.

Teacher Resources

Activity 1 (CD 17, #2)

Answers

1
1. D
2. F
3. A
4. E
5. B
6. C

2
1. teñírmelo
2. horroroso
3. estilo
4. permanente
5. flequillo
6. a capas
7. atractiva
8. Al fin y al cabo

Activities

Multiple Intelligences (logical-mathematical)
Support students' mathematical intelligence by encouraging them to conduct a survey on the topic of hairstyles. Their questions might center on the styles people wear, or the most attractive styles. Have students present their findings using a graph or chart.

Pronunciation
After students complete activity 2, have them read the conversation aloud. Help them practice and master the pronunciation of new words and phrases.

National Standards	
Communication 1.2, 1.3	**Communities** 5.1
Connections 3.1	
Comparisons 4.2	

Diálogo I
Quiero un nuevo peinado
(CD 17, #3)
Activity 3 (CD 17, #4)
Activity 4 (CD 17, #5)
Activity 5 (CD 17, #6)

 Answers

3 1. Tiene que llevarlo recogido en una cola porque está rebelde.
2. No pensó que le hubiera crecido tanto el pelo.
3. Le sugiere cortárselo a capas.
4. Dice que al fin y al cabo, si no le gusta, el pelo vuelve a crecer.

4 Answers will vary.

5 1. A
2. A
3. A
4. B

 Activities

Prereading Strategy
Based on the photographs, have students predict what this dialog might be about. Who are these two characters? What might Pilar be looking for? Encourage students to preview the questions in activity 3 before reading or listening to the dialog.

Students with Special Needs
Before students listen to the script for activity 5, have them identify the difference between each of the two choices listed. Instruct them to write a short note explaining the difference, and therefore, the key point they are listening for.

National Standards
Communication 1.1, 1.2, 1.3
Connections 3.1
Comparisons 4.1

380

Diálogo I Quiero un nuevo peinado

PELUQUERA: ¡Qué bueno que hayas venido hoy! ¿Qué corte quieres hacerte, Pilar?
PILAR: Cualquiera que me quede bien. Mi pelo está tan rebelde, que lo tengo que llevar recogido en una cola. No pensé que me hubiera crecido tanto.

PELUQUERA: ¿Prefieres llevar el pelo suelto, verdad?
PILAR: Por supuesto.
PELUQUERA: ¿Te gustaría el pelo a capas?
PILAR: Sí, pero mi pelo es muy ondulado. ¿Cree que me quedaría bien?

PELUQUERA: Seguro, porque puedes alisártelo tú misma una vez por semana y así mantener el peinado.
PILAR: Muy bien, córtemelo a capas. Al fin y al cabo, si no me gusta, el pelo vuelve a crecer.
PELUQUERA: Ya verás cómo te gustará.

 ¿Qué recuerda Ud.?

1. ¿Cómo tiene que llevar el pelo Pilar? ¿Por qué?
2. ¿Qué no pensó Pilar?
3. ¿Cómo le sugiere la peluquera que se corte el pelo?
4. ¿Qué dice Pilar sobre el corte?

 Algo personal

1. ¿Qué tipo de pelo tiene Ud.?
2. ¿Va a menudo al salón de belleza?
3. ¿Qué corte le gustaría hacerse?
4. ¿Cómo lleva el pelo: suelto o recogido?
5. ¿Qué estilo prefiere para el pelo: formal o informal?

 Consejos de belleza

 Escuche las preguntas de los clientes del salón de belleza y escoja qué consejo es mejor para cada uno.

1. **A.** Si la boda es importante, necesita un peinado formal.
   B. Debería raparse el pelo.
2. **A.** Podría escoger una permanente.
   B. Podría escoger una tintura de su mismo color.
3. **A.** Le aconsejo que no use mucho acondicionador después del champú.
   B. Le aconsejo que no use gel para lavarse el pelo.
4. **A.** Sería mejor que llevara flequillo.
   B. Sería mejor que se lo alisara.

Notes

After students listen to the dialog on the *¡Aventura! 3* audio program, give them opportunities to take on the roles of *Pilar* and *la peluquera*. Encourage students to dramatize the dialog. Students might be interested in changing the details of the dialog.

Comparisons. Point out to students Pilar's line: *Cualquiera que me quede bien*. Discuss the meaning of the phrase *quedarme bien*. Explain that it might be translated as "it suits me" or "it looks good on me."

Ask students to share their funny, unusual or tragic hairstyle stories.

Trajes tradicionales aztecas

El vestuario[1] de los antiguos aztecas, así como los peinados, las pinturas y los adornos que llevaban, reflejaba la clase social a la que pertenecían. Generalmente, la ropa era de colores vistosos[2], pero los colores y los materiales, así como el diseño, dependían de la condición social.

El emperador, por ejemplo, era el único que podía llevar verde turquesa. En la ciudad, sólo los nobles podían llevar sandalias y capas de algodón. Los guerreros[3] eran una parte importante de la sociedad y su ropa, muy elaborada y compleja, se adornaba con plumas de quetzal, que para ellos eran más valiosas que el oro. Ellos llevaban tocados[4] con diseños muy complicados. Además de plumas de quetzal, los tocados también llevaban adornos de oro y de caracolas[5], y eran de colores muy espectaculares. Entre los guerreros, los trajes también se diferenciaban según sus méritos en la guerra.

La gente de clase baja sólo podía llevar ropa hecha de fibras[6] de palma o de maguey. Tampoco podían llevar ropa por debajo de la rodilla. Si alguno de ellos llevaba una túnica hasta los tobillos, lo mataban.

Las mujeres eran las que tejían[7] y hacían las telas y tocados, usando pigmentos naturales. Ellas llevaban una falda con una camisa, llamada *huipil*, o con un chal, llamado *quechquemitl*.

Guerrero azteca.

[1]clothing [2]bright [3]warriors [4]headgear [5]shells [6]fibers [7]wove

6 **¿Cómo se vestían los antiguos aztecas?**

Conteste las siguientes preguntas.

1. ¿De qué dependía el vestuario azteca?
2. ¿Qué color podía llevar sólo el emperador?
3. ¿Cómo eran los tocados de los guerreros?
4. ¿Cómo vestía la gente de clase baja?
5. ¿Qué llevaban las mujeres?

Guerreros con tocados con plumas.

Capítulo 9   *trescientos ochenta y uno*   **381**

Teacher Resources

 Activity 6 (CD 17, #7)

Activity 4

Answers

6 1. Dependía de la clase social a la que pertenecía cada persona.
2. El verde turquesa.
3. Tenían diseños muy complicados.
4. Vestían ropa hecha de fibras de palma o de maguey, y no podían llevar nada por debajo de la rodilla.
5. Llevaban falda y huipil o quechquemitl.

Activities

Cooperative Learning
Have individual students design four or five true and false questions based on the reading. Then, have students take turns asking and answering the questions with a partner or in a small group.

Multiple Intelligences (spatial)
Visual students may be interested in drawing samples of Aztec clothing based on the descriptions they have read.

Prereading Strategy
Encourage students to preview the questions in activity 6 before reading *Cultura viva*. Instruct them to record key points and phrases as they read.

National Standards	
Communication 1.1	**Comparisons** 4.2
Cultures 2.2	
Connections 3.1	

Notes

Comparisons. Using a Venn diagram, have students compare the different types of Aztec clothing they have read about with different types of clothing they see in their own community. In their community, are there differences based on societal roles?

Students might be interested to know that present-day Mexico City sits on the site of the ancient Aztec city of Tenochtitlán. In 1325, the Aztecs built their city on an island in Lake Texacoco. Tenochtitlán was the center of Aztec culture until the arrival of the Spanish in the early 16th century.

Teacher Resources

 Activity 2 (CD 4, #2)

 Activities 5–6

 Activity 2

 Activity 4

 Answers

7 1. ...haya ido al salón de
       belleza.
     2. ...se haya teñido el pelo.
     3. ...se haya comprado la ropa
        para la fiesta.
     4. ...hayamos escrito el
        informe.
     5. ...hayamos aprendido el
        vocabulario.
     6. ...hayamos hecho la tarea.
     7. ...haya aprendido a hacer
        peinados.
     8. ...haya hecho cortes a capas.
     9. ...le haya alisado el pelo a
        alguien.

 Activities

Critical Thinking
Have students brainstorm a list of
phrases that require the present
perfect subjunctive. Encourage
students to skim the activities on
pages 382 and 383 to find examples
of the present perfect subjunctive.

Students with Special Needs
Review with students the
subjunctive forms of *haber,* as well
as the general rules for forming
participles. Also, review common
irregular participle forms that
students may encounter in the
upcoming activities.

National Standards

Connections
3.1

Comparisons
4.1

 Idioma

Estructura

El presente perfecto del subjuntivo

To refer to an action or situation that may have occurred before the action of the main verb, use the present perfect subjunctive. The present perfect subjunctive is formed with a present subjunctive form of *haber* and the past participle.

*¡No puedo creer que te **hayas teñido** el pelo de ese color!*	I can't believe that you **have dyed** your hair in that color!
*Dudo que **hayan ido** al salón de belleza que les recomendé.*	I doubt that they **have gone** to the hair salon I recommended.
*¡Ojalá que ellos no **se hayan rapado** el pelo!*	I hope that they **haven't shaved** their hair!

  Práctica

7 **Es mejor que...**

Las siguientes personas esperan que hayan ocurrido determinadas cosas. Use todas las expresiones entre paréntesis para completar las oraciones.

MODELO Espero que tú... (lavarse el pelo)
           Espero que tú te hayas lavado el pelo todos los días.

Para mañana es mejor que ella...
  1. (ir al salón de belleza)
  2. (teñirse el pelo)
  3. (comprar la ropa para la fiesta)

Ojalá que para esta tarde nosotros...
  4. (escribir el informe)
  5. (aprender el vocabulario)
  6. (hacer la tarea)

Antes de trabajar como peluquero
    es necesario que Ud...
  7. (aprender a hacer peinados)
  8. (hacer cortes a capas)
  9. (alisarle el pelo a alguien)

Ojalá que hayas aprendido a
hacer mi peinado favorito.

Notes
After students write their answers
to activity 7, have them read their sentences
aloud. Give them as much practice as
possible forming and listening to expressions
following this pattern.

En el salón de belleza

Rosa y Eva están esperando a Marcela en el salón de belleza. Complete el diálogo con el presente perfecto del subjuntivo de los verbos entre paréntesis.

Rosa: Marcela no ha llegado todavía al salón de belleza.
Eva: Es probable que ella *(1. olvidarse)* que hoy se iba a teñir el pelo.
Rosa: No creo que ella no *(2. acordarse)* de la cita.
Eva: Es probable que sus hijos *(3. estar)* enfermos.
Rosa: Ojalá que no *(4. ser)* nada grave. Es raro que ella no *(5. llamar)*.
Eva: Mario, ¿sabes algo de Marcela?
Mario: Sí, su esposo llamó. No puede venir hoy. Siento mucho que Uds. *(6. preocuparse)*.

 # Comunicación

 Es probable que...

Imagine que regresa al colegio después de las vacaciones y muchas cosas han cambiado. Con su compañero/a, túrnense para leer las frases y explicar lo que cada uno/a piensa que ha sucedido. Usen el presente perfecto del subjuntivo.

> **MODELO** Carla lleva ahora el pelo en capas. Es probable que...
>
> **A:** Es probable que ella se haya cortado el pelo.
> **B:** Es probable que ella haya querido un estilo más informal.

1. Tomás y Pedro no vinieron al colegio. Es posible que...
2. La profesora de matemáticas se ha teñido el pelo de rojo. No creo que...
3. Los miembros del equipo de básquetbol perdieron el primer partido. Dudo que...
4. Ana se hizo la permanente. Temo que...
5. El piso del salón de clase está sucio. No puede ser que...
6. Roberto tiene ahora el pelo muy grasoso. Es probable que...

 ¿Qué piensan de los titulares?

En grupos de tres o cuatro, lean los siguientes titulares y den su opinión sobre lo que dicen, usando expresiones como *dudo que, es verdad que, estoy seguro/a de que, es posible que.*

¡Diez habitantes de la Luna aterrizan en Miami!

¡20 pulgadas de nieve este fin de semana!

¡Descubren una vacuna para el cáncer!

¡Desaparece la moda del pelo rapado!

¡Madonna y Cher se tiñen el pelo otra vez!

 Notes   Set up a beauty salon "center" or assemble "props" for use throughout this section of *Capítulo 9.* Whenever activities call for dramatization or role-play, have students take out and use these objects to make the experience and communication more authentic.

Remind students to give their peers adequate "wait time" when working on a conversation or role-play. Encourage them to practice patient and active listening when their partner speaks.

 Answers

8 1. se haya olvidado
2. se haya acordado
3. hayan estado
4. haya sido
5. haya llamado
6. se hayan preocupado
9 Creative self-expression.
10 Creative self-expression.

 Activities

Critical Thinking
AP Spanish Language (Infinitives in Context). After students have completed the Critical Thinking activity on page 382, ask them to go back to pages 246 and 257 in chapter six to look for more expressions that require the subjunctive. Call on students to read aloud some of the examples that use the present subjunctive and discuss why the verbs are in the subjunctive and not indicative mood.

Pronunciation
After students have formed their answers to activity 8, give them the opportunity to read the conversation aloud. Model the pronunciation of any words or phrases that students may be struggling with, and have them repeat.

National Standards

Communication
1.1
Connections
3.1

Teacher Resources

 Activity 3 (CD 4, #3)

 Activities 7–8

 Activity 3

 Activities 5–6

Answers

11 1. hubieran visitado
    2. me hubiera hecho
    3. hubiera sacado
    4. hubiéramos traído
    5. hubiera comido
    6. nos hubiéramos puesto

Activities

Cooperative Learning
Organize students into pairs. Have each pair create short dialogs in which they explain to each other why they haven't completed certain tasks. For example, S. 1: *¿Escribiste tu ensayo de literatura?* S. 2: *Yo hubiera escrito el ensayo, pero no tenía papel.*

Critical Thinking
Have students create appropriate questions to lead into the sentences in activity 11. For example, *¿Visitaron tus padres el Museo Nacional de Antropología?*

Expansion
Encourage students to research the sites mentioned in activity 11, such as *el Museo Nacional de Antropología, el Parque de Chapultepec* and *Tenochtitlán.*

National Standards

Communication
1.1

Connections
3.1, 3.2

Comparisons
4.1

384

Estructura

El pluscuamperfecto del subjuntivo

The pluperfect subjunctive is formed with the past subjunctive form of *haber* and the past participle of the verb. It is used in contrary-to-fact conditions in the past.

*¡Si me **hubiera alisado** el pelo!*	If I **only had straightened** my hair!

The pluperfect subjunctive is often used in *si* clauses with the conditional perfect.

*Si me **hubiera lavado** el pelo, no estaría tan rebelde.*	If **I had washed** my hair, it wouldn't be so unruly.

It is used when the verb in the main clause is in the past, but the action in the pluperfect clause had or had not already occurred.

*Esperaba que **hubieras ido** a otro salón de belleza.*	I hoped you **had gone** to another hair salon.
*No creí que te **hubieras puesto** ese vestido.*	I did not believe you **had worn** that dress.

The pluperfect is also used when the verb in the main clause is in the conditional.

*Preferiría que no te **hubieras rapado** el pelo.*	I would prefer that you **had** not **shaved** your hair.

Práctica

11 **Pero…**

Imagine que regresa de México, D.F. y sus amigos le hacen preguntas sobre lo que Ud. y su familia hubieran podido hacer, pero no hicieron. Complete las oraciones usando el pluscuamperfecto del subjuntivo de los verbos entre paréntesis.

MODELO Yo *hubiera ido* a Tenochtitlán, pero estaba nublado. (ir)

1. Mis padres ___ el Museo Nacional de Antropología, pero estaba cerrado. (visitar)
2. Yo ___ un peinado nuevo, pero no encontré ningún salón de belleza. (hacerse)
3. Mi mamá ___ fotos del Parque de Chapultepec, pero no pudo ir. (sacar)
4. Nosotros ___ regalos para todos, pero no teníamos mucho dinero. (traer)
5. Yo ___ tacos, pero me dolía el estómago. (comer)
6. Mi hermano y yo ___ ropa informal, pero mis padres no querían. (ponerse)

Hubiera sacado más fotos, pero no tenía tiempo.

Notes

By some calculations the biggest city in the world, *México, D.F.,* has approximately 20 million inhabitants. Often called simply *el D.F.,* for *Distrito Federal,* one of the city's main challenges is keeping up with the growth rate of its population.

Invite students to research some of the current events and issues in Mexico City.

12 ¡Si no hubiera hecho eso!

¿Alguna vez se arrepintió *(regret)* de algo que hizo o que no hizo? Escriba las siguientes oraciones en forma de exclamaciones. Recuerde cambiar las oraciones de afirmativas a negativas, o viceversa, según corresponda.

MODELO No me corté el pelo a capas.
¡Si me hubiera cortado el pelo a capas!

1. No me recogí el pelo en una cola.
2. Carla se tiñó el pelo de negro.
3. Tú no le avisaste a Tomás que ibas al salón de belleza.
4. Nosotros no encontramos la tienda de regalos.
5. Mario se rapó la cabeza.
6. Ustedes no leyeron bien las instrucciones.

13 Si yo hubiera…

Imagine que está en una fiesta y escucha los comentarios de sus amigos sobre diferentes cosas. Diga lo que hubieran hecho en cada uno de los siguientes casos. Comience la oración con *Si…*

MODELO yo / saber cómo era la fiesta /
vestirse más formal
Si hubiera sabido cómo era la fiesta,
me habría vestido más formal.

1. tú / tener el pelo lacio como Estela /
hacerse una permanente
2. nosotros / ir con Marta /
divertirse más
3. Uds. / comer menos /
sentirse mejor.
4. yo / conocer a la anfitriona /
traerle un regalo
5. tu hermano / tener el disco compacto /
grabarte la canción
6. ellos / ir a la fiesta / aburrirse

Si hubiera comido menos, me sentiría mejor.

✋ Comunicación

14 El pasado

Si hubiera podido cambiar su pasado, ¿qué habría hecho? Escriba un párrafo explicando lo que habría hecho y por qué. Luego, compare su párrafo con el de un(a) compañero/a y digan si tienen cosas en común.

MODELO Si hubiera podido cambiar mi pasado, yo habría vivido cerca de la playa. Si hubiera vivido cerca de la playa, habría aprendido a surfear en el mar…

Capítulo 9   *trescientos ochenta y cinco* **385**

Notes

Give students adequate time to work through the writing process as they complete their paragraphs for activity 14. Provide them a checklist to help them through the process of creating a rough draft, proofreading and editing, creating a final copy and finally publishing their work.

Have students create sentences in the pluperfect based on current events in your school or community. For example: *Si el equipo de fútbol hubiera tenido su mejor jugador, habrían ganado el juego.*

◆ Answers

12 1. ¡Si me hubiera recogido el pelo en una cola!
2. ¡Si Carla no se hubiera teñido el pelo de negro!
3. ¡Si tú le hubieras avisado a Tomás que ibas al salón de belleza!
4. ¡Si nosotros hubiéramos encontrado la tienda de regalos!
5. ¡Si Mario no se hubiera rapado la cabeza!
6. ¡Si ustedes hubieran leído bien las instrucciones!

13 1. Si tú hubieras tenido el pelo lacio como Estela, te habrías hecho una permanente.
2. Si nosotros hubiéramos ido con Marta, nos habríamos divertido más.
3. Si ustedes hubieran comido menos, se habrían sentido mejor.
4. Si yo hubiera conocido a la anfitriona, le habría traído un regalo.
5. Si tu hermano hubiera tenido el disco compacto, te habría grabado la canción.
6. Si ellos hubieran ido a la fiesta, se habrían aburrido.

14 Creative self-expression.

◆ Activities

Students with Special Needs
Review with students how to form the conditional.

National Standards

Communication
1.1, 1.3

Teacher Resources

 Activity 4 (CD 4, #4)

 Activity 9

 Activity 4

 Activities 7–8

 Answers

15 1. cualquier
2. cualquiera
3. cualquier
4. Cualquiera
5. cualquier
6. cualquiera
7. Cualquier
8. cualquiera

 Activities

Critical Thinking

Have students draft their own sentences using the different meanings of *cualquiera* and *cualquier*. Then, ask students to group their sentences into categories based on the meaning of each one.

TPR

Have students write the word *cualquiera* on a sentence strip. Instruct them to fold back the last *a* in the word to form *cualquier*. Read them the items in activity 15 aloud, or provide them with similar examples. Tell students to fold or unfold their strips based on the word that is indicated.

National Standards
Communication 1.3
Connections 3.1
Comparisons 4.1

386

Estructura

Cualquiera

The word *cualquiera* can be used as an adjective or as a pronoun, and often means "any" or "anyone" in English. It ends in *-a*, but it is both masculine and feminine.

Use una tintura **cualquiera**.	Use **any** dye.
Necesito un champú **cualquiera**.	I need **any** shampoo.
Cualquiera *pensaría que no te gusta.*	**Anyone** would think that you don't like it.

When it is applied to a person and it is used after the noun, *cualquiera* means "without merit," "undistinguished."

Es una peluquera **cualquiera**.	She is **not a very distinguished** hairdresser.

When it is used before a noun, the final *-a* is omitted.

No use **cualquier** *acondicionador.*	Don't use **any** conditioner.

Cualquier día also means "someday" or "any day."

Cualquier *día llamo a Andrés.*	**Any day** I will call Andrés.

En cualquier momento may have different meanings, including "whenever," "any time now," "one of these days."

En **cualquier momento** *que tenga libre, me teñiré el pelo.*	**Whenever** I am free I will dye my hair.

 Práctica

15 **¿Cualquier o cualquiera?**

Imagine que está en el salón de belleza. Complete las oraciones con *cualquier* o *cualquiera*.

1. Quiero ___ gel para el pelo.
2. Ud. es muy bueno, no es un peluquero ___.
3. Hágame la raya en ___ parte.
4. ___ diría que su pelo es ondulado.
5. En ___ momento me hago una permanente.
6. El otro día usé una crema ___.
7. ___ día me corto el pelo a capas.
8. Su pelo está horroroso porque usa un champú ___.

Notes

Encourage students to write a short story about an experience in a hair salon. Challenge them to use *cualquier* or *cualquiera* as many times as possible in the course of their stories.

16 Preguntas sobre su pelo

Conteste las siguientes preguntas sobre su pelo usando *cualquier* o *cualquiera* en alguna parte de su respuesta. Use las palabras en cursiva como ayuda.

> **MODELO** ¿Qué *acondicionador* usa Ud.?
> Uso un acondicionador cualquiera.

Productos para el pelo.

1. ¿Qué *estilo de peinado* tiene Ud.?
2. ¿*Quién* diría que su pelo es ondulado?
3. ¿Qué *día* se va a cortar el pelo?
4. ¿En qué *momento* va a ir al salón de belleza?
5. ¿Usa Ud. cualquier *champú* o uno especial?
6. ¿Qué *corte* le gustaría hacerse?

 # Comunicación

 17 Me gusta cualquiera…

Escriba cinco preguntas, sobre el mismo tema, que necesiten responderse usando *cualquier* o *cualquiera*. Luego, túrnese con un(a) compañero/a para hacerse las preguntas que cada uno/a hizo. Puede escoger entre los siguientes temas para hacer las preguntas.

> **MODELO** películas
> **A:** ¿Qué película vio la semana pasada?
> **B:** Vi una película cualquiera.
> **A:** ¿Qué día verá otra película?
> **B:** Cualquier día veré otra película.

estilos de peinados	ropa
pasatiempos	libros
deportes	comidas
películas	viajes

 18 El salón de belleza **MODELO**

Con su compañero/a, escriban el texto para un cartel de un salón de belleza. Deben incluir los servicios que ofrece el salón, los tipos de cortes de pelo y varias opiniones de clientes sobre el salón. Recuerden escribir las opiniones de los clientes entre comillas *(in quotes)*. Pueden acompañar el cartel con fotografías o dibujos de los peinados.

> ## Salón de belleza México Lindo
> ✂ * * * * * * * * * * ✂
> Le alisamos el pelo en minutos.
>
> "Si hubiera venido antes a este salón en lugar de ir a uno cualquiera, no habría tenido que raparme el pelo."
>
> Lo esperamos.

 ## Answers

16 1. Tengo un estilo de peinado cualquiera.
2. Cualquiera diría que mi pelo es ondulado.
3. Cualquier día me voy a cortar el pelo.
4. En cualquier momento voy a ir al salón de belleza.
5. Uso cualquier champú.
6. Me gustaría hacerme cualquier corte.

17 Creative self-expression.
18 Creative self-expression.

Activities

Cooperative Learning
Divide students into small groups based on the topic that is of most interest to them. Provide each group with a piece of chart paper or poster board to record their questions and answers.

Multiple Intelligences (bodily-kinesthetic)
These students may enjoy using a variety of artistic materials to build their own signs. Encourage them to create advertisements that will really catch a customer's eye.

Spanish for Spanish Speakers
Have students expand one of the discussion topics in activity 17 into a longer written story. After completing a draft, have them exchange papers with a partner, peer-edit and then revise. Invite students to read their stories aloud to the group.

National Standards

Communication
1.1, 1.3

Connections
3.1

Notes
Encourage students to bring in magazines with photographs of hairstyles or fashion trends. Use these visual aids to supplement the directed conversations in the chapter.

Before students divide into groups or pairs for activity 17, give them a few minutes to look over the topics and brainstorm a few ideas.

Vocabulario II
De compras (CD 17, #8)

Activity 5 (CD 4, #5)

Activity 34

Activities 10–11

Activity 5

Activities 9–11

p. 36

 Activities

Critical Thinking

Point out to students the phrases *de muy buen gusto* and *de mal gusto*. Create a chart in which students brainstorm items that fit into these categories. What fashion items do they consider in good taste? In bad taste? Students might create a similar set of lists with the phrases *está muy de moda* and *no está de moda*.

Language through Action

Have students take turns choosing a new word or phrase and saying it aloud. Instruct all students wearing that type of item to stand up.

Pronunciation

Model each new word or expression. Ask students to repeat individually.

National Standards

Communication
1.2

Connections
3.1

388

Vocabulario II
De compras

Notes

Encourage students to use photographs from fashion magazines to create their own flash cards for the words and phrases in *Vocabulario II*.

Connections. Students can connect their learning to the fine arts by creating their own fashion designs. Encourage interested students to draft their own clothing styles and describe them to the group using the new vocabulary.

Estas sandalitas beige son de muy buen gusto.

Sí, están muy de moda.

Estos zapatos azul marino van con mi vestido. ¡Padrísimo!

Última moda en Calzado

el calzado

19 Comentarios sobre moda

 Indique la letra de la foto que corresponde con lo que oye.

A

B

C

D

E

F

20 En la tienda

Escoja la palabra o frase que completa correctamente cada oración.

1. Vendedora, estos vaqueros son muy estrechos. ¿Me daría una *(talla / etiqueta)* más grande?
2. *(Los tenis / Las sandalias)* moradas van con mi vestido a lunares.
3. La tienda estará abierta hoy hasta las diez de la noche porque es día *(de marcas / de rebajas)*.
4. La *(camisetota / camisetita)* que compramos es demasiado grande, no la puedo usar.
5. Nunca me compraría unos tenis amarillos, son de muy *(buen gusto / mal gusto)*.

Capítulo 9   *trescientos ochenta y nueve*   **389**

Answers

19   1. A
       2. E
       3. F
       4. B
       5. C
       6. D
20   1. talla
       2. Las sandalias
       3. de rebajas
       4. camisetota
       5. mal gusto

Activities

Critical Listening
Before students listen to the script for activity 19, have them identify the key word or phrase indicated by each photograph. Remind them to listen specifically for these words or phrases when making their choices.

Notes

Communities. Encourage students to share and discuss the best places for shopping in their community. How do their favorite stores compare to those shown on pages 388 and 389?

If you enjoy shopping, *México, D.F.*, offers many opportunities. Some of the city's major department stores include *Sanborns,* *Liverpool* and *Palacio de Hierro*. The original stores are located in the city's *Centro Histórico*, but branches can be found in other neighborhoods and throughout the suburbs.

National Standards

Communication
1.2

Connections
3.1

Communities
5.1

Teacher Resources

Diálogo II
¿Cómo me queda?
(CD 17, #10)
Activity 21 (CD 17, #11)
Activity 22 (CD 17, #12)
Activity 23 (CD 17, #13)

 Answers

21 1. Dice que es demasiado vivo.
2. Según Pilar, el rojo está de moda.
3. Va con el vaquero azul marino o con la falda beige.
4. La etiqueta dice que el suéter es de algodón.
5. Le dijo que toda la tienda está de rebajas.
6. Le ofrece comprárselo para su cumpleaños.
22 Answers will vary.
23 1. D
2. B
3. A
4. C

Activities

Expansion
Have students create posters with the heading: *Seguro que es una ganga.* Instruct them to write and illustrate advertisements for unbeatable clothing bargains. Students might also cut and paste photographs from magazines or department store circulars.

TPR
As students answer the questions in activity 21, have them point to the text in the dialog that supplied the answer. Then have them read their answers aloud.

National Standards
Communication 1.2, 1.3
Connections 3.1

390

Diálogo II ¿Cómo me queda?

PILAR: ¿Te gusta cómo me queda este suéter rojo?
DANIEL: Sí, pero el rojo es demasiado vivo. ¿No hay otro color más pálido?
PILAR: Pero el rojo está de moda y lo puedo usar con muchas cosas.

DANIEL: ¿Con qué ropa te va?
PILAR: Va con el vaquero azul marino, o con la falda beige.
DANIEL: ¿Y qué dice la etiqueta?
PILAR: La etiqueta dice que es de algodón.

DANIEL: ¿Y está rebajado?
PILAR: La vendedora me dijo que toda la ropa está de rebaja... Seguro que es una ganga.
DANIEL: Si tú quieres, te lo compro para tu cumpleaños.
LUZ: ¡Padrísimo! Eres un amigazo.

 ¿Qué recuerda Ud.?

1. ¿Cómo dice Daniel que es el rojo del suéter?
2. ¿Cómo está el rojo, según Pilar?
3. ¿Con qué ropa le va el suéter a Pilar?
4. ¿Qué dice la etiqueta del suéter?
5. ¿Qué le dijo la vendedora a Pilar?
6. ¿Qué le ofrece Daniel a Pilar?

 ¡Extra!

En otras palabras

la chaqueta	el saco
la sudadera	el buzo
los tenis	las zapatillas
los vaqueros	los jeans, los tajanos

 Algo personal

1. ¿Le gusta comprar ropa?
2. ¿Qué colores de ropa prefiere: los colores vivos o los pálidos?
3. ¿Cuál es su prenda de ropa favorita?
4. ¿Qué tipo de calzado usa más?
5. ¿Lee las etiquetas de la ropa cuando va de compras?
6. ¿Le gusta ir a las tiendas cuando están de rebajas?

 De compras

))) **Indique la letra de la ilustración que corresponde con los diálogos que oye.**

A   B   C   D

Notes

Although dialog activities are primarily intended to strengthen listening skills, remember that any activity can be adapted to each of the four modes of communication. A dialog can be listened to, spoken, read or (re)written.

Students may be interested to learn more about fashion designers from the Spanish-speaking world. Encourage them to research the life and work of Oscar de la Renta of the Dominican Republic or Carolina Herrera of Venezuela.

De compras por los tianguis

Es divertido ir de compras por los tianguis.

Los tianguis son unos mercados ambulantes[1] típicos de México. Son de tradición azteca y su nombre viene del nahuatl[2] *tianquiztli*, que quiere decir "mercado". Los tianguis son mercados al aire libre que una vez a la semana aparecen en una plaza o calle. En ellos se puede encontrar de todo: desde artesanías hasta carne y pescado, desde plantas y pájaros hasta los videojuegos más novedosos.

Los mercados aztecas originales, como el de Tlatelolco o el de Teotihuacán, eran famosos en el mundo pre-colombino[3] por su gran tamaño y por la gran variedad de productos que se podían encontrar en ellos, pero eran siempre en el mismo sitio. Los tianguis ambulantes fueron evolucionando con el tiempo, para estar cerca de los habitantes de ciudades grandes y pequeñas de México.

Los días de mercado comienzan a aparecer los puestitos a las ocho de la mañana, y para las nueve de la mañana, el mercado está ya en plena ebullición[4].

Cada tiangui tiene un líder, que es responsable de asignar a cada vendedor un lugar de la calle o plaza y de asegurarse de conseguir los permisos[5] necesarios. El dueño de cada puesto le paga una cuota[6] diaria al líder, que varía según dónde esté ubicado el puesto dentro del mercado, y también según el lugar donde esté el tiangui.

---

[1]traveling markets [2]Aztec language [3]pre-Columbian
[4]in full swing [5]permit [6]fee

24 ¿Qué recuerda Ud.?

Conteste las siguientes preguntas.

1. ¿De dónde viene el nombre *tiangui*?
2. ¿Por qué eran famosos los mercados aztecas?
3. ¿Cómo son los tianguis hoy?
4. ¿A qué hora empiezan a poner los puestos?
5. ¿Qué hace el líder del tiangui?

¡Oportunidades!

De compras por la internet
¿Le gusta mucho comprar? ¡Practique su español mientras hace su actividad favorita! En la mayoría de los países hispanos también se puede comprar por la internet. Tanto si va a comprar algo como si sólo quiere ver qué hay, mirar páginas web de compras en español es una buena oportunidad para aprender vocabulario relacionado con comprar y enviar paquetes, como por ejemplo maneras en las que se puede pagar o enviar una compra, sistemas para devolver o cambiar, y gastos de envío. ¡Vaya de compras por la internet!

Teacher Resources

 Activity 24 (CD 17, #14)

 Activity 6 (CD 4, #6)

 Activity 12

 Activity 6

◆ Answers

24
1. Viene del nahuatl *tianquiztli,* que quiere decir "mercado."
2. Eran famosos por su gran tamaño y la gran variedad de productos que se podía encontrar en ellos.
3. Son ambulantes y también se puede encontrar de todo.
4. Empiezan a aparecer a las ocho de la mañana.
5. Asigna un lugar para cada vendedor y consigue los permisos necesarios.

◆ Activities

Language through Action
Encourage students to set up their own *tiangui* in the classroom. Have students design their own *puestos* in which they might sell handmade crafts, used goods or pictures of items for sale. Assign one student the role of *líder.* Allow all students to play the roles of both shopper and vendor.

National Standards	
Communication 1.1, 1.3	**Comparisons** 4.2
Cultures 2.1, 2.2	
Connections 3.1	

Notes

Remind students to preview the questions in activity 24 prior to reading *De compras por los tianguis.* Encourage them to take notes on key words or phrases that they should look for in the reading.

Some famous markets in *México, D.F.,* include *el Bazar Sábado* and *el Mercado la Ciudadela.* Both offer large varieties of Mexican crafts and textiles.

Comparisons. Using a Venn diagram, have students compare a *tiangui* to an open-air, flea or farmer's market in your community. What kinds of features are similar and different?

Answers

25
1. rojas
2. morado
3. amarillo oscuro
4. azul marino
5. verdes
6. color de miel

 Activities

Multiple Intelligences (spatial)

Have students create a painter's palette or "color wheel" to display a broad spectrum of colors. Then have them use the adjectives presented on page 392 to label each of the colors.

Spanish for Spanish Speakers

Have students draft a poem about a market scene. Encourage them to use as many creative adjectives as possible to describe the colors of the items found in the market.

TPR

Ask individual students to orally name a color. Instruct other students to get up and touch something in the classroom that matches that color.

National Standards
Communication 1.3
Connections 3.1
Comparisons 4.1

Idioma

Estructura

Adjetivos para describir colores

Adjectives that indicate colors usually agree in number and gender with the noun they modify. These adjectives can also take diminutive endings.

*Las sandalias son **marrones**.*	The sandals are **brown**.
*Vendo una camiseta **roja**.*	I sell a **red** t-shirt.
*Tiene un pantalón **amarillito**.*	She has some **yellow** pants.

When the color has a modifier, its gender is masculine and its number is singular.

*Las camisetas son **azul marino**.*	The t-shirts are **navy blue**.
*El suéter es **rosa pálido**.*	The sweater is **pale pink**.

When the color refers to some element of nature (such as the color of a flower or a fruit), the expressions *de color* and *color de* are often used.

*Los zapatos son **de color beige**.*	The shoes are **beige** (color).
*Tienes los labios **color de cereza**.*	You have **cherry-colored** lips.

When the phrases *(de color, color de)* are omitted (but understood), the gender and number of the color do not change.

*Me regalaron unas sudaderas **(de color) violeta**.*	They gave me some **violet** sweatshirts.

 ## Práctica

25 **¿De qué color es?**

Todas las cosas son siempre de algún color. Escoja la palabra que completa correctamente cada oración.

1. Me compré unas sandalias (*rojas / rojo*) que estaban de rebaja.
2. ¿Dónde está tu suéter color (*morada / morado*)?
3. Pintaron las paredes de la habitación de (*amarillo oscuro / amarillas oscuro*).
4. El vestido que se pondrá para la fiesta es de lunares (*azul marinos / azul marino*).
5. Encontré el lugar donde venden cortinas (*verde / verdes*) estampadas.
6. Me encantan tus ojos (*de miel / color de miel*).

Me encantan mis nuevos tenis rojos.

Notes

Connections. Connect students' learning to music by having them learn the popular Spanish folk song *De colores*. Originally brought from Spain in the 16th century, the song is now sung throughout the Spanish-speaking world. It is also the anthem of the United Farm Workers of America, started by César Chávez. The melody and lyrics are easily found on the Internet.

La moda y Ud.

Diga cómo combinan la ropa las siguientes personas. Escriba oraciones con los siguientes datos sobre lo que se pone cada una.

MODELO Sandra: camiseta / vaqueros / negro / azul marino
Con la camiseta negra, Sandra se pone los vaqueros azul marino.

1. Teresa: zapatos / guantes / marrón / beige
2. Jorge: bufanda / chaqueta / anaranjado / morado
3. Catalina: conjunto / falda / rosa pálido / gris
4. Tomás: sudadera / tenis / blanco / azul
5. Lucía: vestido / sandalias / amarillo vivo / marrón claro
6. Miguel: vaqueros / calzado / negro / marrón oscuro
7. Virginia: chaqueta / camisa / azul marino / blanco
8. Lucas: suéter / pantalón / rojo vivo / negro

Comunicación

Los colores

Con su compañero/a, hablen sobre sus colores favoritos. Hablen también de los colores que no les gustan. Decidan cuál es el mejor color para:

MODELO vaqueros: azul marino
A: Prefiero los vaqueros azul marino. ¿Y tú?
B: A mí me gusta usar vaqueros de color negro.

carro: rojo
A: A mí me encantan los carros de color rojo. ¿Y a ti?
B: A mí me gustaría tener un carro blanco.

- **la ropa**
- los accesorios
- los zapatos
- los coches
- los aparatos electrónicos
- la casa

¿Cuál es su color favorito?

26 Possible answers:
1. Con los zapatos marrones, Teresa se pone los guantes beige.
2. Con la bufanda anaranjada, Jorge se pone la chaqueta morada.
3. Con el conjunto rosa pálido, Catalina se pone la falda gris.
4. Con la sudadera blanca, Tomás se pone los tenis azules.
5. Con el vestido amarillo vivo, Lucía se pone las sandalias marrón claro.
6. Con los vaqueros negros, Miguel se pone el calzado marrón oscuro.
7. Con la chaqueta azul marino, Virginia se pone la camisa blanca.
8. Con el suéter rojo vivo, Lucas se pone el pantalón negro.

27 Creative self-expression.

 Activities

Expansion
After students have completed activity 26, encourage them to describe what their classmates are wearing.

Students with Special Needs
Before students do activity 27, have them describe and name the items in the photograph at the bottom of the page. Encourage them to write down any words or phrases that might be helpful.

National Standards

Communication
1.1

Connections
3.1

Notes

For further practice, have students utilize the pluperfect subjunctive introduced on page 384. Encourage students to use this structure to describe fashion "mistakes" that they have seen in school or in the media. What would they have done, or not have done, if they had been in someone else's shoes? *Si yo huberia tenido sandalias marrones, no me habría puesto los vaqueros azul marino.*

The topic of colors can be applied to numerous subjects and themes. Encourage students to look back at photographs from previous chapters in order to describe the colors seen in different settings.

Activities

Multiple Intelligences (logical-mathematical)

Support students' logical and mathematical intelligences by having them play this memory game. Have students create cards with pictures of items such as *un zapato, una zapatilla, un bolso, un bolsillo, una taza, un tazón,* etc., and label other cards with the names of the items. Then have them place all cards facedown in a grid pattern, and turn over pairs of cards. If the cards match, students get to keep them. If the cards don't match, they must try again. Direct students to the items presented in activity 28 on page 395 for additional vocabulary.

Pronunciation

Introduce to students the pronunciation of the suffixes presented on page 394. Model and have them repeat.

Repaso rápido

Los diminutivos y los aumentativos

Several suffixes may be added to nouns, adjectives, and names to indicate small size, or as terms of endearment.

-ito(a)	morado	→ moradito	Laura	→ Laurita
-ico(a)	unas sandalias	→ unas sandalicas	Roberto	→ Robertico
-illo(a)	el conjunto	→ el conjuntillo	Felipe	→ Felipillo

Usually, words that end in a consonant add a *c* to the suffixes.

-cito(a)	Juan	→ Juancito
-cico(a)	actor	→ actorcico
-cillo(a)	el suéter	→ el suetercillo

Several suffixes are added to nouns to indicate a large size.

-ón/ona	un zapato	→ un zapatón
-azo(a)	un amigo	→ un amigazo
-ote(a)	una chaqueta	→ una chaquetota

Sometimes, the suffix *-illo(a)* changes the meaning of a word.

zapato (shoe)	→ zapatilla (slipper)
bolso (bag)	→ bolsillo (pocket)
planta (sole of foot)	→ plantilla (insole, inside of a shoe)

Sometimes by adding one of these suffixes a feminine word becomes masculine and there is a slight difference in meaning.

una taza (a cup)	→ un tazón (a bowl)
una silla (a chair)	→ un sillón (an armchair)
una camisa (a shirt)	→ un camisón (a nightgown)

Una taza.

Un tazón.

National Standards

Comparisons
4.1

Notes

Comparisons. Discuss with students suffixes that are used with English names to create terms of endearment. Point out any students whose nicknames end with *-y,* such as "Johnny" or "Jenny." Encourage students with knowledge of other languages to share how names are modified in those languages to express endearment.

28 **¿De qué palabra viene?**

Las palabras que terminan con un diminutivo o un aumentativo vienen de otras palabras. Diga de qué palabra viene cada una de las siguientes palabras.

MODELO pantaloncito → pantalón

1. camisetita
2. zapatote
3. sillón
4. conjuntico
5. verdecita
6. Robertito
7. rebajita
8. Marianota
9. etiquetica
10. abrigote
11. vaquerazos
12. gangota

Mediecitas.

 29 **En la tienda de ropa**

Imagine que está en una tienda de ropa y necesita comprar diferentes prendas. Observe las ilustraciones y escriba oraciones usando palabras con diminutivos o aumentativos, según corresponda.

MODELO Necesito una camisetica (camisetilla, camisetita) roja.

1.   **2.**   **3.**   **4.**   **5.**   **6.**

 30 **¿Está de rebaja?**

 Con su compañero/a, imaginen que están en una tienda. Hagan los papeles de vendedor(a) y de cliente/a. Creen un diálogo considerando lo que generalmente pasa en una operación de compra y venta en una tienda. Usen palabras en diminutivo y aumentativo en su diálogo y sigan los siguientes pasos.

1. El/la cliente/a pide una o varias prendas, en diferentes colores y diseños.
2. El/la vendedor/a le pregunta al/a la cliente/a su talla y cómo prefiere la prenda (estrecha, ancha, etc.).
3. El/la vendedor/a le muestra al/a la cliente/a lo que tiene.
4. El/la cliente/a le pregunta si la prenda está de rebaja o no.
5. El/la cliente/a decide si compra o no la prenda.

Capítulo 9   *trescientos noventa y cinco* **395**

Notes

Whenever students are called on to create their own dialogs, encourage them to document their work in script form. Create a resource binder of original dialogs that can be used for additional practice.

Give students the opportunity to rehearse and present their scenes from activity 30 to the group. As an added challenge, have students include a problem or complication in the scene. Encourage them to review and use the pluperfect subjunctive form if possible, for example, *Si usted huberia preferido los vaqueros negros, tendríamos su talla.*

Teacher Resources

  Activity 28 (CD 17, #15)

Answers

28 1. camiseta
2. zapato
3. silla
4. conjunto
5. verde
6. Roberto
7. rebaja
8. Mariana
9. etiqueta
10. abrigo
11. vaqueros
12. ganga

29 1. Necesito una sudaderota verde.
2. Necesito unos zapaticos/zapatitos amarillos.
3. Necesito una chaquetota/chaquetaza marrón.
4. Necesito unos guantecitos/guantecillos/guantecicos rosas.
5. Necesito una maletota/maletaza/un maletón gris.
6. Necesito unos pantaloncitos/pantaloncicos/pantaloncitos azul marino.

30 Creative self-expression.

National Standards

Communication
1.1, 1.3

Connections
3.1

Teacher Resources

Lectura cultural
Los muralistas mexicanos
(CD 17, #16)
Activity 31 (CD 17, #17)
Activity 32 (CD 17, #18)

◆ Answers

31 1. Es un movimiento que
usa la pintura de grandes
murales para decorar
edificios públicos.
2. Diego Rivera, José
Clemente Orozco, David
Alfaro Siqueiros.
3. Pensaba que tenía que hacer
comprender a la gente
obrera su propia historia.
4. Son más universales que los
de Siqueiros y Rivera, con
especial énfasis en la crítica
social de la vida e historia
mexicana.
5. Se caracteriza por el uso
exagerado de la perspectiva,
el surrealismo y las figuras
robustas.

32 Answers will vary.

◆ Activities

Prereading Strategy
Have students preview the
questions in activity 31. Ask for
volunteers to take turns reading
Los muralistas mexicanos aloud.
Then have students go back and
read the selection independently.

Students with Special Needs
Create a chart for students to record
and organize the information they
will encounter in the selection.
Headings might include: *nombre del
artista, dónde nació, dónde estudió,
temas, obras conocidas.*

National Standards

Communication
1.3

Cultures
2.1, 2.2

Connections
3.1, 3.2

Lectura cultural

Rivera, *Sueño de una tarde dominical
en la Alameda*, 1947.

Los muralistas mexicanos

En el periodo entre las dos guerras mundiales nació en
México el movimiento del muralismo, una corriente[1]
artística que usaba murales para decorar edificios públicos, y hacer
el arte más accesible al pueblo. Muchas veces trataban temas
históricos o de contenido social y político y, en especial,
ensalzaban[2] la historia de México. En este movimiento se destacan
tres grandes artistas: Diego Rivera, José Clemente Orozco y David
Alfaro Siqueiros.

Diego Rivera nació en Guanajuato, en 1886. En la Academia de
San Carlos, en Ciudad de México, estudió los estilos artísticos
tradicionales europeos. Obtuvo una beca[3] para estudiar en Madrid,
España, donde se interesó por el cubismo y otras corrientes
vanguardistas[4]. De vuelta en México, se dio cuenta de que el arte
debía jugar un papel[5] importante en hacer entender a la gente obrera
su propia historia. Sus obras más importantes son *La Creación, Tierra
y Libertad* y *El México de mañana*.

Orozco, *Dialéctica de la revolución*
1923–1926.

José Clemente Orozco nació en Jalisco, en 1883. Estudió en la
Academia de San Carlos y se dedicó a pintar, después de haber
estudiado agricultura y arquitectura. Sus murales tienen temas
más universales que los de Siqueiro y Rivera, con especial énfasis
en la crítica social de la vida e historia mexicana. Entre sus obras
se encuentran *La trinchera Hidalgo* y *La huelga*.

David Alfaro Siqueiros nació en Camargo, Chihuahua, en 1896.
Estudió también en la Academia de San Carlos y viajó a Europa,
donde entró en contacto con los movimientos artísticos de
vanguardia. Sus murales se caracterizan por el uso exagerado de
la perspectiva, el surrealismo y figuras robustas. Entre sus obras
más conocidas están *Del porfirismo a la revolución* y *La nueva
democracia*.

[1]trend [2]praised [3]grant [4]avant-garde [5]role

Siqueiros, *Por una seguridad integral
servicio del pueblo*, 1952–1954.

31 **¿Qué recuerda Ud.?**

1. ¿Qué es el muralismo?
2. ¿Qué tres artistas mexicanos se destacan como muralistas?
3. ¿Qué pensaba Rivera que tenía que hacer el arte?
4. ¿Cómo son los temas de Orozco?
5. ¿Por qué se caracteriza el estilo de Siqueiros?

> • **Escoja uno de los tres
> murales de arriba y
> escriba una breve
> descripción.**

32 **Algo personal**

1. ¿Alguna vez vio un mural? ¿Dónde? ¿Qué representaba?
2. ¿Por qué cree que estos artistas preferían pintar grandes murales, en lugar de cuadros?

Notes Students may be interested to visit
the "virtual museum" of the work of Diego
Rivera. Direct them to:

www.diegorivera.com

where they will find a biography, chronology
and virtual exhibit of the artist's work.

Connections. Students might connect their
learning to Social Studies and History by
designing their own murals on social and
historical themes. Following in the tradition
of Diego Rivera, discuss with students how
they might visually portray events, opinions
and social commentary.

¿Qué aprendí?

Autoevaluación

Como repaso y evaluación, responda lo siguiente:

(1) Mencione cuatro estilos de peinado.

(2) ¿Qué reflejaba la ropa de los aztecas?

(3) ¿Cómo se forma el presente perfecto del subjuntivo? Dé un ejemplo.

(4) Complete la oración: *Si hubiera tenido el pelo lacio...*

(5) Escriba una oración con *cualquier* y otra con *cualquiera*.

(6) Escriba tres nombres de colores que tengan más de una palabra.

(7) ¿Cuál es un diminutivo de *camiseta*? ¿Y un aumentativo?

(8) ¿Qué son los *tianguis*?

(9) Mencione a dos muralista mexicanos.

Palabras y expresiones
How many of these words and expressions do you recognize?

En el salón de belleza
el acondicionador
el corte (de pelo)
el estilo
el gel
la permanente
el salón de belleza
la tintura

Peinados
las capas
la cola
el flequillo
mediano,-a
ondulado,-a
el peinado
la raya
recogido,-a
suelto,-a

Verbos
alisar(se)
teñir(se)
rapar(se)

Las prendas y el calzado
el calzado
el conjunto
la sudadera
los vaqueros

Descripciones de la ropa
ancho, -a
de lunares
estampado, -a
liso, -a

Los colores
azul marino
beige
claro,-a
morado, -a
oscuro,-a
pálido, -a
vivo, -a

De compras
de rebaja
la etiqueta
la ganga
la rebaja
rebajado, -a
la talla

Otras palabras y expresiones
al fin y al cabo
atractivo,-a
de buen / mal gusto
en vez de
estar de moda
formal
grasoso,-a
horroroso,-a
informal
ir con
¡Padrísimo!
rebelde
sin gracia

Los vaqueros.

Capítulo 9   *trescientos noventa y siete* **397**

Notes

Throughout each chapter, make sure to display any photographs, labels, flash cards, charts or other materials appropriate to chapter content. Leave these materials within students' view for the entirety of the chapter.

Review vocabulary by having students write words and phrases on individual index cards.

Instruct one student to choose a card and then create a drawing of the item on chart paper or the board. Have the other students guess the word being represented.

Students should visit the Internet Resource Center at www.emcp.com to complete this activity online and check answers.

Teacher Resources

 p. 115

Answers

Autoevaluación
Possible answers:
1. El pelo en capas, el pelo suelto, el pelo con flequillo, la cola.
2. La ropa de los aztecas reflejaba la clase social a la que pertenecían.
3. El presente perfecto del subjuntivo se forma con una forma del presente del subjuntivo de *haber* y un participio pasado. *No puedo creer que hayas ido a esa tienda.*
4. Si hubiera tenido el pelo lacio, me habría hecho una permanente.
5. Cualquier día te llamo. No voy a salir con un chico cualquiera.
6. Azul marino, verde pálido, de color cereza.
7. Camisetita, camisetaza.
8. Son mercados al aire libre que una vez a la semana aparecen en una plaza o calle.
9. Diego Rivera y José Clemente Orozco.

Activities

Cooperative Learning
Organize students into small groups to complete the *Autoevaluación*. Have students take turns asking and answering the questions.

National Standards
Communication 1.1
Cultures 2.2
Connections 3.1

Vocabulario I
En la tintorería (CD 18, #1)

Activity 1 (CD 4, #8)

Activity 35

Activities 1–3

Activity 1

Activity 1

p. 37

Content reviewed in *Lección B*

- services at a dry cleaner
- talking about purpose and intention of actions
- presents and arts and crafts

 Activities

Critical Thinking

Before introducing students to the vocabulary on pages 398 and 399, ask them to brainstorm problems that can arise with clothing. Have them use circumlocution to describe such problems as wrinkles, shrinkage, stains, etc. Then have students use the pictures to match the appropriate words to their ideas.

TPR

Play a modified version of "Simon Says" (or *Simon dice*) to practice new vocabulary words and phrases.

National Standards

Communication
1.2

Connections
3.1

Comparisons
4.2

 Vocabulario I

 México

En la tintorería

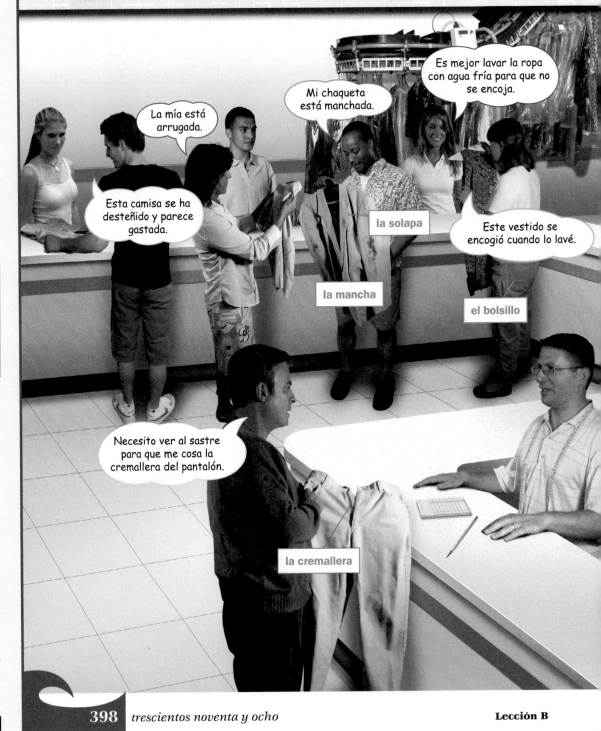

Notes Ask for volunteers to bring in clothing items that can be displayed in the classroom for this section of *Capítulo 9*. Have students use index cards and paper clips to label each clothing item.

Comparisons. Have students compare and contrast the clothing presented on pages 398 and 399 with clothing they are wearing.

la máquina de coser

el hilo

los botones

los alfileres

las tijeras

las agujas

La prefiero suelta... Pero acórteme las mangas, están muy largas.

¿Le ajusto la chaqueta o la prefiere más suelta?

el cuello

la manga

el metro

la cintura

tomar las medidas

1 Hablando de ropa...

 Escuche lo que dicen las siguientes personas y escoja la respuesta correcta para cada oración.

A. Los míos también tienen manchas.

F. Se me encogieron cuando los llevé a la tintorería.

D. Puedes pedirle al sastre que te las acorte.

E. ¿Quiere que se la ajuste?

C. No te preocupes, ahora te lo coso.

B. Entonces es mejor que lo laves con agua.

2 ¿Dónde está la mancha?

Observe la ilustración y diga dónde se encuentra cada mancha. Siga el modelo.

MODELO Hay una mancha en los tenis.

Capítulo 9

trescientos noventa y nueve **399**

Ask students with an interest in sewing to share their expertise with the group. Have them bring in their supplies and/or current projects and give a short demonstration to the class.

Teacher Resources

 Activity 1 (CD 18, #2)

◆ Answers

1
1. B
2. A
3. F
4. C
5. D
6. E

2
1. Hay una mancha en la manga.
2. Hay una mancha en el cuello.
3. Hay una mancha en el bolsillo.
4. Hay una mancha en la solapa.
5. Hay una mancha en los botones.
6. Hay una mancha en la cremallera.

◆ Activities

Critical Listening
As students listen to the script for activity 1, encourage them to create a simple sketch to represent each sentence that they hear. Then have students match their illustrations to the appropriate response.

Expansion
Expand activity 2 into a game by creating a "stain" on an index card or notepaper. Have students take turns placing the stain on different parts of clothing and asking their peers, *¿Dónde está la mancha?*

National Standards
Communication 1.1, 1.2, 1.3
Connections 3.1

Answers

3 1. El vestido de Inés tiene una mancha en el cuello.
2. Le van a quitar la mancha sin que se encoja el vestido.
3. Su vestido está desteñido.
4. Le van a coser el cuello y las mangas para que quede como nuevo.
5. El vestido de Inés estará listo mañana, y el de Pilar, la semana próxima.

4 Answers will vary.

5 metro; alfileres; aguja; hilo; tijeras; máquina de coser

Activities

Critical Listening
Have students draw the simple outline of two dresses. They should label one *el vestido de Inés,* and the other *el vestido de María.* As students listen to the dialog, have them record what they hear about each dress by drawing it on their sketches.

Students with Special Needs
Before students listen to the script for activity 5, have them review the vocabulary on pages 398 and 399. Have them draft a list of the words they predict will come up in the script.

National Standards

Communication
1.1, 1.2

Connections
3.1

Diálogo I Este vestido tiene una mancha

INÉS: Buenas tardes, ¿quitan manchas de la ropa?
EMPLEADO: Por supuesto, ¿qué necesitan?
INÉS: Este vestido mío tiene una mancha en el cuello.
EMPLEADO: ¿De qué es la mancha?
INÉS: No estoy segura.

EMPLEADO: No se preocupe. Podremos quitar la mancha sin que se encoja el vestido. ¿Y qué le pasa a su vestido?
PILAR: El mío está desteñido. Lo he usado mucho.
EMPLEADO: Al suyo vamos a tener que teñirlo del mismo color.

PILAR: Mi vestido está un poco gastado, ¿cree que quedará bien?
EMPLEADO: Sí, pero tendremos que coserle el cuello y las mangas para que quede como nuevo.
INÉS: ¿Cuándo estarán listos?
EMPLEADO: El suyo estará listo mañana, y el de ella, la semana próxima.

¿Qué recuerda Ud.?

1. ¿Qué tiene el vestido de Inés?
2. ¿Qué van a hacer en la tintorería con el vestido de Inés?
3. ¿Qué le sucede al vestido de Pilar?
4. ¿Qué le van a hacer al vestido de Pilar, además de teñirlo?
5. ¿Cuándo estarán listos los vestidos?

Algo personal

1. ¿Qué prendas lleva Ud. a la tintorería?
2. ¿Qué hace cuando su ropa está manchada?
3. ¿Se le ha encogido alguna vez alguna prenda?
4. ¿Ha ido alguna vez al sastre? ¿Para qué?
5. ¿Sabe Ud. coser?

En la tintorería.

Consejos de sastre

Escuche la conversación entre un sastre y un estudiante sobre cómo se cose una prenda de ropa. Haga una lista de las cosas que se necesitan para coser.

Notes Allow students to rewrite the details of the dialog. Encourage them to base their own versions on real-life experiences.

Cultura viva I

Entrevista con Macario, diseñador mexicano

Un modelo de
Macario Jiménez.

Macario Jiménez es uno de los diseñadores de moda mexicanos con más éxito internacional. Nació en Guadalajara y estudió en Milán, Italia, donde empezó su carrera en el mundo de la moda.

¿Cuándo empezó a interesarse por la moda?

Cuando tenía nueve años, usé las cortinas de mi casa para hacer ropa. ¡Mi madre se puso histérica! Pero a partir de ahí, aprendí a usar la máquina de coser a la perfección. Incluso[1] sabía arreglarla cuando se rompía. Quería trabajar en el mundo de la moda.

¿Cómo describiría su estilo?

Sencillo y ligero, con énfasis en las telas[2].

¿Cuáles son sus telas favoritas?

Las telas naturales, puras. Me gustan el lino[3] y la seda, y las telas que captan[4] la luz.

¿Con qué colores prefiere trabajar?

¡Con muchos! Me gustan especialmente el verde, el turquesa[5], el azul, el rosa, el rojo y el blanco.

[1]even [2]fabrics, weaves [3]linen [4]capture
[5]turquoise [6]soul

¿Para quién son sus diseños?

Son para mujeres de 20 a 40 años. Mis diseños tienen alma[6] y quiero que mis clientas se sientan bien llevándolos.

¿Se presta atención a los diseñadores mexicanos fuera de México?

Sí, pero tienes que salir de México para que te reconozcan. Es bueno pasar una temporada en Nueva York, para que sepan quién eres. Yo siempre tendré a México en el corazón, pero para vender moda mexicana tienes que ir a Europa.

Dos de los diseños de Macario.

6 ¿Qué sabe de Macario?

Conteste las siguientes preguntas.

1. ¿Dónde estudió moda Macario?
2. ¿Cuántos años tenía Macario cuando empezó a interesarse por la moda?
3. ¿Cómo es el estilo de los diseños de Macario?
4. ¿Cuáles son las telas favoritas de Macario?
5. ¿Para quién son los diseños de Macario?

Capítulo 9   *cuatrocientos uno* **401**

Teacher Resources

Activity 6 (CD 18, #7)

Activity 2 (CD 4, #9)

Activity 4

Answers

6
1. Estudió en Milán, Italia.
2. Tenía nueve años.
3. Es sencillo y ligero.
4. Las telas favoritas son el lino y la seda.
5. Son para mujeres de 20 a 40 años.

Activities

Cooperative Learning
Organize students into pairs to read *Entrevista con Macario, diseñador mexicano.* Have one student take on the role of the interviewer and the other the role of the interviewee. Then have students switch roles.

Expansion
Ask students to discuss their future career goals. Then have them draft questions they would like an interviewer to ask them once they have achieved success. Encourage them to use the questions in the selection as models. For example, *¿Cuándo empezó a interesarse por la medicina?*

Notes

Macario Jiménez's cousin, Martha Sahagún, was a first lady of Mexico. She is married to former president Vicente Fox.

Photographs of Macario Jiménez's fashions are available on the Internet. Encourage students to find and print some of the images. Have them share their opinions of the styles.

A possible culminating activity for this section of *Capítulo 9* would be for students to create their own fashion show. Have students start considering clothing items they might design, modify or be willing to model for such an event. How would they describe the styles, textures, colors and other features?

National Standards	
Communication 1.1	**Communities** 5.2
Cultures 2.2	
Connections 3.1, 3.2	

Activities

Cooperative Learning
In small groups, have students create additional examples of sentences containing the conjunctions presented on page 402. Have each group verify that each sentence utilizes the subjunctive correctly.

Spanish for Spanish Speakers
Have students model sentences that include the phrases introduced on page 402. Ask them to model examples, and have the whole group repeat.

Idioma

Estructura

El subjuntivo en cláusulas adverbiales

You've already learned some conjunctions that are used with the subjunctive tense to talk about events that have not happened yet. The subjunctive is also used with conjuctions that express the purpose or intention of an action.

aunque	even though
a fin de que	in order to, so that
a menos que	unless
con tal de que	provided
sin que	without
para que	in order that, so that

*A **fin de que** no se destiña, lávelo con agua fría.*	Wash it with cold water **so that** it won't fade.
*No le hablaré **a menos que** se disculpe.*	I won't talk to him **unless** he apologizes to me.
*Me pondré la corbata **con tal de que** tú lleves una también.*	I'll put on the tie, **provided** you wear one too.
*Se lo compraré **sin que** él lo sepa.*	I'll buy it for him **without** him knowing about it.
*Tienes que ir al sastre **para que** te acorte las mangas.*	You have to go to the tailor **so that** he can shorten your sleeves.

The conjunction *aunque* may be followed by the indicative or by the subjunctive, depending on the circumstances. The subjunctive is required when there is uncertainty whether an event will take place.

***Aunque** llueve, saldré.*	Even though it's raining, I'll go out. (The speaker notes that it's raining now.)
***Aunque** llueva, saldré.*	Even though it might rain, I'll go out. (The speaker is unsure whether it will rain.)

Aunque llueva, saldré.

Notes Have students review the present tense subjunctive forms of common verbs. If students have previously created charts or resource banks of these verb forms, display these visual aids for easy reference.

National Standards
Communication 1.1
Comparisons 4.1

Práctica

7 **Claudia y sus amigos**

Lea las siguientes oraciones sobre lo que Claudia y sus amigos hacen. Escoja la palabra que completa correctamente cada oración.

MODELO Claudia estudiará toda la tarde con tal de que *(pueda / puede)* ir al cine.
Claudia estudiará toda la tarde con tal de que pueda ir al cine.

1. Aunque Beatriz y Emilio *(estén / están)* seguros que mañana lloverá, decidieron que irán igualmente de excursión.
2. Laura le quitará la mancha del saco a Luis, sin que él lo *(sabe / sepa)*.
3. Con tal de que Adriana *(va / vaya)* a la fiesta, Mateo la pasará a buscar por su casa.
4. Claudia no acortará el vestido a menos que le *(quede / queda)* largo.
5. Francisco se acostará hoy más temprano a fin de que mañana *(puede / pueda)* levantarse a las seis.
6. Sé que está lloviendo, pero aunque *(llueva / llueve)* voy a salir.

8 **El cuidado de la ropa**

Muchas cosas suceden en relación a otras. Complete las oraciones con la forma apropiada del subjuntivo de los verbos entre paréntesis.

MODELO No acorte el pantalón a menos que le *quede* largo. (quedar)

1. Lucas llevará el traje a un sastre a fin de que le ___ la solapa del saco. (coser)
2. Queremos comprarle a Sara una falda sin que ella ___. (enterarse)
3. Con tal de que la camisa no ___, la llevaré a la tintorería. (desteñirse)
4. Ajústeme por favor las mangas aunque ___ estrechas. (parecer)
5. Prefiero lavar las sudaderas en casa a menos que ___ con el agua. (encojerse)
6. ¿Podrá el sastre hacerle el traje sin que le ___ las medidas? (tomar)
7. A fin de que los pañuelos no ___, usaremos un jabón especial para lavarlos. (desteñirse)
8. Llevaré el saco manchado a la tintorería a fin de que ella le ___ la mancha. (quitar)

Un sastre toma las medidas.

 Answers

7 1. están
2. sepa
3. vaya
4. quede
5. pueda
6. llueve

8 1. cosa
2. se entere
3. se destiña
4. parezcan
5. se encojan
6. tome
7. se destiñan
8. quite

 Activities

Critical Thinking
Have students provide the reasoning behind their choices for activity 7. Ask them to explain why they chose the subjunctive or the indicative form.

Expansion
Have students create additional sentences for activity 8 based on the themes of clothing, fashion and shopping. Then, have students trade papers with a partner to complete the sentences.

National Standards

Cultures
2.2

Connections
3.1

Notes
Encourage students to practice the subjunctive in the course of daily class activities. Provide opportunities for them to utilize the adverbial phrases presented on page 402 in context.

There are over 17,000 companies in the clothing and textile industry in Mexico. The industry accounts for 5% of all employment, and 20% of manufacturing employment in the country. The industry uses almost 600,000 tons of cotton per year.

Answers

9   Answers will vary. They should include the subjunctive of the verbs used.

10 Creative self-expression.

11 Creative self-expression.

 Activities

Cooperative Learning

Have students complete activity 9 in groups of four. Once students have completed each sentence, have them go around the group and share their responses. Encourage them to listen critically and help their group with any difficulties using the subjunctive.

---

 9   **No lo haga a menos que...**

 Imagine que varias personas le cuentan sus problemas y tiene que darles consejos. Con su compañero/a, túrnense para completar los siguientes consejos. Usen el subjuntivo.

> **MODELO** Mónica necesita ir al sastre a fin de que...
>
> Mónica necesita ir al sastre a fin de que le ajusten los pantalones.

1. Pónganse las botas aunque...
2. Los niños no pueden ir solos a la fiesta a menos que...
3. Jaime debe llevar los vaqueros a la tintorería a fin de que...
4. Ustedes deberán hablar con el profesor con tal de que...
5. Compren todo lo que quieran con tal de que...
6. Pilar se comprará una máquina de coser para que...
7. Estrenarán la película aunque...
8. No laves la camisa con agua y jabón a menos que...

Comunicación

 10   **¿Qué opina?**

 Haga una lista de las cosas que quiere hacer en los próximos días. Trabaje con su compañero/a para hacer oraciones con los elementos que cada uno escribió en su lista. Deben dar su opinión sobre lo que cada uno/a quiere hacer. Pueden usar las conjunciones de la caja.

> **MODELO** Puedes cortarte el pelo con flequillo a menos que quieras otro corte.

| a fin de que |
| a menos que |
| aunque |
| con tal de que |
| sin que |
| para que |

> cortarme el pelo
> invitar a ... a ir al cine
> ir al sastre
> manejar el coche de mis padres
> comprarme un conjunto de lana
> hacer yoga

 11   **Hablemos de Ud.**

Primero, complete las siguientes oraciones según su experiencia. Luego, compárelas con las oraciones de otros dos estudiantes.

1. Generalmente llego al colegio a tiempo a menos que...
2. Estudio para que mis padres...
3. No pienso vivir solo/a hasta que...
4. Siempre salgo con mis amigos los fines de semanas con tal de que...
5. Nunca salgo de casa sin que...
6. A veces veo películas en español aunque...

National Standards

Communication
1.1

Connections
3.1

Comparisons
4.1

Notes

Comparisons. Have students brainstorm items for their "to do" lists in activity 10 as a whole group. Record the ideas on the board or chart paper. This may help some students connect with the exercise more quickly.

Be sure to provide students with adequate response time as they practice new and complex constructions, such as the subjunctive following an adverbial phrase. Provide them with an adequate opportunity to "put all the pieces together" as they respond to questions and form sentences aloud.

Repaso rápido

Los adjetivos y pronombres posesivos

The stressed possessive adjectives, which always follow nouns, can be used as possessive pronouns when they occur in place of a noun.

adjetivos posesivos	pronombres posesivos
el botón **mío**	El botón gris es **mío**.
el traje **tuyo**	El **tuyo** es más oscuro que el mío.
la camiseta **suya**	Esa camiseta es **suya**.
los sacos **nuestros**	Los **nuestros** son estampados.
los vaqueros **vuestros**	Terminé de cortar los **vuestros**.
las tijeras **suyas**	Les coseré los **suyos**.
	Esas tijeras son **suyas**.

Both possessive adjectives and possessive pronouns agree in gender and in number with the possessed item, not with the possessor.

*Esa **máquina de coser** no es **suya**.*	That **sewing machine** is not **hers**.

Possessive pronouns are usually preceded by a definite article. However, a definite article is not required after the verbs *ser* and *parecer*.

***El mío** es estampado, **el tuyo** no.*	**Mine** is printed, **yours** is not.
***Las suyas** son viejas.*	**Yours** are old.
*Esta camisa parece (ser) **mía**.*	This shirt seems (to be) **mine**.
*Lo que es **nuestro**, es **suyo**.*	Whatever is **ours**, is **yours**.

When a very clear distinction needs to be made, the article is used.

*¡Ésta no es **la mía**!*	This is not the one that belongs **to me**!

 12 Ésta no es la mía...

Complete las oraciones con un pronombre posesivo, según las indicaciones entre paréntesis.

MODELO ¿Y mi sombrero? Este sombrero no es el <u>mío</u>. (mi sombrero)

1. ¿Es tuyo este botón? No, ese botón es ___. (botón de Juan)
2. Este saco está manchado, no es el ___. (mi saco)
3. ¡Ese suéter no es el ___! (tu suéter) Es el . (suéter de María)
4. ¿De quiénes son estos guantes? No son ___. (nuestros guantes)
5. Estas camisetas de manga larga parecen ___. (camisetas de Inés y Marisol)
6. La chaqueta con cremallera en las mangas es la ___. (mi chaqueta)
7. ¿Es suya esta bufanda? No, la ___ es anaranjada. (su bufanda)

Notes Refer students back to the dialog on page 400. Have them identify and reread sentences utilizing possessive pronouns.

Encourage students to focus on material covered in *Repaso rápido*. Remind them that this additional practice provides an opportunity to review and master these skills.

Teacher Resources

 Activity 4 (CD 4, #11)

  Activities 7–8

 Activities 4–5

Answers

12
1. suyo
2. mío
3. tuyo, suyo
4. nuestros
5. suyas
6. mía
7. suya

Activities

Language through Action
Have individual students go around the classroom pointing to objects that belong to other students. Instruct them to ask *¿De quién es…?* Have the group answer each question using possessive pronouns.

Students with Special Needs
As students complete activity 12, encourage them to identify the item with which the possessive adjective must agree. They might underline or copy down this noun.

National Standards

Communication
1.1

Comparisons
4.1

405

Teacher Resources

 Vocabulario II
Joyas, regalos y artesanías
(CD 18, #9)

 Activity 36

 Activities 9–11

 Activity 3

 Activity 6

 p. 38

 Activities

Multiple Intelligences (bodily-kinesthetic)

Give students the opportunity to create their own models of the items presented on pages 406 and 407. They might use clay, beads, cardboard or other found materials to create sample crafts to be used through this section of the chapter.

Pronunciation

Model new words and phrases for students, and have them repeat.

National Standards

Communication
1.1

Connections
3.1

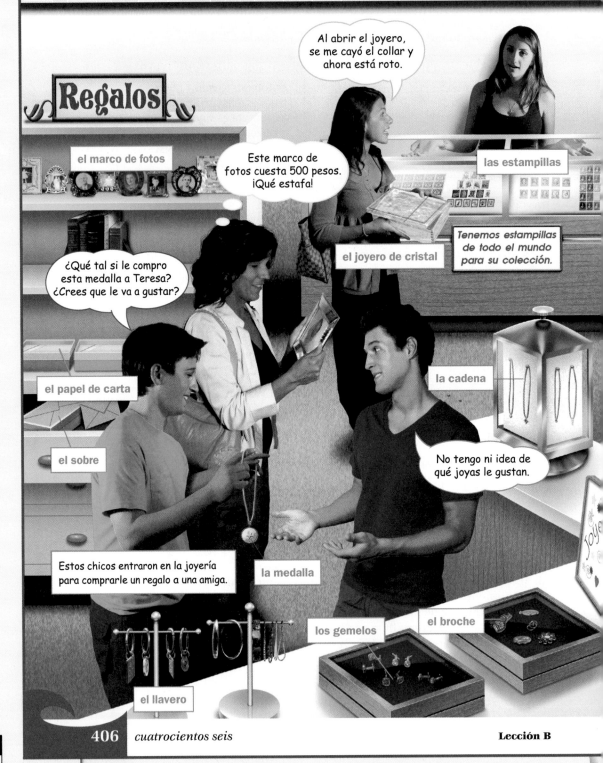

Vocabulario II
Joyas, regalos y artesanías

Regalos

el marco de fotos

las estampillas

Al abrir el joyero, se me cayó el collar y ahora está roto.

Este marco de fotos cuesta 500 pesos. ¡Qué estafa!

Tenemos estampillas de todo el mundo para su colección.

el joyero de cristal

¿Qué tal si le compro esta medalla a Teresa? ¿Crees que le va a gustar?

la cadena

el papel de carta

No tengo ni idea de qué joyas le gustan.

el sobre

Estos chicos entraron en la joyería para comprarle un regalo a una amiga.

la medalla

los gemelos

el broche

el llavero

406 *cuatrocientos seis*

Lección B

Notes

Point out to students the phrase *¡Qué estafa!* Have them use the vocabulary on pages 406 and 407 to create offers that they think are rip-offs. For example: *Esta medalla cuesta 1.000 pesos. ¡Qué estafa!*

It might be helpful for students to know that one U.S. dollar is equivalent to approximately 11 Mexican pesos, or 1 peso equals about 9 cents. Have students research current exchange rates.

¿Los suéteres tejidos están hechos a mano?

Sí, y también el mantel bordado está hecho a mano.

Artesanías

el jarrón

la bandeja

Los jarrones y las tazas se verían muy bien en mi casa. ¿De qué están hechos?

Los jarrones están hechos de arcilla, y las tazas, de cerámica.

13 Comentarios sobre regalos

 Indique la letra de la foto que corresponde con lo que oye.

A

B

C

D

E

F

14 Regalos y artesanías

Haga oraciones lógicas combinando frases de las dos columnas.

1. Estoy buscando un suéter...
2. Qué lástima, el joyero...
3. Estamos decorando la casa jarrones...
4. Entre las artesanías de México, se encuentran los vestidos...
5. A mi hermana, le compré un juego de platos...

A. ...bordados por las mujeres de los pueblos.
B. ...de arcilla hechos a mano.
C. ...de cerámica como regalo con de bodas.
D. ...de cristal se me rompió al buscar las joyas.
E. ...tejido a mano.

Capítulo 9   *cuatrocientos siete* **407**

Notes

Service Learning. Students might set up their own Mexican market for a day. Have them create small craft items, set up their stands and sell their creations to other students and staff. The market can be used as a fund-raising activity for the class or the school.

Mexican *artesanías* vary according to region. Some typical wares include woven rugs, *serapes,* ceramics and metalwork in copper and silver.

Teacher Resources

 Activity 13 (CD 18, #10)

Answers

13 1. D
2. C
3. F
4. B
5. A
6. E

14 1. E
2. D
3. B
4. A
5. C

Activities

Expansion
Discuss with students their personal opinions about the kinds of gifts they would like to receive. Have them create choices for their peers, such as *¿Qué prefieres? ¿Un suéter hecho a mano o un jarrón hecho de cerámica?*

TPR
Brainstorm with students a list of the materials seen on pages 406 and 407. Some examples might include *cerámica, arcilla, cristal,* etc. Have one student choose one of these materials to say aloud. Have the group find an item in the photographs or in the classroom that is made from that material.

National Standards	
Communication 1.1, 1.2	**Communities** 5.1
Cultures 2.2	
Connections 3.1	

Teacher Resources

Diálogo II
¿Qué tal si compro esto?
(CD 18, #11)
Activity 15 (CD 18, #12)
Activity 16 (CD 18, #13)
Activity 17 (CD 18, #14)

 Answers

15
1. No, no tiene ni idea de lo que le puede comprar.
2. No, no está completamente segura si a Rosario le gustan las cosas hechas a mano.
3. No cree que a Rosario le guste escribir cartas.
4. Pilar quiere comprarle un joyero.
5. Dice que es una estafa.
6. Porque una cadena va con todo.

16 Answers will vary.

17
1. F
2. D
3. A
4. C
5. E
6. B

 Activities

Expansion
Invite students to tell or write a short story about the best or worst gift they ever received. Encourage them to use vocabulary related to colors, materials and styles to describe why the gift item was wonderful or terrible.

Prereading Strategy
Have students use the photos to form predictions about the content of the dialog *¿Qué tal si compro esto?*

National Standards
Communication 1.2, 1.3
Connections 3.1, 3.2
Comparisons 4.1

408

Diálogo II ¿Qué tal si compro esto?

PILAR: No tengo ni idea de lo que le puedo comprar a Rosario para su cumpleaños.
INÉS: ¿Le gustan las artesanías?
PILAR: No estoy completamente segura si le gustan las cosas hechas a mano.

INÉS: ¿Qué tal si le compras unos papeles de carta y sobres? Son muy bonitos.
PILAR: No creo que a ella le guste escribir cartas.
INÉS: ¿Y un marco de fotos?
PILAR: No me convence. Sigamos mirando por otro lado.

INÉS: ¿Qué es eso?
PILAR: Es un joyero. A ella le encantan las joyas.
INÉS: ¿Has visto el precio?
PILAR: No... ¡Qué estafa!
INÉS: Es mejor que le compres una cadena. Va con todo.

15 **¿Qué recuerda Ud.?**

1. ¿Sabe Pilar qué le puede comprar a Rosario?
2. ¿Pilar está segura si a Rosario le gustan las cosas hechas a mano?
3. ¿Por qué Pilar no quiere comprarle unos papeles de carta y sobres?
4. ¿Qué quiere comprarle Pilar?
5. ¿Qué dice Pilar acerca del precio del joyero?
6. ¿Por qué es una buena idea comprarle una cadena?

16 **Algo personal**

1. ¿Cuáles son sus joyas favoritas?
2. ¿Le gustan las artesanías?
3. ¿Cuál ha sido el regalo que recibió que más le gustó?
4. ¿Qué regalos le gusta comprarles a sus amigos?

¿Le gustan las artesanías?

17 **¿Qué les recomienda?**

Escoja qué cosa puede comprar cada persona, según lo que oye.

A **B** **C** **D** **E** **F**

Notes

Comparisons. Point out to students that the preposition *a* is used in the expression *hecho a mano*, which means "made by hand." The preposition *de* is used to describe what something is made "from" or "out of."

Invite students to use photographs from catalogs or store circulars to create flash cards for this vocabulary. They might also use photographs of genuine Mexican crafts found on the Internet. Encourage students to keep these cards handy as they complete the activities so they need not constantly turn back to pages 406 and 407 for review.

Cultura **viva** II

Revistas para chavos y chavas[1]

¿Qué onda[2] con las revistas para chavos y chavas mexicanos? En México hay muchas revistas de moda para los jóvenes. En ellas, los chicos y chicas mexicanos encuentran los nuevos estilos de ropa y peinado para cada temporada, además de los accesorios y regalos que están más de moda. En estas revistas, que están llenas de fotos y, a veces, pósters, también hay artículos sobre gente famosa, música, cine y entrevistas con los artistas que más gustan a la juventud. Las revistas más populares para jóvenes en México son *Tú, Eres, de 15 a 20 y Teen en español.*

Estas revistas están escritas en un lenguaje coloquial como el que los chicos y chicas mexicanos hablan cada día en la calle, y a menudo usan expresiones típicas de los

A los jóvenes mexicanos les gusta leer estas revistas.

jóvenes mexicanos: llaman a los chicos y chicas, "chavos y chavas", usan "onda" para decir que algo está de moda, y "cuates" para hablar de compañeros.

En estas revistas también hay secciones fijas, como horóscopos, consejos de salud y belleza, cartas de los lectores y consultorio, en el que los jóvenes hacen preguntas de todo tipo a los expertos de la revista. En algunas, pueden encontrarse tests, que son muy populares entre los jóvenes. *Teen en español,* por ejemplo, trae varios tests de personalidad en cada número, con los que los jóvenes pueden averiguar si son compatibles con sus parejas, si sus amigos son para siempre, o simplemente, pequeñas pistas para conocerse mejor a sí mismos.

[1]chicos y chicas *(in Mexico)*   [2]What's up

18   **¿Qué leen los chavos?**

1. ¿Qué temas se tratan en las revistas para jóvenes mexicanos?
2. Mencione tres revistas para jóvenes.
3. ¿Cómo es el lenguaje de estas revistas?
4. ¿Qué secciones fijas pueden encontrarse en estas revistas?

Estrategia

Using visuals to make predictions
Before you read a story or an article, look at all the pictures to try to predict what the reading will be about. After you finish reading, see how your predictions compared with what you read.

Capítulo 9   *cuatrocientos nueve* **409**

Notes

Many teen magazines can be found in electronic form on the Internet. If students are interested, consider collecting or raising money to fund a class subscription to one of the magazines mentioned in *Revistas para chavos y chavas.*

As a whole-class project, have students create their own Spanish-language teen magazine.

Assign students different roles based on their interests and expertise, such as writer, editor, photographer and designer. Students might even undertake the selling of advertisements for their magazine.

Teacher Resources

 Activity 18 (CD 18, #15)

 Activity 4

◆ Answers

18   1. Se tratan temas de moda, música, cine y entrevistas.
2. Answers will vary but can include: *Tú, Eres, de 15 a 20* and *Teen en español.*
3. Es un lenguaje coloquial como el que hablan los chicos y chicas mexicanos y a menudo usan expresiones típicas de los jóvenes mexicanos.
4. Pueden encontrarse cartas de los lectores, consejos de salud y belleza, horóscopos y tests.

◆ Activities

Prereading Strategy
Remind students to preview the reading passage before they begin reading. What information does the photograph give?

Spanish for Spanish Speakers
Encourage students to share other slang or colloquialisms used by teenagers. Have students create their own "slang" dictionary.

Technology
Have students research establishing e-mail pen pals in Mexico. Using the Internet, pen pals can send messages and share their opinions on teen issues such as fashion.

National Standards	
Communication 1.3	**Comparisons** 4.1, 4.2
Cultures 2.1, 2.2	**Communities** 5.1
Connections 3.1, 3.2	

Teacher Resources

 Activity 5 (CD 4, #12)

 Activity 12

 Activity 5

 Activities 7–8

 Answers

19 1. Al comprar el llavero, pensé en Roberto.
2. Al salir de la tienda, se encontraron con Marisa.
3. Al perder la medalla de la cadena, Julio se puso triste.
4. Al ponerse el vestido nuevo, Clara se sintió muy bien.
5. Al terminar de escribir la carta, compraste estampillas.
6. Al encontrar el broche de María, le avisamos a ella enseguida.

 Activities

Students with Special Needs
Review with students the meanings of these prepositions: *antes de, después de, para, por, sin* and *en vez de.*

TPR
To help students appreciate the simultaneous nature of expressions using *al* + the infinitive, have volunteers act out the situations described in activity 19.

National Standards
Communication
1.1, 1.3
Comparisons
4.1

 Idioma

Estructura

Otros usos del infinitivo

The infinitive can be used as a noun in an impersonal expression, such as *es bueno, es importante, es divertido.*

Es divertido ir de compras. — **Going** shopping is fun.

It can also be used in proverbs.

Ver para creer. — **Seeing** is **believing**.

Note in the above examples that when the infinitive is used as a noun in Spanish, English uses the present participle ending -*ing*.

The infinitive is often used after a preposition. (In English the present participle would be used.) Some prepositions that are frequently used with the infinitive are: *antes de, después de, para, por, sin, en vez de.*

Me peiné después de vestirme. — I combed my hair **after getting dressed**.
No salgas sin llevar la chaqueta. — Don't go out **without taking** your jacket.
Llegué tarde por no salir a tiempo. — I arrived late **because I didn't leave** on time.

The contruction *al* + infinitive is used to show that two actions occur simultaneously. It is equivalent of the English **on** *(upon)* + past participle.

La botella se rompió al abrir la caja. — The bottle broke **upon opening** the box.

 Práctica

19 **Acciones al mismo tiempo**

Describa lo que pasó en el momento que ocurrió la acción que se describe. Comience las oraciones con *Al* + infinitivo.

MODELO Elena rompió el jarrón. (Elena / asustarse)
Al romper el jarrón, Elena se asustó.

1. Yo compré el llavero. (yo / pensar en Roberto)
2. Ellos salieron de la tienda. (ellos / encontrarse con Marisa)
3. Julio perdió la medalla de la cadena. (Julio / ponerse triste)
4. Clara se puso el vestido nuevo. (Clara / sentirse muy bien)
5. Tú terminaste de escribir la carta. (tú / comprar estampillas)
6. Nosotros encontramos el broche de María. (nosotros / avisarle a ella enseguida)

Notes: Encourage students to draft their own proverbs using the infinitive. Their expressions might begin *Es importante…* or *Es bueno…* Invite students to create a poster or even a handicraft displaying their proverb.

20 De compras

Imagine que va de compras con sus amigos. Escoja la palabra que completa correctamente cada oración.

MODELO Antes de (*comprar / comprando*) la bandeja, hay que averiguar cuánto cuesta.
Antes de comprar la bandeja, hay que averiguar cuánto cuesta.

1. Es bueno (*iremos / ir*) a la tienda cuando está de rebaja.
2. No compres el joyero sin (*preguntarle / le preguntas*) a Virginia.
3. Después de (*escogemos / escoger*) el regalo para tu hermano, podemos ir a tomar un café.
4. Es divertido (*salir / saliendo*) de compras contigo.
5. En vez de (*gastando / gastar*) tanto dinero, ¿por qué no le compramos algo más barato hecho a mano?
6. Es importante (*avisarle / avisamos*) a tu amigo que estamos en la tienda de artesanías.

 Comunicación

 21 Antes, durante y después

 Trabajen en grupos de cinco para hablar de lo que hacen antes, durante y después de las siguientes acciones. Anoten las respuestas de su grupo para compararlas más tarde con las de otros grupos.

MODELO escoger un regalo

A: Antes de escoger un regalo, saco dinero del banco.
B: Al escoger un regalo, comparo los precios.
C: Después de escoger un regalo, lo compro.

cocinar
ver una película o un programa de televisión   ir de vacaciones   acostarme
dar una fiesta   bañarme   ir de compras   hacer ejercicio   hacer la tarea

Antes de cocinar, compro los ingredientes.

Después de hacer la tarea, montamos en bicicleta.

Capítulo 9 · · · · · · · · · · · · · *cuatrocientos once* **411**

Notes

Students can also create their own examples for activity 21. If they think of a topic that sparks their interest, allow them to add it to their list.

For activity 21, have each group of five choose one example to act out for the entire group.

AP Spanish Language. Explain to students that by following basic guidelines and by writing frequently they can improve their ability to write with clarity. For example, they must make sure they address the hypothesis (or question being asked). Also, it is always a good idea to make an outline or list key words before beginning to write.

 Answers

20 1. ir
2. preguntarle
3. escoger
4. salir
5. gastar
6. avisarle
21 Creative self-expression.

 Activities

Multiple Intelligences (spatial)
Visual students may enjoy creating their own three-paneled comic strips to illustrate the concept of *antes de...*, *al...* and *después de...*

Pronunciation
Have students repeat the complete sentences in activity 20 aloud. Encourage them to aurally distinguish which choice sounds correct.

National Standards

Communication
1.1, 1.3

Connections
3.1

Activities

Cooperative Learning

Organize students into pairs. Have each pair choose a verb they would like to work with. Then have each pair create three sentences using that verb: as a gerund, as a past participle forming a compound tense and as a past participle functioning as an adjective.

Students with Special Needs

Review with students the present and past participles of common verbs. If students have previously created reference charts or study guides on participles, have them refer to these resources.

TPR

Have students act out sentences to reinforce the different functions of present and past participles. For example, how does *Yo estoy comiendo pollo* "look" different from *Yo he comido pollo?*

National Standards

Communication
1.1

Comparisons
4.1

412

Estructura

Usos del gerundio y del participio pasado

The present participle, or gerund, is used with *estar* to form the progressive tense. In this case, it stresses the fact that the action of the verb is continuing at the time.

No puedo ir a la zapatería ahora porque **está lloviendo**.	I can't go to the shoe store now because **it is raining**.

It can also stress a continuing action with *continuar*, *seguir*, and other verbs of motion *(venir, andar, entrar, ir)*.

Van corriendo *por la calle*.	They **are running** through the street.
Él **seguía pensando** *en el precio*.	He **kept thinking** about the price.

It can also express the cause, manner or means of an action. In English, this is often accompanied by a word such as *by*, *as*, or *when*.

Practicando, *aprendí a coser bien*.	**By practicing**, I learned how to sew well.

It can also describe the background action of the main verb.

Caminando *por la calle, me encontré con María*.	**While walking** through the street, I ran into María.

The past participle's main use is forming compound tenses with *haber*.

He comido *pollo*.	I **have eaten** chicken.
Habíamos comprado *unos vaqueros*.	We **had bought** some jeans.

When used in forming compound tenses, the past participle always ends in *-o*. At all other times, the past participle functions as an adjective and must agree in number and gender with the noun it modifies.

Ella se peina **parada** *delante del espejo*.	She combs he hair **standing** in front of the mirror.

It can also be used with *estar* to express a condition or state that is generally the result of an action.

Los niños jugaron con el jarrón y ahora el jarrón **está roto**.	The children played with the vase and now the vase **is broken**.

El jarrón está roto.

Notes

Have students review the dialogs and reading selections in the chapter looking for different participle forms. Have them find one and explain whether it is a present or past participle.

Remind students that the ultimate goal is not to be able to classify parts of speech, but rather to use these different tools to communicate clearly and effectively.

Práctica

22 ¿Cómo pudo hacerlo?

Use el gerundio del verbo entre paréntesis para describir cómo hizo estas actividades.

MODELO Pude comprar un broche de oro. (ahorrar)
Ahorrando, pude comprar un broche de oro.

1. Aprendí a tomar las medidas. (practicar)
2. Arreglé el cuello de mi vestido. (coser)
3. Pude conseguir un marco de fotos muy barato. (regatear)
4. Mejoré el color de mi pelo. (teñirme)
5. Me puse en forma. (hacer ejercicio)
6. Aprendí sobre las artesanías típicas de Oaxaca. (leer)

Artesanía de Oaxaca.

23 ¿Qué están comprando?

Imagine que fue con sus amigos de compras. Diga qué palabra completa correctamente cada oración.

MODELO He *comprado* artesanías muy bonitas en la tienda nueva.
(comprado / comprando / comprada)

1. El jarrón de cerámica que vimos está ___ a mano. (haciendo / hecha / hecho)
2. Claudia seguía ___ en el joyero de cristal. (pensando / pensado / pensada)
3. Los manteles están ___ por indígenas de México. (bordadas / bordando / bordados)
4. Mi amigo y yo habíamos ___ un lugar donde vendían estampillas de todo el mundo. (visto / viendo / vista)
5. Carla compró un suéter y se lo llevó ___. (poniendo / puesta / puesto)
6. Estamos ___ en regresar a la tienda de artesanías el fin de semana próximo. (pensando / pensado / pensada)

 Comunicación

24 En una tienda de artesanías

Ud. es el/la dueño/a *(owner)* de una tienda de regalos de artesanía en Oaxaca, México. Un(a) cliente/a le pregunta sobre varios artículos que hay en la tienda y Ud. se los describe y le explica de qué están hechos. Con otro/a estudiante, hagan los papeles de dueño/a y cliente/a. Pueden buscar más información sobre las artesanías mexicanas en la internet y acompañar sus diálogos con fotos o ilustraciones de los artículos que describen.

MODELO una bandeja de madera

Cliente/a: ¿De qué está hecha la bandeja?
Dueño/a: La bandeja está hecha de madera. Está hecha a mano por indígenas de la región. Los dibujos están pintados de diferentes colores.

Notes

To ensure comprehension, ask students to justify their answers to activity 23. Have them explain which part of speech was called for given the context of the sentence.

Visitors to Oaxaca enjoy walking the galleries of *Calle Alcalá,* a pedestrian shopping street. There one can find the traditional black pottery or *alebrijes,* painted wooden figures.

Teacher Resources

 Activity 22 (CD 18, #16)

Answers

22 1. Practicando, aprendí a tomar las medidas.
2. Cosiendo, arreglé el cuello de mi vestido.
3. Regateando, pude conseguir un marco de fotos muy barato.
4. Tiñéndome, mejoré el color de mi pelo.
5. Haciendo ejercicio, me puse en forma.
6. Leyendo, aprendí sobre las artesanías típicas de Oaxaca.
23 1. hecho
2. pensando
3. bordados
4. visto
5. puesto
6. pensando
24 Creative self-expression.

National Standards

Communication
1.1

Cultures
2.2

Connections
3.1, 3.2

Answers

25 1. La Barranca de la Sinforosa.
2. Viven en la zona de la Sierra Madre, en el norte de México.
3. Se los conoce como grandes corredores de larga distancia.
4. La mujer le tira una piedra al hombre que, si está interesado, se la devuelve.

26 Answers will vary.

Activities

Expansion

Have students scan the reading passage for use of present and past participles. Have them point out and discuss phrases such as *no he tenido tiempo* or *estamos explorando los paisajes*.

Multiple Intelligences (spatial)

Visual students may enjoy creating a "scrapbook" of Luis's trip. Have them find photographs or make illustrations to put in the book. Then have them write short captions for each.

Technology

Invite students to use the Internet to learn more about the Tarahumara and the Copper Canyon Region of Mexico.

National Standards	
Communication 1.2	**Comparisons** 4.1
Cultures 2.1, 2.2	
Connections 3.1, 3.2	

Lectura personal

E-Mail

Archivo Ver Mensajes Ayuda

A... Mariana

Cc...

Asunto: Recuerdos de México

Los tarahumara

Hola, Mariana,
Prometí escribirte a menudo, pero casi no he tenido tiempo. ¡No nos dejan ni descansar! El viaje es fascinante y cada día aprendemos cosas nuevas.

La semana pasada cruzamos el Río Grande, que los mexicanos llaman Río Bravo, y llegamos a México. Ahora estamos explorando los espectaculares paisajes de la Sierra Madre, en el norte del país. Están llenos de barrancos[1] y cascadas[2], lo cual no es bueno para mi vértigo. Lo pasé bastante mal cuando vimos la Barranca de la Sinforosa, uno de los barrancos más profundos del mundo, más aún que el Cañón del Colorado.

En esta zona viven los indios tarahumara. Estuvimos viviendo con ellos y aprendiendo muchas cosas sobre su cultura y sus costumbres. ¿Sabías que entre los tarahumara es la mujer quien escoge a un hombre tarahumara para que sea su pareja? La mujer le tira una piedrita al hombre que le gusta. Si él está interesado, él le vuelve a tirar la piedrita a ella, y la persigue. Después de pasar el día juntos, ya se consideran casados de por vida.

Los tarahumara tienen una gran reputación como corredores[3] de larga distancia. En 1993, un indio tarahumara ganó la carrera Leadville-100, en Colorado. ¡Tenía 55 años y no llevaba tenis, sino sus *huaraches* tradicionales, que es un tipo de zapato con suela de caucho[4]! Se llamaba Victoriano Churro y le ganó a atletas de alrededor de 20 años de edad y con entrenamiento[5] olímpico. ¡Él dijo que incluso se paró a mirar el paisaje…!

Bueno, me voy a dormir, porque mañana iremos al D.F., la capital. Ya te contaré más cosas muy pronto.
Besos, Luis

[1]canyons [2]waterfalls [3]runners [4]rubber [5]training

Una india tarahumara con su hija.

¿Qué recuerda Ud.?

1. ¿Qué barranco en la Sierra Madre es más profundo que el Cañón del Colorado?
2. ¿Dónde viven los indios tarahumara?
3. ¿Cómo eligen pareja las mujeres tarahumara?
4. ¿Por qué se conoce a los indios tarahumara?

Algo personal

1. ¿Ha participado en alguna carrera? ¿Cuál?
2. ¿Qué le gustaría preguntarle a un indio tarahumara?

Notes Students may be interested to know that not only did Victoriano Churro win the Leadville-100 in 1993, but fellow Tarahumara runners Cerrildo Chacarito and Manuel Luna placed second and fifth, respectively.

¿Qué aprendí?

Autoevaluación
Como repaso y autoevaluación, responda lo siguiente:

INTERNET RESOURCE center

① Mencione cuatro razones para llevar prendas a la tintorería o al sastre.

② ¿Quién es Macario Jiménez? ¿Cuál es su estilo?

③ Complete la siguiente oración: *No iré a la fiesta a menos que...*

④ Escriba dos oraciones con pronombres posesivos.

⑤ Mencione tres regalos que se pueden comprar en una tienda de artesanías.

⑥ ¿Cuáles son tres secciones que se pueden encontrar en una revista para chavos y chavas?

⑦ Mencione tres usos del infinitivo y dé una oración para cada uno.

⑧ Escriba dos oraciones con el gerundio y dos con el participio pasado.

Palabras y expresiones
How many of these words and expressions do you recognize?

Para arreglar la ropa
la aguja
el alfiler
la máquina de coser
el hilo
el metro
el sastre, la sastre
las tijeras
Partes de la ropa
el bolsillo
el botón, *pl.* los botones
la cremallera
la manga
la solapa
el cuello

Descripciones
arrugado,-a
gastado,-a
manchado,-a
suelto,-a
En la joyería
el broche
la cadena
los gemelos
el llavero
la medalla

Artesanías
la arcilla
la artesanía
bordado,-a
la cerámica
el cristal
tejido,-a
Regalos
la bandeja
el jarrón
el joyero
el marco de fotos
el papel de carta
el sobre

Verbos
acortar
ajustar
coser
desteñirse
encogerse
tomar las medidas
Otras palabras y expresiones
la cintura
la estampilla
hecho a mano
la mancha
no tener ni idea de
¿Qué tal si...?
¡Qué estafa!
la tintorería
verse bien

Los botones.

Capítulo 9 — *cuatrocientos quince* **415**

Teacher Resources

Activity 15

p. 116

Answers

Autoevaluación
Possible answers:
1. La ropa está manchada, la ropa está sucia, hay que acortar las mangas, hay que coserle los botones.
2. Es un diseñador de moda mexicano. Su estilo es sencillo y ligero.
3. No iré a la fiesta a menos que encuentre un vestido elegante.
4. Este traje no es tuyo. El mío es azul.
5. Un suéter hecho a mano, un mantel bordado, un jarrón de arcilla.
6. Consejos de salud y belleza, cartas de los lectores, tests de personalidad.
7. Se usa con expresiones impersonales: *Es importante regatear.* Se usa después de preposiciones: *Fui a nadar en vez de patinar.* Se usa con *al* para indicar que dos acciones ocurren al mismo tiempo: *Los vi al entrar en la tienda.*
8. Estamos comprando artesanías. Sigo pensando en el vestido bordado que vi ayer. He visto una bandeja de madera en ese tiangui. El jarrón estaba roto.

National Standards
Communication 1.1, 1.3
Connections 3.1

Notes
Remind students to utilize any resources they have created in the course of the chapter (flash cards, posters, etc.) in their review.

After students have completed the *Autoevaluación,* organize them into groups of three or four. Assign each small group a specific question to focus on. Have them prepare and present a detailed review on that particular point for the whole group.

Students should visit the Internet Resource Center at www.emcp.com to complete this activity online and check answers.

415

Answers

Preparación

1. Es de Chile.
2. Fue abogado, profesor de universidad y periodista.
3. La escribió antes de cumplir los 20 años.
4. Le interesaban especialmente los conflictos entre las clases sociales y las generaciones.
5. Answers will vary, but may include *El delantal blanco, Deja que los perros ladren, El Senador no es honorable, Perdón… ¡Estamos en guerra!* and *Tres comedias en traje de baño.*

◆ Activities

Expansion

Provide students with selected lines from *El delantal blanco* written on the board or chart paper. Have students read a line aloud. Then, change the stage direction for the line. Have students interpret this direction and reread the line appropriately. Give them several examples.

Students with Special Needs

Have students read the selection about Sergio Vodanovic one sentence at a time. After each sentence, have them isolate and record key words or phrases. Encourage them to reread this "shorthand" version of the selection. For example:
1) *nació 1926, Chile*
2) *abogado, profesor, dramaturgo*

National Standards

Cultures
2.2

Connections
3.1

Comparisons
4.2

Estrategia

Imagining the action

When you read a play, since almost everything is written as a dialog, sometimes it can be hard to imagine the action. To get a better understanding of what is going on, it is important to pay special attention to the stage directions. Stage directions are the notes written usually in italics at the beginning or in the middle of a scene, and also next to the characters' names. These are the instructions of the author on how the lines and the action should be performed. Reading the stage directions thoroughly will help you imagine the action while the characters are speaking.

Preparación

Lea el texto y después conteste las preguntas que siguen.

Sergio Vodanovic nació en Chile, en 1926. Fue abogado de profesión, profesor de universidad y también periodista y dramaturgo[1]. Escribió su primera obra de teatro antes de cumplir los 20 años. Después escribió varias obras de teatro, algunas de las cuales también produjo y dirigió. La mayoría de sus obras tienen un contenido social y psicológico. Vodanovic se interesaba, especialmente, por los conflictos entre las clases sociales y entre las generaciones.

Además de *El delantal blanco*, otras de sus obras más conocidas son *Deja que los perros ladren, El Senador no es honorable, Perdón… ¡Estamos en guerra!* y *Tres comedias en traje de baño.*

[1]playwright

1. ¿De dónde era Sergio Vodanovic?
2. ¿Qué más hizo Vodanovic, además de escribir obras de teatro?
3. ¿Cuándo escribió su primera obra?
4. ¿Qué temas le interesaban especialmente?
5. Mencione tres obras de Sergio Vodanovic.

Delantales blancos.

Notes

Comparisons. Discuss with students the themes that interested Vodanovic. Have them brainstorm other playwrights or writers they are familiar with who deal with issues of conflict between social classes and generations.

Perhaps Vodanovic's most well-known work, *Deja que los perros ladren* was the recipient of the *Premio Municipal de Drama en Chile.* The play was also later made into a film.

AP Spanish Literature. This excerpt from a play by Sergio Vodonovic is on the College Board AP Spanish literature required reading list for twentieth-century authors.

El delantal¹ blanco (Fragmento)

En esta obra de teatro, una señora, su hijo Alvarito y la empleada² están en la playa. La señora piensa que el mundo está dividido en dos grupos: el de los que tienen dinero y distinción, como ella, y el de los que no lo tienen, como su empleada.

Para demostrar que estas diferencias van más allá de la ropa que llevan, la señora le propone a la empleada, como juego, que se intercambien la ropa.

El fragmento que sigue está hacia el final de la obra. En él, la señora ya va vestida como la empleada, y la empleada lleva la ropa de la señora. Al final de la obra, la empleada se queda en la playa tranquilamente con Alvarito.

Una pelota de goma³, impulsada por un niño que juega cerca, ha caído a los pies de LA EMPLEADA. Ella la mira y no hace ningún movimiento. Luego mira a LA SEÑORA. Ésta, instintivamente, se dirige a la pelota y la tira en la dirección en que vino. LA EMPLEADA busca en la bolsa de playa de LA SEÑORA y se pone sus anteojos para el sol⁴.

LA SEÑORA: *(Molesta.)* ¿Quién te ha autorizado para que uses mis anteojos?

LA EMPLEADA: ¿Cómo se ve la playa vestida con un delantal blanco?

LA SEÑORA: Es gracioso⁵. ¿Y tú? ¿Cómo ves la playa ahora?

LA EMPLEADA: Es gracioso.

LA SEÑORA: *(Molesta.)* ¿Dónde está la gracia⁶?

LA EMPLEADA: En que no hay diferencia.

LA SEÑORA: ¿Cómo?

LA EMPLEADA: Ud. con el delantal blanco es la empleada, yo con este blusón⁷ y los anteojos oscuros soy la señora.

LA SEÑORA: ¿Cómo?... ¿Cómo te atreves⁸ a decir eso?

LA EMPLEADA: ¿Se habría molestado⁹ en recoger la pelota si no estuviese vestida de empleada?

LA SEÑORA: Estamos jugando.

LA EMPLEADA: ¿Cuándo?

LA SEÑORA: Ahora.

LA EMPLEADA: ¿Y antes?

LA SEÑORA: ¿Antes?

LA EMPLEADA: Sí. Cuando yo estaba vestida de empleada...

LA SEÑORA: Eso no es juego. Es la realidad.

LA EMPLEADA: ¿Por qué?

LA SEÑORA: Porque sí.

LA EMPLEADA: Un juego... un juego más largo... como el "paco-ladrón¹⁰". A unos les corresponde ser "pacos", a otros "ladrones."

LA SEÑORA: *(Indignada.)* ¡Ud. se está insolentando!

Señora y empleada.

¹apron ²servant ³rubber ⁴sunglasses ⁵funny ⁶What's funny about it? ⁷oversized blouse
⁸do you dare ⁹would you have bothered ¹⁰cops and robbers

Teacher Resources

  ¡Viento en popa!
El delantal blanco
(CD 18, #20)

Activities

Cooperative Learning
Organize students into pairs to read this section of *El delantal blanco*. Assign one partner the role of *La Señora*, and the other the role of *La Empleada*.

Prereading Activity
Have students read the synopsis of the play presented at the top of page 417. Ask them to make predictions about what they think will happen given the characters and situation presented.

Spanish for Spanish Speakers
Allow students to read the play excerpt independently. Encourage them to research and locate other works by Vodanovic. Then have them compare and contrast their chosen selection with *El delantal blanco*.

 Notes
Discuss with students their thoughts on why Vodanovic does not give his characters specific names. Is there some significance to his referring to the two main characters as simply *La Señora* and *La Empleada*?

Have students describe the defining articles of clothing for each of the characters. What other pieces of clothing do they feel enhance specific roles? Ask students to share experiences they have had when they were treated a certain way because of the clothing they were wearing.

National Standards	
Communication 1.1	**Comparisons** 4.2
Cultures 2.2	
Connections 3.1	

Expansion

Throughout the story the characters refer to the "game" they are playing. Ask students if this role-reversal game is a theme they have seen in other works of literature or drama. Have they ever "traded places" with someone?

Language through Action

Invite volunteers to read this section of the play dramatically. Have them act out the action described. Give students the opportunity to preview the text and stage directions.

LA EMPLEADA: ¡No me grites! ¡La insolente eres tú!

LA SEÑORA: ¿Qué significa eso? ¿Ud. me está tuteando[1]?

LA EMPLEADA: ¿Y acaso tú no me tratas de tú?

LA SEÑORA: ¿Yo?

LA EMPLEADA: Sí.

LA SEÑORA: ¡Basta ya! ¡Se acabó este juego!

LA EMPLEADA: ¡A mí me gusta!

LA SEÑORA: ¡Se acabó! *(Se acerca violentamente a LA EMPLEADA.)*

LA EMPLEADA: *(Firme.)* ¡Retírese!

LA SEÑORA se detiene sorprendida.

LA SEÑORA: ¿Te has vuelto loca?

LA EMPLEADA: ¡Me he vuelto señora!

LA SEÑORA: Te puedo despedir[2] en cualquier momento.

¡Yo soy la patrona!

LA EMPLEADA: *(Explota en grandes carcajadas, como si lo que hubiera oído fuera el chiste más gracioso que jamás ha escuchado.)*

LA SEÑORA: ¿Pero de qué te ríes?

LA EMPLEADA: *(Sin dejar de reír.)* ¡Es tan ridículo!

LA SEÑORA: ¿Qué? ¿Qué es tan ridículo?

LA EMPLEADA: Que me despida... ¡vestida así! ¿Dónde se ha visto a una empleada despedir a su patrona[3]?

LA SEÑORA: ¡Sácate esos anteojos! ¡Sácate el blusón! ¡Son míos!

LA EMPLEADA: ¡Vaya a ver al niño!

LA SEÑORA: Se acabó el juego, te he dicho. O me devuelves mis cosas o te las saco.

LA EMPLEADA: ¡Cuidado! No estamos solas en la playa.

LA SEÑORA: ¿Y qué hay con eso? ¿Crees que por estar vestida con un uniforme blanco no van a reconocer quién es la empleada y quién la señora?

LA EMPLEADA: *(Serena.)* No me levante la voz.

LA SEÑORA, exasperada, se lanza sobre LA EMPLEADA y trata de sacarle el blusón a viva fuerza.

LA SEÑORA: *(Mientras forcejea[4])* ¡China! ¡Ya te voy a enseñar quién soy! ¿Qué te has creído? ¡Te voy a meter presa[5]!

Un grupo de bañistas ha acudido a ver la riña. Dos JÓVENES, una MUCHACHA y un SEÑOR de edad madura y de apariencia muy distinguida. Antes que puedan intervenir, LA EMPLEADA ya ha dominado la situación manteniendo bien sujeta a LA SEÑORA contra la arena. Ésta sigue gritando ad libitum[6] expresiones como: "rota cochina"...."ya te la vas a ver con mi marido"... "te voy a mandar presa"... "esto es el colmo[7]," etc., etc.

[1]addressing me in the familiar *tú* form   [2]fire you   [3]boss   [4]she struggles
[5]send you to jail   [6]improvising   [7]this is too much

Discuss with students the change that takes place at the bottom of page 418: namely, the play goes from only two characters to involving a whole group of people. How does this group affect the action of the play? Ask students to discuss their thoughts about what Vodanovic intended by introducing this "audience" into the scene.

Have students describe the editorial and formatting conventions used to create a play script. How does the text on the page differ from that in a novel or short story?

National Standards	
Communication 1.1	**Comparisons** 4.1, 4.2
Cultures 2.2	
Connections 3.1	

UN JOVEN: ¿Qué sucede?

EL OTRO JOVEN: ¿Es un ataque?

LA JOVENCITA: Se volvió loca.

UN JOVEN: Puede que sea efecto de una insolación[1].

EL OTRO JOVEN: ¿Podemos ayudarla?

LA EMPLEADA: Sí, por favor. Llévensela. Hay una posta[2] por aquí cerca...

EL OTRO JOVEN: Yo soy estudiante de Medicina. Le pondremos una inyección para que se duerma por un buen tiempo.

LA SEÑORA: ¡Imbéciles! ¡Yo soy la patrona! Me llamo Patricia Hurtado, mi marido es Álvaro Jiménez, el político...

LA JOVENCITA: *(Riéndose.)* Cree ser la señora.

UN JOVEN: Está loca.

EL OTRO JOVEN: Un ataque de histeria.

UN JOVEN: Llevémosla.

LA EMPLEADA: Yo no los acompaño... Tengo que cuidar a mi hijito... Está ahí, bañándose...

LA SEÑORA: ¡Es una mentirosa! ¡Nos cambiamos de vestido sólo por jugar! ¡Ni siquiera tiene traje de baño! ¡Debajo del blusón está en calzones[3]! ¡Mírenla!

EL OTRO JOVEN: *(Haciéndole un gesto al JOVEN.)* ¡Vamos! Tú la tomas por los pies y yo por los brazos.

LA JOVENCITA: ¡Qué risa! ¡Dice que está en calzones!

Los dos JÓVENES toman a LA SEÑORA y se la llevan, mientras ésta se resiste y sigue gritando.

LA SEÑORA: ¡Suéltenme! ¡Yo no estoy loca! ¡Es ella! ¡Llamen a Alvarito! ¡Él me reconocerá!

[1]sunstroke [2]first-aid station [3]underwear

Una pelota de playa.

¿Qué recuerda Ud.?

1. ¿A qué juego juegan la señora y la empleada?
2. ¿Qué hace la empleada que le molesta a la señora?
3. ¿Cuál es la actitud de la señora al final?
4. ¿Cómo acaba la obra?

Algo personal

1. ¿Le parece interesante el juego de la empleada y la señora? ¿Por qué?
2. ¿Qué cree que pasaría después, en la obra?
3. ¿Cree Ud. que es posible que haya igualdad en la relación entre la señora y la empleada? ¿Por qué sí o por qué no?

Notes

When reading a dramatic passage aloud, remind students to take their time and read clearly.

Invite students to rehearse and present this excerpt from *El delantal blanco,* or another play excerpt of their choosing. Give them ample opportunity to design their production and memorize lines. Insist that students speak only Spanish as they organize and rehearse their productions.

Teacher Resources

 Activity A (CD 18, #21)
Activity B (CD 18, #22)

◆ Answers

A 1. Juegan a cambiarse de ropa y a ser la otra persona.
2. Empieza a actuar como la señora.
3. No le gusta el juego y quiere parar.
4. Se llevan a la señora y la empleada se queda tranquilamente en la playa, con Alvarito.

B Answers will vary.

◆ Activities

Multiple Intelligences (spatial)
Visual students may enjoy designing costumes for this play. How would they envision the important clothing items worn by each of the characters?

Spanish for Spanish Speakers
Invite students to write the next scene for this play. What do they predict will happen? Will the confusion be sorted out? Will the game continue?

Students with Special Needs
Use a story map to help students organize and remember the main elements of this excerpt. Have them record the characters, the setting and the major plot events in the form of a graphic organizer.

National Standards

Communication
1.1, 1.3

Cultures
2.2

Connections
3.1

Activities

Cooperative Learning
Allow students to brainstorm their prewriting ideas in small groups. This way, they can benefit from the ideas of their peers and generate more details for their individual writing.

Expansion
Review with students other works they have read in *¡Aventura! 3* that have clear turning points. Before students complete their own prewriting organizers, have them fill in the chart as it relates to one of the previous selections.

Spanish for Spanish Speakers
Encourage students to isolate common mistakes or patterns of error that often arise in their written work. Direct them to proofread their stories specifically for these elements.

National Standards
Communication
1.3
Connections
3.1

Ud. escribe ■■■■■■■■■■■■■■■

Estrategia
Turning point in a story
Almost all stories have a turning point, after which things change for the characters, or the characters themselves change. You have seen an example of this in *El delantal blanco*. In this play, the turning point is the fight between the domestic and the lady. Before the fight, each character was very different. After the fight, the situation is dramatically changed.

When you write a story, an anecdote or an episode, it is useful to make a diagram like the one below to keep track of what is the turning point and how the characters behave before and after it.

 Escriba un episodio (en forma de narración o en forma de obra de teatro) que ocurra entre un(a) cliente/a y el/la empleado/a de una tienda de ropa o de una peluquería. Piense en cómo son los personajes al principio del episodio, cuál es el clímax, es decir, el momento más importante de la historia, qué eventos causan el clímax, y cómo cambiaron los personajes al final del episodio. Use el vocabulario y la gramática de este capítulo.

Comparta su borrador con otro/a estudiante y pídale sus sugerencias o correcciones. Por último, escriba la versión final para incluir las sugerencias de su compañero/a y para corregir los errores en los tiempos verbales, el uso de las palabras o expresiones de transición y la ortografía.

Clímax

Personaje al principio de la historia.	Hechos que causan el clímax.	Personaje al final de la historia.

Notes

Refer students back to the activities related to *antes de...*, *al...* and *después de...* on page 411. Encourage them to use this structure to help express the idea of a turning point in a story.

After each writing assignment, present the whole group with a summary of the strengths and weaknesses you observed in their written work. The intention is not to isolate individual students and their mistakes, but to analyze the group for patterns of strength and weakness. These observations might be posted in the classroom for student reference in completing their next writing assignment.

Proyectos adicionales ■■■■■■■■

A Conexión con la tecnología

Haga una investigación en la internet sobre diseñadores de moda en México. Escoja uno y escriba un informe sobre él o ella. Diga de dónde es, cuál es su especialidad y, si puede, incluya fotos de algunos de sus modelos. Haga una presentación en clase de su informe.

Un desfile de modas.

B Conexión con otras disciplinas: artesanías

La artesanía mexicana de hoy muestra la influencia de varias culturas indígenas. Ejemplos típicos incluyen objetos de cerámica, piezas de arcilla, tejidos y prendas bordadas. Con un(a) compañero/a, busquen en la internet tres zonas o ciudades de México que se especializan en artesanías y escriban un corto informe para presentar a la clase. Incluyan lo siguiente:

- cultura indígena
- tipo de artesanía
- materiales que se usan

Un armadillo de Oaxaca.

Acompañen su informe con un mapa que indique las zonas que se especializan en artesanías y fotos de los objetos de artesanía.

C Comparaciones

¿Cómo visten los jóvenes en México? Usando revistas o la internet, haga una comparación sobre cómo viste la gente joven en México y cómo se visten en Estados Unidos. Diga qué ropa hay en común, cuáles son algunas de las marcas favoritas y cuáles son los precios de la ropa. Comparta la información con sus compañeros y comenten los resultados.

Capítulo 9 · cuatrocientos veintiuno **421**

Notes Be sure to give students clear expectations or guidelines for their project presentations. You might suggest a particular length of time or presentation structure to help students focus and present their knowledge effectively.

Communities. Whenever students present or display projects they have researched and created, invite other members of the community to share in the presentation. These might include parents and guardians, siblings or other classes.

Activities

Technology
Encourage students working on similar projects to share useful Web sites. Also, encourage students to use technology in their final project presentations. They might produce a computer slide show or a short video to present their information.

National Standards	
Communication 1.3	**Comparisons** 4.2
Cultures 2.1, 2.2	**Communities** 5.1
Connections 3.1, 3.2	

Teacher Resources

El cuarto misterioso
Documental 5

Trabalenguas (CD 18, #23)

 Answers

Así se hace el misterio
1. Era un gran lago.
   Tenochtitlán estaba en el
   centro del lago.
2. Hernán Cortés vivía en la
   Casa Colorada con su amante.
   Allí dio muerte a su esposa
   legítima.
3. La Malinche fue la amante de
   Cortés y la primera indígena
   en aprender el idioma
   español.

Activities

Expansion
The items listed under "I can
also..." may be used as the basis for
additional projects.

Students with Special Needs
Invite students to identify and
isolate those elements with which
they need extra practice. Give
them ample time to refer back to
the pages listed and review.

Trabalenguas
Ask students to create a new
Trabalenguas substituting a
different word that begins with "p"
for peine.

National Standards
Cultures 2.2
Connections 3.1

422

REPASO

Now that I have completed this chapter, I can...	Go to these pages for help:
describe hairstyles.	378, 379
express hypothetical situations.	382, 384
describe clothes and accessories.	388, 389
describe colors.	392
talk about the cleaning and tailoring of clothing items.	398
specify conditions under which things will be done.	402
say to whom things belong.	405
talk about handicrafts.	406

I can also...	
describe what the ancient Aztecs wore.	381
talk about typical markets in Mexico.	391
mention famous Mexican muralists and their work.	396
read about a famous Mexican fashion designer.	401
name some Mexican fashion magazines for young people.	409
describe some aspects of the life of the Tarahumara Indians.	414
read a play by a Chilean playwright.	417

Trabalenguas

Pedro Pérez peluquero prefiere
peines Pirámide
porque peines Pirámide
peinan perfectamente.
¡Prefiera peines Pirámide!

Así se hace el misterio

Después de mirar
Episodios 79–82 de
El cuarto misterioso,
contesta las siguientes
preguntas.

1. Describe la Coyoacán
cuando llegaron los
españoles en 1519.

2. Relata la historia de la
Casa Colorada.

3. ¿Quién fue La
Malinche?

¡Viento en popa!

Notes   Loose translation of the
Trabalenguas:
Hairdresser Pedro Pérez chooses Pyramid
combs because Pyramid combs comb
perfectly. Choose Pyramid combs!

Vocabulario

el **acondicionador** conditioner *9A*
acortar to shorten *9B*
la **aguja** needle *9B*
ajustar to fit *9B*
al fin y al cabo after all *9A*
el **alfiler** pin *9B*
alisar(se) to straighten (one's hair) *9A*
ancho,-a loose, wide *9A*
la **arcilla** clay *9B*
arrugado,-a wrinkled *9B*
la **artesanía** handicraft *9B*
atractivo,-a attractive *9A*
azul marino navy blue *9A*
la **bandeja** tray *9B*
beige beige *9A*
el **bolsillo** pocket *9B*
bordado,-a embroidered *9B*
el **botón,** button
pl. los **botones** *9B*
el **broche** pin, broach *9B*
la **cadena** chain *9B*
el **calzado** footwear *9A*
las **capas** layers *9A*
la **cerámica** ceramics, pottery *9B*
la **cintura** waist *9B*
claro,-a light *9A*
la **cola** ponytail *9A*
el **conjunto** (sweater) set *9A*
el **corte (de pelo)** haircut *9A*
coser to sew *9B*
la **cremallera** zipper *9B*
el **cristal** crystal *9B*
el **cuello** collar *9B*
de buen/mal gusto in good/bad taste *9A*

de lunares polka dot *9A*
de rebaja on sale *9A*
desteñirse(i) to fade, to discolor *9B*
en vez de instead of *9A*
encogerse to shrink *9B*
estampado,-a patterned, printed *9A*
la **estampilla** stamp *9B*
estar de moda to be in fashion *9A*
el **estilo** style *9A*
estrecho,-a narrow, tight *9A*
la **etiqueta** label *9A*
el **flequillo** bangs *9A*
formal formal *9A*
la **ganga** bargain *9A*
gastado,-a worn *9B*
el **gel** gel (hair) *9A*
los **gemelos** cuff links *9B*
grasoso,-a greasy *9A*
hecho a mano handmade *9B*
el **hilo** thread *9B*
horroroso,-a terrible *9A*
informal casual *9A*
ir con to go with, to match *9A*
el **jarrón** vase *9B*
el **joyero** jewelry box *9B*
liso,-a solid color *9A*
el **llavero** key ring, key chain *9B*
la **mancha** stain, spot *9B*
manchado,-a stained *9B*
la **manga** sleeve *9B*
la **máquina de coser** sewing machine *9B*
el **marco de fotos** picture frame *9B*
la **medalla** medal *9B*

mediano,-a medium *9A*
el **metro** measuring tape *9B*
la **moda** fashion *9A*
morado,-a purple *9A*
no tener ni idea de not have the faintest idea about, not have a clue *9B*
ondulado,-a wavy *9A*
oscuro,-a dark *9A*
¡Padrísimo! Great! *9A*
pálido,-a pale *9A*
el **papel de carta** stationery *9B*
el **peinado** hairdo *9A*
la **permanente** permanent *9A*
¡Qué estafa! What a rip-off! *9B*
¿Qué tal si...? How about if...? *9B*
rapar(se) to shave (one's hair) *9A*
la **raya** part (in hair) *9A*
la **rebaja** discount, sale *9A*
rebajado,-a reduced *9A*
rebelde unruly *9A*
recogido,-a gathered up *9A*
el **salón de belleza** beauty parlor *9A*
el **sastre,** la **sastre** tailor *9B*
sin gracia plain *9A*
el **sobre** envelope *9B*
la **solapa** lapel *9B*
la **sudadera** sweatshirt *9A*
suelto,-a loose (hair) *9A*
la **talla** size *9A*
tejido,-a knitted *9B*
teñir(se)(i) to dye *9A*
las **tijeras** scissors *9B*
la **tintorería** dry cleaners *9B*
tomar las medidas to take measurements *9A*
los **vaqueros** jeans *9A*

Las estampillas.

El sobre.

Notes   Remind students that the words and expressions listed here are provided for easy reference and consist of all vocabulary they must know from *Capítulo 9*. Students should review and test themselves over the content of the *Vocabulario* in preparation for the chapter test.

Teacher Resources

Assessment
Test Booklet
Quizzes
ExamView
Assessment Suite

◆ Activities

Critical Thinking
Have students classify the vocabulary presented in *Capítulo 9* under different headings. Then, ask them to organize the vocabulary into these groups.

Pronunciation
To reinforce pronunciation of new vocabulary, have students read the words and phrases aloud and critically listen to their peers. If there are words that students are struggling with, model the correct pronunciation and have them repeat.

Students with Special Needs
Review with students the different settings they have encountered in *Capítulo 9*. Have them write the name of each setting at the top of a piece of chart paper, including the hair salon, the dry cleaner, etc. Then, have students place each vocabulary word into the appropriate setting.

National Standards

Communication
1.2

Connections
3.1

423

Teacher Resources

El cuarto misterioso
Documental 5

 Symtalk   Unit 20

Connections with Parents

Invite community and family members to speak to the group about their own careers and career paths. Students might also interview parents and guardians about their wishes, hopes and predictions for the future. The chapter's theme might culminate in a "Career Day" or "Future Fair" in which students present information they have explored throughout the chapter. Parents and guardians can be encouraged to participate.

◆ Answers

El cuarto misterioso
1. Answers will vary.
2. Answers will vary.
3. Los colores son fuertes y brillantes.
4. Answers will vary.

National Standards

Connections
3.1

Communities
5.1, 5.2

CAPÍTULO 10

Nuestro futuro

El cuarto misterioso

Contesta las siguientes preguntas sobre esta escena del *Documental 5–Gabriel Ibarzábal (Carlos)*

1. ¿Cuáles son algunas comidas típicas de México?
2. ¿Qué sabes de Frida Kahlo?
3. ¿Cómo describirías los colores en los edificios y la ropa?
4. ¿Qué sabes de la personalidad mexicana?

DVD 5, Episodios 83–86. Gabriel prepara una quesadilla.

Objetivos

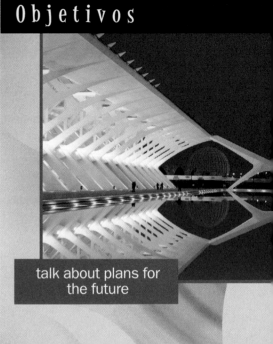

talk about plans for the future

evaluate work conditions

prepare for a job interview

Notes   Review with students the communicative objectives for *Capítulo 10*. A list of these functions appears on page 468 so that they can evaluate their progress.

Communities. Discuss with students the major institutions of higher education in your community. How do they compare with those seen on pages 424–425? Ask students to share experiences and plans they have regarding colleges and universities in your area.

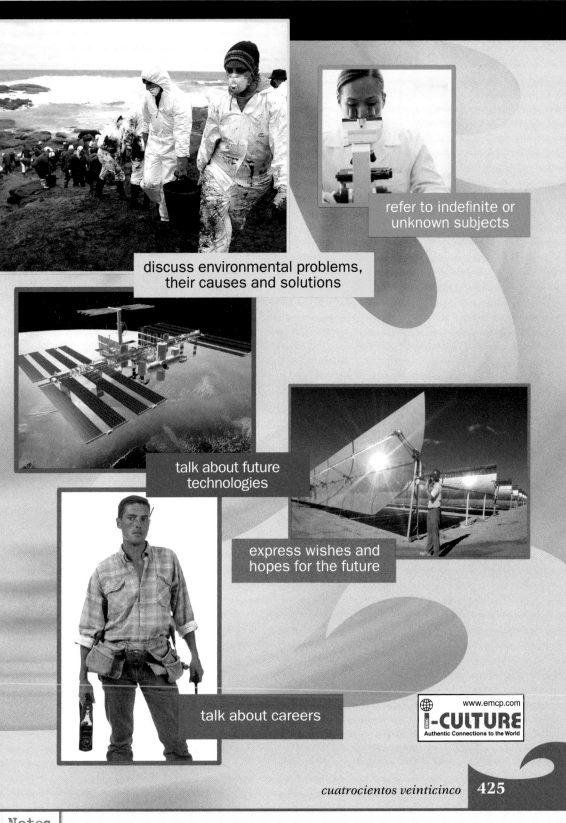

refer to indefinite or
unknown subjects

discuss environmental problems,
their causes and solutions

talk about future
technologies

express wishes and
hopes for the future

talk about careers

www.emcp.com
i-CULTURE
Authentic Connections to the World

cuatrocientos veinticinco **425**

Contexto cultural

España
Nombre oficial: Reino de España
Población: 44.100.000
Capital: Madrid
Ciudades importantes: Barcelona,
Valencia, Sevilla
Unidad monetaria: el euro
Fiesta nacional: 12 de octubre, Día
de la Hispanidad
Gente famosa: Antonio Banderas
(actor); Pablo Picasso (pintor);
Enrique Iglesias (cantante); Penélope
Cruz (actriz)

◆ **Activities**

Expansion
Discuss with students the *gente
famosa* listed in *Contexto cultural*.
Ask students to share their own
knowledge and opinions of these
famous people. Also, have students
brainstorm other well-known
Spaniards, both contemporary and
historical.

Prior Knowledge
Take a few minutes to let students
reflect on the chapter objectives.
Ask students: *¿Qué vas a hacer/
harás este verano?; ¿Qué carrera vas
a seguir en la universidad?; ¿En qué
te consideras hábil para trabajar?;
¿Qué piensas de un empleo que ofrece
el salario mínimo?; ¿Conoces a una
persona que también quiera estudiar
lo mismo que tú?; ¿Qué tecnologías
nuevas necesitas para hacer tu vida
más fácil?; ¿Qué quieres que pase en
el futuro?; ¿Qué problemas ves tú en
el medioambiente? ¿De dónde han
surgido? ¿Qué podemos hacer para
resolverlos?*

National Standards		
Communication		
1.1		
Cultures		
2.2		
Connections		
3.1		

Notes
Capítulo 10 focuses on Spain. Using
the maps at the front of the book or a wall
map, have students describe the location
and geography of Spain.

Teacher Resources

 Vocabulario I
Planes para el futuro
(CD 19, #1)

 Activity 1 (CD 4, #14)

 Activity 37

 Activities 1–3

 Activity 1

 Activities 1–3

 p. 40

Content reviewed in *Lección A*

- careers and professions
- job interviews
- expressing doubt and certainty

 Activities

Expansion

Invite students to share information about their own future career plans. How are they similar to or different from the examples presented?

Pronunciation

Assign individual students to read aloud the different roles presented on pages 426 and 427. Help them emphasize verb endings that give information about the time frame of each sentence.

National Standards

Communication	Communities
1.1	5.1, 5.2
Connections	
3.1	
Comparisons	
4.1, 4.2	

 España

Lección A — Vocabulario I

Planes para el futuro

la diseñadora

el especialista en informática

Aprendí informática el año pasado, pero quiero ir a la universidad para continuar mis estudios y ser especialista en ese campo.

Pablo

Desde pequeña, quería ser diseñadora de moda y tener un puesto en una compañía famosa de ropa.

Beatriz

el psicólogo

la arquitecta

Solicité una beca en la universidad para estudiar psicología. Confío en que me la den.

Víctor

Cuando me gradúe, quiero estudiar arquitectura y hacer prácticas en una empresa.

Carolina

426 *cuatrocientos veintiséis*   **Lección A**

Notes

Connections. Create connections to other fields of study by discussing with students the subject areas involved with each of the career choices discussed. In what subjects would Pablo probably be most interested? What about Carolina?

Discuss with students how they might utilize their Spanish-language skills in their future career plans. How might proficiency in a second language help the careers of the characters presented on pages 426 and 427?

In many Latin American countries, the verb *graduarse* can refer to both high school and college.

la empresaria

el electricista

el fontanero

Mi sueño es estudiar relaciones públicas y tener una empresa. Estoy segura de que valgo para ser empresaria.

Isabel

No sólo me gusta la ingeniería sino que también me especializo en construcción.

Francisco

1 ¿Qué carrera puedo seguir?

 Escuche lo que dicen las siguientes personas sobre lo que les gustaría ser en el futuro. Diga a qué profesión o trabajo se refiere cada una.

1. **A.** cajero   **B.** bombero   **C.** arquitecto
2. **A.** electricista   **B.** fontanero   **C.** mecánico
3. **A.** empresaria   **B.** diseñadora   **C.** veterinaria
4. **A.** recepcionista   **B.** empresario   **C.** médico
5. **A.** periodista   **B.** psicólogo   **C.** repartidor
6. **A.** especialista en informática   **B.** empresaria   **C.** entrenadora de tenis

2 Planes para el futuro

Conteste las siguientes preguntas según la información en el Vocabulario I.

1. ¿Qué quería Beatriz desde pequeña?
2. ¿Por qué quiere ir Pablo a la universidad?
3. ¿Qué solicitó Víctor?
4. ¿Qué va a hacer Carolina cuando se gradúe?
5. ¿De qué está segura Isabel?
6. ¿Qué le gusta a Francisco?

Mi sueño es ir a la universidad.

Capítulo 10   *cuatrocientos veintisiete* **427**

Notes

Have students use the questions in activity 2 as the basis for interviewing their peers. Have them adapt each of the questions and then conduct their interviews. For example: *¿Por qué quieres ir a la universidad?*

Explain that in Latin American countries the preferred term for "plumber" is *plomero*.

Activity 1 is intended for listening comprehension practice. Play the audio of the activity or use the transcript that appears in the ATE Introduction if you prefer to read the activity yourself. You might also encourage student volunteers to read the script aloud to their peers.

Teacher Resources

 Activity 1 (CD 19, #2)

Answers

1   1. C
   2. A
   3. B
   4. B
   5. B
   6. A

2   1. Desde pequeña, ella quería ser diseñadora de modas y tener un puesto en una compañía de ropa famosa.
   2. Porque quiere convertirse en especialista en informática.
   3. Solicitó una beca en la universidad para estudiar psicología.
   4. Cuando se gradúe, va a estudiar arquitectura y hacer prácticas en una empresa.
   5. Está segura de que vale para ser empresaria.
   6. A Francisco le gusta no sólo la ingeniería sino también la construcción.

Activities

Multiple Intelligences (intrapersonal/spatial)
Support students' visual and intrapersonal intelligences by having them create their own panels similar to those presented on pages 426 and 427. Invite students to create a self-portrait within a career scene. Then, have them add text explaining their interest and career choice.

National Standards	
Communication 1.1, 1.2, 1.3	**Communities** 5.1, 5.2
Connections 3.1	
Comparisons 4.1	

427

Teacher Resources

Diálogo I
¿Qué carrera piensas seguir?
(CD 19, #3)
Activity 3 (CD 19, #4)
Activity 4 (CD 19, #5)
Activity 5 (CD 19, #6)

 p. 39

◆ Answers

3 1. Le interesan las relaciones públicas.
2. Emilio va a estudiar arquitectura.
3. A Lucas le gusta la construcción.
4. Necesitaría una beca.
5. Puede conseguir un trabajo mientras continúa sus estudios.

4 Answers will vary.

5 1. D
2. A
3. E
4. B
5. C

◆ Activities

Prereading Strategy
Before reading or listening to the dialog, have students preview the questions in activity 3.

Students with Special Needs
Before listening to the script for activity 5, have students identify and write down the vocabulary word associated with each photograph. Encourage students to review *Vocabulario I* on pages 426 and 427 if necessary.

National Standards	
Communication 1.2	Comparisons 4.1, 4.2
Cultures 2.1	Communities 5.2
Connections 3.1	

428

Diálogo I   ¿Qué carrera piensas seguir?

EMILIO: ¿Qué carrera piensas seguir cuando te gradúes, Virginia?
VIRGINIA: Me voy a especializar en relaciones públicas. ¿Y tú?
EMILIO: Arquitectura. Como mi papá es arquitecto, podré hacer prácticas donde él trabaja.

LUCAS: A mí me gusta la construcción. Todavía no sé si quiero trabajar de fontanero o de electricista.
VIRGINIA: ¿Y no te gustaría estudiar ingeniería?
LUCAS: Quizás, pero necesitaría solicitar una beca en la universidad.

EMILIO: ¿Por qué no averiguas qué becas ofrece la universidad? O también puedes conseguir un trabajo mientras continúas tus estudios.
LUCAS: Es una buena idea. Gracias, Emilio.

3 ¿Qué recuerda Ud.?

1. ¿Qué carrera le interesa a Virginia?
2. ¿Qué va a estudiar Emilio?
3. ¿Qué le gusta a Lucas?
4. ¿Qué necesitaría Lucas para estudiar en la universidad?
5. ¿Qué otra cosa puede hacer Lucas?

4 Algo personal

1. ¿Qué carrera piensa seguir Ud.?
2. ¿Haría prácticas después de graduarse?
3. ¿Dónde le gustaría conseguir un puesto?
4. ¿Qué opina de las becas?

5 La gente y sus trabajos

¡Extra!

Graduarse y licenciarse

En España, cuando una persona se *gradúa* quiere decir que acaba sus estudios secundarios. Cuando se *licencia* es que ha acabado un mínimos de cuatro años de estudios universitarios.

 Indique la letra de la foto que corresponde con lo que oye.

A   **B**   **C**   **D**   **E**

428 *cuatrocientos veintiocho*   **Lección A**

Notes

Comparisons. Explain to students that *hacer prácticas* has a similar meaning to undertaking an internship. Ask students to discuss their own experiences and/or plans for internships or volunteer work related to their chosen careers.

In groups of three, have students change the details of the dialog to relate to their own plans and interests. Give each trio the opportunity to read their dialog aloud to the class.

Cultura viva I

Las primeras universidades de la Península Ibérica

La Universidad de Salamanca es una de las más antiguas de Europa.

Las primeras universidades de la historia surgieron[1] en la Edad Media, en Europa, en un momento de renacimiento cultural y desarrollo económico. En esa época comenzaron las asociaciones gremiales, es decir, de grupos que practicaban el mismo oficio. En este mismo contexto nace también la universidad, como la agrupación de maestros y aprendices, interesados en temas intelectuales. Los primeros estudios fueron de teología (religión) y filosofía. Los estudiantes recibían una licencia o graduación, aprobada por el Papa[2]. Estos gremios recibían también la protección de reyes y emperadores.

En esa época España aún no había nacido y la Península Ibérica estaba dividida en varios reinos[3], cada uno de los cuales tenía su rey. Se empieza a hablar de España cuando la reina Isabel I de Castilla y el rey Fernando el Católico de Aragón unieron sus reinos a finales del siglo XV.

En la Península Ibérica (el territorio que hoy ocupan España y Portugal), la primera universidad que se fundó fue la Universidad de Palencia, creada por Alfonso VIII de León en 1208. Después, Alfonso IX creó la Universidad de Salamanca, en 1218, que pasaría a ser una de las más importantes de Europa. Años más tarde, los reyes de Castilla apoyaron la creación de la Universidad de Valladolid (1297), mientras que Jaime II de Aragón ya había ayudado a crear la Universidad de Lérida en 1279.

[1]appeared   [2]Pope   [3]kingdoms

6 Universidades de España

Conteste las siguientes preguntas.

1. ¿Cuándo surgieron las primeras universidades de la historia?
2. ¿Cómo nacieron las universidades?
3. ¿Cuáles fueron los primeros estudios?
4. ¿Cuál fue la primera universidad de la Península Ibérica?

¡Oportunidades!

Aprenda español en el extranjero

Viajar al extranjero es siempre una buena oportunidad para practicar idiomas. Pero, ¿ha pensado alguna vez en hacer un curso de verano en un país de habla hispana? De este modo, no sólo estaría reforzando su español en clase sino que, al salir, podría ponerlo en práctica a diario, en situaciones reales. Un curso de verano le ofrece la inmersión total que hará que su conocimiento de español avance aún más deprisa. Puede pedir información sobre cursos de verano en la oficina cultural del consulado del país que le interese visitar.

Teacher Resources

 Activity 6 (CD 19, #7)

Activity 2 (CD 4, #15)

Activity 4

◆ Answers

6 1. Surgieron en la Edad Media, en Europa.
2. Nacieron a partir de la asociación gremial de maestros y aprendices.
3. Los primeros estudios fueron de teología y filosofía.
4. La primera universidad de la Península Ibérica fue la Universidad de Palencia, fundada en 1208.

◆ Activities

Students with Special Needs
As students read *Las primeras universidades de la Península Ibérica,* have them organize the information they learn into a time line.

Technology
Even Spain's oldest universities have entered the computer age. Encourage students to visit these institutions' official Web sites.
To learn more about the University of Salamanca, direct students to:
   www.usal.es
The Web site of the University of Valladolid is:
   www.uva.es

National Standards	
Communication 1.2	**Comparisons** 4.2
Cultures 2.1, 2.2	**Communities** 5.1
Connections 3.1, 3.2	

Notes

Comparisons. Students may be interested to learn more about the oldest universities throughout the world. Al-Azhar in Cairo, Egypt, is generally considered the world's oldest university, with its first lectures given in 969 A.D. Bologna, Italy, boasts Europe's oldest institution, founded in 1088. The United States' oldest university is quite "young" comparatively. Harvard was founded in Cambridge, Massachusetts, in 1636.

Activities

Cooperative Learning

Organize students into groups of three or four. Assign each group one or two of the -*iar* and -*uar* verbs presented on page 430. Instruct each group to create a chart showing all present-tense forms of each of their verbs.

National Standards

Comparisons
4.1

Estructura

Verbos que terminan en -*iar*, -*uar*

Most verbs ending in -*iar* and -*uar* are regular verbs.

*Yo **estudio** arquitectura.*	I **study** architecture.
*Ellos **averiguan** cuándo es la entrevista.*	They **are finding out** when the interview is.

Some verbs break the dipthong and add an accent mark in all the present indicative, command, and present subjunctive forms except the *nosotros* form.

***Confío** en ti.*	I **trust** you.
***Continúe** con lo que está haciendo.*	**Continue** with what you are doing.
*Espero que él **se gradúe** este año.*	I hope he **graduates** this year.
*Nosotros **actuamos** en la obra de teatro.*	We **act** in the play.

Verbos que terminan en -*iar*	
*cambiar *(to change)*	yo cambio
confiar *(to trust)*	tú confías
enviar *(to send)*	ellos envían
*estudiar *(to study)*	él estudia
esquiar *(to ski)*	nosotros esquiamos
fotografiar *(to photograph)*	vosotros fotografiáis
guiar *(to guide)*	ellos guían
*limpiar *(to clean)*	nosotros limpiamos
vaciar *(to empty)*	ella vacía

Verbos que terminan en -*uar*	
actuar *(to act)*	yo actúo
continuar *(to continue)*	tú continúas
evacuar *(to evacuate)*	él evacúa
evaluar *(to evaluate)*	nosotros evaluamos
graduarse *(to graduate)*	vosotros os graduáis
situar *(to locate)*	ellas sitúan

Verbs that end in -*eír*, like *reír(se)* and *freír*, keep a written accent in all forms.

*Nosotros **freímos** las papas.*	We **fry** the potatoes.
*Todos **se ríen** en la foto.*	Everybody **is laughing** in the picture.

*These verbs do not carry an accent mark.

Notes Before reading the information on page 430, have students brainstorm as many -*iar* and -*uar* verbs as they can. Discuss with students the present-tense indicative and subjunctive forms of these verbs. Note for the class that some verbs add an accent mark in these forms.

Práctica

Complete el siguiente anuncio con el presente de los verbos entre paréntesis.

ESCUELA DE ESTUDIOS SUPERIORES

¿Sabía Ud. que miles de estudiantes *(1. graduarse)* todos los años?
Ud. puede ser uno de ellos.
Si Ud. *(2. continuar)* sus estudios con nosotros, su vida cambiará.
La escuela ofrece estudios en psicología, informática y relaciones públicas.
También ofrece hacer prácticas en empresas.
Nosotros le *(3. enviar)* por correo la información que necesita y *(4. evaluar)*
la situación de cada estudiante.
Recuerde que si Ud. *(5. estudiar)* con los mejores, no perderá el tiempo.
¡Lo esperamos! ¡Llámenos hoy!

Escuela de Estudios Superiores • Teléfono: 555 56 78 • Madrid

8 **¿Qué hacen?**

Complete las oraciones usando los datos de las dos columnas. Use los verbos
en los tiempos verbales que se indican.

I	II
1. No puedo creer que Víctor ya tenga 17 años y que...	actuar en una compañía de teatro. (presente del indicativo)
2. Susana es actriz y...	estudiar arquitectura. (presente del indicativo)
3. Como estudio ingeniería, sugieren que...	evaluar el trabajo de nuestros compañeros. (presente del subjuntivo)
4. Al hermano de María le gusta diseñar edificios y...	graduarse el año próximo. (presente del subjuntivo)
5. La profesora nos pide que...	guiar a los estudiantes para solicitar becas. (presente del indicativo)
6. Los consejeros del colegio...	continuar trabajando para la empresa de construcción. (presente del subjuntivo)

  ## Comunicación

9 **Planes para el futuro**

Con su compañero/a, hablen sobre qué carrera piensan seguir. Investiguen
dónde pueden estudiar esas carreras, cuánto tiempo hay que estudiar y
dónde pueden trabajar después de que se gradúen. Comenten también
por qué les gustaría estudiar esas carreras y si conocen a alguien que esté
trabajando en ese campo.

> **MODELO** Cuando me gradúe, voy a estudiar ingeniería. Puedo estudiar esa carrera en la
> Universidad de Madrid...

Notes
    Have students create an
announcement for their own present or
future school.

If students have difficulty getting their
conversations started in activity 9, have
them draft questions and conduct their
exchanges as an interview.

 ## Answers

7 1. se gradúan
  2. continúa
  3. enviamos
  4. evaluamos
  5. estudia

8 1. No puedo creer que Víctor ya tenga 17 años y que se gradúe el próximo año.
  2. Susana es actriz y actúa en una compañía de teatro.
  3. Como estudio ingeniería, sugieren que continúe trabajando para la empresa de construcción.
  4. Al hermano de María le gusta diseñar edificios y estudia arquitectura.
  5. La profesora nos pide que evaluemos el trabajo de nuestros compañeros.
  6. Los consejeros del colegio guían a los estudiantes para solicitar becas.

9 Creative self-expression.

Activities

Pronunciation
After students have completed
activity 7, have them read the
announcement aloud. Encourage
them to emphasize those forms
that add an accent.

Technology
Give students the opportunity
to tape-record and then listen to
their conversations in activity 9.
Encourage them to listen critically
and to rerecord if necessary.

National Standards
Communication 1.1, 1.3
Connections 3.1, 3.2
Communities 5.2

 431

Teacher Resources

Vocabulario II
Cómo prepararse para una entrevista (CD 19, #8)

Activity 4 (CD 4, #17)

Activity 38

Activities 8–9

Activity 3

Activities 5–7

◆ Activities

Expansion
Have students create a background description for each of the individuals presented on page 432. Encourage them to add additional lines to each of the comments.

Pronunciation
Have students read the dialogs on page 432 aloud. Model correct pronunciation and have them repeat after you.

National Standards
Communication 1.1
Connections 3.1
Communities 5.1

432

Vocabulario II
Cómo prepararse para una entrevista

Notes Have students isolate new words and phrases from the complete sentences presented. Help them use context clues to discern the meaning of these new terms.

Have students draft their own versions of what they consider a good job application. What information would they ask for? What questions would they ask?

Answers

10 1. en paro
2. su sueldo
3. de jornada completa
4. rellenar un formulario
5. Tengo facilidad
6. emprendedora

11 1. E
2. D
3. B
4. F
5. C
6. A

10 Hablando del trabajo

 Escuche las oraciones. Escoja la palabra o frase que completa correctamente cada oración que sigue para que su significado sea similar al de la oración que oye.

1. Hace un año que mi hermano está *(trabajando / en paro)*.
2. En la entrevista, el jefe le dijo a Juan cuánto iba a ser *(su sueldo / sus beneficios)*.
3. Dudo que el trabajo sea *(de jornada completa / de media jornada)*.
4. Antes de la entrevista, hay que *(leer los conocimientos / rellenar un formulario)*.
5. *(Tengo requisitos / Tengo facilidad)* para las matemáticas.
6. Mis amigos dicen que soy una persona *(emprendedora / temporal)*.

11 Definiciones

Lea las definiciones y escoja la palabra que corresponde a cada una.

1. Lo que escribe una persona para recomendar a otra.
2. Dinero que gana una persona.
3. Trabajo de pocas horas por semana.
4. Trabajo de ocho horas por día.
5. Hoja con la información sobre los conocimientos y los estudios de una persona.
6. Cuando algo dura poco tiempo.

A. temporal
B. de media jornada
C. currículum vitae
D. sueldo
E. las referencias
F. de jornada completa

Notes

Discuss with students the pros and cons of working full-time as opposed to part-time. Have them record their thoughts in the form of a graphic organizer.

Encourage students to use the Internet to research current average salaries for different lines of work. Have them present their findings in the form of a chart or a graph.

 Activities

Critical Listening
Before students listen to the script for activity 10, have them identify and discuss the difference between the two choices listed.

Multiple Intelligences (intrapersonal)
Support students' intrapersonal intelligence by giving them the opportunity to role-play different job interview situations. Also, have students brainstorm a list of the characteristics and qualities that they feel are important to display during a job interview.

Spanish for Spanish Speakers
Have students write a personal reference for one of their peers. Encourage them to tailor their language to a professional or academic audience.

National Standards
Communication 1.1, 1.2, 1.3
Connections 3.1

Teacher Resources

Diálogo II
¿Tiene Ud. referencias?
(CD 19, #10)
Activity 12 (CD 19, #11)
Activity 13 (CD 19, #12)
Activity 14 (CD 19, #13)

◆ Answers

12 1. Lo primero que le pregunta
el jefe es si rellenó el
formulario.
2. Sí, lo tiene.
3. Tiene conocimientos de
informática.
4. Tiene facilidad para las
matemáticas.
5. Busca un trabajo de media
jornada.
6. Le dice que la pondrá a
prueba igualmente.

13 Answers will vary.

14 1. B
2. C
3. F
4. E
5. A
6. D

◆ Activities

Cooperative Learning

In small groups, have students draft
yes or no questions based on the
dialog *¿Tiene Ud. referencias?* Have
each group present their questions
to be answered by the whole class.

TPR

As students answer the questions
in activity 12, have them physically
point to the text in the dialog that
supplied the answer. Then have
them read their answers aloud.

National Standards
Communication 1.1, 1.2, 1.3
Connections 3.1
Communities 5.1

434

Diálogo II   ¿Tiene Ud. referencias?

VIRGINIA: Estoy interesada en el
puesto de secretaria.
JEFE: Muy bien. ¿Rellenó ya el
formulario?
VIRGINIA: Sí, aquí lo tengo.
JEFE: ¿Tiene su currículum
vitae?
VIRGINIA: Sí, aquí está.

JEFE: Es importante que
tenga conocimientos de
informática.
VIRGINIA: Pues, estudié en
el colegio. Y tengo
facilidad para las
matemáticas.
JEFE: ¿Ha trabajado en
equipo antes?
VIRGINIA: Sí, el año pasado.

JEFE: ¿Qué tipo de trabajo busca?
VIRGINIA: De media jornada.
JEFE: Es posible que haya un
puesto de media jornada.
Otra pregunta: ¿Tiene
VIRGINIA: No, me las olvidé.
JEFE: Bueno, la pondré a prueba
igualmente. Empieza
mañana.

¿Qué recuerda Ud.?

1. ¿Qué es lo primero que le pregunta el jefe a Virginia?
2. ¿Tiene Virginia su currículum vitae?
3. ¿Qué conocimientos tiene Virginia?
4. ¿Para qué tiene facilidad Virginia?
5. ¿Qué tipo de trabajo busca Virginia?
6. ¿Qué hace el jefe cuando Virginia le dice que se olvidó las referencias?

Algo personal

1. ¿Ha tenido alguna vez una entrevista de trabajo?
2. ¿Tiene ya su currículum vitae?
3. ¿Qué conocimientos tiene Ud.?
4. ¿Para qué tiene facilidad?
5. ¿Le gustaría trabajar en equipo o por su cuenta?
6. ¿Qué beneficios le gustaría tener en su trabajo?

¿Cuál fue la pregunta?

 **Escuche las siguientes
respuestas y escoja la
pregunta que corresponde
a cada una.**

A. ¿En qué se especializa?
C. ¿Cuáles son los requisitos?
F. ¿Trabaja solo o en equipo?
D. ¿Qué necesito rellenar?
E. ¿Cómo es el trabajo?
B. ¿Cuánto tiempo hace que no trabaja?

Notes
Ask students who have part-time
or after-school jobs to share information
about their positions, responsibilities and
schedules. Ask them to recount the story of
how they acquired their jobs. Also, ask them
to talk about how their current jobs relate to
their future career goals.

Cultura viva II

Cómo se hace un currículum en España

Un currículum o currículum vitae (que en latín quiere decir *carrera de vida*) puede ser muy distinto según el país. Una de las grandes diferencias entre un currículum estadounidense y uno español es que en España la persona debe incluir su fecha de nacimiento o edad, mientras que en Estados Unidos esto no se consideraría correcto. Un currículum español también debe incluir el estado civil[1] y el número de hijos si la persona es casada. Muchas empresas también requieren una foto con el currículum.

El de la derecha es un currículum al estilo español.

Currículum vitae: Carolina García

DATOS PERSONALES

Nombre: Carolina García
Dirección: Calle Almendralejo, 28 4° 2ª, 08025 Barcelona
Teléfono: (93) 555-1234
Fecha de nacimiento: 29 de febrero de 1985
Estado civil: soltera

FORMACIÓN ACADÉMICA

- 2003 hasta la actualidad: estudios de periodismo en la Universidad Autónoma de Barcelona
- 1998-2003: Estudios de grado medio en el Instituto Pau Claris, Barcelona
- 1994-1998: Estudios de primer y segundo ciclo de ESO en la escuela Víctor Català, Barcelona
- 1991-1994: Estudios de Educación General Básica en la escuela Romeu, Barcelona

IDIOMAS

- Castellano
- Catalán
- Inglés

AFICIONES

- Informática y juegos de ordenador
- Natación y baloncesto
- Cine

---

[1] marital status

 15 ¿Cómo es su currículum?

Conteste las siguientes preguntas.

1. ¿En qué se diferencia su currículum del de Carolina García?
2. ¿Qué datos tendría que incluir en su currículum para buscar trabajo en España?
3. ¿Cuál es, según Ud., el dato más importante de su currículum?

> • Use el currículum de esta página como modelo para escribir su propio currículum. Piense en sus aficiones como algo que complementa sus estudios y experiencia. Cuando termine de escribirlo, revíselo bien para que no tenga errores.

Capítulo 10

cuatrocientos treinta y cinco **435**

Teacher Resources

Activity 15 (CD 19, #14)

Activity 4

Answers

15 Answers will vary.

Activities

Prereading Strategy
Before students read *Cómo se hace un currículum en España,* ask them to describe and discuss the example presented. What do they already notice about the similarities and differences between a Spanish and American *curriculum vitae?*

Students with Special Needs
Use a table or chart to help students organize and document the information they encounter in the selection.

Technology
Encourage students to work on the computer to draft and format their own *curriculum vitae*. Encourage them to experiment with spacing, fonts and organization to present the clearest and most professional-looking document.

National Standards	
Communication 1.3	**Communities** 5.1, 5.2
Connections 3.1, 3.2	
Comparisons 4.2	

Notes

Connections. Invite your school's career or guidance counselor to speak to students about an effective resume and *curriculum vitae*. If there are workshops at your local public library or job center on the subject, encourage students to attend and report their findings back to the whole class.

There are many resources available for American students interested in studying in Spain, as well as for Spanish students looking to study in the United States. Some U.S. universities even have programs where students can study for two years in one country and two years in the other. Have students use the local library or the Internet to explore these opportunities.

Activities

Cooperative Learning

Organize students into groups of three or four. Assign each group one of the situations described on page 436. Have each group create four or five additional examples of that type of expression. For example, one group might be assigned *using the subjunctive after expressions of doubt.* Another group might create examples of *using the indicative after impersonal expressions of certainty.*

Critical Thinking

Before students read page 436, set up a two-column chart with the following headings: *subjuntivo* and *indicativo.* Ask students to brainstorm situations that call for the subjunctive and the indicative. After students have documented their ideas, have them read page 436 and add additional information to the chart if necessary.

Spanish for Spanish Speakers

Ask students to create additional examples of sentences in the subjunctive and indicative for each type of expression that is presented.

National Standards
Communication 1.1
Comparisons 4.1

 Idioma

Estructura

Usos del subjuntivo y del indicativo

Use the subjunctive:

- after expressions of doubt

  No creo que ellos tengan experiencia.   I don't think they have experience.
  Dudo que ella sea emprendedora.   I doubt that she's enterprising.
  No estoy seguro de que te conozca.   I'm not sure I know you.

- after impersonal expressions of uncertainty or doubt

  No es verdad que él tenga dos cartas de referencia.   It's not true that he has two letters of recommendation.

- to give advice and make suggestions or recommendations

  Jorge dijo que rellenáramos el formulario.   Jorge told us to fill out the form.

- to refer to an indefinite or unknown person or object

  Necesito una persona que sepa español.   I need someone that speaks Spanish.

- after certain conjunctions such as *aunque, cuando, en cuanto, hasta que, tan pronto como,* if the outcome of the action is uncertain

  Voy a comprar esa computadora aunque sea cara.   I am going to buy that computer even though it could be expensive. (It's possible that it may be expensive.)

  Lo compraré cuando tenga dinero.   I'll buy it when I have money.

Use the indicative:

- to express certainty

  Creo que ellos tienen experiencia.   I think they have experience.
  No dudo que sea emprendedora.   I don't doubt she is enterprising.
  Estoy seguro de que te conozco.   I am sure I know you.

- after impersonal expressions of certainty

  Es cierto que ella es muy trabajadora.   It's true she is hardworking.

- to report actions

  Jorge dijo que su hermano aceptó el trabajo.   Jorge said his brother accepted the job.

- to refer to known people or objects

  Necesito a la profesora que sabe español.   I need the teacher that speaks Spanish. (I know she exists.)

- after certain conjunctions if the outcome of the action is certain

  Voy a comprar esa computadora aunque es cara.   I am going to buy that computer even though it is expensive. (I know the price.)
  Lo compré cuando tenía dinero.   I bought it when I had money.

Notes

Have students look through the previous chapters in *¡Aventura! 3* to find the original presentation of each of the grammar elements presented on this page. If necessary, have students review these pages to reinforce specific points.

Práctica

 16 Trabajos

Con su compañero/a, hablen sobre cómo conseguir un trabajo. Decidan si deben usar el indicativo o el subjuntivo en las siguientes oraciones.

MODELO La profesora quiere que *(hagamos / hacemos)* el currículum vitae.
La profesora quiere que hagamos el currículum vitae.

1. Las referencias que *(traes / traigas)* no son muy claras.
2. En la tienda necesitan una persona que *(vive / viva)* en el barrio.
3. Es cierto que Mario *(sea / es)* muy emprendedor.
4. Dicen que *(tenemos / tengamos)* facilidad para las matemáticas.
5. Hablaré con el jefe en cuanto *(puedo / pueda)*.
6. En el anuncio piden una persona que *(sepa / sabe)* hablar francés.

17 En la empresa

Imagine que trabaja en una empresa. Complete las oraciones con los verbos en subjuntivo o en indicativo, según corresponda.

MODELO Se necesita un contador que trabaje a tiempo completo. *(trabajar)*

1. No conozco al jefe que __ en tu sección. *(estar)*
2. En la entrevista, te piden que __ varios formularios. *(rellenar)*
3. Debo hablar con la empleada que __ informática. *(saber)*
4. El jefe me explicará mis beneficios después de que __ la entrevista. *(terminar)*
5. Dudo que __ a más empleados esta semana. *(contratar)*
6. No es verdad que la empresa __ a prueba a todos sus empleados. *(poner)*

  18 Consejos

Su amigo/a está muy nervioso/a porque tiene una entrevista de trabajo y le hace muchas preguntas. Dígale lo que debe hacer usando los verbos *aconsejar* y *recomendar* y el subjuntivo.

MODELO hablar sobre mi experiencia
A: ¿Hablo sobre mi experiencia?
B: Sí, te aconsejo (recomiendo) que hables sobre tu experiencia.

1. escribir un currículum vitae
2. averiguar qué clase de beneficios ofrecen
3. rellenar los formularios antes de la entrevista
4. pedirles cartas de referencia a mis profesores
5. explicarle mis conocimientos al jefe
6. preguntar si el trabajo es de media jornada o de jornada completa

---

 Answers

16 1. traes
2. viva
3. es
4. tenemos
5. pueda
6. sepa

17 1. está
2. rellenes
3. sabe
4. termine
5. contraten
6. ponga

18 1. ¿Escribo… / Sí, te aconsejo (recomiendo) que escribas…
2. ¿Averiguo… / Sí, te aconsejo (recomiendo) que averigües…
3. ¿Relleno… / Sí, te aconsejo (recomiendo) que rellenes… .
4. ¿Les pido… / Sí, te aconsejo (recomiendo) que les pidas…
5. ¿Le explico… / Sí, te aconsejo (recomiendo) que le expliques…
6. ¿Pregunto… / Sí, te aconsejo (recomiendo) que preguntes…

 Activities

Critical Thinking
After students have completed activities 16 and 17, have them explain the rationale for their answers. What about each statement expresses doubt or certainty?

National Standards
Communication 1.1
Connections 3.1

Notes
After students complete the activities in writing, have them read their responses aloud to the group or to a partner. After they have completed conversational activities, as with activity 18, have them write their answers down. In this way, multiple modes of communication are reinforced in the same exercise.

Answers

19 Creative self-expression.
20 Creative self-expression.

Activities

Critical Listening
Give pairs of students the opportunity to present their dialogs from activity 19 to the whole group. Then ask follow-up questions to assess the group's understanding of the situation presented in the dialog.

Students with Special Needs
Before students start their discussions in small groups, have the whole group create a resource bank of expressions that express doubt and certainty. Keep these lists available for students to reference during their group discussions.

Comunicación

19 Una entrevista de trabajo

Con su compañero/a, imaginen que están en una entrevista de trabajo. Túrnense para hacer los papeles de jefe/a y candidato/a. Creen un diálogo usando las expresiones de la caja. Incluyan la siguiente información.

aunque	le recomiendo...	le sugiero...
cuando	tan pronto como	dudo que...
no creo que...	estoy seguro/a de que...	

- para qué puesto de trabajo es la entrevista
- si es para un puesto temporal o fijo
- si tiene o no experiencia en ese campo
- por qué quiere trabajar en ese campo
- cuál será el sueldo
- qué beneficios ofrece
- si el trabajo será de media jornada o de jornada completa

Una entrevista de trabajo.

MODELO **A:** Tan pronto como me gradúe quiero un puesto en el campo de la informática.
B: Entonces, le sugiero que nos envíe su currículum vitae.
A: ¿Lo puedo enviar por correo electrónico?
B: Preferimos que lo haga por correo.

20 El futuro

En grupos de cuatro, hablen sobre eventos que puedan ocurrir en el futuro en las categorías que se mencionan. Usen frases como: *no creo que, dudo que, creo que, estoy seguro/a de que, niego que.* Recuerden que si existe certeza *(certainty)* deben usar el indicativo, y si no están seguros/as, deben usar el subjuntivo. Un miembro del grupo debe anotar las opiniones de los demás. Luego, comparen sus opiniones con las de otros grupos.

MODELO Dudo que en el futuro haya trabajos de jornada completa.

- los estudios
- las profesiones
- los trabajos
- la salud
- la comida
- la familia
- el entretenimiento

Estrategia

Group words into categories
Whenever you're asked to talk about a variety of topics, you might find it useful to resort to word lists grouped by categories. For example, if you were to deliver an oral presentation about employment, you could group job-related words under categories such as professions, careers, places of work, job conditions, job requirements, qualifications, and so on.

Notes Whenever students are called on to create their own dialogs, encourage them to document their work in script form. Create a resource binder of original dialogs that can be used for additional practice.

By going to the library or accessing the Internet, students might expand their research on one of the topics presented in activity 20. For example: what are experts in the field or recent studies predicting about the future of the workplace or the family? Students can use the data they acquire to complete their statements.

National Standards

Communication
1.1, 1.3

Connections
3.1

Communities
5.1

438

Repaso rápido

El subjuntivo con sujeto indefinido

The subjunctive is used with relative pronouns such as *que* or *donde* to refer to an indefinite or unknown person or object.

Hace meses que busco un puesto **que pague** *un buen sueldo.*	I've been looking for a job **that pays** a good salary for months.
Quiero un trabajo **donde** *no* **haya** *que viajar.*	I want a job that **does** not **require** traveling.
En esta empresa necesitan una persona **que sepa** *diseñar programas.*	In this company they need a person **that knows** how to design programs.

Note that when the indefinite subject is a person, the personal *a* is omitted. However, when the pronouns *alguien, nadie, alguno(a, os, as)*, and *ninguno(a)* are the direct object, the personal *a* is required.

¿Conoces a alguien que cumpla con los requisitos de este puesto?	¿Do you know someone that has the qualifications for this job?
No, no conozco a nadie que se especialice en construcción.	No, I don't know anyone who specializes in construction work.

21 Necesitamos...

Imagine que Ud. trabaja en la sección de clasificados de un periódico. Escriba los anuncios según las indicaciones.

MODELO necesitamos / diseñadora / tener experiencia / diseños de moda / gustar trabajar en equipo
Necesitamos una diseñadora que tenga experiencia en diseños de moda y que le guste trabajar en equipo.

1. busco / carpintero / trabajar media jornada / saber construir muebles
2. necesito / vendedora / ser emprendedora / querer trabajar por su cuenta
3. se solicitan / agentes de viaje / poder viajar con frecuencia / tener su propio coche
4. Buscamos / algún estudiante / ser amable y responsable / querer hacer prácticas en nuestra empresa
5. se solicita / psicóloga / especializarse / psicología infantil y juvenil / tener su propio consultorio
6. ¿necesita Ud. / alguien / enseñar español / poder trabajar tres días a la semana?

Busco trabajo en carpintería.

Notes

Encourage students to locate Spanish-language newspapers and read the help wanted ads. Have them look for examples of the use of the subjunctive after a relative pronoun.

After students have completed activity 21, have them create one additional ad for their own "dream job." Remind them to include information regarding the responsibilities and the necessary qualifications.

Teacher Resources

 Activity 6 (CD 4, #19)

 Activities 12–13

 Activity 10

Answers

21 1. Busco un carpintero que trabaje media jornada y que sepa construir muebles.
2. Necesito una vendedora que sea emprendedora y que quiera trabajar por su cuenta.
3. Se solicitan agentes de viaje que puedan viajar con frecuencia y que tengan su propio coche.
4. Buscamos a algún estudiante que sea amable y responsable y que quiera hacer prácticas en nuestra empresa.
5. Se solicita psicóloga que se especialice en psicología infantil y juvenil que tenga su propio consultorio.
6. ¿Necesita Ud. a alguien que enseñe español y que pueda trabajar tres días a la semana?

Activities

Multiple Intelligences (spatial)
Support students' visual and spatial intelligences by allowing them to not only write but also design a full newspaper page for their classified ads in activity 21. Encourage them to add icons or graphics if appropriate.

National Standards
Communication 1.3
Connections 3.1, 3.2
Comparisons 4.1

Teacher Resources

Lectura cultural
Carreras con futuro
(CD 19, #15)
Activity 22 (CD 19, #16)
Activity 23 (CD 19, #17)

p. 41

 Answers

22 1. Hay una tendencia hacia
   los trabajos temporales,
   la movilidad y la
   especialización.
2. Las profesiones relacionadas
   con ingeniería, informática,
   química, farmacia y biología.
3. Answers will vary but
   may include: el diseño
   industrial, las ciencias
   ambientales, el mercadeo,
   el comercio por la internet.

23 Answers will vary.

 Activities

Critical Thinking
Have students complete an outline
of the information presented in
Carreras con futuro. Have them
identify the main idea of each
paragraph as well as the supporting
details. For example, the first
paragraph might read:
I. Cambios en el mercado de trabajo
   A. trabajos temporales
   B. movilidad geográfica
   C. especialización

Prereading Strategy
Have students preview the
questions in activity 22. Then
have them draft their own answers
based on their predictions about
what the selection will say.

National Standards

Communication	Communities
1.2	5.1, 5.2
Cultures	
2.1	
Connections	
3.1	

Lectura cultural

Carreras con futuro

Los tiempos han cambiado y con la llegada de las nuevas tecnologías, también lo han hecho el mercado de trabajo y las profesiones. Ahora, el trabajo estable tradicional ya no es la única opción. Según opinan los expertos, hay una tendencia hacia los trabajos temporales, que serán lo más habitual en el futuro. También habrá más movilidad geográfica (es decir, que el trabajador tendrá que ser flexible a la hora de mudarse a otra ciudad o incluso país) y especialización.

Las profesiones y oficios en los que hoy en día hay más posibilidades de encontrar trabajo son las relacionadas con ingeniería, informática, química, farmacia y biología. Por el contrario, no hay muchos puestos para carreras de humanidades.

Hay muchos puestos para ingenieros.

Los sectores con más futuro incluyen el medio ambiente, la comunicación, las telecomunicaciones, el ocio, el transporte, los servicios financieros, la construcción, los seguros[1] y la asistencia a la tercera edad[2].

A la hora de decidir qué carrera estudiar, es importante tener en cuenta si será fácil encontrar trabajo en ese campo. Mientras que las carreras tradicionales, como las de derecho, medicina y economía siempre tendrán demanda, hay nuevos estudios que también serán importantes. Entre ellos se encuentran la ingeniería de sistemas informáticos, la ingeniería de telecomunicaciones (que cubre las redes informáticas, la tecnología digital y la electrónica), el diseño industrial, que combina las artes con la tecnología, las ciencias ambientales, la biotecnología, la traducción, la cirugía médica con especialización en los transplantes de órganos, el comercio por la internet y la administración y mercadeo[3].

[1]insurance   [2]care of senior citizens   [3]marketing

22 **¿Qué recuerda Ud.?**

1. ¿Cómo es el mercado de trabajo actual?
2. ¿Qué profesiones tienen más posibilidades de encontrar rabajo hoy?
3. Mencione tres nuevos estudios que serán importantes en el futuro.

23 **Algo personal**

1. ¿Cuál de las carreras y profesiones que se mencionan en el texto le interesa más? ¿Por qué?
2. En el futuro, ¿aceptaría Ud. un trabajo en el que tuviera que mudarse a otra ciudad? ¿En qué condiciones?

> • Haga una encuesta en clase para averiguar qué carreras y profesiones con futuro les interesan más a sus compañeros.

La cirugía tendrá demanda.

Notes

Have students choose one of the fields mentioned in *Carreras con futuro* in order to undertake further research. Students can choose a field that interests them personally and look into educational institutions, training programs and possible future career paths.

As in many countries, Spain has experienced an increase in population in urban areas and a decrease in population in rural areas and small towns. One reason is that many of the careers of the future are located in major urban centers. Over the years, many people have relocated to six cities in Spain: Madrid, Barcelona, Malaga, Sevilla, Valencia and Zaragoza.

Autoevaluación

Como repaso y evaluación, responda lo siguiente:

1. Mencione las profesiones que Ud. asocia con estos campos: *arquitectura, moda, construcción, empresas, psicología.*

2. ¿Cuál fue la primera universidad que se fundó en la Península Ibérica? ¿En qué año se fundó?

3. Ponga el acento a las palabras que lo necesitan: *yo me graduo, el esquia, nosotros confiamos, ellos averiguan, tu continuas.*

4. ¿Qué documentos necesita llevar a una entrevista? ¿Qué necesita rellenar?

5. ¿Cómo definiría Ud. un trabajo de media jornada? ¿Y un trabajo de jornada completa?

6. Mencione un dato en un currículum español que generalmente no aparece en un currículum estadounidense.

7. Complete las siguientes oraciones. *Dudo que Marta... Estoy segura de que Marta...*

8. Escriba una oración usando el subjuntivo con sujeto indefinido.

9. Mencione dos estudios que serán importantes en el futuro.

Palabras y expresiones

How many of these words and expressions do you recognize?

Los estudios
- la arquitectura
- la beca
- el campo
- los estudios
- la ingeniería
- la informática
- la psicología
- las relaciones públicas

Trabajos y profesiones
- el arquitecto, la arquitecta
- el diseñador, la diseñadora
- el electricista, la electricista
- el empresario, la empresaria
- el especialista, la especialista
- el fontanero, la fontanera
- el jefe, la jefa
- el psicólogo, la psicóloga

La entrevista
- los beneficios
- los conocimientos
- el currículum vitae
- el formulario
- la jornada completa
- la media jornada
- el puesto
- las referencias
- los requisitos
- el sueldo

Adjetivos
- emprendedor,-a
- fijo,-a
- temporal

Verbos
- contratar
- cumplir con
- especializarse en
- graduarse
- rellenar
- solicitar

Otras palabras y expresiones
- la construcción
- en equipo
- estar en paro
- hacer prácticas
- poner a prueba
- por mi/su cuenta
- tener facilidad para...

Una electricista.

Capítulo 10   *cuatrocientos cuarenta y uno*   **441**

Teacher Resources

 Activity 14

p. 117

Answers

Autoevaluación
Possible answers:

1. Arquitecto/a, diseñador/a, ingeniero/a, empresario/a, psicólogo/a.
2. La primera universidad que se fundó en la Península Ibérica fue la Universidad de Palencia. Se fundó en 1208.
3. Yo me gradúo, él esquía, tú continúas.
4. Necesito llevar el currículum vitae y las referencias. Debo rellenar un formulario.
5. En un trabajo de medio jornada una persona no trabaja todos los días de la semana. En un trabajo de jornada completa una persona trabaja todos los días de la semana.
6. La fecha de nacimiento o la edad de la persona.
7. Dudo que Marta consiga ese trabajo. Estoy segura de que Marta trabaja en esa empresa.
8. Necesito una persona que tenga conocimientos de informática.
9. La ingeniería de sistemas informáticos y el diseño industrial.

Notes

Encourage students to use the work they have created thus far in *Capítulo 10*, such as their *curriculum vitae*, their original dialogs and their employment ads, as resources for review.

Have students review the list of *Trabajos y profesiones* by playing a modified game of Charades. Have one student choose a professional role to act out. Have the other students name the career.

Students should visit the Internet Resource Center at www.emcp.com to complete this activity online and check answers.

National Standards
Communication 1.3
Connections 3.1
Comparisons 4.2

Vocabulario I
¿Qué nos traerá el futuro?
(CD 20, #1)

Activity 1 (CD 4, #20)

Activity 39

Activities 1–3

Activity 1

Activities 1–2

p. 42

Content reviewed in *Lección B*

- inventions and technology
- talking about events that will have been completed in the future
- expressing wishes and conditions
- problems of the environment

Activities

Prereading Strategy

Before introducing students to the vocabulary on pages 442 and 443, create a concept web around the topic *el futuro*. Ask students to describe things and ideas that they associate with the future. If students do not have the specific vocabulary needed, encourage them to use circumlocution to describe what they mean.

National Standards

Communication
1.1

Connections
3.1

Comparisons
4.1

442

España

Lección B — Vocabulario I

¿Qué nos traerá el futuro?

los genes

el virus

el microscopio

la realidad virtual

¿Qué inventos predices que habría si estuviéramos en el año 2025?

Yo creo que si estuviéramos en el año 2025, habría muchos avances tecnológicos y científicos. Soy muy optimista.

Yo soy pesimista. Creo que la genética no se habrá desarrollado mucho y todavía habrá muchos virus que causen enfermedades.

442 *cuatrocientos cuarenta y dos*   **Lección B**

Notes

Have students identify the cognates on pages 442 and 443. Model for them the correct pronunciation of these new words and phrases and have them repeat after you.

Organize students into pairs. Assign one partner the role of *optimista* and the other the role of *pesimista*. Name a topic related to the future, such as the environment, medicine or space exploration. Give students a few minutes to talk about the topic with their partner, taking either the positive or negative view. Then, have students exchange roles and change the topic of discussion.

la pantalla de alta definición

el satélite

el transbordador espacial

la estación espacial

el espacio

el astronauta

Hoy en día usamos satélites en el espacio para comunicarnos en todo el mundo. Un día nos comunicaremos a otros planetas.

El satélite es un medio de comunicación.

1 En el futuro

 Indique la letra de la foto que corresponde con lo que oye.

A

B

C

D

E

F

2 Hablemos del futuro

Complete las oraciones con las palabras de la caja.

1. En el futuro, se habrán desarrollado muchos ___ científicos en genética.
2. Los satélites son parte de los ___ de comunicación.
3. Tienes que ser más ___, todo saldrá bien.
4. Necesitaríamos una persona que pudiera ___ lo que sucederá en el futuro en la tecnología.
5. Me encantaría que estudiáramos los ___ que cambiaron el mundo en los siglos pasados.
6. La realidad virtual es un avance ___.

> avances
> inventos
> medios
> optimista
> predecir
> tecnológico

Capítulo 10   *cuatrocientos cuarenta y tres* **443**

Notes

Encourage students to choose a topic to research in this section of *Capítulo 10*. Students might look more deeply into any of the items presented on pages 442 and 443, such as satellites, the space station, virtual reality or genetics.

Students interested in learning more about Spain's space program should visit the INTA Web site: www.inta.es
INTA stands for *Instituto Nacional de Técnica Aeroespacial* (National Institute of Aerospace Technology).

Teacher Resources

 Activity 1 (CD 20, #2)

Answers

1
1. E
2. F
3. D
4. B
5. A
6. C

2
1. avances
2. medios
3. optimista
4. predecir
5. inventos
6. tecnológico

Activities

Cooperative Learning
After students have completed activity 2, have them exchange papers with a partner and check their peer's responses. If partners disagree on an answer, have them discuss the item.

Critical Listening
As students listen to the script for activity 1, encourage them to create a simple sketch to represent each sentence they hear. Then have students match their illustration to the appropriate photograph.

National Standards

Communication
1.2

Connections
3.1, 3.2

Comparisons
4.2

443

Teacher Resources

Diálogo I
¿Qué piensas de las nuevas tecnologías? (CD 20, #3)
Activity 3 (CD 20, #4)
Activity 4 (CD 20, #5)
Activity 5 (CD 20, #6)

Answers

3 1. En unos años, habrán desarrollado una televisión de realidad virtual.
2. El artículo predecía que en el futuro habrán instalado estaciones espaciales.
3. Todas las personas podrán viajar al espacio usando transbordadores espaciales.
4. A Delia le gustaría que ya pudieran disfrutar de estos avances tecnológicos.
5. Porque dice que todavía faltan muchos años para que se pueda viajar al espacio.

4 Answers will vary.

5 1. D
2. B
3. A
4. C

Activities

Pronunciation
Give students the opportunity to take on the roles of Luis and Delia and read the dialog aloud.

Students with Special Needs
Provide students with the title *Avances tecnológicos.* As students read *¿Qué piensas de las nuevas tecnologías?,* have them list technological advances as they encounter them in the reading.

National Standards
Communication 1.1, 1.2
Connections 3.1

Diálogo I   ¿Qué piensas de las nuevas tecnologías?

LUIS: El otro día leí un artículo sobre cuáles habrán sido los avances tecnológicos en los próximos años.
DELIA: ¿Qué decía el artículo?
LUIS: Decía que en unos años habrán desarrollado una televisión de realidad virtual.

DELIA: ¡Qué fascinante! ¿Qué otras cosas decía el artículo?
LUIS: Predecía que en el futuro habrán instalado estaciones espaciales y que todas las personas podrán viajar usando transbordadores espaciales.

DELIA: Me gustaría que ya pudiéramos disfrutar de estos avances tecnológicos. Me encantaría volar al espacio.
LUIS: Tranquila... todavía faltan muchos años para eso.
DELIA: ¡Qué pesimista! El futuro está muy cerca.

 ¿Qué recuerda Ud.?

1. ¿Qué habrán desarrollado en unos años, según el artículo?
2. ¿Qué predecía el artículo?
3. ¿Qué podrán hacer todas las personas?
4. ¿Qué le gustaría a Delia?
5. ¿Por qué Luis es pesimista, según Delia?

 Algo personal

1. ¿Qué avance tecnológico de la actualidad es su preferido?
2. ¿Sobre qué avance tecnológico del futuro le interesaría saber más?
3. ¿Cómo se imagina Ud. que será el futuro?
4. ¿Le gustaría poder volar al espacio en un transbordador espacial?
5. ¿Qué avances científicos le gustaría a Ud. que hubiera en el futuro?

 Nuevos inventos

Escuche los siguientes diálogos y diga a qué foto se refiere cada uno.

A   **B**   **C**   **D**

Notes
Point out to students the following examples of the future perfect tense from the dialog: *habrán sido, habrán desarrollado* and *habrán instalado.* Discuss with students the meaning implied by this construction. Point out that they will review the future perfect tense later in *Capítulo 10.*

Read Delia's line *Me encantaría volar al espacio* aloud. Ask students to discuss her opinion. Would they want to travel in space? Why, or why not?

Cultura viva

Pedro Duque, un español en la Estación Espacial Internacional

En octubre de 2003, Pedro Duque se convirtió en el primer español que viajó a la Estación Espacial Internacional[1]. Era su segunda misión espacial y su primera visita a la estación. Durante esta misión, llamada "Cervantes", Duque y otros dos astronautas, de Rusia y de Estados Unidos, realizaron experimentos biológicos, físicos y tecnológicos, hicieron observaciones de la Tierra, y prepararon programas educativos.

Pedro Duque nació en Madrid en 1963 y es ingeniero aeronáutico[2]. Para él, que ya ha estado en el espacio en dos ocasiones, su sueño es pasar más tiempo en la Estación Espacial "para poder estar algún domingo sin trabajar", como él mismo explicó a los periodistas al volver de su último viaje.

Pedro Duque vivió 10 días en la Estación Espacial Internacional.

El astronauta español dice que la Estación Espacial está preparada para poder pasar allí el tiempo que se quiera, pero entre los defectos de estar allí señaló[3] la comida. "Falta la cocina mediterránea, como la española o la italiana", dijo Duque.

Para él, una de sus experiencias más hermosas fue despegar de la Tierra y aterrizar, después. "El despegue en un cohete[4] ruso va como sobre rieles[5], muy suave", explicó el astronauta. "El aterrizaje es bastante más brusco[6], pero también más espectacular. Es impresionante ver aparecer las primeras chispas[7] cuando el cohete entra de nuevo en la atmósfera".

[1]International Space Station   [2]aeronautical engineer
[3]pointed   [4]rocket   [5]smoothly   [6]rough   [7]sparks

6 Un astronauta español

Conteste las siguientes preguntas.

1. ¿Quién es Pedro Duque?
2. ¿Cuál fue su segunda misión espacial?
3. ¿Cuánto tiempo se puede pasar en la Estación Espacial, según Duque?
4. ¿Cómo es el aterrizaje, según Duque?

La Estación Espacial Internacional.

Capítulo 10   *cuatrocientos cuarenta y cinco*   **445**

Notes

After graduating at age 23 with a degree in aeronautical engineering from Polytechnic University of Madrid, Pedro Duque worked for the Spanish company *Grupo Mecánica del Vuelvo*. He became an astronaut after responding to a newspaper advertisement looking for recruits for the European Astronaut Corps. In his free time, Pedro Duque enjoys diving, swimming and cycling. For more information about Pedro Duque and the Cervantes Mission, students can visit the Web site of the European Space Agency:

www.esa.int/export/esaCP/Spain.html

Teacher Resources

   Activity 6 (CD 20, #7)

   Activity 4

◆ Answers

6 1. Es un astronauta español.
2. Su segunda misión fue ir a la Estación Espacial Internacional.
3. Se puede pasar tanto tiempo como se quiera.
4. El aterrizaje es más brusco que el despegue.

◆ Activities

Cooperative Learning

Organize students into small groups to read *Pedro Duque, un español en la Estación Espacial Internacional*. Have each student read one sentence aloud. At the end of each paragraph, have the group document the main idea.

Technology

Encourage students to use the Internet to learn more about the International Space Station. Direct them to the Web site:

www.spaceflight.nasa.gov

There they can get the latest updates and information about the work and crew of the International Space Station.

National Standards
Cultures 2.1
Connections 3.1, 3.2

445

Teacher Resources

 Activity 2 (CD 4, #21)

 Activities 5–6

 Activity 3

 Answers

7 1. habrán desarrollado
2. habrá viajado
3. habrán jugado
4. habrán tenido
5. nos habremos comunicado
6. habrán sido

 Activities

Multiple Intelligences (spatial)
Invite visual students to draw a scene depicting one of their predictions for the future. Instruct students to include a year or time frame, for example: *para el año 2025* or *en 20 años*. Then have the group describe the scene using the future perfect tense.

Students with Special Needs
Review with students the future forms of the verb *haber* as well as how to form the past participle of both regular and irregular verbs. Have students create a review chart or poster. Keep this reference on display as students complete activities 7 and 8.

National Standards
Communication
1.1, 1.3
Connections
3.1

 Idioma

Repaso rápido

El futuro perfecto

The future perfect expresses a future event that will have been completed before another future event. To form the future perfect, use the future of the verb *haber* with the past participle of the verb.

poder	
habré pod**ido**	**habremos** pod**ido**
habrás pod**ido**	**habréis** pod**ido**
habrá pod**ido**	**habrán** pod**ido**

Para el año 2030, **se habrán desarrollado** *nuevas tecnologías.* By 2030, they **will have developed** new technologies.

The future perfect tense is often used with *dentro de* + time.

Dentro de veinte años, *los astronautas* **habrán viajado** *a varios planetas.* **In twenty years,** astronauts **will have traveled** to several planets.

The future perfect is also used to speculate about something that may have happened in the past.

*¿**Se habrá enterado** Julio de las noticias?* **I wonder if** Julio **has learned** about the news.

 7 **Futuro y tecnología**

Imagine que lee un artículo sobre lo que habrá sucedido en el futuro con la nueva tecnología. Complete las oraciones con el futuro perfecto de los verbos de la caja.

jugar	desarrollar	ser
comunicarse	tener	viajar

1. Dentro de diez años, los médicos ___ remedios para curar muchas de las enfermedades que existen hoy día.
2. Para el año 2040, la gente ___ al espacio en transbordadores espaciales.
3. Los niños con juegos de realidad virtual.
4. En treinta años, todas las familias ___ televisores con pantallas de alta definición en sus casas.
5. En el futuro, nosotros ___ con otros planetas a través de los satélites.
6. Para el año 2030, los avances en genética ___ muy grandes.

Notes

Refer students to the dialog on page 444. Have them identify and reread the sentences they find that utilize the future perfect tense.

After students have completed activity 7, have them identify three phrases related to time that are often used in conjunction with the future perfect tense: *dentro de...*, *para el año...* and *en...* Point out to students that using these phrases at the beginning of a sentence necessitates the use of a comma following the phrase.

AP Spanish Language. For completion activities, make sure that students learn to read the entire sentence or passage before writing missing grammar. Explain that determining the right word or tense often depends on information that comes later in the sentence.

En grupos pequeños, hablen sobre el futuro. Hagan predicciones para el año 2020. ¿Qué habrá pasado en el mundo? ¿Qué habrán hecho Uds.? Piensen en sus metas *(goals)*, sus estudios, el lugar donde viven, la forma de viajar, los deportes, la moda y las comidas. Túrnense para decir sus predicciones.

MODELO Para el año 2020, la gente habrá viajado a la Luna en un transbordador espacial.

Estructura

Más sobre el imperfecto del subjuntivo

Use the imperfect subjunctive:
* when the verb in the main clause is in the past (preterite or imperfect) or in the conditional

Quería que vinieras al Museo del Espacio.	**I wanted you to come** to the Space Museum.

* with *quisiera* and *me gustaría que*

Me gustaría que tuviéramos un televisor con una pantalla de alta definición.	**I would like us to have** a television with a high definition screen.

* in contrary-to-fact *si* clauses

Si yo tuviera dinero, viajaría en un transbordador espacial.	**If I had the money, I would** travel in a space shuttle.
*Si **tuviera** un satélite, me **comunicaría** con otros planetas.*	If **I had** a satellite, **I would** communicate with other planets.

* always after *como si* (as if)

*Ellos hablan de las cámaras digitales **como si tuvieran una**.*	They talk about digital cameras **as if they had one**.

el imperfecto del subjuntivo	
cantar:	cantara, cantaras, cantara, cantáramos, cantarais, cantaran
correr:	corriera, corrieras, corriera, corriéramos, corrierais, corrieran
vivir:	viviera, vivieras, viviera, viviéramos, vivierais, vivieran

Stem changes for *-ir* verbs (*o → u, e → i*) and irregularities that appear in the preterite also occur in the imperfect subjunctive.

*Quería que él **viniera**.*	**I wanted** him **to come**.
*¡**Ojalá pudiéramos** viajar al espacio!*	**I wish we could** travel through space!

Teacher Resources

 Activities 7–8

 Activity 2

 Activity 4

Answers

8 Creative self-expression.

Activities

Critical Thinking
Copy the examples presented in the *Estructura* onto the board or chart paper. Discuss with students the verb forms used in each of the sentences, and how these forms express the intended meaning.

Spanish for Spanish Speakers
Have students model sentences that utilize the future perfect tense. Also, have them develop their thoughts or opinions for activity 8 into a longer written essay. Students may focus on one specific topic, such as *comida,* or they might offer a prediction for each of the topics mentioned.

Students with Special Needs
After reading the instructions for activity 8, have students make a list of topics to discuss in their groups, including *metas, estudios, dónde viven, formas de viajar, deportes,* etc.

Notes Have students review imperfect subjunctive forms of common verbs. If students have previously created charts or resource banks of these verb forms, display these visual aids for easy reference.

Refer students to pages 314 through 317 in *Capítulo 7* for further review and practice of the imperfect subjunctive.

National Standards	
Communication 1.1, 1.3	
Connections 3.1	
Comparisons 4.1	

Answers

9 1. visitaras
2. desarrollaran
3. fueran
4. fuera
5. predijera
6. pudiéramos
7. me enojara
8. te comunicaras

10 1. El desarrollo era lento antes de que hubiera avances tecnológicos.
2. Me compraría un juego de realidad virtual si tuviera dinero.
3. Contrataron a varios ingenieros para que construyeran una estación espacial.
4. Yo quisiera que mi hermano me regalara un microscopio.
5. Marcos hablaba sobre los transbordadores espaciales como si él fuera un astronauta profesional.
6. Lo ayudé con su tarea de la escuela para que él me prestara el juego de realidad virtual.

Activities

Students with Special Needs

Help students break activity 10 down into several steps. First, help them identify the verb in the second sentence that will require the imperfect subjunctive once the sentences are combined. Have them create this form based on the subject. Then have them put all of the pieces together using the prepositional phrase.

National Standards

Connections
3.1

Communities
5.1

448

 Práctica

9 Cosas que haríamos...

Complete las siguientes oraciones con el imperfecto del subjuntivo del verbo apropiado.

MODELO Si yo ___ *(levantarse / acostarse)* temprano por las mañanas, no llegaría tarde a la escuela.
Si yo me levantara temprano por las mañanas, no llegaría tarde a la escuela.

1. A Laura le gustaría que tú la ___ *(visitar / comprar)* el próximo verano.
2. Si los ingenieros ___ *(escribir / desarrollar)* una máquina para viajar en el tiempo, la compraría.
3. Quería que ellos ___ *(salir / ir)* a la fiesta de fin de año.
4. Carla baila como si ella ___ *(ser / cantar)* una bailarina profesional.
5. Si yo ___ *(desarrollar / predecir)* el futuro, diría que habrá muchos avances tecnológicos.
6. Si nosotros no ___ *(poder / salir)* ir de viaje, nos sentiríamos muy tristes.
7. Jorge querría que yo no ___ *(predecir / enojarse)* tanto con él.
8. Si tú ___ *(comunicarse / desarrollar)* con tus parientes en Alicante, se pondrían muy contentos.

10 Antes de que...

Imagine que durante la semana estuvo hablando con sus amigos sobre los avances en la tecnología. Conecte las dos oraciones, usando las palabras entre paréntesis.

MODELO Me compraron un libro sobre genes. / Estudio genética. (para que)
Me compraron un libro sobre genes para que estudiara genética.

1. El desarrollo era lento. / Hay avances tecnológicos. (antes de que)
2. Me compraría un juego de realidad virtual. / Yo tengo dinero. (si)
3. Contrataron a varios ingenieros. / Ellos construyen una estación espacial. (para que)
4. Yo quisiera. / Mi hermano me regala un microscopio. (que)
5. Marcos hablaba sobre los transbordadores espaciales. / Él es un astronauta profesional. (como si)
6. Lo ayudé con su tarea de la escuela. / Él me presta el juego de realidad virtual. (para que)

El rayo láser.

Notes

Encourage students to practice the imperfect subjunctive in the course of daily class activities. For example: *Si yo tuviera más tiempo libre, participaría en ese proyecto.*

Once students have completed activities 9 and 10, have them exchange papers with a partner in order to check each other's work.

Comunicación

 Si yo pudiera...

Lea el siguiente anuncio sobre una exposición de los nuevos avances tecnológicos y científicos. Con su compañero/a, formen oraciones sobre el anuncio usando los verbos de la caja. Recuerden usar el imperfecto del subjuntivo en sus oraciones.

ser	estudiar	vivir	comunicarse
usar	desarrollar	viajar	tener

MODELO Si tuviera un juego de realidad virtual, invitaría a todos mis amigos a jugar conmigo.

 Unas preguntas

Con su compañero/a, contesten las siguientes preguntas, usando el imperfecto del subjuntivo. Comparen sus respuestas.

MODELO ¿Qué le gustaría que sucediera en el futuro?
Me gustaría que las personas vivieran en el espacio.

1. ¿Qué avances científicos le gustaría que hubiera?
2. ¿Qué haría si desarrollaran un coche que volara?
3. ¿Adónde iría si pudiera viajar en un transbordador espacial?
4. ¿Qué prediciría si Ud. supiera qué sucederá en el futuro?
5. ¿Qué querrían sus padres que Ud. estudiara en el futuro?
6. ¿Cómo le gustaría a Ud. que fueran las escuelas del futuro?

Answers

11 Creative self-expression.
12 Creative self-expression.

Activities

Expansion
If your community offers a museum of science and technology, plan a field trip or encourage students to visit on their own. Invite students to report back to the group on the exhibits they saw and the information they learned.

Technology
Direct students to the following Web sites:
Museo Nacional de Ciencia y Tecnología:
  www.mec.es/mnct
Museo de Ciencias Naturales:
  www. mcn.csic.es
Planetario de Madrid:
  www.planetmad.es

National Standards

Communication
1.1, 1.3

Cultures
2.2

Connections
3.1, 3.2

Notes

Connections. Encourage students to connect their learning to science and technology. Invite them to incorporate and share knowledge they have gained in these subject areas.

Be sure to provide students with adequate time to form complex constructions such as those in the imperfect subjunctive.

For those interested in science and technology, Spain's capital, Madrid, offers a host of museums.

449

Vocabulario II
Cómo proteger nuestro planeta (CD 20, #8)

Activity 3 (CD 4, #22)

Activity 40

Activities 9–11

Activity 3

Activities 5–6

 Activities

Multiple Intelligences (bodily-kinesthetic)
Support students' visual intelligence by giving them the opportunity to create their own posters similar to those shown on pages 450 and 451. Encourage students to choose an environmental issue and create their own informative poster.

Prereading Strategy
Based on the images presented on pages 450 and 451, have students make predictions about the content of *Vocabulario II*. What issues and topics do they think will be presented and explored?

Pronunciation
Have students read aloud both the dialog and posters presented on pages 450 and 451. Model any new words and phrases and have students repeat.

National Standards
Communication 1.3
Connections 3.1
Communities 5.1

Vocabulario II
Cómo proteger nuestro planeta

A menos que paremos la contaminación causada por los coches y las fábricas, habrá más calentamiento global.

Les pedimos que conserven los recursos naturales.

el águila calva

la foca

la fábrica

Es importante que protejamos las especies en peligro de extinción.

la ballena

Hoy en día hay escasez de recursos naturales.

El uso de aerosoles contamina la atmósfera y afecta la capa de ozono.

el agujero

Debemos usar otros tipos de energía, como la energía solar, para que los recursos naturales no se agoten.

450   *cuatrocientos cincuenta*   **Lección B**

Notes

Communities. In small groups, have students choose one environmental issue to research and explore in this section of *Capítulo 10*. Encourage students to find resources in their own community for additional research. Give students the opportunity to present their findings to the whole group, and to share how they are personally getting involved.

No arroje desperdicios químicos.

Es necesario que reciclemos para proteger el medio ambiente.

la botella de vidrio

Los derrames de petróleo dañan los ríos, los mares y los océanos.

 13 **Sobre el medio ambiente**

 Escoja la respuesta que contesta correctamente cada pregunta que oye.

1. **A.** Los desperdicios se encuentran en peligro de extinción.
   B. Las ballenas y las focas se encuentran en peligro de extinción.

2. **A.** Los aerosoles contaminan el medio ambiente.
   B. La energía solar contamina el medio ambiente.

3. **A.** Hoy en día, la capa de ozono tiene un derrame.
   B. Hoy en día, la capa de ozono tiene un agujero.

4. **A.** Las fábricas arrojan desperdicios químicos.
   B. Las escuelas arrojan desperdicios químicos.

5. **A.** Para que no se agoten los recursos naturales se debe dañar la atmósfera.
   B. Para que no se agoten los recursos naturales se deben conservar.

14 **Grupos de palabras**

Diga qué palabra no pertenece al grupo.

1. ballena	foca	águila	coche
2. dañar	reírse	contaminar	agotarse
3. vidrio	papel	fábrica	lata
4. playa	agujero	capa de ozono	atmósfera
5. plantas	microscopio	agua	recurso natural

 15 **Protejamos el planeta**

Haga una lista de seis cosas que Ud. sugiere que todos hagamos para proteger el planeta. Luego, escriba oraciones diciendo por qué cada cosa es importante o necesaria.

MODELO usar energía solar
Es importante que usemos energía solar para conservar otros recursos naturales.

Capítulo 10

cuatrocientos cincuenta y uno **451**

Notes

Communities. Have students research the recycling programs in their school or community. If your class does not currently recycle paper and other materials, start your own mini-program.

Comparisons. A 2003 survey of Spanish citizens found three main reasons why some people do not recycle: 1) Collection containers for glass, plastic and paper were located too far away; 2) People had no place to store recyclables in their homes before dropping them off; 3) People said they simply did not have enough information about recycling. Have students conduct a similar survey in their community to find out why certain people do not recycle.

Teacher Resources

 Activity 13 (CD 20, #9)

Answers

13 1. B
2. A
3. B
4. A
5. B
14 1. coche
2. reírse
3. fábrica
4. playa
5. microscopio
15 Answers will vary.

Activities

Critical Listening
Remind students to preview their choices in activity 13 prior to listening to the question for each item.

Critical Thinking
Ask students to identify a category for each of the items presented in activity 14, and then to explain why their choice does not fit into that category. For example: *La ballena, la foca y el águila son especies en peligro de extinción. El coche no es un tipo de animal.*

National Standards	
Communication 1.2	**Comparisons** 4.2
Cultures 2.1	**Communities** 5.1
Connections 3.1	

Teacher Resources

Diálogo II
Cuidemos el medio ambiente
(CD 20, #10)
Activity 16 (CD 20, #11)
Activity 17 (CD 20, #12)
Activity 18 (CD 20, #13)

◆ Answers

16 1. Cuando termine de tomar el refresco, tiene que reciclar la lata.
2. Luis recicla siempre latas, aerosoles, papel y vidrio.
3. Es necesario que conservemos los recursos naturales porque es posible que se agoten.
4. Si los recursos se agotaran, afectaría a todos.
5. La ballena y la foca.

17 Answers will vary.

18 Enrique:
cuidar a los animales, no dañar a más especies
Óscar:
proteger la atmósfera, la gente no debe usar más aerosoles
Amalia:
no permitir que las empresas arrojen desperdicios químicos en los océanos; hay que conservar las aguas del planeta

◆ Activities

Students with Special Needs
After students have read and listened to the dialog, have them create a chart to organize the information presented. Ask them to list each environmental issue Luis and Delia discuss. Encourage students to reread the dialog to locate this information.

National Standards

Communication
1.1, 1.2, 1.3

Connections
3.1

452

Diálogo II Cuidemos el medio ambiente

DELIA: Luis, cuando termines de tomar el refresco, recicla la lata.
LUIS: Yo siempre reciclo latas, aerosoles, papel y vidrio.
DELIA: Bien hecho. Es importante que todos protejamos el medio ambiente.

LUIS: También es necesario que conservemos los recursos naturales. Es posible que se agoten si no los cuidamos.
DELIA: ¿Esto nos afectaría a todos, verdad?
LUIS: Por supuesto... incluyendo a los animales.

LUIS: ¿Qué animales se encuentran ya en peligro de extinción?
DELIA: Pues, las ballenas y las focas.
LUIS: ¡Qué pena! Debemos hacer algo. No podemos seguir dañando nuestro planeta.

16 ¿Qué recuerda Ud.?

1. ¿Qué tiene que hacer Luis cuando termine de tomar el refresco?
2. ¿Qué recicla siempre Luis?
3. ¿Por qué es necesario que conservemos los recursos naturales?
4. ¿A quiénes afectaría si los recursos se agotaran?
5. Nombre dos animales que se encuentran en peligro de extinción.

17 Algo personal

1. ¿Qué hace Ud. para conservar el medio ambiente?
2. ¿Qué cosas recicla?
3. ¿Qué recursos naturales cree Ud. que se pueden agotar si no los conservamos?
4. ¿Qué otros animales conoce que estén en peligro de extinción?

18 ¿Qué sugieren?

 Escriba en una hoja los nombres Enrique, Óscar y Amalia. Escuche lo que dicen ellos y haga una lista de las cosas que sugiere cada uno para proteger el planeta.

Enrique	Óscar	Amalia

Notes   Point out to students Luis's next-to-last line of the dialog: *Debemos hacer algo.* Then have students expand the dialog. Tell them to focus on what they feel Luis and Delia should do to take action on the issues they have discussed.

Encourage students to use photographs from environmental science or nature magazines to create flash cards for this vocabulary.

Invite students to act out the dialog *Cuidemos el medio ambiente.*

Cultura viva II

Ayudando a combatir una marea negra[1]

Jóvenes voluntarios ayudaron a limpiar las playas gallegas.

En diciembre de 2002, miles de jóvenes voluntarios españoles ayudaron a limpiar las costas de Galicia, una región del noroeste de España que fue afectada por un derrame de petróleo.

En España, el primer fin de semana de diciembre suele coincidir con dos días festivos[2] y mucha gente se va de vacaciones. Pero ese año, los voluntarios dejaron a sus amigos y familiares y se olvidaron de las vacaciones para ir a luchar contra[3] el chapapote, el desecho petrolífero[4] que salió del barco *Prestige*, cuando se rompió frente a las costas gallegas en noviembre de 2002, dejando en el mar cientos de toneladas de petróleo.

No sólo las playas quedaron cubiertas de chapapote, sino que también toda la fauna y flora de la región se vio afectada. Miles de pájaros y peces murieron, se prohibió la pesca[5] en la zona y muchos pescadores se quedaron sin trabajo.

Ante esta catástrofe, llegaron de todas las regiones de España miles de voluntarios, dispuestos a[6] ayudar. La falta[7] de organización del gobierno, especialmente en las primeras semanas después de la tragedia, hizo que muchos de estos voluntarios tuvieran que comprarse ellos mismos los boletos hasta Galicia y los overoles de plástico, botas y guantes necesarios para trabajar en la limpieza.

A medida que las noticias sobre el *Prestige* iban llegando a otros países, voluntarios de toda Europa se movilizaron y fueron a colaborar. Ellos les demostraron a los gobiernos que los jóvenes pueden ser un instrumento clave[8] en la protección del medio ambiente.

[1]black tide [2]holidays [3]fight against [4]oil residue [5]fishing was forbidden [6]willing to [7]lack [8]key

19 Un desastre en el océano

Conteste las siguientes preguntas.

1. ¿Qué pasó en las costas de Galicia en noviembre de 2002?
2. ¿Qué es el chapapote?
3. ¿Cómo afectó el derrame a la región?
4. ¿Qué tuvieron que hacer algunos voluntarios?

Capítulo 10   *cuatrocientos cincuenta y tres*   453

Teacher Resources

 Activity 19 (CD 20, #14)

 Activity 4 (CD 4, #23)

 Activity 4

Answers

19 1. Hubo un derrame de petróleo.
2. Es el desecho petrolífero.
3. Afectó a la flora y la fauna; miles de pájaros y peces murieron, y muchos pescadores se quedaron sin trabajo.
4. Tuvieron que pagarse ellos mismos el boleto hasta Galicia y comprarse los overoles de plástico, botas y guantes necesarios para limpiar.

Activities

Expansion
Invite students to share experiences they have had as volunteers at hospitals, after-school centers or other community institutions. Have any of them assisted with the response to an emergency?

Prereading Strategy
Remind students to preview the photograph and its caption before reading *Ayudando a combatir una marea negra*. What predictions can they make about the selection based on this information?

National Standards	
Cultures 2.1	**Communities** 5.1
Connections 3.1, 3.2	
Comparisons 4.2	

Notes

Comparisons. Encourage students to use the library or the Internet to compare the *Prestige* catastrophe with that of the *Exxon Valdez* in 1989 in Alaska's Prince William Sound.

For more information about Galicia, encourage students to access
www.galicia.org

Here students can find information about the region's history, geography and natural resources.

Teacher Resources

 Activity 5 (CD 4, #24)

 Activity 12

 Activity 5

 Activities 7–8

 Activities

Cooperative Learning
Organize students into groups of three or four. Give each group a common -ar, -er and -ir verb. Have them create a chart of the present subjunctive forms of their verbs. Also, give each group one common irregular verb to conjugate.

Expansion
Have students create their own examples of sentences using the structure at the bottom of page 454. Give students the opportunity to read their examples aloud to the group.

National Standards

Communication
1.3

Comparisons
4.1

Idioma

Estructura

Repaso de las formas del subjuntivo

The present subjunctive of most verbs is formed by dropping the -o from the *yo* form of the present tense and adding the following endings:

For -ar verbs (cantar)		For –er and –ir verbs (comer, vivir)		
-e	cant**e**	-a	com**a**	viv**a**
-es	cant**es**	-as	com**as**	viv**as**
-e	cant**e**	-a	com**a**	viv**a**
-emos	cant**emos**	-amos	com**amos**	viv**amos**
-éis	cant**éis**	-áis	com**áis**	viv**áis**
-en	cant**en**	-an	com**an**	viv**an**

Stem changes, irregularities, and spelling changes that occur in the present tense indicative also occur in the present subjunctive.

*Es importante que **busquemos** otros recursos naturales.*	It's important that **we look for** other natural resources.
*Espero que **puedan** conservar energía.*	I hope **you can** conserve energy.
*Dudo que **tenga** una pantalla de alta definición.*	I doubt that **he has** a high definition screen.

The following verbs have irregular present subjunctive forms: *estar (esté), saber (sepa), haber (haya), ser (sea), ir (vaya), ver (vea).*

*No creo que **vea** un planeta en el cielo esta noche.*	I don't think **I'll see** a planet in the sky tonight.
*Es imposible que ella **sepa** la respuesta.*	It's impossible that **she knows** the answer.

The subjunctive is most often used in sentences having two different subjects and two different verbs. The action of the subjunctive verb has not occurred yet and may or may not occur.

> subject 1 + *indicative verb* + que + subject 2 + *subjunctive verb*

The most common uses of the subjunctive indicate volition, desire, and giving advice.

***Quiero que** Ud. nos **ayude** a reciclar.*	**I want you to help us** recycle.
***Espero que sigas** estudiando.*	**I hope you** keep on studying.
***Te sugiero que seas** más optimista.*	**I suggest that you be** more optimistic.

Notes
If students have previously created reference charts or practice materials for learning verb forms, encourage them to use those resources in their review.

Práctica

20 Situaciones

Lea las siguientes situaciones. Luego, cambie la información en cursiva, usando las opciones dadas. Recuerde usar el presente del subjuntivo.

MODELO Hay que cuidar el medio ambiente. Es importante que nosotros *reciclemos el vidrio y los papeles.*

    A. conservar los recursos naturales

    B. proteger a los animales

Es importante que nosotros conservemos los recursos naturales. / Es importante que nosotros protejamos a los animales.

1. Estoy muy ocupado y necesito silencio. Quiero que ustedes *no hablen tan alto.*
   A. irse de la habitación
   B. ayudarme con el trabajo
2. Me gustaría mucho ir a la fiesta. Espero que (yo) *tenga tiempo.*
   A. encontrar un regalo
   B. salir temprano de la clase
3. Dibujas muy bien. Te sugiero que *estudies arquitectura.*
   A. hablar con el profesor de arte
   B. aprender a dibujar con el ordenador
4. Para que no se agoten los recursos naturales es necesario que las personas *los cuiden.*
   A. protegerlos
   B. conservarlos
5. A Marta le encantan los animales. Espero que ella *vaya al zoológico nuevo de la ciudad.*
   A. ver el espectáculo de las focas y las ballenas
   B. hacer algo a favor de los animales en peligro de extinción

21 Protejamos el planeta

Use elementos de cada columna para escribir oraciones usando el presente del subjuntivo.

MODELO Es necesario que tú recicles las latas y el vidrio.

I	II	III
es necesario	Ud.	no dañar la atmósfera
sugiero	nosotros	proteger a los animales
quiero	todos los estudiantes	no arrojar desperdicios
me encanta	los niños	ser más optimista
recomiendo	tú	conservar la electricidad
espero	Uds.	reciclar las latas y el vidrio
		no usar aerosoles
		poder limpiar las playas
		aprender más sobre la capa de ozono

Es importante que limpiemos la playa.

Notes

When reviewing activities 20 and 21, have students read their responses aloud. Give them as many opportunities as possible to hear the use of the subjunctive in context.

Students can also create their own original examples for activity 21. If they think of a related topic that sparks their interest, allow them to add it to their list.

Answers

20 1. A. Quiero que ustedes se vayan de la habitación.
    B. Quiero que ustedes me ayuden con el trabajo.
2. A. Espero que yo encuentre un regalo.
    B. Espero que yo salga temprano de la clase.
3. A. Te sugiero que hables con el profesor de arte.
    B. Te sugiero que aprendas a dibujar con el ordenador.
4. A. Para que no se agoten los recursos naturales es necesario que las personas los protejan.
    B. Para que no se agoten los recursos naturales es necesario que las personas los conserven.
5. A. Espero que ella vea el espectáculo de las focas y las ballenas.
    B. Espero que ella haga algo a favor de los animales en peligro de extinción.

21 Answers will vary.

Activities

Spanish for Spanish Speakers
Invite students to expand one of their sentences from activity 21 into a longer written essay. Encourage them to provide additional information for their topic. For example: *Es necesario que nosotros no usemos aerosoles.*

National Standards
Communication 1.3
Connections 3.1

455

Teacher Resources

 Activity 13

 Activity 6

 Activity 9

Answers

22 Creative self-expression.

Activities

Critical Thinking
Before students read the *Estructura* on page 456, ask them to recall and list situations that call for the use of the subjunctive. Record their responses on poster board or chart paper. Once students have completed their list, compare their responses with the examples listed. If students come up with situations not presented on page 456, inform them that there will be further review of the subjunctive later in the chapter.

Expansion
Have students draft their own examples for each of the situations covered in the *Estructura*.

National Standards

Communication
1.1, 1.3
Connections
3.1
Comparisons
4.1

Comunicación

22 **¿Qué opina del medio ambiente?**

Con su compañero/a, conversen sobre el medio ambiente. Piensen en lo que pueden hacer para conservarlo. Empiecen sus oraciones usando las frases de la caja y el subjuntivo. Luego, hagan una encuesta en la clase para conocer la opinión de los demás estudiantes.

> es importante que   espero que   es mejor que
> es necesario que   quiero que   sugiero que

MODELO **A:** Es importante que cuidemos los recursos naturales.
B: Es mejor que no arrojemos desperdicios en el agua.

Estructura

Repaso de los usos del subjuntivo I

The subjunctive may be used in a number of additional situations, as follows:

- with verbs indicating preference and liking

  Prefiero que Ud. vaya solo. — I **prefer that** you **go** by yourself.
  A ellos les encanta que yo tenga tantos amigos. — They **love that** I **have** so many friends.

- with verbs of hope and emotion, such as *sentir, esperar, molestar, complacer, agradar, tener miedo de* and *alegrarse de*

  Espero que recicles esas latas. — I **hope that you will recycle** those cans.
  Me molesta que contaminen el aire. — It **bothers me that they are contaminating** the air.

- with verbs of doubt

  Dudo que desarrollen otros inventos. — I **doubt that they'll develop** other inventions.

- with impersonal expressions

  Es importante que conservemos los recursos naturales. — It is **important that we protect** the natural resources.
  Es necesario que uses energía solar. — It is **necessary that you use** solar energy.

- with expressions such as *ojalá (que)* and sometimes with *tal vez* and *quizás* to indicate uncertainty

  Ojalá que consigas ese puesto. — I **hope you'll get** that job.
  Tal vez estudie genética. — **Maybe I'll study** genetics.

456 *cuatrocientos cincuenta y seis* **Lección B**

Notes

Students might present their sentences in activity 22 in the form of informative posters, bumper stickers or buttons.

If students are having difficulty with any of the aspects of *Repaso de los usos del subjuntivo I*, assign them the task of finding the original presentation of the material earlier in *¡Aventura! 3*. Encourage students to use the previous chapters and exercises as a resource for review.

Práctica

23 El medio ambiente

Imagine que le hacen las siguientes preguntas sobre el medio ambiente. Conteste usando la información entre paréntesis.

MODELO ¿De qué se alegra? (La gente usa energía solar.)
Me alegro de que la gente use energía solar.

1. ¿Qué siente? (Existen muchas especies en peligro de extinción.)
2. ¿Qué le molesta? (La gente contamina el medio ambiente.)
3. ¿Qué le agrada? (Los estudiantes aprenden información sobre el medio ambiente.)
4. ¿Qué prefiere? (Las personas no usan aerosoles.)
5. ¿Qué le gusta? (Él viaja a las reservas naturales.)
6. ¿De qué tiene miedo? (El agujero de ozono es muy grande.)

Es mejor que usemos energía solar.

24 En la clase de ciencias

Imagine que conversa con un(a) compañero/a sobre las tareas que tienen que hacer. Complete las siguientes oraciones, usando los verbos en subjuntivo.

MODELO Es necesario que... (nosotros / aprender más sobre las especies en peligro de extinción)
Es necesario que aprendamos más sobre las especies en peligro de extinción.

1. Dudo que... (yo / encontrar el libro que necesitamos)
2. Es importante que... (ella / buscar información sobre el calentamiento global)
3. Es mejor que... (tú / hablar con la profesora sobre el tema del medio ambiente)
4. Es posible que... (nosotros / hacer un viaje a una reserva natural)
5. Ojalá que... (Uds. / conseguir el artículo sobre las ballenas)
6. Tal vez... (ellos / ir a la biblioteca)

 ## Comunicación

25 Deseos

Con su compañero/a, conversen sobre los deseos que tiene cada uno/a con respecto al futuro y los siguientes temas. Expresen sus deseos usando *ojalá* y *tal vez*. Recuerden usar los verbos en subjuntivo.

MODELO Ojalá que yo pueda viajar por todo el mundo.

1. los estudios
2. los viajes
3. el trabajo
4. las relaciones con su familia o amigos
5. la salud
6. el medio ambiente
7. los inventos
8. las nuevas tecnologías

Capítulo 10 *cuatrocientos cincuenta y siete* **457**

 ## Answers

23 1. Siento que existan muchas especies en peligro de extinción.
2. Me molesta que la gente contamine el medio ambiente.
3. Me agrada que los estudiantes aprendan información sobre el medio ambiente.
4. Prefiero que las personas no usen aerosoles.
5. Me gusta que él viaje a las reservas naturales.
6. Tengo miedo de que el agujero de ozono sea muy grande.

24 1. Dudo que yo encuentre el libro que necesitamos.
2. Es importante que ella busque información sobre el calentamiento global.
3. Es mejor que tú hables con la profesora sobre el tema del medio ambiente.
4. Es posible que nosotros hagamos un viaje a una reserva natural.
5. Ojalá que Uds. consigan el artículo sobre las ballenas.
6. Tal vez ellos vayan a la biblioteca.

25 Creative self-expression.

Notes

Connections. Encourage students to create additional examples for activity 24 based on their own current studies in science. Also, students might change the focus of the activity to speak about other subject areas, such as *En la clase de matemáticas* or *En la clase de literatura*.

Students might record their responses to activity 25 in the form of a written journal entry.

National Standards

Communication
1.1

Connections
3.1

Activities

Cooperative Learning

Organize students into seven groups. Assign each group one of the situations requiring the subjunctive presented on page 458. Have each group create a number of examples illustrating their specific point. Then have each group present their examples to the whole group.

Critical Thinking

AP Spanish Language (Infinitives in Context). Have students rephrase each of the examples from the reviews of the subjunctive that appear on pages 456 and 458, using the imperfect, the present perfect and the pluperfect subjunctive.

Students with Special Needs

Have students review the vocabulary on pages 450 and 451 and the dialog on page 452. Instruct them to identify expressions using the subjunctive. Then have them explain why the subjunctive was necessary.

National Standards
Communication 1.1, 1.3
Connections 3.1
Comparisons 4.1

Estructura

Repaso de los usos del subjuntivo II

The subjunctive may also be used in the following situations:

- with words such as *cuando, como* and *donde*, when there is uncertainty about the future

  *Lo haré **como** ustedes me **pidan**.* — I'll do it **the way you ask** me.

  *Podremos ir **cuando terminemos** el trabajo.* — We'll be able to go **when we finish** the job.

- with relative pronouns such as *lo que, la que* and *que*

  *Averigua **lo que puedas**.* — Find out **whatever you can**.

- with the word *aunque* when there is uncertainty about the facts

  *Dales una carta de referencia **aunque** no te la **pidan**.* — Give them a reference letter **even if** they **don't ask** for it.

- with time expressions such as *antes (de) que, después (de) que, en cuanto, hasta que, mientras que* and *tan pronto como* when they indicate uncertainty about when an action may or may not take place

  *Debemos cuidar los recursos naturales **antes de que se agoten**.* — We have to take care of natural resources **before we run** out of them.

  ***En cuanto me gradúe**, me mudaré a otra ciudad.* — **As soon as I graduate**, I'll move to another city.

- with expressions that indicate intention or purpose, such as *para que, a fin de que, a menos que, con tal de que* and *sin que*

  *Ven a la reunión **para que te enteres** de lo que sucede.* — Come to the meeting **so that you'll find out** what's happening.

  *No iré **a menos que hablen** del medio ambiente.* — I won't go **unless they speak** about the environment.

- with clauses that describe what is indefinite or hypothetical

  ***No encuentro** ningún artículo **que hable** sobre la energía solar.* — I can't find any article **that talks** about the solar energy.

- with clauses that describe somebody who may not exist, as in classified ads

  ***Busco** una persona **que sepa** de los últimos avances tecnológicos.* — **I am looking for** someone **who knows** about the latest technological advancements.

Buscamos jóvenes que recojan basura de los bosques.

Notes

Refer students to the chart they created on page 456 regarding situations calling for the use of the subjunctive. Have them add any examples they previously overlooked.

If students are having difficulty with any of the aspects of *Repaso de los usos del subjuntivo II*, assign them the task of reviewing the original presentation of the material earlier in *¡Aventura! 3*. Encourage students to use the previous chapters and exercises as a resource for review.

Práctica

26 Sobre el medio ambiente

Imagine que va a una conferencia sobre el medio ambiente. Complete las siguientes oraciones con el subjuntivo de los verbos entre paréntesis.

MODELO Los recursos naturales se agotarán a menos que nosotros ___. (conservarlos)
Los recursos naturales se agotarán a menos que nosotros los conservemos.

1. Conservaremos los recursos naturales cuando nosotros ___ energía solar. (usar)
2. Explícame lo que tú ___ sobre el calentamiento global. (entender)
3. En cuanto las personas ___ menos productos en aerosoles, el agujero de la capa de ozono será más pequeño. (comprar)
4. Voy a hablar con las compañías químicas aunque yo no ___ hacer mucho para que no arrojen desperdicios químicos. (poder)
5. Hay que proteger a los animales antes de que todos ellos ___ en peligro de extinción. (encontrarse)
6. Las personas deben evitar hacer cosas que ___ el medio ambiente. (dañar)

 ## Comunicación

27 Predicciones

Con su compañero/a, completen las siguientes predicciones de una manera original, usando el subjuntivo.

MODELO Contaminaremos la atmósfera a menos que...
Contaminaremos la atmósfera a menos que dejemos de usar aerosoles.

1. Necesitaremos pantallas de alta definición para que...
2. Buscaremos trabajo tan pronto como...
3. Trabajaremos hasta que...
4. Viajaremos en transbordadores espaciales a menos que...
5. Resolveremos muchos problemas del medio ambiente en cuanto...
6. Encontraremos curas para muchas enfermedades cuando...

Trabajará hasta que encuentre una vacuna.

28 Temas del presente

Con su compañero/a, digan lo que opina sobre cada tema de la caja. Pueden sugerir una solución o bien hacer una predicción de lo que podría suceder. Usen el subjuntivo en sus opiniones.

MODELO Debemos evitar la contaminación antes de que dañe todo el planeta.

• la contaminación   • el calentamiento global
• la capa de ozono   • el tráfico en las ciudades
• los animales en peligro de extinción   • el hambre en el mundo
• la escasez de recursos naturales   • los desastres naturales

Capítulo 10   *cuatrocientos cincuenta y nueve*   **459**

Teacher Resources

 Activity 27 (CD 20, #15)

 Answers

26 1. usemos
2. entiendas
3. compren
4. pueda
5. se encuentren
6. dañen
27 Answers will vary.
28 Creative self-expression.

 Activities

Expansion
Students may be interested in adding topics to the list in activity 28. Additional environmental issues confronting the world generally, and Spain specifically, include deforestation and noise pollution.

Notes
Activity 26 asks students to imagine that they are attending an environmental conference. In the upcoming years, Spain will be the host to many such conferences, including the Fifth Conference on Environmental Problems in Coastal Regions in Alicante and the Geo-Environment Conference in Segovia.

National Standards
Communication 1.1
Cultures 2.1
Connections 3.1

Answers

29 1. Las tres zonas son cotos, marismas y dunas.
2. Se pueden ver gamos, ciervos, toros, caballos salvajes y jabalíes, además del lince.
3. Son botes especiales para pescar angulas.
4. El lince vive en Doñana.

30 Answers will vary.

Activities

Prereading Strategy

Remind students to preview the subject line and caption prior to reading. What information can they gain from these sources?

Pronunciation

Give students the opportunity to read the selection aloud. Model the pronunciation of new vocabulary, such as names for specific animals and plants.

Technology

Have students draft and exchange e-mail messages with each other on the topic of a memorable outdoor or environmental experience.

National Standards
Communication
1.1
Connections
3.1, 3.2
Communities
5.1

Lectura personal

E-Mail

Archivo Ver Mensajes Ayuda

A... Papá y Mamá:

Cc...

Asunto: Recuerdos de España

El Coto de Doñana

Queridos Papá y Mamá,

Hoy volvimos a estar en contacto directo con la naturaleza, después de nuestros últimos días de ciudad en ciudad. Por la mañana, llegamos al Coto de Doñana, que está en Huelva, en el suroeste de España. Es el parque natural protegido más importante de España. El ecosistema de Doñana es fascinante. En este parque hay tres zonas: cotos[1], marismas[2] y dunas[3].

El guía nos asustó un poco, porque nos comenzó a explicar cómo evitar víboras[4], escorpiones y otras alimañas[5] que viven aquí. ¡Yo pensé que lo peor había quedado atrás, en las montañas de Costa Rica! Pero también nos habló de los bellos e interesantes animales que íbamos a ver en el parque. Y el más especial es el lince[6], un felino que vive en Doñana y que está en peligro de extinción.

En los cotos es donde hay más animales. Vimos toros y caballos salvajes, jabalíes[7], ciervos[8] y gamos[9]. La vegetación también es muy distinta. Me sorprenden especialmente los jaguarzos, unos arbustos de hermosas flores amarillas, y las plantas aromáticas, como el tomillo[10] y la lavándula[11].

En Trebujena, un pueblo cercano a Doñana, nos subimos a unos botes especiales para pescar angulas[12]. Estas barcas se llaman *cuchareras* y ¿saben por qué? ¡Porque antiguamente se pescaban las angulas con cucharas! ¡Vaya trabajo!

Al bajar de la barca, paseamos durante horas por la playa de Doñana, que es de una arena blanca finísima.

Las dunas también son muy bonitas. Caminando en medio de las dunas, ¡parecía que estábamos en el desierto! Y, de vez en cuando, entre estas montañas de arena, hay oasis de pinos, que se llaman *corrales*. ¡Es precioso!

Pero para mí, el momento más especial del día fue cuando el guía nos señaló entre unos arbustos un bello y extraño animal: ¡era un lince!

Besos y hasta muy pronto,
Esperanza

---

[1]preserves [2]swamps [3]dunes [4]snakes [5]dangerous animals [6]lynx
[7]boars [8]deer [9]bucks [10]thyme [11]kind of lavender [12]baby eels

29 ¿Qué recuerda Ud.?

1. ¿Qué tres zonas tiene el Coto de Doñana?
2. ¿Qué animales se pueden ver en el coto?
3. ¿Qué son las cuchareras?
4. ¿Qué animal en peligro de extinción vive en Doñana?

El lince es uno de los animales del Coto de Doñana.

30 Algo personal

1. ¿Cuál es el animal más especial que ha visto Ud.? ¿Dónde y cuándo lo vio?
2. ¿Le gustaría visitar el Coto de Doñana? ¿Por qué?

Notes

With a population of over 1,200 in the early 1990s, there are currently fewer than 250 Iberian lynx. Their decline has been attributed to a loss of habitat due to development, as well as a decimation of their major food source, rabbits, due to changes in landscape resulting from increased agriculture.

The Coto de Doñana was first set aside as a royal hunting site by the kings of Castile in the 13th century. This unique site is home to numerous species of aquatic birds, including geese and flamingos. It became a national park in 1969. For more information, direct students to:

www.andalucia.com/environment/protect/donana

¿Qué aprendí?

Autoevaluación

Como repaso y evaluación, responda lo siguiente:

1. Mencione tres inventos que Ud. asocia con el futuro.

2. ¿Quién es Pedro Duque? ¿Qué hizo durante su segunda misión?

3. Complete las siguientes oraciones usando el futuro perfecto:
   Para el año 2030,...; Dentro de cinco años,...

4. ¿Qué tiempo verbal se usa en la cláusula dependiente si en la cláusula principal el verbo está en condicional o en pasado?

5. Mencione cuatro problemas que afectan a nuestro planeta.

6. ¿Qué es *el chapapote*?

7. Escriba dos oraciones que expresen un consejo y una emoción usando el subjuntivo.

8. Mencione cuatro conjunciones que requieren el uso del subjuntivo.

Palabras y expresiones

How many of these words and expressions do you recognize?

Los avances
los avances
el invento
el medio de
   comunicación
la realidad virtual
la pantalla de alta
   definición
el satélite

El espacio
el astronauta,
   la astronauta
la estación espacial
el planeta
el transbordador
   espacial

La ciencia
la genética
los genes
el virus, los virus
el microscopio

Adjetivos
científico,-a
tecnológico,-a
contaminado,-a
optimista
pesimista
solar

El medio ambiente
el aerosol
el agujero
la atmósfera
el calentamiento global
la capa de ozono
el derrame
el desperdicio químico
la escasez
el recurso natural

Las especies
el águila calva
la ballena
la especie
la foca

Verbos
afectar
agotar(se)
arrojar
comunicarse
conservar
contaminar
dañar
desarrollar
predecir
reciclar

Otras palabras y expresiones
a menos que
en peligro de extinción
hoy en día
la fábrica
el uso
el vidrio

Una ballena.

Notes

As an additional review, have students use the list of verbs in the vocabulary to practice creating subjunctive forms.

Point out to students that many of the vocabulary words related to science and technology are cognates. Discuss why this might be so. Why might "modern" words be similar across languages?

Have students review the vocabulary on page 461 aloud. Help them master any words or phrases whose pronunciation is problematic.

Students should visit the Internet Resource Center at www.emcp.com to complete this activity online and check answers.

Teacher Resources

Activity 15

p. 118

Answers

Autoevaluación
Possible answers:
1. El transbordador espacial, los satélites en el espacio, la pantalla de alta definición.
2. Pedro Duque es un astronauta español. Durante su segunda misión hizo experimentos biológicos, físicos y tecnológicos y también hizo observaciones de la Tierra.
3. Para el año 2030, ya habrán desarrollado una cura para el cáncer. Dentro de cinco años, ya me habré graduado de la universidad.
4. Se usa el imperfecto del subjuntivo.
5. Los desperdicios químicos, el calentamiento global, los derrames de petróleo, las especies en peligro de extinción.
6. Es un derrame de petróleo.
7. Sugiero que te laves las manos antes de comer. Siento que no puedas venir a la fiesta.
8. Antes de que, a menos que, para que, sin que.

National Standards

Connections
3.1

Comparisons
4.1

U**d. lee**

Answers

Preparación

1. Larra nació en Madrid.
2. Fue periodista y escritor.
3. *Fígaro* y *El pobrecito hablador.*
4. Se lo conoce por sus artículos de costumbres y escenas de la vida española.

Activities

Expansion

Have students contribute essays, critiques or reviews for a Spanish-language class newspaper. Encourage students to create and use their own pseudonyms as did Larra.

Spanish for Spanish Speakers

Encourage students to locate an essay, novel or play by Mariano José de Larra. Have students read the work independently, and then report on its content and theme to the whole group.

Estrategia

Understanding the author's purpose
Writers can have many reasons for writing, such as to entertain, to teach a lesson, to inform, to explain certain values or ideas, and so on. Look for clues in the text that help you understand what the author's purpose is. This will help you grasp the meaning of the text itself much better.

Preparación

Lea lo siguiente y después conteste las preguntas que siguen.

Mariano José de Larra nació en Madrid, durante la ocupación francesa. Vivió los primeros años de su vida en Burdeos. De vuelta a España, Larra estudió en Valencia y Valladolid. Comenzó su carrera periodística en dos periódicos de los que era dueño. Luego escribió críticas de teatro para otros diarios, con el seudónimo *Fígaro.* Otro de sus seudónimos más conocidos era *El pobrecito hablador,* que también era el nombre de uno de sus periódicos. Fue uno de los periodistas más conocidos y mejor pagados de su época. Sus ensayos[1] más famosos son artículos de costumbres y escenas de la vida española, entre los que se destaca "Vuelva usted mañana", aunque también escribió una novela, *El doncel de Don Enrique el Doliente,* y una obra de teatro, *Macías.* Como muchos de los escritores románticos, no tuvo suerte en el amor, y acabó suicidándose, a los ventiocho años.

[1]essays

1. ¿Dónde nació Larra?
2. ¿Cuál era su profesión?
3. ¿Qué otros nombres usaba?
4. ¿Por qué se lo conoce mejor?

Mariano José de Larra.

National Standards

Communication
1.1, 1.3

Connections
3.1, 3.2

Comparisons
4.2

462

Notes

Students may be interested to know that when Larra returned to Spain in 1817 at the age of 8, he actually spoke more French than Spanish. Larra's father was a doctor with the French army.

Comparisons. Point out that Larra's work often deals with customs and everyday Spanish life. Begin with the following: *Los ensayos más famosos de Larra son artículos de costumbres y escenas de la vida española.* Ask students to consider the customs and other elements of their own culture that they would choose to critique. What aspects of "American life" do they find funny, ironic or troubling?

Vuelva usted mañana

A continuación Ud. va a leer un fragmento del artículo de costumbre de Larra "Vuelva usted mañana". En él, el periodista comenta lo que le sucedió a un francés que fue a España a hacer negocios. Él pensaba que sus problemas se resolverían en quince días, pero Larra le dice que, debido a la forma de ser de los españoles dentro de 15 meses aún estaría en el país. Finalmente, el extranjero se marcha, después de 6 meses, sin haber conseguido nada.

Un extranjero de éstos fué el que se presentó en mi casa, provisto de competentes cartas de recomendación para mi persona. Asuntos intrincados[1] de familia, reclamaciones futuras, y aun proyectos vastos concebidos en París de invertir[2] aquí sus cuantiosos caudales[3] en tal o cual especulación industrial o mercantil, eran los motivos que a nuestra patria le conducían.

Acostumbrado a la actividad en que viven nuestros vecinos, me aseguró formalmente que pensaba permanecer[4] aquí muy poco tiempo, sobre todo si no encontraba pronto objeto seguro en que invertir su capital. Parecióme el extranjero digno de alguna consideración, trabé presto amistad[5] con él, y lleno de lástima traté de persuadirle a que se volviese a su casa cuanto antes, siempre que seriamente trajese otro fin que no fuese el de pasearse. Admiróle la proposición, y fué preciso explicarme más claro.

—Mirad —le dije—, monsieur Sans-Délai[6], —que así se llamaba—; vos venís decidido a pasar quince días, y a solventar en ellos vuestros asuntos.

Un calendario español

—Ciertamente —me contestó—. Quince días, y es mucho. Mañana por la mañana buscamos un genealogista para mis asuntos de familia; por la tarde revuelve sus libros, busca mis ascendientes[7], y por la noche ya sé quién soy. En cuanto a mis reclamaciones, pasado mañana las presento fundadas en los datos que aquél me dé, legalizados en debida forma; y como será una cosa clara y de justicia innegable (pues sólo en este caso haré valer mis derechos), al tercer día se juzga el caso y soy dueño de lo mío. En cuanto a mis especulaciones, en que pienso invertir mis caudales, al cuarto día ya habré presentado mis proposiciones. Serán buenas o malas, y admitidas o desechadas[8] en el acto, y son cinco días; en el sexto, séptimo y octavo, veo lo que hay que ver en Madrid; descanso el noveno; el décimo tomo mi asiento en la diligencia[9], si no me conviene estar más tiempo aquí, y me vuelvo a mi casa; aún me sobran de los quince, cinco días.

---

[1]intricate matters [2]investing [3]large sums of money [4]stay [5]I quickly became his friend
[6]play on words from the French: "Mr. Without Delay" [7]ancestors [8]refused [9]stagecoach

---

Teacher Resources

¡Viento en popa!
Vuelva usted mañana
(CD 20, #19)

Activities

Critical Thinking
After reading the summary at the top of the page, ask students to consider the title of this essay. What is the significance of the phrase *Vuelva usted mañana* given what they know about the theme of the essay?

Prereading Activity
Have students read the summary of the essay at the top of page 463. Ask follow-up questions to ensure student understanding of the basic premise of the selection.

Students with Special Needs
After students read monsieur Sans-Délai's plan for his stay, have them organize this information into the form of a chart or calendar. Have students identify what he plans to do each day of his stay.

Notes

Allow students to read the selection several times in different ways. For example, they might begin by silently previewing the selection independently. Then, you might give them the opportunity to reread the selection aloud with a partner or small group. Finally, you might ask for individuals to reread the selection aloud as the basis for a whole-group discussion.

Explain that the protagonist's name, in French, means "Mr. Without Delay." Ask students to share their own experiences with *la pereza*. Have they ever encountered the type of slow-moving bureaucracy described in *Vuelva usted mañana*?

National Standards	
Communication 1.2, 1.3	**Comparisons** 4.1, 4.2
Cultures 2.2	
Connections 3.1	

Language through Action

After students read the beginning of the section on page 464, invite volunteers to act out the interaction between the author and the foreigner. Encourage them to focus on the descriptions of the characters' gestures and tones.

Students with Special Needs

As students read through this section, have them create a list to document the various reasons why the genealogist is unavailable.

Al llegar aquí monsieur Sans-Délai, traté de reprimir una carcajada[1] que me andaba retozando ya hacía rato en el cuerpo, y si mi educación logró sofocar mi inoportuna jovialidad, no fué bastante a impedir que se asomase a mis labios una suave sonrisa de asombro y de lástima que sus planes ejecutivos me sacaban al rostro mal de mi grado.

—Permitidme, monsieur Sans-Délai —le dije entre socarrón[2] y formal—, permitidme que os convide a comer para el día en que llevéis quince meses de estancia en Madrid.

—¿Cómo?

—Dentro de quince meses estáis aquí todavía.

—¿Os burláis[3]?

—No por cierto.

—¿No me podré marchar cuando quiera? ¡Cierto que la idea es graciosa!

—Sabed que no estáis en vuestro país, activo y trabajador.

—¡Oh!, los españoles que han viajado por el extranjero han adquirido la costumbre de hablar mal de su país por hacerse superiores a sus compatriotas.

—Os aseguro que en los quince días con que contáis, no habréis podido hablar siquiera a una sola de las personas cuya cooperación necesitáis.

—¡Hipérboles! Yo les comunicaré a todos mi actividad.

—Todos os comunicarán su inercia.

Conocí que no estaba el señor de Sans-Délai muy dispuesto a dejarse convencer sino por la experiencia, y callé[4] por entonces, bien seguro de que no tardarían mucho los hechos en hablar por mí.

Amaneció el día siguiente, y salimos entrambos a buscar un genealogista, lo cual sólo

El viejo Madrid.

se pudo hacer preguntando de amigo en amigo y de conocido en conocido. Encontrámosle por fin, y el buen señor, aturdido de ver nuestra precipitación[5], declaró francamente que necesitaba tomarse algún tiempo; instósele, y por mucho favor nos dijo definitivamente que nos diéramos una vuelta por allí dentro de unos días. Sonreíme y marchámonos. Pasaron tres días: fuimos.

—Vuelva usted mañana —nos respondió la criada—, porque el señor no se ha levantado todavía.

—Vuelva usted mañana —nos dijo al siguiente día—, porque el amo acaba de salir.

—Vuelva usted mañana —nos respondió al otro—, porque el amo está durmiendo la siesta.

—Vuelva usted mañana —nos respondió el lunes siguiente—, porque hoy ha ido a los toros.

—¿Qué día, a qué hora se ve a un español? Vímosle por fin, y Vuelva usted mañana —nos dijo—, porque se me ha olvidado. Vuelva usted mañana, porque no está en limpio[6].

A los quince días ya estuvo; pero mi amigo le había pedido una noticia del apellido Díez, y él había entendido Díaz y la noticia no servía. Esperando nuevas pruebas, nada dije a mi amigo, desesperado ya de dar jamás con[7] sus abuelos.

Es claro que faltando este principio no tuvieron lugar las reclamaciones. [...]

No paró aquí; un sastre tardó veinte días en hacerle un frac, que le había mandado llevarle en veinticuatro horas; el zapatero le obligó con su tardanza a comprar botas hechas; la planchadora necesitó quince días para plancharle una camisola; y el sombrerero, a quien le había enviado su sombrero a variar el ala[8], le tuvo dos días con la cabeza al aire y sin salir de casa. [...]

A los cuatro días volvimos a saber el éxito de nuestra pretensión.

—Vuelva usted mañana —nos dijo el portero—. El oficial de la mesa no ha venido hoy.

[1]suppress laughing   [2]sarcastic   [3]Are you making fun of me?   [4]I kept quiet   [5]confused by our hastiness   [6]I haven't done the final draft   [7]never find   [8]to change the hat's brim

National Standards

Communication	Comparisons
1.1	4.2

Cultures
2.2

Connections
3.1

Notes

Students may be interested to know that *Vuelva usted mañana* was written in 1833. Discuss with them how Larra's observations may or may not apply to life in modern times. Ask students to discuss whether they feel people are generally more or less patient than in the 19th century. What technologies have changed our perceptions of efficiency and time? What are students' predictions for the future?

Remind students of the *Estrategia* on page 462. What do they feel is Larra's purpose in writing this essay?

—Grande causa le habrá detenido —dije yo entre mí. Fuímonos a dar un paseo, y nos encontramos, ¡qué casualidad! al oficial de la mesa en el Retiro, ocupadísimo en dar una vuelta con su señora al hermoso sol de los inviernos claros de Madrid.

Martes era el día siguiente, y nos dijo el portero:

—Vuelva usted mañana, porque el señor oficial de la mesa no da audiencia hoy.

—Grandes negocios habrán cargado sobre él —dije yo.

Como soy el diablo[1] y aun he sido duende[2], busqué ocasión de echar una ojeada por el agujero de una cerradura[3]. Su señoría estaba echando un cigarrito al brasero, y con una charada del *Correo*[4] entre manos que le debía costar trabajo el acertar.

—Es imposible verle hoy —le dije a mi compañero—; su señoría está, en efecto, ocupadísimo. [...]

Por último, después de cerca de medio año de subir y bajar, y estar a la firma o al informe, o a la aprobación, o al despacho, o debajo de la mesa, y de *volver* siempre mañana, [el plan] salió con una notita al margen que decía: "A pesar de la justicia y utilidad del plan del exponente, negado".

—¡Ah, ah, monsieur Sans-Délai! —exclamé riéndome a carcajadas—; éste es nuestro negocio. [...]

—¿Para esto he echado yo viaje tan largo? ¿Después de seis meses no habré conseguido sino que me digan en todas partes diariamente: *Vuelva usted mañana*? ¿Y cuando este dichoso *mañana* llega, en fin, nos dicen redondamente que *no*? ¿Y vengo a darles dinero? ¿Y vengo a hacerles favor? Preciso es que la intriga más enredada[5] se haya fraguado para oponerse a nuestras miras.

Problemas de la burocracia.

—¿Intriga, monsieur Sans-Délai? No hay hombre capaz de seguir dos horas una intriga. La pereza es la verdadera intriga; os juro que no hay otra; ésa es la gran causa oculta: es más fácil negar las cosas que enterarse de ellas. [...]

[1]devil [2]ghost [3]look through a keyhole [4]puzzle from the Correo newspaper [5]tangled

A ¿Qué recuerda Ud.?

1. ¿Qué quiere hacer monsieur Sans-Délai?
2. ¿Cuánto tiempo piensa monsieur Sans-Délai que le va a tomar resolver sus asuntos en España?
3. ¿Qué predice el autor que pasará?
4. ¿Qué sucede a lo largo de la historia?
5. ¿Cuál es el verdadero problema de la sociedad española?

B Algo personal

1. ¿Alguna vez ha tenido Ud. problemas con la burocracia? ¿Qué pasó?
2. ¿Cómo se sentiría Ud. si estuviera en otro país y le pasara lo que le sucede al señor Sans-Délai?

Notes
    Inform students that *El Parque del Retiro* is Madrid's premier city park, complete with gardens, fountains, lakes and outdoor cafés.

AP Spanish Literature. This selection by Mariano José de Larra is on the College Board AP Spanish literature required reading list for nineteenth-century authors. Use the accompanying activities as you see fit to prepare students for the AP Spanish literature examination.

Teacher Resources

  Activity A (CD 20, #20)
Activity B (CD 20, #21)

Answers

A Wording of answers will vary, but the following ideas should be expressed:
1. Quiere hacer negocios en España.
2. Piensa que sólo le va a tomar quince días.
3. Predice que pasará quince meses en el país.
4. El francés no consigue resolver los asuntos que había presentado.
5. El verdadero problema de la sociedad española es que es muy perezosa.

B Answers will vary.

Activities

Language through Action
Organize students into small groups to act out this final section of *Vuelva usted mañana*. Assign students to play each of the characters, as well as the narrator. Allow each group to practice their interpretation and then present it to the whole group.

Multiple Intelligences (interpersonal/logical-mathematical)
Support students' interpersonal and mathematical intelligences by having them conduct a survey on the theme of bureaucracy. In small groups, have students draft questions and ask their peers about their opinions. Have students analyze their findings and present them in a chart or graph.

National Standards	
Communication 1.1, 1.3	**Comparisons** 4.2
Cultures 2.2	
Connections 3.1	

Answers

Creative self-expression.

Activities

Critical Thinking

Discuss with students how they will organize their essays. They might present one positive point followed by a related negative point. Or they might present the entire positive side in one paragraph, followed by a discussion of the negative side in the next paragraph. However students choose to organize their arguments, remind them to remain clear and consistent.

Spanish for Spanish Speakers

Encourage students to isolate common mistakes or patterns of error that often arise in their written work. Direct them to proofread their stories specifically for these elements.

Students with Special Needs

Provide students with models of how they might utilize the subjunctive in their essays. If necessary, refer them to *Repaso de los usos del subjuntivo I* on page 456 and *Repaso de los usos del subjuntivo II* on page 458.

National Standards

Communication
1.3

Connections
3.1

466

Ud escribe ■ ■ ■ ■ ■ ■ ■ ■ ■ ■ ■ ■

Estrategia

Present the pros and cons

In order to show your position on a subject clearly, you need to present the pros and cons on the subject. To do this, you can gather details that support and are against your position. For example, you can think of a situation and then find the negative and positive outcomes of that situation. While you may be tempted to ignore the negative aspects of your position, your writing will be stronger if you address and refute them.

 Escriba un discurso para presentar ante la clase sobre lo que nos traerá el futuro. Piense en los puntos a favor y en contra acerca de lo que sucederá en el futuro. Por ejemplo, un punto a favor sería que en el futuro se habrán descubierto vacunas o curas para muchas enfermedades. Un punto en contra sería que los recursos naturales serán escasos. Piense también en lo que puede hacer la gente hoy para prevenir las cosas negativas que nos traerá el futuro. Antes de escribir el borrador del discurso, complete dos tablas como las siguientes con los puntos a favor y en contra. Use el subjuntivo en su discurso. Cuando termine el borrador, compártalo con otro/a estudiante y pídale sus sugerencias o correcciones. Por último, escriba la versión final para incluir las sugerencias de su compañero/a y para corregir los errores en los tiempos de los verbos, el uso de las palabras o expresiones de transición y la ortografía.

Puntos a favor	Puntos en contra
Exploración del espacio.	Calentamiento global.

Notes Present students with the option of focusing their essays on one specific issue related to the future. If students have undertaken research on a specific topic, they might choose to concentrate their writing on medicine, the environment or travel in the future, for example.

After each writing assignment, present the whole group with a summary of the strengths and weaknesses you observed in their written work. The intention is not to isolate individual students and their mistakes, but to analyze the group for patterns of strength and weakness.

Proyectos adicionales ■■ ■ ■■■ ■ ■

A Conexión con la tecnología

Haga una investigación en la internet sobre las universidades más antiguas de Estados Unidos y España. Busque información sobre cuándo se fundaron, quién las fundó, qué estudios ofrecían al principio y qué estudios ofrecen ahora. Complete una tabla como la siguiente con los datos que encuentre. Por último, escriba un informe sobre lo que Ud. opina acerca de la evolución de la educación en ambos países. Puede responder a las preguntas: ¿En qué país es más antigua la educación? ¿Por qué? Presente su informe a la clase.

Universidades en Estados Unidos.	Universidades en España.
Harvard University	Universidad de Salamanca

B Conexión con otras disciplinas: ecología

Con su compañero/a, investiguen cuáles son los animales que se encuentran en peligro de extinción en España. Busquen información sobre dónde viven y por qué se encuentran en peligro de extinción. Pueden ubicar a los animales en un mapa de España. Por último, escojan uno de los animales en peligro de extinción e investiguen las características de ese animal.

C ¡A escribir!

Para solicitar un trabajo, es necesario enviar el currículum vitae. Los currículum vitae son más largos que los *résumés* que se usan en Estados Unidos ya que, además de la experiencia de trabajo y los estudios, incluyen datos personales como la fecha y el lugar de nacimiento, el domicilio y el teléfono, los pasatiempos, las actividades que se realizan en otros campos y los premios recibidos. Con base a esta información, escriba su propio currículum vitae. Recuerde que puede agregar todos los detalles que sean necesarios para describir su personalidad, sus estudios y su experiencia de trabajo.

El lince está en peligro de extinción.

Activities

Expansion
Students might also present their work for projects A and B in the form of a longer written essay. Remind students to think about the author's purpose in writing these pieces. Project A would lend itself well to a comparison and contrast piece, while project B would most likely take the form of an informative essay.

Students with Special Needs
To begin their research, refer students to the pages where the topics for these projects were originally introduced.

National Standards

Communication	Communities
1.3	5.1
Connections	
3.1, 3.2	
Comparisons	
4.2	

Notes

Be sure to give students clear expectations or guidelines for their project presentations. You might suggest a particular length of time or presentation structure to help students focus and present their knowledge effectively.

In addition to creating their own *currículum vitae* in project C, students might also be interested in creating a *currículum vitae* for one of the people they encountered in *Capítulo 10,* such as Mariano José de Larra or Pedro Duque. Students might also use research to create a *currículum vitae* for one of the famous Spaniards presented in *Contexto cultural* on page 425.

El cuarto misterioso
Documental 5

Trabalenguas (CD 20, #22)

 Answers

Así se hace el misterio

1. Se toma la masa, se hace como una bolita, se aplasta un poco, se pone el relleno y se cocina.
2. Empezó a pintar después de sufrir un terrible accidente.
3. Answers will vary.

 Activities

Expansion
The items listed under *I can also...* may also be used as the basis for additional projects.

Language through Action
Many of the points in *Repaso* can be practiced and assessed through a culminating role play. Students might plan and present the scene of a job interview.

Technology
Encourage students to use the Internet to learn more about the topics presented in *I can also....*

Critical Thinking
Ask students to write a letter to the producer of *El cuarto misterioso* commenting on what they liked or did not like about the program.

Trabalenguas
After practicing the *Trabalenguas*, ask students to make a list of words related to *enmarañar* using prefixes and suffixes.

National Standards
Connections
3.1
Communities
5.1, 5.2

468

REPASO

Now that I have completed this chapter, I can...

	Go to these pages for help:
talk about projects for the future.	426, 427
talk about careers.	426, 427
prepare for a job interview.	432, 433
evaluate work conditions.	432, 433
refer to indefinite or unknown subjects.	436, 439
talk about future technologies.	442, 443
express wishes and hopes for the future.	447
discuss environmental problems, their causes and solutions.	450

I can also...

talk about the first universities in the Iberian Peninsula.	429
describe the information that's included in a Spanish résumé.	435
comment on careers and technologies of the future.	440
read about a Spanish astronaut.	445
talk about how young Spanish volunteers helped clean out an oil spill.	453
describe some aspects of a national park in Spain.	460
read an article on 19th century Spanish customs.	462

Trabalenguas

Mariana Magaña
desenmañará mañaná
la maraña que enmarañará
Mariana Magaña.

Así se hace el misterio

Después de mirar Episodios 83–86 de *El cuarto misterioso*, contesta las siguientes preguntas.

1. ¿Cómo se hace una quesadilla en México?

2. ¿Cuándo empezó a pintar Frida Kahlo?

3. ¿Qué hay de interés en Coyoacán?

Notes Loose translation of the *Trabalenguas:*
Mariana Magaña
will untangle tomorrow
the tangle that
Mariana Magaña tangled.

Vocabulario

a menos que unless *10B*
aerosol aerosol *10B*
afectar to affect *10B*
agotar(se) to run out, to exhaust *10B*
el **águila calva** bald eagle *10B*
el **agujero** hole, gap *10B*
el **arquitecto,** la **arquitecta** architect *10A*
la **arquitectura** architecture *10A*
arrojar to throw *10B*
el **astronauta,** la **astronauta** astronaut *10B*
la **atmósfera** atmosphere *10B*
los **avances** advances *10B*
la **ballena** whale *10B*
la **beca** scholarship *10A*
los **beneficios** benefits *10A*
el **calentamiento global** global warming *10B*
la **capa de ozono** ozone layer *10B*
científico,-a scientific *10B*
comunicarse to communicate *10B*
los **conocimientos** knowledge *10A*
conservar to conserve *10B*
la **construcción** construction work *10A*
contaminado,-a contaminated *10B*
contaminar to contaminate *10B*
contratar to hire *10A*
cumplir con to carry out, to perform *10A*
el **currículum vitae** résumé *10A*
dañar to harm *10B*
el **derrame** spill *10B*
desarrollar to develop *10B*
el **desperdicio químico** chemical waste *10B*
el **diseñador,** la **diseñadora** designer *10A*
el **electricista,** la **electricista** electrician *10A*
emprendedor,-a enterprising *10A*
el **empresario,** la **empresaria** business manager *10A*

en equipo team work *10A*
en peligro de extinción endangered *10B*
la **escasez** shortage *10B*
el **especialista,** la **especialista** specialist *10A*
especializarse en to specialize in *10A*
la **especie** species *10B*
la **estación espacial** space station *10B*
estar en paro to be unemployed *10A*
los **estudios** studies *10A*
la **fábrica** factory *10B*
fijo,-a permanent *10A*
la **foca** seal *10B*
el **fontanero,** la **fontanera** plumber *10A*
el **formulario** form *10A*
el **gen** *pl.* los **genes** gene, genes *10B*
la **genética** genetics *10B*
graduarse to graduate *10A*
hacer prácticas to have an internship *10A*
hoy en día nowadays *10B*
la **informática** computer science *10A*
la **ingeniería** engineering *10A*
el **invento** invention *10B*
el **jefe,** la **jefa** boss *10A*
la **jornada completa** full time *10A*
la **media jornada** part time *10A*
el **medio de comunicación** media *10B*
el **microscopio** microscope *10B*
optimista optimist *10B*
la **pantalla de alta definición** high definition screen *10B*
pesimista pessimist *10B*
el **planeta** planet *10B*
poner a prueba to employ someone on trial basis *10A*
por mi/su cuenta on my/his/her own *10A*
predecir to predict *10B*
la **psicología** psychology *10A*
el **psicólogo,** la **psicóloga** psychologist *10A*
el **puesto** job, position *10A*

la **realidad virtual** virtual reality *10B*
reciclar to recycle *10B*
el **recurso natural** natural resource *10B*
las **referencias** references *10A*
las **relaciones públicas** public relations *10A*
rellenar to fill in *10A*
los **requisitos** requirements *10A*
el **satélite** satellite *10B*
solar solar *10B*
solicitar to request *10A*
el **sueldo** salary *10A*
tecnológico,-a technological *10B*
temporal temporary *10A*
tener facilidad para to have an ability for *10A*
el **transbordador espacial** space shuttle *10B*
el **uso** use *10B*
valer para to be good at *10A*
el **vidrio** glass *10B*
el **virus** *pl.* los **virus** virus, viruses *10B*

Una foca.

Teacher Resources

Assessment
Test Booklet
Quizzes
ExamView®
Assessment Suite

Activities

Cooperative Learning

In small groups, have students review this chapter's vocabulary by playing a riddle game. One student chooses a word and provides a brief description of its meaning in Spanish. The other group members must guess the correct vocabulary word.

Critical Thinking

Have students review vocabulary by creating word "matches." Ask them to choose two related words, and then explain the connection between the two.

Notes

Remind students that the words and expressions listed here are provided for easy reference and consist of all the vocabulary they must know from *Capítulo 10*. Students should review and test themselves over the content of the *Vocabulario* in preparation for the chapter test.

National Standards

Communication
1.1, 1.2

Appendices

Appendix A

Grammar Review

Definite articles

	Singular	Plural
Masculine	el	los
Feminine	la	las

Indefinite articles

	Singular	Plural
Masculine	un	unos
Feminine	una	unas

Adjective/noun agreement

	Singular	Plural
Masculine	El chico es alto.	Los chicos son altos.
Feminine	La chica es alta.	Las chicas son altas.

Pronouns

Singular	Subject	Direct object	Indirect object	Object of preposition	Reflexive	Reflexive object of preposition
1st person	yo	me	me	mí	me	mí
2nd person	tú	te	te	ti	te	ti
	Ud.	lo/la	le	Ud.	se	sí
3rd person	él	lo	le	él	se	sí
	ella	la	le	ella	se	sí
Plural						
1st person	nosotros	nos	nos	nosotros	nos	nosotros
	nosotras	nos	nos	nosotras	nos	nosotras
2nd person	vosotros	os	os	vosotros	os	vosotros
	vosotras	os	os	vosotras	os	vosotras
	Uds.	los/las	les	Uds.	se	sí
3rd person	ellos	los	les	ellos	se	sí
	ellas	las	les	ellas	se	sí

Demonstrative pronouns

Singular		Plural		
Masculine	**Feminine**	**Masculine**	**Feminine**	**Neuter**
éste	ésta	éstos	éstas	esto
ése	ésa	ésos	ésas	eso
aquél	aquélla	aquéllos	aquéllas	aquello

Demonstrative adjectives

Singular		Plural	
Masculine	**Feminine**	**Masculine**	**Feminine**
este	esta	estos	estas
ese	esa	esos	esas
aquel	aquella	aquellos	aquellas

Relative pronouns

que	*who, whom, which, that*
quien	*who*
quienes	*who*
a quien	*whom*
a quienes	*whom*
cuyo, -a	*whose*
el que, la que	*who, which*
el cual, la cual	*who, which*
lo que	*what, that which*

Possessive pronouns

Singular	Singular form	Plural form
1st person	el mío la mía	los míos las mías
2nd person	el tuyo la tuya	los tuyos las tuyas
3rd person	el suyo la suya	los suyos las suyas
Plural	**Singular form**	**Plural form**
1st person	el nuestro la nuestra	los nuestros las nuestras
2nd person	el vuestro la vuestra	los vuestros las vuestras
3rd person	el suyo la suya	los suyos las suyas

Interrogatives

qué	*what*
cómo	*how*
dónde	*where*
cuándo	*when*
cuánto, -a, -os, -as	*how much, how many*
cuál/cuáles	*which (one)*
quién/quiénes	*who, whom*
por qué	*why*
para qué	*why, what for*

Possessive adjectives: short form

Singular	Singular nouns	Plural nouns
1st person	mi hermano mi hermana	mis hermanos mis hermanas
2nd person	tu hermano tu hermana	tus hermanos tus hermanas
3rd person	su hermano su hermana	sus hermanos sus hermanas

Plural	Singular nouns	Plural nouns
1st person	nuestro hermano nuestra hermana	nuestros hermanos nuestras hermanas
2nd person	vuestro hermano vuestra hermana	vuestros hermanos vuestras hermanas
3rd person	su hermano su hermana	sus hermanos sus hermanas

Possessive adjectives: long form

Singular	Singular nouns	Plural nouns
1st person	un amigo mío una amiga mía	unos amigos míos unas amigas mías
2nd person	un amigo tuyo una amiga tuya	unos amigos tuyos unas amigas tuyas
3rd person	un amigo suyo una amiga suya	unos amigos suyos unas amigas suyas

Plural	Singular nouns	Plural nouns
1st person	un amigo nuestro una amiga nuestra	unos amigos nuestros unas amigas nuestras
2nd person	un amigo vuestro una amiga vuestra	unos amigos vuestros unas amigas vuestras
3rd person	un amigo suyo una amiga suya	unos amigos suyos unas amigas suyas

Appendix B

Verbs

Present tense (indicative)

Regular present tense		
hablar *(to speak)*	hablo hablas habla	hablamos habláis hablan
comer *(to eat)*	como comes come	comemos coméis comen
escribir *(to write)*	escribo escribes escribe	escribimos escribís escriben

Present tense of reflexive verbs (indicative)

lavarse *(to wash oneself)*	me lavo te lavas se lava	nos lavamos os laváis se lavan

Present tense of stem-chaging verbs (indicative)

Stem-changing verbs are identified in this book by the presence of vowels in parentheses after the infinitive. If these verbs end in *-ar* or *-er,* they have only one change. If they end in *-ir,* they have two changes. The stem change of *-ar* and *-er* verbs and the first stem change of *-ir* verbs occur in all forms of the present tense, except *nosotros* and *vosotros*.

cerrar (ie) *(to close)*	e → ie	cierro cierras cierra	cerramos cerráis cierran

Verbs like **cerrar:** apretar *(to tighten),* atravesar *(to cross),* calentar *(to heat),* comenzar *(to begin),* despertar *(to wake up),* despertarse *(to awaken),* empezar *(to begin),* encerrar *(to lock up),* negar *(to deny),* nevar *(to snow),* pensar *(to think),* quebrar *(to break),* recomendar *(to recommend),* regar *(to water),* sentarse *(to sit down),* temblar *(to tremble),* tropezar *(to trip)*

contar (ue) *(to tell)*	o → ue	cuento cuentas cuenta	contamos contáis cuentan

Verbs like **contar:** acordar *(to agree),* acordarse *(to remember),* acostar *(to put to bed),* acostarse *(to lie down),* almorzar *(to have lunch),* colgar *(to hang),* costar *(to cost),* demostrar *(to demonstrate),* encontrar *(to find, to meet someone),* mostrar *(to show),* probar *(to taste, to try),* recordar *(to remember),* rogar *(to beg),* soltar *(to loosen),* sonar *(to ring, to sound),* soñar *(to dream),* volar *(to fly),* volcar *(to spill, to turn upside down)*

jugar (ue) *(to play)*	u → ue	juego juegas juega	jugamos jugáis juegan

perder (ie) *(to lose)*	e → ie	pierdo pierdes pierde	perdemos perdéis pierden

Verbs like **perder:** defender *(to defend)*, descender *(to descend, to go down)*, encender *(to light, to turn on)*, entender *(to understand)*, extender *(to extend)*, tender *(to spread out)*

volver (ue) *(to return)*	o → ue	vuelvo vuelves vuelve	volvemos volvéis vuelven

Verbs like **volver:** devolver *(to return something)*, doler *(to hurt)*, llover *(to rain)*, morder *(to bite)*, mover *(to move)*, resolver *(to resolve)*, soler *(to be in the habit of)*, torcer *(to twist)*

pedir (i, i) *(to ask for)*	e → i	pido pides pide	pedimos pedís piden

Verbs like **pedir:** conseguir *(to obtain, to attain, to get)*, despedirse *(to say good-bye)*, elegir *(to choose, to elect)*, medir *(to measure)*, perseguir *(to pursue)*, repetir *(to repeat)*, seguir *(to follow, to continue)*, vestirse *(to get dressed)*

sentir (ie, i) *(to feel)*	e → ie	siento sientes siente	sentimos sentís sienten

Verbs like **sentir:** advertir *(to warn)*, arrepentirse *(to regret)*, convertir *(to convert)*, convertirse *(to become)*, divertirse *(to have fun)*, herir *(to wound)*, invertir *(to invest)*, mentir *(to lie)*, preferir *(to prefer)*, requerir *(to require)*, sugerir *(to suggest)*

dormir (ue, u) *(to sleep)*	o → ue	duermo duermes duerme	dormimos dormís duermen

Present participle of regular verbs

The present participle of regular verbs is formed by replacing the *-ar* of the infinitive with *-ando* and the *-er* or *-ir* with *-iendo.*

Present participle of stem-changing verbs

Stem-changing verbs that end in *-ir* use the second stem change in the present participle.

dormir (ue, u)	durmiendo
seguir (i, i)	siguiendo
sentir (ie, i)	sintiendo

Progressive tenses

The present participle is used with the verbs *estar, continuar, seguir, andar* and some other motion verbs to produce the progressive tenses. They are reserved for recounting actions that are or were in progress at the time in question.

Regular command forms

	Affirmative		Negative
-ar verbs	habla	(tú)	no hables
	hablad	(vosotros)	no habléis
	hable Ud.	(Ud.)	no hable Ud.
	hablen Uds.	(Uds.)	no hablen Uds.
	hablemos	(nosotros)	no hablemos
-er verbs	come	(tú)	no comas
	comed	(vosotros)	no comáis
	coma Ud.	(Ud.)	no coma Ud.
	coman Uds.	(Uds.)	no coman Uds.
	comamos	(nosotros)	no comamos
-ir verbs	escribe	(tú)	no escribas
	escribid	(vosotros)	no escribáis
	escriba Ud.	(Ud.)	no escriba Ud.
	escriban Uds.	(Uds.)	no escriban Uds.
	escribamos	(nosotros)	no escribamos

Commands of stem-changing verbs (indicative)

The stem change also occurs in tú, *Ud.* and *Uds.* commands, and the second change of -*ir* stem-changing verbs occurs in the *nosotros* command and in the negative *vosotros* command, as well.

	Affirmative		Negative
cerrar (to close)	cierra	(tú)	no cierres
	cerrad	(vosotros)	no cerréis
	cierre Ud.	(Ud.)	no cierre Ud.
	cierren Uds.	(Uds.)	no cierren Uds.
	cerremos	(nosotros)	no cerremos
volver (to return)	vuelve	(tú)	no vuelvas
	volved	(vosotros)	no volváis
	vuelva Ud.	(Ud.)	no vuelva Ud.
	vuelvan Uds.	(Uds.)	no vuelvan Uds.
	volvamos	(nosotros)	no volvamos
dormir (to sleep)	duerme	(tú)	no duermas
	dormid	(vosotros)	no durmáis
	duerma Ud.	(Ud.)	no duerma Ud.
	duerman Uds.	(Uds.)	no duerman Uds.
	durmamos	(nosotros)	no durmamos

Preterite tense (indicative)

hablar	hablé	hablamos
	hablaste	hablasteis
	habló	hablaron
comer	comí	comimos
	comiste	comisteis
	comió	comieron
escribir	escribí	escribimos
	escribiste	escribisteis
	escribió	escribieron

Preterite tense of stem-changing verbs (indicative)

Stem-changing verbs that end in *-ar* and *-er* are regular in the preterite tense. That is, they do not require a spelling change, and they use the regular preterite endings.

pensar (ie)	
pensé	pensamos
pensaste	pensasteis
pensó	pensaron

volver (ue)	
volví	volvimos
volviste	volvisteis
volvió	volvieron

Stem-changing verbs ending in *-ir* change their third-person forms in the preterite tense, but they still require the regular preterite endings.

sentir (ie, i)	
sentí	sentimos
sentiste	sentisteis
sintió	sintieron

dormirse (ue, u)	
me dormí	nos dormimos
te dormiste	os dormisteis
se durmió	se durmieron

Imperfect tense (indicative)

hablar	hablaba	hablábamos
	hablabas	hablabais
	hablaba	hablaban
comer	comía	comíamos
	comías	comíais
	comía	comían
escribir	escribía	escribíamos
	escribías	escribíais
	escribía	escribían

Future tense (indicative)

hablar	hablaré	hablaremos
	hablarás	hablaréis
	hablará	hablarán
comer	comeré	comeremos
	comerás	comeréis
	comerá	comerán
escribir	escribiré	escribiremos
	escribirás	escribiréis
	escribirá	escribirán

Conditional tense (indicative)

hablar	hablaría	hablaríamos
	hablarías	hablaríais
	hablaría	hablarían
comer	comería	comeríamos
	comerías	comeríais
	comería	comerían
escribir	escribiría	escribiríamos
	escribirías	escribiríais
	escribiría	escribirían

Past participle

The past participle is formed by replacing the *-ar* of the infinitive with *-ado* and the *-er* or *-ir* with *-ido*.

hablar	hablado
comer	comido
vivir	vivido

Irregular past participles

abrir	abierto
cubrir	cubierto
decir	dicho
escribir	escrito
hacer	hecho
morir	muerto
poner	puesto
romper	roto
ver	visto
volver	vuelto

Present perfect tense (indicative)

The present perfect tense is formed by combining the present tense of *haber* and the past participle of a verb.

hablar	he hablado	hemos hablado
	has hablado	habéis hablado
	ha hablado	han hablado
comer	he comido	hemos comido
	has comido	habéis comido
	ha comido	han comido
vivir	he vivido	hemos vivido
	has vivido	habéis vivido
	ha vivido	han vivido

Past perfect tense (indicative)

hablar	había hablado	habíamos hablado
	habías hablado	habíais hablado
	había hablado	habían hablado

Preterite perfect tense (indicative)

hablar	hube hablado	hubimos hablado
	hubiste hablado	hubisteis hablado
	hubo hablado	hubieron hablado

Future perfect tense (indicative)

hablar	habré hablado	habremos hablado
	habrás hablado	habréis hablado
	habrá hablado	habrán hablado

Conditional perfect tense (indicative)

hablar	habría hablado	habríamos hablado
	habrías hablado	habríais hablado
	habría hablado	habrían hablado

Present tense (subjunctive)

hablar	hable	hablemos
	hables	habléis
	hable	hablen
comer	coma	comamos
	comas	comáis
	coma	coman
escribir	escriba	escribamos
	escribas	escribáis
	escriba	escriban

Imperfect tense (subjunctive)

hablar	hablara (hablase)	habláramos (hablásemos)
	hablaras (hablases)	hablarais (hablaseis)
	hablara (hablase)	hablaran (hablasen)
comer	comiera (comiese)	comiéramos (comiésemos)
	comieras (comieses)	comierais (comieseis)
	comiera (comiese)	comieran (comiesen)
escribir	escribiera (escribiese)	escribiéramos (escribiésemos)
	escribieras (escribieses)	escribierais (escribieseis)
	escribiera (escribiese)	escribieran (escribiesen)

Present perfect tense (subjunctive)

hablar	haya hablado	hayamos hablado
	hayas hablado	hayáis hablado
	haya hablado	hayan hablado

Past perfect tense (subjunctive)

hablar	hubiera (hubiese) hablado	hubiéramos (hubiésemos) hablado
	hubieras (hubieses) hablado	hubierais (hubieseis) hablado
	hubiera (hubiese) hablado	hubieran (hubiesen) hablado

Verbs with irregularities

The following charts provide some frequently used Spanish verbs with irregularities.

abrir *(to open)*	
past participle	abierto
Similar to:	cubrir *(to cover)*

andar *(to walk, to ride)*	
preterite	anduve, anduviste, anduvo, anduvimos, anduvisteis, anduvieron

buscar *(to look for)*	
preterite	busqué, buscaste, buscó, buscamos, buscasteis, buscaron
present subjunctive	busque, busques, busque, busquemos, busquéis, busquen
Similar to:	acercarse *(to get close, to approach)*, arrancar *(to start a motor)*, colocar *(to place)*, criticar *(to criticize)*, chocar *(to crash)*, equivocarse *(to make a mistake)*, explicar *(to explain)*, marcar *(to score a point)*, pescar *(to fish)*, platicar *(to chat)*, practicar *(to practice)*, sacar *(to take out)*, tocar *(to touch, to play an instrument)*

caber *(to fit into, to have room for)*	
present	quepo, cabes, cabe, cabemos, cabéis, caben
preterite	cupe, cupiste, cupo, cupimos, cupisteis, cupieron
future	cabré, cabrás, cabrá, cabremos, cabréis, cabrán
present subjunctive	quepa, quepas, quepa, quepamos, quepáis, quepan

caer *(to fall)*	
present	caigo, caes, cae, caemos, caéis, caen
preterite	caí, caíste, cayó, caímos, caísteis, cayeron
present participle	cayendo
present subjunctive	caiga, caigas, caiga, caigamos, caigáis, caigan
past participle	caído

conducir *(to drive, to conduct)*	
present	conduzco, conduces, conduce, conducimos, conducís, conducen
preterite	conduje, condujiste, condujo, condujimos, condujisteis, condujeron
present subjunctive	conduzca, conduzcas, conduzca, conduzcamos, conduzcáis, conduzcan
Similar to:	traducir *(to translate)*

conocer *(to know)*	
present	conozco, conoces, conoce, conocemos, conocéis, conocen
present subjunctive	conozca, conozcas, conozca, conozcamos, conozcáis, conozcan
Similar to:	complacer *(to please)*, crecer *(to grow, to increase)*, desaparecer *(to disappear)*, nacer *(to be born)*, ofrecer *(to offer)*

construir (to build)

present	construyo, construyes, construye, construimos, construís, construyen
preterite	construí, construiste, construyó, construimos, construisteis, construyeron
present participle	construyendo
present subjunctive	construya, construyas, construya, construyamos, construyáis, construyan

continuar (to continue)

present	continúo, continúas, continúa, continuamos, continuáis, continúan

convencer (to convince)

present	convenzo, convences, convence, convencemos, convencéis, convencen
present subjunctive	convenza, convenzas, convenza, convenzamos, convenzáis, convenzan
Similar to:	vencer (to win, to expire)

cubrir (to cover)

past participle	cubierto
Similar to:	abrir (to open), descubrir (to discover)

dar (to give)

present	doy, das, da, damos, dais, dan
preterite	di, diste, dio, dimos, disteis, dieron
present subjunctive	dé, des, dé, demos, deis, den

decir (to say, to tell)

present	digo, dices, dice, decimos, decís, dicen
preterite	dije, dijiste, dijo, dijimos, dijisteis, dijeron
present participle	diciendo
command	di (tú)
future	diré, dirás, dirá, diremos, diréis, dirán
present subjunctive	diga, digas, diga, digamos, digáis, digan
past participle	dicho

dirigir (to direct)

present	dirijo, diriges, dirige, dirigimos, dirigís, dirigen
present subjunctive	dirija, dirijas, dirija, dirijamos, dirijáis, dirijan

empezar (to begin, to start)

present	empiezo, empiezas, empieza, empezamos, empezáis, empiezan
present subjunctive	empiece, empieces, empiece, empecemos, empecéis, empiecen
Similar to:	almorzar (to eat lunch), aterrizar (to land), comenzar (to begin), gozar (to enjoy), realizar (to attain, to bring about)

enviar (to send)

present	envío, envías, envía, enviamos, enviáis, envían
present subjunctive	envíe, envíes, envíe, enviemos, enviéis, envíen
Similar to:	esquiar (to ski)

escribir (to write)

past participle	escrito
Similar to:	describir (to describe)

escoger (to choose)

present	escojo, escoges, escoge, escogemos, escogéis, escogen
Similar to:	coger (to pick), recoger (to pick up)

estar (to be)

present	estoy, estás, está, estamos, estáis, están
preterite	estuve, estuviste, estuvo, estuvimos, estuvisteis, estuvieron
present subjunctive	esté, estés, esté, estemos, estéis, estén

haber (to have)

present	he, has, ha, hemos, habéis, han
preterite	hube, hubiste, hubo, hubimos, hubisteis, hubieron
future	habré, habrás, habrá, habremos, habréis, habrán
present subjunctive	haya, hayas, haya, hayamos, hayáis, hayan

hacer (to do, to make)

present	hago, haces, hace, hacemos, hacéis, hacen
preterite	hice, hiciste, hizo, hicimos, hicisteis, hicieron
command	haz (tú)
future	haré, harás, hará, haremos, haréis, harán
present subjunctive	haga, hagas, haga, hagamos, hagáis, hagan
past participle	hecho
Similar to:	deshacer (to undo)

ir (to go)

present	voy, vas, va, vamos, vais, van
preterite	fui, fuiste, fue, fuimos, fuisteis, fueron
imperfect	iba, ibas, iba, íbamos, ibais, iban
present participle	yendo
command	ve (tú)
present subjunctive	vaya, vayas, vaya, vayamos, vayáis, vayan

leer (to read)

preterite	leí, leíste, leyó, leímos, leísteis, leyeron
present participle	leyendo
past participle	leído
Similar to:	creer (to believe)

llegar (to arrive)

preterite	llegué, llegaste, llegó, llegamos, llegasteis, llegaron
present subjunctive	llegue, llegues, llegue, lleguemos, lleguéis, lleguen
Similar to:	agregar (to add), apagar (to turn off), colgar (to hang up), despegar (to take off), entregar (to hand in), jugar (to play), pagar (to pay for)

morir *(to die)*

past participle	muerto

oír *(to hear, to listen)*

present	oigo, oyes, oye, oímos, oís, oyen
preterite	oí, oíste, oyó, oímos, oísteis, oyeron
present participle	oyendo
present subjunctive	oiga, oigas, oiga, oigamos, oigáis, oigan
past participle	oído

poder *(to be able)*

present	puedo, puedes, puede, podemos, podéis, pueden
preterite	pude, pudiste, pudo, pudimos, pudisteis, pudieron
present participle	pudiendo
future	podré, podrás, podrá, podremos, podréis, podrán
present subjunctive	pueda, puedas, pueda, podamos, podáis, puedan

poner *(to put, to place, to set)*

present	pongo, pones, pone, ponemos, ponéis, ponen
preterite	puse, pusiste, puso, pusimos, pusisteis, pusieron
command	pon (tú)
future	pondré, pondrás, pondrá, pondremos, pondréis, pondrán
present subjunctive	ponga, pongas, ponga, pongamos, pongáis, pongan
past participle	puesto

proteger *(to protect)*

present	protejo, proteges, protege, protegemos, protegéis, protegen
present subjunctive	proteja, protejas, proteja, protejamos, protejáis, protejan

querer *(to wish, to want, to love)*

present	quiero, quieres, quiere, queremos, queréis, quieren
preterite	quise, quisiste, quiso, quisimos, quisisteis, quisieron
future	querré, querrás, querrá, querremos, querréis, querrán
present subjunctive	quiera, quieras, quiera, querramos, querráis, quieran

reír *(to laugh)*

present	río, ríes, ríe, reímos, reís, ríen
preterite	reí, reíste, rió, reímos, reísteis, rieron
present participle	riendo
present subjunctive	ría, rías, ría, riamos, riáis, rían
Similar to:	freír *(to fry)*, sonreír *(to smile)*

romper *(to break)*

past participle	roto

saber *(to know, to know how)*

present	sé, sabes, sabe, sabemos, sabéis, saben
preterite	supe, supiste, supo, supimos, supisteis, supieron
future	sabré, sabrás, sabrá, sabremos, sabréis, sabrán
present subjunctive	sepa, sepas, sepa, sepamos, sepáis, sepan

salir *(to leave)*

present	salgo, sales, sale, salimos, salís, salen
command	sal (tú)
future	saldré, saldrás, saldrá, saldremos, saldréis, saldrán
present subjunctive	salga, salgas, salga, salgamos, salgáis, salgan

seguir *(to follow, to continue)*

present	sigo, sigues, sigue, seguimos, seguís, siguen
present participle	siguiendo
present subjunctive	siga, sigas, siga, sigamos, sigáis, sigan
Similar to:	conseguir *(to obtain, to attain, to get)*

ser *(to be)*

present	soy, eres, es, somos, sois, son
preterite	fui, fuiste, fue, fuimos, fuisteis, fueron
imperfect	era, eras, era, éramos, erais, eran
command	sé (tú)
present subjunctive	sea, seas, sea, seamos, seáis, sean

tener *(to have)*

present	tengo, tienes, tiene, tenemos, tenéis, tienen
preterite	tuve, tuviste, tuvo, tuvimos, tuvisteis, tuvieron
command	ten (tú)
future	tendré, tendrás, tendrá, tendremos, tendréis, tendrán
present subjunctive	tenga, tengas, tenga, tengamos, tengáis, tengan
Similar to:	contener *(to contain)*, detener *(to stop)*, mantener *(to maintain)*, obtener *(to obtain)*

torcer *(to twist)*

present	tuerzo, tuerces, tuerce, torcemos, torcéis, tuercen
present subjunctive	tuerza, tuerzas, tuerza, torzamos, torzáis, tuerzan

traer *(to bring)*

present	traigo, traes, trae, traemos, traéis, traen
preterite	traje, trajiste, trajo, trajimos, trajisteis, trajeron
present participle	trayendo
present subjunctive	traiga, traigas, traiga, traigamos, traigáis, traigan
past participle	traído
Similar to:	atraer *(to attract)*

valer (to be worth)	
present	valgo, vales, vale, valemos, valéis, valen
preterite	valí, valiste, valió, valimos, valisteis, valieron
future	valdré, valdrás, valdrá, valdremos, valdréis, valdrán
present subjunctive	valga, valgas, valga, valgamos, valgáis, valgan

venir (to come)	
present	vengo, vienes, viene, venimos, venís, vienen
preterite	vine, viniste, vino, vinimos, vinisteis, vinieron
present participle	viniendo
command	ven (tú)
future	vendré, vendrás, vendrá, vendremos, vendréis, vendrán
present subjunctive	venga, vengas, venga, vengamos, vengáis, vengan
Similar to:	convenir (to suit, to agree)

ver (to see)	
present	veo, ves, ve, vemos, veis, ven
preterite	vi, viste, vio, vimos, visteis, vieron
imperfect	veía, veías, veía, veíamos, veíais, veían
present subjunctive	vea, veas, vea, veamos, veáis, vean
past participle	visto

volver (to return)	
past participle	vuelto
Similar to:	resolver (to solve)

Appendix C

Numbers

Ordinal numbers

1—primero,-a (primer)	6—sexto,-a
2—segundo,-a	7—séptimo,-a
3—tercero,-a (tercer)	8—octavo,-a
4—cuarto,-a	9—noveno,-a
5—quinto,-a	10—décimo,-a

Cardinal numbers 0–1.000

0—cero	13—trece	26—veintiséis	90—noventa
1—uno	14—catorce	27—veintisiete	100—cien/ciento
2—dos	15—quince	28—veintiocho	200—doscientos,-as
3—tres	16—dieciséis	29—veintinueve	300—trescientos,-as
4—cuatro	17—diecisiete	30—treinta	400—cuatrocientos,-as
5—cinco	18—dieciocho	31—treinta y uno	500—quinientos,-as
6—seis	19—diecinueve	32—treinta y dos	600—seiscientos,-as
7—siete	20—veinte	33—treinta y tres, etc.	700—setecientos,-as
8—ocho	21—veintiuno	40—cuarenta	800—ochocientos,-as
9—nueve	22—veintidós	50—cincuenta	900—novecientos,-as
10—diez	23—veintitrés	60—sesenta	1.000—mil
11—once	24—veinticuatro	70—setenta	
12—doce	25—veinticinco	80—ochenta	

Appendix D

Syllabification

Spanish vowels may be weak or strong. The vowels *a*, *e* and *o* are strong, whereas *i* (and sometimes *y*) and *u* are weak. The combination of one weak and one strong vowel or of two weak vowels produces a diphthong, two vowels pronounced as one.

A word in Spanish has as many syllables as it has vowels or diphthongs.

    al gu nas   lue go   pa la bra

A single consonant (including *ch, ll, rr*) between two vowels accompanies the second vowel and begins a syllable.

    a mi ga   fa vo ri to   mu cho

Two consonants are divided, the first going with the previous vowel and the second going with the following vowel.

    an tes   quin ce   ter mi nar

A consonant plus *l* or *r* is inseparable except for *rl, sl* and *sr*.

    ma dre   pa la bra   com ple tar   Car los   is la

If three consonants occur together, the last, or any inseparable combination, accompanies the following vowel to begin another syllable.

    es cri bir   som bre ro   trans por te

Prefixes should remain intact.

    re es cri bir

Appendix E

Accentuation

Words that end in *a, e, i, o, u, n* or *s* are pronounced with the major stress on the next-to-the-last syllable. No accent mark is needed to show this emphasis.

    octubre   refresco   señora

Words that end in any consonant except *n* or *s* are pronounced with the major stress on the last syllable. No accent mark is needed to show this emphasis.

    escribir   papel   reloj

Words that are not pronounced according to the above two rules must have a written accent mark.

    lógico   canción   después   lápiz

An accent mark may be necessary to distinguish identical words with different meanings.

    dé/de   qué/que   sí/si   sólo/solo

An accent mark is often used to divide a diphthong into two separate syllables.

    día   frío   Raúl

Vocabulary Spanish / English

All active words introduced in *¡Aventura! 1* and *2* appear in this end vocabulary. The number and letter following an entry indicate the lesson in which an item is first actively used in *¡Aventura! 3*. The vocabulary from *¡Aventura! 1* and *2* and additional words and expressions are included for reference and have no number. Obvious cognates and expressions that occur as passive vocabulary for recognition only have been excluded from this end vocabulary.

Abbreviations:
d.o. direct object
f. feminine
i.o. indirect object
m. masculine
pl. plural
s. singular

A

a to, at, in; *a caballo* on horse-back; *a causa de* because of, due to; *a crédito* on credit; *a cuadros* plaid, checkered; *a favor (de)* in favor (of); *a fin de que* so that; *a la derecha* to the right; *a la izquierda* to the left; *a la(s)...* at... o' clock; *a lo mejor* maybe; *a menudo* often; *a pie* on foot; *a propósito* by the way; *¿a qué hora?* at what time?; *a rayas* striped; *a tiempo* on time; *a veces* some-times, at times; *a ver* let's see, hello (telephone greeting); *A mí me tocó...* I got... *1A*; *a diferencia de* unlike, contrary to *2A*; *a punto de (salir)* about (to leave) *5B*; *a último momento* at the last moment *6A*; *a partir de* starting *8B*; *a menos que* unless *10B*
a la parrilla grilled *7B*
abajo downstairs, down
abierto,-a open; *vocales abiertas* open vowels
el **abogado,** la **abogada** lawyer
abordar to board
abran: see *abrir*
abrazarse to hug (each other) *2B*
el **abrazo** hug
abre: see *abrir*
el **abrelatas** can opener
la **abreviatura** abbreviation
el **abrigo** coat
abril April

abrir to open; *abran (Uds. command)* open; *abre (tú command)* open
abrochar(se) to fasten
la **abuela** grandmother
el **abuelo** grandfather
aburrido,-a bored, boring
aburrir(se) to bore, to get bored
acá here *2B*
acabar to finish, to complete, to terminate; *acabar de (+ infinitive)* to have just
acampar to camp *5B*
el **accidente** accident
el **aceite** oil
la **aceituna** olive
el **acelerador** gas pedal *5A*
acelerar to accelerate *5A*
el **acento** accent
la **acentuación** accentuation
aceptado,-a accepted
aceptar to accept *3A*
la **acera** sidewalk
acerca de about
aclarar to make clear, to explain
el **acondicionador** conditioner *9A*
aconsejar to advise, to suggest
el **acontecimiento** event, happening
acordar(se) de (ue) to remember
acortar to shorten *9B*
acostar (ue) to put (someone) in bed; *acostarse* to go to bed, to lie down

acostumbrar(se) to get used to
el **acróbata,** la **acróbata** acrobat
la **actitud** attitude
la **actividad** activity
activo,-a active *1B*
el **actor** actor (male)
la **actriz** actor (female), actress
la **actuación** performance *1B*
actuar to act *1B*
acuático,-a aquatic, pertaining to water
el **acuerdo** accord; *de acuerdo* agreed, okay; *estar de acuerdo* to agree
el **acusado,** la **acusada** accused person *3B*
acusar to accuse *4A*
adelante ahead, farther on
además besides, furthermore
adentro inside
el **aderezo** seasoning, flavoring, dressing
adiós good-bye
adivinar to guess
el **adjetivo** adjective; *adjetivo posesivo* possessive adjective
admitir to admit *4A*
adonde where
¿adónde? (to) where?
adornar to decorate
la **aduana** customs
el **adulto,** la **adulta** adult *4A*
el **adverbio** adverb
aéreo,-a air, pertaining to air
los **aeróbicos** aerobics; *hacer aeróbicos* to do aerobics
la **aerolínea** airline
el **aeropuerto** airport

el **aerosol** aerosol *10B*
afectar to affect *10B*
afeitar(se) to shave; *crema de afeitar* shaving cream
el **aficionado,** la **aficionada** fan
el **África** Africa
africano,-a African
afuera outside
las **afueras** suburbs *5A*
la **agencia** agency; *agencia de viajes* travel agency
el **agente,** la **agente** agent
agosto August
agotar(se) to run out, to exhaust *10B*
agradable nice, pleasing, agreeable
agradar to please
agradecer to thank *3A*
agregar to add
el **agricultor,** la **agricultora** farmer
agrio,-a sour *7A*
el **agua** *(f.)* water; *agua mineral* mineral water
el **aguacate** avocado
el **aguacero** (heavy) shower *6A*
el **águila calva** bald eagle *10B*
la **aguja** needle *9B*
el **agujero** hole, gap *10B*
ahora now; *ahora mismo* right now
ahorrar to save
ahumado,-a smoked *7B*
el **aire** air; *aire acondicionado* air conditioning; *al aire libre* outdoors
el **ajedrez** chess
el **ají,** pepper *(pl. ajíes) 7A*
el **ajo** garlic
ajustar to adjust *5A;* to fit *9B*
al to the; *al aire libre* outdoors; *al lado de* next to, beside; *al principio* at the beginning, start *3A; al fin y al cabo* after all *9A*
la **alarma** alarm; *alarma de incendios* fire alarm, smoke alarm
el **albergue juvenil** youth hostel *6B*
alegrar (de) to make happy; *alegrarse (de)* to be glad
alegre happy, merry, lively
alemán, alemana German
Alemania Germany
la **alergia** allergy *8A*

el **alfabeto** alphabet
el **alfiler** pin *9B*
la **alfombra** carpet, rug
el **álgebra** algebra
algo something, anything
el **algodón** cotton; *algodón de azúcar* cotton candy
alguien someone, anyone, somebody, anybody
algún, alguno,-a some, any
la **alimentación** diet *8B*
alimentarse to eat *8B*
el **alimento** food *8B*
alisarse (el pelo) to straighten (one's hair) *9A*
allá over there
allí there
el **almacén** department store, grocery store; warehouse
la **almeja** clam
la **almendra** almond *7B*
la **almohada** pillow *2B*
almorzar (ue) to have lunch, to eat lunch
el **almuerzo** lunch
aló hello (telephone greeting)
alojar(se) to lodge; *alojarse* to stay
alquilar to rent
alrededor de around
alterna *(tú* command) alternate
el **alto** stop
alto,-a tall, high
amable kind, nice
amarillo,-a yellow
ambiguo,-a ambiguous
la **ambulancia** ambulance *3B*
la **América** America; *América Central* Central America; *América del Norte* North America; *América del Sur* South America
americano,-a American; *fútbol americano* football
el **amigo,** la **amiga** friend; *amigo/a por correspondencia* pen pal
la **amistad** friendship
el **amor** love
añade: see *añadir*
añadir to add; *añade* *(tú* command) add
anaranjado,-a orange (color)
ancho,-a loose, wide *9A*
andar to walk, to go; to be
el **andén** train platform *5B*

andino,-a Andean, of the Andes Mountains
el **anfitrión,** la **anfitriona** host, hostess *7B*
el **anillo** ring
el **animal** animal
el **año** year; *Año Nuevo* New Year's (Day); *¿Cuántos años tienes?* How old are you?; *cumplir años* to have a birthday; *tener* (+ number) *años* to be (+ number) years old
anoche last night
anochecer to get dark, to turn to dusk
anteayer the day before yesterday
anterior preceding
antes de before
el **antibiótico** antibiotic *8A*
antiguo,-a antique, ancient, old
el **antiséptico** antiseptic *8A*
anunciar to announce *3B*
el **anuncio** announcement, advertisement; *anuncio comercial* commercial announcement, commercial, advertisement
apagar to turn off
el **aparato** appliance, apparatus
aparecer to appear, to turn up *1A*
el **apartamento** apartment
el **apellido** last name, surname
el **apodo** nickname
apoyar to support, to back (another person) *4A*
aprender to learn
apropiado,-a appropriate
apunta: see *apuntar*
apuntar to point; *apunta* *(tú* command) point (at); *apunten* *(Uds.* command) point (at)
apunten: see *apuntar*
apurado,-a in a hurry
apurar(se) to hurry up
aquel, aquella that (far away)
aquél, aquélla that (one)
aquello that
aquellos, aquellas those (far away)
aquéllos, aquéllas those (ones)

aquí here; *Aquí se habla*
español. Spanish is spoken here.
árabe Arab
Arabia Saudita Saudi Arabia
el **árbitro,** la **árbitro**
referee, umpire
el **árbol** tree; *árbol genealógico*
family tree
el **arbusto** bush *5B*
la **arcilla** clay *9B*
la **arena** sand
el **arete** earring
la **Argentina** Argentina
argentino,-a Argentinean
el **armario** closet,
wardrobe; cupboard
el **arquitecto,** la **arquitecta**
architect *10A*
la **arquitectura** architecture *10A*
arreglar to arrange,
to straighten, to fix
arrestar to arrest *3B*
arriba upstairs, up, above
la **arroba** at (the symbol @ used
for e-mail addresses)
arrojar to throw *10B*
el **arroz** rice
arrugado,-a wrinkled *9B*
el **arte** art
la **artesanía** handicraft *9B*
el **artículo** article
el **artista,** la **artista** artist
asado,-a roasted *7B*
la **asadora** baking pan *7A*
asaltar to assault *3B*
asar to roast *7A*
el **ascensor** elevator
así thus, that way
el **Asia** Asia
asiático,-a Asian
el **asiento** seat *5B*
la **asignatura** subject
asistir a to attend
la **aspiración** aspiration, hope
la **aspiradora** vacuum; *pasar la*
aspiradora to vacuum
la **aspirina** aspirin *8A*
el **astronauta,** la **astronauta**
astronaut *10B*
asustarse to get scared *6A*
el **atasco** traffic jam *5A*
atender (ie) to take care of *1B*
atentamente respectfully,
yours truly
aterrizar to land

el **ático** attic
el **Atlántico** Atlantic Ocean
el **atleta,** la **atleta** athlete *1B*
atlético,-a athletic *1B*
la **atmósfera** atmosphere *10B*
la **atracción** attraction;
(amusement) ride; *parque*
de atracciones amusement
park
atractivo,-a attractive *9A*
atravesado,-a crossed
atravesar (ie) to go across *6A*
el **atún** tuna
el **aumento** increase
aun even
aunque although
Australia Australia
australiano,-a Australian
el **autobús** bus; *estación de*
autobuses bus station
el **autógrafo** autograph
la **autopista** highway *5A*
el **auxiliar de vuelo,**
la **auxiliar de vuelo**
flight attendant
los **avances** advances *10B*
el **ave** fowl, bird
la **avenida** avenue
la **aventuras** action (film) *1B*
averiguar to find out *3A*
el **avión** airplane
avisar to let someone know *4B*
el **aviso** printed advertisement
¡ay! oh!
ayer yesterday
la **ayuda** help
ayudar to help
el **azafrán** saffron
la **azotea** flat roof
los **aztecas** Aztecs
el **azúcar** sugar
la **azucarera** sugar bowl
azul blue; *azul marino* navy
blue *9A*

bailar to dance
el **baile** dance, dancing
bajar to lower *7B; bajar un*
programa to download a
software program
bajo under
bajo,-a short (not tall), low;
planta baja ground floor;
zapato bajo low-heel shoe

balanceado,-a balanced
la **ballena** whale *10B*
el **baloncesto** basketball
la **balsa** raft *6B*
bañar(se) to bathe
el **banco** bank
la **banda** band
la **bandeja** tray *9B*
la **bañera** bathtub *6B*
el **baño** bathroom; *baño de los*
caballeros men's restroom;
cuarto de baño bathroom; *traje*
de baño swimsuit
barato,-a cheap
la **barba** beard *2A*
el **barco** boat, ship
barrer to sweep
la **barriga** belly *8A*
el **barril** barrel
el **barrio** neighborhood
basado,-a based
el **básquetbol** basketball
el **basquetbolista,**
la **basquetbolista**
basketball player
bastante rather, fairly,
sufficiently; enough, sufficient
la **basura** garbage
el **basurero** garbage can *2A*
la **batería** battery *4B*
la **batidora** blender *7A*
batir to beat *7A*
el **baúl** trunk
la **bebida** drink
la **beca** scholarship *10A*
beige beige *9A*
el **béisbol** baseball
el **beisbolista,** la **beisbolista**
baseball player *1B*
los **beneficios** benefits *10A*
las **bermudas** bermuda shorts
besarse to kiss each other *2B*
el **beso** kiss
la **biblioteca** library
el **bibliotecario,**
la **bibliotecaria** librarian
la **bicicleta** bicycle, bike
bien well; *quedarle bien a uno*
to fit, to be becoming
la **bienvenida** welcome
bienvenido,-a welcome
el **bigote** mustache *2A*
el **billete** ticket
la **billetera** wallet
los **binoculares** binoculars *5B*

la **biología** biology
la **bisabuela** great-grandmother
el **bisabuelo** great-grandfather
el **bistec** steak *7B*
blanco,-a white
blando,-a soft *6B*
la **blusa** blouse
la **boca** mouth
la **bocacalle** street entrance *5A*
el **bocadillo** sandwich *7B*
la **boda** wedding
la **boletería** ticket office *5B*
el **boleto** ticket
el **bolígrafo** pen
Bolivia Bolivia
el **boliviano** Bolivian
    currency *7A*
boliviano,-a Bolivian
la **bolsa** bag
el **bolsillo** pocket *9B*
el **bolso** handbag, purse
la **bomba** bomb *3B*
el **bombero,** la **bombera**
    firefighter
la **bombilla** light bulb
bonito,-a pretty,
    good-looking, attractive
bordado,-a embroidered *9B*
borra: see *borrar*
el **borrador** eraser
borrar to erase; *borra*
    (*tú* command) erase; *borren*
    (*Uds.* command) erase
borren: see *borrar*
el **bosque** forest
bostezar to yawn
la **bota** boot
el **bote** boat
la **botella** bottle *7B*
el **botón** button (*pl. botones*) *9B*
el **botones** bellhop
el **Brasil** Brazil
brasileño,-a Brazilian
el **brazo** arm
el **broche** pin, broach *9B*
la **broma** joke
broncear(se) to tan
la **brújula** compass *5B*
bucear to scuba dive *6B*
el **buceo** scuba diving
buen good (form of *bueno*
    before a *m., s.* noun); *hace buen*
    tiempo the weather is nice
bueno well, okay
    (pause in speech); hello
    (telephone greeting)

bueno,-a good; *buena suerte*
    good luck; *buenas noches*
    good night; *buenas tardes*
    good afternoon; *buenos días*
    good morning
la **bufanda** scarf
el **burro** burro, donkey
buscar to look for

la **cabalgata** horseback ride *6B*
el **caballero** gentleman; *baño de*
    los caballeros men's restroom
el **caballo** horse; *a caballo*
    on horseback
caber to fit (into)
la **cabeza** head
el **cacahuete** peanut *8B*
cada each, every
la **cadena** chain *9B*
caer(se) to fall (down)
café brown (color)
el **café** coffee
la **cafetera** coffee pot,
    coffee maker
la **cafetería** cafeteria
la **caja** box *2A*
la **caja** cashier's desk
el **cajero,** la **cajera** cashier
el **calambre** cramp *8B*
el **calcetín** sock
el **calcio** calcium *8B*
la **calefacción** heating *2A*
el **calendario** calendar
el **calentamiento global** global
    warming *10B*
la **calidad** quality
caliente hot
la **calle** street; *la calle de doble vía*
    two-way street *5A; la calle de*
    una sola vía one-way street *5A*
el **callejón sin salida** blind
    alley *5A*
calmar(se) to calm down
el **calor** heat; *hace calor* it is hot;
    tener calor to be hot
calvo,-a bald
el **calzado** footwear *9A*
la **cama** bed; *la cama doble*
    double bed *6B; la cama*
    sencilla single bed *6B*
la **cámara** camera
la **cámara digital** digital
    camera *3A*
el **camarero,** la **camarera**
    food server

el **camarón** shrimp
cambiar to change
el **cambio** change; *en cambio*
    on the other hand
el **camello** camel
caminar to walk
el **camino** road, path
el **camión** truck
la **camioneta** station wagon *3B*
la **camisa** shirt
la **camiseta** jersey, polo, t-shirt
el **campamento** camp site *5B*
el **campeonato** championship
el **camping** camping
el **campo** field *5B*
el **Canadá** Canada
canadiense Canadian
el **canal** channel
la **cancelación** cancellation *6A*
cancelar to cancel *6A*
la **cancha de tenis** tennis
    court *6B*
la **canción** song
el **cangrejo** crab
canoso,-a white-haired
cansado,-a tired
el **cantante,** la **cantante** singer
cantar to sing
la **cantidad** quantity
la **capa de ozono** ozone layer *10B*
las **capas** layers *9A*
la **capital** capital
el **capitán** captain
el **capítulo** chapter
el **capó** hood
la **cara** face
la **característica** characteristic,
    trait; *características de*
    personalidad personality traits;
    características físicas physical
    traits
¡caramba! wow!
el **carbohidrato** carbohydrate *8B*
la **cárcel** jail *3B*
cargar to charge; *cargar la*
    batería recharge the battery *4B*
el **Caribe** Caribbean
cariñoso,-a affectionate
el **carnaval** carnival
la **carne** meat; *carne de res* beef
la **carnicería** meat market,
    butcher shop
caro,-a expensive
el **carpintero,** la **carpintera**
    carpenter
la **carrera** career

la **carretera** highway

el **carro** car; *carros chocones* bumper cars; *en carro* by car

el **carrusel** carrousel, merry-go-round

la **carta** letter; playing card

la **casa** home, house; *en casa* at home

casado,-a married *2A*

el **casco** helmet *5B*

el **casete** cassette

casi almost

castaño,-a brown or hazel *2A*

la **catarata** waterfall

la **catástrofe** catastrophe

la **catedral** cathedral

catorce fourteen

causar to cause *3B*

la **cebolla** onion

la **cebra** zebra

ceder el paso to yield *5A*

la **celebración** celebration

celebrar to celebrate

celoso,-a jealous *4A*

el **celular** cellular phone

la **cena** dinner, supper

cenar to have dinner, to have supper

el **centavo** cent

el **centro** downtown, center; *centro comercial* shopping center, mall

centroamericano,-a Central American

cepillar(se) to brush

el **cepillo** brush

el **cepillo de dientes** toothbrush *2B*

la **cerámica** ceramics, pottery *9B*

cerca (de) near

la **cerca** fence

el **cerdo** pig; pork

el **cereal** cereal

la **ceremonia** ceremony *3A*

la **cereza** cherry *7A*

cero zero

cerrado,-a closed; *vocales cerradas* closed vowels

la **cerradura** lock

cerrar (ie) to close; *cierra (tú command)* close; *cierren (Uds. command)* close

el **césped** lawn, grass; *cortadora de césped* lawn mower

el **cesto de papeles** wastebasket, wastepaper basket

el **ceviche** *ceviche* (marinated seafood dish) *7B*

el **champú** shampoo

chao good-bye

la **chaqueta** jacket

charlando talking, chatting

el **cheque** check

el **cheque de viajero** traveler's check *6A*

¡Chévere! Great! *1A*

la **chica** girl

el **chico** boy, man, buddy

Chile Chile

chileno,-a Chilean

la **chimenea** chimney, fireplace

la **China** China

chino,-a Chinese

el **chisme** gossip

chismear to gossip *4A*

chismoso,-a gossipy *4A*

el **chiste** joke

chistoso,-a funny

chocar to crash *3B*

el **choclo** ear of corn *7A*

el **chocolate** chocolate

el **chofer, la chofer** chauffeur, driver

el **chorizo** sausage (seasoned with red peppers)

el **ciclista, la ciclista** cyclist *1B*

el **cielo** sky

cien one hundred

la **ciencia ficción** science fiction *1B*

la **ciencia** science

científico,-a scientific *10B*

ciento one hundred (when followed by another number)

cierra: see *cerrar*

cierren: see *cerrar*

el **cigarrillo** cigarette

cinco five

cincuenta fifty

el **cine** movie theater

la **cintura** waist *9B*

el **cinturón** belt; *cinturón de seguridad* seat belt, safety belt

el **circo** circus

la **ciruela** plum

la **cita** appointment, date

la **ciudad** city

la **civilización** civilization

la **clara** egg white *7A*

claro,-a clear; light *9A*

¡claro! of course!

la **clase** class

los **clasificados** classified ads *3A*

clasificar to classify

clavar to nail *2A*

el **clavo** nail *2A*

el **claxon** horn

el **cliente, la clienta** customer *7B*

el **clima** climate

la **clínica** clinic *8A*

el **club** club

la **cobija** blanket *2B*

cocer (ue) to cook *7A*

el **coche cama** sleeping car *5B*

el **coche** car; *en coche* by car

el **coche comedor** dining car *5B*

cocido,-a cooked, done *7A*

la **cocina** kitchen

cocinar to cook

el **cocinero, la cocinera** cook

el **código** (country) code *4B*

el **codo** elbow

el **cognado** cognate

la **cola** ponytail *9A*

colaborar to collaborate *1A*

el **colchón** mattress *2B*

la **colección** collection

el **colegio** school

colgar (ue) to hang; *colgar el teléfono* to hang up the phone *4B*

la **colina** hill

el **collar** necklace

colocar(se) to put, to place

Colombia Colombia

colombiano,-a Colombian

la **colonia** colony

el **color** color

la **columna** column

combinar to combine

la **comedia** comedy, play

el **comedor** dining room

el **comentarista, la comentarista** commentator

comenzar (ie) to begin, to start

comer to eat; *dar de comer* to feed

comercial commercial; *anuncio comercial* commercial announcement, *commercial,* advertisement; *centro comercial* shopping center, mall

comerse to eat up, to eat completely

cometer un error to make a mistake *4A*

cómico,-a comical, funny; *película cómica* (film) comedy *1B*

la **comida** food; dinner

la **comida chatarra** junk food *8B*

como like, since; such as

¿cómo? how?, what?; *¿Cómo? What (did you say)?*; *¿Cómo está (Ud.)?* How are you (formal)?; *¿Cómo están (Uds.)?* How are you (pl.)?; *¿Cómo estás (tú)?* How are you (informal)?; *¡Cómo no!* Of course!; *¿Cómo se dice... ?* How do you say... ?; *¿Cómo se escribe... ?* How do you write (spell)... ?; *¿Cómo se llama (Ud./él/ella)?* What is (your/his/her) name?; *¿Cómo te llamas?* What is your name?

la **cómoda** chest of drawers, bureau *2B*

cómodo,-a comfortable

el **compañero,** la **compañera** classmate, partner

la **compañía** company

comparando comparing

el **compartimiento** compartment

compartir to share

la **competencia** competition

complacer to please

completa: see *completar*

completar to complete; *completa (tú* command) complete

completo,-a complete

el **comportamiento** behavior *4B*

comportarse to behave *7B*

la **compra** purchase; *ir de compras* to go shopping

comprar to buy

comprender to understand; *comprendo* I understand

comprendo: see *comprender*

comprensivo,-a understanding *4A*

la **computadora** computer

la **comunicación** communication

comunicarse to communicate *10B*

con with; *con (mucho) gusto* I would be (very) glad to; *con permiso* excuse me (with your permission), may I; *siempre salirse con la suya* to always get one's way; *con respecto a* regarding *1B*

el **concierto** concert

el **concurso** contest, competition; *programa de concurso* game show

el **condimento** seasoning *7A*

conducir to drive, to conduct, to direct

el **conductor,** la **conductora** driver *3B*

conectado,-a connected

conectar to connect *2A*

el **conejo** rabbit

confiar to trust *4A*

la **confirmación** confirmation *6A*

confirmar to confirm *6A*

el **conflicto** conflict *4B*

la **conjunción** conjunction

el **conjunto** (sweater) set *9A*

conmigo with me

conocer to know, to be acquainted with, to be familiar with; to meet

conocido,-a known, famous

los **conocimientos** knowledge *10A*

conseguir (i, i) to obtain, to attain, to get

el **consejo** advice

el **consejo estudiantil** student council *1A*

el **conserje,** la **conserje** concierge *6B*

conservar to conserve *10B*

considerado,-a thoughtful, considerate *4A*

la **construcción** construction work *10A*

construir to build *2A*

consultar to check *4B*

el **consultorio** doctor's office

la **contaminación** contamination, pollution; *contaminación ambiental* environmental pollution

contaminado,-a contaminated *10B*

contaminar to contaminate *10B*

contar con to count on (someone) *4A*

contar (ue) to tell (a story); *cuenta (tú* command) tell; *cuenten (Uds.* command) tell

contener to contain

contento,-a happy, glad; *estar contento,-a (con)* to be satisfied (with)

contesta: see *contestar*

el **contestador automático** answering machine *4B*

contestar to answer; *contesta (tú* command) answer; *contesten (Uds.* command) answer

contesten: see *contestar*

el **contexto** context

contigo with you *(tú)*

continúa: see *continuar*

continuar to continue; *continúa (tú* command) continue; *continúen (Uds.* command) continue

continúen: see *continuar*

contra against *3B*

la **contracción** contraction

contratar to hire *10A*

contribuir to contribute *3A*

el **control remoto** remote control

convencer to convince *1A*

convenir to be fitting, to agree

copiar to copy

el **corazón** heart; honey (term of endearment)

la **corbata** tie

el **cordero** lamb *7B*

el **coro** choir *1A*

correcto,-a right, correct

el **corredor** corridor, hallway

el **corredor,** la **corredora** runner

el **correo** mail; *correo electrónico* electronic mail; *oficina de correos* post office

correr to run

la **correspondencia** correspondence

la **corrida** bullfight

el **cortacésped** lawn mower *2A*

la **cortadora de césped** lawn mower

cortar to cut, to mow

el **corte** cut *8A; el corte (de pelo)* haircut *9A*

la **cortesía** courtesy

la **cortina** curtain

corto,-a short (not long)

la **cosa** thing

coser to sew *9B*

la **costa** coast

Costa Rica Costa Rica

costar (ue) to cost

costarricense Costa Rican

la **costilla** rib

la **costura** sewing

crear to create
crecer to grow
el **crédito** credit; *a crédito* on credit; *tarjeta de crédito* credit card
creer to believe
la **crema** cream; *crema de afeitar* shaving cream
la **cremallera** zipper *9B*
el **crimen** crime *3B*
el **cristal** crystal *9B*
criticar to criticize *4A*
el **cruce de peatones** pedestrian crossway *5A*
el **crucero** cruise ship
el **crucigrama** crossword puzzle *3A*
crudo,-a raw, underdone *7B*
cruzar to cross
el **cuaderno** notebook
la **cuadra** city block
el **cuadro** square; picture, painting; *a cuadros* plaid, checkered
¿**cuál?** which?, what?, which one?; *(pl. ¿cuáles?)* which ones?
cualidad quality
cualquier, cualquiera any
cualquiera any at all
cuando when
¿**cuándo?** when?
¿**cuánto,-a?** how much?; *(pl. ¿cuántos,-as?)* how many?; *¿Cuánto (+ time expression) hace que (+ present tense of verb)... ?* How long... ?; *¿Cuántos años tienes?* How old are you?
cuarenta forty
el **cuarto** quarter; room, bedroom; *cuarto de baño* bathroom; *cuarto de charla* chat room; *menos cuarto* a quarter to, a quarter before; *y cuarto* a quarter after, a quarter past
cuarto,-a fourth
cuatro four
cuatrocientos,-as four hundred
Cuba Cuba
cubano,-a Cuban
los **cubiertos** silverware
el **cubrecamas** bedcover *2B*
cubrir to cover

la **cuchara** tablespoon
la **cucharita** teaspoon
el **cuchillo** knife
el **cuello** neck; collar *9B*
la **cuenta** bill, check
cuenta: see *contar*
el **cuerno** horn
el **cuero** leather
el **cuerpo** body
el **cuidado** care; *tener cuidado* to be careful
cuidar(se) to take care of
la **culpa** fault *4A*
culpable guilty *3B*
culto,-a cultured, well-read
la **cultura** culture, knowledge
el **cumpleaños** birthday; *¡Feliz cumpleaños!* Happy birthday!
cumplir to become, to become (+ number) years old, to reach; *cumplir años* to have a birthday; *cumplir con* to carry out, to perform *10A*
la **cuñada** sister-in-law *2A*
el **cuñado** brother-in-law *2A*
curar(se) to cure, to recover *8A*
curioso,-a curious *1B*
la **curita** band-aid *8A*
el **currículum vitae** resume *10A*
la **curva** curve
cuyo,-a of which, whose

la **dama** lady
las **damas** checkers; *baño de las damas* women's restroom
el **damasco** apricot *7A*
dañar to harm *10B*
dar to give; *dé (Ud. command)* give; *dar de comer* to feed; *darse prisa* to hurry *1A*; *dar clases (de)...* to give... classes *1B*; *dar un discurso* to give a speech *3A*; *darse cuenta* to realize *4A*; *dar un paseo/dar una caminata* to take a walk *5B*; *dar a* to look onto *6B*; *darse un golpe* to bang oneself *8A*
de from, of; *de acuerdo* agreed, okay; *de cerca* close up, from a short distance; *¿de dónde?* from where?;

¿De dónde eres? Where are you from?; *¿De dónde es (Ud./él/ella)?* Where are you (formal) from?, Where is (he/she/it) from?; *de habla hispana* Spanish-speaking; *de ida y vuelta* round-trip; *de la mañana* in the morning, A.M.; *de la noche* at night, P.M.; *de la tarde* in the afternoon, P.M.; *de nada* you are welcome, not at all; *de todos los días* everyday; *¿de veras?* really?; *¿Eres (tú) de... ?* Are you from... ?; *¿De qué se trata?* What is it about? *1B*; *de primera (segunda) clase* first (second) class *5B*; *de lunares* polka dot *9A*; *de rebajas* on sale *9A*; *de buen/mal gusto* in good/bad taste *9A*
dé: see *dar*
deber should, to have to, must, ought (expressing a moral duty)
decidir to decide
décimo,-a tenth
decir to tell, to say; *¿Cómo se dice...?* How do you say...?; *di (tú command)* tell, say; *díganme (Uds. command)* tell me; *dime (tú command)* tell me; *¡no me digas!* you don't say!; *¿Qué quiere decir...?* What is the meaning (of)...?; *querer decir* to mean; *quiere decir* it means; *se dice* one says
declarar to declare *3B*
decorar to decorate *2A*
dedicar to devote (time) *1A*
el **dedo** finger, toe
el **defensor, la defensora** defender
dejar (de) to leave; to stop, to quit; to let, to allow
dejar plantado,-a a alguien to stand someone up *4A*
del of the, from the
delante de in front of *2A*
el **delantero, la delantera** forward
delgado,-a thin
delicioso,-a delicious

demasiado,-a too many, too much

la **democracia** democracy

la **demora** delay

el **dentista**, la **dentista** dentist

dentro de inside of 2B

el **departamento** department

depender to depend on 1A

el **dependiente,** la **dependiente** clerk

el **deporte** sport

el **deportista**, la **deportista** athlete

deportivo,-a sporty

el **depósito** deposit 6B

la **derecha** right; *a la derecha* to the right

derecho straight ahead

derecho,-a right

el **derrame** spill 10B

desaparecer to disappear 1A

desaparecido,-a missing

desarmar to take apart 2A

desarrollar to develop 10B

el **desastre** disaster

desayunar to have breakfast

el **desayuno** breakfast

descansar to rest, to relax

desconfiar to mistrust 4A

describe: see *describir*

describir to describe; *describe* (*tú* command) describe

descubrir to find out, to discover 4A

el **descuento** discount 6A

desde since, from; *desde luego* of course

desear to wish

el **deseo** wish

el **desfile** parade

el **desierto** desert

desmayarse to faint 3B

el **desodorante** deodorant

el **desorden** disorder 2B

desordenado,-a messy 2B

despacio slowly 5A

la **despedida** farewell, good-bye

despedir(se) (i, i) to say good-bye

despegar to take off

el **desperdicio químico** chemical waste 10B

el **despertador** alarm clock

despertar(se) (ie) to wake up

después afterwards, later, then; *después de* after

destacar(se) to stand out

desteñido,-a faded

desteñirse to fade, to discolor 9B

el **destino** destination; destiny, fate

el **destornillador** screwdriver 2A

la **destreza** skill, expertise

la **destrucción** destruction

destruir to destroy 3A

la **desventaja** disadvantage 2B

desvestir(se) to undress

el **detalle** detail 6A

el **detector de humo** smoke detector 2A

detrás de behind, after

devolver (ue) to return 7B

di: see *decir*

el **día** day; *buenos días* good morning; *de todos los días* everyday; *todos los días* every day

el **diálogo** dialog

diario,-a daily

dibuja: see *dibujar*

dibujar to draw, to sketch; *dibuja* (*tú* command) draw; *dibujen* (*Uds.* command) draw

dibujen: see *dibujar*

el **dibujo** drawing, sketch; *dibujo animado* cartoon

los **dibujos animados** cartoons 1B

la **dicha** happiness

diciembre December

el **dictado** dictation

diecinueve nineteen

dieciocho eighteen

dieciséis sixteen

diecisiete seventeen

el **diente** tooth

el **diente de ajo** clove of garlic 7A

la **dieta** diet 8B

diez ten

la **diferencia de opinión** difference of opinion 4B

la **diferencia** difference

diferente different

difícil difficult, hard; *ser difícil que* to be unlikely that

diga hello (telephone greeting)

dígame tell me, hello (telephone greeting)

díganme: see *decir*

dime: see *decir*

el **dinero** money

la **dirección** instruction, guidance; address; direction

el **director**, la **directora** director

dirigir to direct

el **disc jockey**, la **disc jockey** disc jockey (DJ) 7B

el **disco** record, disc; *disco compacto* compact disc, CD-ROM

discúlpame forgive me 4A

la **discusión** discussion 4A

discutir to argue, to discuss

el **diseñador**, la **diseñadora** designer 10A

diseñar to design

disgustar to dislike 6B

el **diskette** diskette

disminuir to slow (down) 5A

disponible available 6B

divertido,-a fun

divertir (ie, i) to amuse; *divertirse* to have fun

doblada dubbed 1B

doblar to turn (a corner)

doble double

doce twelve

el **doctor**, la **doctora** doctor (abbreviation: *Dr., Dra.*)

el **documental** documentary 1B

el **dólar** dollar

doler (ue) to hurt

domingo Sunday; *el domingo* on Sunday

dominicano,-a Dominican

don title of respect used before a man's first name

doña title of respect used before a woman's first name

donde where

¿dónde? where?; *¿de dónde?* from where?; *¿Dónde está…?* Where are you (formal)…?, Where is…?; *¿Dónde queda…? ¿Dónde se encuentra…?* Where is…? 5A

dondequiera wherever

dormir (ue, u) to sleep; *dormirse* to fall asleep

dos two

doscientos,-as two hundred

Dr. abbreviation for *doctor*

Dra. abbreviation for *doctora*

el **drama** drama 1B

la **ducha** shower

duchar(se) to shower

dudar to doubt
dudoso,-a doubtful
el **dulce** candy
dulce sweet
la **dulcería** candy store
durante during
el **durazno** peach

e and (used before a word beginning with *i* or *hi*)
echar la culpa a otro,-a/ alguien to blame someone else *4A*
la **ecología** ecology
la **economía** economy
económico,-a economic
el **Ecuador** Ecuador
ecuatoriano,-a Ecuadorian
la **edad** age
el **edificio** building
el **editorial** editorial
la **educación física** physical education
el **efectivo** cash; *en efectivo* in cash
los **efectos especiales** special effects *1B*
egoísta selfish
el **ejemplo** example; *por ejemplo* for example
el **ejercicio** exercise
él he; him (after a preposition); *Él se llama...* His name is...
El Salvador El Salvador
el the (*m., s.*)
el **electricista,** la **electricista** electrician *10A*
eléctrico,-a electric
el **elefante** elephant
elegante elegant
ella she; her (after a preposition); *Ella se llama...* Her name is...
ello it, that (neuter form)
ellos,-as they; them (after a preposition)
el **e-mail** e-mail
embarcar to board *6A*
la **emigración** emigration
la **emisora** radio station
emocionado,-a excited
emocionante exciting
empatados: see *empate*

empatar to tie (the score of a game)
el **empate** tie; *partidos empatados* games tied
empezar (ie) to begin, to start
el **empleado,** la **empleada** employee
el **empleo** job
emprendedor,-a enterprising *10A*
la **empresa** business
el **empresario,** la **empresaria** business manager *10A*
en in, on, at; *en* (+ vehicle) by (+ vehicle); *en cambio* on the other hand; *en carro* by car; *en casa* at home; *en coche* by car; *en cuanto* as soon as; *en efectivo* in cash; *en medio de* in the middle of, in the center of; *en resumen* in short; *en seguida* immediately; *en vivo* live; *en vez de* instead of *9A*
en equipo team work *10A*
en peligro de extinción endangered *10B*
encantado,-a delighted, the pleasure is mine
encantar to enchant, to delight
encargar (de) to make responsible (for), to put in charge (of); *encargarse (de)* to take care of, to take charge (of)
encender (ie) to light, to turn on (a light)
la **enchilada** enchilada
enchufar to plug in *2A*
encima de above, over, on top of
encogerse to shrink *9B*
encontrar (ue) to find
la **encuesta** survey, poll
la **energía** energy *8B*
enero January
el **énfasis** emphasis
la **enfermedad** disease *8A*
el **enfermero,** la **enfermera** nurse
enfermo,-a sick
enfrente de facing, in front of *2B*
enfriar to cool *7A*
engordar to become fat; to get fat
enojarse to get angry *2B*
la **ensalada** salad

enseguida right away *1A*
enseñar to teach, to show
entender (ie) to understand *1B*
enterar(se) de to find out, to become aware, to learn about
entonces then
entrar to go in, to come in
entre between, among
la **entrega de premios** awards ceremony *3A*
entregar to hand in
el **entrenador,** la **entrenadora** trainer, coach *1B*
entrenarse to train *1B*
la **entrevista** interview
entrevistar to interview *3A*
entrometido,-a nosy *4A*
enviar to send
equilibrado,-a balanced *8B*
el **equipaje** luggage; *equipaje de mano* carry-on luggage
el **equipo** team
equivocar(se) to be mistaken
eres: see *ser*
la **erupción** rash *8A*
es: see *ser*
la **escala** stopover
escalar to climb *5B*
la **escalera** stairway, stairs; *escalera mecánica* escalator
escapar(se) to escape
la **escasez** shortage *10B*
la **escena** scene
la **escoba** broom
escoger to choose; *escogiendo* choosing
escogiendo: see *escoger*
escriban: see *escribir*
escribe: see *escribir*
escribir to write; *¿Cómo se escribe...?* How do you write (spell)...?; *escriban* (*Uds.* command) write; *escribe* (*tú* command) write; *se escribe* it is written
el **escritor,** la **escritora** writer
el **escritorio** desk
escucha: see *escuchar*
escuchar to hear, to listen (to); *escucha* (*tú* command) listen; *escuchen* (*Uds.* command) listen
escuchen: see *escuchar*
la **escuela** school
ese, esa that
ése, ésa that (one)

el **esmalte de uñas** nail polish 2B

eso that (neuter form)

esos, esas those

ésos, ésas those (ones)

el **espacio** space

la **espalda** back

España Spain

el **español** Spanish (language); *Aquí se habla español.* Spanish is spoken here.; *Se habla español.* Spanish is spoken.

español, española Spanish

especial special

el **especialista, la especialista** specialist 10A

especializado,-a specialized

especializarse en to specialize in 10A

las **especias** spices 7B

la **especie** species 10B

el **espectáculo** show

el **espectador, la espectadora** spectator

el **espejo** mirror; *el espejo retrovisor* rear-view mirror 5A

esperar to wait (for); to hope

las **espinacas** spinach 7A

la **esposa** wife, spouse

el **esposo** husband, spouse

el **esquí** skiing

el **esquiador, la esquiadora** skier

esquiar to ski

la **esquina** corner

está: see *estar*

establecer to establish 1A

el **establo** stable

la **estación** season; station; *estación de autobuses* bus station; *estación del metro* subway station; *estación del tren* train station; *estación de servicio* gas station 5A; l*a estación espacial* space station 10B

el **estacionamiento** parking lot 5A

estacionar to park 5A

el **estadio** stadium

el **Estado Libre Asociado** Commonwealth

los **Estados Unidos** United States of America

estadounidense something or someone from the United States

estampado,-a patterned, printed 9A

la **estampilla** stamp 9B

están: see *estar*

el **estante** shelving, bookcase 2B

estar to be; *¿Cómo está (Ud.)?* How are you (formal)?; *¿Cómo están (Uds.)?* How are you (pl.)?; *¿Cómo estás (tú)?* How are you (informal)?; *¿Dónde está...?* Where are you (formal)...?, Where is...?; *está* you (formal) are, he/she/it is; *está nublado,-a* it is cloudy; *está soleado,-a* it is sunny; *están* they are; *estar contento, -a (con)* to be satisfied (with); *estar de acuerdo* to agree; *estar en oferta* to be on sale; *estar listo,-a* to be ready; *estás* you (informal) are; *estoy* I am; *estar equivocado, -a* to be wrong 4B; *estar motivado,-a* to be motivated 1A; *estar de moda* to be fashionable 9A; *estar en paro* to be unemployed 10A

estás: see *estar*

el **este** east

este well, so (pause in speech)

éste, ésta this (one)

este, esta this; *esta noche* tonight

el **estéreo** stereo

el **estilo** style 9A

estimado,-a dear

estirar to stretch 8B

esto this

el **estómago** stomach

estornudar to sneeze 8A

estos, estas these

éstos, éstas these (ones)

estoy: see *estar*

estrecho,-a narrow, tight

la **estrella** star

el **estreno** premiere 3A

el **estrés** stress 8B

estricto,-a strict 1A

la **estructura** structure

estudia: see *estudiar*

el **estudiante, la estudiante** student

estudiar to study; *estudia* (*tú* command) study; *estudien* (*Uds.* command) study

estudien: see *estudiar*

el **estudio** study

los **estudios** studies 10A

estudioso,-a studious 1A

la **estufa** stove

estupendo,-a wonderful, marvelous

la **etiqueta** label 9A

Europa Europe

europeo,-a European

evidente evident

evitar to avoid 8B

exagerar to exaggerate

el **examen** exam, test

examinar to examine 8A

exceder to exceed 5A

excelente excellent

la **excursión** outing 6A

el **excusado** toilet

la **exhibición** exhibition

exigente demanding

exigir to demand 5B

el **éxito** success; *tener éxito* to be successful, to be a success

la **experiencia** experience

explica: see *explicar*

la **explicación** explanation, reason

explicar to explain; *explica* (*tú* command) explain

el **explorador, la exploradora** explorer

la **explosión** explosion 3B

explotar to explode 3B

la **exportación** exportation

exportador, exportadora exporting

expresar to express

la **expresión** expression

la **extensión** extension

el **extinguidor de incendios** fire extinguisher 2A

extrañar to miss

extranjero,-a foreign

la **fábrica** factory 10B

fácil easy; *ser fácil que* to be likely that

la **facultad** school (of a university)

la **falda** skirt

falso,-a false

faltar to be missing 2B

la **familia** family

famoso,-a famous

fantástico,-a fantastic, great

el **faro** headlight; lighthouse

fascinante fascinating
fascinar to fascinate
fastidiar to bother *6B*
el **favor** favor; *por favor* please
favorito,-a favorite
el **fax** fax
febrero February
la **fecha** date
felicitaciones congratulations
feliz happy *(pl. felices); ¡Feliz cumpleaños!* Happy birthday!
femenino,-a feminine
feo,-a ugly
feroz fierce, ferocious *(pl. feroces)*
el **ferrocarril** railway, railroad
el **festival** festival *3A*
la **fibra** fiber *8B*
los **fideos** noodles *7B*
la **fiesta** party
fijarse to notice *1A*
fijo,-a permanent *10A*
la **fila** line, row
el **filete** fillet, boneless cut of beef or fish
filmar to film
la **filosofía** philosophy
el **fin** end; *a fin de que* so that; *fin de semana* weekend; *por fin* finally
las **finanzas** finances *3A*
la **finca** ranch, farm
firmar to sign
firme firm *6B*
la **física** physics
el **flamenco** flamingo; type of dance
el **flan** custard
la **flauta** flute
el **flequillo** bangs *9A*
la **flor** flower
la **florcita** small flower
la **florería** flower shop
la **foca** seal *10B*
la **fogata** camp fire *5B*
el **folleto** brochure
el **fontanero, la fontanera** plumber *10A*
la **forma** form
formal formal *9A*
el **formulario** form *10A*
los **fósforos** matches *5B*
la **foto(grafía)** photo
el **fotógrafo, la fotógrafa** photographer

fracasar to fail
la **fractura** fracture *8A*
francés, francesa French
Francia France
la **frase** phrase, sentence
el **fregadero** sink
freír (i, i) to fry
el **freno** brake
la **fresa** strawberry
el **fresco** cool; *hace fresco* it is cool
fresco,-a fresh, chilly
el **frijol** bean *7A*
el **frío** cold; *hace frío* it is cold; *tener frío* to be cold
frío,-a cold
frito,-a fried *7B*
la **fruta** fruit
la **frutería** fruit store
fue: see *ser*
el **fuego** fire; *fuegos artificiales* fireworks
fuera de out of *2B*
fueron: see *ser*
fuerte strong
la **fuerza** strength *8B*
fumar to smoke
funcionar to function, to work *2A*
la **funda** pillowcase, cover *2B*
fundar to found
furioso,-a furious *2B*
el **fútbol** soccer; *fútbol americano* football
el **futbolista, la futbolista** soccer player
el **futuro** future

las **gafas de sol** sunglasses
la **galleta** cookie, biscuit
la **gallina** hen
el **gallo** rooster
la **gana** desire; *tener ganas de* to feel like
ganados: see *ganar*
ganar to win, to earn; *los partidos ganados* games won
el **ganga** bargain *9A*
el **garaje** garage
el **garbanzo** chickpea *7A*
la **garganta** throat
la **gasolina** gas *5A*
gastado,-a worn *9B*
gastar to spend *6A*
el **gasto** expense

el **gato, la gata** cat
el **gel** gel (hair) *9A*
los **gemelos, las gemelas** twins *2A; gemelos* cuff links *9B*
el **gen** gene, genes *(pl. genes) 10B*
el **género** gender
generoso,-a generous
la **genética** genetics *10B*
la **gente** people
la **geografía** geography
la **geometría** geometry
el **gerente, la gerente** manager
el **gerundio** present participle
el **gesto** gesture
el **gimnasio** gym
el **globo** balloon; globe
la **glorieta** rotary *5A*
el **gobernador, la gobernadora** governor
el **gobierno** government
el **gol** goal
la **golosina** sweets
gordo,-a fat
el **gorila** gorilla
la **gorra** cap
las **gotas** drops *8A*
gozar to enjoy
la **grabadora** tape recorder (machine)
grabar to record
gracias thanks; *muchas gracias* thank you very much
el **grado** degree
graduarse to graduate *10A*
el **gramo** gram *7A*
gran big (form of *grande* before a *m., s.* noun); great
grande big
la **grasa** fat *8B*
grasoso,-a greasy *9A*
grave serious, grave *3B*
el **grifo** faucet
la **gripe** flu
gris gray
gritar to shout
el **grupo** group; *grupo musical* musical group
el **guante** glove
guapo,-a good-looking, attractive, handsome, pretty
guardar to put away, to keep *2B*
Guatemala Guatemala
guatemalteco,-a Guatemalan
la **guía turística** guidebook
la **guía telefónica** phone book *4B*

el **guía,** la **guía** guide

el **guión** script *(pl. guiones) 1B*

el **guisante** pea

la **guitarra** guitar

gustar to like, to be pleasing to; *me/te/le/nos/os/les gustaría...* I/you/he/she/ it/ we/they would like...

gustaría: see *gustar*

el **gusto** pleasure; *con (mucho) gusto* I would be (very) glad to; *el gusto es mío* the pleasure is mine; *¡Mucho gusto!* Glad to meet you!; *Tanto gusto.* So glad to meet you.

haber to have (auxiliary verb)

había there was, there were

la **habichuela** green bean

hábil skillful *1B*

la **habitación doble** double room

la **habitación** room; bedroom

la **habitación sencilla** single room

el **habitante,** la **habitante** inhabitant

el **hábito** habit *8B*

el **habla** *(f.)* speech, speaking; *de habla hispana* Spanish-speaking

habla: see *hablar*

hablar to speak; *Aquí se habla español.* Spanish is spoken here.; *habla (tú command)* speak; *hablen (Uds. command)* speak; *Se habla español.* Spanish is spoken.

hablen: see *hablar*

hace: see *hacer*

hacer to do, to make; *¿Cuánto (+ time expression) hace que (+ present tense of verb)...?* How long...?; *hace buen (mal) tiempo* the weather is nice (bad); *hace fresco* it is cool; *hace frío (calor)* it is cold (hot); *hace (+ time expression) que* ago; *hace sol* it is sunny; *hace viento* it is windy; *hacer aeróbicos* to do aerobics; *hacer falta* to be necessary, to be lacking; *hacer una pregunta* to ask a question; *hagan (Uds. command)* do, make; *haz (tú command)*

do, make; *haz el papel* play the part; *hecha* made; *La práctica hace al maestro.* Practice makes perfect.; *¿Qué temperatura hace?* What is the temperature?; *¿Qué tiempo hace?* How is the weather?; *hacerse miembro* to become a member *1A; hacer caso* to listen to, to pay attention, to obey *4B; hacer las paces* to make up with someone *4B; hacer un cumplido* to compliment someone *4A; hacer fila* to stand on line *6A; hacer flexiones* to do push-ups *8B; hacer un esfuerzo* make an effort *8B; hacer yoga* to do yoga *8B; hacer abdominales* to do sit-ups *8B; hacer bicicleta* to ride a stationary bike *8B; hacer natación* to practice swimming *8B; hacer cinta* to use a treadmill *8B; hacer prácticas* to have an internship *10A*

hacia toward

hagan: see *hacer*

el **hambre** *(f.)* hunger; *tener hambre* to be hungry

la **hamburguesa** hamburger *8B*

la **harina** flour *7A*

harto,-a (de) tired of *1A*

hasta until, up to, down to; *hasta la vista* so long, see you later; *hasta luego* so long, see you later; *hasta mañana* see you tomorrow; *hasta pronto* see you soon; *hasta que* until *6A*

hay there is, there are; *hay neblina* it is misty; *hay sol* it is sunny

haz: see *hacer*

hecha: see *hacer*

hecho a mano handmade *9B*

la **heladería** ice cream parlor

el **helado** ice cream

la **herencia** heritage; inheritance

la **herida** wound

herido,-a injured

la **hermana** sister

la **hermanastra** stepsister

el **hermanastro** stepbrother

el **hermano** brother

hermoso,-a beautiful, lovely

hervir (ie) to boil *7A*

el **hielo** ice; *patinar sobre hielo* to ice-skate

el **hierro** iron *8B*

la **hija** daughter

el **hijo** son

el **hilo** thread *9B*

el **hipopótamo** hippopotamus

hispano,-a Hispanic; *de habla hispana* Spanish-speaking

la **historia** history

el **historial médico** medical history *8A*

el **hogar** home

la **hoja** sheet; *hoja de papel* sheet of paper

hola hi, hello

el **hombre** man; *hombre de negocios* businessman

el **hombro** shoulder

hondo,-a deep(ly) *8A*

Honduras Honduras

hondureño,-a Honduran

honesto,-a honest *4A*

la **hora** hour; *¿a qué hora?* at what time?; *¿Qué hora es?* What time is it?

el **horario** schedule

hornear to bake *7A*

el **horno** oven; *horno microondas* microwave oven

horrible horrible

horroroso,-a terrible *9A*

el **hotel** hotel

hoy today; *hoy en día* nowadays *10B*

hubo there was, there were

el **huevo** egg

el **huracán** hurricane

la **idea** idea

ideal ideal

la **iglesia** church

ignorar to not know

Igualmente. Me, too. *1A*

la **iguana** iguana

imagina: see *imaginar(se)*

la **imaginación** imagination

imaginar(se) to imagine; *imagina (tú command)* imagine

impaciente impatient *2B*

el **imperio** empire

el **impermeable** raincoat

implicar to imply

importante important

importar to be important, to matter
imposible impossible
los **incas** Incas
el **incendio** fire; *alarma de incendios* fire alarm, smoke alarm
incluir to include *6B*
increíble incredible *4A*
indefinido,-a indefinite
la **independencia** independence
indica: see *indicar*
la **indicación** cue
indicado,-a indicated
indicar to indicate; *indica* (*tú* command) indicate
indígena native
la **infección** infection *8A*
la **inflamación** inflammation *8A*
la **información** information
informal casual *9A*
informar to inform
la **informática** computer science *10A*
el **informe** report
la **ingeniería** engineering *10A*
el **ingeniero,** la **ingeniera** engineer
Inglaterra England
el **inglés** English (language)
inglés, inglesa English
el **ingrediente** ingredient
inicial initial
inmenso,-a immense
inocente innocent *3B*
insistir (en) to insist (on)
el **inspector,** la **inspectora** inspector *5B*
la **inspiración** inspiration
instalar to install
el **instructor,** la **instructora** instructor *1B*
inteligente intelligent
interesante interesting
interesar to interest
internacional international
la **Internet** Internet
interrogativo,-a interrogative
interrumpir to interrupt *7B*
la **inundación** flood *3B*
el **invento** invention *10B*
investigar to investigate *1B*
el **invierno** winter

la **invitación** invitation
el **invitado,** la **invitada** guest *7B*
invitar to invite
la **inyección** injection, shot *8A*
ir to go; *ir a* (+ infinitive) to be going to (do something); *ir a parar* to end up; *ir de compras* to go shopping; *irse* to leave, to go away; *irse de viaje* to go away on a trip; *¡vamos!* let's go!; *¡vamos a* (+ infinitive)!* let's (+ infinitive)!*; *vayan* (*Uds.* command) go to; *ve* (*tú* command) go to; *ir con* to go with, to match *9A*
la **isla** island
Italia Italy
italiano,-a Italian
el **itinerario** itinerary
la **izquierda** left; *a la izquierda* to the left
izquierdo,-a left

el **jabón** soap
el **jaguar** jaguar *6B*
el **jamón** ham
el **Japón** Japan
japonés, japonesa Japanese
el **jarabe** syrup *8A*
el **jardín** garden; *jardín zoológico* zoo, zoological garden
el **jarrón** vase *9B*
la **jaula** cage
el **jefe,** la **jefa** boss *10A*
la **jirafa** giraffe
la **jornada completa** full-time *10A*
joven young
la **joya** jewel
la **joyería** jewelry store
el **joyero** jewelry box *9B*
el **juego** game
jueves Thursday; *el jueves* on Thursday
el **jugador,** la **jugadora** player
jugar (ue) to play; *jugar a* (+ sport/game) to play (+ sport/game)
el **jugo** juice
el **juicio** trial *3B*
julio July
junio June
junto,-a together
el **jurado** jury *3B*

Kenia Kenya
keniano,-a Kenyan
el **kilo(gramo)** kilo (gram)
el **kiosco** kiosk *5A*

la the *(f., s.)*; her, it, you *(d.o.)*; *a la una* at one o clock
lacio straight (hair) *2A*
el **lado** side; *al lado de* next to, beside; *por todos lados* everywhere
ladrar to bark
el **ladrillo** brick
el **ladrón,** la **ladrona** thief *3B*
el **lago** lake
las **lágrimas** tears *4A*
la **lámpara** lamp
la **lana** wool
la **langosta** lobster
el **lápiz de labios** lipstick *2B*
el **lápiz** pencil *(pl. lápices)*
largo,-a long
las **las** the *(f., pl.)*; them, you *(d.o.)*; *a las...* at...o'clock
la **lástima** shame, pity; *¡Qué lástima!* What a shame!, Too bad!
lastimar(se) to injure, to hurt
la **lata** can
el **lavabo** bathroom sink
el **lavadero** laundry room
la **lavadora** washer
la **lavandería** laundry *6B*
el **lavaplatos eléctrico** dishwasher (machine)
lavar(se) to wash
le (to, for) him, (to, for) her, (to, for) it, (to, for) you (formal) *(i.o.)*
lean: see *leer*
la **lección** lesson
la **leche** milk
la **lechería** milk store, dairy (store)
la **lechuga** lettuce
la **lectura** reading
lee: see *leer*
leer to read; *lean* (*Uds.* command) read; *lee* (*tú* command) read
lejos (de) far (from)
la **lengua** tongue; language
la **lenteja** lentil *7A*

los **lentes** glasses *2A*
lento,-a slow
el **león** lion
les (to, for) them, (to, for) you *(i.o.)*
la **letra** letter
levantar to raise, to lift; *levantarse* to get up; *levántate* (*tú* command) get up; *levántense* (*Uds.* command) get up; *levantar la voz* to raise one's voice *4B; levantar pesas* to lift weights *8B*
levantarse: see *levantar*
levántate: see *levantar*
levántense: see *levantar*
la **libertad** liberty, freedom
la **libra** pound
libre free; *al aire libre* outdoors
la **librería** bookstore
el **libro** book
la **licencia de conducir** driver's license *5A*
la **licuadora** blender
el **líder** leader
limitar to limit
el **limón** lemon, lime
el **limpiaparabrisas** windshield wiper
limpiar to clean
limpio,-a clean
lindo,-a pretty
la **línea ocupada** busy line *4B*
la **linterna** flashlight *5B*
liso,-a solid *9A*
la **lista** list
listo,-a ready; smart; *estar listo,-a* to be ready; *ser listo,-a* to be smart
la **literatura** literature
el **litro** liter *7A*
llama: see *llamar*
la **llamada de cobro revertido** collect call *4B*
la **llamada de larga distancia** long distance phone call *4B*
llamar to call, to telephone; *¿Cómo se llama (Ud./él/ella)?* What is (your/his/her) name?; *¿Cómo te llamas?* What is your name?; *llamaron* they called (preterite of *llamar*); *llamarse* to be called; *me llamo* my name is; *se llaman* their names are; *te llamas* your name is; *(Ud./Él/Ella) se*

llama... (Your [formal]/His/Her) name is...
llamaron: see *llamar*
llamas: see *llamar*
llamo: see *llamar*
la **llanta** tire
la **llave** key
el **llavero** key ring, key chain *9B*
la **llegada** arrival
llegar to arrive; *llegó* arrived (preterite of *llegar*)
llegó: see *llegar*
llenar el tanque to fill up the gas tank *5A*
lleno,-a full
llevar to take, to carry; to wear; to bring; *llevarse* to take away, to get along
llorar to cry *4A*
llover (ue) to rain
la **lluvia** rain
lo hice sin querer I didn't mean to do it *4A*
lo him, it, you *(d.o.)*; *a lo mejor* maybe; *lo* (+ adjective/adverb) how (+ adjective/adverb); *lo más* (+ adverb) *posible* as (+ adverb) as possible; *lo menos* (+ adverb) *posible* as (+ adverb) as possible; *lo que* what, that which; *lo siento* I am sorry; *lo siguiente* the following; *por lo menos* at least
loco,-a crazy
lógicamente logically
lógico,-a logical
lograr to achieve, to obtain *3B*
los the *(m., pl.)*; them, you *(d.o.)*
luego then, later, soon; *desde luego* of course; *hasta luego* so long, see you later; *luego que* as soon as
el **lugar** place
el **lujo** luxury
la **luna** moon
lunes Monday; *el lunes* on Monday
la **luz** light *(pl. luces)*

la **madera** wood
la **madrastra** stepmother
la **madre** mother
la **madrina** godmother *2A*
maduro,-a ripe

el **maestro,** la **maestra** teacher, master; *La práctica hace al maestro.* Practice makes perfect.
magnífico,-a magnificent
el **maíz** corn
mal badly; bad; *hace mal tiempo* the weather is bad
el **malabarista,** la **malabarista** juggler
el **malentendido** misunderstanding *6A*
la **maleta** suitcase
el **maletín** overnight bag, handbag, small suitcase, briefcase
malo,-a bad
la **mamá** mother, mom
la **mañana** morning; *de la mañana* A.M., in the morning; *por la mañana* in the morning
mañana tomorrow; *hasta mañana* see you tomorrow; *pasado mañana* the day after tomorrow
la **mancha** stain, spot *9B*
manchado,-a stained *9B*
mandar to order
mandón, mandona bossy *2B*
manejar to drive
la **manera** manner, way
la **manga** sleeve *9B*
el **maní** peanut *(pl. maníes) 7B*
la **mano** hand; *equipaje de mano* carry-on luggage
el **mantel** tablecloth
mantener to keep, to maintain; *mantenerse en forma* to keep in shape *8B*
la **mantequilla** butter; *mantequilla de maní* peanut butter
la **manzana** apple
el **mapa** map
el **maquillaje** makeup
maquillar to put makeup on (someone); *maquillarse* to put on makeup
la **máquina de coser** sewing machine *9B*
la **maquinita** little machine, video game
el **mar** sea
maravilloso,-a marvelous, fantastic

el **marcador** score
marcar to dial *4B*
marcar to score
la **marcha atrás** reverse gear *5A*
el **marco de fotos** picture
frame *9B*
mariachi popular Mexican
music and orchestra
el **marido** husband
marinado,-a marinated *7B*
la **mariposa** butterfly *6B*
el **marisco** seafood
marroquí Moroccan
Marruecos Morocco
martes Tuesday; *el martes*
on Tuesday
el **martillo** hammer *2A*
marzo March
más allá beyond *5A*
más more, else; *el/la/los/las*
(+ noun) *más* (+ adjective)
the most (+ adjective);
lo más (+ adverb) *posible* as
(+ adverb) as possible;
más de more than; *más*
(+ noun/adjective/adverb)
que more (+ noun/adjective
/adverb) than; *más vale que*
it is better that
masculino,-a masculine
masticar to chew *7B*
matar to kill *3B*
las **matemáticas** mathematics
el **material** material
máximo,-a maximum; *pena*
máxima maximum penalty
maya Mayan
los **mayas** Mayans
mayo May
la **mayonesa** mayonnaise
mayor older, oldest;
greater, greatest
la **mayoría** majority
la **mayúscula** capital letter
me (to, for) me *(i.o.)*;
me *(d.o.)*; *me llaman*
they call me; *me llamo*
my name is
me cae bien/mal I like/don't
like (someone) *1B*
el **mecánico,** la **mecánica**
mechanic
la **medalla** medal *9B*
la **media jornada** part-time *10A*
mediano,-a medium *9A*

la **medianoche** midnight;
Es medianoche. It is midnight.
la **medicina** medicine
el **médico,** la **médica** doctor
el **medio** means; middle, center;
en medio de in the middle of,
in the center of
medio,-a half; *y media*
half past
el **medio ambiente**
enviroment *6B*
el **medio de comunicación**
media *10B*
el **mediocampista,** la
mediocampista midfielder
el **mediodía** noon; *Es mediodía.*
It is noon.
mejor better; *a lo mejor* maybe;
el/la/los/las mejor/mejores
(+ noun) the best (+ noun)
mejorar to improve
el **melón** melon, cantaloupe
mencionar to mention *3B*
menor younger, youngest;
lesser, least
menos minus, until, before,
to (to express time); less; *el/
la/los/las* (+ noun)
menos (+ adjective) the least
(+ adjective + noun); *lo*
menos (+ adverb) *posible* as
(+ adverb) as possible; *menos*
(+ noun/adjective/adverb)
que less (+ noun/adjective
/adverb) than; *menos cuarto*
a quarter to, a quarter before;
por lo menos at least
el **mensaje** message *4B*
mentir (ie, i) to lie
la **mentira** lie
el **menú** menu
el **mercado** market
merecer to deserve *1A*
el **merengue** merengue
(dance music)
el **mes** month
la **mesa de noche** night table *2B*
la **mesa** table; *mesa de*
planchar ironing board;
poner la mesa to set the
table; *recoger la mesa* to
clear the table
el **mesero,** la **mesera** food server
la **mesita** tray table
el **metro** measuring tape *9B*

el **metro** subway; *estación del*
metro subway station
mexicano,-a Mexican
México Mexico
mezclar to mix *7B*
mí me (after a preposition)
mi my; *(pl. mis)* my
el **micrófono** microphone
el **microscopio** microscope *10B*
el **miedo** fear; *tener miedo de* to
be afraid of
el **miembro** member
mientras (que) while
miércoles Wednesday; *el*
miércoles on Wednesday
mil thousand
mínimo,-a minimum
la **minúscula** lowercase
el **minuto** minute
mío,-a my, (of) mine; *el gusto*
es mío the pleasure is mine
mira: see *mirar*
mirar to look (at); *mira*
(tú command) look; *mira* hey,
look (pause in speech); *miren*
(Uds. command) look; *miren*
hey, look (pause in speech)
miren: see *mirar*
mismo right (in the very
moment, place, etc.); *ahora*
mismo right now
mismo,-a same
el **misterio** mystery
la **moda** fashion
los **modales** manners *7B*
el **modelo** model
moderno,-a modern
mojado,-a wet *2B*
molestar to bother
la **moneda** coin, money
el **mono** monkey
la **montaña** mountain; *montaña*
rusa roller coaster
montar to ride; *montar en*
patineta to skateboard;
montar en bicicleta to ride a
bicycle *1B*
el **monumento** monument
morado,-a purple *9A*
morder (ue) to bite
moreno,-a brunet, brunette,
dark-haired, dark-skinned
morir(se) (ue, u) to die;
morirse de la risa to
die laughing

el **mosquito** mosquito *5B*
la **mostaza** mustard
el **mostrador** counter
mostrar (ue) to show
la **moto(cicleta)** motorcycle
el **motor** motor, engine; *motor de búsqueda* search engine
mover(se) (ue) to move *6A*
la **muchacha** girl, young woman
el **muchacho** boy, guy
muchísimo very much, a lot
mucho much, a lot, very, very much
mucho,-a much, a lot of, very; *(pl. muchos,-as)* many; *con (mucho) gusto* I would be (very) glad to; *muchas gracias* thank you very much; *¡Mucho gusto!* Glad to meet you!
la **mudanza** move
mudar(se) to move
el **mueble** piece of furniture
el **muelle** concourse, pier
la **mujer** woman; wife; *mujer de negocios* businesswoman
las **muletas** crutches *8A*
el **mundo** world; *todo el mundo* everyone, everybody
la **muñeca** wrist *8A*
la **muralla** wall
el **muro** (exterior) wall
el **museo** museum
la **música** music; *la música bailable* dancing music *7B*
el **musical** musical
el **músico, la música** musician *1B*
muy very

nacer to be born
la **nación** nation
nacional national
nada nothing; *de nada* you are welcome, not at all
nadar to swim
nadie nobody
la **naranja** orange
la **nariz** nose *(pl. narices)*
narrar to announce, to narrate
la **naturaleza** nature *6B*
navegar to surf; *navegar por rápidos* to do white-water rafting *6B*

la **Navidad** Christmas
la **neblina** mist; *hay neblina* it is misty
necesario,-a necessary
necesitar to need
negar (ie) to deny *6A*
negativo,-a negative
los **negocios** business; *hombre de negocios* businessman; *mujer de negocios* businesswoman
negro,-a black
nervioso,-a nervous
nevar (ie) to snow
ni not even; *ni...ni* neither...nor
Nicaragua Nicaragua
nicaragüense Nicaraguan
la **niebla** fog *6A*
la **nieta** granddaughter
el **nieto** grandson
la **nieve** snow
el **niñero, la niñera** baby sitter *1B*
ningún, ninguna none, not any
ninguno,-a none, not any
el **niño, la niña** child
el **nivel** level
no no; *¡Cómo no!* Of course!; *No lo/la veo.* I do not see him (it)/her (it).; *¡no me digas!* you don't say!; *No sé.* I do not know.; *¡No es justo!* It's not fair! *1A; ¡No hay quien lo/la aguante!* Nobody can stand him/her! *1A; No lo/la aguanto* I can't stand him/her *1B; ¡No faltaba más!* Don't mention it! *4A; no tener ni idea de* to not have the faintest idea about, to not have a clue *9B*
la **noche** night; *buenas noches* good night; *de la noche* P.M., at night; *esta noche* tonight; *por la noche* at night
el **nombre** name
el **noreste** northeast
la **noria** Ferris wheel
normal normal
las **normas de tránsito** traffic rules *5A*
el **noroeste** northwest
el **norte** north; *América del Norte* North America
norteamericano,-a North American

nos (to, for) us *(i.o.)*; us *(d.o.)*
nosotros,-as we; us (after a preposition)
la **nota** note, grade *1A*
la **noticia** news
el **noticiero** news program
novecientos,-as nine hundred
noveno,-a ninth
noventa ninety
la **novia** girlfriend
noviembre November
el **novio** boyfriend
la **nube** cloud *6A*
nublado,-a cloudy; *está nublado* it is cloudy
la **nuera** daughter-in-law *2A*
nuestro,-a our, (of) ours
nueve nine
nuevo,-a new; *Año Nuevo* New Year's (Day)
la **nuez** walnut *(pl. nueces) 7B*
el **número** number; *número de teléfono* telephone number
el **número equivocado** wrong number *4B*
numeroso,-a large (in numbers) *2B*
nunca never
la **nutrición** nutrition *8B*
nutritivo,-a nutritious *8B*

o or; *o...o* either...or
obedecer to obey *1A*
la **obligación** obligation *4B*
la **obra en construcción** construction site *5A*
la **obra** work, play
el **obrero, la obrera** worker
observar to observe *6A*
obvio,-a obvious
la **ocasión** occasion
el **océano** ocean
ochenta eighty
ocho eight
ochocientos,-as eight hundred
el **ocio** free time *3A*
octavo,-a eighth
octubre October
ocupado,-a busy, occupied
ocupar to occupy
ocurrir to occur
la **odisea** odyssey
el **oeste** west

la **oferta** sale; *estar en oferta* to
  be on sale
oficial official
la **oficina** office; *oficina de*
  correos post office
el **oficio** trade, job *1B*
ofrecer to offer
el **oído** (inner) ear; sense
  of hearing
oigan hey, listen
  (pause in speech)
oigo hello (telephone greeting)
oír to hear, to listen (to);
  oigan hey, listen (pause in
  speech); *oigo* hello (telephone
  greeting); *oye* hey, listen
  (pause in speech)
ojalá would that, if only, I hope
el **ojo** eye
olé bravo
la **olla** pot, saucepan
olvidar(se) to forget
la **omisión** omission
once eleven
ondulado,-a wavy *9A*
el **operador**, la **operadora**
  operator *4B*
opinar to give an opinion;
  to form an opinion
la **opinión** opinion *3A*
la **oportunidad** opportunity
optimista optimist *10B*
el **opuesto** opposite
la **oración** sentence
el **orden** order
ordenado,-a neat *2B*
el **ordenador** computer *3A*
ordenar to give an order
el **orégano** oregano *7A*
la **oreja** (outer) ear
la **organización** organization
organizado,-a organized *1A*
organizar to organize
el **órgano** organ
orgulloso,-a proud of *1A*
la **orilla** shore
el **oro** gold
la **orquesta** orchestra *1A*
la **orquídea** orchid *6B*
os (to, for) you (Spain,
  informal, *pl., i.o.*), you (Spain,
  informal, *pl., d.o.*)
oscuro,-a dark *9A*
el **oso** bear; *oso de peluche*
  teddy bear

el **oso perezoso** sloth *6B*
el **otoño** autumn
otro,-a other, another
  (*pl. otros,-as*); *otra vez* again,
  another time
la **oveja** sheep
oye hey, listen
  (pause in speech)

paciencia patience *5A*
paciente patient *2B*
el **paciente**, la **paciente**
  patient *8A*
el **Pacífico** Pacific Ocean
el **padrastro** stepfather
el **padre** father; parents
  (*pl. padres*)
el **padrino** godfather *2A*
¡Padrísimo! Great! *9A*
la **paella** paella (traditional
  Spanish dish with rice, meat,
  seafood and vegetables)
pagar to pay
la **página** page
el **país** country
el **paisaje** landscape, scenery
el **pájaro** bird
la **palabra** word; *palabra*
  interrogativa question word;
  palabras antónimas antonyms,
  opposite words
pálido,-a pale *9A*
las **palomitas de maíz** popcorn
el **pan** bread
la **panadería** bakery
Panamá Panama
panameño,-a Panamanian
la **pantalla** screen
la **pantalla de alta definición**
  high definition screen *10B*
el **pantalón** pants
la **pantera** panther
las **pantimedias** pantyhose,
  nylons
la **pantufla** slipper
el **pañuelo** handkerchief, hanky
el **papá** father, dad
la **papa** potato
las **papas fritas** French fries *7B*
los **papás** parents
la **papaya** papaya
el **papel** paper; role; *haz el papel*
  play the role; *hoja de papel*
  sheet of paper; *papel de carta*
  stationery *9B*

la **papelería** stationery store
para for, to, in order to;
  para que so that, in order that
para serte sincero,-a...
  to be honest *1B*
el **parabrisas** windshield
el **parachoques** fender, bumper
el **parador** inn
el **paraguas** umbrella
el **Paraguay** Paraguay
paraguayo,-a Paraguayan
el **paramédico**, la **paramédica**
  paramedic *3B*
parar to stop; *ir a parar*
  to end up
pare stop *5A*
parecer to seem; *¿Qué (te/*
  le/les) parece? What do/does
  you/he/she/they think?
parecerse to resemble,
  to look like *1A*
la **pared** wall
la **pareja** pair, couple
el **pariente**, la **pariente** relative
los **parlantes** speakers *7B*
el **parque nacional** national
  park *6B*
el **parque** park; **parque de**
  atracciones amusement
  park
el **parquímetro** parking
  meter *5A*
el **párrafo** paragraph
la **parte** place, part
participar to participate
el **partido** game, match; *partidos*
  empatados games tied;
  partidos ganados games won;
  partidos perdidos games lost
partir to leave *5B*
pasado,-a past, last; *pasado*
  mañana the day after
  tomorrow
el **pasaje** ticket
el **pasajero** passenger
pásame: see *pasar*
Pasándola getting by *1A*
el **pasaporte** passport
pasar to pass, to spend (time);
  to happen, to occur; *pásame*
  pass me; *pasar la aspiradora*
  to vacuum; *¿Qué te pasa?* What
  is wrong with you?
el **pasatiempo** pastime,
  leisure activity
la **Pascua** Easter

pasear to walk, to take a walk *1B*

el **paseo** walk, ride, trip; *dar un paseo* to take a walk

el **pasillo** hall, corridor *2A*

los **pasos (de baile)** (dance) steps *7B*

la **pasta de dientes** toothpaste *2B*

el **pastel** cake, pastry

la **pastilla** pill *8A*

la **pata** paw, leg (for an animal)

el **patinador**, la **patinadora** skater

patinar to skate; *patinar sobre hielo* to ice-skate

la **patineta** skateboard

el **patio** courtyard, patio, yard

el **pato** duck

el **pavo** turkey

el **payaso** clown

la **paz** peace

el **peatón**, la **peatona** pedestrian (*pl. peatones*) *5A*

el **pecho** chest

la **pechuga de pavo** turkey breast *7B*

el **pedazo** piece *7A*

pedir (i, i) to ask for, to order, to request; *pedir perdón* to say you are sorry; *pedir permiso (para)* to ask for permission (to do something); *pedir prestado, -a* to borrow

el **peinado** hairdo *9A*

peinar(se) to comb

el **peine** comb

pelar to peel *7A*

la **pelea** fight *4A*

pelearse to fight *2B*

la **película** movie, film

pelirrojo,-a red-haired

el **pelo** hair; *tomar el pelo* to pull someone's leg

la **pelota** ball

el **peluquero**, la **peluquera** hairstylist

la **pena** punishment, pain, trouble; *pena máxima* penalty

pensar (ie) to think, to intend, to plan; *pensar de* to think about (i.e., to have an opinion); *pensar en* to think about (i.e., to focus one's thoughts on); *pensar en* (+ infinitive) to think about

(doing something); *pensar en sí mismo,-a* to think of oneself *4A*

peor worse; *el/la/los/las peor/ peores* (+ noun) the worst (+ noun)

pequeño,-a small

la **pera** pear

la **percha** hanger *2B*

perder (ie) to lose, to miss *6A*; *partidos perdidos* games lost; *perder la paciencia* to lose one's patience *4A*

perdido,-a lost *5A*

perdidos: see *perder*

perdón excuse me, pardon me; *pedir perdón* to say you are sorry

perdonar to forgive *4A*

el **perejil** parsley *7A*

perezoso,-a lazy

perfecto,-a perfect

el **perfume** perfume

el **periódico** newspaper

el **periodismo** journalism *3A*

el **periodista**, la **periodista** journalist

el **período** period

la **perla** pearl

la **permanente** permanent *9A*

el **permiso** permission, permit; *con permiso* excuse me (with your permission), may I; *pedir permiso (para)* to ask for permission (to do something)

permitir to permit

pero but

el **perro**, la **perra** dog

la **persona** person

el **personaje** character

personal personal; *pronombre personal* subject pronoun

pertenecer to belong *1A*

el **Perú** Peru

peruano,-a Peruvian

la **pesca** fishing

el **pescado** fish (fish that has been caught and will be served/eaten/used)

pescar to fish; *pescar (un resfriado)* to catch (a cold)

pesimista pessimist *10B*

el **petróleo** oil

el **pez** fish (*pl. peces*)

el **piano** piano

picante hot *7A*

picar to chop *7A*

el **picnic** picnic

el **pie** foot; *a pie* on foot

la **piel** skin *8A*

la **pierna** leg

la **pieza** piece

el **pijama** pajamas

el **piloto**, la **piloto** pilot

el **pimentero** pepper shaker

la **pimienta** pepper (seasoning)

el **pimiento** bell pepper

la **piña** pineapple

pintar to paint

pintarse los labios to put on lipstick *2B*

la **pintura** painting

la **pirámide** pyramid

pisar to step on *5A*

la **piscina** swimming pool

el **piso** floor; *primer piso* first floor

la **pista** clue

la **pizarra** blackboard

el **placer** pleasure

el **plan** plan

la **plancha** iron

planchar to iron; *mesa de planchar* ironing board

planear to plan *6A*

el **planeta** planet *10B*

la **planta** plant; *planta baja* ground floor

el **plástico** plastic

la **plata** silver

el **plátano** banana

el **plato** dish, plate; *plato de sopa* soup bowl

el **plato principal** main dish *7B*

la **playa** beach

la **plaza** plaza, public square

la **pluma** feather; pen

la **población** population

pobre poor

poco,-a not very, little; *un poco* a little (bit)

poder (ue) to be able

podrido,-a rotten *7A*

el **policía**, la **policía** police (officer)

policiaca (película) detective (film) *1B*

la **política** politics

políticamente politically

el **pollo** chicken

el **polvo** dust

poner to put, to place, to turn on (an appliance); *poner la mesa* to set the table; *poner(se)* to put on; *ponerse* to become, to get *2B*; *ponerse de acuerdo* to reach an agreement *4B*; *poner una multa* to give a ticket *5A*; *poner a prueba* to employ someone on trial basis *10A*

popular popular

un **poquito** a very little (bit)

por for; through, by; in; along; *por ejemplo* for example; *por favor* please; *por fin* finally; *por la mañana* in the morning; *por la noche* at night; *por la tarde* in the afternoon; *por teléfono* by telephone, on the telephone; *por todos lados* everywhere; *por ahora* right now *1B*; *por suerte* luckily *3B*; *por supuesto* of course *3A*; *por adelantado* in advance *6A*; *por mi/su cuenta* on my/his/her own *10A*

¿por qué? why?

porque because

el **portero,** la **portera** goaltender, goalie

Portugal Portugal

portugués, portuguesa Portuguese

la **posibilidad** possibility *posible* possible; *lo más* (+ adverb) *posible* as (+ adverb) as possible; *lo menos* (+ adverb) *posible* as (+ adverb) as possible

la **posición** position

posponer to postpone *4A*

el **postre** dessert

potable drinkable

la **práctica** practice; *La práctica hace al maestro.* Practice makes perfect.

practicar to practice, to do

práctico,-a practical *1B*

el **precio** price

preciso,-a necessary

predecir to predict *10B*

preferir (ie, i) to prefer

la **pregunta** question; *hacer una pregunta* to ask a question

preguntar to ask; *preguntarse* to wonder, to ask oneself

el **premio** prize

la **prenda** garment

la **prensa** press *3A*

preocupado,-a worried *3B*

preocupar(se) to worry

prepararse to prepare, to get ready *2B*

el **preparativo** preparation

la **presentación** introduction

presentar to introduce, to present; *le presento a* let me introduce you (formal, s.) to; *les presento a* let me introduce you (pl.) to; *te presento a* let me introduce you (informal, s.) to

presentarse to show up *6A*

presente present

presento: see *presentar*

prestado,-a on loan; *pedir prestado,-a* to borrow

prestar atención to pay attention *1A*

prestar to lend

la **primavera** spring

primer first (form of *primero* before a *m., s.* noun); *primer piso* first floor

primero first (adverb)

primero,-a first

los **primeros auxilios** first aid *3B*

el **primo,** la **prima** cousin

la **princesa** princess

principal principle, main

el **príncipe** prince

la **prisa** rush, hurry, haste; *tener prisa* to be in a hurry

probable probable

probar(se) (ue) to try (on); to test, to prove

el **problema** problem

produce produces

el **producto** product

el **profe** teacher

el **profesor,** la **profesora** teacher

profundo,-a deep *8A*

el **programa** program, show; *bajar un programa* to download a program; *programa de concurso* game show

la **programación de televisión** tv guide *3A*

el **programador,** la **programadora** computer programmer

prohibido doblar no turn *5A*

prohibido,-a not permitted, prohibited

prometer to promise

el **pronombre** pronoun; *pronombre personal* subject pronoun

el **pronóstico** forecast

pronto soon, quickly; *hasta pronto* see you soon

la **pronunciación** pronunciation

la **propina** tip

propio,-a one's own *2A*

el **propósito** aim, purpose; *a propósito* by the way

proteger to protect *6B*

la **proteína** protein *8B*

la **protesta** protest

próximo,-a next

prudente cautious *5B*

la **psicología** psychology *10A*

el **psicólogo,** la **psicóloga** psychologist *10A*

la **publicidad** publicity

el **público** audience

público,-a public

el **pueblo** village *5B*

puede ser maybe

el **puente** bridge

el **puerco** pig; pork

la **puerta** door

la **puerta de embarque** boarding gate

el **puerto** port

Puerto Rico Puerto Rico

puertorriqueño,-a Puerto Rican

pues thus, well, so, then (pause in speech)

el **puesto** stall *7A*; job, position *10A*

el **pulmón** lung (*pl. pulmones*) *8A*

la **pulmonía** pneumonia *8A*

el **pulpo** octopus, squid

la **pulsera** bracelet

el **punto** dot, point

los **puntos** stitches *8A*

la **puntuación** punctuation

puntual on time *5B*

el **pupitre** desk

puro,-a pure, fresh

que that, which; *lo que* what, that which; *más* (+ noun/adjective/adverb) *que* more (+ noun/adjective /adverb) than; *que viene* upcoming, next

¡qué (+ adjective)**!** how (+ adjective)! *¡Qué raro!* How odd! *4A*

¡qué (+ noun)**!** what a (+ noun)!; *¡Qué lástima!* What a shame!, Too bad!; *¡Qué* (+ noun) *tan* (+ adjective)! What (a) (+ adjective) (+ noun)! *¡Qué va!* No way! *4A; ¡Qué estafa!* What a rip-off! *9B;*

¿qué? what?; *¿a qué hora?* at what time?; *¿Qué comprendiste?* What did you understand?; *¿Qué hora es?* What time is it?; *¿Qué quiere decir...?* What is the meaning (of)...?; *¿Qué tal?* How are you?; *¿Qué (te/le/les) parece?* What do/does you/he/she/ they think?; *¿Qué quiere decir...?* What is the meaning (of)...?; *¿Qué te pasa?* What is wrong with you?; *¿Qué temperatura hace?* What is the temperature?; *¿Qué (+ tener)?* What is wrong with (someone)?; *¿Qué tiempo hace?* How is the weather?

quebrarse to break *8A*

quedar(se) to remain, to stay; *quedarle bien a uno* to fit, to be becoming

el **quehacer** chore

quejarse to complain *7B*

quemar to burn; *quemarse* to get burned

querer (ie) to love, to want, to like; *¿Qué quiere decir...?* What is the meaning (of)...?; *querer decir* to mean; *quiere decir* it means; *quiero* I love; I want

querido,-a dear

el **queso** cheese

el **quetzal** quetzal *6B*

quien who, whom

¿quién? who?; *(pl. ¿quiénes?)* who?; *¿Quién habla?* Who is it? (telephone greeting) *4B*

quienquiera whoever

quiere: see *querer*

quiero: see *querer*

la **química** chemistry

quince fifteen

quinientos,-as five hundred

quinto,-a fifth

quisiera would like

quitar(se) to take off

quizás perhaps

el **rabo** tail

el **radio** radio (apparatus)

la **radio** radio (broadcast)

la **radiografía** X-ray *8A*

raparse to shave one's hair *9A*

rápidamente rapidly

rápido,-a rapid, fast, quickly! *1A*

el **rascacielos** skyscraper

el **rasguño** scratch *8A*

el **ratón** mouse

la **raya** part (in hair) *9A*

la **raya** stripe; *a rayas* striped

rayado,-a scratched, striped

la **razón** reason; *tener razón* to be right

reaccionar to react *4B*

real royal; real

la **realidad** reality

la **realidad virtual** virtual reality *10B*

realizar to attain, to bring about

la **rebaja** discount, sale *9A*

rebajado,-a reduced *9A*

rebelde unruly *9A*

la **recepción** (telephone) reception *4B*

la **recepción** reception desk

el **recepcionista,** la **recepcionista** receptionist

la **receta** recipe

recetar to prescribe *8A*

recibir to receive

el **recibo** receipt

reciclar to recycle *10B*

el **recipiente** bowl *7A*

recoger to pick up; *recoger la mesa* to clear the table

recogido,-a gathered up *9A*

recomendar to recommend *5B*

reconciliarse to make up *4A*

reconocer to recognize *1A*

recordar (ue) to remember

el **recuerdo** memory *3A*

el **recurso natural** natural resource *10B*

la **Red** World Wide Web

redondo,-a round

las **referencias** references *10A*

referir(se) (ie, i) to refer

el **refrán** saying, proverb

el **refresco** soft drink, refreshment

el **refrigerador** refrigerator

el **refugio de vida silvestre** wildlife refuge *6B*

el **regalo** gift

regañar to scold

regar (ie) to water *2A*

regatear to bargain, to haggle

registrar to check in

el **registro** register *6B*

la **regla** ruler; rule

regresar to return, to go back, to come back

regular average, okay, so-so, regular

la **reina** queen

reír(se) (i, i) to laugh

la **reja** wrought-iron window grill; wrought-iron fence

la **relación** relation(ship) *4B*

relacionado,-a related

las **relaciones públicas** public relations *10A*

relajarse to relax *6B*

el **relámpago** lightning *6A*

rellenar to fill in *10A*

relleno,-a stuffed *7B*

el **reloj** clock, watch

el **remedio** remedy, medicine *8A*

remoto,-a remote

reparar to repair *1B*

el **repartidor,** la **repartidora** delivery person *1B*

repartir to deliver *1B*

repasar to reexamine, to review

el **repaso** review

el **repelente de insectos** insect repellent *5B*

repetir (i, i) to repeat; *repitan* (Uds. command) repeat; *repite* (tú command) repeat

repitan: see *repetir*

repite: see *repetir*

el **repollo** cabbage *7A*
el **reportaje** interview *3A*
reportando reporting
el **reportero**, la **reportera** reporter
el **reproductor de CDs** CD Player
la **República Dominicana** Dominican Republic
los **requisitos** requirements *10A*
resbalarse to slip *8A*
resbaloso,-a slippery
rescatar to rescue *3B*
la **reserva** reservation *6A*
la **reserva natural** natural reserve *6B*
la **reservación** reservation
el **resfriado** cold; *pescar un resfriado* to catch a cold
resolver (ue) to resolve, to solve
el **respaldar** seat-back
respetar to respect *4B*
respirar to breathe *8A*
responder to answer
responsable responsible *1A*
la **respuesta** answer
el **restaurante** restaurant
el **resumen** summary; *en resumen* in short
retrasado,-a delayed *6A*
el **retraso, -a** delay *6A*
la **reunión** meeting, reunion
reunir(se) to get together
revisar to check
la **revista** magazine
revolver (ue) to stir *7A*
el **rey** king
rico,-a rich, delicious
el **riel** rail
el **río** river
la **risa** laugh; *morirse de la risa* to die laughing
el **ritmo** rhythm
rizado,-a curly *2A*
el **robo** robbery
la **roca** rock *5B*
rodear to surround *3B*
la **rodilla** knee
rojo,-a red
romántico,-a romantic *1B*
romper to break, to tear
la **ropa** clothing; *ropa interior* underwear
rosado,-a pink

el **rubí** ruby
rubio,-a blond, blonde
la **rueda** wheel; *rueda de Chicago* Ferris wheel
la **rueda de prensa** press conference *3A*
el **rugido** roar
rugir to roar
el **ruido** noise
Rusia Russia
ruso,-a Russian; *montaña rusa* roller coaster
la **rutina** routine

sábado Saturday; *el sábado* on Saturday
la **sábana** sheet *2B*
saber to know; *No sé.* I do not know.; *sabes* you know; *sé* I know
sabes: see *saber*
el **sabor** flavor
saborear to taste, to savor
sabroso,-a tasty *7A*
saca: see *sacar*
el **sacapuntas** pencil sharpener
sacar to take out; *saca (tú command)* stick out
sacar fotos to take pictures *2B*
el **saco de dormir** sleeping bag *5B*
la **sal** salt
la **sala** living room
la **sala de emergencia** emergency room *8A*
salado,-a salty *7B*
la **salchicha** hot dog, bratwurst
el **salero** salt shaker
la **salida** departure, exit
salir to go out; *siempre salirse con la suya* to always get one's way
el **salmón** salmon *7B*
el **salón de belleza** beauty parlor *9A*
la **salsa** salsa (dance music); salsa sauce; *salsa de tomate* ketchup
saltar to jump
saltarse (una comida) to skip (a meal) *8B*
la **salud** health
saludable healthy *8B*
saludar to greet, to say hello
el **saludo** greeting

salvadoreño,-a Salvadoran
salvaje wild
salvar to save *3B*
las **sandalias** sandals
la **sandía** watermelon
el **sándwich** sandwich
la **sangre** blood
el **santo** saint's day; *Todos los Santos* All Saints Day
la **sartén** frying pan *7A*
el **sastre**, la **sastre** tailor *9B*
el **satélite** satellite *10B*
saudita Saudi, Saudi Arabian
el **saxofón** saxophone
se *¿Cómo se dice...?* How do you say...?; *¿Cómo se escribe...?* How do you write (spell)...?; *¿Cómo se llama (Ud./él/ella)?* What is (your/his/her) name?; *se considera* it is considered; *se dice* one says; *se escribe* it is written; *Se habla español.* Spanish is spoken.; *se llaman* their names are; *(Ud./El/Ella) se llama...* (Your [formal] / His/Her) name is...
Se me hace tarde It's getting late *1A*
el **secador** hair dryer *2B*
la **secadora** (clothes) dryer
secarse to dry (oneself) *2B*
la **sección** section
seco,-a dry *7B*
el **secretario**, la **secretaria** secretary
el **secreto** secret
la **sed** thirst; *tener sed* to be thirsty
la **seda** silk
seguir (i, i) to follow, to continue, to keep, to go on, to pursue; *sigan (Uds. command)* follow; *sigue (tú command)* follow
según according to
segundo,-a second
la **seguridad** safety; *cinturón de seguridad* seat belt, safety belt
seguro,-a sure
seis six
seiscientos,-as six hundred
selecciona *(tú command)* select
la **selva** jungle; *selva tropical* tropical rain forest
el **semáforo** traffic light *5A*

la **semana** week; *fin de semana* weekend; *Semana Santa* Holy Week

la **señal** sign

señalar to point to, to point at, to point out; *señalen (Uds.* command) point to

señalen: see *señalar*

sencillo,-a one-way, single

el **sendero** path *5B*

el **señor** gentleman, sir, Mr.

la **señora** lady, madame, Mrs.

la **señorita** young lady, Miss

sentar (ie) to seat (someone); *sentarse* to sit down; *siéntate (tú* command) sit down; *siéntense (Uds.* command) sit down

la **sentencia** sentencing *3B*

sentir (ie, i) to be sorry, to feel sorry, to regret; *lo siento* I am sorry; *sentir(se)* to feel

septiembre September

séptimo,-a seventh

ser to be; *eres* you are; *¿Eres (tú) de...?* Are you from...?; *es* you (formal) are, he/she/it is; *es la una* it is one o clock; *Es medianoche.* It is midnight.; *Es mediodía.* It is noon.; *fue* you (formal) were, he/she/it was (preterite of *ser*); *fueron* you (pl.) were, they were (preterite of *ser*); *puede ser* maybe; *¿Qué hora es?* What time is it?; *sea* it is; *ser difícil que* to be unlikely that; *ser fácil que* to be likely that; *ser listo,-a* to be smart; *son* they are; *son las* (+ number) it is (+ number) o'clock; *soy* I am; *Es increíble que...* It's incredible that... *5B; Es inútil que...* It's useless that... *5B; Es una lástima que...* It's a pity that... *6B*

serio,-a serious

la **serpiente** snake

el **servicio** service; *servicio de habitaciones* room service

los **servicios** services *6B*

la **servilleta** napkin

servir (i, i) to serve

sesenta sixty

la **sesión fotográfica** photo session *3A*

setecientos,-as seven hundred

setenta seventy

sexto,-a sixth

los **shorts** shorts

si if

sí yes

siempre always; *siempre salirse con la suya* to always get one's way

siéntate: see *sentar*

siéntense: see *sentar*

siento: see *sentir*

siete seven

sigan: see *seguir*

el **siglo** century

los **signos de puntuación** punctuation marks

sigue: see *seguir*

siguiente following; *lo siguiente* the following

la **silabificación** syllabification

el **silencio** silence

la **silla** chair

la **silla de ruedas** wheelchair *8A*

el **sillón** armchair, easy chair

el **símbolo** symbol

similar alike, similar

simpático,-a nice, pleasant

sin without; *sin embargo* however, nevertheless; *sin previo aviso* without previous notice *6A; sin gracia* plain *9A*

sino but (on the contrary), although, even though

sintético,-a synthetic

los **síntomas** symptoms *8A*

el **sistema de audio** audio system *7B*

la **situación** situation

el **sobre** envelope *9B*

sobre on, over; about

la **sobrina** niece

el **sobrino** nephew

sociable sociable, friendly *1B*

la **sociedad** society *3A*

¡Socorro! Help! *3B*

el **sofá** sofa *2B*

el **sol** sun; *hace sol* it is sunny; **hay sol** it is sunny

solamente only

la **solapa** lapel *9B*

solar solar *10B*

soleado,-a sunny; *está soleado* it is sunny

soler (ue) to be accustomed to, to be used to

solicitar to request *10A*

sólo only, just

solo,-a alone

el **soltero,** la **soltera** single *2A*

la **sombrerería** hat store

el **sombrero** hat

son: see *ser*

soñar to dream

sonar (ue) to ring *4B*

el **sondeo** poll

el **sonido** sound

sonreír(se) (i, i) to smile

la **sopa** soup; *plato de sopa* soup bowl

sorprender to surprise *6B*

la **sorpresa** surprise

el **sótano** basement

soy: see *ser*

Sr. abbreviation for *señor*

Sra. abbreviation for *señora*

Srta. abbreviation for *señorita*

su, sus his, her, its, your (*Ud. / Uds.*), their

suave smooth, soft

el **subdesarrollo** underdevelopment

subir to climb, to go up, to go up stairs, to take up, to bring up, to carry up; to get in; to raise *7B*

los **subtítulos** subtitles *1B*

suceder to happen *3A*

el **suceso** event, happening

sucio,-a dirty

la **sudadera** sweatshirt *9A*

la **suegra** mother-in-law *2A*

el **suegro** father-in-law *2A*

el **sueldo** salary *10A*

el **suelo** floor *2A*

suelto,-a loose (hair) *9A*

el **sueño** sleep; dream; *tener sueño* to be sleepy

la **suerte** luck; *buena suerte* good luck

el **suéter** sweater

sufrir to suffer *8A*

sugerir (ie) to suggest *5B*

sujeto a cambio subject to change *6A*

el **supermercado** supermarket

el **suplemento dominical** Sunday supplement *3A*

el **sur** south; *América del Sur* South America

suramericano,-a South American

el **sureste** southeast

surfear to surf

el **suroeste** southwest

el **surtido** assortment, supply, selection

el **sustantivo** noun

suyo,-a his, (of) his, her, (of) hers, its, your, (of) yours, their, (of) theirs; *siempre salirse con la suya* to always get one's way

la **tabla** chart

el **taco** taco

tal such, as, so; *¿Qué tal?* How are you?; *tal vez* maybe *1A*; *tal como soy* just as I am *4B*

talentoso,-a talented, gifted *1A*

la **talla** size *9A*

el **tamal** tamale

el **tamaño** size

también also, too

el **tambor** drum

tampoco either, neither

tan so; *¡Qué (+ noun) tan (+ adjective)!* What (a) (+ adjective) (+ noun)!; *tan (+ adjective/adverb) como (+ person/item)* as (+ adjective/adverb) as (+ person/item); *tan pronto como* as soon as *6A*

tanto,-a so much; *tanto,-a (+ noun) como (+ person/item)* as much/ many (+ noun) as (+ person/item); *tanto como* as much as; *Tanto gusto.* So glad to meet you.

la **tapa** tidbit, appetizer

tapar(se) to cover *7B*

la **taquilla** box office, ticket office

tardar to delay; *tardar en (+ infinitive)* to be long, to take a long time

la **tarde** afternoon; *buenas tardes* good afternoon; *de la tarde* P.M., in the afternoon; *por la tarde* in the afternoon

tarde late

la **tarea** homework

la **tarifa** fare

la **tarjeta** card; *tarjeta de crédito* credit card; *tarjeta telefónica* calling card *4B*; *tarjeta de embarque* boarding pass *6A*

el **taxista, la taxista** taxi driver

la **taza** cup

te (to, for) you *(i.o.)*; you *(d.o.)*; *¿Cómo te llamas?* What is your name?; *te llamas* your name is

el **té** tea

el **teatro** theater

el **techo** roof

la **tecnología** technology

tecnológico,-a technological *10B*

tejido,-a knitted *9B*

la **tela** fabric, cloth

el **teléfono** telephone; *número de teléfono* telephone number; *por teléfono* by telephone, on the telephone; *teléfono público* public telephone; *teléfono inalámbrico* cordless phone *4B*

la **telenovela** soap opera

la **televisión** television; *ver (la) televisión* to watch television

el **televisor** television set

el **tema** theme, topic

el **temblor** tremor

temer to fear

la **temperatura** temperature; *¿Qué temperatura hace?* What is the temperature?

temporal temporary *10A*

temprano early

el **tenedor** fork

tener to have; *¿Cuántos años tienes?* How old are you?; *¿Qué (+ tener)?* What is wrong with (person)?; *tener calor* to be hot; *tener cuidado* to be careful; *tener éxito* to be successful, to be a success; *tener frío* to be cold; *tener ganas de* to feel like; *tener hambre* to be hungry; *tener miedo de* to be afraid; *tener (+ number) años* to be (+ number) years old; *tener prisa* to be in a hurry; *tener que* to have to; *tener razón* to be right; *tener sed* to be thirsty; *tener sueño* to be sleepy; *tengo* I have; *tengo (+ number) años* I am (+ number) years old; *tiene* it has; *tienes* you have; *tener confianza (en sí/ti mismo)* to have self-confidence *1A*; *tener lugar* to take place *3A*; *tener celos* to be jealous *4A*; *tener*

en común to have in common *4A*; *tener la culpa* to be someone's fault *4A*; *tener facilidad para* to have an ability for *10A*

tengo: see *tener*

teñir(se) to dye *9A*

los **tenis** sneakers

el **tenis** tennis

el **tenista, la tenista** tennis player

tercer third (form of *tercero* before a *m., s.* noun)

tercero,-a third

terminar to end, to finish

la **ternera** veal

la **terraza** terrace *2A*

terrible terrible *3B*

de **terror (película)** horror (film) *1B*

el **testigo, la testigo** witness

ti you (after a preposition)

la **tía** aunt

el **tiempo** time; weather; verb tense; period; *a tiempo* on time; *hace buen (mal) tiempo* the weather is nice (bad); *¿Qué tiempo hace?* How is the weather?

la **tienda** store

la **tienda de acampar** tent *5B*

tiene: see *tener*

tienes: see *tener*

la **tierra** land, earth

el **tigre** tiger

las **tijeras** scissors *9B*

la **tina** bathtub

la **tintorería** dry cleaner *9B*

la **tintura** hair dye *9A*

el **tío** uncle

típico,-a typical

el **tipo** type, kind

la **tira cómica** comic strip

tirar to throw away

el **tiro** shot

el **titular** headline

la **tiza** chalk

la **toalla** towel

el **tobillo** ankle *8A*

toca: see *tocar*

el **tocador** dresser

tocar to play (a musical instrument); to touch; *toca (tú command)* touch; *toquen (Uds. command)* touch; to be someone's turn *2B*

el **tocino** bacon
todavía yet; still
todo,-a everything, all, every, whole, entire; *de todos los días* everyday; *por todos lados* everywhere; *todo el mundo* everyone, everybody; *todos los días* every day
tolerante tolerant
tomar to drink, to have; to take; *tomar el pelo* to pull someone's leg; *tomar la presión* to take someone's blood pressure *8A; tomar las medidas* to take measurements *9B*
el **tomate** tomato; *salsa de tomate* ketchup
tonto,-a silly
el **tópico** theme
toquen: see *tocar*
torcer (ue) to twist *8A*
la **tormenta** storm *3B*
el **tornillo** screw *2A*
el **toro** bull
la **toronja** grapefruit
la **torre** tower
la **tortilla** tortilla (cornmeal pancake from Mexico); omelet (Spain)
la **tortuga** turtle
toser to cough *8A*
la **tostadora** toaster
trabajador,-a hard-working *1A*
trabajar to work; *trabajando en parejas* working in pairs; *trabajar de...* to work as... *1B*
el **trabajo** work
traducir to translate
traer to bring
el **tráfico** traffic
el **traje** suit; *traje de baño* swimsuit
el **transbordador espacial** space shuttle *10B*
el **transbordo** transfer *5B*
la **transmisión** transmission, broadcast
el **transporte** transportation
el **trapecista, la trapecista** trapeze artist
tratar (de) to try (to do something)
trece thirteen
treinta thirty

treinta y uno thirty-one
el **tren** train; *estación del tren* train station; *tren local* local train *5B; tren rápido* express train *5B*
tres three
trescientos,-as three hundred
la **tripulación** crew
triste sad
el **trombón** trombone
la **trompeta** trumpet
tropezar to stumble, to trip *8A*
el **trueno** thunder *6A*
tú you (informal)
tu your (informal); your (informal) *(pl. tus)*
el **tucán** tucan *6B*
la **tumba** tomb
la **turbulencia** turbulence *6A*
el **turismo** tourism
el **turista, la turista** tourist
turístico,-a tourist
tuyo,-a your, (of) yours

u or (used before a word that starts with *o* or *ho*)
ubicado,-a located
Ud. you (abbreviation of *usted*); you (after a preposition); *Ud. se llama...* Your name is...
Uds. you (abbreviation of *ustedes*); you (after a preposition)
último,-a last
un, una a, an, one; *a la una* at one o'clock
único,-a only, unique
unido,-a united, connected
la **universidad** university
uno one; *quedarle bien a uno* to fit, to be becoming
unos, unas some, any, a few
urgente urgent
el **Uruguay** Uruguay
uruguayo,-a Uruguayan
usar to use
el **uso** use *10B*
usted you (formal, s.); you (after a preposition)
ustedes you *(pl.)*; you (after a preposition)
la **uva** grape

la **vaca** cow
las **vacaciones** vacation
vaciar to empty *2A*
vacío,-a empty *5A*
la **vacuna** vaccination *8A*
vago,-a lazy, idle *1A*
el **vagón** train car *5B*
la **vainilla** vanilla
valer to be worth; *más vale que* it is better that; *valer la pena* to be worth your while *8B; valer para* to be good at *10A*
el **valle** valley *5B*
¡vamos! let's go!; *¡vamos a (+ infinitive)!* let's (+ infinitive)!
los **vaqueros (película)** cowboy (film), western *1B*
los **vaqueros** jeans *9A*
la **variedad** variety
varios,-as several
el **vaso** glass
vayan: see *ir*
ve: see *ir*
el **vecino, la vecina** neighbor
veinte twenty
veinticinco twenty-five
veinticuatro twenty-four
veintidós twenty-two
veintinueve twenty-nine
veintiocho twenty-eight
veintiséis twenty-six
veintisiete twenty-seven
veintitrés twenty-three
veintiuno twenty-one
la **velocidad** speed *5A*
vencer to expire
la **venda** bandage *8A*
el **vendedor, la vendedora** salesperson
vender to sell
venezolano,-a Venezuelan
Venezuela Venezuela
vengan: see *venir*
venir to come; *vengan (Uds. command)* come
la **ventaja** advantage *2B*
la **ventana** window
la **ventanilla** window *5B*
el **ventilador** fan
veo: see *ver*

ver to see, to watch; *a ver* let's see, hello (telephone greeting); *No lo/la veo.* I do not see him (it)/her (it); *veo* I see; *ver (la) televisión* to watch television; *ves* you see

el **verano** summer

el **verbo** verb

verdad true

la **verdad** truth

¿verdad? right?

verde green (color); unripe *7A*

la **verdura** greens, vegetables

verse bien to look good *9B*

vertical vertical

ves: see *ver*

el **vestido** dress

el **vestidor** fitting room

vestir (i, i) to dress (someone); *vestirse* to get dressed

el **veterinario,** la **veterinaria** veterinarian

la **vez** time *(pl. veces); a veces* sometimes, at times; *(number +) vez/veces al/a la (+ time expression) (number +) time(s) per (+ time expression); otra vez* again, another time

viajar to travel

el **viaje** trip; *agencia de viajes* travel agency; *irse de viaje* to go away on a trip

el **viajero,** la **viajera** traveler *5B*

la **víctima** victim *3B*

la **vida** life

la **videocámara digital** digital videocamera *3A*

el **videojuego** video game

el **vidrio** glass *10B*

viejo,-a old

el **viento** wind; *hace viento* it is windy

viernes Friday; *el viernes* on Friday

el **vinagre** vinegar

el **vínculo** link

violento,-a violent *3B*

el **virus** virus, viruses *(pl. virus) 10B*

la **visa** visa

la **visibilidad** visibility *3B*

la **visita** visit

visitar to visit

la **vista** view; *hasta la vista* so long, see you later

la **vitamina** vitamin *8B*

la **vitrina** store window; glass showcase

la **viuda** widow *2A*

el **viudo** widower *2A*

vivir to live

vivo,-a bright *9A*

el **vocabulario** vocabulary

la **vocal** vowel; *vocales abiertas* open vowels; *vocales cerradas* closed vowels

el **volante** steering wheel

volar (ue) to fly

el **volcán** volcano *6A*

el **voleibol** volleyball

el **volumen** volume *7B*

volver (ue) to return, to go back, to come back

vosotros,-as you (Spain, informal, *pl.*); you (after a preposition)

la **voz** voice *(pl. voces)*

el **vuelo** flight; *auxiliar de vuelo* flight attendant

vuestro,-a,-os,-as your (Spain, informal, *pl.*)

la **Web** (World Wide) Web

y and; *y cuarto* a quarter past, a quarter after; *y media* half past

ya already; now

la **yema** egg yolk *7A*

el **yerno** son-in-law *2A*

el **yeso** cast *8A*

yo I

la **zanahoria** carrot

la **zapatería** shoe store

el **zapato** shoe; *zapato bajo* low-heel shoe; *zapato de tacón* high-heel shoe

la **zona verde** green space *5A*

el **zoológico** zoo; *jardín zoológico* zoological garden

Vocabulary English / Spanish

a un, una; *a few* unos, unas; *a little (bit)* un poco; *a lot (of)* mucho, muchísimo; *a very little (bit)* un poquito

about sobre; acerca de; *about (to leave)* a punto de (salir) *5B*

above encima de, arriba

to accelerate acelerar *5A*

accent el acento

to accept aceptar *3A*

accepted aceptado,-a

accident el accidente

according to según

to accuse acusar *4A*

accused el acusado, la acusada *3B*

to achieve lograr

acrobat el acróbata, la acróbata

to act actuar *1B*

action (film) película de aventuras

active activo,-a *1B*

activity la actividad

actor el actor

actress la actriz

to add añadir; agregar

address la dirección

to adjust ajustar *5A*

to admit admitir *4A*

adult el adulto, la adulta *4A*

advances los avances *10B*

advantage la ventaja

advertisement el anuncio (comercial); *printed advertisement* el aviso

advice el consejo

to advise aconsejar

aerobics los aeróbicos; *to do aerobics* hacer aeróbicos

aerosol aerosol *10B*

to affect afectar *10B*

affectionate cariñoso,-a

afraid asustado,-a; *to be afraid of* tener miedo de

Africa el África

African africano,-a

after después de; detrás de; *a quarter after* y cuarto; *the day after tomorrow* pasado mañana

after all al fin y al cabo *9A*

afternoon la tarde; *good afternoon* buenas tardes; *in the afternoon* de la tarde, por la tarde

afterwards después

again otra vez

against contra *3B*

age la edad

agency la agencia; *travel agency* la agencia de viajes

agent el agente, la agente

ago hace *(+ time expression)* que

to agree convenir, estar de acuerdo

agreeable agradable

agreed de acuerdo

ahead adelante; *straight ahead* derecho

air el aire; *air conditioning* el aire acondicionado; *pertaining to air* aéreo,-a

airline la aerolínea

airplane el avión; *by airplane* en avión

airport el aeropuerto

alarm la alarma; *fire alarm* la alarma de incendios; *alarm clock* el despertador; *smoke alarm* la alarma de incendios

algebra el álgebra

all todo,-a; *any at all* cualquiera

allergy la alergia *8A*

to allow dejar (de)

almond la almendra

almost casi

alone solo,-a

along por; *to get along* llevarse

already ya

also también

although sino, aunque

always siempre; *to always get one's way* siempre salirse con la suya

ambulance la ambulancia

America la América; *Central America* la América Central; *North America* la América del Norte; *South America* la América del Sur; *United States of America* los Estados Unidos

American americano,-a; *Central American* centroamericano,-a; *North American* norteamericano,-a; *South American* suramericano,-a

to amuse divertir *(ie, i)*

amusement la atracción; *amusement park* el parque de atracciones; *(amusement) ride* la atracción

an un, una

ancient antiguo,-a

and y; *(used before a word beginning with i or hi)* e

animal el animal

ankle el tobillo

to announce narrar, anunciar *3B*

announcement el anuncio; *commercial announcement* el anuncio comercial

another otro,-a; *another time* otra vez

to answer contestar

answer la respuesta

answering machine el contestador automático *4B*

antibiotic el antibiótico

antique antiguo,-a

antiseptic el antiséptico *8A*

any unos, unas; alguno,-a, algún, alguna; cualquier, cualquiera; *any at all* cualquiera; *not any* ninguno,-a, ningún, nunguna

anybody alguien
anyone alguien
anything algo
apartment el apartamento
apparatus el aparato
to **appear** aparecer *1A*
apple la manzana
appliance el aparato; *to turn on (an appliance)* poner
appointment la cita
apricot el damasco
April abril
aquatic acuático,-a
Arab árabe
architect el arquitecto, la arquitecta *10A*
architecture la arquitectura *10A*
Argentina la Argentina
Argentinean argentino,-a
to **argue** discutir
arm el brazo
armchair el sillón
around alrededor de
to **arrange** arreglar
to **arrest** arrestar *3B*
arrival la llegada
to **arrive** llegar
art el arte
article el artículo
artist el artista, la artista
as tal, como; *as (+ adverb) as possible* lo más/menos *(+ adverb)* posible; *as (+ adjective/adverb) as (+ person/item)* tan *(+ adjective/adverb)* como *(+ person/item); as much as* tanto como; *as much/many (+ noun) as (+ person/item)* tanto,-a *(+ noun)* como *(+ person/item); as soon as* en cuanto, luego que, tan pronto como
Asia el Asia
Asian asiático,-a
to **ask** preguntar; *to ask a question* hacer una pregunta; *to ask for* pedir *(i, i); to ask for permission (to do something)* pedir permiso (para); *to ask oneself* preguntarse
aspiration la aspiración
aspirin la aspirina

to **assault** asaltar *3B*
assortment el surtido
astronaut el astronauta, la astronauta *10B*
at en; *at (the symbol @ used for e-mail addresses)* arroba; *at home* en casa; *at night* de la noche, por la noche; *at... o'clock* a la(s)...; *at times* a veces; *at what time?* ¿a qué hora?; *at once* ahora mismo; *at the beginning* al principio *3A; at the last moment* a último momento *6A*
athlete el deportista, la deportista, el atleta, la atleta *1B*
athletic atlético,-a *1B*
atmosphere la atmósfera *10B*
to **attain** conseguir *(i, i);* realizar
to **attend** asistir a
attic el ático
attitude la actitud
attraction la atracción
attractive bonito,-a; guapo,-a; atractivo,-a *9A*
audience el público
audio system el sistema de audio *7B*
August agosto
aunt la tía
Australia Australia
Australian australiano,-a
autograph el autógrafo
automatic automático,-a
autumn el otoño
available disponible *6B*
avenue la avenida
average regular
avocado el aguacate
to **avoid** evitar
awards ceremony la entrega de premios *3B*

baby sitter el niñero, la niñera *1B*
back la espalda
bacon el tocino
bad malo,-a; *Too bad!* ¡Qué lástima!
bag la bolsa
to **bake** hornear *7A*
bakery la panadería
baking pan la asadora *7A*
balanced equilibrado,-a *8B*
bald calvo,-a

bald eagle el águila calva *10B*
ball la pelota
balloon el globo
banana el plátano
band la banda
bandage la venda *8A*
band-aid la curita *8A*
to **bang oneself** darse un golpe *8A*
bangs el flequillo *9A*
bank el banco
to **bargain** regatear
to **bark** ladrar
baseball el béisbol
baseball player el beisbolista, la beisbolista *1B*
basement el sótano
basketball el básquetbol, el baloncesto; *basketball player* el basquetbolista, la basquetbolista
to **bathe** bañar(se)
bathroom el baño, el cuarto de baño; *bathroom sink* el lavabo
bathtub la bañera *6B*, la tina
battery la batería *4B*
to **be** ser; andar; *to be a success* tener éxito; *to be able to* poder *(ue); to be accustomed to* soler *(ue); to be acquainted with* conocer; *to be afraid of* tener miedo de; *to be born* nacer; *to be called* llamarse; *to be careful* tener cuidado; *to be cold* tener frío; *to be familiar with* conocer; *to be fitting* convenir; *to be glad* alegrarse (de); *to be going to (do something)* ir a *(+ infinitive);* to *be hot* tener calor; *to be hungry* tener hambre; *to be important* importar; *to be in a hurry* tener prisa; *to be lacking* hacer falta; *to be likely that* ser fácil que; *to be long* tardar en *(+ infinitive); to be mistaken* equivocar(se); *to be necessary* hacer falta; *to be (+ number) years old* tener *(+ number)* años; *to be on sale* estar en oferta; *to be pleasing to* gustar; *to be ready* estar listo,-a; *to be right* tener razón; *to be satisfied (with)* estar contento,-a (con); *to be sleepy* tener sueño; *to be*

smart ser listo,-a; *to be sorry*
sentir *(ie, i)*; *to be successful*
tener éxito; *to be thirsty* tener
sed; *to be unlikely that* ser difícil
que; *to be used to* soler *(ue)*; *to
be worth* valer; *to be honest*
para serte sincero,-a; *to be
jealous* tener celos *4A*; *to be
missing* faltar *2B*; *to be
motivated* estar motivado,-a *1A*;
to be someone's turn tocar
(tocarle a alguien) *2B*; *to be
someone's fault* tener
la culpa *4A*; *to be wrong* estar
equivocado,-a; *to be
fashionable* estar de moda *9A*;
to be good at valer para *10A*; *to
be unemployed* estar en paro
10A
beach la playa
bean el frijol
bear el oso; *teddy bear* el oso
de peluche
beard la barba *2A*
to **beat** batir *7A*
beautiful hermoso,-a
beauty parlor el salón de
belleza *9A*
because porque; *because of*
a causa de
to **become** ponerse, cumplir; *to
become aware* enterar(se) de;
to become (+ number) years old
cumplir; *to become a member*
hacerse miembro *1A*
bed la cama; *to go to bed*
acostarse *(ue)*; *to put (someone)
in bed* acostar *(ue)*
bedcover el cubrecamas
bedroom el cuarto,
la habitación
beef la carne de res; *boneless
cut of beef* el filete
before antes de; *a quarter
before* menos cuarto; *the day
before yesterday* anteayer
to **begin** empezar *(ie)*;
comenzar *(ie)*
to **behave** comportarse *7B*
behavior el comportamiento *4B*
behind (of) detrás de *2A*
beige beige *9A*
to **believe** creer
bellhop el botones
belly la barriga *8A*
to **belong** pertenecer *1A*

belt el cinturón; *safety belt* el
cinturón de seguridad; *seat
belt* el cinturón de seguridad
benefits los beneficios *10A*
bermuda shorts las bermudas
beside al lado (de)
besides además
best mejor; *the best (+ noun)*
el/la/los/las mejor/mejores
(+ noun)
better mejor; *it is better that*
más vale que
between entre
beyond más allá
bicycle la bicicleta
big grande; *(form of* grande
before a m., s. noun) gran
bike la bicicleta
bill la cuenta
binoculars los binoculares
biology la biología
bird el pájaro
birthday el cumpleaños;
Happy birthday! ¡Feliz
cumpleaños!; *to have a
birthday* cumplir años
biscuit la galleta
to **bite** morder *(ue)*
black negro,-a
blackboard la pizarra
to **blame someone else** echar la
culpa a otro,-a/alguien *4A*
blanket la cobija *2B*
blender la batidora *7A*
blind alley el callejón
sin salida *5A*
blond, blonde rubio,-a
blouse la blusa
blue azul
to **board** abordar, embarcar *6A*
boarding pass la tarjeta
de embarque *6A*
boat el barco, el bote
body el cuerpo
to **boil** hervir *(ie)* *7A*
Bolivia Bolivia
Bolivian boliviano,-a
Bolivian currency
el boliviano *7A*
bomb la bomba *3B*
**boneless (cut of beef or
fish)** el filete
book el libro
bookcase el estante *2B*
bookstore la librería
boot la bota

to **bore** aburrir(se)
bored aburrido,-a
boring aburrido,-a
to **borrow** pedir prestado,-a
boss el jefe, la jefa *10A*
bossy mandón, mandona *2B*
to **bother** molestar, fastidiar
bottle la botella *7B*
bowl el recipiente *7A*
box la caja
box office la taquilla
boy el chico, el muchacho
boyfriend el novio
bracelet la pulsera
brake el freno
bravo olé
Brazil el Brasil
Brazilian brasileño,-a
bread el pan
to **break** romper, quebrarse
breakfast el desayuno; *to have
breakfast* desayunar
to **breathe** respirar
brick el ladrillo
bridge el puente
briefcase el maletín
bright vivo,-a *(color)* *9A*
to **bring** traer; llevar; *to bring
about* realizar; *to bring up* subir
broach el broche *9B*
broadcast la transmisión
brochure el folleto
broom la escoba
brother el hermano
brother-in-law el cuñado *2A*
brown *(color)* café,
castaño,-a *2A*, marrón
brunet moreno
brunette morena
to **brush** cepillar(se)
brush el cepillo
to **build** construir *2A*
building el edificio
bull el toro
bullfight la corrida
bureau la cómoda *2B*
to **burn** quemar
burro el burro
bus el autobús; *bus station* la
estación de autobuses
bush el arbusto *5B*
business la empresa,
los negocios
business manager
el empresario, la empresaria
10A

businessman el hombre de negocios
businesswoman la mujer de negocios
busy line la línea ocupada *4B*
but pero; *but (on the contrary)* sino
butcher shop la carnicería
butter la mantequilla
butterfly la mariposa *6B*
button el botón (*pl.* botones) *9B*
to **buy** comprar
by por; *by airplane* en avión; *by car* en carro, en coche; *by (+ vehicle)* en *(+ vehicle)*; *by telephone* por teléfono; *by the way* a propósito

cabbage el repollo *7A*
cafeteria la cafetería
cage la jaula
cake el pastel
calcium el calcio *8A*
calendar el calendario
to **call** llamar
calling card la tarjeta telefónica *4B*
to **calm down** calmar(se)
camel el camello
camera la cámara
to **camp** acampar *5B*
camp fire la fogata *5B*
camp site el campamento *5B*
camping el camping
can la lata
can opener el abrelatas
Canada el Canadá
Canadian canadiense
to **cancel** cancelar *6A*
cancellation la cancelación *6A*
candy el dulce; *candy store* la dulcería
cantaloupe el melón
cap la gorra
capital la capital; *capital letter* la mayúscula
car el carro; el coche; *bumper cars* carros chocones; *by car* en carro, en coche
carbohydrate el carbohidrato *8B*
card la tarjeta; *credit card* la tarjeta de crédito; *playing card* la carta

care el cuidado; *to take care of* cuidar(se), encargarse (de)
career la carrera
Caribbean el Caribe
carpenter el carpintero, la carpintera
carpet la alfombra
carrot la zanahoria
carrousel el carrusel
to **carry** llevar; *to carry up* subir *carry-on luggage* el equipaje de mano
to **carry out** cumplir con *10B*
cartoon el dibujo animado; *(film)* película de dibujos animados
cash el efectivo; *in cash* en efectivo
cashier el cajero, la cajera; *cashier's desk* la caja
cassette el casete
cast el yeso *8A*
casual informal *9A*
cat el gato, la gata
catastrophe la catástrofe
to **catch** coger; *to catch (a cold)* pescar (un resfriado)
cathedral la catedral
to **cause** causar *3B*
cautious prudente *5A*
CD-ROM el disco compacto
to **celebrate** celebrar
celebration la celebración
cellular phone el teléfono celular *4B*
center el centro; el medio; *in the center of* en medio de; *shopping center* el centro comercial
Central America la América Central
Central American centroamericano,-a
century el siglo
ceramics la cerámica *9B*
cereal el cereal
ceremony la ceremonia *3A*
ceviche el ceviche *(marinated seafood dish)* *7B*
chain la cadena *9B*
chair la silla; *easy chair* el sillón
chalk la tiza
championship el campeonato
to **change** cambiar
change el cambio
channel el canal

character el personaje
to **charge** cargar *4B*
chart la tabla
chat la charla; *chat room* el cuarto de charla
chauffeur el chofer, la chofer
cheap barato,-a
check la cuenta, el cheque
to **check** revisar; *to check in* registrar; consultar
checkered a cuadros
checkers las damas
cheese el queso
chemical waste el desperdicio químico *10B*
chemistry la química
cherry la cereza *7A*
chess el ajedrez
chest el pecho
chest of drawers la cómoda *2B*
to **chew** masticar *7B*
chicken el pollo
chickpea el garbanzo *7A*
child el niño, la niña
Chile Chile
Chilean chileno,-a
chilly fresco,-a
chimney la chimenea
China la China
Chinese chino,-a
chocolate el chocolate
choir el coro *1A*
to **choose** escoger
to **chop** picar
chore el quehacer
Christmas la Navidad
church la iglesia
cigarette el cigarrillo
circus el circo
city la ciudad; *city block* la cuadra
clam la almeja
class la clase
classified los clasificados *3A*
to **classify** clasificar
classmate el compañero, la compañera
clay la arcilla *9B*
to **clean** limpiar
clean limpio,-a
clear claro,-a
to **clear** limpiar; *to clear the table* recoger la mesa
clerk el dependiente, la dependiente
to **climb** subir, escalar

clinic la clínica
clock el reloj; *(alarm) clock* el despertador
to close cerrar *(ie)*
close up de cerca
closed cerrado,-a
closet el armario
cloth la tela
clothing la ropa
cloud la nube *6A*
cloudy nublado,-a; *it is cloudy* está nublado
clown el payaso
club el club
coat el abrigo
coffee el café; *coffee maker* la cafetera; *coffee pot* la cafetera
coin la moneda
cold el frío; el resfriado; *it is cold* hace frío; *to be cold* tener frío; *to catch (a cold)* pescar (un resfriado)
to collaborate colaborar *1A*
collar el cuello *9B*
collect call la llamada de cobro revertido *4B*
collection la colección
Colombia Colombia
Colombian colombiano,-a
color el color
column la columna
comb el peine
to comb peinar(se)
to combine combinar
to come venir; *to come back* regresar, volver *(ue)*; *to come in* entrar
comedy la comedia; *(film)* película cómica *1B*
comfortable cómodo,-a
comic strip la tira cómica
comical cómico,-a
commentator el comentarista, la comentarista
commercial comercial; *commercial announcement* el anuncio comercial
to communicate comunicarse *10B*
communication la comunicación
compact disc el disco compacto; *compact disc player* el reproductor de CDs
company la compañía
compartment el compartimiento

compass la brújula *5B*
competition la competencia; el concurso
to complain quejarse *7B*
to complete completar, acabar
complete completo,-a
to compliment someone hacer un cumplido *4A*
computer la computadora, el ordenador *3A*; *computer programmer* el programador, la programadora
computer science la informática *10A*
concert el concierto
concierge el conserje, la conserje *6B*
concourse el muelle
conditioner el acondicionador *9A*
to conduct conducir
to confirm confirmar *6A*
confirmation la confirmación *6A*
conflict el conflicto *4B*
congratulations felicitaciones
to connect conectar *2A*
connected conectado,-a; unido,-a
to conserve conservar *10B*
considerate considerado,-a *4A*
construction site la obra en construcción *5A*
construction work la construcción *10A*
to contaminate contaminar *10B*
contaminated contaminado,-a *10B*
contest el concurso
to continue continuar, seguir *(i, i)*
contrary to a diferencia de *2A*
to contribute contribuir *3A*
to convince convencer *1A*
to cook cocinar, cocer *(ue)* *7A*
cook el cocinero, la cocinera
cooked cocido,-a *7A*
cookie la galleta
cool el fresco; *it is cool* hace fresco
to cool enfriar
to copy copiar
cordless phone el teléfono inalámbrico *4B*
corn el maíz, *ear of corn* el choclo *7A*

corner la esquina; *to turn (a corner)* doblar
cornmeal pancake *(Mexico)* la tortilla
correct correcto,-a
correspondence la correspondencia
corridor el corredor
to cost costar *(ue)*
Costa Rica Costa Rica
Costa Rican costarricense
cotton el algodón; *cotton candy* el algodón de azúcar
to cough toser *8A*
to count on someone contar con alguien *4A*
counter el mostrador
country el país
country code el código *4B*
couple la pareja
courtyard el patio
cousin el primo, la prima
to cover cubrir(se), tapar(se)
cow la vaca
cowboy film la película de vaqueros *1B*
crab el cangrejo
cramp el calambre *8B*
to crash chocar *3B*
crazy loco,-a
cream la crema; *ice cream* el helado; *ice cream parlor* la heladería; *shaving cream* la crema de afeitar
to create crear
credit el crédito; *credit card* la tarjeta de crédito; *on credit* a crédito
crew la tripulación
crime el crimen *3B*
to criticize criticar *4A*
to cross cruzar
crossed atravesado,-a
crossword puzzle el crucigrama *3A*
cruise el crucero
crutches las muletas *8A*
to cry llorar *4A*
crystal el cristal *9B*
Cuba Cuba
Cuban cubano,-a
cuff links los gemelos *9B*
culture la cultura
cultured culto,-a
cup la taza
cupboard el armario

to **cure** curar(se) *8A*
curious curioso,-a *1B*
curly rizado,-a *2A*
curtain la cortina
curve la curva
custard el flan
customer el cliente, la clienta
customs la aduana
to **cut** cortar
cut el corte
cyclist el ciclista, la ciclista *1B*

D

dad el papá
dairy (store) la lechería
to **dance** bailar
dance el baile
dance steps los pasos de baile *7B*
dancing el baile; *dancing music* la música bailable *7B*
dark oscuro,-a *9A to get dark* anochecer
dark-haired moreno,-a
dark-skinned moreno,-a
date la fecha; la cita
daughter la hija
daughter-in-law la nuera *9A*
day el día; *All Saints' Day* Todos los Santos; *every day* todos los días; *New Year's Day* el Año Nuevo; *saint's day* el santo; *the day after tomorrow* pasado mañana; *the day before yesterday* anteayer
dear querido,-a; estimado,-a
December diciembre
to **decide** decidir
to **declare** declarar *3B*
to **decorate** adornar, decorar *2A*
deep profundo,-a *8A*
deeply hondo,-a *8A*
defender el defensor, la defensora
degree el grado
delay el retraso, la demora *6A*
to **delay** tardar
delayed con retraso, retrasado,-a *5B*
delicious delicioso,-a, rico,-a
to **delight** encantar
delighted encantado,-a
to **deliver** repartir *1B*
delivery person el repartidor, la repartidora *1B*

to **demand** exigir
demanding exigente
dentist el dentista, la dentista
to **deny** negar *(ie) 6A*
deodorant el desodorante
department el departamento; *department store* el almacén
departure la salida
to **depend on** depender *1A*
deposit el depósito
to **describe** describir
desert el desierto
to **deserve** merecer *1A*
to **design** diseñar
designer el diseñador, la diseñadora *10A*
desire la gana
desk el escritorio, el pupitre; *cashier's desk* la caja; *reception desk* la recepción
dessert el postre
destination el destino
destiny el destino
to **destroy** destruir *3A*
destruction la destrucción
detail el detalle *6A*
detective film la película policiaca *1B*
to **develop** desarrollar *10B*
to **devote (time)** dedicar *1A*
to **dial** marcar *4B*
to **die** morir(se) *(ue, u); to die laughing* morirse de la risa
diet la alimentación, la dieta *8B*
difference of opinion la diferencia de opinión *4B*
different diferente
difficult difícil
digital camera la cámara digital
digital video camera la videocámara digital *3A*
dining room el comedor
dinner la comida, la cena; *to have dinner* cenar
dinning car el coche comedor *5B*
to **direct** dirigir, conducir
direction la dirección
director el director, la directora
dirty sucio,-a
disadvantage la desventaja *2B*
to **disappear** desaparecer *1A*
disaster el desastre
disc jockey (DJ) el disc jockey, la disc jockey *7B*

to **discolor** desteñirse *9B*
discount el descuento, la rebaja *9A*
to **discover** descubrir *4A*
to **discuss** discutir
discussion la discusión *4A*
disease la enfermedad *8A*
dish el plato
dishwasher el lavaplatos eléctrico
diskette el diskette
to **dislike** disgustar *6B*
disorder el desorden *2B*
to **do** hacer; practicar; *to do aerobics* hacer aeróbicos; *to do push-ups* hacer flexiones *8B*; *to do sit-ups* hacer abdominales *8B*; *to do white-water rafting* navegar por rápidos *6B*; *to do yoga* hacer yoga *8B*
doctor el médico, la médica; el doctor, la doctora *(abbreviation:* Dr., Dra.); *doctor's office* el consultorio
documentary el documental *1B*
dog el perro, la perra
dollar el dólar
Dominican dominicano,-a; *Dominican Republic* la República Dominicana
donkey el burro
Don't mention it! ¡No faltaba más! *4A*
door la puerta
dot el punto
double doble
double bed la cama doble *6B*
double room la habitación doble
to **doubt** dudar
doubtful dudoso,-a
down abajo
to **download a (software) program** bajar un programa
downstairs abajo
downtown el centro
drama el drama *1B*
to **draw** dibujar
drawing el dibujo; *cartoon* el dibujo animado *1B*
dream el sueño
to **dream** soñar *(ue)*
to **dress (someone)** vestir *(i, i)*
dress el vestido
dresser el tocador

dressing el aderezo
drink el refresco, la bebida;
  soft drink el refresco
to drink tomar
drinkable potable
to drive conducir, manejar
driver el chofer, la chofer; *taxi
  driver* el taxista, la taxista; el
  conductor, la conductora
driver's license la licencia
  de conducir *5A*
drops las gotas *8A*
drum el tambor
to dry (oneself) secarse
dry cleaner la tintorería *9B*
dry seco,-a
dryer la secadora
dubbed doblado,-a *1B*
duck el pato
due to a causa de
during durante
dust el polvo
to dye teñir(se) *9A*

each cada
ear *(inner)* el oído; *(outer)*
  la oreja
ear of corn el choclo *7A*
early temprano
to earn ganar
earring el arete
earth la tierra
east el este
Easter la Pascua
easy fácil; *easy chair* el sillón
to eat comer, alimentarse *8B;*
  to eat completely comerse;
  to eat lunch almorzar *(ue);*
  to eat up comerse
ecology la ecología
economic económico,-a
economy la economía
Ecuador el Ecuador
Ecuadorian ecuatoriano,-a
editorial el editorial
egg el huevo; *egg white* la clara
  7A; *egg yolk* la yema *7A*
eight ocho; *eight hundred*
  ochocientos,-as
eighteen dieciocho
eighth octavo,-a
eighty ochenta
either tampoco; *either...or* o...o
El Salvador El Salvador
elbow el codo

electric eléctrico,-a
electrician el electricista, la
  electricista *10A*
electronic mail el correo
  electrónico
elegant elegante
elephant el elefante
elevator el ascensor
eleven once
else más
e-mail el e-mail, correo
  electrónico
embroidered bordado,-a *9A*
emergency room la sala
  de emergencias *8A*
emigration la emigración
empire el imperio
**to employ (someone on trial
  basis)** poner a prueba *10A*
employee el empleado,
  la empleada
to empty vaciar *2A*
empty vacío,-a
to enchant encantar
enchilada la enchilada
end el fin
to end terminar; *to end up* ir
  a parar
endangered en peligro de
  extinción *10B*
energy la energía *8B*
engine el motor; *search engine*
  el motor de búsqueda
engineer el ingeniero,
  la ingeniera
engineering la ingeniería *10A*
England Inglaterra
English el inglés *(language)*;
  inglés, inglesa *(people)*
to enjoy gozar
enough bastante
enterprising
  emprendedor,-a *10A*
envelope el sobre *9B*
environment el medio
  ambiente *10B*
to erase borrar
eraser el borrador
escalator la escalera
  mecánica
to escape escapar(se)
to establish establecer
Europe Europa
European europeo,-a
even aun; *even though* sino;
  not even ni

event el acontecimiento,
  el suceso
every todo,-a, cada; *every day*
  todos los días
everybody todo el mundo,
  todos,-as
everyday de todos los días
everyone todo el mundo,
  todos,-as
everything todo
everywhere por todos lados
evident evidente
to exaggerate exagerar
exam el examen
to examine examinar
example el ejemplo; *for
  example* por ejemplo
to exceed exceder *5A*
excellent excelente
excited emocionado,-a
exciting emocionante
excuse me perdón, con permiso
exercise el ejercicio
to exhaust agotar(se) *10B*
exhibition la exhibición
exit la salida
expense el gasto
expensive caro,-a
experience la experiencia
expertise la destreza
to expire vencer, caducar
to explain explicar, aclarar
explanation la explicación
to explode explotar *3B*
explosion la explosión *3B*
express train el tren rápido *3B*
exterior wall el muro
eye el ojo

fabric la tela
face la cara
facilities las facilidades
facing enfrente de
factory la fábrica *10B*
to fade desteñirse *9B*
faded desteñido,-a
to fail fracasar
to faint desmayarse *3B*
fairly bastante
to fall (down) caer(se); *to fall
  asleep* dormirse *(ue, u)*
family la familia; *family tree*
  el árbol genealógico
famous conocido,-a;
  famoso,-a

fan el aficionado, la aficionada; el ventilador
fantastic fantástico,-a; maravilloso,-a
far (from) lejos (de)
fare la tarifa
farewell la despedida
farm la finca
farmer el agricultor, la agricultora
farther on adelante
to fascinate fascinar
fascinating fascinante
fashion la moda *9A*
fast rápido,-a *1A*
to fasten abrochar(se)
fat gordo,-a; *to get fat, to make fat* engordar; la grasa
fate el destino
father el padre, el papá
father-in-law el suegro *2A*
faucet el grifo
fault la culpa *4A*
favorite favorito,-a
fax el fax
fear el miedo
to fear temer
feather la pluma
February febrero
to feed dar de comer
to feel sentir(se) *(ie, i)*; *to feel like* tener ganas de; *to feel sorry* sentir *(ie, i)*
fence la cerca; *wrought-iron fence* la reja
fender el parachoques
ferocious feroz *(pl.* feroces)
festival el festival
fiber la fibra
field el campo
fierce feroz *(pl.* feroces)
fifteen quince
fifth quinto,-a
fifty cincuenta
to fight pelear(se)
fight la pelea *4A*
to fill in rellenar *10A*
to fill up the gas tank llenar el tanque *5A*
fillet el filete
to film filmar
film la película
finally por fin
finances las finanzas *3A*
to find encontrar *(ue)*

to find out averiguar *3A*, enterar(se) de, descubrir *4A*
finger el dedo
to finish terminar, acabar
fire el fuego; el incendio; *fire alarm* la alarma de incendios; *fire fighter* el bombero, la bombera
fire extinguisher el extinguidor de incendios *2A*
fireplace la chimenea
fireworks los fuegos artificiales
firm firme *6B*
first (second) class de primera (segunda) clase *5B*
first aid los primeros auxilios *3B*
first primero,-a; primero; *(form of* primero *before a m., s. noun)* primer; *first floor* el primer piso
fish el pescado; *boneless cut of fish* el filete, el pez *(when alive, before being fished)*
to fish pescar
fishing la pesca
to fit ajustar *9B*
to fit quedarle bien a uno; *to fit (into)* caber
fitting room el vestidor
five cinco; *five hundred* quinientos,-as
to fix arreglar
flamingo el flamenco
flashlight la linterna *5B*
flat roof la azotea
flavor el sabor
flavoring el aderezo
flight el vuelo; *flight attendant* el auxiliar de vuelo, la auxiliar de vuelo
flood la inundación *3B*
floor el piso, el suelo; *first floor* el primer piso; *ground floor* la planta baja
flour la harina *7A*
flower la flor; *flower shop* la florería
flu la gripe
flute la flauta
to fly volar *(ue)*
fog la niebla *6A*
to follow seguir *(i, i)*
following: the following lo siguiente

food la comida, el alimento *8B*; *food server* el camarero, la camarera, el mesero, la mesera; *little food item* la golosina
foot el pie; *on foot* a pie
football el fútbol americano
footwear el calzado *9A*
for por, para; *for example* por ejemplo
foreign extranjero,-a
forest el bosque
to forget olvidar(se)
to forgive perdonar; *forgive me* discúlpame *4A*
fork el tenedor
form el formulario *10A*
to form formar; *to form an opinion* opinar
formal formal *9A*
forty cuarenta
forward el delantero, la delantera
to found fundar
four cuatro; *four hundred* cuatrocientos,-as
fourteen catorce
fourth cuarto,-a
fowl el ave
fracture la fractura *8A*
France Francia
free libre
free time el ocio *3A*
French francés, francesa
French fries las papas fritas *7B*
fresh fresco,-a; puro,-a
Friday viernes; *on Friday* el viernes
fried frito,-a *7B*
friend el amigo, la amiga
friendly sociable
friendship la amistad
from de, desde; *from a short distance* de cerca; *from the* de la/del (de + el); *from where?* ¿de dónde?
fruit la fruta; *fruit store* la frutería
to fry freír *(i, i)*
frying pan la sartén *7A*
full lleno,-a
full time la jornada completa *10A*
fun divertido,-a; *to have fun* divertirse
to function funcionar *2A*

funny cómico,-a; chistoso,-a
furious furioso,-a
furthermore además
future el futuro

game el partido, el juego; *game show* el programa de concurso; *games won* los partidos ganados; *to play (a game)* jugar a; *video game* el videojuego
gap el agujero *10B*
garage el garaje
garbage la basura
garbage can el basurero *2A*
garden el jardín; *zoological garden* el jardín zoológico
garlic el ajo; *garlic clove* el diente de ajo *7A*
garment la prenda
gas la gasolina *5A*
gas pedal el acelerador *5A*
gas station la estación de servicio *5A*
gathered up recogido,-a *9A*
gel (hair) el gel *9A*
gene el gen (*pl.* genes) *10B*
generous generoso,-a
genetics la genética *10B*
gentleman el caballero
geography la geografía
geometry la geometría
German alemán, alemana
Germany Alemania
to get conseguir *(i, i)*; *to always get one's way* siempre salirse con la suya; *to get along* llevarse bien; *to get burned* quemarse; *to get connected* conectarse; *to get dark* anochecer; *to get dressed* vestirse; *to get fat* engordar; *to get in* subir; *to get together* reunir(se); *to get up* levantarse; *to get used to* acostumbrar(se); *to get angry* enojarse; *to get* ponerse; *to get scared* asustarse *6A; to get ready* prepararse *2B*
getting by pasándola *1A*
gift el regalo
gifted talentoso,-a *1A*
giraffe la jirafa
girl la chica, la muchacha
girlfriend la novia

to give dar; *to give an opinion* opinar; *to give a speech* dar un discurso *3A; to give a ticket* poner una multa *5A; to give... classes* dar clases (de)... *1B*
glad contento,-a; *Glad to meet you!* ¡Mucho gusto!; *I would be (very) glad to* con (mucho) gusto; *So glad to meet you.* Tanto gusto.; *to be glad* alegrarse (de)
glass el vaso; el vidrio *10B; glass showcase* la vitrina
glasses los lentes
global warming el calentamiento global *10B*
globe el globo
glove el guante
to go ir; andar; *to go away* irse; *to go away on a trip* irse de viaje; *to go back* regresar, volver *(ue); to go in* entrar; *to go on* seguir *(i, i); to go out* salir; *to go shopping* ir de compras; *to go to bed* acostarse *(ue); to go up/ upstairs* subir; *to go across* atravesar *(ie) 6A; to go with* ir con *9A*
goal el gol
goalie el portero, la portera
goaltender el portero, la portera
godfather el padrino *2A*
godmother la madrina *2A*
gold el oro
good bueno,-a, *(form of* bueno *before a m., s. noun)* buen; *good afternoon* buenas tardes; *good luck* buena suerte; *good morning* buenos días; *good night* buenas noches
good-bye adiós; *to say good-bye* despedir(se) *(i, i)*, la despedida
good-looking guapo,-a, bonito,-a
gorilla el gorila
to gossip chismear *4A*
gossip el chisme
gossipy chismoso,-a *4A*
government el gobierno
grade la nota *1A*
to graduate graduarse *10A*
gram el gramo *7A*
granddaughter la nieta
grandfather el abuelo
grandmother la abuela
grandson el nieto

grape la uva
grapefruit la toronja
grass el césped
grave grave
gray gris
greasy grasoso,-a *9A*
great fantástico,-a; gran
Great! ¡Padrísimo! *9A;* ¡Chévere! *1A*
greater mayor
greatest mayor
great-grandfather el bisabuelo
great-grandmother la bisabuela
green space la zona verde *5A*
green verde; *green bean* la habichuela
greens la verdura
to greet saludar
grilled a la parrilla *7B*
grocery store el almacén
group el grupo; *musical group* el grupo musical
to grow crecer
Guatemala Guatemala
Guatemalan guatemalteco,-a
to guess adivinar
guest el invitado, la invitada *7B*
guidance la dirección
guide el guía, la guía
guidebook la guía turística
guilty culpable *3B*
guitar la guitarra
guy el muchacho
gym el gimnasio

habit el hábito
hair dryer el secador de pelo *2B*
hair dye la tintura *9A*
hair el pelo
haircut el corte de pelo *9A*
hairdo el peinado *9A*
hairstylist el peluquero, la peluquera
half medio,-a; *half past* y media
hall el pasillo *2A*
hallway el corredor
ham el jamón
hamburger la hamburguesa *8B*
hammer el martillo *2A*
to hand in entregar
hand la mano; *on the other hand* en cambio

handbag el bolso; el maletín
handicraft la artesanía *9B*
handkerchief el pañuelo
handmade hecho a mano *9B*
handsome guapo,-a
to hang colgar *(ue)*
to hang up colgar *4B*
hanger la percha *2B*
to happen pasar, suceder *3A*
happening el acontecimiento, el suceso
happiness la dicha
happy contento,-a, feliz *(pl.* felices), alegre; *Happy birthday!* ¡Feliz cumpleaños!; *to make happy* alegrar *(de)*
hard difícil
hard working trabajador,-a *1A*
to harm dañar *10B*
hat el sombrero; *hat store* la sombrerería
to have tomar, tener; *(auxiliary verb)* haber; *to have a birthday* cumplir años; *to have breakfast* desayunar; *to have dinner* cenar; *to have fun* divertirse; *to have just* acabar de (+ *infinitive); to have lunch* almorzar *(ue); to have supper* cenar; *to have to* deber, tener que; *to have in common* tener en común *4A; to have self-confidence* tener confianza (en sí/ti mismo) *1A; to have an ability for* tener facilidad para *10A; to have an internship* hacer prácticas *10A*
hazel castaño,-a *2A*
he él
head la cabeza
headlight el faro
headline el titular
health la salud
healthy saludable *8B*
to hear oír; escuchar
heart el corazón
heat el calor
heating la calefacción *2A*
hello hola; *(telephone greeting)* aló, diga; *to say hello* saludar
helmet el casco *5B*
to help ayudar
help la ayuda
Help! ¡Socorro! *3B*

hen la gallina
her su, sus; *(d.o.)* la; *(i.o.)* le; *(after a preposition)* ella; suyo,-a; *(of)* hers suyo,-a
here aquí, acá *2B*
heritage la herencia
hey mira, miren, oye, oigan
hi hola
high definition screen la pantalla de alta definición *10B*
high-heel shoe el zapato de tacón
highway la carretera, la autopista *5A*
hill la colina
him *(d.o.)* lo; *(i.o.)* le; *(after a preposition)* él
hippopotamus el hipopótamo
to hire contratar *10A*
his su, sus; suyo,-a; *(of)* his suyo,-a
Hispanic hispano,-a
history la historia
hockey el hockey
hole el agujero *10B*
home la casa; el hogar; *at home* en casa
homework la tarea
Honduran hondureño,-a
Honduras Honduras
honest honesto,-a
honey miel; *honey (term of endearment)* corazón
hood el capó
to hope esperar
hope la aspiración
horn el claxon; el cuerno
horrible horrible
horror (film) película de terror *1B*
horse el caballo; *on horseback* a caballo
horseback ride la cabalgata *6B*
host el anfitrión *7B*
hostess la anfitriona *7B*
hot caliente; *it is hot* hace calor; *to be hot* tener calor, *spicy* picante *7A*
hot dog la salchicha
hotel el hotel
hour la hora
house la casa
how (+ adjective)! ¡qué (+ *adjective)! How odd!* ¡Qué raro! *4A*

how (+ adjective/adverb) lo *(+ adjective/adverb)*
how? ¿cómo?; *How are you?* ¿Qué tal?; *How are you (formal)?* ¿Cómo está (Ud.)?; *How are you (informal)?* ¿Cómo estás (tú)?; *How are you (pl.)?* ¿Cómo están (Uds.)?; *How do you say...?* ¿Cómo se dice...?; *How do you write (spell)...?* ¿Cómo se escribe...?; *How is the weather?* ¿Qué tiempo hace?; *How long...?* ¿Cuánto (+ *time expression)* hace que (+ *present tense of verb)...?; how many?* ¿cuántos,-as?; *how much?* ¿cuánto,-a?; *How old are you?* ¿Cuántos años tienes?
however sin embargo
to hug (each other) abrazarse *2B*
hug el abrazo
hunger el hambre *(f.)*
hurricane el huracán
hurry la prisa; *in a hurry* apurado,-a; *to be in a hurry* tener prisa
to hurry up apurar(se), darse prisa *1A*
to hurt doler *(ue)*; lastimar(se)
husband el esposo, el marido

I yo; *I am sorry* lo siento; *I do not know.* No sé.; *I hope* ojalá
I can't stand him/her No lo/la aguanto *1B*
I didn't mean to do it lo hice sin querer *4A*
I got... A mí me tocó... *1A*
I like/don't like (someone) Me cae bien/mal *1B*
ice el hielo; *ice cream* el helado; *ice cream parlor* la heladería
to ice-skate patinar sobre hielo
idea la idea
ideal ideal
idle vago,-a *1A*
if si; *if only* ojalá
iguana la iguana
to imagine imaginar(se)
immediately en seguida
impatient impaciente
to imply implicar

important importante; *to be important* importar
impossible imposible
to **improve** mejorar
in en, por; *in a hurry* apurado,-a; *in cash* en efectivo; *in favor (of)* a favor (de); *in order to* para; *in order that* para que; *in short* en resumen; *in the afternoon* de la tarde, por la tarde; *in the center of* en medio de; *in the middle of* en medio de; *in the morning* de la mañana, por la mañana; *in advance* por adelantado; *in front of* delante de, enfrente de 2A; *in good/bad taste* de buen/mal gusto 9A
to **include** incluir 6B
increase el aumento
incredible increíble
infection la infección 8A
inflammation la inflamación 8A
to **inform** informar
information la información
ingredient el ingrediente
inhabitant el habitante, la habitante
injection la inyección 8A
to **injure** lastimar(se)
injured herido,-a ; *injured (person)* el herido, la herida
inn el parador
innocent inocente 3B
insect repellent el repelente de insectos 5B
inside adentro; *inside of* dentro de 2B
to **insist (on)** insistir (en)
inspector el inspector, la inspectora 5B
to **install** instalar
instead of en vez de 9A
instruction la dirección
instructor el instructor, la instructora 1B
intelligent inteligente
to **intend** pensar *(ie)*
to **interest** interesar
interesting interesante
international internacional
Internet la internet
to **interrupt** interrumpir 7B
to **interview** entrevistar 3A

interview la entrevista, el reportaje
to **introduce** presentar
invention el invento 10B
to **investigate** investigar
invitation la invitación
to **invite** invitar
iron la plancha, el hierro
to **iron** planchar
ironing board la mesa de planchar
island la isla
it *(d.o.)* la, *(d.o.)* lo; *(neuter form)* ello; *it is better that* más vale que; *it is cloudy* está nublado; *it is cold* hace frío; *it is cool* hace fresco; *it is hot* hace calor; *It is midnight.* Es medianoche.; *it means* quiere decir; *It is noon.* Es mediodía; *it is (+ number) o'clock* son las (+ number); *it is one o'clock* es la una; *it is sunny* está soleado, hay sol, hace sol; *it is windy* hace viento; *it is written* se escribe; *It's a pity that...* Es una lástima que...; *It's getting late* Se me hace tarde; *It's incredible that...* Es increíble que... 5B; *It's not fair!* ¡No es justo! 1A; *It's useless that...* Es inútil que... 5B
Italian italiano,-a
Italy Italia
itinerary el itinerario
its su, sus; suyo,-a

jacket la chaqueta
jaguar el jaguar 6B
jail la cárcel 3B
January enero
Japan el Japón
Japanese japonés, japonesa
jealous celoso,-a 4A
jeans los vaqueros 9A
jersey la camiseta
jewel la joya
jewelry box el joyero 9B
jewelry store la joyería
job el empleo, el oficio 1B; el puesto 10A
joke el chiste, la broma
journalism el periodismo
journalist el periodista, la periodista

juggler el malabarista, la malabarista
juice el jugo
July julio
to **jump** saltar
June junio
jungle la selva
junk food la comida chatarra 8B
jury el jurado 3B
just as I am tal como soy 4B
just sólo

to **keep** seguir *(i,i)*; mantener, guardar, *to keep in shape* mantenerse en forma 8B
Kenya Kenia
Kenyan keniano,-a
ketchup la salsa de tomate
key la llave; *key chain* el llavero 9B; *key ring* el llavero 9B
kilo(gram) el kilo(gramo)
kind amable; el tipo
king el rey
kiosk el kiosco 5A
to **kiss each other** besarse 2B
kiss el beso
kitchen la cocina
knee la rodilla
knife el cuchillo
knitted tejido,-a 9B
to **know** saber; conocer; *I do not know.* No sé.
knowledge la cultura; los conocimientos 10A
known conocido,-a

label la etiqueta 9A
lady la señora, Sra., la dama; *young lady* la señorita
lake el lago
lamb el cordero 7B
lamp la lámpara
to **land** aterrizar
land la tierra
landscape el paisaje
language la lengua, el idioma
lapel la solapa 9B
large (in numbers) numeroso,-a 2B

last pasado,-a, último,-a;
last name el apellido;
last night anoche
late tarde
later luego, después; *see you later* hasta luego, hasta la vista
laugh la risa
to laugh reír(se) *(i, i)*
laundry room el lavadero
lawn el césped; *lawn mower* la cortadora de césped, el cortacésped *2A*
lawyer el abogado, la abogada
layers las capas *9A*
lazy perezoso,-a, vago,-a *1A*
to learn aprender; *to learn about* enterar(se) de
least: the least (+ adjective + noun) el/la/los/las *(+ noun)* menos *(+ adjective)*
leather el cuero
to leave dejar; irse, partir
left izquierdo,-a; la izquierda; *to the left* a la izquierda
leg la pierna; la pata *(for an animal); to pull someone's leg* tomar el pelo
lemon el limón
to lend prestar
lentil la lenteja *7A*
less menos; *less (+ noun/adjective/adverb) than* menos *(+ noun/adjective/adverb)* que
to let dejar (de); *let me introduce you to (formal, s.)* le presento a, *(informal, s.)* te presento a, *(pl.)* les presento a; *to let someone know* avisar
let's (+ infinitive)! ¡vamos a *(+ infinitive)!; let's go!* ¡vamos!; *let's see* a ver
letter la carta, la letra; *capital letter* la mayúscula; *lowercase letter* la minúscula
lettuce la lechuga
level el nivel
librarian el bibliotecario, la bibliotecaria
library la biblioteca
to lie down acostarse *(ue)*
lie la mentira
to lie mentir *(ie, i)*
life la vida

to lift levantar
to lift weights levantar pesas *8B*
to light encender *(ie)*
light la luz *(pl. luces); light bulb* la bombilla; claro,-a *9A*
lighthouse el faro
lightning el relámpago *6A*
like como
to like gustar; querer; *I/you/he/she/it/we/they would like...* me/te/le/nos/os/les gustaría...
lime la lima
line la fila; *stand on line* hacer fila *6A*
link el vínculo
lion el león
lipstick el lápiz de labios *2B*
list la lista
to listen to oír; escuchar, hacer caso *4B*
liter el litro *7A*
little poco,-a; *a little (bit)* un poco; *a very little (bit)* un poquito; *little food item* la golosina; *little machine* la maquinita
live en vivo
to live vivir
living room la sala
lobster la langosta
local train el tren local *5B*
located ubicado,-a
lock la cerradura
to lodge alojar(se)
long distance phone call la llamada de larga distancia *4B*
long largo,-a
to look (at) mirar; *to look for* buscar; *to look onto (a place)* dar a (un lugar) *6B; to look good* verse bien *9B; to look like* parecerse a
loose ancho,-a *9A; loose (hair)* suelto,-a *9A*
to lose perder *(ie); to lose patience* perder la paciencia
lost perdido,-a *5A*
love el amor
to love querer
lovely hermoso,-a
to lower bajar *7B*
lowercase letter la minúscula
low-heel shoe el zapato bajo
luck la suerte; *good luck* buena suerte

luckily por suerte
luggage el equipaje; *carry-on luggage* el equipaje de mano
lunch el almuerzo; *to eat lunch* almorzar *(ue); to have lunch* almorzar *(ue)*
lung el pulmón *(pl. pulmones) 8A*
luxury el lujo

machine la máquina; *little machine* la maquinita
magazine la revista
magnificent magnífico,-a
mail el correo; *electronic mail* el correo electrónico
main dish el plato principal
main principal
to maintain mantener
majority la mayoría
to make hacer; *to make happy* alegrar (de); *to make responsible (for)* encargar (de); *to make a mistake* cometer un error *4A; to make an effort* hacer un esfuerzo *8B; to make up (with someone)* reconciliarse, hacer las paces *4B*
makeup el maquillaje; *to put makeup on (someone)* maquillar; *to put on makeup* maquillarse
mall el centro comercial
man el hombre
manager el gerente, la gerente
manners los modales
many mucho,-a; *how many?* ¿cuántos,-as?; *too many* demasiado,-a
map el mapa
March marzo
marinated marinado,-a *7B*
market el mercado; *meat market* la carnicería
married casado,-a *2A*
marvelous maravilloso,-a
match el partido
to match ir con *9A*
matches los fósforos *5B*
material el material
mathematics las matemáticas
to matter importar
mattress el colchón *2B*
maximum máximo,-a
May mayo

maybe a lo mejor, puede ser, tal vez

mayonnaise la mayonesa

me *(i.o.)* me; *(d.o.)* me; *(after a preposition)* mí; *they call me...* me llaman...

me too igualmente

to mean querer decir; *it means* quiere decir; *What is the meaning (of)...?* ¿Qué quiere decir...?

measurement la medida *9B*

measuring tape el metro *9B*

meat la carne; *meat market* la carnicería

mechanic el mecánico, la mecánica

medal la medalla *9B*

media el medio de comunicación *10B*

medical history form el historial médico *8A*

medicine la medicina, el remedio *8A*

medium mediano,-a *9A*

to meet conocer; *Glad to meet you!* ¡Mucho gusto!

meeting la reunión

melon el melón

member el miembro

memory el recuerdo

men's restroom el baño de los caballeros

to mention mencionar

menu el menú

merry-go-round el carrusel

message el mensaje

messy desordenado,-a *2B*

Mexican mexicano,-a

Mexico México

microphone el micrófono

microscope el microscopio *10B*

microwave oven el horno microondas

middle el medio; *in the middle of* en medio de

midfielder el mediocampista, la mediocampista

midnight la medianoche; *It is midnight.* Es medianoche.

milk la leche; *milk store* la lechería

mine mío,-a; *(of) mine* mío,-a; *the pleasure is mine* el gusto es mío

mineral water el agua mineral *(f.)*

minimum mínimo,-a

minus menos

minute el minuto

mirror el espejo

to miss extrañar, perder

Miss la señorita, Srta.

to miss perder *(ie)*

mist la neblina

to mistrust desconfiar *4A*

misunderstanding el malentendido *6A*

to mix mezclar *7B*

modern moderno,-a

mom la mamá

Monday lunes; *on Monday* el lunes

money el dinero; la moneda

monkey el mono

month el mes

monument el monumento

moon la luna

more más; *more (+ noun/adjective/adverb) than* más (+ noun/adjective/adverb) que; *more than* más de

morning la mañana; *good morning* buenos días; *in the morning* de la mañana, por la mañana

Moroccan marroquí

Morocco Marruecos

mosquito el mosquito

most: the most (+ adjective + noun) el/la/los/las (+ noun) más (+ adjective)

mother la madre; la mamá

mother-in-law la suegra *2A*

motor el motor

motorcycle la moto(cicleta)

mountain la montaña

mouse el ratón

mouth la boca

move la mudanza

to move mudar(se), mover(se)(ue)

movie la película; *movie theater* el cine

to mow cortar

mower la cortadora de césped; el cortacésped *2A*

Mr. el señor, Sr.

Mrs. la señora, Sra.

much mucho,-a; mucho; *as much as* tanto como; *as much (+ noun) as (+ person/item)* tanto,-a (+ noun) como (+ person/item); *how much?* ¿cuánto,-a?; *too (much)* demasiado; *too much* demasiado,-a; *very much* muchísimo

museum el museo

music la música

musical el musical; *musical group* el grupo musical

musician el músico, la música *1B*

must deber

mustache el bigote *2A*

mustard la mostaza

my mi, *(pl.)* mis; mío,-a; *my name is* me llamo

mystery el misterio

to nail clavar *2A*

nail el clavo *2A*

nail polish el esmalte de uñas *2B*

name el nombre; *last name* el apellido; *my name is* me llamo; *their names are* se llaman; *What is your name?* ¿Cómo te llamas?; *What is (your/his/her) name?* ¿Cómo se llama (Ud./él/ella)?; *(Your [formal]/His/Her) name is....* (Ud./Él/Ella) se llama....; *your name is* te llamas

napkin la servilleta

to narrate narrar

narrow estrecho,-a *9A*

national nacional

national park el parque nacional *6B*

native el indígena, la indígena

natural reserve la reserva natural *6B*

natural resource el recurso natural *10B*

nature la naturaleza

navy blue azul marino *9A*

near cerca (de)

neat ordenado,-a *2B*

necessary necesario,-a, preciso,-a; *to be necessary* hacer falta

neck el cuello
necklace el collar
to **need** necesitar
needle la aguja *9B*
neighbor el vecino, la vecina
neighborhood el barrio
neither tampoco; *neither...nor* ni...ni
nephew el sobrino
nervous nervioso,-a
never nunca
nevertheless sin embargo
new nuevo,-a; *New Year's (Day)* el Año Nuevo
news la noticia
news program el noticiero
newspaper el periódico
next próximo,-a, que viene; *next to* al lado (de)
Nicaragua Nicaragua
Nicaraguan nicaragüense
nice simpático,-a, amable; agradable; *the weather is nice* hace buen tiempo
nickname el apodo
niece la sobrina
night la noche; *at night* de la noche, por la noche; *good night* buenas noches; *last night* anoche
night table la mesa de noche *2B*
nine nueve; *nine hundred* novecientos,-as
nineteen diecinueve
ninety noventa
ninth noveno,-a
no no
no turn prohibido doblar *5A*
No way! ¡Qué va! *4A*
nobody nadie
Nobody can stand him/ her! ¡No hay quien lo/la aguante! *1A*
noise el ruido
none ninguno,-a, ningún, ninguna
noodles los fideos *7B*
noon el mediodía; *It is noon.* Es mediodía.
normal normal
north el norte; *North America* la América del Norte; *North American* norteamericano,-a
northeast el noreste

northwest el noroeste
nose la nariz *(pl.* narices)
nosy entrometido,-a
not any ninguno,-a, ningún, ninguna
not even ni
to **not have a clue** no tener ni idea de *9B*
to **not have the faintest idea about** no tener ni idea de *9B*
not very poco,-a
note la nota
notebook el cuaderno
nothing nada
to **notice** fijarse
November noviembre
now ahora; ya; *right now* ahora mismo
nowadays hoy en día *10B*
number el número; *telephone number* el número de teléfono
nurse el enfermero, la enfermera
nutrition la nutrición *8B*
nutritious nutritivo,-a *8B*

o'clock a la(s)...; *it is (+ number) o'clock* son las *(+ number); it is one o'clock* es la una
to **obey** hacer caso, obedecer
obligation la obligación
to **observe** observar
to **obtain** conseguir *(i, i),* lograr
obvious obvio,-a
occasion la ocasión
occupied ocupado,-a
to **occur** pasar; ocurrir
ocean el océano
October octubre
octopus el pulpo
of de; *of the* de la/del (de + el); *of course* desde luego, por supuesto; *of course!* ¡claro!, ¡Cómo no!; *(of) hers* suyo,-a; *(of) his* suyo,-a; *(of) mine* mío,-a; *(of) ours* nuestro,-a; *of which* cuyo,-a; *(of) yours* tuyo,-a
to **offer** ofrecer
office la oficina; *box office* la taquilla; *post office* la oficina de correos; *ticket office* la taquilla; la boletería *5B*; *doctor's office* el consultorio
official oficial
often a menudo

oh! ¡ay!
oil el aceite, el petróleo
okay de acuerdo, *regular; (pause in speech)* bueno
old viejo,-a; antiguo,-a; *How old are you?* ¿Cuántos años tienes?; *to be (+ number) years old* tener *(+ number)* años; *to become (+ number) years old* cumplir
older mayor
oldest el/la mayor
on en, sobre; *on credit* a crédito; *on foot* a pie; *on Friday* el viernes; *on horseback* a caballo; *on loan* prestado,-a; *on Monday* el lunes; *on Saturday* el sábado; *on Sunday* el domingo; *on the other hand* en cambio; *on the telephone* por teléfono; *on Thursday* el jueves; *on time* a tiempo, puntual; *on top of* encima de; *on Tuesday* el martes; *on Wednesday* el miércoles; *on sale* de rebajas *9A*; *on my/his/ her own* por mi/su cuenta *10A*
one un, una, uno; *one hundred* cien, *(when followed by another number)* ciento
one's own propio,-a *2A*
one-way sencillo,-a; *one-way street* la calle de una sola vía *5A*
onion la cebolla
only único,-a, sólo, solamente; *if only* ojalá
open abierto,-a
to **open** abrir; *open (command)* abre
operator el operador, la operadora *4B*
opinion la opinión *3A*
opportunity la oportunidad
optimist optimista *10B*
or o, *(used before a word that starts with o or ho)* u; *either...or* o...o
orange (color) anaranjado,-a
orange la naranja
orchestra la orquesta *1A*
orchid la orquídea *6B*
to **order** pedir *(i, i);* mandar; ordenar
oregano el orégano *7A*
organ el órgano
to **organize** organizar

organized organizado,-a *1A*
other otro,-a
ought deber
our nuestro,-a
out of fuera de
outdoors al aire libre
outing la excursión *6A*
outside afuera
oven el horno; *microwave oven* el horno microondas
over sobre; encima de; *over there* allá
overnight bag el maletín
ozone layer la capa de ozono *10B*

paella la paella
page la página
pain el dolor
to **paint** pintar
painting el cuadro, la pintura
pair la pareja
pajamas el pijama
pale pálido,-a *9A*
Panama Panamá
Panamanian panameño,-a
panther la pantera
pants el pantalón
pantyhose las pantimedias
papaya la papaya
paper el papel; *sheet of paper* la hoja de papel
parade el desfile
Paraguay el Paraguay
Paraguayan paraguayo,-a
paramedic el paramédico, la paramédica *3B*
pardon me perdón
parents los padres, los papás
park el parque; *amusement park* el parque de atracciones
to **park** estacionar *5A*
parking lot el estacionamiento *5A*
parking meter el parquímetro *5A*
parsley el perejil *7A*
part la parte
part (in hair) la raya *9A*
part-time la media jornada *10A*
to **participate** participar
partner el compañero, la compañera

party la fiesta
to **pass** pasar; *pass me* pásame
passenger el pasajero, la pasajera
passport el pasaporte
past pasado,-a; *a quarter past* y cuarto; *half past* y media
pastime el pasatiempo
pastry el pastel
path el camino, el sendero *5B*
patience la paciencia
patient el paciente, la paciente *8A*
patient paciente *2B*
patio el patio
patterned estampado,-a *9A*
paw la pata
to **pay attention** hacer caso, prestar atención *4B*
to **pay** pagar
pea el guisante
peace la paz
peach el durazno
peanut butter la mantequilla de maní
peanut el cacahuete *8B*, el maní (*pl.* maníes) *7B*
pear la pera
pearl la perla
pedestrian crossway el cruce de peatones *5A*
pedestrian el peatón, la peatona (*pl.* peatones) *5A*
to **peel** pelar *7A*
pen el bolígrafo, la pluma
penalty la pena máxima
pencil el lápiz (*pl.* lápices); *pencil sharpener* el sacapuntas
people la gente
pepper el ají (*pl.* ajíes) *7A*
pepper la pimienta *(seasoning); bell pepper* el pimiento; *pepper shaker* el pimentero
perfect perfecto,-a
to **perform** cumplir con *10A*
performance la actuación *1B*
perfume el perfume
perhaps quizás
period el tiempo
permanent fijo,-a *(job) 10A;* la permanente *(hair) 9A*
permission el permiso; *to ask for permission (to do something)* pedir permiso (para)

permit el permiso
to **permit** permitir
person la persona
personal personal
pertaining to air aéreo,-a
pertaining to water acuático,-a
Peru el Perú
Peruvian peruano,-a
pessimist pesimista *10B*
philosophy la filosofía
phone book la guía telefónica *4B*
photo la foto(grafía)
photo session la sesión fotográfica *3A*
photographer el fotógrafo, la fotógrafa
physics la física
piano el piano
to **pick up** recoger
picnic el picnic
picture el cuadro
picture frame el marco de fotos *9B*
piece la pieza; *piece of furniture* el mueble; el pedazo *7A*
pier el muelle
pig el cerdo; el puerco
pill la pastilla *8A*
pillow la almohada *2B*
pillowcase la funda *2B*
pilot el piloto, la piloto
pin el alfiler *9B*, el broche *9B*
pineapple la piña
pink rosado,-a
pity la lástima
place el lugar, la posición; la parte
to **place** poner(se); colocar(se)
plaid a cuadros
plain sin gracia *9A*
plan el plan
to **plan** pensar (*ie*), planear
planet el planeta *10B*
plant la planta
plastic el plástico
plate el plato; *license plate* la placa
to **play** jugar (*ue*); *(a musical instrument)* tocar; *(a sport/game)* jugar a
play la comedia

player el jugador, la jugadora; *basketball player* el basquetbolista, la basquetbolista; *soccer player* el futbolista, la futbolista; *tennis player* el tenista, la tenista

playing card la carta

plaza la plaza

pleasant simpático,-a

to **please** agradar, complacer

please por favor

pleasing agradable; *to be pleasing to* gustar

pleasure el gusto; el placer; *the pleasure is mine* encantado,-a, el gusto es mío

to **plug in** enchufar *2A*

plum la ciruela

plumber el fontanero, la fontanera *10A*

plural el plural

pneumonia la pulmonía *8A*

pocket el bolsillo *9A*

to **point** apuntar; *to point to (at, out)* señalar

point el punto

police (officer) el policía, la policía

politically políticamente

politics la política

polka dot de lunares *9A*

poll la encuesta

pollution (environmental) la contaminación ambiental

ponytail la cola *9A*

poor pobre

popcorn las palomitas de maíz

popular popular

population la población

pork el cerdo; el puerco

port el puerto

Portugal el Portugal

Portuguese portugués, portuguesa

position la posición, el puesto *10A*

possible posible; *as (+ adverb) as possible* lo más/menos *(+ adverb)* posible

post office la oficina de correos

to **postpone** posponer

pot la olla; *coffee pot* la cafetera

potato la papa

pottery la cerámica *9B*

pound la libra

practical práctico,-a

practice la práctica

to **practice** practicar

to **practice swimming** hacer natación *8B*

to **predict** predecir *10B*

to **prefer** preferir *(ie, i)*

premiere el estreno *3A*

to **prepare** preparar, prepararse

to **prescribe** recetar *8A*

press conference la rueda de prensa *3A*

press la prensa *3A*

pretty bonito,-a, lindo,-a

price el precio

prince el príncipe

princess la princesa

principle principal

printed advertisement el aviso

printed estampado,-a *9A*

prize el premio

probable probable

problem el problema

program el programa; *to download a program* bajar un programa

prohibited prohibido,-a

to **promise** prometer

to **protect** proteger

protein la proteína *8B*

protest la protesta

proud orgulloso,-a *1A*

to **prove** probar *(ue)*

psychologist el sicólogo, la sicóloga *10A*

psychology la sicología *10A*

public público,-a; *public square* la plaza; *public telephone* el teléfono público; *public relations* las relaciones públicas *10A*

Puerto Rican puertorriqueño,-a

Puerto Rico Puerto Rico

to **pull (someone's leg)** tomar el pelo

punishment la pena

purchase la compra

pure puro,-a

purple morado,-a *9A*

purpose el propósito

purse el bolso

to **pursue** seguir *(i, i)*

to **put** poner(se); colocar(se); *to put (someone) in bed* acostar *(ue)*; *to put in charge (of)* encargar (de); *to put makeup on (someone)* maquillar; *to put on* poner(se); *to put on makeup* maquillarse; *to put away* guardar *2B*; *to put on lipstick* pintarse los labios *2B*

Q

quality la calidad

quarter el cuarto; *a quarter after, a quarter past* y cuarto; *a quarter to, a quarter before* menos cuarto

queen la reina

question la pregunta; *to ask a question* hacer una pregunta

quetzal el quetzal *6B*

quickly pronto, ¡Rápido! *1A*

to **quit** dejar (de)

R

rabbit el conejo

radio (apparatus) el radio; *(broadcast)* la radio; *radio station* la emisora

raft la balsa *6B*

rain la lluvia; *heavy rain* el aguacero *6A*

to **rain** llover *(ue)*

raincoat el impermeable

to **raise** levantar, subir; *to raise one's voice* levantar la voz *4B*

ranch la finca

rapid rápido

rapidly rápidamente

rash la erupción *8B*

rather bastante

raw crudo,-a *7B*

to **reach an agreement** ponerse de acuerdo *4B*

to **reach** cumplir

to **react** reaccionar *4B*

to **read** leer

reading la lectura

ready listo,-a; *to be ready* estar listo,-a

real real

reality la realidad

to **realize** darse cuenta *4A*

really? ¿de veras?

rear-view mirror el espejo retrovisor *5A*

reason la razón
receipt el recibo
to receive recibir
reception desk la recepción
reception (telephone)
la recepción *4B*
receptionist el recepcionista,
la recepcionista
recharge (the battery)
cargar (la batería) *4B*
recipe la receta
to recognize reconocer
to recommend recomendar *(ie)*
record el disco
to record grabar
to recover curar(se) *8A*
to recycle reciclar *10B*
red rojo,-a
red-haired pelirrojo,-a
reduced rebajado,-a *9A*
to refer referir(se) *(ie, i)*
referee el árbitro, la árbitro
references las referencias *10A*
refreshment el refresco
refrigerator el refrigerador
regarding con respecto a *1B*
register el registro *6B*
to regret sentir *(ie, i)*
regular regular
relationship la relación
relative el pariente,
la pariente
to relax descansar, relajarse *6B*
to remain quedar(se)
remedy el remedio *8A*
to remember recordar *(ue)*;
acordar(se) (de) *(ue)*
remote remoto,-a; *remote
control* el control remoto
to rent alquilar
to repair reparar *1B*
to repeat repetir *(i, i)*
report el informe
reporter el periodista, la
periodista; el reportero,
la reportera
to request pedir *(i, i)*,
solicitar *10A*
requirements los requisitos *10A*
to rescue rescatar *3B*
to resemble parecerse
reservation la reservación,
la reserva *6A*
to resolve resolver *(ue)*
to respect respetar *4B*
respectfully atentamente

responsible responsable
to rest descansar
restaurant el restaurante
resume el currículum
vitae *10A*
to return volver *(ue)*; regresar;
devolver *(ue)* *4A*
reunion la reunión
reverse (gear) la marcha
atrás *5A*
to review repasar
rib la costilla
rice el arroz
rich rico,-a
ride el paseo; *(amusement) ride*
la atracción
to ride montar; *to ride a bicycle*
montar en bicicleta; *to ride a
stationary bike* hacer bicicleta *8B*
right correcto,-a; derecho,-a,
la derecha; *to the right* a la
derecha; *right?* ¿verdad?; *right
now* ahora mismo *2B*, por
ahora; *to be right* tener razón;
right away enseguida *1A*
ring el anillo
to ring sonar *(ue)* *4B*
ripe maduro,-a
river el río
road el camino
roar el rugido
to roar rugir
to roast asar *7A*
roasted asado,-a *7B*
robbery el robo
rock la roca *5B*
roller coaster la
montaña rusa
romantic romántico,-a *1B*
roof el techo; *flat roof*
la azotea
room el cuarto; la habitación;
chat room el cuarto de charla;
dining room el comedor;
laundry room el lavadero; *living
room* la sala; *room service* el
servicio de habitaciones
rooster el gallo
rotary la glorieta *5A*
rotten podrido,-a *7A*
round-trip de ida y vuelta
routine la rutina
row la fila
ruby el rubí
rug la alfombra
rule la regla

ruler la regla
to run correr
to run out agotar(se)
runner el corredor, la
corredora
rush la prisa
Russia Rusia
Russian ruso,-a

sad triste
safety la seguridad; *safety belt*
el cinturón de seguridad
saint's day el santo; *All Saints'
Day* Todos los Santos
salad la ensalada
salary el sueldo *10A*
sale la oferta, la rebaja *9A; to
be on sale* estar en oferta
salesperson el vendedor,
la vendedora
salmon el salmón
salt la sal; *salt shaker* el salero
salty salado,-a
Salvadoran salvadoreño,-a
same mismo,-a
sand la arena
sandals las sandalias
sandwich el sandwich,
el bocadillo *7B*
satellite el satélite *10B*
Saturday sábado; *on Saturday*
el sábado
sauce la salsa
saucepan la olla
Saudi saudita; *Saudi Arabia*
Arabia Saudita; *Saudi
Arabian* saudita
**sausage (seasoned with red
pepper)** el chorizo
to save ahorrar, salvar *3B*
to savor saborear
saxophone el saxofón
to say decir; *How do you say...?*
¿Cómo se dice...?; *one says* se
dice; *say (command)* di; *to say
good-bye* despedir(se) *(i, i)*; *to
say hello* saludar; *to say you
are sorry* pedir perdón
scarf la bufanda
scenery el paisaje
schedule el horario
scholarship la beca *10A*
school el colegio, la escuela;
(university) la facultad

science fiction film la película de ciencia ficción
science la ciencia
scientific científico,-a *10B*
scissors las tijeras *9B*
to scold regañar
score el marcador
to score marcar
scratch el rasguño *8A*
scratched rayado,-a
screen la pantalla
screw el tornillo *2A*
screwdriver el destornillador *2A*
script el guión (*pl.* guiones)
to scuba dive bucear *6B*
scuba diving el buceo
sea el mar
seafood el marisco
seal la foca *10B*
search la búsqueda; *search engine* el motor de búsqueda
season la estación
seasoning el aderezo, el condimento *7A*
to seat (someone) sentar *(ie)*
seat belt el cinturón de seguridad
seat el asiento *5B*
seat-back el respaldar
second el segundo; segundo,-a
secret el secreto
secretary el secretario, la secretaria
section la sección
to see ver; *let's see* a ver; *see you later* hasta luego, hasta la vista; *see you soon* hasta pronto
to seem parecer
selection el surtido
selfish egoísta
to sell vender
to send enviar
sense (of hearing) el oído
sentence la oración, la frase
sentencing la sentencia
September septiembre
serious serio,-a, grave
to serve servir *(i, i)*
service el servicio; *room service* el servicio de habitaciones
services los servicios *6B*
to set poner; *to set the table* poner la mesa

seven siete; *seven hundred* setecientos,-as
seventeen diecisiete
seventh séptimo,-a
seventy setenta
several varios,-as
to sew coser *9B*
sewing la costura
sewing machine la máquina de coser *9B*
shame la lástima
shampoo el champú
to share compartir
to shave afeitar(se); *to shave one's hair* raparse *9A*
shaving cream la crema de afeitar
she ella
sheep la oveja
sheet la hoja; *sheet of paper* la hoja de papel; la sábana *2B*
shelving el estante *2B*
ship el barco
shirt la camisa; *polo shirt* la camiseta
shoe el zapato; *high-heel shoe* el zapato de tacón; *low-heel shoe* el zapato bajo; *shoe store* la zapatería
shopping center el centro comercial
shore la orilla
short (not tall) bajo,-a, *(not long)* corto,-a; *from a short distance* de cerca; *in short* en resumen
shortage la escasez *10B*
to shorten acortar *9B*
shorts los shorts; *bermuda shorts* las bermudas
shot el tiro, la inyección *8A*
should deber
shoulder el hombro
to shout gritar
show el programa; *game show* el programa de concurso
to show enseñar; mostrar *(ue)*
to show up presentarse
to shower duchar(se)
shower la ducha
shrimp el camarón
to shrink encogerse *9B*
sick enfermo,-a
side el lado
sidewalk la acera
to sign firmar

sign la señal
silk la seda
silly tonto,-a
silver la plata
silverware los cubiertos
since desde, como
to sing cantar
singer el cantante, la cantante
single bed la cama sencilla *6B*
single room la habitación sencilla
single sencillo,-a, soltero,-a *2A*
sink el fregadero; *bathroom sink* el lavabo
sir el señor, Sr.
sister la hermana
sister-in-law la cuñada *2A*
to sit down sentarse; *sit down (command)* siéntate
six seis; *six hundred* seiscientos,-as
sixteen dieciséis
sixth sexto,-a
sixty sesenta
size el tamaño, la talla *9A*
to skate patinar; *to ice-skate* patinar sobre hielo; *to in-line skate* patinar sobre ruedas
skateboard la patineta
to skateboard montar en patineta
skater el patinador, la patinadora
to sketch dibujar
sketch el dibujo
to ski esquiar
skier el esquiador, la esquiadora
skiing el esquí
skill la destreza
skillful hábil *1B*
skin la piel
skip (a meal) saltarse (una comida) *8B*
skirt la falda
sky el cielo
skyscraper el rascacielos
to sleep dormir *(ue, u)*
sleep el sueño
sleeping bag el saco de dormir *5B*
sleeping car el coche cama *5B*
sleeve la manga *9B*
to slip resbalarse *8A*
slipper la pantufla
slippery resbaloso,-a
sloth el oso perezoso *6B*
to slow (down) disminuir *5A*

slow lento,-a
slowly despacio *5A*
small pequeño,-a; *small suitcase* el maletín
smart listo,-a; *to be smart* ser listo,-a
to **smile** sonreír(se) *(i, i)*
smoke alarm la alarma de incendios
smoke detector el detector de humo *2A*
to **smoke** fumar
smoked ahumado,-a *7B*
smooth suave
snake la serpiente
sneakers los tennis
to **sneeze** estornudar *8A*
snow la nieve
to **snow** nevar *(ie)*
so tal, tan; *So glad to meet you.* Tanto gusto.; *so long* hasta luego; *so that* a fin de que, para que
soap el jabón; *soap opera* la telenovela
soccer el fútbol; *soccer player* el futbolista, la futbolista
sociable sociable *1B*
society la sociedad
sock el calcetín
sofa el sofá *2B*
soft suave; *soft drink* el refresco; blando,-a *6B*
solar solar *10B*
solid liso,-a *9A*
to **solve** resolver *(ue)*
some unos, unas; alguno,-a, algún, alguna
somebody alguien
someone alguien; *someone from the United States* estadounidense
something algo; *something from the United States* estadounidense
sometimes a veces
son el hijo
song la canción
son-in-law el yerno *2A*
soon luego, pronto; *as soon as* en cuanto, luego que; *see you soon* hasta pronto
so-so regular
soup la sopa; *soup bowl* el plato de sopa
sour agrio,-a *7A*

south el sur; *South America* la América del Sur; *South American* suramericano,-a
southeast el sureste
southwest el suroeste
space shuttle el transbordador espacial *10B*
space station la estación espacial *10B*
Spain España
Spanish el español (language)
Spanish español, española
Spanish-speaking de habla hispana
to **speak** hablar
speakers los parlantes *7B*
speaking el habla *(f.)*
special effects los efectos especiales *1B*
special especial
specialist el especialista, la especialista *10A*
to **specialize in** especializarse en *10A*
species la especie *10A*
spectator el espectador, la espectadora
speech el habla *(f.)*
speed la velocidad *5A*
to **spend (time)** pasar
to **spend** gastar
spices las especias *7B*
spill el derrame *10B*
spinach las espinacas *7A*
sport el deporte; *to play (a sport)* jugar a
sporty deportivo,-a
spot la mancha *9B*
spring la primavera
square el cuadro; *public square* la plaza
squid el pulpo
stable el establo
stadium el estadio
stain la mancha *9B*
stained manchado,-a *9B*
stairway la escalera
stall el puesto
stamp la estampilla *9B*
to **stand on line** hacer fila *6A*
to **stand out** destacar(se)
to **stand someone up** dejar plantado/a a alguien *4A*
star la estrella
to **start** empezar *(ie)*; comenzar *(ie)*

starting a partir de *8B*
station la estación; *bus station* la estación de autobuses; *radio station* la emisora; *subway station* la estación del metro; *train station* la estación del tren; *station wagon* la camioneta
stationery el papel de carta *9B*
stationery store la papelería
to **stay** alojarse, quedar(se)
steak el bistec
steering wheel el volante
to **step on** pisar *5A*
stepbrother el hermanastro
stepfather el padrastro
stepmother la madrastra
stepsister la hermanastra
stick out (command) saca
still todavía
to **stir** revolver *(ue)* *7A*
stitches los puntos *8A*
stomach el estómago
to **stop** dejar (de); parar
stop pare *5A*
stopover la escala
store la tienda; *candy store* la dulcería; *dairy (store)* la lechería; *department store* el almacén; *fruit store* la frutería; *hat store* la sombrerería; *jewelry store* la joyería; *milk store* la lechería; *shoe store* la zapatería; *stationery store* la papelería; *store window* la vitrina
storm la tormenta *3B*
stove la estufa
straight (hair) lacio
straight ahead derecho
to **straighten** arreglar, *to straighten ones' hair* alisarse el pelo *9A*
strawberry la fresa
street entrance la bocacalle *5A*
street la calle
strength la fuerza *8B*
stress el estrés *8B*
to **stretch** estirarse *8B*
strict estricto,-a *1A*
stripe la raya
striped a rayas, rayado,-a
strong fuerte
student el estudiante, la estudiante

student council el consejo estudiantil *1A*
studies los estudios *10A*
studious estudioso,-a *1A*
study el estudio
to **study** estudiar
stuffed relleno,-a *7B*
to **stumble** tropezar *8A*
style el estilo *9A*
subject la asignatura
subject to change sujeto a cambio *6A*
subtitles los subtítulos *1B*
suburbs las afueras *5A*
subway el metro; *subway station* la estación del metro
success el éxito; *to be a success* tener éxito
such tal; *such as* como
to **suffer** sufrir *8A*
sufficient bastante
sufficiently bastante
sugar el azúcar; *sugar bowl* la azucarera
to **suggest** aconsejar, sugerir *(ie) 5B*
suit el traje
suitcase la maleta
summer el verano
sun el sol
sunglasses las gafas de sol
Sunday domingo; *on Sunday* el domingo; *Sunday supplement* el suplemento dominical
sunny soleado,-a; *it is sunny* está soleado, hay sol, hace sol
supermarket el supermercado
supper la cena; *to have supper* cenar
supply el surtido
to **support** apoyar *4A*
sure seguro,-a
to **surf** navegar
surname el apellido
surprise la sorpresa
to **surprise** sorprender
to **surround** rodear *3B*
survey la encuesta
sweater el suéter
sweater set el conjunto *9A*
sweatshirt la sudadera *9A*
to **sweep** barrer
sweet dulce, golosina
to **swim** nadar

swimming pool la piscina
swimsuit el traje de baño
symptoms los síntomas *8A*
synthetic sintético,-a
syrup el jarabe *8A*

table la mesa; *to clear the table* recoger la mesa; *to set the table* poner la mesa; *tray table* la mesita
tablecloth el mantel
tablespoon la cuchara
taco el taco
tail el rabo
tailor el sastre, la sastre *9B*
to **take** tomar, llevar; *to take a long time* tardar en (+ infinitive); *to take a walk* dar un paseo, dar una caminata, pasear *5B*; *to take away* llevarse; *to take care of* cuidar(se) *1B*; *to take charge (of)* encargarse (de); *to take off* despegar, quitar(se); *to take out* sacar; *to take up* subir; *to take apart* desarmar *2A*; *to take care of* atender *(ie) 1B*; *to take measurements* tomar las medidas *9B*; *to take pictures* sacar fotos *2A*; *to take place* tener lugar *3A*; *to take (someone's) blood pressure* tomar la presión *8A*
talented talentoso,-a *1A*
tall alto,-a
to **tan** broncear(se)
tape recorder la grabadora
to **taste** saborear
tasty sabroso,-a
taxi driver el taxista, la taxista
tea el té
to **teach** enseñar
teacher el profesor, la profesora
team el equipo
team work en equipo *10A*
to **tear** romper
tears las lágrimas *4A*
teaspoon la cucharita
technological tecnológico,-a *10B*
technology la tecnología
teddy bear el oso de peluche
to **telephone** llamar

telephone el teléfono; *by telephone* por teléfono; *on the telephone* por teléfono; *public telephone* el teléfono público; *telephone number* el número de teléfono
television la televisión; *television set* el televisor; *to watch television* ver (la) televisión
to **tell** decir; *(a story)* contar *(ue)*; *tell (command)* di; *tell me (Ud. command)* dígame
temperature la temperatura; *What is the temperature?* ¿Qué temperatura hace?
temporary temporal *10A*
ten diez
tennis court la cancha de tenis *6B*
tennis el tenis; *tennis player* el tenista, la tenista
tennis shoes los tenis
tent la tienda de acampar *5B*
tenth décimo,-a
to **terminate** acabar
terrace la terraza *2A*
terrible horroroso,-a, terrible *9A*
test el examen
to **test** probar *(ue)*
to **thank** agradecer *3A*
thank you very much muchas gracias
thanks gracias
that que, ese, esa, *(far away)* aquel, aquella; aquello; *(neuter form)* eso, ello; *that (one)* aquél, aquélla, ése, ésa; *that way* así; *that which* lo que
the *(m., s.)* el, *(f., s.)* la, *(f., pl.)* las, *(m., pl.)* los; *to the* al
theater el teatro; *movie theater* el cine
their su, sus; suyo,-a; *(of) theirs* suyo,-a
them *(i.o.)* les; *(d.o.)* los/las; *(after a preposition)* ellos,-as
theme el tema, el tópico
then luego, después, entonces; *(pause in speech)* pues
there allí; *over there* allá; *there is* hay; *there are* hay; *there was* había, hubo; *there were* había, hubo

these estos, estas; *these (ones)* éstos, éstas

they ellos,-as; *they are* son; *they were* fueron

thief el ladrón, la ladrona *3B*

thin delgado,-a

thing la cosa

to think pensar *(ie)*; *to think about (i.e., to have an opinion)* pensar de; *to think about (i.e., to focus one's thoughts)* pensar en; *to think about (doing something)* pensar en *(+ infinitive)*; *to think of oneself* pensar en sí mismo,-a *4A*

third tercero,-a; *(form of tercero before a m., s. noun)* tercer

thirst la sed

thirteen trece

thirty treinta

thirty-one treinta y uno

this *(m., s.)* este, *(f., s.)* esta; esto; *this (one)* éste, ésta

those esos, esas, *(far away)* aquellos, aquellas; *those (ones)* aquéllos, aquéllas, ésos, ésas

thoughtful considerado,-a *4A*

thousand mil

thread el hilo *9B*

three tres; *three hundred* trescientos,-as

throat la garganta

through por

to throw arrojar

to throw away tirar *10B*

thunder el trueno *6A*

Thursday jueves; *on Thursday* el jueves

thus pues; así

ticket el boleto; el billete; el pasaje; *ticket office* la taquilla

ticket office la boletería *5B*

tidbit la golosina

to tie (the score of a game) empatar

tie la corbata

tiger el tigre

tight estrecho,-a *9A*

time el tiempo, la vez *(pl.* veces*); another time* otra vez; *at times* a veces; *at what time?* ¿a qué hora?; *(number +) time(s)* per *(+ time expression) (number +)* vez/veces al/a la *(+ time*

expression); on time a tiempo; *to spend (time)* pasar; *to take a long time* tardar en *(+ infinitive); What time is it?* ¿Qué hora es?

tip la propina

tire la llanta

tired cansado,-a

tired of harto,-a (de) *1A*

to a; *to the left* a la izquierda; *to the right* a la derecha

toaster la tostadora

today hoy

toe el dedo, del pie

together junto,-a; *to get together* reunir(se)

toilet el excusado

tomato el tomate

tomorrow mañana; *see you tomorrow* hasta mañana; *the day after tomorrow* pasado mañana

tongue la lengua

tonight esta noche

too también; *Too bad!* ¡Qué lástima!; *too many* demasiado,-a; *too (much)* demasiado; *too much* demasiado,-a

tooth el diente

toothbrush el cepillo de dientes

toothpaste la pasta de dientes

to touch tocar; *touch (command)* toca

tourism el turismo

tourist turístico,-a

toward hacia

towel la toalla

tower la torre

traffic el tráfico

traffic jam el atasco *5A*

traffic light el semáforo *5A*

traffic rules las normas de tránsito *5A*

to train entrenarse *1B*

train el tren; *train station* la estación del tren

train car el vagón *5B*

train platform el andén *5B*

trainer el entrenador, la entrenadora *1B*

transfer el transbordo *5B*

to translate traducir

transmission la transmisión

transportation el transporte

trapeze artist el trapecista, la tapecista

travel agency la agencia de viajes

to travel viajar

traveler el viajero, la viajera *5B*

traveler's check el cheque de viajero *6A*

tray la bandeja *9B*

tray table la mesita

tree el árbol; *family tree* el árbol genealógico

tremor el temblor

trial el juicio *3B*

trip el paseo, el viaje; *to go away on a trip* irse de viaje

to trip tropezar con *8A*

trombone el trombón

trouble la pena

truck el camión

trumpet la trompeta

trunk el baúl

to trust confiar *4A*

truth la verdad

to try (on) probar(se) *(ue); to try (to do something)* tratar (de)

tucan el tucán

Tuesday martes; *on Tuesday* el martes

tuna atún

turbulence la turbulencia *6A*

turkey el pavo; *turkey breast* la pechuga de pavo *7B*

to turn (a corner) doblar; *to turn off* apagar; *to turn on* encender *(ie); to turn on (an appliance)* poner; *to turn to dusk* anochecer

to turn up aparecer *1A*

turtle la tortuga

tv guide la programación de televisión *3A*

twelve doce

twenty veinte

twenty-eight veintiocho

twenty-five veinticinco

twenty-four veinticuatro

twenty-nine veintinueve

twenty-one veintiuno

twenty-seven veintisiete

twenty-six veintiséis

twenty-three veintitrés

twenty-two veintidós

twins los gemelos, las gemelas *2A*

to twist torcer *(ue) 8A*

two dos; *two hundred* doscientos,-as
two-way street la calle de doble vía *5A*
type el tipo

ugly feo,-a
umbrella el paraguas
umpire el árbitro, la árbitro
uncle el tío
under bajo
undershirt la camiseta
to understand comprender, entender *(ie)*
understanding comprensivo,-a *4A*
underwear la ropa interior
undone crudo,-a *7B*
to undress desvestir(se) *(i, i)*
unique único,-a
united unido,-a; *someone or something from the United States* estadounidense; *United States of America* los Estados Unidos
university la universidad; *school (of a university)* la facultad
unless a menos que *10B*
unlike a diferencia de *2A*
unripe verde *7A*
unruly rebelde *9A*
until hasta, *(to express time)* menos, hasta que
up arriba
upcoming que viene
upstairs arriba; *to go upstairs* subir
urgent urgente
Uruguay el Uruguay
Uruguayan uruguayo,-a
us *(i.o.)* nos; *(d.o.)* nos; *(after a preposition)* nosotros
use el uso *10B*
to use a treadmill hacer cinta
to use usar

vacation las vacaciones
vaccination la vacuna *8A*
vacuum la aspiradora
to vacuum pasar la aspiradora
valley el valle *5B*
vanilla la vainilla

vase el jarrón *9B*
veal la ternera
vegetable la verdura
Venezuela Venezuela
Venezuelan venezolano,-a
verb el verbo
vertical vertical
very muy, mucho,-a; *not very* poco,-a; *very much* muchísimo
veterinarian el veterinario, la veterinaria
victim la víctima *3B*
video game el videojuego
village el pueblo *5B*
vinegar el vinagre
violent violento,-a *3B*
virtual reality la realidad virtual *10B*
virus virus *(pl. virus) 10B*
visa la visa
visibility la visibilidad *3B*
visit la visita
to visit visitar
vitamin la vitamina *8B*
voice la voz *(pl. voces)*
volcano el volcán *6A*
volleyball el voleibol
volume el volumen *7B*

waist la cintura *9B*
to wait (for) esperar
to wake up despertar(se) *(ie)*
to walk caminar; andar, pasear; *to take a walk* dar un paseo *5B*
walk el paseo
wall la pared, la muralla; *(exterior) wall* el muro
wallet la billetera
walnut la nuez *(pl. nueces) 7B*
to want querer
wardrobe el armario
warehouse el almacén
to wash lavar(se)
washer la lavadora
wastebasket el cesto de papeles
wastepaper basket el cesto de papeles
watch el reloj
to watch ver; *to watch television* ver (la) televisión
to water regar *(ie)*

water el agua *(f.); mineral water* el agua mineral *(f.); pertaining to water* acuático,-a
waterfall la catarata
watermelon la sandía
wavy ondulado,-a *9A*
way la manera; *to always get one's way* siempre salirse con la suya; *by the way* a propósito
we nosotros
to wear llevar
weather el tiempo; *How is the weather?* ¿Qué tiempo hace?; *the weather is nice (bad)* hace buen (mal) tiempo
Web la Web
Wednesday miércoles; *on Wednesday* el miércoles
week la semana
weekend el fin de semana
welcome bienvenido,-a; *you are welcome* de nada
welcome la bienvenida
well bien; *(pause in speech)* bueno, este, pues
well-read culto,-a
west el oeste
wet mojado,-a
whale la ballena *10B*
what! ¡qué!; *What (a) (+ adjective) (+ noun)!* ¡Qué (+ noun) tan (+ adjective)!; *what a (+ noun)!* ¡qué (+ noun)!; *What a shame!* ¡Qué lástima!; *What a rip-off!* ¡Qué estafa! *9B*
what? ¿qué?, ¿cuál?; *at what time?* ¿a qué hora?; *What do/does you/he/she/they think?* ¿Qué (te, le, les) parece?; *What is the meaning (of)...?* ¿Qué quiere decir...?; *What is the temperature?* ¿Qué temperatura hace?; *What is wrong with (someone)?* ¿Qué (+ tener)?; *What is wrong with you?* ¿Qué te pasa?; *What is your name?* ¿Cómo te llamas?; *What is (your/his/her) name?* ¿Cómo se llama (Ud./él/ella)?; *What time is it?* ¿Qué hora es?; *What is it about?* ¿De qué se trata? *1B*

wheel la rueda; *steering wheel* el volante; *Ferris wheel* rueda de Chicago
wheelchair la silla de ruedas *8A*
when cuando
when? ¿cuándo?
where donde; adonde
where? ¿dónde?; *from where?* ¿de dónde?; *(to) where?* ¿adónde?; *Where are you from?* ¿De dónde eres?; *Where are you (formal) from?*, *Where is (he/she/it) from?* ¿De dónde es (Ud./él/ella)?; *Where is…?* ¿Dónde queda…? ¿Dónde se encuentra…? *5A*
wherever dondequiera
which que; *of which* cuyo,-a; *that which* lo que
which? ¿cuál?; *which one?* ¿cuál?; *which ones?* ¿cuáles?
while mientras (que)
white blanco,-a
white-haired canoso,-a
Who is it? *(telephone greeting)* ¿Quién habla? *4B*
who quien
who? ¿quién?, *(pl.)* ¿quiénes?
whoever quienquiera
whom quien
whose cuyo,-a
why? ¿por qué?
wide ancho,-a *9A*
widow viuda *2A*
widower viudo *2A*
wife la esposa; la mujer
wild salvaje
wildlife refuge el refugio de vida silvestre *6B*
to win ganar; *games won* los partidos ganados
wind el viento; *it is windy* hace viento
window la ventana; la ventanilla *5B, store window* la vitrina
windshield el parabrisas
windshield wiper el limpiaparabrisas

winter el invierno
to wish desear
with con; *with me* conmigo; *with you* (tú) contigo
without sin; *without previous notice* sin previo aviso *6A*
witness el testigo, la testigo
woman la mujer; *young woman* la muchacha
women's restroom el baño de damas
to wonder preguntarse
wonderful estupendo,-a
wood la madera
wool la lana
word la palabra
work el trabajo, la obra
to work trabajar, funcionar; *to work as* trabajar de *1B*
worker el obrero, la obrera
world el mundo; *World Wide Web* la Red
worn gastado,-a *9B*
worried preocupado,-a *3B*
to worry preocupar(se)
worse peor
worst: the worst (+ noun) el/la/los/las peor/peores
worth your while valer la pena
would like quisiera
would that ojalá
wound la herida
wow! ¡caramba!
wrinkled arrugado,-a *9B*
wrist la muñeca *8A*
to write escribir; *How do you write…?* ¿Cómo se escribe…?; *it is written* se escribe
writer el escritor, la escritora
wrong number el número equivocado *4B*
wrought iron fence la reja
wrought-iron window grill la reja

X-ray la radiografía *8A*

yard el patio
to yawn bostezar
year el año; *New Year's (Day)* el Año Nuevo; *to be (+ number) years old* tener (+ number) años
yellow amarillo,-a
yes sí
yesterday ayer; *the day before yesterday* anteayer
yet todavía
to yield ceder el paso *5A*
you *(informal)* tú; *(formal, s.)* usted (Ud.); *(pl.)*, ustedes (Uds.); *(Spain, informal, pl.)* vosotros,-as; *(after a preposition)* ti, usted (Ud.), ustedes (Uds.), vosotros,-as; *(d.o.)* la, lo, las, los, te; *(Spain, informal, pl., d.o.)* os; *(formal, i.o.)* le; *(pl., i.o.)* les; *(Spain, informal, pl., i.o.)* os; *(i.o.)* te; *Are you from…?* ¿Eres (tú) de…?; *you are* eres; *you (formal) are* es; *you don't say!* ¡no me digas!; *you (pl.) were* fueron
young joven; *young lady* la señorita; *young woman* la muchacha
younger menor
youngest el/la menor
your *(informal)* tu; *(informal, pl.)* tus; su, sus (Ud./Uds.), *(Spain, informal, pl.)* vuestro,-a, -os,-as; suyo,-a; tuyo,-a; *(of) yours* suyo,-a
yours truly atentamente
youth hostel el albergue juvenil *6B*

zebra la cebra
zero cero
zipper la cremallera *9B*
zoo el zoológico
zoological garden el jardín zoológico

Index

Credits

Acknowledgments

The authors wish to thank the many people in the Caribbean Islands, Central America, South America, Spain and the United States who assisted in the photography used in the textbook. Credit is given to photographers and agencies below.

We would also like to thank the following publishers, authors, and holders of copyright for permission to include copyrighted material in *Navegando 3:* p. 205 *Mafalda* six characters by Joaquín Salvador Lavado (Quino), reprinted by permission of his agent; p. 90 "¿No oyes ladrar los perros?" by Juan Rulfo from the story collection *El llano en llamas,* reprinted by permission of Agencia Literaria Carmen Balcells, S.A.; p. 141 "De la segunda salida de Don Quijote," by Miguel de Cervantes Saavedra, excerpt from the Easy Reader entitled *Don Quijote de la Mancha* (Primera parte), published by EMC Publishing; p. 186 "A Julia de Burgos" by Julia de Burgos reprinted by permission of Ediciones Huracán; p. 230 *El Sur* by Jorge Luis Borges reprinted by permission of the Wylie Agency, Inc.; p. 328 "Oda a la alcachofa" by Pablo Neruda, reprinted by permission of Agencia Literaria Carmen Balcells, S.A.; p. 368 "Un día de éstos" by Gabriel García Márquez from *Los funerales de la Mamá Grande,* reprinted by permission of Agencia Literaria Carmen Balcells, S.A.; p. 416 *El delantal blanco* (excerpt) by Sergio Vodanovic reprinted by permission of the author's agent.

Art Credits

p. 22 (l) *Forum,* 1986, Fernando Botero (b. 1932). Private collection. © Fernando Botero, courtesy Marlborough Gallery, NY. Photo credit: Art Resource, NY. p. 22 (r) *Una pareja (A Couple),* 1982, Fernando Botero (b. 1932). © Fernando Botero, courtesy Marlborough Gallery, NY. Photo credit: Christie's Images/CORBIS. p. 68 *Sandía,* 1986, and *Camas para sueños,* 1985, Carmen Lomas Garza (b. 1948). Both paintings © Carmen Lomas Garza. Photo credit: Wolfgang Dietze. p. 141 *Don Quixote and Sancho Panza,* Honoré Daumier (1808–79). Photo credit: Agnew & Sons, London, UK/Bridgeman Art Library. p. 142 *Don Quixote and Sancho,* Alexandre Gabriel Decamps (1803–60). Photo credit: Musée des Beaux Arts, Pau, France/Bridgeman Art Library. p. 143 *Don Quixote and the Windmill,* Francisco J. Torromé (fl. 1890–1908). Photo credit: Bonhams, London, UK/Bridgeman Art Library. p. 396 (t) *Sueño de una tarde dominical en la Alameda Central (Dream of a Sunday Afternoon in the Alameda Park)* [detail], 1947, Diego Rivera (1866–1957). © Banco de México Diego Rivera & Frida Kahlo Museums Trust. Av. Cinco de Mayo No. 2, Col. Centro, Del. Cuauhtémoc 06059, México, D.F. Photo credit: Schalkwijk/Art Resource, NY. Permission also granted by the Instituto Nacional de Bellas Artes y Literatura, México, D.F. p. 396 (c) *Dialéctica de la revolución (The Dialectic of Revolution)* [detail], c.1926, José Clemente Orozco (1883–1949). © Clemente Orozco V. Photo credit: Schalkwijk/Art Resource, NY. Permission also granted by the Instituto Nacional de Bellas Artes y Literatura, México, D.F. p. 396 (b) *Por una seguridad integral al servicio del pueblo (For the Complete Safety of All Mexicans at Work)* [detail], 1952–54, David Alfaro Siqueiros (1896–1974). © Estate of David Alfaro Siqueiros/SOMAAP, Mexico City/VAGA, NY. Photo credit: Schalkwijk/Art Resource, NY. Permission also granted by the Instituto Nacional de Bellas Artes y Literatura, México, D.F. p. 413 Lizard woodcarving by Billi Mendoza © Oaxacanwoodcarving.com. p. 421 Armadillo woodcarving by Jacobo and María Angeles © Oaxacanwoodcarving.com.

Photo Credits

Abejon, Ana / iStockphoto: 19
Able Stock / Index Stock Imagery: 315, 402
AFP / CORBIS: 53 (t), 111 (C, E, F), 131 (E), 210 (l), 334 (l)
Allen, Bryan / CORBIS: 412
Allofs, Theo / CORBIS: viii (l), 192–93
Alvarez, Carlos / Getty Images: 113 (l)
Amet, Jean Pierre / CORBIS Sygma: 35 (t)
Anderson, Jennifer J.: 157 (CDs), 271 (F), 272 (b)
AP Wide World Photos: 23, 27 (l), 90, 102 (A), 108, 115, 131 (b), 139 (c), 161 (r), 171 (t), 189 (l), 210 (tr), 328, 444 (A), 445 (t), 449 (space shuttle), 453
Aquino, Andres / FashionSyndicatePress.com: 401 (l, r), 421 (b)
Archivo Iconográfico, S.A. / CORBIS: 381 (t, b)
Artville Stock Images: 337 (A, B)
Avdeev, Alexey / iStockphoto: 263 (B)
Azzara, Steve / CORBIS Sygma: 111 (D)
Bachmann, Bill / Alamy: 277 (r)
Bachmann, Bill / Index Stock Imagery: 376 (l)
BananaStock / Alamy: 346 (D), 348, 379 (E), 407 (E)
Barton, Paul / CORBIS: 62
Beebe, Morton / CORBIS: 57 (b)
Béjar Latonda, Mónica: 4 (tl, tc, tr), 16 (tl, tc, tr), 26 (tl, tc, tr), 34 (tl, tc, tr), 52 (tl, tc, tr), 60 (tl, tc, tr), 72 (tl, tc, tr), 82 (tl, tc, tr), 102 (tl, tc, tr), 112 (tl, tc, tr), 122 (tl, tc, tr), 132 (tl, tc, tr), 244 (tl, tc, tr), 252 (tl, tc, tr), 264 (tl, tc, tr), 272 (tl, tc, tr)
Bettmann / CORBIS: 91, 123 (t), 140, 230, 260 (t), 368
Blake, Joshua / iStockphoto: 36
Braasch, Gary / CORBIS: 273 (l)
Brand X Pictures / Alamy: 271 (B), 319 (C), 369, 403, 438
Brand X Pictures / Creatas: 252 (B)
Brenner, Robert / PhotoEdit: 444 (A)
Bridwell, Michelle D. / PhotoEdit: 81 (B)
Brown, Robert / iStockphoto: 341
Bruderer, Rolf / CORBIS: 428 (A)
Brundin, Gustaf / iStockphoto: 147 (l)
Buffington, David / Getty Images: 25 (C)

Buss, Gary / Getty Images: 71 (E)

Butchofsky-Houser, Jan / CORBIS: 74

Carmichael, Bethune / Lonely Planet Images: 429

Chapman, Libby / iStockphoto: 444 (C)

Charnock, Tony / Alamy: 443 (E)

Clark, John H. / CORBIS: 252 (D)

Cohen, Stuart / The Image Works: 27 (r)

Comstock Images / Alamy: 294, 351 (l), 407 (A), 415

Conway, W. Perry / CORBIS: 275

Cooper, Ashley / Picimpact / CORBIS: 131 (B)

Cooperphoto / CORBIS: 157 (digital camera)

CORBIS: 215 (t)

CORBIS Royalty-Free: vii (t), xiv (l, r), 3 (B, D, F), 25 (A, D, F), 26 (b), 30, 31 (#2, 4), 33 (A–F), 34 (b), 43, 47 (l, r), 51 (A), 54, 59 (E), 60 (A, C, D, E), 69, 71 (B, D), 75 (t, #2, 4, 5, 6), 78, 81 (A), 89 (l, r, b), 97 (r), 102 (C, D), 111 (A, B), 121 (A, B), 124 (t), 132 (A), 139 (l), 145 (ml), 154, 157 (bicycle, books, dictionary), 160 (A), 195 (A, B, C, E), 203 (E), 204 (C, D), 213 (C, F), 221 (A, D, E, F), 222 (D, E), 239 (r), 251 (A, B), 251 (b), 255, 261, 263 (C, D, E), 271 (E), 274, 279, 283 (br), 285 (l), 289 (A–F), 290 (b), 299 (cheese, lemons), 303 (b), 311 (B), 317, 319 (A, B, D, E), 321 (potatoes, onions, oregano, mint), 322, 327 (r), 329, 333 (l, r), 337 (C, D, F), 339 (b), 346 (C, E), 353 (B–F), 356, 367 (r), 389 (D), 394 (l), 395, 397, 407 (B), 428 (B, C), 440 (t), 441, 443 (A, D), 449 (microscope)

Corel Images: 222 (B)

Corral V, Pablo / CORBIS: 303 (t)

Creatas Royalty-Free: 51 (B), 221 (B), 222 (C), 379 (B)

Cristofori, Marco / CORBIS: 118

Curtes, Jeff / CORBIS: xii (r), 389 (F)

Daemmrich, Bob: 61 (b), 156 (t), 258

Daemmrich, Bob / PhotoEdit: 61 (t)

de Freitas, Gabriel / PhotographersDirect.com: 98 (l)

Degnan, Dennis / CORBIS: xv (c), 97 (l), 192 (l)

Delessio, Len / Index Stock Imagery: 222 (A)

Denny, Mary Kate / PhotoEdit: 160 (B, C), 458

Dex Image / Alamy: 132 (D)

Dex Images / CORBIS: 21

Diaphor Agency / Index Stock Imagery: 337 (E),

Diehl, Lon C. / PhotoEdit: 132 (B)

Digital Stock: 179 (E), 191, 319 (F)

Digital Vision / Getty Images: cover (male), 85

Digital Vision: 342, 346 (A, F)

Disario, George / CORBIS: 31 (#6)

Dominguez-Madrid, L.: 135

Dominick, Sharon / iStockphoto: 11

Eastman, Donald C. and Priscilla Alexander / Lonely Planet Images: 211 (r)

Eisele, Reinhard / CORBIS: 184

Else, David / Lonely Planet Images: 153

Englebert, Victor: x (l), 126 (b), 136, 145 (tr), 207, 237 (b), 263 (A), 265 (b), 286–87, 308 (t), 309 (l), 331 (r), 384

Etra, Amy / PhotoEdit: 49 (l)

Evans, Mark / iStockphoto: 393 (b)

Everton, Macduff / CORBIS: 370

Eyebyte / Alamy: 419

Faris, Randy / CORBIS: 281

Fletcher, Kevin / CORBIS: 203 (F)

Fogden, Michael and Patricia / CORBIS: 285 (r)

Fotopic / Index Stock Imagery: 77

Foxx, John / Alamy: 185

Francisco, Timothy: 93

Franken, Owen / CORBIS: 123 (b), 216, 301 (r), 366

Frei, Franz-Marc / CORBIS: 176

Fried, Robert: v (t), xxii (l), 51 (D), 79 (b), 86, 106 (t), 113 (r), 156 (b), 166 (b), 197 (cr), 198, 203 (A, C), 204 (A), 210 (br), 211 (c), 271 (D), 343 (br), 346 (B), 373 (b), 379 (A), 386, 391, 407 (C), 408 (b), 409, 411 (l, r), 411 (r)

Fuste Raga, José / CORBIS: ix (br), xiii (l), 245 (b), 424–25

Gazimal / Getty Images: cover (female standing)

Gendreau, Philip / CORBIS: 464

Gilardelli, Angelo / iStockphoto: 395 (3)

Gingerich, Andrea / iStockphoto: 395 (4)

Gligorijevic, Sandra / iStockphoto: 16 (b)

Glumack, Ben: 152 (tl, tc, tr), 160 (tl, tc, tr), 170 (tl, tc, tr), 180 (tl, tc, tr), 196 (tl, tc, tr), 204 (tl, tc, tr), 214 (tl, tc, tr), 222 (tl, tc, tr), 290 (tl, tc, tr), 300 (tl, tc, tr), 312 (tl, tc, tr), 320 (tl, tc, tr), 338 (tl, tc, tr), 346 (tl, tc, tr), 354 (tl, tc, tr), 360 (tl, tc, tr), 380 (tl, tc, tr), 390 (tl, tc, tr), 400 (tl, tc, tr), 408 (tl, tc, tr), 428 (tl, tc, tr), 434 (tl, tc, tr), 444 (tl, tc, tr), 452 (tl, tc, tr)

Goldberg, Beryl: vii (bl), 83 (l), 83 (r), 109 (t), 125, 139 (r), 181 (l), 183, 197 (tl), 201, 211 (l), 227, 244 (b), 252 (A), 286 (l), 423 (l), 423 (r)

GoodShoot / SuperStock: 443 (B)

Govorushchenko, Kateryna / iStockphoto: 382

Grant, Spencer / PhotoEdit: 121 (E), 131 (F), 424 (l)

Greenberg, Jeff / PhotoEdit: xi (r), 361 (l), 365

Griesedieck, Judy / CORBIS: 416

Hansen, Clayton / iStockphoto: 395 (modelo)

Hawlan, Dieter / iStockphoto: 169

Henley, John / CORBIS: 31 (t)

Hernandez, Carlos / PhotographersDirect.com: 35 (b)

HIRB / Index Stock Imagery: 278

Hodges, Walter / CORBIS: 79 (t)

Hogan, Dale / iStockphoto: 390 (D)

Horner, Jeremy / CORBIS: 42

Houser, Dave G. / CORBIS: 267

Hulton-Deutsch Collection / CORBIS: 232, 233, 234

Hurst, Jacqui / CORBIS: 373 (t)

Hutchings, Richard / PhotoEdit: 59 (B)

I'Anson, Richard / Lonely Planet Images: 313 (tl), 343 (tl)

IFA Bilderteam / eStock Photo: 460, 467

image100 / Alamy: 353 (A), 389 (B)

Images, Agence Photographique / eStock Photo: 444 (D)

Image Source / Alamy: 306, 311 (E), 360 (b), 379 (F), 389 (A), 392, 407 (F)

Image Source / Index Stock Imagery: xii (l), 3 (E), 376–77

Image Source / SuperStock: 3 (C)

ImageState / Alamy: 304, 311 (D), 461

ImageVault: 251 (E)

Ingram Publishing / Alamy: 394 (r), 440 (b), 469

Instituto de Turismo Costarricense, San José: 249 (map), 249 (travel guide)

iStockphoto: 20, 179 (A), 252 (C), 395 (2,6), 455

Janine Wiedel Photolibrary / Alamy: 428 (D)

JG Photography / Alamy: 307

Jones, Spencer / PictureArts / CORBIS: x (r), 327 (l)

Kaehler, Wolfgang: 253 (r), 301 (l), 331 (l)

Kaufman, Ronnie / CORBIS: v (b), 48–49, 57 (t)

Khan, Aman / iStockphoto: 390 (A)

Klumpp, Lisa / iStockphoto: 15

Kraft, Wolf: 204 (B), 302 (b)

Krist, Bob / CORBIS: vii (br), 165 (t), 189 (r)

Kristensen, Heidi / iStockphoto: 4 (b)

Kurtz, Ann Marie / iStockphoto: 6

Laan, Niels / iStockphoto: 395 (1)

Lane, Dennis / Index Stock Imagery: 320 (b)
Lang, Thom / CORBIS: 309 (r)
Lefkowitz, Lester / CORBIS: 457
Lehman, Danny / CORBIS: 195 (D), 245 (t)
Lewine, Rob / CORBIS: 72 (b)
Lexington Herald Leader / CORBIS Sygma: 131 (D)
Locke, Sean / iStockphoto: 180 (b)
Look GMBH / eStock Photo: 256
Lugo, Jason / iStockphoto: 390 (C)
Luxner, Larry / Luxner News Inc.: 203 (D), 213 (B), 283 (cl)
LWA-Dann Tardif / CORBIS: 31 (#3)
Maass, Robert / CORBIS: 59 (C)
MacDonald, Dennis / PhotoEdit: 443 (F)
Manning, Lawrence / CORBIS: 137, 161 (l)
Mata, Hector / AFP Photo / CORBIS: 53 (t)
Mays, Buddy / CORBIS: 88, 271 (C)
Maze, Stephanie / CORBIS: 165 (b)
McCarthy, Tom & Dee Ann / CORBIS: xi (l)
McVay, Ryan / Getty Images: 71 (A), 81 (C)
Mitic, Slobo / iStockphoto: 82
Moore, C. / CORBIS: 239 (l)
Moos, Viviane / CORBIS: 73
Morsch, Roy / CORBIS: 314
Mullennix, Bryan / WireImageStock.com: 379 (C)
Muntada, Francesc / CORBIS: 138
Myers, Charity / iStockphoto: 167 (l)
NASA / CORBIS: 443 (C), 449 (space station)
Neubauer, John / PhotoEdit: 166 (t)
Newman, Michael / PhotoEdit: 71 (C), 103, 127, 160 (D), 375 (r), 449 (virtual reality), 459
Niiranen, Seppo / Alamy: 363 (t)
Norton, Jane / iStockphoto: 390 (B)
Nowitz, Richard T. / CORBIS: 181 (r)
Odile, Montserrat / CORBIS Sygma: 350 (t)
Opitz, Eugenio / Corpoimagen / Alamy: iv (t), 40
Owaki-Kulla / CORBIS: 131 (C)
Palmer, Gabe / CORBIS: 132 (C), 144, 147 (r)
Pedersen, Carl / Alamy: 229 (l)
Pelaez, José Luis / CORBIS: 51 (F), 148 (l)
Purmensky, Martin / iStockphoto: 266
Peterson, Chip and Rosa María de la Cueva: 56
Peterson, Lisa / Chip and Rosa María Peterson: 41
Photick / Index Stock Imagery: 311 (C)
PhotoAlto / eStock Photo: 427
Photodisc: 121 (C), 157 (laptop, cellular phone), 221 (C), 222 (F), 375 (l)
Photodisc / Creatas: ix (t), 81 (F), 249 (passport), 251 (D)
Photodisc / Getty Images: 25 (E), 60 (B), 179 (D)
Pidgeon, Anthony / Lonely Planet Images: 313 (c)
Pollack, David / CORBIS: 65 (t)
Prince, Michael / CORBIS: 75 (#3)
Purcell, Carl & Ann / CORBIS: ix (bl), 17 (r), 347
Ragazzini, Enzo & Paolo / CORBIS: 17 (l)
Rangel, Francisco: iv (b), viii (r), 3 (A), 55, 106 (b), 124 (b), 129, 157 (T-shirt), 164, 203 (B), 206 (t), 208 (b), 237 (t), 351 (r), 362, 363 (b), 385, 387
Raymer, David / CORBIS: 324
Ressmeyer, Roger / CORBIS: 448

Reuters NewMedia Inc. / CORBIS: 121 (D, F), 291 (tl)
Rhinofilm / Alamy: 75 (#1)
Richter, Franziska / iStockphoto: 251 (F)
Riddell, Emily / Photo Network Stock: 253 (l)
Roberts, H. Armstrong / CORBIS: 117 (b)
Rohde, Amanda / iStockphoto: 155
Rogers, Martin / CORBIS: 269 (l)
Rubberball / Alamy: 389 (C, E)
Rubberball / Getty Images: cover (female sitting)
Sanger, David: 308 (b)
Sauder, Barbara / iStockphoto: 7
Savage, Chuck / CORBIS: 52 (b), 59 (D)
Schafer, Kevin / CORBIS: 269 (r), 273 (r), 414
Schulz, Sören: 302, 379 (D)
Secretary of Tourism, Nequen Province, Argentina: 271 (A)
Seheult, Paul; Eye Ubiquitous / CORBIS: 37
Shelley, George / CORBIS: 71 (F)
Shepard, Kate / iStockphoto: 393 (t)
Sheridan, Lucas: 53 (b)
SIME s.a.s / eStock Photo: 133, 339 (t)
Simon, Robert / iStockphoto: 263 (F)
Simonis, Damien / Lonely Planet Images: 109 (b), 145 (bl)
Simson, David: xv (cl, b), 12, 51 (C, E), 59 (A), 81 (E), 101, 157 (watch, CD player, boots), 206 (b), 208 (t), 213 (D, E), 226, 229 (r), 235, 240 (l), 246, 248, 249 (suitcase), 277 (l), 311 (A, F), 355, 359, 367 (l)
Siverina, Natalia / iStockphoto: 179 (C)
Slobodkin, Alex / iStockphoto: 254
Starobinskaya, Diana / iStockphoto: 117 (t)
Stephenson, Mark L. / CORBIS: 167 (r)
Stern, Angelika / iStockphoto: 179 (B)
Stitzer, Barbara / PhotoEdit: 65 (b), 119
Stockbyte: 81 (D), 128, 428 (E), 439
Stockbyte / Creatas: 407 (D)
Stocktrek / CORBIS: xiii (r), 445 (b)
Stoffberg, Werner / iStockphoto: 102 (2)
Strathdee, Stephan / iStockphoto: 182
Strewe, Oliver / Lonely Planet Images: vi (r), 114
SuperStock: 265 (t)
Tapp, Nick / Lonely Planet Images: 223 (r)
The Image Bank / Getty Images: 228
ThinkStock / SuperStock: 59 (F),
ThinkStock / Index Stock Imagery: 76
Tom Stewart Photography / CORBIS: 25 (B), 31 (#5)
Tomaselli, John / iStockphoto: 395 (5)
Twitty, Frances / iStockphoto: 400 (b)
van der Wal, Onne / CORBIS: 223 (l)
Vanni, Gian Berto / CORBIS: 291 (c)
Vargas Bonilla, Alejandro: 171 (b)
Vera Córdova, Andrés: 326
Villaflor, Francisco / CORBIS: 187
Walker, Nancy Catherine / iStockphoto: 105
Wheeler, Nik / CORBIS: 361 (r)
Widstrand, Staffan / CORBIS: 215 (b)
Willett, A. T. / Alamy: 126 (t)
Wilson, Doug / CORBIS: 213 (A)
Young-Wolff, David / PhotoEdit: 31 (#1), 131 (A)